Y GEIRIADUR CRYNO

THE CONCISE WELSH DICTIONARY

EDITOR :

Edwin C. Lewis, M.Ed., Ph.D.

Gwasg Dinefwr Press

First Impression 2001

Published by
Gwasg Dinefwr Press Ltd.,
Rawlings Road, Llandybïe,
Carmarthenshire, SA18 3YD

ISBN 0 9538554 5 7

Printed in Wales by
Gwasg Dinefwr Press Ltd.,
Rawlings Road, Llandybïe, Carmarthenshire SA18 3YD

CONTENTS

RHAGAIR

Lluniwyd y gyfrol newydd, hon o'r – *Y Geiriadur Cryno* – ar gyfer ei ddefnyddio bob dydd mewn ysgol, cartref a swyddfa.

Cynhwysir yn y geiriadur, eirfa fodern eang, diffiniadau, enghreifftiau o ffurfiau treigledig enwau, berfau ac ansoddeiriau, ynghyd ag enwau lleoedd ac idiomau.

Am driniaeth lawnach o'r testun, gweler:

Y Geiriadur Mawr, Gwasg Dinefwr Press & Gwasg Gomer.
Y Geiriadur Cyfoes, Gwasg Dinefwr Press.
Geiriadur Prifysgol Cymru, Gwasg Prifysgol Cymru.
Geiriadur yr Academi, Gwasg Prifysgol Cymru.

FOREWORD

This new volume – *The Concise Welsh Dictionary* has been designed for everyday use in school, home and office.

The dictionary contains an extensive, modern vocabulary, examples of mutated forms of Welsh nouns, verbs and adjectives, together with plural nouns, place names and Welsh idioms.

For a fuller treatment of the subject, see:

Y Geiriadur Mawr, Gwasg Dinefwr Press & Gomer Press.
The Modern Welsh Dictionary, Gwasg Dinefwr Press.
Geiriadur Prifysgol Cymru, University of Wales Press.
The Welsh Academy English-Welsh Dictionary, University of Wales Press.

GEIRIADUR

Cymraeg – Saesneg

*   *   *

DICTIONARY

Welsh – English

Byrfoddau – Abbreviations

a.	. . ansoddair	. . adjective.
adf.	. . adferf	. . adverb.
ardd.	. . arddodiad	. . preposition.
b.	. . benywaidd	. . feminine.
bach.	. . bachigyn	. . diminutive.
be.	. . berfenw	. . verb-noun.
bf.	. . berf	. . verb.
cys.	. . cysylltair	. . conjunction.
eb.	. . enw benywaidd	. . feminine noun.
ebg.	. . enw benywaidd/gwrywaidd	. . feminine/masculine
ebych.	. . ebychiad	. . interjection.
e.e.	. . er enghraifft	. . for example.
eg.	. . enw gwrywaidd	. . masculine noun.
egb.	. . enw gwrywaidd/benywaidd	. . masculine/feminine
e.ll.	. . enw lluosog	. . plural noun.
e. torfol.	. . enw torfol	. . collective noun.
g.	. . gwrywaidd	. . masculine.
geir.	. . geiryn	. . particle.
gof.	. . gofynnol	. . interrogative.
Gram.	. . Gramadeg	. . Grammar
gw.	. . gweler	. . see.
ll.	. . lluosog	. . plural.
neg.	. . negyddol	. . negative
rhag.	. . rhagenw	. . pronoun.
rhagdd.	. . rhagddodiad	. . prefix.
taf.	. . tafodieithol	. . colloquial.
un.	. . unigol	. . singular.

A, Y llythyren gyntaf yn yr wyddor Gymraeg. A (THE FIRST LETTER OF THE WELSH ALPHABET).

A! *ebych.* AH!

a, Rhagenw perthynol yn y cyflwr enwol a gwrthrychol. *e.e.* Y dyn a ddaeth. Y dyn a welais. WHO[M], WHICH.

a, Geiryn gofynnol o flaen berf. *e.e.* A ddaeth y dyn? (INTERROGATIVE PARTICLE BEFORE A VERB).

a : ac, *cys.* **a** o flaen cytsain ; **ac** (sain *ag*) o flaen llafariad. AND. *e.e.* Bara a chaws. Aur ac arian.

â : ag, *ardd.* **â** o flaen cytsain ; **ag** o flaen llafariad. WITH, BY MEANS OF. *e.e.* Lladdai'r gwair â phladur. Torrodd ei fys ag erfyn miniog.

â : ag, *cys,* Ar ôl gradd gyfartal ansoddair. AS *e.e.* Mae'r wybren mor goch â thân. Rhedai adref cyn gynted ag ysgyfarnog.

â, *bf.* 3ydd person unigol presennol mynegol **mynd.** HE, SHE, IT GOES.

ab : ap, *eg.* Yn fab i (mewn enwau). **ab** o flaen llafariad ; **ap** o flaen cytsain. SON OF. *e.e.* Dafydd ab Edmwnd ; Dafydd ap Gwilym.

abad, *eg. ll.*-au, (*b.*-es). Pennaeth ar fynachlog. ABBOT.

abadaeth, *eb. ll.*-au. Adeilad neu dir dan awdurdod abad, swydd abad. ABBACY, ABBOTSHIP.

abades, *eb. ll.*-au. Penaethes ar abaty neu leiandy. ABBESS. *gw.* **abad.**

abatir, *eg. ll.*-oedd. Tir yn perthyn i abad neu abadaeth. ABBEY-LAND.

abaty, *eg. ll.* abatai. Mynachlog ag abad yn ben arni. ABBEY.

aber, *egb, ll*-oedd. I. Genau afon (lle y rhed i'r môr neu i afon fwy). ESTUARY, CONFLUENCE. 2. Ffrwd. STREAM.

Aberdâr, *eb.* Tref. ABERDARE.

Aberdaugleddau : Aberdaugleddyf, *eb.* Porthladd. MILFORD HAVEN.

abergofiant, *eg.* Anghofrwydd. FORGETFULNESS.

Abergwaun, *eb.* Porthladd. FISHGUARD.

Aberhonddu, *eb.* Tref. BRECON.

Abermo, Bermo, *eb.* Tref. BARMOUTH.

Abertawe, *eb.* Dinas, Sir a phorthladd yn Ne Cymru. SWANSEA.

Aberteifi, *eb.* Tref a phorthladd. CARDIGAN.

aberth, *egb. ll*-au, ebyrth. Offrwm, rhodd gostus. SACRIFICE.

aberthged, *eb. ll*-au. I. Rhodd a gyflwynir fel aberth. OBLATION. 2. Ysgub o ŷd a blodau'r maes yn seremoni'r Orsedd. OFFERING OF FLOWERS AND FRUITS OF THE EARTH IN GORSEDD CEREMONY.

aberthu, *be.* Offrymu, ymwadu, cyflwyno. TO SACRIFICE.

abiec, *egb.* Yr wyddor. ALPHABET.

abl, *a.* I. Cryf, nerthol, galluog, medrus. STRONG, ABLE. 2. Cyfoethog, cefnog. RICH. 3. Digon, digonol. SUFFICIENT.

abladol, *eg. & a. (Gram.)* Cyflwr yn Lladin, &c., yn perthyn i'r cyflwr hwnnw (*Gram.*) ABLATIVE.

absen, *egb. ll.*-nau. Gair drwg am berson yn ei gefn ; anair, drygair, enllib, athrod ; absenoldeb. SLANDER ; ABSENCE.

absennol, *a.* Heb fod yn bresennol. ABSENT.

absennu, *be.* I. Enllibio, athrodi. TO SLANDER. 2. Bod yn absennol. TO BE ABSENT.

absenoldeb, *eg.* Bod i ffwrdd. ABSENCE.

abwyd : abwydyn, *eg. ll.* abwydod. I. Llith i ddal anifeiliaid neu bysgod. BAIT. 2. Mwydyn, pryf genwair. EARTHWORM. Abwydyn y cefn. SPINAL CORD.

ac, *cys. gw.* **a : ac.**

academaidd, *a.* Ysgolheigaidd, scholarly. ACADEMIC.

academi, *eg. ll.* academïau. Athrofa, sefydliad addysgiadol. EDUCATIONAL INSTITUTION, COLLEGE, ACADEMY.

acen, *eb. ll.*-nau, -ion. I. Dull o siarad neu oslef nodweddiadol. PECULIAR INTONATION. 2. Pwyslais ar sillaf mewn gair neu ymadrodd. ACCENT.

aceniad, *eg. ll.*-au. Pwyslais ; dull o siarad neu oslef nodweddiadol. ACCENTUATION, STRESS, ACCENT.

acennu, *be.* Pwysleisio sillaf. TO ACCENTUATE, TO STRESS.

acer, *eb. ll.*-i. Mesur o dir ; erw, cyfair, cyfer. ACRE.

act. *eb. ll.*-au. I. Gweithred. ACT. 2. Prif raniad mewn drama. ACT. 3. Gorchymyn neu ystatud lywodraethol. DECREE, STATUTE.

actio, *be.* I. Gweithredu. TO ACT. 2. Chwarae rhan mewn drama, &c. ; perfformio, dynwared. TO ACT.

actol, *a.* Yn perthyn i actio. PERFORMABLE. Cân actol. ACTION SONG.

actor : actwr, *eg. ll.* actorion, actwyr. Chwaraewr mewn drama, perfformwr. ACTOR, PERFORMER.

actores, *eb. ll.*-au. Merch neu wraig sy'n chwarae mewn drama. ACTRESS.

acw, *adf.* Yna, draw. THERE, YONDER. Yma ac acw. HERE AND THERE.

ach, *eb. ll*-au, -oedd, Llinach, tras, perthynas, hil, cofrestr hynafiaid. LINEAGE, PEDIGREE.

ach, *ebych.* Ych! ; mynegi atgasedd. UGH!

achles, *egb. ll.*-au. I. Cysgod, nodded, lloches. REFUGE. 2. Tail, gwrtaith. MANURE.

achlesu, *be.* I. Cysgodi, noddi, amddiffyn. TO SHELTER, TO PROTECT. 2. Gwrteithio. TO MANURE.

achlod, *eb.* Cywilydd, gwarth, amarch, sarhad, sen. SHAME.
Yr achlod iddo! SHAME ON HIM!
achlysur, *eg. ll.*-on. I. Adeg, amser. OCCASION.
2. Achos, rheswm. CAUSE, REASON.
3. Mantais, cyfle. ADVANTAGE, OPPORTUNITY.
achlysurol, *a.* Ar brydiau, weithiau. OCCASIONAL, INCIDENTAL.
achos, *eg. ll.*-ion. I. Achlysur, rheswm ; mater o ymholiad neu o brawf cyfreithiol. CAUSE ; CASE, PROCEEDINGS.
2. *cys.* Oblegid, oherwydd. BECAUSE, FOR.
Achos da. GOOD OR WORTHY CAUSE.
Achos gofal. CARE PROCEEDINGS.
Achos llys preifat. PRIVATE LAW CASE.
Achos neu gapel Ymneilltuol. NONCONFORMiST CAUSE OR CHAPEL.
Achos penodedig. SPECIFIED PROCEEDINGS.
Achos rhesymol. REASONABLE CAUSE.
Achos sifil. CIVIL PROCEEDINGS.
Achos teuluol. DOMESTIC PROCEEDINGS.
achosi, *be.* Peri, achlysuro. TO CAUSE.
achres, *eb. ll.*-i, -au. Ach-restr, llinach. GENEALOGICAL TABLE.
achub, *be.* Gwaredu, arbed, cadw. TO SAVE.
Achub y cyfle. TO SEIZE THE OPPORTUNITY.
achubiaeth, *eb. ll.*-au. Gwaredigaeth, iachawdwriaeth. DELIVERANCE, SALVATION.
Achub y blaen. TO FORESTALL.
Achub y ffordd. TO TAKE A SHORT CUT.
achubol, *a.* Yn achub, yn arbed. SAVING.
achubwr, *eg. ll.* achubwyr. Gwaredwr, achubydd. SAVIOUR.
achwyn, *be.* I. (gyda'r *ardd.* **am, ar, i, rhag, yn erbyn**). Cwyno, beio, grwgnach, cyhuddo. TO COMPLAIN.
2. *eg. ll.*-ion. Cwyn, cyhuddiad. COMPLAINT.
achwyniad, *eg. ll*-au. Cwyn, cyhuddiad. COMPLAINT, ACCUSATION.
achwynwr, *eg. ll.* achwynwyr. Cwynwr, grwgnachwr, cyhuddwr, achwynydd. GRUMBLER, COMPLAINER, COMPLAINANT, PLAINTIFF.
achydd, *eg. ll.*-ion. Olrheiniwr achau. GENEALOGIST.
achyddiaeth, *eb.* Olrheiniad achau. GENEALOGY.
achyddol, *a.* Yn ymwneud ag achyddiaeth. GENEALOGICAL.
adail, *eb. ll.*-iau, -ion. Adeilad, adeiladwaith. BUILDING, EDIFICE, STRUCTURE.
ad-, *rhagdd.* I. Tra. VERY. *e.e.* Atgas.
2. Ail. SECOND. *e.e.* Adladd.
3. Drwg. BAD. *e.e.* Adflas.
4. Trachefn. RE-, AGAIN, A SECOND TIME. *e.e.* Adleisio.
adain, *eb ll.* adanedd. **aden,** *eb. ll*-ydd.
I. Aelod ehedeg aderyn neu bryf ; asgell. WING OF A BIRD, &c.
2. Pluen, cwilsyn. PLUME, QUILL.

adara, *be.* Hela, dal neu faglu adar. TO FOWL, TO CATCH BIRDS.
adardy, *eg. ll.* adardai. Adeilad caeëdig i gadw adar byw. AVIARY.
adareg, *eb.* Astudiaeth adar ; adaryddiaeth. ORNITHOLOGY.
adargi, *eg. ll.* adargwn. Ci hela adar. RETRIEVER, SETTER, SPANIEL.
adargraffiad, *eg. ll.*-au. Ailargraffiad. REPRINT.
adarwr, *eg. ll.* adarwyr. Un sy'n hela adar ; heliwr adar. FOWLER.
adarydd, *eg. ll.*-ion. Astudiwr adar. ORNITHOLOGIST.
adaryddiaeth, *eb.* Astudiaeth adar. ORNITHOLOGY.
adborth, *eg. ll.*-ion. Gwybodaeth wedi'i dychwelyd yn syth ynglŷn ag ymateb i weithred neu air. FEEDBACK.
ad-daliad, *eg. ll.*-au. Yr hyn a delir yn ôl. REPAYMENT.
ad-dalu, *be.* Talu'n ôl, digolledi. TO REFUND, TO REIMBURSE.
ad-drefnu, *be.* Ail-lunio. TO REARRANGE.
adeg, *eb. ll.*-au. I. Cyfle, achlysur. OPPORTUNITY.
2. Amser, tymor. SEASON.
3. Gwendid (y lleuad). WANE (OF THE MOON).
Ar adegau. AT TIMES.
adeilad, *egb. ll.*-au. Lle wedi ei godi gan saer, &c. BUILDING.
adeiladaeth, *eb. ll.*-au. I. Saernïaeth. CONSTRUCTION.
2. Pensaernïaeth. ARCHITECTURE.
3. Cynnydd moesol, &c. EDIFICATION.
adeiladol, *a.* Llesol, addysgiadol, hyfforddiadol. EDIFYING, CONSTRUCTIVE.
adeiladu, *be.* Codi, seilio ar, saernïo, llunio. TO BUILD, TO CONSTRUCT.
adeiladwr, *eg. ll.* adeiladwyr. **adeiladydd,** *eg. ll.* -ion. Un sy'n adeiladu. BUILDER.
adeiledig, *a.* Wedi ei godi neu ei saernïo. BUILT, CONSTRUCTED.
adeiniog, *a.* Asgellog. WINGED.
aden, *eb. ll.*-ydd. Adain, asgell. WING.
adenedigaeth, *eb.* Ailenedigaeth. REBIRTH, REGENERATION.
adennill, *be.* Adfeddiannu. TO REGAIN, TO RECOVER.
Adennill costau. TO RECOVER COSTS.
aderyn, *eg. ll.* adar. I. Edn, ehediad ; anifail â phluf arno. BIRD.
2. Person direidus. LAD.
Adar yr eira. STARLINGS.
Adar ysglyfaethus. BIRDS OF PREY.
adfail, *egb. ll.* adfeilion. Gweddillion adeilad ; murddun. RUIN.
adfeddiannu, *be.* Ailfeddiannu, adennill. TO REPOSSESS, TO REGAIN.
adfeiliad, *eg. ll.*-au, adfeiliaid. Dirywiad. DECAY, RUIN.
adfeiliedig, *a.* Drylliedig. DECAYED, IN RUINS.
adfeilio, *be.* I. Cwympo, dirywio. TO FALL.
2. Syrthio a malurio ; darfod. TO BECOME A RUIN.

Adfent, *eg.* Tymor eglwysig, sef y pedwar Sul cyn y Nadolig. ADVENT.

adfer, *be.* 1. Rhoi'n ôl, cael yn ôl, edfryd, ad-dalu, dychwelyd, adferu. TO RETURN.
2. Dwyn yn ôl i iechyd, &c. TO RESTORE TO HEALTH, &C.

adferf, *eb. ll*-au. Rhan ymadrodd yn dynodi sut, pryd, lle, pam, &c. ADVERB.

adferfol, *a.* Yn perthyn i adferf. ADVERBIAL.

adferiad, *eg. ll.*-au. Dychweliad, iachâd. RESTORATION, RECOVERY.

adferol, *a.* Adnewyddol. RESTORATIVE, REMEDIAL.

adferwr, *eg. ll.* adferwyr. Un sy'n adfer. RESTORER.

adfilwr, *eg. ll.* adfilwyr. Milwr newydd ymuno â'r fyddin. RECRUIT.

adflas, *eg. ll.* Blas cas. AFTER-TASTE, BAD TASTE.

adfyd, *eg.* Gofid, helbul, trallod, caledi, cyfyngder. ADVERSITY, AFFLICTION.

adfydus, *a.* Gofidus, truenus, caled, helbulus. WRETCHED, MISERABLE.

adfyw, *a.* Hanner marw, lledfyw. HALF ALIVE, HALF DEAD.

adfywiad, *eg. ll.*-au. Adnewyddiad, adferiad, dadebriad. REVIVAL.

adfywio, *be.* Dodi bywyd newydd mewn peth ; adnewyddu, adfer. TO REVIVE.

adfywiol, *a.* Yn adfywio. REFRESHING.

adio, *be.* Ychwanegu rhifau at ei gilydd. TO ADD.

adiolyn, *eg. ll.* adiolion. Yr hyn a ychwanegir at fwyd, &c., i wella'r ansawdd. ADDITIVE.

adladd : adledd : adlodd, *eg.* Ail gnwd o wair yr un haf ; tyfiant ar ôl torri gwair. AFTERMATH, AFTERGRASS.

adlais, *eg. ll.* adleisiau. Sain atsain, adlef. ECHO. Carreg adlais : carreg ateb. ECHO STONE.

adlam, *eg. ll*-au. Llam yn ôl. REBOUND. Cic adlam. DROPKICK.

adleisio, *be.* Atseinio, ailadrodd, dadseinio. TO ECHO, TO RESOUND.

adlef, *eb. ll.*-au. Atsain. ECHO.

adleoli, *be.* Symud i faes newydd neu i ardal newydd i fyw. TO RELOCATE.

adlewyrch, *eg. ll.*-ion. **adlewyrchiad,** *eg. ll.* -au. Tafliad goleuni a phelydrau yn ôl. REFLECTION.

adlewyrchu, *be.* Taflu goleuni a phelydrau'n ôl. TO REFLECT.

adlewyrchydd, *eg. ll.*-ion. Drych o wydr, o blastig, neu o fetel i adlewyrchu goleuni. REFLECTOR.

adlog, *eg. ll.*-au. Llog cyfansawdd. COMPOUND INTEREST.

adloniadol, *a.* Yn adfywio neu'n peri difyrrwch ; difyrrus. ENTERTAINING.

adloniant, *eg. ll.* adloniannau. Adfywiad, difyrrwch, difyrion. ENTERTAINMENT.

adlonni, *be.* Difyrru, adfywio. TO ENTERTAIN, TO REVIVE.

adlunio, *be.* Llunio o'r newydd, diwygio. REMODEL, RECONSTRUCT.

adnabod, *be.* Gwybod pwy yw pwy neu beth yw beth ; bod yn gyfarwydd â rhywun neu rywbeth ; gallu gwahaniaethu. TO RECOGNIZE, TO BE ACQUAINTED WITH.

adnabyddiaeth, *eb.* Gwybodaeth am berson neu am beth ; cynefindra. KNOWLEDGE OF PERSON OR THING.

adnabyddus, *a.* Hysbys, gwybyddus, cynefin â. FAMILIAR, WELL-KNOWN.

adnau, *eg. ll.* adneuon. Yr hyn a ymddiriedir i ofal rhywun neu a osodir mewn lle diogel ; gwystl. DEPOSIT ; PLEDGE.

adneuo, *be.* Rhoi i'w gadw (am arian mewn banc). TO DEPOSIT.

adnewyddiad, *eg. ll.*-au. Gwneuthur yn newydd neu fel newydd, adfywiaeth, adferiad. RENEWAL, RESTORATION.

adnewyddu, *be.* Gwneud o'r newydd, adffurfio, adfer, atgyweirio, ailadeiladu. TO RENEW.

adnod, *eb. ll*-au. Rhan o bennod o'r Beibl. VERSE (FROM BIBLE).

adnoddau, *e.ll.* Cyflenwad wrth gefn. RESOURCES. Adnoddau ariannol. FINANCIAL RESOURCES. Adnoddau cymunedol. COMMUNITY RESOURCES. Adnoddau digonol. SUFFICIENT RESOURCES. Adnoddau ysbrydol. SPIRITUAL RESOURCES.

adolygiad, *eg, ll*-au. Beirniadaeth ar lyfr neu waith llenyddol. REVIEW.

adolygu, *be.* Bwrw golwg dros ; beirniadu llenyddiaeth, &c. TO REVIEW, TO REVISE.

adolygydd, *eg. ll.* adolygwyr. Beirniad (gwaith llenyddol, &c.). LITERARY REVIEWER.

adolygwr, *eg. ll.* adolygwyr. **adolygydd,** *eg. ll.* -ion. Beirniad (gwaith llenyddol, &c.). LITERARY REVIEWER.

adran, *eb, ll.*-nau. 1. Dosbarth, israniad. SECTION.
2. Cangen (mewn ysgol neu goleg). DEPARTMENT.

adref, *adf.* I gyfeiriad cartref, tuag adref, tua thref. HOMEWARDS.

adrodd, *be.* 1. Traethu, mynegi, cofnodi, crybwyll, rhoi cyfrif. TO RELATE.
2. Datgan neu ddweud o flaen cynulleidfa, llefaru. TO RECITE.

adroddiad, *eg. ll*-au. Hanes, cofnodiad, datganiad, mynegiad, dywediad, crybwylliad. ACCOUNT, REPORT, RECITATION.

adroddwr, *eg. ll.* adroddwyr. Un sy'n llefaru ar goedd, neu'n adrodd, neu'n cofnodi newyddion i'r wasg. RECITER, NARRATOR.

aduniad, *eg. ll.*-au. Ailuniad. REUNION.

aduno, *be.* Ailuno, cysylltu. TO REUNITE.

adwaen, *bf.* Person cyntaf unigol presennol mynegol **adnabod.** I KNOW, I RECOGNIZE.

adwaith, *eg. ll.* adweithiau. Ymateb. REACTION.

adweithio, *be.* Effeithio, gweithredu'n ôl ar y gweithredydd. TO REACT.

adweithiol, *a.* Pleidiol i'r hen drefn. REACTIONARY.

adweithiwr, *eg. ll.* adweithwyr. Pleidiwr yr hen drefn. REACTIONARY.

adweithydd, *eg. ll.*-ion. Casgliad o ddefnyddiau lle y rheolir adwaith niwclear. REACTOR.
Adweithydd niwclear. NUCLEAR REACTOR.

adwy, *eb. ll*-au, -on. Bwlch. GAP.
Neidio i'r adwy. TO STEP INTO THE BREACH.

adwyth, *eg. ll.*-au. Drwg, anffawd. EVIL, MISFORTUNE.

adwythig, *a.* Drwg niweidiol, anffodus. EVIL, HARMFUL, BANEFUL.

adyn, *eg. ll.*-od. Truan, dyn drwg, dihiryn, cnaf, cenau. WRETCH, SCOUNDREL.

addas, *a.* Iawn, cymwys, priodol, teilwng, haeddiannol. FITTING, SUITABLE.

addasiad, *eg. ll*-au. Cyfaddasiad, cymhwysiad. ADAPTATION, ADJUSTMENT.

addasrwydd, *eg.* Cymhwyster, priodoldeb, teilyngdod, gweddusrwydd. SUITABILITY.

addasu, *be.* Cymhwyso, cyfaddasu, paratoi, ffitio. TO ADAPT.

addawol, *a.* Gobeithiol, gobeithlon, ffafriol. PROMISING.

addef, *be.* Cyfaddef, cyffesu, cydnabod. TO CONFESS.

addefiad, *eg. ll.*-au. Y weithred o gyfaddef. ADMISSION, CONFESSION.

addewid, *egb. ll.*-ion. Ymrwymiad, adduned. PROMISE.

addfwyn, *a.* Mwyn, llariaidd, tyner, tirion, boneddigaidd. GENTLE, MEEK.

addfwynder, *eg.* Mwynder, llarieidd-dra, tynerwch, tiriondeb. MEEKNESS.

addo, *be.* Rhoi addewid, addunedu, ymrwymo. TO PROMISE.

addoldy, *eg. ll.* addoldai. Lle i addoli, capel, eglwys. PLACE OF WORSHIP.

addolgar, *a.* Yn ymroi i addoli ; defosiynol. DEVOUT.

addoli, *be.* Anrhydeddu, parchu, plygu gerbron, ymgrymu. TO WORSHIP.

addoliad, *eg. ll.*-au. 1. Y weithred o addoli neu fawrhau. WORSHIP.
2. Gwasanaeth crefyddol. RELIGIOUS SERVICE.

addolwr, *eg. ll.* addolwyr. Un sy'n addoli. WORSHIPPER.

adduned, *eb. ll*-au. Addewid, llw, ymrwymiad. VOW.

addunedu, *be.* Addo, gwneud llw, ymrwymo. TO VOW.

addurn, *eg. ll.*-au. **addurniad**, *eg. ll.*-au. Peth i harddu, harddwch, tegwch, trwsiad. ADORNMENT, ORNAMENT.

addurnedig, *a.* Wedi ei harddu. DECORATED.

addurniad, *eg. ll.*-au. Harddiad. ORNAMENTATION.

addurno, *be.* Harddu, tecáu, urddasu, trwsio. TO ADORN, DECORATE.

addurnwr, *eg. ll.*-addurnwyr. Un yn addurno neu'n darlunio. DECORATOR, ILLUSTRATOR.

addysg, *eb.* Dysg, dysgeidiaeth, gwybodaeth, hyfforddiant, cyfarwyddyd. EDUCATION.

addysgiadol, *a.* Addysgol, hyfforddiadol. EDUCATIONAL, INSTRUCTIVE.

addysgu, *be.* Dysgu, hyfforddi, cyfarwyddo. TO TEACH.

aeddfed : addfed, *a.* 1. Parod i'w fedi, &c. RIPE.
2. Wedi crynhoi pen (am ddolur). GATHERED.
3. Yn ei lawn dwf. FULLY GROWN.

aeddfedrwydd, *eg.* Llawn dwf, llawn oed. RIPENESS, MATURITY.

aeddfedu, *be.* Tyfu'n aeddfed. TO RIPEN, TO GATHER.

ael, *eb, ll*-iau. 1. Rhan isaf y talcen uwchben y llygaid. BROW.
Ael y bryn. THE BROW OF THE HILL.
2. Lle y cerddir mewn capel neu eglwys. AISLE.

ael, *eb. ll.*-oedd. Torllwyth o foch. LITTER OF PIGS.

aelod, *eg. ll.*-au. 1. Rhan o'r corff, megis coes neu fraich. LIMB.
2. Un yn perthyn i gymdeithas neu eglwys, &c. MEMBER.
Aelod seneddol. MEMBER OF PARLIAMENT.

aelodaeth, *eb.* Bod yn perthyn i gymdeithas neu i eglwys, &c. MEMBERSHIP.

aelwyd, *eb. ll.*-ydd. 1. Cartref, annedd. HOME.
2. Y rhan o ystafell ger y lle-tân. HEARTH, FIRESIDE.
Carreg yr aelwyd. HEARTHSTONE.

aer, *eg.ll.*-ion. Etifedd. HEIR.

aeres, *eb. ll.*-au. Etifeddes. HEIRESS.

aeron, *ell. (un.b.*-en). Ffrwythau, grawn. FRUITS, BERRIES.

aerwy, *eg. ll.*-on, -au. Cadwyn am wddf buwch i'w chlymu. COW-COLLAR.

aeth, *eg. ll.*-au. 1. Poen, tristwch. PAIN, GRIEF.
2. Ofn, dychryn, ias. FEAR, SHOCK.
bf. gw. Mynd. HE/SHE/IT WENT.

aethnen, *e.b. ll.*-ni Math o boplysen. ASPEN, POPLAR.

aethus, *a.* Poenus, ofnadwy, arswydus, gofidus, trallodus, echrydus. GRIEVOUS.

afal, *egb. ll.*-au. 1. Ffrwyth yr afallen. APPLE.
2. Ffrwyth ar goed neu lysiau yn debyg i afalau. FRUIT RESEMBLLING APPLES.
Afalau surion. CRAB APPLES.
Afal breuant. ADAM'S APPLE.

afallen, *eb. ll.*-nau. Pren afalau. APPLE-TREE.

afan, *ell. (un.b.*-en). Mafon, ffrwyth bach coch meddal. RASPBERRIES.

afanc, *eg. ll.*-od. Anifail blewog yn byw yn y dŵr ac ar y tir ; llostlydan. BEAVER.

afiach, *a.* Claf, anhwylus, sâl, tost, aflan, budr, brwnt, ffiaidd. UNHEALTHY, SICK.

afiaith, *eg.* Hwyl, llawenydd, sbri. MIRTH, ZEST.

afiechyd, *eg. ll.*-on. Gwaeledd, salwch, clefyd, ansawdd afiachus, aflendid. ILLNESS, DISEASE.

aflafar, *a.* Cras, garw, cas. HARSH, UNMELODIOUS.

aflan, *a.* Budr, brwnt, amhur, afiach, ffiaidd. UNCLEAN, POLLUTED.

aflednais, *a.* Anfwyn, cwrs. IMMODEST, UNGENTLE, COARSE.

aflendid, *eg.* Bryntni, budredd, amhurdeb, baw, tom. FILTH.

aflêr, *a.* Anniben, anhrefnus, di-drefn. UNTIDY.

afles, *eg. ll.*-au. Niwed, drwg ; anfuddioldeb. HURT ; DISADVANTAGE.

aflesol, *a.* Anfuddiol. DISADVANTAGEOUS, UNPROFITABLE.

aflonydd, *a.* Anesmwyth, diorffwys, afreolus, ofnus, terfysglyd, pryderus, cyffrous. RESTLESS, ANXIOUS.

aflonyddu, *be.* I. Cyffroi, blino TO DISTURB. 2. Anesmwytho, ymderfysgu. TO GROW RESTLESS.

aflonyddwch, *eg.* Anesmwythder, cythrwfwl. DISTURBANCE, UNREST.

aflonyddwr, *eg. ll.* aflonyddwyr. Cynhyrfwr, torrwr ar draws (gwaith, sgwrs, &c.). DISTURBER, INTERRUPTER.

afluniaidd, *a.* Di-lun, anferth, anghelfydd. DEFORMED, UNSHAPELY.

aflwydd, *eg. ll.*-ion. Anffawd, anlwc, trychineb, anap, anghaffael. MISFORTUNE.

aflwyddiannus, *a.* Anffodus, anlwcus, anffortunus, di-lwydd. UNSUCCESSFUL.

aflwyddo, *be.* Methu. TO FAIL.

afon, *eb. ll.*-ydd. Ffrwd gref o ddŵr. RIVER.

afonig, *eb.* Afon fechan, nant, ffrwd. BROOK.

Afon Menai, *eb.* Sianel fas, tua 12 milltir o hyd rhwng Môn ac arfordir gogledd Cymru. MENAI STRAITS.

afradlon, *a.* Gwastraffus, treulgar, ofer. WASTEFUL, PRODIGAL.

afradlonedd, *eg.* Oferedd, gwastraff. PRODIGALITY.

afradloni, *be.* Gwastraffu, gwario'n ofer, bradu. TO WASTE, TO SQUANDER.

afradu, *be.* Gwastraffu, bradu, afradloni, difetha. TO WASTE, TO SQUANDER.

afraid, *a.* Nad oes ei eisiau, dianghenraid. UNNECESSARY.

afreolaeth, *egb.* Anhrefn, afreoleidd-dra, aflywodraeth, dryswch, terfysg, cyffro. DISORDER, UNRULINESS.

afreolaidd, *a.* Heb fod yn rheolaidd, anhrefnus, anarferol. IRREGULAR.

afreolus, *a.* Na ellir ei reoli, aflywodraethus, terfysglyd. UNRULY.

afresymol, *a.* Croes i reswm, direswm, gwrthun. UNREASONABLE.

afresymoldeb, *eg.* Diffyg rheswm, gwrthuni. UNREASONABLENESS.

afrifed, *a.* Di-rif, aneirif, dirifedi, difesur. INNUMERABLE.

afrosgo, *a.* trwsgl, lletchwith, llibin, trwstan. CLUMSY, UNGAINLY.

afrwydd, *a.* I. Anodd, caled. DIFFICULT. 2. Trwsgl, afrosgo. CLUMSY.

afu, *egb.* Chwarren fwyaf y corff sy'n cynhyrchu bustl a phuro'r gwaed ; iau. LIVER. Afu glas. GIZZARD.

afwyn, *eb. ll.*-au. Llinyn, ffrwyn, awen. REIN.

affeithiad, *eg. ll.*-au. Effaith llafariad neu gytsain ar lafariad neu gytsain arall mewn gair. VOWEL OR CONSONANTAL AFFECTION.

affliw, *eg.* Mymryn, gronyn. SHRED, PARTICLE, TRACE.

Affrica, *eb.* Y cyfandir ail fwyaf o ran maint. AFRICA.

ag, *ardd. gw.* â : ag.

agen, *eb. ll.*-nau. Hollt, adwy, bwlch. CLEFT, SLOT, FISSURE.

agendor, *egb.* Bwlch, hollt, dyfnder. GAP, ABYSS.

ager, *eg.* Tawch dŵr berw, stêm, anwedd. VAPOUR, STEAM.

agerfad, *eg. ll.*-au. Bad a yrrir gan ager. STEAMER, STEAMBOAT.

ageriad, *eg. ll.*-au. Y broses o droi'n ager. EVAPORATION, VAPORISATION.

agerlong, *eb. ll.*-au. Llong a yrrir gan ager. STEAMER, STEAMSHIP.

agor : agoryd, *be.* Gwneud yn agored, torri, symud rhwystr, rhwyddhau'r ffordd. TO OPEN.

agorawd : eb. ll.-au. Rhagarweiniad offerynnol i opera, oratorio, &c. OVERTURE.

agored, *a.* Heb fod yn gaeëdig, wedi ei agor. OPEN. Awyr agored. OPEN AIR.

agorfa, *eb. ll.*-oedd, agorfeydd. Twll, bwlch, arllwysfa. OPENING, APERTURE.

agoriad, *eg. ll.*-au. I. Agorfa, cyfle, siawns. OPENING. 2. Allwedd. KEY. 3. Y weithred, o agor. ACT OF OPENING. Agoriad llygad. EYE OPENER.

agoriadol, *a.* Dechreuol. INAUGURAL.

agorwr : agorydd, *eg. ll.* agorwyr. Un sy'n agor. OPENER.

agos, *a.* I. (gyda'r *ardd.* **at, i**). Gerllaw, heb fod ymhell, cyfagos, ar gyfyl. NEAR (PLACE, TIME). 2. Annwyl, cu. DEAR, INTIMATE.

agos, *adf.* O fewn ychydig, bron â, o fewn dim. ALMOST.

agosatrwydd, *eg.* Hynawsedd. INTIMACY.

agosáu, *be.* Nesáu, dynesu, dod at, mynd at. TO APPROACH.

agosrwydd, *eg.* Y cyflwr o fod yn agos at neu'n gynefin â. NEARNESS.

agwedd, *egb. ll.*-au. Cyflwr neu osgo meddwl, ymarweddiad, arwedd. FORM, ATTITUDE, ASPECT.

angall, *a.* Ffôl, annoeth. UNWISE, FOOLISH.

angau, *eg. ll.* angheuoedd. Tranc, marwolaeth. DEATH.

angel, *eg. ll.* angylion, engyl. (*b.* angyles). Cennad ddwyfol. ANGEL. Angel gwarcheidiol. GUARDIAN ANGEL. Angel cynhorthwy. ATTENDANT ANGEL.

angen, *eg. ll.* anghenion. Eisiau, rhaid, diffyg. NEED.

angenrheidiol, *a.* Y mae'n rhaid wrtho, na ellir ei hepgor, hanfodol, rheidiol, o bwys. NECESSARY.

angenrheidrwydd, *eg.* Angen, rheidrwydd, peth hanfodol at gynhaliaeth. NECESSITY.

angerdd, *egb.* I. Nwyd, gwŷn, traserch, teimlad. PASSION. 2. Ffyrnigrwydd, cyffro. VIOLENCE. 3. Grym. FORCE.

angerddol, *a.* Ffyrnig, nwydus, tanbaid, eiddgar, selog, brwdfrydig. VIOLENT, INTENSE.

anghaffael, *egb*. Aflwydd, diffyg, rhwystr, anffawd. HINDRANCE, FAILURE.

anghallineb, *eg*. Annoethineb, ffolineb. FOLLY.

anghaniataol, *a*. Gwaharddedig. FORBIDDEN.

angharedig, *a*. Anghariadus, cas. UNKIND, UNCHARITABLE.

angharedigrwydd, *eg*. Diffyg, cariad. UNKINDNESS, UNCHARITABLENESS.

anghartrefol, *a*. Dieithr, estron ; heb fod yn gartrefol, anghysurus. STRANGE, FOREIGN ; NOT HOMELY.

anghelfydd, *a*. Anfedrus, trwsgwl. UNSKILFUL, CLUMSY.

anghenfil, *eg*. *ll*. angenfilod. Creadur anferth. MONSTER.

anghenraid, *eg*. *ll*. angenrheidiau. Rheidrwydd, rhaid, angen. NECESSITY.

anghenus, *a*. Tlawd, rheidus. NEEDY.

angheuol, *a*. Marwol, yn achosi angau. DEADLY, MORTAL.

anghlod, *eg*. Cywilydd, amarch, anfri. DISHONOUR.

anghofiadwy, *a*. Wedi mynd dros gof, na ellir ei gofio. FORGOTTEN.

anghofiedig, *a*. Wedi ei anghofio, wedi ei ollwng dros gof. FORGOTTEN.

anghofio, *be*. Gollwng dros gof. TO FORGET.

anghofrwydd, *eg*. Angof, ebargofiant. FORGETFULNESS.

anghofus, *a*. Bod yn dueddol i anghofio. FORGETFUL.

anghred, *eb*. Anghrediniaeth. UNBELIEF.

anghredadun, *eg*. *ll*. anghredinwyr. Anghredwr, pagan, anffyddiwr. UNBELIEVER, INFIDEL.

anghredadwy, *a*. 1. Na ellir ei gredu, di-gred. INCREDIBLE.
2. Di-gred. INFIDEL.

anghrediniaeth, *eb*. Anffyddiaeth, anghred. UNBELIEF.

anghrediniol, *a*. Anhygoel, amheuol. UNBELIEVING, INCREDULOUS.

anghrediniwr, *eg*. *ll*. anghredinwyr. Anffyddiwr, anghredadun, pagan. UNBELIEVER, INFIDEL.

anghredu, *be*. Peidio â chredu. TO DISBELIEVE.

anghrefydd, *eb*. Diffyg crefydd, annuwioldeb. IRRELIGION, UNGODLINESS.

anghrefyddol, *a*. Digrefydd, annuwiol. IRRELIGIOUS, UNGODLY.

anghrefyddoldeb, *eg*. Diffyg crefydd, annuwioldeb. IRRELIGION, UNGODLINESS.

anghrefyddwr, *eg*. *ll*. anghrefyddwyr. Dyn digrefydd, annuwiol. UNGODLY PERSON.

anghrist, *eg*. *ll*.-iau. Gwrthwynebwr Crist, gwrthgrist. ANTICHRIST.

anghristionogol : anghristnogol, *a*. Gwrthwyneb neu'n annhebyg i Gristnogol. UNCHRISTIAN, UNCHRISTIANLIKE.

anghwrtais, *a*. Anfoesgar, anfoneddigaidd. DISCOURTEOUS.

anghwrteisi, *eg*. Anfoesgarwch. DISCOURTESY.

anghydbwysedd, *eg*. Anghyfartaledd, anghysondeb. IMBALANCE, INCONSISTENCY.

anghydfod, *eg*. *ll*.-au. Anghytundeb, cweryl, cynnen, ffrae, anghydwelediad. DISAGREEMENT.

Anghydffurfiaeth, *eb*. Ymneilltuaeth. NON-CONFORMITY.

Anghydffurfiol, *a*. Ymneilltuol. NON-CONFORMIST.

Anghydffurfiwr, *eg*. *ll*. Anghydffurfwyr. Ymneilltuwr, person nad yw'n cydymffurfio â'r eglwys sefydledig neu wladol. NONCONFORMIST.

anghydnabyddus, *a*. Anghyfarwydd â, anghynefin â. UNFAMILIAR.

anghyfaddas, *a*. Heb fod yn gyfaddas, anaddas, anghymwys, amhriodol. UNSUITABLE.

anghyfanhedd-dra, *eg*. Diffeithwch. DESOLATION.

anghyfanheddle, *eg*. *ll*-oedd. Lle diffaith, di-bobl. DESOLATE.

anghyfanheddol, *a*. Diffaith. UNINHABITED, DESOLATE.

anghyfannedd, *a*. 1. Heb fod â thai neu anheddau. UNINHABITED.
2. Unig. LONELY.
3. Diffaith, anial. DESOLATE.

anghyfansoddiadol, *a*. Yn groes i'r cyfansoddiad, afreolaidd. UNCONSTITUTIONAL.

anghyfartal, *a*. Heb fod yn gyfartal neu'n gymesur, anghymesur. UNEQUAL.

anghyfartaledd, *eg*. Anghydraddoldeb, anghysondeb. DISPARITY.

anghyfarwydd, *a*. Anwybodus, anfedrus. UNFAMILIAR.

anghyfeillgar, *a*. Peidio â bod yn gyfeillgar. UNFRIENDLY.

anghyfiawn, *a*. Anuniawn, ar gam, anghyfreithlon, annheg. UNJUST, UNFAIR.

anghyfiawnder, *eg*. *ll*.-au. Cam, camwedd, anuniondeb, cyfeiliornad, camwri, niwed, trawsedd, annhegwch. INJUSTICE.

anghyflawn, *a*. Heb fod yn gyflawn, amherffaith, anorffenedig. INCOMPLETE.

anghyfleus, *a*. Heb fod yn gyfleus, anhwylus, anaddas. INCONVENIENT.

anghyfleuster, *eg*. *ll*.-au. **anghyfleustra**, *eg*. Anhwylustod. INCONVENIENCE.

anghyfnewidiol, *a*. Sefydlog, digyfnewid. CHANGELESS. IMMUTABLE

anghyfreithiol : anghyfreithlon, *a*. Anghyfiawn. UNLAWFUL, ILLEGAL, ILLEGITIMATE.

anghyfrifol, *a*. Heb fod yn gyfrifol, diofal. IRRESPONSIBLE.

anghyfforddus : anghyffyrddus, *a*. Digysur, anniddan, anesmwyth. UNCOMFORTABLE, UNEASY.

anghyffredin, *a*. Allan o'r cyffredin, eithriadol, hynod, nodedig, rhyfedd. UNCOMMON.

anghymedrol, *a*. Afresymol, gormodol. IMMODERATE.

anghymen, *a*. Anniben. UNTIDY.

anghymeradwy, *a.* Annerbyniol, gwrthodedig. UNACCEPTABLE.

anghymeradwyo, *be.* Peidio â chefnogi. TO DISAPPROVE.

anghymharol, *a.* Digyffelyb, digymar. INCOMPARABLE.

anghymwys, *a.* Anaddas, anghyfaddas, amhriodol. UNSUITABLE.

anghymhwyster, *eg. ll.*-au. Anallu, anaddaster, annheilyngdod. INCAPACITY, DISQUALIFICATION.

anghynefin, *a.* Anghyfarwydd, anghydnabyddus. UNACCUSTOMED, UNFAMILIAR.

anghynnes, *a.* Oer, digysur; ffiaidd, atgas. COLD, CHEERLESS ; LOATHSOME, ODIOUS.

anghysbell, *a.* Anodd mynd ato, diarffordd, pell, pellennig. REMOTE.

anghyson, *a.* Heb fod yn gyson, anghytûn, anwadal, di-ddal, gwamal. INCONSISTENT.

anghysondeb : anghysonder, *eg. ll.*-au. Peidio â bod yr un fath, afreoleidd-dra, anwadalwch, gwahaniaeth, gwamalrwydd. INCONSISTENCY.

anghysur, *eg. ll.* Adfyd, gofid, trallod. DISCOMFORT, ADVERSITY.

anghysurus, *a.* Digysur, annifyr. UNCOMFORTABLE, CHEERLESS.

anghysylltiol, *a.* Digyswllt. UNCONNECTED.

anghytbwys, *a.* Heb fod o'r un pwysau. UNEQUAL IN WEIGHT.

anghytgord, *eg. ll.*-iau. I. Anghyseinedd. DISCORD. 2. Anghydfod, anghytundeb, DISSENSION.

anghytûn, *a.* Heb gytundeb, anghyson. DISUNITED.

anghytundeb, *eg. ll.*-au. Ymraniad, ffrae, cweryl, ymrafael. DISAGREEMENT.

anghytuno, *be.* Anghydweld, bod â gwahaniaeth barn, anghydsynio, ffraeo, cweryla. TO DISAGREE.

anghywir, *a.* Heb fod yn iawn, gwallus, cyfeiliornus, o'i le, beius, diffygiol. WRONG.

anghywirdeb, *eg.* I. Twyll, bradwriaeth. DECEIT. 2. Gwall, camgymeriad. MISTAKE.

anghywrain, *a.* Anghelfydd, anfedrus; aflêr. UNSKILFUL ; SLOVENLY.

angladd, *egb. ll.*-au. Claddedigaeth, cynhebrwng. FUNERAL.

angladdol, *a.* Yn perthyn i gladdu neu angladd. FUNEREAL.

angof, *eg.* Ebargofiant, anghofrwydd. FORGETFULNESS. *e.e.* Gadael yn angof. Mynd yn angof.

angor, *egb. ll.*-au. Offeryn bachog o haearn i sicrhau llong wrth waelod y môr. ANCHOR.

angorfa, *eb. ll.* angorfeydd. Hafan, porthladd ; lle i angori llongau, &c. ANCHORAGE.

angori, *be.* Sicrhau (llong) wrth angor. TO ANCHOR, TO MOOR.

angylaidd, *a.* Yn perthyn neu'n debyg i angel. ANGELIC.

angyles, *eb. ll.*-au. Merch debyg i angel neu dduwies. FEMALE ANGEL.

ai, *geir. gof.* I. Defnyddir mewn gofyniad o flaen rhannau ymadrodd, ac eithrio berf. IS IT? 2. Mewn gosodiadau neu gwestiynau dwbl pan fônt yn gyferbyniol â'i gilydd. Ai ... ai ... EITHER ... OR ...

Ai e? *adf. gof.* Felly'n wir? IS THAT SO?

âi, *bf.* 3ydd person unigol amherffaith mynegol mynd. HE/SHE WAS GOING, USED TO GO.

-aid, *terfyniad enw.* I ddynodi maint a chynnwys ; yn llawn o. -FUL. *e.e.* llwyaid, cwpanaid, basgedaid.

Aifft, Yr, *eb.* Gwlad yng ngogledd ddwyrain Affrica yn ymylu ar y Môr Canoldir a'r Môr Coch. EGYPT.

aig, *eb. ll.* eigiau. I. Mintai, torf, llu o bobl ; lliaws mawr o bysgod sy'n symud o gwmpas gyda'i gilydd. HOST, BAND ; SHOAL. 2. Môr, cefnfor. SEA, OCEAN. *gw.* **haig.**

ail, *a.* I. Yn dilyn y cyntaf. SECOND. 2. Tebyg, fel. LIKE. Bob yn ail. ALTERNATELY.

ail-, *rhagdd.* O flaen enwau a berfau. RE-, AGAIN. *e.e.* ailadrodd.

ailadrodd, *be.* Adrodd eto, traethu eto, ail-ddweud. TO REPEAT.

ailchwarae, *be.* Ailadrodd rhan mewn gêm, drama, darllediad, &c., actio rhan eilwaith. TO REPLAY.

ailddewis, *be.* Dewis eilwaith, egluro eilwaith. TO RESELECT.

ail-ddiffinio, *be.* Esbonio ystyr eilwaith, egluro eilwaith. TO REDEFINE.

ail-ddirwyn, *be.* Crynhoi edefyn, llinyn, tâp, &c., ar ril o'r cychwyn eto, ail weindio. TO REWIND.

ailenedigaeth, *eb.* Geni o'r newydd ; cyfnewid mewn calon a'i throi at gariad Duw. REBIRTH.

aileni, *be.* Cynhyrchu o'r newydd ; newid o'r materol i'r ysbrydol. TO REGENERATE.

ail-law, *a.* Heb fod yn wreiddiol neu'n newydd, wedi ei wisgo neu ei ddefnyddio gan rywun arall. SECOND-HAND.

ailosod, *be.* Adfer, ailsefydlu, gosod wrth ei gilydd drachefn. TO RESTORE, TO RE-ESTABLISH, TO REPLACE, TO RESET.

ail-wneud, *be.* Ailffurfio, ail-greu. TO REMAKE, TO RECREATE, TO RECONSTRUCT.

ais, *e.ll. (un. b.* asen). I. Yr esgyrn sy'n amgylchynu'r ddwyfron o'r cefn. RIBS. 2. Darnau o goed i gryfhau neu ffurfio ochr llong. RIBS.

alaeth, *eg.* Wylofain, tristwch, galar, gofid. GRIEF, COMPLAINT.

alaethus, *a.* Blin, gofidus, galarus. SORROWFUL.

alarch, *eg, ll.* eleirch, elyrch, (*b.*-es). Aderyn dŵr urddasol ac iddo wddf cyhyd â'i gorff. SWAN.

alaru, *be.* (gyda'r *ardd.* **ar**). Blino ar, syrffedu, casáu. TO SURFEIT, TO GROW TIRED OF.

alaw, *egb.* 1. Lili, lili'r dŵr. LILY, WATER-LILY.
  2. *eb. ll.*-on. Tôn, tiwn, cainc, melodi. AIR,
  TUNE.
  Alaw werin. FOLK TUNE, MELODY.
Alban, Yr, *eb.* Gwlad fwyaf ogleddol y Deyrnas
  Unedig. SCOTLAND.
Albanwr, *eg. ll.* Albanwyr. Brodor o'r Alban,
  Sgotyn. SCOT.
alcali, *eg. ll.*-ïau, -ïon. Gwrthsur, gwrthasid. ALKALI.
alcohol, *eg.* Gwirod. ALCOHOL.
alcoholaidd, *a.* Gwirodol. ALCOHOLIC.
alcam, *eg.* Metel llwydwyn meddal, tun. TIN,
  TINPLATE.
algebra, *eb.* Cainc o fathemateg sy'n defnyddio
  symbolau yn lle geiriau a rhifau. ALGEBRA.
Almaen, Yr, *eb.* Gwlad yng ngogledd canolbarth
  Ewrop. GERMANY.
Almaenaidd : Almaenig, *a.* Yn perthyn i'r
  Almaen. GERMAN.
Almaeneg, *ebg.* Iaith yr Almaen. GERMAN LANGUAGE.
Almaenwr, *eg. ll.* Almaenwyr. (*b.* Almaenes).
  Brodor o'r Almaen. A GERMAN.
almanac, *eg. ll.*-au. Calendr neu flwyddiadur yn
  rhoi manylion am y flwyddyn. ALMANAC.
almon, *eg.* Ffrwyth y pren almon neu'r pren ei
  hun. ALMOND.
aloi, *eg. ll.*-au, -on. Cymysgwch yn cynnwys nifer
  o fetelau. ALLOY.
allan, *adf.* I maes, nid i mewn, tu faes. OUT, OUTSIDE.
allanol, *a.* Yn perthyn i'r tu allan ; yr hyn y gellir
  ei weld. EXTERNAL.
allblyg, *a.* Yn troi tuag allan. EXTROVERT.
allbrint, *eg. ll.*-iau. Allbwn argraffedig gan
  gyfrifiadur. PRINTOUT (*Comp.*).
allbwn, *eg. ll.* allbynnau. Cyflenwad o ffigurau,
  &c., gan gyfrifiadur. OUTPUT (*Comp.*).
allforio, *be.* Cludo neu ddanfon allan i wlad
  dramor. TO EXPORT.
  Allforion. EXPORTS.
allfudwr, *eg. ll.* allfudwyr. Un sy'n mynd i fyw
  mewn gwlad arall, ymfudwr. EMIGRANT.
allor, *eb. ll.*-au. 1. Lle i aberthu.
  2. Bwrdd y cymun. ALTAR.
allt, *eb. ll.* elltydd. 1. Llethr, bryn. HILLSIDE.
  2. Coedwig. WOOD.
  3. Rhiw, tyle. HILL (ON ROAD).
alltud, *eg.ll.*-ion. Un a ddanfonwyd allan o'r wlad ;
  un yn byw y tu faes i'w wlad. EXILE.
alltudiaeth, *eb. ll.*-au. Bwriad allan, gyrru allan o
  wlad. BANISHMENT, EXILE.
alltudio, *be.* Gyrru un o'i wlad. TO EXILE.
allwedd, *eb. ll.*-au, -i. 1. Agoriad, peth i agor neu
  gau clo neu i godi pwysau cloc, &c. KEY.
  2. Arwydd arbennig mewn cerddoriaeth i
  ddynodi cywair. KEY, CLEFF.
  3. Bys piano neu fotwm cyfrifiadur,
  teipiadur, &c. KEY OF PIANO, COMPUTER,
  TYPEWRITER, &c.
  4. Cynllun neu fodd i ddehongli.
  EXPLANATORY KEY.

allweddell, *eb. ll.*-au. Cyfres o allweddau ar
  biano, organ, &c., neu ar deipiadur,
  cyfrifiadur, &c. KEY-BOARD.
am, *ardd.* (amdanaf, amdanat, amdano / amdani,
  amdanom, amdanoch, amdanynt). ABOUT
  ME, ABOUT YOU, &c.
  1. Oherwydd, oblegid, o achos, os, hyd y.
  BECAUSE.
  2. Ar, o gwmpas, o bobtu, oddeutu, ynghylch,
  ynglŷn â. ABOUT, AT, AROUND, &c.
amaeth, *eg. ll.*-iaid. Triniwr tir, llafurwr ; triniaeth
  tir, llafur neu grefft yr un sy'n aredig.
  HUSBANDMAN ; AGRICULTURE.
amaethdy, *eg. ll.* amaethdai. Tŷ ffarm. FARMHOUSE.
amaethu, *be.* Trin y tir, ffarmio, ffermio. TO
  CULTIVATE.
amaethwr, *eg. ll.* amaethwyr. Ffarmwr, ffermwr,
  arddwr, garddwr. FARMER.
amaethyddiaeth, *eb.* Y gelfyddyd o drin y tir,
  gwaith ffarm, ffarmo, ffermio. AGRICULTURE.
  Y Gweinidog Amaethyddiaeth. THE
  MINISTER OF AGRICULTURE.
amaethyddol, *a.* Yn perthyn i waith ffarm neu
  driniaeth tir. AGRICULTURAL.
amarch, *eg.* Gwarth, gwaradwydd, sarhad, anfri,
  sen. DISHONOUR.
amatur, *eg. ll.*-iaid. Un sy'n gwneud rhywbeth er
  mwyn pleser yn hytrach nag er mwyn elw ;
  un anghyfarwydd, dechreuwr. AMATEUR.
amau, *be.* Bod yn ansicr ; petruso, drwgdybio,
  anghytuno. TO DOUBT.
ambell, *a.* Rhif neu fesur amhendant ; ychydig,
  achlysurol. SOME, FEW, OCCASIONAL.
  Ambell waith. SOMETIMES.
ambiwlans, *eg.* Cerbyd i gario cleifion i ysbyty,
  &c., trefniant arbennig yn ymwneud ag
  anafusion a chleifion. AMBULANCE.
amcan, *eg. ll.*-ion. Pwrpas, bwriad, diben, nod,
  cynllun, perwyl, syniad, crap. PURPOSE, NOTION.
  Ar amcan. AT RANDOM.
amcangyfrif, *eg. ll.*-on. Cyfrif bras, cyfrif agos,
  barn. ESTIMATE.
amcanu, *be.* Bwriadu, arfaethu, anelu, pwrpasu,
  golygu, arofun. TO INTEND, TO AIM.
amdo, *eg. ll.* amdoeau. Amwisg, gwisg y meirw.
  SHROUD.
amddifad, *eg. ll.* amddifaid, 1. Plentyn heb dad
  neu fam neu heb y ddau. ORPHAN.
  2. *a.* Heb rieni, diymgeledd, anghenus, di-
  gefn, diffygiol. DESTITUTE.
amddifadrwydd, *eg.* Colli rhieni ; angen, cyni,
  diffyg. ORPHANHOOD ; DESTITUTION, PRIVATION.
amddifadu, *be.* Difreinio, peri bod yn anghenus,
  difuddio, difeddiannu, dwyn oddi ar. TO
  DEPRIVE.
amddiffyn, *be.* Cadw rhag ymosodiad, cadw
  rhywbeth niweidiol draw, diogelu, noddi,
  achlesu, gwarchod, gwylio, achub, gwaredu.
  TO DEFEND.

amddiffynfa, *eb. ll.* amddiffynfeydd. Lle i ymochel rhag gelyn ; caer, castell, lle cadarn, noddfa, cysgod. FORTRESS.

amddiffyniad, *eg.* Diogelwch, nodded, cysgod, nawdd. PROTECTION, DEFENCE.

amddiffynnwr, *eg. ll.* amddiffynnwyr. Diogelwr, noddwr. DEFENDER.

America, Yr Amerig, *eb.* Tiroedd yn cynnwys dau gyfandir : Gogledd America a De America. America Ladin. LATIN AMERICA.

Americanaidd, *a.* Yn perthyn i America. AMERICAN.

Americanwr, *eg. ll.* Americanwyr. Brodor o Unol Daleithiau America. AN AMERICAN.

amgaeëdig, *a.* Wedi ei gau i mewn neu ei gynnwys o fewn. ENCLOSED.

amgáu, *be.* Cau i mewn, cynnwys o fewn, amgylchu, cwmpasu. TO ENCLOSE.

amgen : amgenach, *a.* ac *adf.* Arall, gwahanol, gwell, amryw, onid e. DIFFERENT, OTHERWISE, BETTER.
Nid amgen. NAMELY, THAT IS TO SAY.
Os amgen. IF OTHERWISE.

amgrwm, *a.* Crwm, argrwm. CONVEX.

amgueddfa, *eb. ll.* amgueddfeydd. Lle i gadw ac arddangos pethau o bwys ; creirfa, cywreinfa. MUSEUM.
Amgueddfa werin. FOLK MUSEUM.

amgyffred, *be.* Dirnad, deall, gwybod, adnabod, dychmygu. TO COMPREHEND.

amgyffred : amgyffrediad, *eg.* Dealltwriaeth, dirnadaeth, syniad. COMPREHENSION.

amgylch, *eg. ll.*-oedd. Cylch, cwmpas, amgylchedd. CIRCUIT, ENVIRONMENT.

amgylchedd, *eg. ll.*-au, -ion. I. Cylch, cwmpas, cylchfesur. CIRCUMFERENCE.
2. Amgylchfyd, yr hyn sy'n effeithio ar fywyd personau a phethau. ENVIRONMENT.

amgylchiad, *eg. ll.*-au. Achlysur, adeg, digwyddiad, cyflwr. OCCASION, CIRCUMSTANCE.

amgylchu : amgylchynu, *be.* Cwmpasu, cylchynu, teithio o gylch. TO ENCIRCLE, TO SURROUND.

amharchu, *be.* Peidio â pharchu, camdrin, dianrhydeddu, gwarthruddo, sarhau, gwaradwyddo, difrïo, diystyru. TO DISHONOUR, TO DISRESPECT.

amharod, *a.* Heb fod yn barod, anewyllysgar, anfodlon. UNPREPARED, UNREADY.

amharodrwydd, *eg.* Diffyg paratoad, peidio â bod yn barod. UNPREPAREDNESS, UNREADINESS.

amharu (ar), *be.* Niweidio, andwyo, sbwylio, difrodi, difetha, drygu. TO HARM, TO IMPAIR, TO DAMAGE.

amhendant, *a.* Heb fod yn bendant, penagored, ansicr. INDEFINITE, VAGUE.

amhenderfynol, *a.* Heb fod yn benderfynol, amhendant, amhenodol, petrus. INDEFINITE, INCONCLUSIVE.

amhenodol, *a.* Heb fod yn derfynol, ansicr, amhendant. INDEFINITE, INCONCLUSIVE.

amherffaith, *a.* Heb fod yn berffaith, diffygiol, beius, anghywir, anghyflawn, anorffenedig. IMPERFECT.

amherffeithrwydd, *eg.* Bai, diffyg, gwendid, anghyflawnder. IMPERFECTION.

amhersain, *a.* Heb fod yn soniarus, anghyseiniol. UNMELODIOUS.

amhersonol, *a.* I. Ffurf ferfol sy'n dynodi gweithred heb gysylltiad ag un o'r tri pherson, *e.e.* clywir, gwelwyd. IMPERSONAL (OF A VERB).
2. Heb gysylltiad â pherson. IMPERSONAL.

amherthnasol : amherthynol, *a.* Heb fod yn perthyn i, heb fod ar y pwnc, anghysylltiol. UNCONNECTED.

amheuaeth, *eb. ll.*-au. I. Petruster, ansicrwydd, dadl. DOUBT.
2. Drwgdybiaeth. SUSPICION.

amheuon, *e.ll.* Amheuaethau, drwgdybiaethau. DOUBTS, SUSPICIONS.

amheus, *a.* I. Mewn amheuaeth, petrus, ansicr. DOUBTFUL.
2. Drwgdybus. SUSPICIOUS.
3. Amwys. AMBIGUOUS.

amheuthun, *a.* I. Dewisol, blasus, danteithiol. CHOICE. '
2. *a.* Prin, anghyffredin. RARE.
3. *eg.* Danteithfwyd, enllyn, moethyn. DELICACY.
4. *eg.* Peth prin neu anarferol. RARITY.

amheuwr, *eg. ll.* amheuwyr. Un sy'n amau, anghredwr, anffyddiwr. DOUBTER, SCEPTIC.

amhleidiol : amhleitgar, *a.* Amhartïol. IMPARTIAL.

amhoblogaidd, *a.* Annerbyniol gan bobl. UNPOPULAR.

amhosibl, *a.* Heb fod yn bosibl, tu hwnt i allu, annichonadwy. IMPOSSIBLE.

amhriodol, *a.* Heb fod yn briodol, anaddas, anghyfaddas, anghymwys. IMPROPER.

amhrisiadwy, *a.* Uwchlaw gwerth, gwerthfawr iawn, anhybris. PRICELESS.

amhrofiadol, *a.* Heb fod yn brofiadol, dibrofiad, anghyfarwydd. INEXPERIENCED.

amhur, *a.* Heb fod yn bur, budr, aflan, llygredig. IMPURE.

amhurdeb : amhuredd, *eg. ll.*-au. Aflendid, budredd, llygredigaeth. IMPURITY, DROSS.

amhwyllo, *be.* Peidio â bod mewn iawn bwyll, gwallgofi, ynfydu, mwydro. TO LOSE ONE'S SENSES.

aml, *a.* Mynych, llawer, lluosog. FREQUENT.
fel aml. Yn aml — OFTEN.
Gan amlaf – USUALLY, MOSTLY, MORE OFTEN THAN MOST.

amlder : amldra, *eg.* Digonedd, cyflawnder, helaethrwydd, lluosowgrwydd. ABUNDANCE.

amldduwiaeth, *eb.* Addoliad rhagor nag un duw. POLYTHEISM.

amleiriog, *a.* Cwmpasog (o ran iaith), siaradus. VERBOSE.

amlen, *eb. ll.*-ni. Cas llythyr, amwisg, clawr. ENVELOPE.

amlhau, *be.* Mynd yn amlach, lluosogi, cynyddu, chwanegu, chwyddo. TO INCREASE.

amlinell, *eb. ll.*-au. Llinell derfyn, cylchlinell. OUTLINE, CONTOUR.

amlinelliad, *eg. ll.*-au. Brasddarlun, cynllun, cylchlinell. OUTLINE.

aml-lawr, *a.* Yn cynnwys sawl llawr. MULTI-STOREY.

amlochrog, *a.* I. Â llawer o ochrau. MANY-SIDED. 2. Amryddawn. VERSATILE.

amlosgfa, *eb. ll.* amlosgfeydd. Lle i losgi corff marw. CREMATORIUM.

amlosgi, *be.* Llosgi corff marw. TO CREMATE.

amlwg, *a.* I. Eglur, golau, clir. EVIDENT. 2. Gweledig. VISIBLE. 3. Enwog, blaenllaw. FAMOUS, PROMINENT.

amlygiad, *eg. ll.*-au. Yr act o amlygu, datguddiad, eglurhad, mynegiad. MANIFESTATION.

amlygrwydd, *eg.* Y cyflwr o fod yn amlwg, eglurder, pwys, pwysigrwydd. PROMINENCE.

amlygu, *be.* Peri bod yn amlwg, gwneud yn eglur, egluro, datguddio, ymddangos, mynegi. TO REVEAL.

amnaid, *eb. ll.* amneidiau. Arwydd, awgrym, nòd. BECK, NOD.

amneidio, *be.* Rhoi arwydd â'r pen neu â'r llaw; nodio, awgrymu. TO NOD, TO BECKON.

amnest, *eg. ll.*-au. Pardwn cyffredinol, yn arbennig ynglŷn â throsedd wleidyddol. AMNESTY.

amod, *egb. ll.*-au. Cytundeb, teler, cyfamod, cynghrair, ymrwymiad, addewid. CONDITION. Amodau. TERMS. Ar yr amod. ON CONDITION.

amodi, *be.* Gwneud teler, cyfamodi, cytuno, rhwymo. TO COVENANT, TO STIPULATE.

amodol, *a.* Dan gytundeb, ar amod. CONDITIONAL.

amrant, *eg. ll.* amrannau. Clawr y llygad. EYELID.

amrantiad, *eg.* Trawiad llygad, winciad, eiliad, moment. INSTANT, TWINKLING.

amrwd, *a.* Heb ei goginio neu heb ei drin ; anaeddfed, crai. RAW, CRUDE.

amryddawn, *a.* Â llawer o ddoniau, amlochrog. VERSATILE.

amryfal, *a.* amrywiol, gwahanol, annhebyg. VARIOUS.

amryfusedd, *eg. ll.*-au. Camgymeriad, camsyniad, gwall, bai, cyfeiliornad. ERROR, OVERSIGHT.

amryliw, *a.* O amryw liwiau, lliw cymysg, brith. VARIEGATED, MULTICOLOURED.

amryw, *a.* Gwahanol, llawer, amrywiol, o lawer math, amryfal. SEVERAL.

amrywiad, *eg. ll.*-au. Gwahaniaethiad neu ŵyriad oddi wrth y gwreiddiol. VARIATION, VARIANT.

amrywiaeth, *egb. ll.*-au. Gwahaniaeth, amrywiad, rhywbeth amlochrog. VARIETY.

amrywio, *be.* Newid mewn cynnwys, gwahaniaethu, newid, annhebygu. TO VARY.

amrywiol, *a.* Gwahanol. VARIOUS, SUNDRY.

amser, *eg. ll.*-au, -oedd. I. Pryd, adeg, tro, cyfnod, oes. TIME, TEMPO. Amser cyffredin. COMMON TIME (*music*). Bob amser. ALWAYS. 2. *eg. ll.*-au. (*Gramadeg*) Ffurf ar rediad berf i fynegi gwahanol adegau. TENSE.

amseriad, *eg. ll.*-au. Dyddiad, pryd, adeg, curiad (*Miwsig*). TIMING, TEMPO.

amserlen, *eb. ll.* amserlenni. Taflen gwaith ysgol, &c., neu restr yn nodi trefn amseriad digwyddiadau. TIMETABLE.

amserol, *a.* Yn yr amser iawn, mewn pryd, tymhoraidd, tymhorol, tros dro. TIMELY, SEASONABLE.

amseru, *be.* Dyddio, nodi dyddiad, penderfynu cyflymder. TO DATE, TO TIME.

amserydd, *eg. ll.*-ion. Un sy'n astudio amseryddiaeth. CHRONOLOGIST.

amseryddiaeth, *eb.* Yr wyddor o gyfrif amser ac o osod digwyddiadau yn eu dyddiadau cywir. CHRONOLOGY.

amwisg, *eb. ll.*-oedd. I. Amdo, gwisg y marw. SHROUD. 2. Dilledyn. GARMENT.

amwys, *a.* Ag ystyr ansicr, mwys, amrywiol, amheus, amhendant. AMBIGUOUS.

amwysedd, *eg. ll.*-au. Amheuaeth, petruster. AMBIGUITY.

Amwythig, *eb.* Prif dref yn swydd Amwythig. SHREWSBURY.

amynedd, *eg.* Y gallu i ddioddef, goddefgarwch, dioddefgarwch, dyfalbarhad, pwyll. PATIENCE.

amyneddgar, *a.* Â llawer o amynedd, goddefgar, dioddefgar, pwyllog, mwyn, hirymarhous. PATIENT.

an-, *rhagdd. neg.* o flaen *a.* neu *e.* i fynegi croes ystyr i'r gwreiddiol. NEGATIVE PREFIX : UN-, IN-, DE-, DIS-. *e.e.* Anhapus, anaml, afluniaidd, anabledd.

a'n, *cys.* + *rhag.* (**ac** + **ein**). AND OUR.

â'n, *ardd.* + *rhag.* (**ag** + **ein**). WITH OUR.

anabl, *a.* Analluog, anghymwys, diallu. DISABLED, INCAPABLE.

anabledd, *eg.* Anallu. DISABILITY.

anacroniad, *eg. ll.*-au. Camamseriad. ANACHRONISM.

anad, *ardd.* O flaen, yn hytrach na. BEFORE. Yn anad dim. ABOVE ALL. Yn anad neb. MORE THAN ANYONE.

anadferadwy, *a.* Yn amhosibl i'w adfer. IRREPARABLE.

anadl, *egb.* Yr awyr sy'n mynd i mewn i'r ysgyfaint ac i maes ohono ; chwyth. BREATH. Diffyg anadl. SHORTNESS OF BREATH.

anadliad, *eg. ll.*-au. Y weithred o anadlu, chwythiad. BREATH, BREATHING, INHALATION.

anadlu, *be.* Llanw a gwacáu'r ysgyfaint ag awyr. TO BREATHE. Adfer anadlu. ARTIFICIAL RESPIRATION.

anadnabyddus, *a.* Anhysbys, dieithr. STRANGE.

anaddas, *a.* Amhriodol, anweddus. IMPROPER, UNSUITABLE.

anaeddfed, *a.* Heb aeddfedu ; ifanc. UNRIPE ; IMMATURE.

anaeddfedrwydd, *eg.* Bod heb aeddfedu. UNRIPENESS ; IMMATURITY.

anaele, *a.* Ofnadwy, arswydus, dychrynllyd, gresynus. AWFUL.
    Clefyd anaele. INCURABLE DISEASE.

anaf, *eg. ll.*-au. Bai, mefl, nam, diffyg, archoll, gwall, briw. BLEMISH, WOUND, INJURY.

anafu, *be.* Brifo, briwio, clwyfo, archolli, derbyn niwed, cael dolur. TO INJURE, BE HURT.

anafus, *a.* A nam arno, wedi ei niweidio, clwyfus, dolurus. BLEMISHED, INJURED.

anair, *eg. ll.* aneiriau. Gair drwg, enw drwg, gwarth, enllib. ILL REPORT, DISGRACE, SLANDER.

anallu, *eg. ll.*-oedd. Diffyg gallu, gwendid. INABILITY.

analluedd, *eg.* Diffyg gallu, anghymhwyster. INABILITY, DISABILITY, IMPOTENCE.

analluog, *a.* Heb fod yn alluog, anfedrus, anabl, methiannus. INCAPABLE.

analluogi, *be.* Gwneud rhywun neu rywbeth yn analluog. TO INCAPACITATE.

anaml, *a.* Prin, anfynych, anghyffredin. RARE.

anamlwg, *a.* Anweledig, aneglur, dirgel. OBSCURE, INCONSPICUOUS.

anamserol, *a.* Heb fod ar yr adeg iawn. UNTIMELY.

anarchiaeth, *eg.* Diffyg llywodraeth, afreolaeth, anrhefn, penrhyddid. ANARCHY.

anarchydd, *eg. ll.* anarchwyr. Cefnogwyr anarchiaeth. ANARCHIST.

anap, *eg.* Anffawd, aflwydd, damwain, niwed, colled. MISHAP.
    Hap ac anap. ADVENTURES

anarfedig, *a.* Heb fod mewn arfer. DISUSED, OBSOLETE.

anarferol, *a.* Heb fod yn aferol, anghyffredin, eithriadol. UNUSUAL.

anarfog, *a.* Diarfau, diamddiffyn. UNARMED, DEFENCELESS.

ancr, *egb.* Un sy'n byw ar ei ben ei hun, meudwy. ANCHORITE, HERMIT.

anchwiliadwy, *a.* Na ellir ei chwilio, diamgyffred. UNSEARCHABLE.

andwyo, *be.* Niweidio, drygu, gwneud cam â, sbwylio, distrywio, difetha, dinistrio. TO HARM, TO SPOIL.

andwyol, *a.* Dinistriol, niweidiol. HARMFUL, RUINOUS.

aneffeithiol, *a.* Heb fod yn effeithiol. INEFFECTUAL.

aneglur, *a.* Heb fod yn glir, tywyll. OBSCURE, INDISTINCT.

aneirif, *a.* Di-rif, afrifed, dirifedi, di-fesur. INNUMERABLE.

anelu, *be.* Ymgyrraedd at, pwyntio, amcanu, cyfeirio, cyrchu. TO AIM.
    Nid yw'n anelu mynd. HE DOES NOT ATTEMPT TO GO.

anemomedr, *eg. ll.*-au. Offeryn sy'n mesur nerth gwynt. ANEMOMETER.

anenwadol, *a.* Heb berthyn i enwad, ansectyddol. UNDENOMINATIONAL, UNSECTARIAN.

anenwog, *a.* Di-nod, heb fod yn enwog, distadl. UNRENOWNED.

anerchiad, *eg. ll.*-au. Araith fer, annerch, cyfarchiad. ADDRESS, GREETING.

anesboniadwy, *a.* Na ellir ei egluro. INEXPLICABLE.

anesgor : anesgorol, *a.* Anochel, na ellir ei droi ymaith. INEVITABLE.

anesmwyth, *a.* Aflonydd, diorffwys, anghysurus, blin, trafferthus, pryderus. RESTLESS.

anesmwythder, *eg.* Aflonyddwch, anghysur, blinder, pryder. UNEASINESS.

anesmwytho, *be.* Bod yn anesmwyth, aflonyddu, pryderu, dechrau gofidio. TO BE RESTLESS.

anesmwythyd, *eg.* Aflonyddwch, anesmwythder, blinder, pryder. UNEASINESS.

anestynadwy, *a.* Yn amhosibl i'w ymestyn. INEXTENSIBLE.

anewyllysgar, *a.* Yn groes i'r ewyllys, anfodlon. UNWILLING.

anfad, *eg.* Ysgeler, erchyll, echrys, echryslon, echrydus, drygionus. WICKED.

anfadwaith, *a.* Ysgelerder, erchylltra, drygioni, echryslonder. VILLAINY.

anfaddeugar, *a.* Yn pallu maddau. UNFORGIVING.

anfaddeuol, *a.* Na ellir ei faddau, difaddau. UNPARDONABLE.

anfantais, *eg. ll.* anfanteision. Rhywbeth anffafriol, colled, niwed. DISADVANTAGE.

anfanteisiol, *a.* Heb fantais, anghyfleus, di-les, amhroffidiol. DISADVANTAGEOUS.

anfarwol, *a.* 1. Yn byw byth, di-dranc, tragwyddol. IMMORTAL.
    2. Gwych, rhagorol, bythgofiadwy. UNFORGETTABLE.

anfarwoldeb, *eg.* Rhyddhad o farwolaeth neu anghofrwydd, anllygredigaeth, bri. IMMORTALITY.

anfarwoli, *be.* Gwneud yn anfarwol. TO IMMORTALISE.

anfedrus, *a.* Di-fedr, diallu, anghelfydd, lletchwith, llibin. UNSKILFUL.

anfedrusrwydd, *eg.* Diffyg medr, lletchwithdod. UNSKILFULNESS.

anfeidrol, *a.* Heb fod yn feidrol, difesur, diddiwedd, diderfyn, anferth. INFINITE.

anfeidroldeb, *eg.* Anfesuroldeb, annherfynoldeb. INFINITY.

anferth : anferthol, *a.* Enfawr, difesur, aruthr, diderfyn, dirfawr, eang. HUGE.

anfodlon : anfoddlon: *a.* Anewyllysgar, anfoddhaus, anniddig, anfoddog, croes. DISCONTENTED, UNWILLING.

anfodlonrwydd : anfodd *eg.* Amharodrwydd, anewyllysgarwch. UNWILLINGNESS.
    O anfodd. UNWILLINGLY.

anfoddhaol, *a.* Annerbyniol, heb fodloni. UNSATISFACTORY.

anfoesgar, *a.* Anweddaidd, digywilydd, aflednais, anghwrtais, di-foes. UNCOUTH.

anfoesgarwch, *eg.* Afledneisrwydd, anghwrteisi, digywilydd-dra. INCIVILITY, BAD MANNERS.

anfoesol, *a.* Anfoesgar, digywilydd, anfucheddol, llygredig, anllad. IMMORAL.

anfoesoldeb, *eg.* Y cyflwr o fod yn anfoesol, llygredd moesol, anlladrwydd. IMMORALITY.

anfon, *be.* Danfon, gyrru, hel, hela, trosglwyddo, hebrwng. TO SEND.

anfoneb, *eb. ll.*-au. Rhestr o nwyddau neu o wasanaethau ynghyd â phrisoedd a chostau. INVOICE.

anfonedig, *a.* Wedi ei anfon, danfonedig. SENT.

anfoneddigaidd, *a.* Anghwrtais. UNGENTLEMANLY, RUDE.

anfonheddig, *a.* Anghwrtais, distadl. IGNOBLE, DISCOURTEOUS.

anfonog, *eg. ll.*-ion. Dirprwy, aelod o bwyllgor, cynrychiolydd etholedig wedi'i anfon i gynhadledd. DELEGATE.

anfri, *eg.* Gwarth, amarch, gwaradwydd, sarhad, sen, difenwad, dirmyg. DISRESPECT, DISGRACE.

anfuddiol, *a.* Di-les, dielw, di-fudd, diwerth, amhroffidiol. UNPROFITABLE.

anfwriadol, *a.* Difwriad, heb amcanu, difeddwl. UNINTENTIONAL.

anfynych, *a.* Ambell waith, anaml, prin byth. SELDOM.

anffaeledig, *a.* Di-feth, di-ffael. INFALLIBLE.

anffaeledigrwydd, *eg.* Cyflwr anffaeledig. INFALLIBILITY.

anffafriol, *a.* Yn peidio â bod o blaid, anghefnogol. UNFAVOURABLE, NOT WELL DISPOSED TOWARDS.

anffawd, *eb. ll.* anffodion. Aflwydd, anap, trychineb, trallod, anghaffael. MISFORTUNE.

anfflamadwy, *a.* Yn anodd i'w danio. NON-FLAMMABLE.

anffodus, *a.* Anffortunus, anlwcus, aflwyddiannus, truenus. UNFORTUNATE.

anffortunus, *a.* Anffodus, anlwcus. UNFORTUNATE.

anffrwythlon, *a.* Diffrwyth ; amhlantadwy, di-blant. UNFRUITFUL ; BARREN, STERILE, CHILDLESS.

anffrwythlonedd, *eg.* Cyflwr diffrwyth, digynnyrch ; cyflwr di-blant, amhlantadrwydd. UNFRUITFULNESS ; BARRENNESS, STERILITY.

anffurfio, *be.* Andwyo, sbwylio, anharddu, llygru. TO DISFIGURE.

anffurfiol, *a.* Answyddogol. INFORMAL.

anffyddiaeth, *eb.* Y cyflwr o beidio â chredu yn Nuw, annuwiaeth, anghrediniaeth. ATHEISM.

anffyddiwr, *eg. ll.* anffyddwyr. Un na chred yn Nuw, anghrediniwr. ATHEIST.

anffyddlon, *a.* Anghywir, anonest, bradwrus, twyllodrus. UNFAITHFUL.

anffyddlondeb, *eg.* Anghywirdeb, brad, twyll. UNFAITHFULNESS.

Anglicaniaeth, *eb.* Trefn ac athrawiaeth Eglwys Loegr. ANGLICANISM.

anhaeddiannol, *a.* Heb ei haeddu. UNMERITED, UNDESERVED.

anhafal, *a.* Dihafal, anghymharol. UNEQUAL.

anhapus, *a.* Annedwydd, anlwcus, adfydus. UNHAPPY, UNLUCKY.

anhardd, *a.* Hagr, hyll, diolwg. UGLY, UNBECOMING.

anharddu, *be.* Hagru, andwyo, sbwylio. TO DEFORM.

anhawdd, *a.* Caled, dyrys, blin, astrus. DIFFICULT, HARD.

anhawddgar, *a.* Anserchus, annymunol. UNAMIABLE, UNPLEASANT.

anhawster, *eg. ll.* anawsterau. Yr hyn nad yw'n hawdd, cyfyngder, caledi, afrwyddineb, rhwystr, dryswch. DIFFICULTY.

anheddfa, *eb. ll.* anheddfeydd, -oedd. Trigfan, preswylfa, tŷ. DWELLING-PLACE.

anhepgor, *eg. ll.*-ion. Peth na ellir gwneud hebddo, peth angenrheidiol. INDISPENSABILITY.

anhepgor : anhepgorol, *a.* Yn wir angenrheidiol, hanfodol, rheidiol. ESSENTIAL, INDISPENSABLE.

anhraethadwy, *a.* Na ellir ei ddatgan. UNUTTERABLE.

anhraethol, *a.* Na ellir ei fynegi, tu hwnt i eiriau. UNSPEAKABLE, INEFFABLE.

anhrefn, *egb.* Diffyg trefn, annibendod, dryswch, tryblith, aflywodraeth. DISORDER.

anhrefnu, *be.* Drysu, cythryblu. TO DISARRANGE, TO DISORDER.

anhrefnus, *a.* Heb drefn, mewn dryswch, dilywodraeth, di-drefn, anniben, blith draphlith. DISORDERLY.

anhreuliedig, *a.* Heb ddarfod. UNSPENT.

anhrugarog, *a.* Heb dosturi, didostur, creulon. MERCILESS.

anhuddo, *be.* Cuddio, gorchuddio, pentyrru ar. TO COVER. (ESPECIALLY OF FIRE).

anhunedd, *eg.* 1. Diffyg cwsg. SLEEPLESSNESS.
2. Anesmwythyd, pryder. ANXIETY.

anhwyldeb : anhwylder, *eg. ll.*-au. Clefyd, tostrwydd, salwch, gwaeledd, afiechyd. SICKNESS.

anhwylus, *a.* 1. Claf, sâl, tost, gwael. UNWELL.
2. Anghyfleus. INCONVENIENT.

anhwylustod, *eg.* 1. Clefyd, salwch, gwaeledd. ILLNESS.
2. Anghyfleustra. INCONVENIENCE.

anhyblyg, *a.* Na ellir ei blygu, anystwyth, ystyfnig, syth, diysgog, cyndyn, diwyro. STUBBORN, RIGID.

anhyderus, *a.* Diymddiried, dihyder, drwgdybus, petrusgar. DIFFIDENT.

anhydrin : anhydyn, *a.* Anodd ei drin, anhywaith, gwrthnysig, afreolus, aflywodraethus, anystywallt. UNMANAGEABLE.

anhyfryd, *a.* Annymunol, ffiaidd. UNPLEASANT.

anhyfrydwch, *eg.* Atgasedd, annifyrrwch. UNPLEASANTNESS.

anhygar, *a.* Anhawddgar, diserch, gwrthun. UNAMIABLE, UNATTRACTIVE.
anhyglyw, *a.* Na ellir ei glywed, anghlywadwy. INAUDIBLE.
anhygoel, *a.* Na ellir ei gredu, anghredadwy, amheus. INCREDIBLE.
anhygyrch, *a.* Anodd mynd ato neu ei gyrraedd, diarffordd, anghysbell, anial. INACCESSIBLE.
anhysbys, *a.* Na wyddys pwy neu beth ydyw, anadnabyddus. UNKNOWN.
anhywaith, *a.* Anhydrin, gwyllt, afreolus, aflonydd, anesmwyth. WILD, RESTLESS.
anial, *a.* I. Diffaith, gwyllt, anghyfannedd, unig. WILD, DESOLATE, UNINHABITED.
2. *eg. ll.*-oedd. Anialwch. WILDERNESS, DESERT.
anialdir, *eg. ll.*-oedd. Anialwch, diffeithwch, tir gwyllt. DESERT, WILDERNESS.
anialwch, *eg.* Diffeithwch, lle anghyfannedd, lle yn llawn o dyfiant gwyllt. DESERT, WILDERNESS.
anian, *egb. ll.*-au. I. Natur. NATURE.
2. Anianawd, tymer. TEMPERAMENT.
anianawd, *eg.* Tymer, anian, natur, naws. TEMPERAMENT.
anianol, *a.* I. Naturiol. NATURAL.
2. Cynhenid, gwreiddiol. INNATE.
anifail, *eg. ll.* anifeiliaid. Creadur, mil, milyn, bwystfil. ANIMAL.
anifeilaidd, *a.* Fel anifail, ffiaidd, brwnt, budr, aflan, afiach, bwystfilaidd. BEASTLY.
anlwc, *eg.* Anffawd, aflwydd, anap, anghaffael, trychineb. MISFORTUNE.
anlwcus, *a.* Anffodus, aflwyddiannus, anffortunus. UNLUCKY.
anllad, *a.* Trythyll, anniwair, trachwantus. WANTON, LEWD, OBSCENE.
anlladrwydd, *eg.* Trythyllwch, anniweirdeb, trachwant. WANTONNESS, OBSCENITY.
anllygredig, *a.* Dilwgr, pur, dihalog. INCORRUPT, INCORRUPTIBLE.
anllygredigaeth, *eb.* Dilygredd, purdeb. INCORRUPTION.
anllythrennedd, *eg.* Annisgeidiaeth, diffyg dysg, y cyflwr o fod yn anllythrennog. ILLITERACY.
anllythrennog, *a.* Heb fedru darllen, diddysg, anwybodus. ILLITERATE.
annaearol, *a.* Heb fod o'r ddaear, bwganaidd, iasol, annaturiol. UNEARTHLY, WEIRD.
annarllenadwy, *a.* Na ellir ei ddarllen, aneglur, annealladwy. UNREADABLE, ILLEGIBLE.
annarogan, *a.* Yn annalluog i ragfynegi. UNPREDICTABLE.
Tywydd annarogan. UNPREDICTABLE WEATHER.
annaturiol, *a.* Heb fod yn naturiol, anghyffredin, dieithr. UNNATURAL.
annealladwy, *a.* Na ellir ei ddeall. UNINTELLIGIBLE.
anneallus, *a.* Heb ddealltwriaeth, direswm, anwybodus. UNINTELLIGENT.
annedwydd, *a.* Anhapus, aflawen, trist, prudd, gofidus. UNHAPPY, MISERABLE.

annedd, *egb. ll.* anheddau. Lle i fyw ynddo, tŷ, cartref, preswylfa, trigfa, cartrefle. DWELLING.
annefnyddiol, *a.* Di-fudd, diddefnydd ; ansylweddol. USELESS ; IMMATERIAL.
annelwig, *a.* Di-lun, afluniaidd, anghelfydd, aneglur. SHAPELESS.
anner, *eb. ll.* aneiri, aneirod, aneirau. Buwch ieuanc, treisiad, heffer. HEIFER.
annerbyniol, *a.* Anghymeradwy, anfoddhaol. UNACCEPTABLE.
annerch, *eg. ll.* anerchion. Anerchiad, cyfarchiad. GREEETING, ADDRESS, SALUTATION.
annerch, *be.* I. Cyfarch, croesawu. TO GREET.
2. Traddodi araith. TO ADDRESS.
annhebyg, *a.* Gwahanol, anghyffelyb. UNLIKE, DISSIMILAR, DIFFERENT.
annhebygol, *a.* Nad yw'n debygol o ddigwydd, anhygoel. IMPROBABLE, UNLIKELY.
annhebygrwydd, *eg.* Rhywbeth nad yw'n debygol, rhywbeth anhygoel. UNLIKELIHOOD, IMPROBABILITY.
annheg, *a.* Heb fod yn deg, anonest, anghyfiawn. UNFAIR.
Teg neu annheg. FAIR OR FOUL.
annhegwch, *eg.* Anghyfiawnder, anonestrwydd. UNFAIRNESS.
annheilwng, *a.* Heb fod yn deilwng, anhaeddiannol. UNWORTHY.
annheilyngdod, *eg.* Anhaeddiant. UNWORTHINESS.
annherfynedig, *a.* Diderfyn, diddiwedd, anfeidrol, aneirif. LIMITLESS, ENDLESS, INFINITE, INNUMERABLE.
annherfynol, *a.* Diderfyn, di-ben-draw, dihysbydd, difesur, anfeidrol. INFINITE.
annhosturiol, *a.* Didostur, didrugaedd. PITILESS, RUTHLESS, MERCILESS.
annhymig, *a.* Cynamserol. PREMATURE.
anniben, *a.* Anhrefnus, aflêr, di-lun, didrefn, blith draphlith. UNTIDY, SLOVENLY.
annibendod, *eg.* Anhrefn, aflerwch. UNTIDINESS.
annibyniaeth, *eb.* I. Bod yn annibynnol, cyflwr annibynnol. INDEPENDENCE.
2. Ffurflywodraeth enwad yr Annibynwyr. CONGREGATIONALISM.
annibynnol, *a.* Heb ddibynnu ar neb na dim. INDEPENDENT.
Annibynnwr, *eg. ll.* Annibynwyr. Aelod o'r Eglwys Annibynnol. AN INDEPENDENT, CONGREGATIONALIST.
annichon, *a.* Amhosibl. IMPOSSIBLE.
anniddan, *a.* Digysur, digalon, truenus, anhapus. COMFORTLESS, MISERABLE, UNHAPPY.
anniddig, *a.* Croes, anfoddog, blin, anfodlon. IRRITABLE.
anniddigrwydd, *eg.* Aflonyddwch, anesmwythdra, anfodlonrwydd. RESTLESSNESS, IRRITABILITY, PEEVISHNESS.
annifeiriol, *a.* Aneirif, dirifedi. INNUMERABLE, NUMBERLESS, COUNTLESS.

anniflanedig, *a*. Na ddiflanna, diddarfod, parhaol. UNFADING, IMPERISHABLE.

annifyr, *a*. Diflas, anhyfryd, annymunol, truenus, cas, atgas. MISERABLE.

annifyrrwch, *eg*. Anhyfrydwch, annedwyddwch, blinder. UNPLEASANTNESS, MISERY.

anniffoddadwy, *a*. Na ellir ei ddiffodd. INEXTINGUISHABLE, UNQUENCHABLE.

annigonedd, *eg*. Llai na digon, diffyg, absenoldeb o'r hyn sy'n angenrheidiol. INADEQUACY, INSUFFICIENCY.

annigonol, *a*. Heb fod yn ddigon, diffygiol, anniwall. INSUFFICIENT.

annileadwy, *a*. Na ellir ei ddileu. INDELIBLE.

annilys, *a*. Ansicr, amheus, gau, ffug. UNAUTHENTIC, SPURIOUS, INSINCERE.

annioddefol, *a*. Na ellir ei ddioddef. UNBEARABLE.

anniogel, *a*. Ansicr, amheus, ansefydlog, peryglus. UNCERTAIN, DOUBTFUL, PERILOUS, UNSAFE.

anniolchgar, *a*. Heb dalu diolch, anystyriol o rwymau diolch. UNTHANKFUL, UNGRATEFUL.

anniolchgarwch, *eg*. Diffyg diolch. INGRATITUDE.

annisgrifiadwy, *a*. Na ellir ei ddisgrifio na'i ddarlunio. INDESCRIBABLE.

annisgwyliadwy, *a*. Heb ei ddisgwyl, heb yn wybod. UNEXPECTED.

anniwall, *a*. Annigonol, na ellir ei ddiwallu. INSATIABLE.

anniwylliedig, *a*. Diddiwylliant, diddysg. UNCULTURED.

annoeth, *a*. Ffôl, anghall, disynnwyr, ynfyd, gwirion, penwan. UNWISE.

annog, *be*. Cymell, calonogi, annos, argymell, cyffroi, denu. TO URGE.

annormal, *a*. Afreolaidd, yn gwyro oddi wrth normalrwydd, eithriadol. ABNORMAL.

annormalaeth : annormaliaeth, *eb*. *ll*.-au. Afreoleidd-dra, y cyflwr o fod yn annormal. ABNORMALITY.

annos, *be*. Gyrru, hela, annog, cymell, cyffroi. TO INCITE.

annosbarthedig, *a*. Heb ei drefnu. UNCLASSIFIED.

annuwiaeth, *ebg*. Annuwioldeb, anghrefydd, anffyddiaeth. UNGODLINESS, ATHEISM.

annuwiol, *a*. Heb Dduw, di-dduw, digrefydd, anffyddiol, anghrefyddol, drwg. UNGODLY, WICKED, GODLESS.

annuwioldeb, *eg*. Annuwiaeth, anffyddiaeth, didduwiaeth. UNGODLINESS.

annwyd, *eg*. anwydau, anwydon. Anhwyldeb a achosir gan oerni, &c. A COLD

annwyl, *a*. Cu, hoff, cariadus, serchus, hawddgar. DEAR.
O'r annwyl ! O ! DEAR ME !

annymunol, *a*. Anhyfryd, cas, atgas, annewisol. UNDESIRABLE, UNPLEASANT.

annynol, *a*. Heb fod yn ddynol, ciaidd, creulon, brwnt. INHUMAN.

annysgedig, *a*. Di-ddysg, anwybodus. UNLEARNED.

anobaith, *eg*. Diffyg gobaith neu hyder, digalondid. DESPAIR.

anobeithio *be*. Digalonni, gwangalonni, colli ffydd. TO DESPAIR.

anobeithiol, *a*. Heb obaith, diobaith, anhyderus, digalon. HOPELESS.

anochel : anocheladwy, *a*. Na ellir ei osgoi neu ei ochel, anorfod, anesgor. UNAVOIDABLE, INEVITABLE.

anodd, *a*. Heb fod yn hawdd, caled, afrwydd. DIFFICULT.

anogaeth, *eb*. *ll*-au. Cymhelliad, symbyliad, calondid. EXHORTATION.

anonest, *a*. Twyllodrus, anghyfiawn. DISHONEST.

anonestrwydd, *eg*. Twyll, anghyfiawnder. DISHONESTY.

anorchfygol, *a*. Na ellir ei orchfygu, anorfod. INVINCIBLE.

anorecsia, *eg*. Diffyg archwaeth neu awydd. ANOREXIA.
anorexia nervosa. Cyflwr lle mae anorecsia parhaol, oherwydd bod cynyrfiadau emosiynol yn rhan o'r symptomau.

anorecsig, *a*. Yn dioddef o gyflwr anorecsia. ANOREXIC.

anorfod, *a*. 1. anorchfygol. INVINCIBLE.
2. Sicr, anocheladwy. UNAVOIDABLE.

anorffenedig, *a*. Heb ei orffen, anghyflawn. UNFINISHED, INCOMPLETE.

anrhaith, *eg*. *ll*. anrheithiau. Peth a ladrateir, ysbail, lladrad, ysglyfaeth. BOOTY.

anrheg, *eb*. *ll*.-ion. Rhodd, cyflwyniad. GIFT.

anrhegu, *be*. Rhoi yn rhad, cyflwyno, gwobrwyo. TO PRESENT.

anrheithio, *be*. Lladrata, ysbeilio, ysglyfaethu, difrodi. TO PLUNDER.

anrheithiwr, *eg*. *ll*. Ysbeiliwr, dinistriwr. SPOILER, PILLAGER.

anrhydedd, *egb*. *ll*.-au. Bri, parch, clod, enw da, urddas, moliant, enwogrwydd, canmoliaeth. HONOUR.

anrhydeddu, *be*. Parchu, ennill bri, clodfori, moli, canmol. TO HONOUR.

anrhydeddus, *a*. Parchus, o fri, clodfawr, urddasol. HONOURABLE.
Y Gwir Anrhydeddus. THE RIGHT HONOURABLE.

ansad, *a*. Simsan, anwadal, di-ddal, ansefydlog, gwamal. UNSTEADY, FICKLE.

ansadrwydd, *eg*. Gwamalrwydd, ansefydlogrwydd, anwadalwch. INSTABILITY, FICKLENESS.

ansathredig, *a*. 1. Heb ei sathru, didramwy, anhygyrch. UNFREQUENTED.
2. Anghyffredin. UNCOMMON.
Gair ansathredig. OBSOLETE WORD.

ansawdd, *eg*. *ll*. ansoddau. Natur, anian, stad, cyflwr, rhinwedd, cynneddf. QUALITY.

ansefydlog, *a*. Gwamal, ansad, simsan, anwadal. UNSETTLED.

ansefydlogi, *be.* Peri bod yn ansefydlog, neu'n gyfnewidiol, gwneuthur yn ansicr, oriog neu amhendant. TO UNSETTLE, TO DE-STABILISE.

ansefydlogrwydd, *eg.* Anwadalwch, cyfnewidioldeb, ansicrwydd, amhendantrwydd. INSTABILITY.

ansicr, *a.* Amheus, petrus. DOUBTFUL.

ansicrwydd, *eg.* Amheuaeth, petruster. UNCERTAINTY.

ansoddair, *eg. ll.* ansoddeiriau. Gair sy'n disgrifio enw. ADJECTIVE.

anosddeiriol, *a.* Yn perthyn i ansoddair, disgrifiadol. ADJECTIVAL, DESCRIPTIVE.

Antartica, *eb.* Cyfandir cyfan dan haenen o iâ ac wedi'i ganoli ar Begwn y De. ANTARTICA.

anterliwt, *egb. ll.*-iau. Math o ddrama ddifyr a moesegol. INTERLUDE.

anterth, *eg.* Y man uchaf, uchafbwynt, eithaf. HEIGHT, PRIME.

antibiotig, *a.* Gwrthfiotig, yn meddu ar rinweddau antibiotigion. ANTIBIOTIC.

antibiotigion, *e.ll.* Gwrthfiotigion, cyffuriau sy'n gallu distrywio neu niweidio organebau byw, yn arbennig bacteria. ANTIBIOTICS.

anticlimacs, *eg.* Disgynneb ; diweddglo aneffeithiol pan ddisgwylir uchafbwynt aruchel. ANTICLIMAX.

antur, *egb. ll.*-iau. Gorchwyl beiddgar neu beryglus, mentr, anturiaeth. VENTURE. Ar antur. AT RANDOM.

anturiaeth, *eb. ll.*-au. Ymgais, cynnig mentrus, antur. ADVENTURE.

anturiaethus, *a.* Beiddgar, mentrus, anturus. ADVENTUROUS.

anturiaethwr, *eg. ll.* anturiaethwyr. Un yn mentro, neu ymgymryd â pherygl. ADVENTURER.

anturio, *be.* Mentro, cynnig, beiddio, herio, ymgeisio. TO VENTURE.

anturus, *a.* Mentrus, beiddgar, gwrol, hy. ADVENTUROUS.

anthem, *eb. ll.*-au. Emyn neu gân grefyddol a genir gan y gwahanol leisiau. ANTHEM.

anthropoleg, *eg.* Gwyddor yn trafod dyn a dynolryw. ANTHROPOLOGY.

anthropolegol, *a.* Yn perthyn i wyddor anthropoleg. ANTHROPOLOGICAL.

anthropolegwr : anthroplegydd, *eg. ll.* anthropolegwyr. Arbenigwr yng ngwyddor anthropoleg. ANTHROPOLOGIST.

anudon, *eg. ll.*-au. Llw twyllodrus, llw celwyddog, anudoniaeth. PERJURY. Tyngu anudon. TO PERJURE ONESELF.

anudoniaeth, *eb.* Y weithred neu'r arfer o dyngu llw celwyddog, camdystiolaeth ar lw mewn achos cyfreithiol. PERJURY.

anufudd, *a.* Amharod i ufuddhau, ystyfnig, anystywallt. DISOBEDIENT.

anufudd-dod, *eg.* Gwrthod ufuddhau, ystyfnigrwydd. DISOBEDIENCE.

anufuddhau, *be.* Pallu ufuddhau, ystyfnigo. TO DISOBEY.

anuniongyrchol, *a.* Heb fod yn uniongyrchol, cwmpasog. INDIRECT.

anwadal, *a.* Ansefydlog, gwamal, oriog, simsan, cyfnewidiol, ansad. CHANGEABLE.

anwadalu, *be.* Newid meddwl, gwamalu. TO WAVER.

anwadalwch, *eg.* Ansefydlogrwydd, gwamalrwydd, ansadrwydd. FICKLENESS.

anwahanadwy, *a.* Na ellir ei wahanu a'i rannu. INSEPARABLE.

anwar : anwaraidd, *a.* Barbaraidd, gwyllt, anfwyn, anfoesgar, anfoneddigaidd, trahaus. UNCIVILISED, BARBAROUS, WILD.

anwareidd-dra, *eg.* Gwylltineb, barbareiddiwch, diffyg gwareiddiad. SAVAGERY, BARBARISM.

anwastad, *a.* 1. Heb fod yn wastad neu lyfn, garw. UNEVEN.
2. Ansefydlog, gwamal. FICKLE.

anwedd, *eg.* Tawch oddi ar ddŵr berw, tarth, ager, stêm. STEAM, VAPOUR.

anweddaidd : anweddus, *a.* Heb fod yn weddaidd, gwrthun, aflednais, difoes, amhriodol. INDECENT, IMPROPER.

anweddiad, *eg. ll.*-au. Tarthiad, ageriad. EVAPORATION, VAPORISATION.

anwel : anweledig, *a.* Na ellir ei weld, anamlwg, aneglur. INVISIBLE, UNSEEN.

anwelladwy, *a.* Na ellir ei wella, anfeddyginiaethol. INCURABLE.

anwes, *eg. ll.*-au. Anwyldeb, maldod, mwythau. FONDLING, INDULGENCE.
Anifail anwes. PET.
Capel anwes. CHAPEL OF EASE.

anwesu, *be.* Anwylo, maldodi, coleddu, mynwesu, mwytho, tolach. TO FONDLE, TO CHERISH.

anwir, *a.* Celwyddog, gau, twyllodrus. FALSE, UNTRUE.

anwiredd, *eg. ll.*-au. Yr hyn nad yw'n wir, celwydd, twyll. UNTRUTH.

anwr, *eg. ll.* anwyr. Adyn, dihiryn, llwfrgi. WRETCH, COWARD.

anwrthdroadwy, *a.* Na ellir ei wrthdroi. IRREVERSIBLE.

anwybod, *eg. :* **anwybodaeth**, *egb. ll.*-au. Diffyg gwybodaeth. IGNORANCE.

anwybodus, *a.* Heb wybodaeth, diddysg, annysgedig. IGNORANT.

anwybyddu, *be.* Peidio â thalu sylw i, dibrisio, diystyru, gwadu, esgeuluso. TO IGNORE.

anwydog : anwydus, *a.* Yn dioddef oddi wrth annwyd, oer, oerllyd, fferllyd, rhynllyd. CHILLY, COLD.

anwylaf, *a.* 1. Gradd eithaf yr ansoddair **annwyl**. DEAREST.
2. *bf.* Person 1af unigol presennol mynegol **anwylo**. I CARESS, I FONDLE.

anwyldeb, *eg.* Hoffter, cariad, serch. AFFECTION, LOVE, FONDNESS.

anwyliaid, *e.ll.* (*un. eg.* anwyliad). Rhai a fawr gerir, cyfeillion annwyl. LOVED ONES, FRIENDS.

anwylo, *be.* Anwesu, mwytho, maldodi, tolach. TO FONDLE.

anwylyd, *egb.* Cariad, un a gerir yn fawr, cyfaill. BELOVED.

anymarferol, *a.* Heb fod yn ymarferol, na ellir ei wneuthur. IMPRACTICABLE.

anymwybodol, *a.* Heb fod yn ymwybodol, diarwybod. UNCONSCIOUS, UNAWARE.

anymwybyddiaeth, *eb.* Cyflwr anymwybodol. UNCONSCIOUSNESS.

anynad, *a.* Croes, blin, sarrug, afrywiog, cecrus, cynhennus. PEEVISH.

anysgrifenedig, *a.* Heb ei ysgrifennu. UNWRITTEN.

anystwyth, *a.* Anhyblyg, syth. INFLEXIBLE.

anystyriaeth, *eb. ll.*-au. Diffyg ystyriaeth, diofalwch, difaterwch, diffyg meddwl ; byrbwylltra. INCONSIDERATION, HEEDLESSNESS, INDIFFERENCE ; RASHNESS.

anystyriol, *a.* Difeddwl, difater, diofal ; byrbwyll. THOUGHTLESS, INDIFFERENT, HEEDLESS ; RASH.

anystywallt, *a.* Gwyllt, anhydrin, afreolus, anhywaith. WILD.

ap, *gweler* **ab.**

apartheid, *eg. ll.*-au. Y polisi o ymrannu hiliol. APARTHEID.

apêl, *egb. ll.* apelau, apelion. **apeliad,** *eg. ll.*-au. Erfyniad, ymbil, gofyniad taer. APPEAL.

apelio, *be.* Erfyn, ymbil, crefu, gofyn yn daer. TO APPEAL.

apolegwr, *eg. ll.* apolegwyr. Un sy'n amddiffyn (*e.e.* Cristnogaeth) drwy ddadlau. APOLOGIST.

apostol, *eg. ll.*-ion. I. Un a anfonir i bregethu'r Efengyl.
2. Un blaenllaw mewn mudiad neu achos newydd. APOSTLE.

apostolaidd, *a.* Perthynol i'r Apostolion, tebyg i'r Apostolion. APOSTOLIC.

âr, *eg.* Tir wedi ei aredig. TILTH.
Tir âr. PLOUGHED LAND.

ar, *ardd.* (arnaf, arnat, arno/arni, arnom, arnoch, arnynt). ON ME, ON YOU, &c. ; ON, IN, UPON.
Ar brawf. ON PROBATION.
Ar draws, ar groes. ACROSS.
Ar ei daith. IN TRANSIT.
Ar fin. ON THE POINT OF.
Ar fy llw. ON MY OATH, ON MY HONOUR.
Ar fyrder. SUMMARILY.
Ar fyr o dro. SHORTLY.
Ar gerdded. ON THE MOVE, AWAY.
Ar goll. LOST.
Ar hap a damwain. PERCHANCE.
Ar lafar. ORALLY.
Ar siawns. RANDOM.
Ar unwaith. IMMEDIATELY.
Ar y clwt. STRANDED, UNEMPLOYED.
Ar y gorau. AT BEST.
Ar y lleiaf. TOO LITTLE.
Ar y llofft. UPSTAIRS.
Ar y mwyaf. TOO MUCH.

arab, *a.* Llawen, ffraeth, llon, doniol, ysmala. WITTY.

Arab, *eg. ll.*-iaid. Brodor yn wreiddiol o Arabia, neu erbyn heddiw o'r Dwyrain Canol. AN ARAB.

arabedd, *eg.* Ffraethineb, ysmaldod, donioldeb, digrifwch. WIT, HUMOUR.

aradr, *egb. ll.* erydr. Offeryn i droi'r tir (aredig), gwŷdd. PLOUGH.

araf, *a.* Yn cymryd tipyn o amser, nid cyflym, pwyllog, hamddenol, hwyrfrydig. SLOW.
Yn araf deg. SLOWLY, GENTLY.

arafiad, *eg. ll.*-au. Y broses o golli cyflymder. RETARDATION, DECELERATION.

arafu, *be.* Pwyllo, symud yn arafach. TO SLOW.

arafwch, *eg.* Pwyll, hwyrfrydigrwydd, cymedroldeb. SLOWNESS.

araith, *eb. ll.* areithiau. Anerchiad, ymadrodd, lleferydd, sgwrs. SPEECH, ORATION.

arall, *a. ll.* eraill. Nid yr un, amgen. OTHER.
Rhywun arall. SOMEONE ELSE.

aralleiriad, *eg.* Darn o ryddiaith neu farddoniaeth wedi ei ddodi mewn geiriau gwahanol. PARAPHRASE.

aralleirio, *be.* Rhoi ystyr darn o lyfr, &c. mewn geiriau eraill neu wahanol. TO PARAPHRASE.

araul, *a.* Heulog, teg, gloyw, disglair, hyfryd. SUNNY, SERENE.

arbed, *be.* Achub, hepgor, cadw, safio, gwaredu, sbario. TO SPARE, TO SAVE.

arbenigaeth, *eb. ll.*-au : **arbenigiad,** *eg. ll.*-au. Crynhoad sylw ar ryw gangen o wybodaeth neu o ddiwydiant. SPECIALISATION: EXPERTISE.

arbenigedd, *eg.* Neilltuolrwydd, hynodrwydd, prif nodwedd. SPECIALITY.

arbenigo, *be.* Canolbwyntio ar ryw gangen o wybodaeth neu o ddiwydiant. TO SPECIALISE.

arbenigrwydd, *eg.* Nodwedd arbennig, rhagoriaeth, godidowgrwydd, goruchafiaeth. DISTINCTION.

arbenigwr, *eg. ll.* arbenigwyr. Un a gwybodaeth arbennig ganddo, meistr ar ei bwnc mewn maes neilltuol. SPECIALIST.

arbennig, *a.* I maes o'r cyffredin, anghyffredin, neilltuol, rhagorol. SPECIAL.

arbrawf, *eg. ll.* arbrofion. Ymgais i brofi rhywbeth megis damcaniaeth, &c. ; cynnig. EXPERIMENT.

arbrofi, *be.* Darganfod drwy brawf. TO EXPERIMENT.

arbrofol, *a.* Yn perthyn i arbrofi, ymgeisiol. EXPERIMENTAL.

arch, *eb. ll.* eirchion, eirchiau. I. Deisyfiad, cais, erfyniad, dymuniad. REQUEST.
2. *eb. ll.* eirch. Cist, coffr, ysgrin, blwch, coffin. COFFIN, ARK.
Arch Noa. NOAH'S ARK.
Bwa'r arch. RAINBOW.

arch-, *rhagdd.* I. Prif, pennaf, uchaf. CHIEF, PRINCIPAL, HIGH, ARCH-.
   e.e. Archdderwydd. ARCHDRUID. Archddiacon. ARCHDEACON.
   2. Gwaethaf, trwyadl ddrwg, carn. WORST OF, RINGLEADER OF.
   e.e. Archelyn. WORST ENEMY. Archderfysgwr. WORST RIOTER.

archaeoleg, *eb.* Astudiaeth wyddonol o hynafiaethau, yn enwedig o'r cyfnod cynhanesiol. ARCHAEOLOGY.

archaeolegol, *a.* Yn ymwneud ag archaeoleg. ARCHAEOLOGICAL.

archaeolegwr, *eg. ll.* archaeolegwyr. Un sy'n astudio archaeoleg. ARCHAEOLOGIST.

archangel, *eg. ll.* archangylion. Prif angel. ARCHANGEL.

archeb, *eb. ll.*-ion. Gorchymyn (am nwyddau), ordor. ORDER.
   Archeb bost. POSTAL ORDER.

archebu, *be.* Rhoi archeb, gorchymyn, ordro, erchi. TO ORDER.

archesgob. *eg. ll.*-ion. Prif esgob. ARCHBISHOP.

archesgobaeth, *eb. ll.*-au. Swydd a maes awdurdod, archesgob. ARCHBISHOPRIC.

archfarchnad, *eb. ll.*-oedd. Ystorfa fawr hunanwasanaeth yn gwerthu bwyd a nwyddau eraill. SUPERMARKET.

archif, *eg. ll.*-au. I. Man lle cedwir casgliadau o gyfnodion cyhoeddus, dogfennau, gweithredoedd, &c. ARCHIVE.
   2. Dogfen gyhoeddus neu gofnod hanesyddol. ARCHIVE.

archifdy, *eg. ll.* archifdai. Swyddfa lle cedwir archifau. RECORDS OFFICE.
   Yr Archifdy Gwladol. PUBLIC RECORDS OFFICE.

archifydd, *eg. ll.*-ion. Ceidwad archifau. ARCHIVIST.

archoffeiriad, *eg. ll.* archoffeiriaid. Prif offeiriad. HIGH PRIEST.

archoll, *egb. ll.*-ion. Clwyf, briw, cwt, toriad, dolur, anaf, gweli. WOUND.

archolli, *be.* Clwyfo, gwanu, niweidio, brifo. TO WOUND.

archwaeth, *egb. ll.*-au. Blas, chwant, awydd, chwaeth, blys. APPETITE.

archwaethu, *be.* Blasu, chwantu, blysio. TO SAVOUR, RELISH.

archwiliad, *eg. ll.*-au. Ymchwiliad, arolygiad ; edrych a phrofi cyfrifon. EXAMINATION, INSPECTION ; AUDIT.
   Archwiliad meddygol. MEDICAL EXAMINATION.
   Archwiliad mewnol. INTERNAL AUDIT.
   Archwiliad seiciatryddol. PSYCHIATRIC EXAMINATION.

archwilio, *be.* Chwilio i mewn i gynnwys rhywbeth, profi. TO EXAMINE, INSPECT.

archwiliwr, *eg. ll.* archwilwyr. Profwr, chwiliwr cyfrifon. EXAMINER, AUDITOR, SCRUTINEER.

ardal, *eb. ll.*-oedd. Rhandir, cymdogaeth, parth, dosbarth. DISTRICT.

ardalydd, *eg. ll.*-ion. Uchelwr o radd rhwng dug ac iarll. MARQUIS.

ardreth, *eb. ll.*-i. Rhent, tâl cyfnodol neu flynyddol am denantiaeth. RENT.

ardrethol, *a.* Trethadwy. RATEABLE.
   Gwerth ardrethol. RATEABLE VALUE.

ardystiad, *eg. ll.*-au. I. Datganiad, tystiolaeth, prawf ; cofnodiad swyddogol gan lys ar drwydded yrru. DECLARATION, ATTESTATION ; ENDORSEMENT.
   Ardystiadau. ENDORSEMENTS.
   2. Ymrwymiad (dirwestol). PLEDGE.

ardystiedig, *a* I.. Wedi ei arwyddo neu ei gofnodi (gan lys swyddogol). ATTESTED, ENDORSED.
   2. Wedi ymrwymo wrth ardystiad dirwestol. PLEDGED.

ardystio, *be.* I. Profi, tystiolaethau, gwarantu ; cofnodi'n swyddogol pwyntiau cosb ar drwydded yrru. TO ATTEST, TO WITNESS ; TO ENDORSE.
   Dogfen ardystio. ENDORSEMENT DOCUMENT.
   2. Ymrwymo (wrth ddirwest), addunedu. TO TAKE THE PLEDGE.

ardd, *gw.* **gardd.**

arddangos, *be.* Dangos rhywbeth mewn arddangosfa neu sioe. TO EXHIBIT.

arddangosfa, *eb. ll.* Arddangosfeydd.

arddangosiad, *eb. ll.*-au. Sioe, siew. SHOW, EXHIBITION.

arddegau, *e.ll.* Y cyfnod rhwng plentyndod a bod yn oedolyn, y blynyddoedd rhwng tair ar ddeg a deunaw. ADOLESCENCE, TEENS.

arddegen, *eb. ll.* arddegion. Merch yn ei harddegau. TEENAGE GIRL, TEENAGER.

arddegyn, *eg.ll.* arddegion. Bachgen yn ei arddegau. TEENAGE BOY, TEENAGER.

arddel, *be.* Cydnabod, hawlio, addef, cydnabyddiaeth. TO OWN, TO CLAIM.

arddeliad, *eg. ll.*-au. Argyhoeddiad, sicrwydd, eneiniad, cydnabyddiaeth. APPROVAL, UNCTION.

ardderchog, *a.* Rhagorol, godidog, campus, ysblennydd, gwych. EXCELLENT.

ardderchowgrwydd, *eg.* Gwychder, mawredd, gogoniant, urddas, godidowgrwydd. SPLENDOUR, MAGNIFICENCE, GLORY, EXCELLENCE.

arddodiad, *eg. ll.* arddodiaid. Gair a ddodir o flaen enw neu ragenw i ddangos ei berthynas â gair arall yn y frawddeg. PREPOSITION.

arddull, *egb. ll.*-iau. Dull o ysgrifennu neu siarad neu gyfansoddi cerddoriaeth, &c. ; modd, ieithwedd. STYLE.

arddunedd, *eg.* Urddas, arucheledd, harddwch, mawredd. SUBLIMITY.

arddunol, *a.* Godidog, aruchel, mawreddog, dyrchafedig. SUBLIME.

arddwr, *eg. ll.* arddwyr, Aradrwr, ffarmwr, amaethwr. PLOUGHMAN, FARMER.
   gweler **garddwr.**

arddwrn, *eg. ll.* arddyrnau. Y cymal sy'n cysylltu'r llaw â'r fraich. WRIST.

aredig, *be.* Troi tir ag aradr, dymchwelyd tir. TO PLOUGH.

areithio, *be.* Siarad yn gyhoeddus, rhoi anerchiad, traethu, llefaru. TO MAKE A SPEECH.

areithiwr, *eg. ll.* areithwyr. **areithydd,** *eg. ll.*-ion. Siaradwr cyhoeddus, llefarwr, ymadroddwr. SPEAKER.

areithyddiaeth, *eb.* Y gallu i siarad yn huawdl, rhethreg, huodledd. ORATORY.

aren, *eb. ll.*-nau. Un o'r ddwy chwarren sy'n rhannu'r carthion a'r dŵr oddi wrth y gwaed. KIDNEY.

arf, *egb. ll.*-au. Offeryn, erfyn, twlsyn. WEAPON, TOOL.
Arf bygythiol. OFFENSIVE WEAPON.

arfaeth, *eb. ll.*-au. Pwrpas, bwriad, amcan, cynllun. PURPOSE.

arfaethu, *be.* Amcanu,bwriadu, pwrpasu, cynllunio, arofun. TO INTEND.

arfbais, *eb. ll.*-iau. Dyfais herodrol ar lun tarian, pais arfau. COAT OF ARMS.

arfdy, *eg. ll.* arfdai. Ystordy arfau ac arfogaeth, trysorfa offer rhyfel. ARMOURY.

arfer, *egb. ll.*-ion. **arferiad,** *eg. ll.*-au. I. Defod, moes, tuedd. CUSTOM, PRACTICE.
Yn ôl ei arfer. ACCORDING TO HIS CUSTOM.
2. *be.* Defnyddio, cyfarwyddo, cynefino, ymarfer. TO USE, TO ACCUSTOM.

arferol, *a.* Cyffredin, cynefin. USUAL.

arfod, *eg. ll.*-au. Ergyd ag arf neu offeryn. STROKE OF A WEAPON.

arfog, *a.* Yn gwisgo rhyfelwisg, yn cario arfau. ARMED.

arfogaeth, *egb.* Rhyfelwisg, offer rhyfel. ARMOUR.

arfogi, *be.* Cyflenwi ag arfau, paratoi i frwydr. TO ARM.

arfordir, *eg. ll.*-oedd. Glan y môr, tir ar lan y môr. COAST.

arffed, *eb. ll.*-au. Cofl, côl. LAP.

arffedog, *eb. ll.*-au. Ffedog, barclod, brat. APRON.

argae, *eg. ll.*-au. Clawdd i gadw dŵr draw, dyfrglawdd, morglawdd, cronfur, cored. DAM, EMBANKMENT, WEIR.

argaen : argaeniad, *eg. ll.*-au. Haenen denau allanol o bren, caenen o bren. VENEER.

argaenu, *be.* Gorchuddio (pren, celfi, &c.) â haenen denau o bren da. TO VENEER.

argel, *egb. ll.*-ion. Lle cuddiedig, cuddfan, encil, lle o'r neilltu ; noddfa. SECLUDED PLACE, CONCEALMENT, RETREAT ; REFUGE.

arglwydd, *eg. ll.*-i. Meistr, llywodraethwr, pendefig, gŵr o radd uchel. LORD.
Yr Arglwydd. THE LORD.
Tŷ'r Arglwyddi. HOUSE OF LORDS.

arglwyddes, *eb. ll.*-au. Meistres, gwraig arglwydd, pendefiges. LADY.

arglwyddiaeth, *eb. ll.*-au. I. Awdurdod, llywodraeth. DOMINION.
2. Tir arglwydd, ystad. LORDSHIP.

arglwyddiaethu, *be.* Rheoli, tra-awdurdodi, llywodraethu, gweithredu fel arglwydd. TO HAVE DOMINION.

argoel, *eb. ll.*-ion. Arwydd, awgrym, rhagarwydd, nod. SIGN, OMEN.

argoeli, *be.* Arwyddo, awgrymu, rhagarwyddo, darogan. TO PORTEND.

argoelus, *a.* Yn arwyddo, yn rhagfynegi, nodweddiadol. OMINOUS, FOREBODING, PORTENTOUS ; INDICATING.

argraff, *eb. ll.*-au, -ion. Nod, ôl delw, argraffnod. IMPRESSION.
Gadael argraff ar. TO AFFECT.

argraffdy, *eg. ll.* argraffdai. Swyddfa argraffu. PRINTING OFFICE.

argraffedig, *a.* Wedi ei argraffu, mewn print. PRINTED.

argraffiad, *eg. ll.*-au. Y copïau a argreffir yr un adeg. EDITION, IMPRESSION.

argraffu, *be.* Gwasgu ar feddwl neu ar bapur, gadael argraff ar. TO PRINT, TO IMPRESS.

argraffwaith, *eg.* Gwaith argraffu, print. PRINT, TYPOGRAPHY.

argraffwr, *eg. ll.* argraffwyr : **Argraffydd,** *eg. ll.*-ion. Un sy'n argraffu. PRINTER.

argrwm, *a.* Â chwydd ynddo, bolio allan, amgrwm. CONVEX

argyfwng, *eg. ll.* argyfyngau. Yr adeg bwysicaf mewn amgylchiad peryglus, cyfyngder, creisis. CRISIS.

argyhoeddi, *be.* Darbwyllo, gwrthbrofi, perswadio. TO CONVINCE.

argyhoeddiad, *eg. ll.*-au. Cred gadarn, darbwylliad, perswâd. CONVICTION.

argyhuddo, *be.* Cyhuddo, achwyn ar, galw i gyfrif. TO ACCUSE.

argymell, *be.* Cymell, annog, annos, calonogi, denu, cymeradwyo. TO URGE, TO RECOMMEND.

argymhelliad, *eg.* Cymhelliad, anogaeth. INDUCEMENT, RECOMMENDATION.

arholi, *be.* Holi, cwestiyna, profi, chwilio i gymwysterau rhywun. TO EXAMINE.

arholiad, *eg. ll.*-au. Prawf, ymholiad. EXAMINATION.
Sefyll arholiad. TO TAKE (*sit*) AN EXAMINATION.

arholwr, *eg. ll.* arholwyr. Un sy'n arholi, holwr, chwiliwr, profwr. EXAMINER.

arhosfa, *eg. ll.* arosfeydd. Trigfa, man aros, gorffwysfa. ABODE, STOPPING PLACE. RESTING-PLACE.

arhosiad, *eg. ll.*-au. Sefyll, oediad, trigiad, preswyliad. A STAY.

arhosol, *a.* Parhaol, parhaus, sefydlog. LASTING.

arian, *eg.* I. Metel gwyn gwerthfawr. SILVER
2. *ell.* Arian bath o'r metel hwn. SILVER COINAGE.
Arian byw. QUICKSILVER.

Arian bath. CURRENT MONEY.

Arian cochion. COPPER MONEY.

Arian drwg. BASE COIN.

Arian gleision, arian gwynion. SILVER MONEY.

Arian parod. READY CASH.

Arian pen, arian cywir. EXACT MONEY.

Arian sychion. HARD CASH.

ariandwyll, *eg.* Dargyfeirio'n dwyllodrus arian neu adnoddau i ddefnydd personol. EMBEZZLEMENT.

ariandy, *eg. ll.* ariandai. Lle i gadw neu newid arian, banc. BANK.

ariangar, *a.* Hoff o arian, cybyddlyd, clòs, crintach. FOND OF MONEY.

ariangarwch, *eg.* Hoffter o arian, cybydd-dod. LOVE OF MONEY, AVARICE.

ariannaid : ariannaidd, *a.* Wedi ei wneud o arian, fel arian. OF SILVER, SILVERY.

Ariannin, *eb.* Y wlad ail fwyaf yn Ne America, ac yn ymestyn o fynyddoedd yr Andes yn y gorllewin hyd at Gefnfor Iwerydd yn y dwyrain. ARGENTINA.

ariannog, *a.* Cyfoethog, goludog, cefnog, abl. WEALTHY.

ariannol, *a.* Perthynol i arian, cyllidol. FINANCIAL.

ariannu, *be* I. Gorchuddio neu addurno ag arian. TO SILVER.

2. Darparu arian ar gyfer rhyw brosiect, &c. TO FINANCE.

arlais, *eb. ll.* arleisiau. Y rhan o'r pen rhwng y talcen a'r glust. TEMPLE (OF THE HEAD).

arloesi, *be.* Clirio neu baratoi'r ffordd, torri tir newydd (mewn llên, &c.), darparu. TO PREPARE THE WAY, TO PIONEER.

arloeswr : arloesydd, *eg. ll.* arloeswyr. Un sy'n paratoi'r ffordd i eraill, cychwynnydd mudiad newydd. PIONEER.

arluniaeth, *eb.* Celfyddyd arlunio, gwaith arlunydd. ART OF PORTRAYING.

arlunio, *be.* Tynnu lluniau â phensil neu frws, &c. TO DRAW, TO PAINT.

arlunydd, *eg. ll.* arlunwyr. Artist, peintiwr. ARTIST.

arlwy, *eb. ll.*-on. I. Paratoad, darpariaeth. PREPARATION.

2. Gwledd. FEAST.

arlwyaeth, *eb. ll.*-au. Bwyd wedi ei baratoi, ymborth, lluniaeth, gwledd. PREPARED FOOD, FOOD, MEAL, FEAST.

arlwyo, *be.* Darparu, trefnu, paratoi bord. TO PREPARE.

arlywydd, *eg. ll.*-ion. Pennaeth gwlad dan werinlywodraeth. PRESIDENT (OF COUNTRY).

arlywyddiaeth, *eb.* Llywyddiaeth, rheolaeth neu arweinyddiaeth arlywydd. PRESIDENCY.

arlywyddol, *a.* Yn perthyn i arlywydd. PRESIDENTIAL.

arlliw, *eg. ll.*-iau. Blas, lliw, argoel, ôl. SAVOUR, TRACE, SHADE, TONE, TINT.

arllwys, *be.* Tywallt, diwel. TO POUR.

arnodi, *be.* Nodi, arwyddo neu lofnodi yn arbennig ar gefn dogfen, siec, &c., ardystio. TO NOTE, TO MARK, TO ENDORSE.

arnodiad, *eg. ll.*-au. Sylw, nodiad eglurhaol, esboniad, marc, arwydd, COMMENT, OBSERVATION, MARK, NOTE.

arobryn, *a.* Teilwng, yn haeddu gwobr. WORTHY, PRIZE-WINNING.

arofun, *be.* Bwriadu, arfaethu, amcanu, golygu, meddwl, anelu. TO INTEND.

arogl, *eg. ll.*-au : **aroglau,** *eg. ll.* arogleuon. Sawr, gwynt, perarogl. SMELL, SCENT.

arogldarth, *eg.* Sawr perlysau a losgir mewn defodau crefyddol. INCENSE.

arogleuo : arogli, *be.* Clywed gwynt neu aroglau, gwyntio, sawru, TO SMELL.

arogliad, *eg.* I. Synnwyr arogleuo. SENSE OF SMELL.

2. Aroglau ; y weithred o arogleuo. SMELL, ODOUR ; ACT OF SMELLING.

aroglog, *a.* Sawrus, yn meddu aroglau cryf, ODOROUS, PUNGENT.

arolwg, *eg. ll.* arolygon. Ardrem, archwiliad. SURVEY. Arolwg stadudol. STATUTORY REVIEW.

arolygiaeth, *eb.* Goruchwyliaeth ; rheolaeth, manwl chwiliad. SUPERINTENDENCY.

arolygu, *be.* Archwilio, goruchwylio. TO SURVEY, TO SUPERINTEND.

arolygwr, *eg. ll.* arolygwyr. **arolygydd,** *eg. ll* -ion. I. Un sy'n mesur tir, archwiliwr. SURVEYOR.

2. Goruchwyliwr Ysgol Sul, &c. SUPERINTENDENT.

aros, *be.* Sefyll, oedi, trigo, preswylio, disgwyl. TO WAIT, TO STAY.

arswyd, *eg.* Dychryn, braw, ofn mawr. TERROR.

arswydo, *be.* Brawychu, dychrynu, ofni'n fawr. TO DREAD.

arswydus, *a.* Dychrynllyd, ofnadwy, brawychus, echrydus, erchyll, echryslon. DREADFUL.

arsyllfa, *eb. ll.*-oedd, arsyllfeydd. Adeilad neu le i sylwi ar ffenomenau naturiol, yn enwedig mewn seryddiaeth, a'u hastudio. OBSERVATORY.

artaith, *eb. ll.* arteithiau. Poen, dir-boen. TORTURE, TORMENT.

arteithglwyd, *eb. ll.*-i. Offeryn poenydio gynt. RACK.

arteithio, *be.* Poenydio, dirboeni. TO TORTURE.

arteithiol, *a.* Poenydiol, dirdynnol, angerddol boenus. EXCRUCIATING.

artig, *a.* Yn perthyn i'r tir a'r cefnor o amgylch Pegwn y Gogledd. ARCTIC.

Cefnfor Artig. ARCTIC OCEAN

Cylch Artig. ARCTIC CIRCLE.

artistig, *a.* Yn perthyn i gelfyddid gain ; yn ymddiddori mewn celfyddyd gain. ARTISTIC.

arth, *ebg. ll.* eirth. Anifail rheibus a thrwm ac iddo flew trwchus ac ewinedd llym. BEAR. Yr Arth fawr. THE GREAT BEAR.

arthes, *eb. ll.*-au. Arth fenyw. SHE-BEAR.

arthio, *be.* Cyfarth fel arth, llefaru neu floeddio'n groch a bygythiol, dwrdio. TO GROWL LIKE A BEAR, TO SPEAK GRUFFLY, TO SCOLD.

aruchel, *a.* Arddunol, mawreddog, godidog, dyrchafedig. SUBLIME.

aruthr : aruthrol, *a.* Rhyfeddol, syn, anferth, enfawr, dirfawr. MARVELLOUS, TERRIFIC.

arwahanrwydd, *eg.* Y cyflwr o fod ar wahân neu'n wahanol. SEPARATENESS, INDIVIDUALITY.

arwain, *be.* Tywys, blaenori, cyfarwyddo. TO LEAD.

arweiniad, *eg.* Blaenoriaeth, cyfarwyddyd, hyfforddiant, tywysiad, rhagymadrodd. GUIDANCE.

arweiniol, *a.* Blaenaf, prif, cyntaf ; yn arwain, tywysol ; cyflwynol. FOREMOST ; GUIDING, LEADING ; INTRODUCTORY.

arweinydd, *eg. ll.*-ion. Tywysydd, blaenor, hyfforddwr, cyfarwyddwr. LEADER, CONDUCTOR.
Arweinydd cymunedol. COMMUNITY LEADER.
Arweinydd tîm. TEAM LEADER.

arweinyddiaeth, *eb.* Arweiniad, cyfarwyddyd, llywyddiaeth. LEADERSHIP, GUIDANCE, SUPERVISION.

arwerthiant, *eg. ll.* arwerthiannau. Ocsiwn, arwerthiad, marchnad, gwerthiant, mart. SALE, AUCTION.

arwerthu, *be.* Gwerthu, masnachu, cynnig ar werth yn gyhoeddus, gwerthu ar ocsiwn. TO SELL, TO TRADE, TO AUCTION.

arwerthwr, *eg. ll.* arwerthwyr. Un sy'n gwerthu mewn ocsiwn, gwerthwr. AUCTIONEER.

arwisgiad, *eg.* Addurnwisgiad, urddwisgiad. INVESTITURE.

arwisgo, *be.* Dilladu, gwisgo, addurno, urddwisgo. TO ENROBE, TO INVEST.

arwr, *eg. ll.* arwyr. Gwron, gŵr dewr, gŵr enwog, y prif berson mewn nofel neu ffilm, &c. HERO.

arwraidd, *a.* Dewr, gwrol ; gwych, ardderchog. HEROIC, VALIANT ; NOBLE, EXCELLENT.

arwres, *eb. ll.*-au. Merch ddewr, &c. HEROINE.

arwrgerdd, *eb. ll.*-i. Cerdd epig, hanesgerdd. EPIC, POEM.

arwriaeth, *eb.* Gwroniaeth, gwroldeb, dewrder. HEROISM, GALLANTRY, BRAVERY.

arwrol, *a.* I. Dewr, gwrol. HEROIC.
2. Epig, hanesiol, EPIC.

arwydd, *egb. ll.*-ion. Nod, argoel, amnaid, awgrym. SIGN, INDICATOR.
Arwyddion ffordd. ROAD SIGNS.
Arwyddion llaw. HAND SIGNS.
Arwyddion ymddygiadol a chorfforol. BEHAVIOURAL AND PHYSICAL INDICATORS.

arwyddair, *eg. ll.* arwyddeiriau. Ymadrodd ar bais arfau ysgol neu dref, &c. ; gair cyswyn. MOTTO

arwyddlun, *eg. ll.*-iau. Arwydd, symbol. EMBLEM, SYMBOL.

arwyddnod, *eg. ll.*-au. Nod, marc, llawnodiad, llofnodiad. MARK.

arwyddo, *be.* Amneidio, nodi, awgrymu, llofnodi, dynodi. TO SIGN, TO SIGNIFY.

arwyddocâd, *eg.* Ystyr, meddwl, yr hyn a olygir neu a awgrymir. SIGNIFICATION, SIGNIFICANCE.

arwyddocaol, *a.* Yn arwyddocáu, nodweddiadol, arwyddol. SIGNIFICANT.

arwyddocáu, *be.* I. Mynegi drwy arwydd, amneidio. TO BECKON.
2. Cyfleu, dynodi, golygu, meddwl. TO SIGNIFY.

arwyl, *eb. ll.*-ion. Angladd, claddedigaeth, cynhebrwng, defodau angladdol. FUNERAL.

arwynebedd, *eg.* Wyneb, y tu allan, rhan allanol. SURFACE, AREA.

arwynebol, *a.* Yn perthyn i'r wyneb neu arno ; bas, heb ddyfnder. SUPERFICIAL.

arysgrif : arysgrifen, *eb. ll.* arysgrifau. Argraff neu ysgrifen ar rywbeth. INSCRIPTION, EPIGRAPH.

asb, *eb. ll.*-iaid. Sarff, neu neidr wenwynllyd yn yr Aifft. ASP.

asbri, *eg.* Bywiogrwydd, nwyf, hoen, ysbrydiaeth, bywyd. VIVACITY.

aseiniad, *eg. ll.*-au. Dyraniad ; trosglwyddiad cyfreithiol ; gwaith wedi ei osod i berson – yn enwedig i fyfyriwr. ASSIGNMENT.

asen, *eb. ll.*-nau, ais. Un o'r esgyrn sy'n ymestyn o'r asgwrn cefn hyd at y frest. RIB.
Asen frân : sbarib. SPARE-RIB OF PORK.

asen, *eb. ll.*-nod. Asyn benyw, mules. SHE-ASS

asesiad, *eg. ll.*-au. Maint treth neu ddirwy sy wedi ei benodi gan aseswr. ASSESSMENT.
Asesiad cynhwysfawr. COMPREHENSIVE ASSESSMENT.
Asesiad meddygol. MEDICAL ASSESSMENT.
Asesiad parhaus. CONTINUOUS ASSESSMENT.

asgell, *eb. ll.* esgyll. Aden, adain. WING.
Asgell fraith. CHAFFINCH.
Asgell (tîm pêl-droed). WING (IN FOOTBALL).

asgellog, *a.* Ag adenydd neu esgyll, hedegog, adeiniog. WINGED.

asgellwr, *eg. ll.* asgellwyr. Chwaraewr pêl-droed. WING (*Soccer*).
Blaenasgellwr. FLANKER (*Rugby*).

asgre, *eb.* Mynwes, bron, calon. BOSOM, HEART.

asgwrn, *eg. ll.* esgyrn. Sylwedd caled sy'n rhan o ysgerbwd dyn neu anifail, &c. BONE.
Asgwrn cefn. BACKBONE, SPINE
Asgwrn y gynnen. BONE OF CONTENTION.
Asgwrn tynnu. WISH-BONE.
Di-asgwrn-cefn. SPINELESS.

asiad, *eg. ll.*-au. Cysylltiad, clymiad ; uniad o ddarnau metel drwy weldio ag arc drydan, &c. JOIN, FASTENING ; WELD.

asiant, *eg. ll.*-au. Un sy'n gweithredu, yn enwedig ar ran un arall ; dirprwy. AGENT.
Asiant ystadau. ESTATE AGENT.

asiantaeth, *eb. ll.*-au. Gweithred ; busnes un sy'n gweithredu dros arall ; sefydliad lle gweneir y busnes ar ran person neu gwmni. AGENCY.
Asiantaeth dai. HOUSING AGENCY.
Asiantaeth gynghori. ADVICE AGENCY.
Asiantaeth newyddion. NEWS AGENCY.

asid, *eg. ll.* -iau. Defnydd sur. ACID.
Asid citrig. CITRIC ACID.
Asid hydroclorig. HYDROCHLORIC ACID.
Asid nitrig. NITRIC ACID.
Asid sylffwrig. SULPHURIC ACID.
asidig, *a.* Yn sur ; yn meddu ar nodweddion asid.
ACIDIC.
asio, *be.* Uno, cydio wrth, ieuo, trwsio ; soldro
neu weldio metelau yn enwedig dur, ag arc
drydan, &c. TO JOIN, TO UNITE TO REPAIR ; TO
WELD.
asma, *eg.* Mogfa, mygfa, clefyd lle mae person yn
dioddef yn arw o drafferthion ac anawsterau
anadlu. ASTHMA.
astell, *eb. ll.* estyll, estyllod. I. Ystyllen, dellten,
planc. PLANK.
2. Silff. LEDGE, SHELF.
Astell ddu. BLACKBOARD.
Astell lyfrau. BOOKSHELF.
astroleg, *eb.* Sêr-ddewiniaeth. ASTROLOGY.
astrus, *a.* Dyrys, aneglur, anodd, cymhleth.
ABSTRUSE, DIFFICULT.
astud, *a.* Ystyriol, myfyriol, dyfal. ATTENTIVE.
astudiaeth, *eb. ll.*-au. Myfyrdod, efrydiaeth,
ymchwil, sylw. STUDY.
Astudiaeth leol. LOCAL STUDY.
astudio, *be.* Myfyrio, efrydu, meddwl, dysgu. TO
STUDY.
aswy, *a.* Chwith, yr ochr chwith. LEFT (SIDE).
asyn, *eg. ll.*-nod. Creadur hirglust ystyfnig ; mul.
ASS, DONKEY.
asynnaidd, *a.* Perthynol neu debyg i asyn ; twp,
dwl, hurt. ASININE.
at, *ardd.* (ataf, atat, ato/ati, atom, atoch, atynt). TO
ME, TO YOU, &c.
atal, *be.* Luddias, llesteirio, cadw'n ôl, rhwystro,
gwahardd. TO STOP, TO PREVENT, TO WITHOLD,
TO HINDER.
Atal cenhedlu. CONTRACEPTION.
Atal dweud. STAMMERING.
ataleb, *eb. ll.*-au. Gorchymyn awdurdodol ;
gorchymyn llys yn rhwystro person neu
gwmni rhag gweithredu'n ddrwg, &c.
INJUNCTION.
atalfa, *eb. ll.* atalfeydd. Rhwystr, man arafu neu
stopio ar heol, &c. OBSTACLE, STOPPAGE ;
CHECK-POINT.
ataliol, *a.* Yn atal neu'n rhwystro, llesteiriol.
PREVENTIVE, RESTRAINING.
Meddygaeth ataliol. PREVENTIVE MEDICINE.
atalnod, *eg. ll.*-au. Nod i ddynodi lle y dylid
cymryd seibiant wrth ddarllen. PUNCTUATION
MARK.
Atalnod llawn : diweddnod. FULL STOP.
atalnodi, *be.* Dodi atalnodau. TO PUNCTUATE.
atalnwyd, *eb. ll.*-au. Cymhleth, ystad annormal
yn y meddwl. COMPLEX, INHIBITION.
atalydd, *eg. ll.*-ion. Person neu ddyfais sy'n atal
(cerddwyr, trafnidiaeth, &c.), rhwystr.
RESTRAINER, OBSTRUCTOR.

atblygol, *a.* Yn annibynnol ar yr ewyllys (am
weithred). REFLEXIVE.
ateb, *eg. ll.*-ion. I. Rhywbeth a ddywedir yn
gyfnewid am gwestiwn ; atebiad, gwrtheb.
ANSWER.
2. Dehongliad, esboniad. SOLUTION.
ateb, *be.* Rhoi ateb, dweud yn ôl. TO ANSWER.
Carreg ateb. ECHO STONE.
atebol, *a.* Rhwymedig i ateb, cyfrifol.
ANSWERABLE, ACCOUNTABLE, RESPONSIBLE.
atebolrwydd, *eg.* Cyfrifoldeb. RESPONSIBILITY,
ACCOUNTABILITY.
atebydd, *eg. ll.* atebwyr. Un sy'n rhoi ateb ; peth
sy'n cyfateb. ONE THAT ANSWERS,
RESPONDENT ; THING THAT CORRESPONDS.
Cyd-atebydd. CO-RESPONDENT.
ateg, *eb. ll.*-ion, -au. Post, cynhalbren, gwanas.
PROP, STAY.
ategiad, *eg. ll.*-au. Cynhaliad, daliad i fyny,
cadarnhad, cefnogaeth. SUPPORT,
CONFIRMATION, AFFIRMATION, CORROBORATION.
ategol, *a.* Cynhaliol, yn dal i fyny, cadarnhaol ;
atodol. CONFIRMING, SUPPORTING ;
SUPPLEMENTARY, AUXILIARY.
ategu, *be.* Cynnal, dal i fyny, cadarnhau, cefnogi,
cydsynio. TO CONFIRM, TO SUPPORT.
atgas, *a.* Cas iawn, ffiaidd, gwrthun, annymunol,
mochaidd. ODIOUS.
atgasedd : atgasrwydd, *eg.* Cas, casineb,
gwrthuni, ffieiddrwydd, digasedd. HATRED.
atgof, *eg. ll.*-ion. Cof, coffa, argraff ar y cof.
RECOLLECTION.
atgofio, *be.* Dwyn i gof, atgoffa. TO RECALL ; TO
REMIND.
atgofus, *a.* Llawn atgof, hiraethus. REMINISCENT.
atgoffa, *be.* Atgofio, cofio, cofféu, dwyn i gof. TO
REMIND.
atgyfnerthion, *e.ll.* (*un. g.* atgyfnerth).
Atgyflenwad, cyflenwad ; adnoddau.
REINFORCEMENTS ; RESOURCES.
atgyfnerthu, *be.* Cyflenwi, cadarnhau, cefnogi.
TO SUPPORT, TO REPLENISH, TO STRENGTHEN,
TO REINFORCE.
atgyfodi, *be.* I. Cyfodi eto, ailgodi. TO RISE AGAIN,
RAISE.
2. Adfer i fywyd, dod yn ôl o farw,
adfywio. TO REVIVE.
atgyfodiad, *eg.* Adferiad i fywyd, adfywiad,
ailgyfodiad. RESURRECTION.
atgynhyrchu, *be.* Cynhyrchu drachefn ; geni
drachefn. TO REPRODUCE, TO BREED.
atgyweiriad, *eg. ll.*-au. Cyweiriad, adnewyddiad,
gwelliant, trwsiad. REPAIR, RENOVATION.
atgyweirio, *be.* Cyweirio, trwsio, adnewyddu,
adfer, gwella. TO REPAIR, TO MEND, TO
RENEW, TO RESTORE.
atgyweiriwr, *eg. ll.* atgyweirwyr. Un sy'n trwsio
neu'n cyweirio. REPAIRER.

atodiad, *eg. ll.*-au. Ychwanegiad, chwanegiad at lyfr yn cynnwys nodiadau eglurhaol, &c. APPENDIX.

atodlen, *eb. ll.*-ni. Ychwanegiad, rhestr neu daflen yn nodi manylion yn ychwanegol at y brif ddogfen. SUPPLEMENT, APPENDIX.

atodol, *a.* Ychwanegol, cyflenwol. SUPPLEMENTARY.

atolwg, *ebych.* Yn wir, erfyniaf. PRAY.

atolygu, *be.* Deisyf, erfyn, ymbil, crefu. TO BESEECH.

atom, *egb. ll.*-au. Y gronyn lleiaf o fater. ATOM.
   Bom atomig. ATOMIC BOMB.
   gweler **at.**

atomfa, *eb. ll.* atomfeydd. Gorsaf atomig. ATOMIC POWER STATION.

atomig, *a.* Yn perthyn i'r atom. ATOMIC.

atsain, *eb. ll.* atseiniau. Adlais, eco, datsain, adlef, ailadroddiad. ECHO.

atseinio, *be.* Adleisio, diasbedain, adlefain, datsain. TO RESOUND.

atyniad, *eg. ll.*-au. Y gallu i ddenu ; rhywbeth yn meddu ar y gallu hwnnw ; tynfa, swyn. ATTRACTION.

atyniadol, *a.* Yn tynnu neu ddenu ; deniadol, hudol. ATTRACTIVE.

Athen, *eb.* Prif ddinas Groeg. ATHENS.

athletau, *e.ll.* Mabolgampau, gemau, chwaraeon, cyfarfodydd cystadleuol o athletwyr. ATHLETICS.

athletwr, *eg. ll.* athletwyr. Cystadleuydd neu berfformiwr medrus mewn ymarfer corff (rhedeg, neidio, taflu gwaywffon, &c.). ATHLETE.

athrawes, *eb. ll.*-au. Ysgolfeistres, gwraig neu ferch sy'n dysgu eraill. SCHOOLMISTRESS.

athrawiaeth, *eb. ll.*-au. Dysgeidiaeth, credo, pwnc, hyfforddiant. DOCTRINE.

athrawiaethu, *be.* Dysgu, hyfforddi, addysgu, cyfarwyddo. TO INSTRUCT.

athrist, *a.* Trist iawn, prudd, galarus, blin, trwm, gofidus. SORROWFUL.

athro, *eg. ll.* athrawon. 1. Gŵr sy'n dysgu plant mewn ysgol. TEACHER.
   2. Pennaeth adran mewn prifysgol. PROFESSOR.
   Athro cerdd. MUSIC TEACHER.
   Athro cyswllt. HOME LIAISON TEACHER.
   Athro hanes. HISTORY TEACHER.
   Yr Athro John Jones. PROFESSOR JOHN JONES.

athrod, *eg. ll.*-ion. Enllib, anair, anghlod, drygair, cabl, gau adroddiad. SLANDER, LIBEL.

athrodwr, *eg. ll.* athrodwyr. Enllibiwr, cablwr. SLANDERER.

athrofa, *eb. ll.* athrofeydd. Coleg, ysgol, academi, rhan o brifysgol. COLLEGE, ACADEMY.

athroniaeth, *eb. ll.*-au. Astudiaeth o'n gwybodaeth o bob gwedd ar fodolaeth a gwerth. PHILOSOPHY.

athronydd, *eg. ll.*-ion, athronwyr. Un sy'n astudio athroniaeth. PHILOSOPHER.

athronyddol, *a.* Yn perthyn i athroniaeth. PHILOSOPHICAL.

athronyddu, *be.* Egluro trwy athroniaeth, damcaniaethu. TO PHILOSOPHIZE.

athrylith, *eb. ll.*-oedd. Gallu cynhenid arbennig, medr, talent, cywreinrwydd. TALENT.
   Dyn o athrylith. MAN OF GENIUS.

athrylithgar, *a.* Yn meddu ar athrylith, talentog, dysgedig. TALENTED.

aur, *eg.* Metel melyn gwerthfawr. GOLD.
   Aur coeth : aur mâl. PURE OR REFINED GOLD.

awch, *eg.* 1. Min, miniogrwydd, llymder. EDGE.
   2. Eiddgarwch, sêl, awydd. ZEST.

awchus, *a.* 1. Miniog, llym. SHARP.
   2. Eiddgar, angerddol. ARDENT.

awdl, *eb. ll.*-au. Cân hir mewn cynghanedd (ar y pedwar mesur ar hugain). ODE.

awdur, *eg. ll.*-on. **awdures**, *eb. ll.*-au. Un sy'n creu llenyddiaeth, creawdwr. AUTHOR.

awdurdod, *egb. ll.*-au. Gallu cyfreithlon, gallu sy'n gysylltiedig â swydd neu gymeriad, corff neu fwrdd rheoli. AUTHORITY.
   Awdurdod addysg lleol. LOCAL EDUCATION AUTHORITY.
   Awdurdod iechyd. HEALTH AUTHORITY.
   Awdurdod lleol. LOCAL AUTHORITY.
   Awdurdod priodol. APPROPRIATE AUTHORITY.
   Awdurdod rhanbarth. AREA AUTHORITY.
   Awdurdod tai lleol. LOCAL HOUSING AUTHORITY.

awdurdodaeth, *eb.* Awdurdod, cylch awdurdod, llywodraeth. AUTHORITY, JURISDICTION, GOVERNMENT.

awdurdodedig, *a.* Wedi ei awdurdodi, â gwarant iddo, wedi ei gyfreithloni, cydnabyddedig ; tra pharchus ; dilys. AUTHORISED, WARRANTED, SANCTIONED, LEGALISED ; HIGHLY ESTIMATED ; AUTHENTIC.

awdurdodi, *be.* Rhoi gallu yn llaw rhywun, cyfreithloni, rhoi hawl. TO AUTHORIZE.

awdurdodol, *a.* Ag awdurdod ganddo, swyddogol, dilys. AUTHORITATIVE.

awdures, *eb. ll.*-au. Merch o awdur, gwraig sy'n cyfansoddi. FEMALE AUTHOR, AUTHORESS.

awduriaeth, *ebg.* Awdurdod, gallu, gwarant ; tarddiad gwaith llenyddol, &c. AUTHORITY, POWER, WARRANT ; AUTHORSHIP.

awel, *eb. ll.*-on. Chwa, gwynt ysgafn, brisyn. BREEZE.
   Awel o wynt. GUST OF WIND.
   Awel dro. WHIRLING GUST.

awelog, *a.* Chwythlyd, gwyntog, yn agored i wyntoedd. BREEZY, WINDY.

awen, *eb. ll.*-au. 1. Afwyn, llinyn ffrwyn. REIN.
   2. Athrylith neu ysbrydoliaeth farddonol, dawn, talent. POETIC GIFT, THE MUSE.

awenyddol, *a.* Barddonol, yn meddu dawn farddonol. POETICAL.

awgrym, *eg. ll.*-iadau. : **awgrymiad**, *eg. ll.*-au. Arwydd, crybwylliad, syniad. HINT, SUGGESTION.

awgrymu, *be.* Rhoi awgrym, lledfynegi, rhoi syniad. TO SUGGEST.

awr, *eb. ll.* oriau. Trigain munud. HOUR.
   Yn awr ac yn y man. NOW AND AGAIN.
   Yr awron : nawr, rŵan. NOW.
Awst, *eg.* Yr wythfed mis o'r flwyddyn. AUGUST.
Awstralia, *eb.* Cyfandir, a gwlad, yn y Cefnfor
   Tawel. AUSTRALIA.
Awstraliad, *eg. ll.*-iaid. Brodor o Awstralia. AN
   AUSTRALIAN.
Awstria, *eb.* Gweriniaeth yng nghanolbarth
   Ewrop, a'i phrif ddinas Wien. AUSTRIA.
awtistig, *a.* Yn dioddef o awtistiaeth. AUTISTIC.
awtistiaeth, *eb.* Cyflwr meddyliol, yn arbennig
   mewn plant, sy'n rhwystro ymateb cyflawn
   i'r amgylchfyd. AUTISM.
awydd, *eg.* Dymuniad cryf, dyhead, chwant,
   chwenychiad. DESIRE.
awyddfryd, *eg.* Dymuniad taer, dyhead, chwant;
   sêl, brwdfrydedd. EARNEST DESIRE ; ZEAL,
   ENTHUSIASM.
awyddus, *a.* Awchus, chwannog, eiddgar,
   gwancus. EAGER.

awyr, *eb.* Aer, ffurfafen, wybren, wybr. AIR, SKY.
   Awyr iach. FRESH AIR.
   Awyrlu : llu awyr. AIR FORCE.
awyren, *eb. ll.*-nau. Eroplen, plên. AEROPLANE.
   Hofrennydd. HELICOPTER.
awyrennwr, *eg. ll.* awyrenwyr. Un sy'n hedfan
   mewn awyren. AIRMAN.
awyrgylch, *egb.* Yr awyr sy'n cwmpasu'r ddaear :
   aer, awyr, naws, teimlad. ATMOSPHERE.
awyrlu, *eg.* Adran awyrol o'r lluoedd arfog : y
   fyddin, y llynges, y llu awyr. AIR FORCE.
awyro : awyru, *be.* Aerio, crasu, tempru dillad ;
   gwyntyllu, hwyluso awelon o awyr iach
   (mewn tŷ neu le caeëdig) ; mynegi'n
   gyhoeddus (cwyn, syniad, &c.). TO AIR
   (*clothes*) ; TO VENTILATE (*house,* &*c.*) ; TO
   AIR (*grievance, view,* &*c.*).
awyrol, *a.* Yn yr awyr, yn perthyn i'r awyr ; yn
   ymwneud â hediad awyrennau. AERIAL.

Baban, *eg. ll.*-od. Plentyn bach ieuanc, maban, babi. BABY.

babanaidd, *a.* Fel plentyn, plentynnaidd. BABYISH, CHILDISH.

babandod, *eg.* 1. Plentyndod, mabandod, mebyd, maboed. INFANCY.
2. Dechreuad rhywbeth. BEGINNING.

babi, *eg. ll.*-s. Baban. BABY.

babïaidd, *a.* Babanaidd, gwirion, meddal, yn gweddu i blentyn ac nid i ddyn. BABYISH, SILLY, SOFT, CHILDISH.

babŵn, *eg. ll.*-od. Math o fwnci mawr a geir yn Affrica a de Asia. BABOON.

bacio, *be.* Symud yn ôl ; betio arian ar geffyl neu gi, &c. TO MOVE BACKWARDS ; TO BACK ; TO BET (ON).
Bacio car. TO REVERSE A CAR.
Bacio ceffyl. TO BET ON SUCCESS OF HORSE.

baco, *eg.* Dail llysieuyn a ddaeth yn wreiddiol o America ac yr arfenir ei ysmygu (sigaret, sigâr, &c.), ei gnoi a'i snwffian (snisyn). TOBACCO.

bacterioleg, *eb.* Astudiaeth bacteria. BACTERIOLOGY.

bacteria, *e.ll.* (*un. g.* bacteriwm). Planhigion ungell microsgopig sy'n achosi afiechydon. BACTERIA.

bacwn, *eg. ll.* bacynau. Cig moch wedi ei halltu. BACON.

bach, *eg. ll.*-au. Darn o fetel wedi ei blygu i ddal neu hongian rhywbeth wrtho, bachyn. HOOK.
Bach a dolen. HOOK AND EYE.
Bach drws. HINGE OF DOOR.
Bach pysgota. FISHING-HOOK.
Bachau petryal. SQUARE BRACKETS.

bach, *a.* 1. Bychan, mân, bitw. SMALL.
2. Annwyl, cu, hoff. DEAR.

bachgen, *eg. ll.* bechgyn. Llanc, llencyn, crwt, gŵr ifanc, hogyn, mab, gwas. BOY.
Yr hen fachgen. OLD NICK.

bachgendod, *eg.* Mebyd, bore oes, maboed, ieuenctid, llencyndod. BOYHOOD.

bachgennaidd, *a.* Fel bachgen, yn perthyn i fachgen, plentynnaidd. BOYISH.

bachgennyn, *eg.* Bachgen bychan, llanc, crwt, hogyn. LAD.

bachigyn, *eg. ll.* bachigion. Rhywbeth llai na'r cyffredin, peth bach iawn. DIMINUTIVE.

bachog, *a.* Gafaelgar, â bachau, treiddgar. HOOKED, INCISIVE.
Dywediad bachog : dywediad gafaelgar.

bachu, *be.* Dal â bach, gafaelyd, cydio, sicrhau. TO HOOK.

bachwr, *eg. ll.* bachwyr. Aelod o reng flaen y blaenwyr mewn tîm rygbi â'r gorchwyl o ennill y bêl o'r sgrymiau drwy'i bachu â'i droed. HOOKER.

bachyn, *eg. ll.* bachau. Bach. HOOK.
Bachyn drws. DOOR HINGE.
Bachyn pysgota. FISHING HOOK.

bad, *eg. ll.*-au. Llestr bychan agored i fynd ar wyneb y dŵr, cwch, ysgraff. BOAT.

badwr, *eg. ll.* badwyr. Cychwr, rhwyfwr. BOATMAN.

baddon, *eg. ll.*-au. Lle i ymolchi, bath, ymdrochle. BATH.

bae, *eg. ll.*-au. Cilfach fôr, angorfa. BAY.

baedd, *eg. ll.*-od. Mochyn gwryw, twrch. BOAR.
Baedd coed : baedd gwyllt. WILD BOAR.

baeddu, *be.* 1. Curo, taro, bwrw, trechu, gorchfygu. TO BEAT.
2. Difwyno, llygru, llychwino. TO SOIL.

bag, *eg. ll.*-au, -iau. Cwd, cod, ysgrepan, sach, ffetan. BAG.

bagad, *egb. ll.*-au. 1. Mintai, lliaws, torf, nifer, llawer. HOST.
2. Clwstwr, sypyn. BUNCH, CLUSTER.
3. Haid. FLOCK.

bagl, *eb. ll.*-au. 1. Ffon a ddefnyddir dan y gesail gan ddyn cloff, ffon gnwpa, bugeilffon. CRUTCH.
2. Coes, hegl. LEG.
Bagl esgob. CROSIER.

baglor, *eg. ll.*-ion. Person wedi ennill y radd gyntaf mewn prifysgol neu sefydliad tebyg. BACHELOR. IN THE SENSE OF ONE WHO HAS EARNED THE FIRST DEGREE AT A UNIVERSITY OR SIMILAR INSTITUTION.
B.A. Baglor yn y Celfyddydau. BACHELOR OF ARTS.
B.Add. Baglor mewn Addysg. BACHELOR OF EDUCATION.
B.D. Baglor mewn Diwinyddiaeth. BACHELOR OF EDUCATION.
B.Mus./Mus.Bac. Baglor mewn Cerddoriaeth. BACHELOR OF MUSIC.
B.Phil. Baglor mewn Athroniaeth. BACHELOR OF PHILOSOPHY.
B.Sc. Baglor mewn Gwyddoniaeth. BACHELOR OF SCIENCE.
Ll.B. Baglor yn y Gyfraith. BACHELOR OF LAWS.

baglu : baglan, *be.* 1. Llithro, cwympo, tripio. TO STUMBLE.
2. Rhedeg ymaith, heglu, dodi traed yn y tir. TO RUN AWAY.

bai, *eg. ll.* beiau. 1. Diffyg, ffaeledd, nam. FAULT.
2. Drygioni, trosedd. VICE.
Ar fai. AT FAULT.

baich, *eg. ll.* beichiau. 1. Pwn, llwyth, pwysau. LOAD.
2. Byrdwn, prif fater. MAIN POINT.

balch, *a.* Trahaus, ffroenuchel, chwyddedig, ymffrostgar. PROUD.
Yn falch o : yn llawen am. PLEASED WITH.

balchder, *eg.* Cyflwr, balch, rhodres, trahauster, rhyfyg, ymffrost. PRIDE.

balchïo, *be.* Ymfalchïo, ymffrostio. TO MAKE PROUD, TO BOAST.

baldorddi, *be.* Clebran, preblan, dadwrdd, siarad lol. TO BABBLE.

baled, *eb. ll.*-i. Cân ysgafn yn y mesurau rhydd ac yn adrodd stori ; dyri. BALLAD.

baledol, *a.* Yn perthyn i faled[i]. BALLADIC.

baledwr, *eg. ll.* baledwyr. Canwr neu gyfansoddwr baledi, gwerthwr baledi. COMPOSER OF BALLADS, BALLAD-MONGER.

balm, *eg.* Rhywbeth i leddfu poen, eli, ennaint. BALM.

balmaidd, *a.* Fel balm, tyner, lliniarus, iachusol. BALMY.

ban, *egb. ll.*-nau. I. Crib, copa, uchelder. PEAK.
2. Cornel, congl, rhan, parth. CORNER, QUARTER.
Pedwar ban y byd. THE FOUR CORNERS OF THE WORLD.

ban, *a.* I. Uchel, tal. LOFTY.
2. Swnllyd, llafar. LOUD.

banadl, *e.ll.* (*un. b.* banhadlen). Llwyn â blodau melyn bychain arno. BROOM.

banana, *eg. ll.*-s, bananâu. BANANA.

banc, *eg. ll.*-iau. I. Lle i gadw arian a'u newid, ariandy. BANK.
Adroddiad banc. BANK STATEMENT.
Cyfrif banc. BANK ACCOUNT.
Gŵyl banc. BANK HOLIDAY.
Rheolwr banc. BANK MANAGER.
2. *eg. ll.* bencydd. Codiad tir, bryn, bryncyn, ponc, twyn, twmpath, crug. MOUND, HILLOCK.

bancio, *be.* Rhoi i'w gadw mewn banc. TO BANK, TO DEPOSIT IN A BANK.

banciwr : bancwr, *eg. ll.* bancwyr. Un sy'n trefnu banc, ariannydd, cyfnewidwr arian. BANKER, MONEY-CHANGER.

band, *eg. ll.*-au, -iau. I. Cwmni o gerddorion, seindorf. BAND.
2. Rhwymyn. BINDING.

baner, *eb. ll.*-i, -au. Darn o frethyn lliw yn dwyn arwyddlun, lluman, fflag. FLAG.

banerog, *a.* Yn dwyn baneri. BANNERED, WITH BANNERS.

banllef, *eb, ll.*-au. Bonllef, gwaedd uchel, bloedd, crochlef. A LOUD SHOUT.

Bannau Brycheiniog, *eb.* Cyfres o fynyddoedd yn ne Cymru. BRECON BEACONS.

bannod, *eb. ll.* banodau. Yr enw a roir ar y geiriau **y, yr, 'r** pan ddônt o flaen enw. THE DEFINITE ARTICLE.

bar, *eg. ll.*-rau. I. Darn hir o fetel i gloi drws neu gau adwy, &. ; bollt, trosol. BAR, BOLT.
2. Lle y saif carcharorion mewn llys. BAR.
3. Cownter tŷ tafarn. BAR.
4. Rhaniad mewn darn o gerddoriaeth. BAR.

bâr, *eg.* I. Llid, dicter, cynddaredd, ffyrnigrwydd. ANGER.
2. Chwant, trachwant. GREED.

bara, *eg.* Blawd wedi'i wlychu, ei dylino a'i grasu ac yn cynnwys burum neu surdoes ; torth, torthau ; bwyd cyffredin. BREAD ; LOAF, LOAVES ; FOOD.
Bara beunyddiol. DAILY BREAD ; SUSTENANCE.

Bara brith. CURRANT BREAD.
Bara brown. BROWN BREAD.
Bara can. WHITE BREAD.
Bara ceirch. OAT BREAD/OATCAKE.
Bara codi/croyw. UNLEAVENED BREAD.
Bara ffres. FRESH BREAD.
Bara gwenith cyfan. WHOLEMEAL BREAD.
Bara haidd. BARLEY BREAD.
Bara lawr. LAVER BREAD.
Bara rhyg. RYE BREAD.

barbaraidd, *a.* Anwar, ffyrnig, garw. SAVAGE, FIERCE, UNCIVILISED.

barbariad, *eg. ll.* barbariaid. Dyn gwyllt ac anwar. BARBARIAN.

barbariaeth, *eb.* Cyflwr anwar neu gyntefig; creulondeb, cieidd-dra. BARBARISM.

barbwr, *eg. ll.* barbwyr. Eilliwr neu dorrwr gwallt. BARBER.

barclod, *eg. ll.*-au. Dilledyn uchaf a wisgir ar yr arffed ; ffedog, brat. APRON.

barcud : barcut, *eg. ll.*-iaid. **barcutan,** *eg. ll.*-od. Aderyn ysglyfaethus yn perthyn i deulu'r cudyll. KITE.

bardd, *eg. ll.* beirdd. Cyfansoddwr barddoniaeth, prydydd, awenydd. POET.

barddas, *ebg.* Barddoniaeth, prydyddiaeth ; dysg neu gelfyddyd cerdd dafod. POETRY ; BARDISM.

barddol, *a.* Barddonol, prydyddol, yn perthyn i gelfyddyd y beirdd. BARDIC, POETIC.

barddoni, *be.* Cyfansoddi barddoniaeth, prydyddu. TO COMPOSE POETRY.

barddoniaeth, *eb.* Y gelfyddyd o fynegi'n brydferth y meddyliau a gynhyrchir gan y teimlad a'r dychymyg ; prydyddiaeth, awenyddiaeth. POETRY.

barddonol, *a.* Prydyddol, awenyddol, barddol. POETIC, POETICAL, BARDIC.

barf, *eb. ll.*-au. Blew a dyf ar ên dyn, &. ; cernflew. BEARD.

barfog, *a.* Â barf, blewog. BEARDED.

bargeinio : bargenio : bargenna, *be.* Gwneud bargen, cytuno. TO BARGAIN.

bargen, *eb. ll.* bargeinion. Cytundeb rhwng prynwr a gwerthwr ; peth a brynir yn rhad. BARGAIN.

bargod, *eg. ll.*-ion. Y rhan isaf o'r to sy'n ymestyn allan ; bondo, godre. EAVES.

bargyfreithiwr, *eg. ll.* bargyfreithwyr. Un â hawl i ddadlau wrth y bar mewn llys barn. BARRISTER.

barlad : barlat, *eg.* Ceiliog hwyad, hwyaden wyllt; meilart. DRAKE ; MALLARD.
gw. **marlad : marlat : meilart.**

barlys, *e. torfol.* (*un. g.*-yn. *un. b.*-en). Grawn a ddefnyddir i wneud bwyd neu frag ; haidd. BARLEY.

barn, *eb. ll.*-au. Tyb, meddwl, dedfryd, dyfarniad, daliad, cred, coel. OPINION, JUDGEMENT.

barnu, *be.* Rhoi barn neu ddyfarniad, beirniadu, dedfrydu, traethu meddwl. TO JUDGE.

barnwr, *eg. ll.* barnwyr. Swyddog a ddewisir i roi dedfryd mewn llys barn, un sy'n barnu. JUDGE.

barrug, *eg.* Gronynnau a ffurfir gan wlith wedi rhewi ; llwydrew, crwybr, arien. HOAR-FROST.

barugo, *be.* Llwydrewi. TO CAST HOARFROST.

barugog, *a.* Wedi ei guddio â barrug, yn llwydrewi. COVERED WITH HOAR FROST.

barus, *a.* 1. Gwancus, trachwantus, rheibus, blysig, bolrwth. GREEDY.
2. Dicllon, llidiog. ANGRY.

barwn, *eg. ll.*-iaid. Uchelwr. BARON.

barwnig, *eg. ll.*-iaid. Teitl anrhydedd is na barwn, barwnet. BARONET.

bas, *a.* 1. Arwynebol, heb fod yn ddwfn, diwerth. SHALLOW.
2. *eg.* Y llais canu isaf. BASS.
Allwedd y bas, cleff y bas. BASS CLEF.

basged, *eb. ll.*-i, -au. Llestr neu gawell a wneir o wiail plethedig neu frwyn, &c. BASKET.

basgedaid, *eb.* Llond basged. BASKETFUL.

basgedwr : basgetwr, *eg. ll.* basgedwyr : basgetwyr. Un sy'n gwneud basgedi. BASKET-MAKER.

Basg, Gwlad y, *eb.* Gwlad ar ochr orllewinol y mynyddoedd Pyreneau yng ngogledd Sbaen. THE BASQUE COUNTRY.

basn, *eg. ll.*-au, -ys. Llestr dwfn crwn i ddal bwydydd. BASIN.

batri, *eg. ll.*-au, -s. 1. Cyfarpar yn cynnwys cyfres o unedau wedi'u cydgysylltu ; cell neu nifer o gelloedd wedi'u cyplysu ynghyd i gronni a chynhyrchu trydan ; cyfres o gaetsys lle cedwir ieir i ddodwy neu anifeiliaid i'w tewhau. BATTERY.
2. Magnelfa, uned yn cynnwys dryllau mawrion a milwyr i'w trin a'u tanio. BATTERY (*of guns*).

bath, *eg. ll.*-au. 1. Math, gradd, dosbarth, rhywogaeth. KIND.
2. *a.* Wedi eu bathu. MINTED.
Arian bath. CURRENT MONEY.

bathdy, *eg. ll.* bathdai. Lle i fathu arian. MINT.

bathodyn, *eg. ll.*-nau, bathodau. Darn o fetel neu blastig (crwn fel rheol) ag argraff arno ac a roir fel gwobr neu gofeb ; medal. MEDAL, BADGE.

bathu, *be.* Troi metel yn arian, llunio, 'ffurfio. TO COIN, TO SHAPE.

baw, *eg.* Llaid, mwd, llaca, tom, tail, bryntni, budredd. DIRT.

bawaidd : bawlyd, *a.* Brwnt, budr, gwael, isel, aflan, ffiaidd. DIRTY, MEAN.

bawd, *eg. ll.* bodiau. Y bys byr trwchus ar y llaw neu'r droed. THUMB, BIG TOE.

bechan, *a.b.* Bach, bitw. SMALL, TINY.
Geneth fechan. A LITTLE GIRL.
gw. **bychan**.

bedw, *e.ll.* (*un. b.* bedwen.) Coed â rhisgl gwyn llyfn a phren caled. BIRCH.
Gwialen fedw. THE BIRCH.
Bedwen Fai. MAYPOLE.
Bedwen arian. SILVER BIRCH.

bedydd, *eg. ll.*-iadau. Un o'r ddau sacrament a geir yn y Testament Newydd ; y ddefod o fedyddio sef derbyniad i'r Eglwys Gristnogol drwy drochiad neu daenelliad. BAPTISM.
Bedydd babanod. INFANT BAPTISM.
Bedydd credinwyr. BAPTISM OF BELIEVERS.
Bedydd esgob. CONFIRMATION.

bedyddfaen, *eg. ll.* bedyddfeini. Llestr dŵr bedydd. FONT.

bedyddiad, *eg. ll.*-au. Y weithred o fedyddio. BAPTISM.

bedyddio, *be.* 1. Gweinyddu'r sacrament o fedydd. TO BAPTIZE.
2. Enwi plentyn trwy daenellu dŵr arno mewn capel, &c. TO CHRISTEN.

Bedyddiwr, *eg. ll.* Bedyddwyr. Aelod o enwad Protestannaidd na chytuna â bedydd babanod ac a ddeil mai trwy drochiad y crediniwr y dylid gweinyddu bedydd. A BAPTIST.
Ioan Fedyddiwr. JOHN THE BAPTIST.
Undeb y Bedyddwyr. THE BAPTIST UNION.

bedd : beddrod, *eg. ll.*-au. Lle i gladdu'r meirw. GRAVE.
Carreg fedd. TOMBSTONE.

beddargraff, *eg. ll.*-iadau. Geiriau coffa ar garreg fedd. EPITAPH.

beddfaen, *eg. ll.* beddfeini. Carreg fedd. TOMBSTONE.

Beibl, *eg. ll.*-au. Ysgrythurau Sanctaidd yr Eglwys Gristnogol sef yr Hen Destament a'r Testament Newydd. BIBLE.

Beiblaidd, *a.* Yn ymwneud â'r Beibl. BIBLICAL.

beic, *eg. ll.*-iau. Beisicl, cerbyd dwy olwyn a yrrir gan bedalau. BICYCLE.

beicio, *be.* Mynd o le i le ar gefn beisicl neu dreisicl. TO CYCLE.

beichio, *be.* 1. Llwytho, pynio, rhoi baich ar. TO BURDEN.
2. Brefu. TO LOW (*as cattle*).
3. Beichio crio, beichio wylo, igian. TO SOB.

beichiog, *a.* Yn disgwyl plentyn. PREGNANT, EXPECTANT.

beichiogaeth, *eb. ll.*-au. Cyflwr gwraig o fod yn feichiog. PREGNANCY.

beichiogi, *be.* Gwneud neu fynd yn feichiog. TO CONCEIVE.

beichiogiad, *eg. ll.*-au : **beichiogrwydd**, *eg.* Cyflwr gwraig feichiog. PREGNANCY.

beichus, *a.* Trwm, llwythog. BURDENSOME.

beiddgar, *a.* Hy, eofn, haerllug, digywilydd, rhyfygus. DARING, AUDACIOUS.

beiddio, *be.* Gweithredu'n eofn a hy, anturio, rhyfygu, meiddio. TO DARE, TO PRESUME.

beili, *eg. ll.* beilïaid. 1. Goruwchwyliwr, hwsmon. BAILIFF.

Beili-heind. FARM BAILIFF.

2. *eg. ll.* beilïau. Mur allanol castell ; buarth, clos, cwrt, lle o flaen neu y tu ôl i dŷ. BAILEY ; YARD, BACK-YARD.

beio, *be.* Dodi bai ar rywun, cyhuddo, ceryddu. TO BLAME.

beirniad, *eg, ll.* beirniaid. Un sy'n beirniadu neu farnu, barnwr. ADJUDICATOR, CRITIC.

beirniadaeth, *eb. ll.*-au. Dyfarniad, barn. ADJUDICATION, CRITICISM.

beirniadol, *a.* Yn beirniadu, barnllyd. CRITICAL.

beirniadu, *be.* Barnu, cloriannu, beio. TO ADJUDICATE, CRITICIZE.

beisgawn, *egb.* Tas, pentwr o ŷd, gwair neu wellt, rhan o dŷ-gwair neu ysgubor yn cynnwys ŷd. STACK, RICK.

beiston, *eb. ll.*-nau. Man lle nad yw'r dŵr yn ddwfn. SHALLOWS.

beius, *a.* I'w feio, yn cynnwys beiau, diffygiol, ar fai, camweddus. FAULTY.

Belg, Gwlad, *eb.* Gwlad fechan yng Ngorllewin Ewrop wedi ei ffinio gan Ffrainc, Luxembourg, Yr Almaen, yr Iseldiroedd a Môr y Gogledd.

bellach, *adf.* Yn awr, eto, o hyn allan, mwyach. AT LENGTH, FURTHER.

ben, *gw.* **pen.**

ben bwy gilydd, *adf.* Un pen i'r llall, drwy. END TO END.

O ben bwy gilydd. FROM ONE END TO THE OTHER.

bendigaid : bendigedig, *a.* Gwyn ei fyd, sanctaidd, gwynfydedig. BLESSED, HOLY.

bendith, *eb. ll.*-ion. 1. Dymuniad neu weddi am hapusrwydd neu lwyddiant ; ffafr ddwyfol. BLESSING.

2. Gofyn am ffafr Duw cyn pryd o fwyd. GRACE.

Y Fendith Apostolaidd. THE BENEDICTION.

Bendith y mamau. FAIRIES.

bendithio, *be.* Rhoi bendith, bendigo, cysegru, rhoi diolch. TO BLESS.

bendithiol, *a.* Llawn bendithion, yn dwyn bendithion, llesol. CONFERRING BLESSINGS, BENEFICENT.

benthyca : benthycio : benthyg, *be.* 1. Cael benthyg. TO BORROW.

2. Rhoi benthyg. TO LEND.

gw. **benthyg,** *eg.*

benthyciad, *eg. ll.*-au. Y weithred o fenthyca, yr hyn a fenthycir, echwyn. LOAN, THAT WHICH IS BORROWED.

benthyciwr, *eg. ll.* benthycwyr. Un sy'n cael benthyg ; un sy'n rhoddi benthyg. BORROWER ; LENDER.

benthyg, *eg. ll.* benthycion. Yr hyn a fenthycir. LOAN, THAT WHICH IS BORROWED OR LENT.

Ar fenthyg. ON LOAN.

Yn rhoi benthyg. LENDING.

Enw benthyg. BORROWED OR ASSUMED NAME.

gw. **benthyca.**

benyw, *eb ll.*-od. Menyw, gwraig, merch. WOMAN.

benywaidd, *a.* Un o ddwy genedl enwau &c., merchedaidd. FEMININE.

bêr, *eg. ll.* Berau, beri. Cigwain, gwialen o bren neu o fetel a wthir drwy ddarn o gig i'w droi a'i rostio o flaen tân. SPIT.

ber, *a.b.* Bach o ran hyd, prin. SHORT.

Sgyrt fer. SHORT SKIRT.

Stori fer. SHORT STORY.

gw. **byr.**

bera, *ebg. ll.* Berâu. Tas, helm.

Bera wair. HAYRICK.

berdys, *e.ll.* (*un.g.* berdysyn, *un.b.* berdysen). Pysgod cregyn bychain dectroed, hir eu cynffonnau. SHRIMPS.

berem : berm, *eg.* Defnydd a geir o frag wedi gweithio, ac a ddefnyddir wrth wneud bara ; berman, burum. YEAST.

berf, *eb. ll.*-au. Rhan ymadrodd yn dynodi bod neu weithred. VERB.

berfa, *eb. ll.* berfâu. Cerbyd bach un olwyn, whilber. WHEELBARROW.

berfenw, *eg. ll.*-au. Ffurf ar y ferf a ddefnyddir fel enw, megis *bod, gweled,* &c. VERB-NOUN.

berfol, *a.* Yn perthyn i ferf. VERBAL.

berman, *gweler* **burum.**

Bermo, *gw.* **Abermo.**

berw, *a.* Yn berwi, wedi berwi, berwedig. BOILING. *gw.* **berwr.**

berwad, *eg. ll.*-au. Y weithred o ferwi. ACT OF BOILING.

berwedig, *a.* Yn berwi ; wedi ei ferwi. BOILING ; BOILED.

berwi, *be.* Codi gwres hylif nes ei fod yn byrlymu. TO BOIL.

berwr : berw, *e.tf.* (*un. b.* berwren, beryren). Planhigion bwytadwy o deulu'r mwstard. CRESS.

Berwr dŵr : Berw'r dŵr. WATER CRESS.

betgwn, *egb.* Gŵn nos. BEDGOWN.

gw. **pais.**

betio, *be.* Dal am, dodi arian ar, cyngwystlo. TO BET.

betws, *eg.* 1. Lle tawel i ymneilltuo iddo, capel, cafell weddi, tŷ gweddi. ORATORY.

2. Llwyn bedw. BIRCH-GROVE.

betys, *e.ll.* (*un. b.* betysen). Llysau gardd. BEETROOT.

Betys siwgr. SUGAR-BEET.

beth, *rhag.* Pa beth. WHAT?

beudy, *eg. ll.*-au, beudai. Adeilad i gadw gwartheg, &c. COWSHED.

beunos, *adf.* Bob nos. NIGHTLY.

beunydd, *adf.* Bob dydd, yn feunyddiol, o ddydd i ddydd, yn ddibaid, parhaus, dyddiol, bob amser. DAILY.

Beunydd beunos. ALL DAY AND ALL NIGHT, CONTINUALLY.

beunyddiol, *a.* O ddydd i ddydd, bob dydd, dyddiol, gwastadol. DAILY, CONTINUAL, QUOTIDIAN.

Ein bara beunyddiol. OUR DAILY BREAD.

bid, *bf.* Bydded, boed (rhan o'r ferf *bod*). BE IT.
Bid sicr, bid siŵr. TO BE SURE.

bidio, *be.* Torri a thrwsio perth, plygu perth. TO
SET A HEDGE.

bidog, *ebg. ll.-au.* Cleddyf byr a osodir ar enau
gwn. BAYONET.

bil, *eg. ll.-iau.* I. Papur ac arno'r swm sydd i'w
dalu am nwyddau, &c. BILL.
2. Mesur seneddol. BILL.
3. Rhybudd neu hysbysrwydd ynglŷn â
chyfarfod, &c. BILL.

bilidowcar, *eg.* Aderyn mawr ger glan y môr ;
mulfran, morfran. CORMORANT.

bilwg, *eg.* Offeryn i dorri coed, gwddi. BILLHOOK.

biocemeg, *eb. ll.-au.* Astudiaeth o brosesau
cemegol neu ffisegol-gemegol sy'n perthyn i
gylch bywyd planhigion ac anifeiliaid.
BIOCHEMISTRY.

biocemegydd, *eg. ll.-ion.* Un sy'n astudio
biocemeg neu'n hyddysg ynddi. BIOCHEMIST.

bioleg, *eb.* Astudiaeth o bethau byw, bywydeg.
BIOLOGY.

biolegydd, *eg. ll.* biolegwyr. Un sy'n astudio
bioleg neu'n hyddysg ynddi. BIOLOGIST.

biotig, *eb. & a.* Yn perthyn i fywyd neu i bethau
byw. BIOTIC.

bitw, *a.* Biti, pitw, bach iawn, bychan, twt. TINY.

blaen, *a.* I. Cyntaf, arweiniol. FIRST, FOREMOST ;
FRONT.
2. *eg. ll.-au.* Pwynt, pen main, pen ;
blaenoriaeth. POINT, TIP, TOP ; PRECEDENCE.
O'r blaen. BEFORE.
Blaen afon. UPPER REACHES OF RIVER.
Achub y blaen. TO FORESTALL.
Ceffyl blaen. ONE WHO CO-OPERATES ONLY IF
GIVEN THE LEAD.

blaendal, *eg. ll.* Tâl ymlaen llaw. PREPAYMENT,
DEPOSIT.

blaenddodiad, *eg. ll.* blaenddodiaid. Elfen a
ddodir ar ddechrau gair i newid ei ystyr, &c.
(fel *di* yn *dienw*), rhagddodiad. PREFIX.

blaenffrwyth, *eg.* Y ffrwyth cyntaf. FIRST FRUITS.

blaengar : blaenllaw, *a.* Amlwg, enwog, pwysig.
PROMINENT.

blaenllym, *a.* Llym, miniog, pigfain. SHARP, POINTED.

blaenor, *eg. ll.-iaid.* Arweinydd, pennaeth ;
henuriad, diacon. LEADER ; ELDER, DEACON.

blaenori : blaenu, *be.* Bod ar y blaen, arwain,
tywys, rhagflaenu. TO PRECEDE.

blaenoriaeth, *eg. ll.-au.* Y safle o fod ar y blaen,
y lle blaenaf, rhagoriaeth. PRECEDENCE ;
PRIORITY.

blaenorol, *a.* Rhagflaenol, cynt. PREVIOUS,
PRECEDING.

blaenwr, *eg. ll.* blaenwyr. Chwaraewr yn y rheng
flaen (mewn tîm rygbi, pêl-droed, hoci, &c.) ;
arweinydd (mewn cerddorfa). FORWARD
(*rugby, soccer, hockey,* &c.) ; LEADER (*of
orchestra*).

blagur, *e.ll.* (*un. g.* blaguryn). Egin, impiau,
canghennau ieuainc. BUDS, SHOOTS.

blaguro, *be.* Egino, blaendarddu, glasu, torri
allan. TO SPROUT.

blaidd, *eg. ll.* bleiddiaid, bleiddiau. (*b.* bleiddiast).
Anifail rheibus gwyllt tebyg i gi mawr. WOLF.

blanced, *eb. ll.-i.* Gorchudd gwlân ar wely,
gwrthban, cwrlid, planced. BLANKET.

blas, *eg.* Chwaeth, archwaeth, sawr. TASTE.
Cael blas ar : mwynhau. TO ENJOY.

blasu, *be.* Clywed blas, profi blas, chwaethu,
archwaethu, profi, sawru, hoffi, mwynhau.
TO TASTE.

blasus, *a.* A blas arno, chwaethus, archwaethus,
dymunol. TASTY.

blawd, *eg. ll.* blodiau. Ŷd wedi ei falu, can, fflŵr.
FLOUR.
Blawd llif. SAWDUST.

ble, *rhag.* Pa le, ym mha le, ymhle. WHERE?

blew, *e.ll.* (*un. g.*-yn). I. Tyfiant allanol ar y pen
neu'r corff. HAIR, FUR.
2. Esgyrn mân pysgodyn. SMALL BONES OF
FISH.
Tynnu blewyn cwta. TO DRAW LOTS.
Trwch blewyn. HAIR'S BREADTH.
Blewyn glas. FRESH GRASS.

blewog, *a.* Yn cynnwys llawer o flew. HAIRY.

blêr, *a.* Anniben, di-lun, anhrefnus, esgeulus.
UNTIDY, DISORDERLY, NEGLIGENT.

blingo, *be.* Tynnu croen ymaith, digroeni, croeni.
TO SKIN.

blin, *a.* I. Lluddedig, blinedig, blinderus, llesg. TIRED.
2. Croes, gofidus, poenus, anynad. CROSS,
GRIEVOUS.

blinder, *eg. ll.-au.* I. Lludded. WEARINESS
2. Gofid, helbul, trafferth. AFFLICTION.

blinderog, *a.* I. Blin. WEARIED.
2. Gofidus, trallodus, blinderus. GRIEVOUS.

blino, *be.* I. Lluddedu, diffygio. TO TIRE.
2. Gofidio, peri blinder, poeni, trallodi,
trafferthu. TO VEX, TO TROUBLE.

blith, *a. ll.-ion.* Llaethog. MILCH.
Gwrtheg blithion : da godro. MILCH COWS.

blith draphlith, *adf.* Mewn anhrefn, mewn
dryswch, mewn tryblith. IN CONFUSION.

blodau, *gw.* blodeuyn.

blodeugerdd, *eb. ll.-i.* Casgliad o bigion
barddoniaeth. ANTHOLOGY.

blodeuglwm, *eg.* Swp neu sypyn o flodau, &c.;
clwm o flodau, pwysi. BUNCH, BOUQUET.

blodeuo, *be.* Tyfu blodau. TO FLOWER.

blodeuog, *a.* Llawn o flodau, llewyrchus. FLOWERY.

blodeuyn : blodyn, *eg. ll.* blodau. Planhigyn
bychan prydferth, blaen frwyth yr hadyn.
FLOWER, BLOSSOM.

blodyn, *gw.* blodeuyn.

bloedd, *eg. ll.-iau, -iadau.* Gwaedd, llef, dolef,
bonllef, crochlef. A SHOUT.

bloeddio : bloeddian, *be.* Gweiddi, llefain yn uchel, dolefain, crochlefain. TO SHOUT.
bloesg, *a.* Aneglur, anhyglyw. *e.e.* Ateb yn floesg. INDISTINCT.
bloneg, *eg.* Braster, gwêr, saim. LARD.
blonegog, *a.* Bras, tew, blonegaidd. FAT.
blwch, *eg. ll.* blychau. Llestr, cist, cas, bocs. BOX.
Blychaid. BOXFUL.
blwng, *a.* Sarrug, anfoesgar, gwgus. SURLY.
blwydd, *eb. & a. ll.*-i, -iaid. Wedi byw am flwyddyn, deuddeng mis oed. YEAR OLD.
Defaid blwyddi. YEARLINGS.
Tair blwydd oed. THREE YEARS OLD.
Pum mlwydd oed. FIVE YEARS OLD.
Saith mlwydd oed. SEVEN YEARS OLD.
Can mlwydd oed. A HUNDRED YEARS OLD, CENTENARIAN.
blwyddiadur, *eg, ll.*-on. Llyfr nodiadau am flwyddyn. YEAR BOOK, ANNUAL.
blwyddyn, *eb. ll.* blynyddoedd. Deuddeng mis. YEAR.
Blwyddyn naid. LEAP YEAR.
blynedd, *e.ll. (un. b.* blwyddyn). Ffurf a ddefnyddir yn lle *blwyddyn* ar ôl rhifolion. *e.e.* pum mlynedd. YEAR.
blynyddol, *a.* Bob blwyddyn. ANNUAL, YEARLY.
blys, *eg. ll.*-iau. Chwant, trachwant, archwaeth. CRAVING.
blysio, *be.* Crefu, deisyf, chwennych, trachwantu. TO CRAVE.
bocs, *eg. ll.*-ys. Blwch, cist. BOX.
boch, *eb. ll.*-au. Grudd, cern. CHEEK.
Bochgoch. ROSY CHEEKED.
bod, *be.* Bodoli, byw. TO BE.
Rydw i. I AM.
Rwyt ti. YOU ARE (*Sing.*).
Mae ef/ hi. HE/SHE/IT IS.
bod, *eg. ll*-au. 1. Bodolaeth. EXISTENCE.
2. Rhywun neu rywbeth sy'n bodoli. BEING.
Y Bod Mawr. GOD.
boda, *egb.* Aderyn ysglyfaethus, boda llwyd, bwncath. BUZZARD.
Bwyd y boda. TOADSTOOL.
bodio, *be.* Teimlo â'r bodiau neu'r bysedd, trafod, trin. TO THUMB.
bodlon : boddlon, *a.* Ewyllysgar, boddhaus, parod a llon. WILLING, PLEASED.
bodloni : boddloni, *be.* Rhyngu bodd, boddio, plesio, bod yn fodlon. TO SATISFY, TO PLEASE ; TO BE CONTENT.
bodlonrwydd, *eg.* Boddhad, bodlondeb ; ewyllysgarwch. CONTENTMENT, SATISFACTION ; WILLINGNESS.
bodolaeth, *eb.* Bod, hanfod, bywyd. EXISTENCE.
bodoli, *be.* Bod. TO BE, TO EXIST.
bodd, *eg.* Ewyllys, caniatâd, pleser, hyfrydwch, llawenydd. PLEASURE.
Rhwng bodd ac anfodd. GRUDGINGLY.
boddhad, *eg.* Bodlonrwydd, pleser, llawenydd, hyfrydwch. SATISFACTION.

boddhaol, *a.* Yn rhoi boddhad, dymunol, hyfryd. SATISFACTORY.
boddhau, *be.* Rhyngu bodd, plesio, boddio, bodloni. TO PLEASE.
boddi, *be.* Suddo mewn dŵr, tagu mewn dŵr, gorlifo (tir). TO DROWN.
boddio, *be.* Bodloni, diwallu, rhyngu bodd, plesio, rhoi boddhad. TO SATISFY, TO PLEASE ; TO BE SATISFIED.
boddlon, *gw.* **bodlon.**
boddloni, *gw.* **bodloni.**
bogail : bogel, *egb. ll.* bogeiliau, bogelau. Botwm bol, canol. NAVEL.
Bogail tarian. BOSS OF A SHIELD.
Bogail olwyn. NAVE OF A WHEEL.
bol : bola, *eg. ll.* boliau, bolâu. Y rhan o'r corff sy'n cynnwys y stumog, tor, cylla. BELLY.
bolaid, *eg. ll.* boleidiau. Llond bol. BELLYFUL.
bolgi, *eg. ll.* bolgwn. Un glwth neu drachwantus. GLUTTON.
bolheulo, *be.* Gorwedd mewn heulwen, torheulo, ymdorheulo. TO BASK, TO SUNBATHE.
boliog, *a.* Tew, corffol, cestog. CORPULENT, FAT.
bollt, *egb. ll.*-au, byllt. 1. Math o far i sicrhau drws. BOLT.
2. Taranfollt. THUNDERBOLT.
bom, *eg. ll.*-au, -iau. Cas metel yn llawn o ddefnydd ffrwydrol. BOMB.
Bom atomig. ATOMIC BOMB.
Bom niwclear. NUCLEAR BOMB.
bomio, *be.* Gollwng neu daflu bomiau. TO BOMB.
bôn : bonyn, *eg. ll.* bonau, bonion. Cyff, gwaelod, coes, boncyff. BASE, TRUNK, STUMP.
bonclust, *eg. ll.*-iau. Ergyd ar y clust, cernod, clowten, clewten. BOX ON THE EARS.
bondigrybwyll, *a.* 1. Na bo ond ei grybwyll. HARDLY MENTIONABLE.
2. *adf.* Mewn gwirionedd. TRULY, IN TRUTH, NO DOUBT.
bondo, *eg.* Y rhan isaf o'r to sy'n hongian dros yr ymyl, bargod. EAVES.
bonedd, *eg.* 1. Urddas, mawredd, gwychder. NOBILITY.
2. Ach, hil, tylwyth, haniad, llinach. DESCENT.
boneddigaidd, *gw.* **bonheddig.**
boneddigeiddrwydd, *eg.* Lledneisrwydd, cwrteisi, moesgarwch. GENTLEMANLINESS, COURTESY, POLITENESS.
boneddiges, *eb. ll.*-au. Gwraig fonheddig. LADY.
bonheddig : boneddigaidd, *a.* Gwâr, tyner, tirion, urddasol, pendefigaidd, haelfrydig, nobl, moesgar. GENTLEMANLY.
bonheddwr, *eg. ll.* bonheddwyr, boneddigion. Gŵr bonheddig, gŵr urddasol a haelfrydig. GENTLEMAN.
bonllef, *eb. ll.*-au. Gwaedd, banllef, crochlef, bloedd. A LOUD SHOUT.
bord, *eb. ll*-ydd. 1. Bwrdd. TABLE.
2. *eb. ll*-au. Astell, borden. BOARD.

bore, *eg. ll.*-au. Rhan gynnar neu gyntaf y dydd, cyn y nawn. MORNING.
Yn fore. EARLY.
Boreddydd. BREAK OF DAY.
Boreol. MORNING, EARLY.
Gwasanaeth Boreol. MORNING SERVICE.
bost, *eg.* Ymffrost, brol, bocsach. BOAST.
gw. **post.**
bostio, *be.* Brolio, bragio, brolian, ymffrostio, bocsachu. TO BOAST.
gw. **postio.**
botaneg, *eb.* Gwyddor neu astudiaeth o lysiau, llysieueg, llysieuaeth. BOTANY.
botasen, *eb. ll.* bot(i)as. Esgid, esgid uchel marchog, &c. BOOT, BUSKIN.
botwm, *eg. ll.* botymau. Cnepyn o fetel neu asgwrn neu ledr neu blastig ... i gau gwisg. BUTTON.
botymu, *be.* Cau â botymau. TO BUTTON UP.
bracty, *gw.* **bragdy.**
brad, *eg. ll.*-au. Bradychiad, bradwriaeth, dichell, ffalster, anffyddlondeb, cyfrwystra, ystryw. BETRAYAL.
bradlofrudd, *eg. ll.*-ion. Person sy'n lladd rhywun drwy frad neu gynllwyn. ASSASSIN.
bradlofruddio, *be.* Y weithred o ladd rhywun drwy frad neu gynllwyn. ASSASSINATION.
bradu, *be.* Gwastraffu, andwyo, difetha. TO WASTE, TO SPOIL, TO FRITTER AWAY.
bradwr, *eg. ll.* bradwyr. Un sy'n bradychu, twyllwr, un dichellgar. TRAITOR. BETRAYER.
bradychu, *be.* Bod yn ffals neu ddichellgar, twyllo. TO BETRAY.
braen, *a.* Pwdr, llwgr. ROTTEN.
braenar, *eg.* Tir wedi ei aredig a'i adael heb had. FALLOW LAND.
braenaru, *be.* Troi tir a'i adael heb had. TO FALLOW ; TO PIONEER.
braf, *a.* Teg, hyfryd, hardd, dymunol, pleserus, gwych, coeth. FINE.
brag, *eg.* Grawn wedi ei baratoi i wneud diod, fel cwrw, &c. MALT.
bragdy, *eg. ll.* bragdai. Adeilad lle y darperir brag a'i gadw, bracti. BREWERY.
bragu, *be.* Gwneud brag, macsu. TO BREW.
bragwr, *eg. ll.* bragwyr. Un sy'n gwneud ac yn gwerthu diod frag. BREWER.
braich, *eb. ll.* breichiau. Aelod yn ymestyn o'r ysgwydd i'r llaw ; cilfach o'r môr. ARM.
Braich olwyn. SPOKE OF A WHEEL.
Breichiau trol (cart). CART-SHAFTS.
braidd, *adf,* Bron, ymron, agos, prin, hytrach. ALMOST, RATHER.
O'r braidd. HARDLY.
Braidd yn hwyr. RATHER LATE.
braint, *eb. ll.* breintiau. Hawl neu ffafr arbennig, anrhydedd, mantais, rhagorfraint, cymwynas. PRIVILEGE.
braith, *a.b.* (*g.* brith). Amryliw, cymysgliw, brech. SPECKLED.
Siaced fraith. COAT OF MANY COLOURS.

bran, *eg.* Bwyd anifeiliaid a wneir o blisg gwenith, haidd neu geirch. BRAN.
brân, *eb. ll.* brain. Aderyn mawr du. CROW.
Ydfran. ROOK.
Cigfran. RAVEN.
Brân syddyn, dyddyn. CARRION CROW.
bras, *a. ll.* breision. Ffrwythlon, toreithiog, mawr, braisg. RICH, LARGE, ROUGH, GENERAL, APPROXIMATE.
Cig bras. FAT MEAT.
Braster. FAT.
Golwg fras. ROUGH IDEA.
Siwgr bras. GRANULATED SUGAR.
Brasamcanu. TO APPROXIMATE.
Yn fras. GENERALLY.
Llythrennau breision. CAPITAL LETTERS.
brasgamu, *be.* Gwneud camau mawr a cherdded yn gyflym. TO STRIDE.
braslun, *eg. ll.*-iau. Cynllun cyntaf darlun, llinellau yn dangos ffurf gwrthrych, amlinelliad, disgrifiad byr. OUTLINE.
braslunio, *be.* Amlinellu, darlunio'n fras heb fanylu. TO SKETCH, TO OUTLINE.
braster, *eg. ll.*-au. Tewder ; bloneg, saim. FATNESS, GROSSNESS ; FAT.
brat, *eg. ll.*-au, –iau. Cerpyn, rhecsyn, llarp, bretyn, arffedog. RAG. APRON.
bratiaith, *eb.* Iaith lygredig, dirywiedig. A CORRUPT, DEBASED LANGUAGE.
bratiog, *a.* Carpiog, rhacsog, clytiog, llarpiog. RAGGED.
brath : brathiad, *eg. ll..* brathiadau. Cnoad, pigiad, gwaniad. BITE, STING, STAB.
brathu, *be.* Cnoi, pigo, gwanu, trywanu. TO BITE, TO STING, TO STAB.
brau, *a.* Tueddol i dorri, hyfriw, bregus, gwan, eiddil. BRITTLE.
braw, *eg.* Ofn, dychryn, arswyd. FRIGHT.
brawd, *eg. ll.* brodyr. Mab i'r un tad neu fam â'r person arall. BROTHER.
brawdgarwch, *eg.* Cariad brawdol. BROTHERLY LOVE.
brawdlys, *eg. ll.*-oedd. Llys barn, cwrt, sesiwn. COURT OF LAW, ASSIZES, SESSION.
brawdol, *a.* Fel brawd, caredig. BROTHERLY.
brawdoliaeth, *eb. ll.*-au. Perthynas frawdol, cymdeithas o bobl. BROTHERHOOD.
brawddeg, *eb. ll.*-au. Ymadrodd llawn a chyflawn ynddo ei hun, ac yn gwneud datganiad, neu ofyn cwestiwn, neu roi gorchymyn. SENTENCE.
brawddegu, *be.* Llunio brawddegau. TO CONSTRUCT SENTENCES.
brawychu, *be.* Peri ofn, creu arswyd, dychrynu. TO TERRIFY.
brawychus, *a.* Ofnadwy, arswydus, dychrynllyd, echryslon, echrydus. TERRIFYING.
brecwast, *eg.* Pryd bwyd cyntaf y bore, borebryd. BREAKFAST.

brech, *eb.* Tosau neu blorynnau bychain ar y croen. ERUPTION ON THE SKIN.
Brech goch. MEASLES.
Brech wen. SMALL POX.
Brech yr ieir. CHICKENPOX.
Y frech. VACCINATION.

brechdan, *eb. ll.*-au. Tafell neu doc o fara-menyn. SLICE OF BUTTERED BREAD.
Brechdan gig. MEAT SANDWICH.

brechiad, *eg. ll.* -au. Y weithred o gael y frech i ddiogeli'r corff rhag haint. VACCINATION, INOCULATION.

brechlyn, *eg.* Yr hylif a ddefnyddir i frechu. VACCINE.

brechu, *be.* Trin person neu anifail â brechlyn arbennig i'w ddiogelu rhag afiechyd penodol. TO INOCULATE, TO VACCINATE.

bref, *eb. ll.*-iadau. Cri buwch neu ddafad, &c. BLEATING, &C.

brefiad, *eg. ll.*-au. Y weithred o frefu. BLEATING, LOWING.

brefu, *be.* Gwneud sŵn (gan fuwch neu ddafad, &c.). BLEATING, LOWING, &C.

bregus, *a.* Brau, gwan, eiddil, llesg, simsan. FRAIL.

breichled, *eb. ll.*-au. Addurn a wisgir ar yr arddwrn, breichrwy, BRACELET.

breinio : breintio, *be.* Rhoi ffafr neu fraint. TO PRIVILEGE.

breiniol, *a.* Wedi cael braint. PRIVILEGED, NOBLE.

breindal, *eg. ll.* - iadau. Tâl hawlfraint. ROYALTY.

breintiedig, *a.* Yn meddu neu'n mwynhau breintiau neu hawliau. PRIVILEGED.

breintio, *be.* Cyflwyno hawl neu fraint ; anrhydeddu. TO PRIVILEGE, TO HONOUR.

brenhindod, *eg.* Ystad frenhinol, brenhiniaeth. ROYALTY, REGALITY, KINGSHIP.

brenhines, *eb. ll.* breninesau. Gwraig neu gymar brenin ; mam-wenynen. QUEEN ; QUEEN-BEE.

brenhiniaeth, *eb. ll.* breniniaethau. Gwlad neu wledydd dan lywodraeth brenin, teyrnas, teyrnasiad, swydd brenin. KINGDOM ; SOVEREIGNTY, REIGN.

brenhinoedd, *gw.* **brenin**.

brenhinol, *a.* Yn ymwneud â brenin; yn gweddu i frenin, teyrnaidd. ROYAL.

brenin, *eg. ll.* brenhinoedd. (*b.* brenhines, *ll.* breninesau). Llywodraethwr gwlad, teyrn, penadur, pennaeth. KING.

brest, *eb. ll.*-iau. Bron ; mynwes ; llechwedd neu ochr bryn. BREAST, CHEST ; BOSOM ; SLOPE OR SIDE OF HILL.

bresych, *e.ll.* (*un. b.*-en). Bwydlys gwyrdd o'r ardd, cabaits. CABBAGES.

brethyn, *eg. ll.*-nau. Defnydd wedi ei wau. CLOTH.
Brethyn cartref. HOMESPUN CLOTH.

breuder, *eg.* Cyflwr brau neu fregus, gwendid, eiddilwch. BRITTLENESS.

breuddwyd, *ebg. ll.*-ion. Yr hyn a welir yn ystod cwsg, gweledigaeth. DREAM.
Breuddwyd o ddyn. A MOPE.

breuddwydio, *be.* Cael breuddwyd, dychmygu. TO DREAM.

breuddwydiol, *a.* Fel breuddwyd, llawn breuddwydion. DREAMY.

breuddwydiwr, *eg. ll.* breuddwydwyr. Un sy'n breuddwydio. DREAMER.

brewlan, *be.* Bwrw glaw mân, briwlan, gwlithlawio. TO DRIZZLE.

bri, *eg.* Clod, enwogrwydd, enw da, anrhydedd, urddas. FAME, HONOUR.

briallu, *e. torfol.* (*un. b.* briallen). Blodau melynwyn y gwanwyn. PRIMROSES.
Briallu Mair. COWSLIPS.

brics, *e.ll.* (*un.b.* bricen, bricsen). Priddfeini a ddefnyddir at adeiladu tŷ. BRICKS.

bridio, *be.* Epilio, magu. TO BREED.

bridiwr, *eg. ll.* bridwyr. Magwr. BREEDER.

brifo, *be. gweler* **briwo**.

brig, *eg. ll.*-au. 1. Crib, copa. TOP.
2. Cangen, brigyn. TWIG(S).
Glo brig. OPEN-CAST COAL.
Brig y nos. DUSK.

brigâd, *eb. ll.* Adran o fyddin, mintai o ddynion wedi'u trefnu a'u disgyblu. BRIGADE.

brigo, *be.* Canghennu ; blaguro ; torri i'r wyneb ; brigdorri, difrigo. TO BRANCH ; TO SPROUT ; TO OUTCROP ; TO TOP, TO PRUNE.

brigog, *a.* Ceinciog, canghennog. BRANCHING.

brigyn, *eg. ll.* brigau. Ysbrigyn, imp, impyn, cangen fach, brig. TWIG.

brith, *a.* (*b.* braith). Brych, amryliw. SPECKLED, INDISTINCT.
Ceffyl brith. PIEBALD HORSE.
Brith gof. FAINT RECOLLECTION.

brithlaw, *eg.* Glaw mân, gwlithlaw. DRIZZLE.

britho, *be.* 1. Ysmotio, brychu. TO DAPPLE.
2. Gwynnu (am wallt), llwydo. TO TURN GREY.

brithyll, *eg. ll.*-od, -iaid. Pysgodyn brith cyffredin mewn afon. TROUT.

briw, *a.* briwedig. Clwyfedig, archolledig, toredig, drylliog, blin, tost, dolurus, poenus, anafus. BROKEN, BRUISED.
Briwfwyd. MINCE, CRUMBS.
Briwgig. MINCED MEAT.

briw, *eg. ll.*-iau. Clwyf, archoll, gweli, dolur, clais, ysigiad, cwt, anaf. CUT, WOUND.

briwo, *be.* Brifo, archolli, clwyfo, niweidio, dolurio, anafu, darnio, difrodi. TO WOUND, TO DAMAGE, TO TEAR.
Briwo teimladau. TO HURT THE FEELINGS.

briwsion, *e.ll.* (*un. g.*-yn). Tameidiau o fara, darnau, mwydion, rhywbeth dros ben. CRUMBS.

briwsioni, *be.* Mynd yn friwsion, malurio, malu'n fân. TO CRUMBLE.

bro, *eb. ll.*-ydd. Ardal, tir isel, parth. REGION, COUNTRY, LOWLAND.
Bro a bryn. HILL AND DALE.
Bro Morgannwg. VALE OF GLAMORGAN.
Bro Gŵyr. GOWER.

broc, *a.* Amryliw, cymysgliw, brych, llwydwyn. ROAN, GRIZZLED.
Ceffyl broc. ROAN HORSE.
Dafad froc. GRIZZLED SHEEP.
broch, *eg. ll.*-ion, -od. I. Mochyn daear, pryf llwyd. BADGER.
2. *a.* Dig, llidiog. ANGRY.
brochi, *be.* Cynhyrfu, berwi, anesmwytho, ffromi. TO CHAFE.
brodio, *be.* Addurno lliain neu wisg â gwaith edau a nodwydd ; cyweirio. TO EMBROIDER ; TO DARN.
brodor, *eg. ll.*-ion. Un wedi ei eni mewn lle neu wlad, preswylydd gwreiddiol lle. A NATIVE.
brodorol, *a.* Genedigol o, yn ymwneud â brodor. NATIVE.
brodwaith, *eg. ll.* brodweithiau. Patrymau addurnol ar ddefnydd wedi eu gweithio â nodwydd ac edau. EMBROIDERY.
broga, *eg. ll.*-od. Ffroga, anifail digynffon a all nofio a neidio. FROG.
brolian : brolio, *be.* Ymffrostio, bocsachu, bostio. TO BOAST.
broliwr, *eg. ll.* brolwyr. Ymffrostiwr. BOASTER, BRAGGART.
bron, *adf.* Ymron, agos, braidd. ALMOST.
Gerbron. BEFORE.
O'r bron. ALTOGETHER.
bron, *eb. ll.*-nau. I. Mynwes, brest, dwyfron. BREAST.
2. *eb. ll.*-nydd. Llethr bryn. BREAST OF A HILL.
bronfraith, *eb. ll.* bronfreithiaid. Aderyn bach llwyd cerddgar. (SONG) THRUSH.
brongoch, *eb. ll.*-iaid. Bronrhuddyn, coch-gam, robin goch, ROBIN RED-BREAST.
bronwen, *eb.* Gwenci. WEASEL.
brown, *a.* Cochddu, melynddu, gwinau, llwyd (am bapur). BROWN.
bru, *eg. ll.*-oedd. Croth gwraig. WOMB.
brwd, *a.* Gwresog, poeth, twym, selog. HOT.
brwdfrydedd, *eg.* Diddordeb angerddol, tanbeidrwydd, taerineb, aidd, hwyl, angerdd, eiddgarwch, angerddoldeb, penboethni. ENTHUSIASM.
brwdfrydig, *a.* Tanbaid, taer, eiddgar, angerddol, selog, awchus. ENTHUSIASTIC.
brwmstan, *eg.* Defnydd melyn brau sy'n llosgi â fflam las, llosgfaen. BRIMSTONE.
brwnt, *a. ll.* bryntion. (*b.* bront). I. Aflan, budr, bawaidd, bawlyd, tomlyd. DIRTY.
2. Sarrug, ffyrnig, creulon. CRUEL, SURLY.
brws, *eg. ll.*-ys. Gwrych neu flew wedi eu sicrhau wrth goes i bwrpas glanhau neu beintio, &c. ; ysgubell, gwrychell. BRUSH.
brwsio, *be.* Defnyddio brws, ysgubo, dysgub. TO BRUSH.
brwydr, *eb. ll.*-au. Ymladdfa, cad, gornest, ymryson. BATTLE.
brwydro, *be.* Ymladd, ymryson, gwrthdaro, gwrthwynebu. TO FIGHT.

brwydrwr, *eg. ll.* brwydrwyr. Ymladdwr. FIGHTER, COMBATANT.
brwyn, *e.ll.* (*un. b.*-en). Planhigion yn tyfu mewn cors ag iddynt goesau cau, llafrwyn, pabwyr. RUSHES.
Cannwyll frwyn. RUSH CANDLE.
brwynog, *a.* Llawn o frwyn, tebyg i frwyn. RUSHY, RUSH-LIKE.
brwysg, *a.* Meddw. DRUNK.
brych, *a.* (*b.* brech). Brith, amryliw, smotog. FRECKLED, SPOTTED.
brych : brycheuyn, *eg. ll.* brychau. Smotyn, bai, diffyg, nam, anaf, mefl, staen, brychni. SPOT ; FRECKLES.
brycheulyd, *a.* smot(i)og, llawn smotau neu frychau. SPOTTED, FRECKLED.
brychu, *be.* Difwyno, britho ag ysmotiau ; ffurfio blodau haf. TO SPOT ; TO FRECKLE.
bryd, *eg. ll.*-au. Meddwl, bwriad, amcan. MIND, INTENT.
Yn unfryd unfarn. WITH ONE ACCORD.
brygawthan, *be.* Bregliach, bragaldian, baldorddi, boddran, preblian, clebran. TO JABBER.
bryn, *eg. ll.*-iau. Darn uchel o dir llai na mynydd, (g)allt, rhiw, tyle, llethr, rhip(yn). HILL.
Brynbuga, *eb.* Tref a phlwyf yng Ngwent. USK. (Town and parish). *See:* **Usk, River.**
bryncyn, *eg. ll.*-nau. Bryn bychan, cnwc, twmpath, bonc, ponc. HILLOCK.
bryniog, *a.* Â llawer o fryniau. HILLY.
brynti : bryntni, *eg.* Aflendid, budreddi, ffieidd-dra, baw, tom, llaid, llaca. FILTH.
brys, *eg.* Ffrwst, prysurdeb, hast, ffwdan. HASTE.
Ar frys. IN A HURRY.
brysio, *be.* Prysuro, hastu, hasto, cyflymu, ffwdanu. TO HURRY.
brysiog, *a.* Llawn brys, ar frys, mewn hast, ffwdanus. HASTY.
Bryste, *eb.* Dinas a phorthladd ar ochr ddwyreiniol Môr Hafren, yn Swydd Avon, Lloegr. BRISTOL.
Brython, *eg. ll.*-iaid. Preswylydd ym Mhrydain gynt, Prydeiniwr. BRITON, WELSHMAN.
Brythoneg, *ebg.* Iaith y Brythoniaid. BRITISH LANGUAGE, BRYTHONIC, WELSH.
buan, *a. ll.* buain, Cyflym, ebrwydd, clau, chwyrn. QUICK.
Yn fuan. QUICKLY, SOON.
buander : buandra, *eg.* Cyflymder. SPEED.
buarth, *eg. ll.*-au. Iard, clos, beili. YARD.
buchedd, *eb. ll.*-au. Bywyd, ymddygiad, ymarweddiad, moesoldeb. LIFE, CONDUCT.
Buchedd Dewi. LIFE OF ST DAVID.
bucheddol, *a.* Yn ymwneud â buchedd, moesol, duwiol, defosiynol. DEVOUT, MORAL.
buches, *eb. ll.*-au. Nifer o wartheg godro neu'r lle i'w godro. HERD, FOLD.
budr, *a. ll.*-on. Brwnt, aflan, afiach, bawlyd, bawaidd, cas, tomlyd, lleidiog, ffiaidd. DIRTY, NASTY.

budreddi, *eg.* Brynti, bryntni, aflendid, ffieidd-dra, baw, tom, llaid, llaca. FILTH.

budr-elw, *eg.* Elw a geir drwy ffyrdd amheus. FILTHY LUCRE.

budd, *eg. ll.*-ion. Lles, elw, proffid, ennill, mantais. BENEFIT, PROFIT, GAIN.

buddai, *eb. ll.* buddeiau. Math o gasgen y gwneir ymenyn ynddi. CHURN.

buddel[w], *eg. ll.* buddelwydd. Postyn y clymir buwch wrtho mewn beudy. COW-HOUSE POST.

buddsodd : buddsoddiad, *eg. ll.* buddsoddion : buddsoddiadau. Arian wedi'u defnyddio i brynu rhywbeth (cyfranddaliadau, tir, neu bethau, &c.) y disgwylir budd ac elw oddi wrtho. INVESTMENT.

buddsoddi, *be.* Rhoi arian i brynu rhywbeth y disgwylir budd ac elw oddi wrtho. TO INVEST.

buddsoddwr, *eg. ll.* buddsoddwyr. Un sy'n rhoi'i arian i brynu rhywbeth, gan ddisgwyl budd ac elw oddi wrtho. INVESTOR.

buddiol, *a.* Yn dwyn elw neu les, llesol, proffidiol. BENEFICIAL.

buddugol, *a.* Wedi ennill, buddugoliaethus, yn orau. VICTORIOUS.

buddugoliaeth, *eb. ll.*-au, Goruchafiaeth, gorchfygiad. VICTORY.

buddugoliaethus, *a.* Buddugol, gorchfygol. VICTORIOUS.

buddugwr, *eg. ll.* Gorchfygwr, concwerwr. VICTOR, CONQUEROR.

bugail, *eg. ll.* bugeiliaid. I. Gŵr sy'n gofalu am ddefaid. SHEPHERD.

2. Gŵr sy'n gofalu am eglwys. PASTOR.

bugeiles, *eb. ll.*-au. Gwraig neu ferch sy'n bugeilio. SHEPHERDESS.

bugeiliaeth, *eb. ll.*-au. Gofal eglwys. PASTORATE.

bugeilio, *be.* Gofalu am, gwylio, gwarchod, bugeila, gwylied. TO SHEPHERD.

bugeilgerdd, *eb. ll.*-i. Cerdd neu gân yn ymwneud â bywyd yn y wlad. PASTORAL POEM.

bugunad, *be.* Gwneud sŵn tebyg i darw, rhuo. TO BELLOW.

bun, *eb.* Merch, geneth, morwyn, gwyry, morwynig, llances, mun (ffurf ddiweddar). MAIDEN.

burgyn, *eg. ll.*-od. Celain, corff, corpws, ysgerbwd. CARCASS.

burum, *eg.* Defnydd a geir o frag wedi eplesu neu weithio ac a ddefnyddir i wneud bara ; berm, berman, berem. YEAST.

busnes, *eg. ll.*-ion, -au. Masnach, gwaith, gorchwyl, neges, pwrpas, trafferth, ffwdan. BUSINESS.

busnesa, *be.* Ymyrryd, ymyrraeth, ymhel â. TO MEDDLE, TO INTERFERE.

busnesgar : busneslyd, *a.* Yn ymyrryd â busnes pobl eraill, ymyrgar. MEDDLE-SOME.

Dyn busneslyd. BUSYBODY.

bustach, *eg. ll.* bustych. Eidion, ych. BULLOCK.

bustachu, *be.* Ymdrechu'n ofer, bwnglera. TO BUNGLE.

buwch, *eb. ll.* buchod. Anifail mawr dof. (g. tarw). COW.

Buwch fach[goch]gota. LADY-BIRD.

bwa, *eg. ll.* bwâu. I. Offeryn i yrru saethau. BOW.

Bwa a saeth. BOW AND ARROW.

2. Adeiladaeth a thro ynddi. ARCH.

Bwa ffenestr. ARCH OF A WINDOW.

Bwa'r arch : bwa'r Drindod. RAINBOW.

bwaog, *a.* Ar ffurf bwa. ARCHED.

bwbach, *eg. ll.*-od. Bwgan, bwci, bwci bo, pwci, pwca, hudwg, hwdwch, ysbryd drwg. BOGEY.

Bwbach : bwgan brain. SCARE-CROW.

bwced, *egb. ll.*-i. Stwc, crwc, cunnog. BUCKET.

bwci, *eg. gw.* bwbach.

bwch, *eg. ll.* bychod. Gwryw'r afr neu'r ysgyfarnog neu'r gwningen, &c. BUCK.

Bwch gafr. HE-GOAT.

bwgan, *eg. ll.*-od. Bwbach, bwci. BOGEY.

bwhwman, *be.* Symud yn ôl a blaen, anwadalu, gwamalu, petruso. TO WAVER, TO GO TO AND FRO.

bŵl : bwlyn, *eg. ll.* bylau. Cronnell, pelen fach, dwrn neu nob drws. BALL, SPHERE, KNOB, DOOR KNOB, HUB.

bwlb, *eg. gw.* bylb.

bwlch, *eg. ll.* bylchau. Adwy, agen, cul-ffordd, ceunant, agendor. GAP, PASS.

Bwlch yn y wefus. HARE-LIP.

bwldagu, *be.* Hanner tagu. *e.e.* "yn bwldagu'n bygddu am dipyn." TO HALF CHOKE.

bwled, *egb. ll.*-i. Darn o fetel a saethir o ddryll. BULLET.

bwn, *eg. ll.* bynnoedd, byniaid. Aderyn y bwn, bwn y gors, aderyn o deulu'r crychydd. BITTERN.

"Aderyn y bwn o'r Banna."

bwndel, *eg. ll.*-i. Nifer o bethau wedi eu clymu ynghyd, sypyn, bwrn, bwrnel. BUNDLE.

bwngler : bwnglerwr, *eg. ll.* bwngleriaid : bwnglerwyr. Gweithiwr sy'n difetha gwaith drwy ddiffyg medr. BUNGLER.

bwnglera, *be.* Gwneud rhywbeth yn lletchwith a thrwsgl, amryfuso. TO BUNGLE.

bwrdais, *eg. ll.* bwrdeisiaid. Un sy'n byw mewn bwrdeisdref. BURGESS.

bwrdeisdref, *eb. ll.*-i. Tref â breintiau arbennig, tref a chorfforaeth iddi. BOROUGH.

bwrdd, *eg. ll.* byrddau. I. Bord. TABLE.

2. Astell. BOARD.

3. Dec. DECK.

Bwrdd bwyta. DINING-TABLE.

Bwrdd-du. BLACKBOARD.

Bwrdd ffenestr. WINDOW-SILL.

Bwrdd (y) Cymun. COMMUNION TABLE.

bwriad, *eg. ll.*-au. Amcan, arfaeth, diben, cynllun, pwrpas. INTENTION.

bwriadol, *a.* O bwrpas, o wirfodd, amcanus. INTENTIONAL.

bwriadu, *be.* Amcanu, pwrpasu, arfaethu, golygu, arofun, anelu. TO INTEND.

bwrlwm, *eg. ll.* byrlymau. Cloch y dŵr. BUBBLE.
bwrw, *be.* Taflu, lluchio, curo, ergydio, taro. TO
CAST, TO STRIKE.
    Bwrw amcan. TO GUESS.
    Bwrw eira. TO SNOW.
    Bwrw glaw. TO RAIN.
    Bwrw prentisiaeth. TO SERVE AN
APPRENTICESHIP.
    Bwrw'r Sul. TO SPEND THE WEEKEND.
bws, *eg. ll.* bysau, bysiau. Cerbyd cyhoeddus. BUS.
bwth, *eg. ll.* bythod. Lluest, caban, cwt, cut. HUT.
bwthyn, *eg. ll.* bythynnod. Tŷ bychan, annedd.
COTTAGE.
bwyall : bwyell, *eb. ll.* bwyeill. Offeryn i naddu a
thorri coed. AXE.
bwyd, *eg. ll.*-ydd. Ymborth, lluniaeth, maeth,
porthiant, ebran. FOOD.
    Bwyd a diod : bwyd a llyn. FOOD AND
DRINK.
bwyda : bwydo, *be.* Rhoi bwyd, porthi,
ymborthi. TO FEED.
bwygilydd, *adf.* (Oddi wrth un) i'r llall. TO THE
OTHER.
    O ben bwygilydd. FROM END TO END.
bwystfil, *eg. ll.*-od. Anifail gwyllt, mil. BEAST, BRUTE.
bwystfilaidd, *a.* Anifeilaidd, direswm, ffiaidd,
aflan, brwnt. BEASTLY.
bwystfiles, *eb. ll.*-au. Gwraig fwystfilaidd.
FEMALE BEAST.
bwyta, *be.* Ymborthi, cymryd bwyd, porthi, pori,
difa, ysu. TO EAT.
bwytadwy, *a.* Y gellir ei fwyta. EATABLE, EDIBLE.
bwytawr, *eg. ll.* bwytawyr. Un sy'n bwyta,
ymborthwr. EATER.
bwyty, *eg. ll.* bwytai. Tŷ i fwyta ynddo, caffe.
CAFÉ, RESTAURANT.
bychan, *a. ll.* bychain (*un. b.* bechan). Bach, bitw,
o ychydig faint neu nifer. LITTLE, SMALL,
MINUTE.
    Bychan bach. VERY LITTLE.
    Merch fechan. LITTLE GIRL.
    Plant bychain. LITTLE CHILDREN.
bychander : bychandra, *eg.* Y stad o fod yn
fach, prinder. SMALLNESS.
bychanu, *be.* Gwneud yn fach o rywun, dirmygu,
sarhau, difrïo, amharchu, iselhau, lleihau. TO
BELITTLE.
byd, *eg. ll.*-oedd. Bydysawd, hollfyd, bywyd,
hoedl, cylch. WORLD.
    Dim byd. NOTHING.
    Gwyn fyd. BLESSED.
    Byd-eang. WORLD-WIDE.
byd-enwog, *a.* Enwog drwy'r byd, o fri mawr,
hyglod. WORLD-FAMOUS.
bydol, *a.* Yn ymwneud â phethau'r byd megis
cyfoeth a phleser ; yn hoff o bethau'r byd.
WORLDLY.
bydwraig, *eb. ll.* bydwragedd. Gwraig sy'n
cynorthwyo ar adeg genedigaeth, gwidwith.
MIDWIFE.

bydysawd, *eg.* Y byd i gyd, yr hollfyd, pawb a
phopeth yn y cread. UNIVERSE.
byddar, *a.* Analluog i glywed. DEAF.
    Mud a byddar. DEAF AND DUMB.
byddardod, *eg.* Analluu i glywed, y cyflwr o fod
yn fyddar. DEAFNESS.
byddarol, *a.* Yn byddaru, yn stwrllyd iawn.
DEAFENING.
byddaru, *be.* Creu byddardod, gwneud yn hurt,
hurto. TO DEAFEN, TO STUN.
byddin, *eb. ll.*-oedd. Llu arfog, llu o filwyr. ARMY.
bygwth, *eg. ll.* bygythion. I. Bygythiad, bygyledd,
yr act o fygwth. A THREAT.
    2. *be.* Bwgwth, bygythio, cyhoeddi'r
bwriad o gosbi neu niweidio, bygylu. TO
THREATEN.
bygythiad, *eg. ll.*-au. Bygwth. A THREAT.
bygythio, *be.* Mynegi neu ddangos bwriad i gospi
neu i niweidio, dychrynu. TO THREATEN, TO
MENACE.
bygythiol, *a.* Yn bygwth. THREATENING.
bylb : bwlb, *eg. ll.* bylbau : bwlbiau. Bonyn
cronellog i goes planhigyn fel daffodil,
eirlys, wynwyn, &c., sy'n anfon gwreiddiau
i lawr a dail, blodau, &c., i fyny ; y rhan
wydr o lamp drydan. BULB.
bylchog, *a.* A bwlch ynddo, adwyog, agennog.
GAPPY.
bylchu, *be.* Torri bwlch neu adwy, rhicio, agennu.
TO MAKE A GAP.
byngalo, *eg. ll.*-s, -au. Math o dŷ unllawr. BUNGALOW.
bynnag, *rhag.* (Fel rheol yn dilyn *beth, pwy* neu
pa). -EVER, -SOEVER.
    Beth bynnag. WHATSOEVER.
    Pwy bynnag. WHOEVER.
    Pa fodd bynnag. HOWEVER.
byr, *a. ll.* byrion. (*b.* ber). Bach o ran hyd, cwta,
prin, swta. SHORT.
    Ar fyr. SHORTLY.
byrbryd, *eg. ll.*-au. -iau. Tamaid i aros pryd, llond
pen, pryd brysiog. SNACK.
byrbwyll, *a.* Yn fyr o bwyll, heb fod yn bwyllog,
gwyllt, difeddwl, anystyriol. RASH.
byrbwylltra, *eg.* Diffyg pwyll, rhyfyg,
gwyllltineb. RASHNESS.
byrder : byrdra, *eg.* Bychander hyd, bod yn fyr
o rywbeth, prinder, diffyg. SHORTNESS.
byrdwn, *eg.* I. Ystyr, yr hyn a feddylir, meddwl.
MEANING, BURDEN.
    2. Cytgan, brawddeg neu bennill a
ailadroddir mewn cân. REFRAIN.
byrfodd, *eg. ll*-au. Talfyriad. ABBREVIATION.
byrfyfyr, *a.* Ar y pryd, difyfyr, heb baratoi
ymlaen llaw. IMPROMPTU.
    Araith fyrfyfyr. IMPROMPTU SPEECH.
byrhau, *be.* Gwneud yn fyrrach neu'n llai,
cwtogi, talfyrru, crynhoi, prinhau. TO SHORTEN.
byrhoedlog, *a.* Â bywyd neu oes fer iddo, byr ei
barhad. SHORT-LIVED.
byrlymu, *be.* Llifo'n gryf gan wneud sŵn fel dŵr
o botel, codi'n bledrenni o ddŵr. TO BUBBLE.

bys, *eg. ll.*-edd. Rhan o'r llaw neu'r droed. FINGER, TOE.
Bys bawd. THUMB.
Bys modrwy. RING-FINGER.
Bysedd cloc. HANDS OF A CLOCK.
Bysedd y cŵn. FOXGLOVES.

byseddu, *be.* Trafod neu deimlo â'r bysedd, hel y bysedd ar hyd rhywbeth. TO FINGER.

byth, *adf.* O hyd, bob amser, yn wastad, yn oes oesoedd, yn dragywydd. EVER, ALWAYS.
Yn well byth. BETTER STILL.
Byth a hefyd. CONTINUALLY.
Am byth. FOR EVER.
Byth mwy. EVER AGAIN.
Byth bythoedd. FOR EVER AND EVER.

bytheiad, *eg. ll.* bytheiaid. Ci hela, helgi. HOUND.

bytheirio, *be.* Codi gwynt o'r stumog drwy'r genau ; chwythu bygythion. TO BELCH ; TO THREATEN

bythgofiadwy, *a.* Nad â'n angof, y cofir amdano am byth, diangof. EVER-MEMORABLE.

bythol, *a.* Yn parhau byth, tragwyddol, oesol, di-dranc, diddiwedd, di-baid, parhaol. EVERLASTING.

byth(ol)wyrdd, *a.* (*b.* byth(ol)werdd).
1. Bythddeiliog, yn dwyn dail gwyrddion drwy gydol y flwyddyn. EVERGREEN.
2. *eg. ll.*-ion. Pren neu lwyn (pinwydden, celynnen, &c.), sydd â'i ddail yn las drwy'r flwyddyn. AN EVERGREEN.

bythynnwr, *eg. ll.* bythynwyr. Un sy'n byw mewn bwthyn. COTTAGER.

byw, *be.* 1. Bod, oesi, preswylio. TO LIVE, TO DWELL.
2. *a.* Yn fyw, bywiol, bywiog, hoenus. ALIVE, LIVE.
3. *eg.* Einioes, bywyd. LIFE.
Byw y llygad. PUPIL OF THE EYE.
Yn fy myw. FOR THE LIFE OF ME.
I'r byw. TO THE QUICK.

bywgraffiad, *eg. ll.*-au. Hanes bywyd person wedi ei ysgrifennu, cofiant. BIOGRAPHY.

bywgraffiadol, *a.* Cofiannol, yn perthyn i fywgraffiad. BIOGRAPHICAL.

bywgraffiadur, *eg. ll.*-on. Llyfr sy'n cynnwys bywgraffiadau o ŵyr enwog, geiriadur bywgraffiadol. BIOGRAPHICAL DICTIONARY.

bywgraffydd, *eg. ll.*-ion. Un sy'n ysgrifennu bywgraffiad, cofiannydd. BIOGRAPHER.

bywhau : bywiocáu : bywiogi, *be.* Dodi bywyd mewn rhywbeth, ysbrydoli, ysgogi, sirioli, calonogi, llonni. TO ENLIVEN.

bywiog, *a.* Llawn bywyd, hoenus, hoyw, llon, llawen, heini, sionc. LIVELY.

bywiogi, *be.* Bywhau, adfywio ; adnewyddu ; adfer. TO ENLIVEN, TO ANIMATE ; TO RENEW ; TO RESTORE.

bywiogrwydd, *eg.* Bywyd, sioncrwydd. LIVELINESS.

bywiol, *a.* Yn fyw, yn rhoi bywyd. LIVING.

bywoliaeth, *eb. ll.* bywoliaethau. Y modd i fyw, cynhaliaeth. LIVELIHOOD.

bywydeg, *eb.* Bioleg, astudiaeth o bethau byw. BIOLOGY.

bywyd, *eg. ll.*-au. Y cyfnod rhwng geni a marw, byw, einioes, bodolaeth, hanfod. LIFE.

bywydfad, *eg. ll.*-au. Bad achub. LIFE-BOAT.

bywyn, *eg. ll.*-nau. Man tyner neu feddal ynghanol rhywbeth, mwydyn, mêr. PITH, CORE.
Bywyn afal. PITH, CORN OR PULP OF APPLE.
Bywyn bara. THE CRUMB OF BREAD.
Bywyn carn ceffyl. THE TENDER PART OF A HORSE'S HOOF.

Caban, *eg. ll.–au.* I. Bwth, lluest, cwt, cut. HUT.
2. Ystafell fach mewn llong. CABIN.
cabledd, *eg. ll.–au.* Ymadrodd amharchus am
Dduw, &c. ; cabl, gwaith cablwr, difenwad,
gwaradwydd. BLASPHEMY.
cableddus, *a.* Yn cablu neu'n difenwi.
BLASPHEMOUS.
cablu, *be.* Siarad yn amharchus am Dduw, &c. ;
tyngu a rhegi, difenwi, gwaradwyddo. TO
BLASPHEME.
cablwr, *eg. ll.* cablwyr. **cablydd,** *eg. ll.-*ion. Un
sy'n cablu, tyngwr a rhegwr. BLASPHEMER.
caboledig, *a.* Wedi ei loywi, coeth, llathraidd,
chwaethus, glân. POLISHED.
caboli, *be.* Gloywi, llyfnhau, llathru, glanhau,
llyfnu. TO POLISH.
cacen, *eb. ll.-*nau, –ni. Teisen. CAKE.
cacynen, *eb. ll.* cacwn. Pryf tebyg i wenynen.
WASP, HORNET.
cachgi, *eg. ll.* cachgwn. Un sy heb unrhyw
ddewrder, llwfrddyn, llwfrgi. COWARD.
cad, *eb. ll.–au.* Brwydr, ymladdfa, gornest,
ymryson, byddin. BATTLE, ARMY.
Maes y gad. BATTLE-FIELD.
Cad ar faes. PITCHED BATTLE.
cadach, *eg. ll.–au.* Darn o frethyn, neisied,
hances, napcyn, macyn. CLOTH.
Cadach poced. HANDKERCHIEF.
cadair, *eb. ll.* cadeiriau. I. Sedd â phedair coes,
stôl. CHAIR.
2. Piw neu bwrs buwch. COW'S UDDER.
cadarn, *a.* Cryf, grymus, nerthol, disyfl, diysgog,
safadwy, penderfynol, galluog. POWERFUL,
FIRM.
cadarnhaol, *eg.* Gair neu ymadrodd yn golygu **ie.**
AFFIRMATIVE.
Ateb yn y cadarnhaol. TO ANSWER IN THE
AFFIRMATIVE.
cadarnhau, *be.* I. Cryfhau, grymuso, nerthu. TO
STRENGTHEN.
2. Gwirio, eilio, ategu. TO CONFIRM.
cadeirio, *be.* Dodi yn y gadair, gwneud yn
gadeirydd, urddo rhywun. TO CHAIR.
Cadeirio'r bardd. TO CHAIR THE BARD.
cadeirydd, *eg. ll.-*ion. (*b.* cadeiryddes). Yr un
sydd yn y gadair ac yn rheoli cyfarfod.
CHAIRMAN.
cadernid, *eg.* Cryfder, grymuster, grym, gallu,
nerth. STRENGTH.
cadfridog, *eg. ll.-*ion. Pennaeth byddin, prif
swyddog mewn byddin, cadlywydd. GENERAL.
cadlas, *eb. ll.* cadlesydd. Darn o dir amgaeëdig
wrth y tŷ, iard, buarth. ENCLOSURE.
cadlys, *eb. ll.-*oedd. Buarth neu feili castell ; mur,
clawdd amddiffynnol ; cwrt; pencadlys ;
gwersyll. BAILEY ; WALL ; COURTYARD ;
HEADQUARTERS ; CAMP.
cadno, *eg. ll.* cadnawon, cadnoed. (*b.* cadnawes).
Creadur gwyllt cyfrwys coch ei liw,
llwynog, madyn. FOX.

cadnoes : cadnawes, *eb. ll.-*au. Llwynoges. VIXEN.
cadoediad, *eg. ll.-*au. Seibiant mewn rhyfel,
diwedd rhyfel. ARMISTICE.
cadw, *be.* I. Dal, cynnal. TO KEEP.
2. Arbed, achub, gwared. TO SAVE.
3. Gwarchod, amddiffyn, diogelu. TO GUARD.
Cadw stŵr, cadw twrw. TO MAKE A NOISE.
cadwedig, *a.* Wedi ei gadw, achubedig. SAVED.
cadwedigaeth, *eb.* Y weithred o gadw,
iachawdwriaeth, ymwared, iechydwriaeth,
achubiaeth. SALVATION.
cadwolyn, *eg.ll.* cadwolion. Sylwedd i gadw bwyd,
diod, pren, &c., rhag pydru. PRESERVATIVE.
cadw-mi-gei, *eg.* Blwch i gadw arian, bocs arian.
MONEY-BOX.
cadwraeth, *eb.* Gofal, diogelwch, cynhaliaeth,
gwarchodaeth, achubiaeth. CONSERVATION.
cadwyn, *eb. ll-*au, -i. Nifer o fodrwyau neu
ddolenni cysylltiedig ; nifer o benillion (yn
enwedig englynion) wedi eu cysylltu â
geiriau arbennig. CHAIN.
cadwyno, *be.* Gosod ynghlwm â chadwynau,
cadw'n gaeth. TO CHAIN.
cadwynog, *a.* Yn gysylltiedig fel cadwyn,
ynghlwm wrth gadwyn. CHAINED.
caddug, *eg.* Tywyllwch, gwyll, tarth, niwl,
niwlen, düwch. DARKNESS.
cae, *eg. ll.-*au. Maes wedi ei amgau â gwrych neu
berth neu glawdd. FIELD.
caeëdig, *a.* Wedi ei gau ; wedi ei amgylchynu.
SHUT, CLOSED ; FENCED, HEDGED, CONFINED.
caead, *be.* I. Cau, amgau, terfynu. TO SHUT.
2. *eg. ll.-*au. Clawr, gorchudd. COVER.
cael, *be.* Dyfod o hyd i, derbyn, meddu, ennill,
cyrraedd, caffael, canfod, darganfod. TO
HAVE, TO GET.
Cael a chael. TOUCH AND GO.
Ar gael. TO BE HAD.
caen, *eb. ll.-*au. **caenen,** *eb. ll-*nau. Gorchudd,
haen, haenen, cen, pilen, pilionen, rhuchen.
LAYER.
caer, *eb. ll.-*au, ceyrydd. Lle wedi ei gryfhau,
amddiffynfa, castell. FORT
Caer Gwydion. THE MILKY WAY.
Caer, *eb.* Prif dref swydd Gaer, Lloegr. CHESTER.
Caerdydd, *eb.* Prif ddinas Cymru a phorthladd ar
aber yr Afon Tâf, De Cymru. CARDIFF.
Caeredin, *eb.* Prif ddinas Yr Alban, ar arfordir
deheuol Moryd Forth. EDINBURGH.
Caerefrog, *eb.* Dinas gadeiriol a phrif dref swydd
Gogledd Efrog, Lloegr. YORK.
Caerfaddon, *eb.* Dinas a sba yn swydd Avon,
Lloegr. BATH.
Caerfyrddin, *eb.* Tref amaethyddol ar lannau'r
Afon Tywi. CARMARTHEN.
Caergaint, *eb.* Dinas gadeiriol swydd Caint yn ne
ddwyrain Lloegr. CANTERBURY.
Caergrawnt, *eb.* Dinas nodedig am ei phrifysgol
hynafol. Yn swydd Caergrawnt, Lloegr.
CAMBRIDGE.

Caergybi, *eb.* Porthladd ar Ynys Cybi, ger arfordir orllewinol Ynys Môn. HOLYHEAD.

Caerhirfryn, *eb.* Prif dref swydd Caerhirfryn, Lloegr. LANCASTER.

Caerloyw, *eb.* Dinas gadeiriol, porthladd a phrif dref swydd Caerloyw, Lloegr. GLOUCESTER.

Caerlŷr, *eb.* Prif dref swydd Caerlŷr, Lloegr, LEICESTER.

Caerllion, *eb.* Tref hanesyddol yng Ngwent. CAERLEON.

caerog, *a.* Wedi ei nerthu, castellog. FORTIFIED.

Caersalem, *eb.* Prif ddinas Israel a dinas sanctaidd yr Iddewon, y Cristnogion a'r Mwslimiaid. JERUSALEM.

Caersallog, *eb.* Dinas gadeiriol yn swydd Wiltshire. SALISBURY.

Caerwrangon, *eb.* Dinas gadeiriol yn swydd Henffordd a Chaerwrangon, Lloegr. WORCESTER.

caeth, *a. ll*-ion. I. Ynghlwm, heb fod yn rhydd. BOUND.
Mesurau caeth. STRICT METRES.
2. *eg. ll*.-ion. (*b.* caethes). Carcharor, caethwas. CAPTIVE.

caethglud, *eb.* Carcharorion (rhyfel, &c.) a ddygid yn gaethion i wlad estron. PRISONERS (OF WAR, &C.) DEPORTED TO CAPTIVITY.
Y Gaethglud. THE EXILE.

caethiwed, *eg.* Cyflwr caeth, lle y cedwir caethion, caethwasanaeth. CAPTIVITY.

caethiwo, *be.* Gwneud caeth o rywun, carcharu. TO ENSLAVE.

caethwas, *eg. ll.* caethweision. Caeth, un mewn caethiwed, un y gellir ei brynu a'i werthu. SLAVE.

caethwasiaeth, *eb.* Cyflwr neu fywyd caethwas, caethiwed. SLAVERY.

cafell, *eb. ll*.-au. Cell, cangell, cysegr, noddfa. CELL.

cafn, *eg. ll*.-au. Llestr hirgul i ddal dŵr, &c. TROUGH.

cafnedd, *eg.* Ffurf cafn, ceudod. CONCAVITY.

caffael, *be.* Cael, derbyn. TO OBTAIN.

caffaeliad, *eg. ll.* caffaeliaid. Yr hyn a geir drwy ymdrech, ennill, lles. ACQUISITION.

caffe : caffi, *eg. ll*.-s. Tŷ bwyta. CAFÉ, RESTAURANT.

cafflo, *be.* Twyllo (yn enwedig wrth chwarae). TO CHEAT.

cangell, *eb. ll.* canghellau. Rhan o eglwys lle gosodir yr allor. CHANCEL.

cangen, *eb. ll.* canghennau. Cainc, adran. BRANCH.

canghellor, *eg. ll.* cangellorion. I. Swyddog yn y llywodraeth sy'n gyfrifol am y cyllid.
2. Pennaeth prifysgol. CHANCELLOR.
Canghellor y Trysorlys. CHANCELLOR OF THE EXCHEQUER.

canghennog, *a.* Â llawer o ganghennau. WITH BRANCHES.

caib, *eb. ll.* ceibiau. Offeryn miniog i gloddio neu durio, matog, batog. MATTOCK.

cain, *a.* Gwych, teg, hardd, coeth, têr, dillyn, lluniaidd, braf. ELEGANT, FINE.
Celfyddydau cain. FINE ARTS.

cainc, *eb. ll.* cangau. I. Cangen, brigyn. BRANCH.
Cainc o fôr. BRANCH OF THE SEA.
2. *eb. ll.* ceinciau. Tôn, tiwn, alaw. TUNE.

Caint, *eb.* Sir yn ne ddwyrain Lloegr, sef swydd Caint. KENT.

cais, *eg. ll.* ceisiadau. I. Cynnig, ymdrech, ymgais ; sgôr (rygbi). ATTEMPT ; TRY.
2. Dymuniad, arch, deisyfiad. REQUEST.

calan, *eg.* Diwrnod cyntaf mis neu dymor. FIRST DAY (OF MONTH OR SEASON).
Dydd Calan. NEW YEAR'S DAY.
Calan Mai. MAY DAY.
Calan Gaeaf. ALL SAINTS' DAY.

calcwlws, *eg.* Adran uwch mewn mathemateg. CALCULUS.

calch, *eg.* Cynnyrch y garreg galch wedi ei llosgi mewn odyn. LIME.

calchbibonwy, *eg.* Dyddodyn o garbonad calsiwm, fel arfer, yn debyg i bibonwy mawr yn hongian o nen ogof, &c., ac wedi ei ffurfio drwy ddiferiad dŵr. STALACTITE.

calchbost, *eg. ll.* calchbyst. Dyddodyn fel calchbibonwy yn sefyll ar lawr ogof, &c., ac yn aml yn uno â chalchbibonwy. STALAGMITE.

calchen, *eb.* Calchfaen, carreg galch. LIMESTONE.

calchfaen, *eg. ll.* calchfeini. Carreg galch. LIMESTONE.

calcho : calchu, *be.* Dodi calch ar rywbeth megis tir, &c. TO LIME.
Gwyngalchu. TO WHITEWASH.

Caledfwlch, *eg.* Enw cleddyf y brenin Arthur. THE NAME OF KING ARTHUR'S SWORD : EXCALIBUR.

caled, *a.* I. Heb fod yn feddal, sych, cras. HARD.
2. Cadarn, cryf, gwydn. HARDY.
3. Llym, cas, gerwin, anodd. SEVERE.
Y mae'n galed arnaf. I AM IN DIFFICULTIES.

caledi, *eg.* Rhywbeth anodd ei oddef megis llafur neu niwed neu ddiodi, &c. HARDSHIP.

caledu, *be.* Mynd yn galed, gwneud yn galed, gerwino. TO HARDEN.

caledwch, *eg.* Y stad o fod yn galed. HARDNESS.

calendr, *eg. ll*.-au. Math o almanac yn cynnwys rhestr o fisoedd, wythnosau a diwrnodau'r flwyddyn. CALENDAR.

calennig, *eg.* Rhodd Dydd Calan, anrheg dechrau'r flwyddyn. NEW YEAR'S GIFT.

Calfaria, *eb.* Y man tu allan i furiau Caersalem lle y croeshoeliwyd Iesu. CALVARY.

calon, *eb. ll*.-nau. Yr organ sy'n gyrru'r gwaed drwy'r gwythiennau ; canol, rhuddin, craidd, dewrder, gwroldeb, hyfdra. HEART ; PLUCK.
Calon-dyner. TENDER-HEARTED, GENTLE.
Calon-galed. HARD-HEARTED, UNMERCIFUL.
Calon y gwir. THE VERY TRUTH.
Calon lân. A PURE HEART.

calondid, *eg.* Cysur, cefnogaeth, ysbrydoliaeth, symbyliad. ENCOURAGEMENT.

calonnog, *a.* Ysbrydol, gobeithiol, siriol. HOPEFUL, HEARTY.

calonogi, *be.* Ysbrydoli, annog, cefnogi, sirioli. TO ENCOURAGE.

calori, *eg. ll.* calorïau. I. Uned o wres. Y gwres sy'n angenrheidiol i godi tymheredd un gram o ddŵr drwy un radd Celsius. CALORIE. 2. Uned a ddefnyddir i fesur yr egni a gynhyrchir gan wahanol fwydydd. CALORIE.

calsiwm, *eg.* Elfen gemegol fetelaidd. Ni ddigwydd yn naturiol o gwbl, ond fe'i ceir yn gyfansawdd ag elfennau eraill. CALCIUM. Carbonad calsiwm. CALCIUM CARBONATE.

call, *a.* Doeth, synhwyrol, pwyllog. WISE.

callestr, *eb. ll.* cellystr. Carreg dân, carreg galed sy'n cynhyrchu tân trwy drawiad. FLINT.

callineb, *eg.* Doethineb, synnwyr, pwyll. PRUDENCE.

cam, *eg. ll.*-au. I. Symudiad y goes wrth gerdded neu redeg, &c. ; hyd y symudiad hwnnw. STRIDE, STEP. 2. Anghyfiawnder, camwri, cyfeiliornad. *e.e.* cafodd gam gan y beirniad. WRONG.

cam, *a. ll.* ceimion. I. Crwca, anunion, yn gwyro. CROOKED. 2. Anghywir, gau, cyfeiliornus. WRONG, FALSE.

camarfer, *be.* Camddefnyddio. TO MISUSE, TO ABUSE.

camargraff, *eb. ll.*-au. Syniad anghywir, dylanwad neu effaith ddrwg ac anghywir ; gwall argraffu. WRONG OR FALSE IMPRESSION ; MISPRINT.

camarwain, *be.* Cynghori neu arwain yn anghywir. TO MISLEAD.

cambren, *eg. ll.*-ni. Pren cam i hongian cig neu bren i'w ddodi wrth flaen aradr. SWINGLE-TREE.

camdreuliad, *eg. ll.*-au. Diffyg traul, methiant i dreulio bwyd. INDIGESTION.

cam-drin, *be.* Camarfer, camddefnyddio, difenwi, difrïo. TO ABUSE.

camdriniaeth, *eb. ll.*-au. Camddefnyddiad. ILL-TREATMENT.

camel, *eg. ll.*-od. Anifail sy'n cario llwythi mewn anialwch. CAMEL.

camfa, *eb. ll.* camfeydd. Grisiau i ddringo dros wal neu glawdd ; sticil, sticill. STILE.

camgymeriad : camsyniad, *eg. ll.*-au. Cyfeiliornad mewn meddwl neu weithred, gwall, amryfusedd, diffyg. MISTAKE.

camgymryd : camsynied, *be.* Cyfeiliorni, amryfuso. TO ERR.

camlas, *eb. ll.* camlesi, camlesydd. Ffos ddŵr fawr i bwrpas mordwyo, canél, dyfrffos. CANAL.

camliwio, *be.* Dweud anwiredd, cam-ddarlunio. TO MISREPRESENT.

camp, *eb. ll.*-au. I. Gorchest, gwrhydri, rhagoriaeth. FEAT. 2. Gêm, chwarae. GAME.

campfa, *eb. ll.* campfeydd. Neuadd ar gyfer ymarfer corff, athletau, &c. GYMNASIUM.

campus, *a.* Godidog, rhagorol, ardderchog, gwych, penigamp, ysblennydd. EXCELLENT.

campwaith, *eg. ll.* campweithiau. Gorchestwaith, gwaith celfydd. MASTERPIECE, FEAT.

camre, *eg.* Cerddediad, rhes o gamau, ôl traed. FOOTSTEPS, WALK.

camsyniad, *gw.* **camgymeriad.**

camu, *be.* I. Cerdded, brasgamu, mesur â chamau. TO STEP. 2. Plygu, gwyro. TO BEND.

camwedd, *eg. ll.*-au. Trosedd, cam, bai, drygioni, cyfeiliornad, trosedd, anghyfiawnder. WRONG, INIQUITY, TRANSGRESSION.

camwri, *eg.* Cam, drwg, niwed, difrod. INJURY.

cân, *eb. ll.* caneuon, caniadau. I. Rhywbeth a genir, caniad. SONG. 2. Darn o farddoniaeth, cerdd. POEM. Cân actol : cân ystum. ACTION SONG. Ar gân. IN VERSE.

can, *a* I.. Cannaid, gwyn. WHITE. 2. *eg.* Gwenith wedi ei falu, blawd, fflŵr. FLOUR. 3. *a.* Cant. HUNDRED.

cancr, *eg.* Clefyd sy'n ysu neu fwyta ei ffordd, tyfiant niweidiol, dafaden wyllt. CANKER ; CANCER.

candryll, *a.* ac *e.ll.* Chwilfriw ; yfflon, cyrbibion, teilchion, darnau mân. SHATTERED ; FRAGMENTS.

canfed, *a.* Yr olaf o gant. HUNDREDTH. Ar ei ganfed. A HUNDREDFOLD.

canfod, *be.* Gweled, dirnad, amgyffred, deall, edrych ar, sylwi ar. TO PERCEIVE.

canhwyllbren, *egb. ll.* canwyllbrennau : canwyllbrenni. **canhwyllarn,** *eg. ll.* canwyllerni. Llestr i ddal cannwyll. CANDLESTICK.

caniad, *eg. ll.*-au, Cân, cathl, cerdd. SONG, SINGING. Caniad y ceiliog. COCK-CROW. Caniad ffôn. PHONE-CALL. Caniad y gloch. RINGING OF THE BELL.

caniadaeth, *eg.* Caniad, cerdd. SINGING. Caniadaeth y cysegr. SACRED MUSIC ; PSALMODY.

caniatâd, *eg.* Cennad, hawl, trwydded, rhyddid, cydsyniad. PERMISSION, CONSENT.

caniataol, *a.* Wedi ei ganiatáu, goddefol. PERMITTED, PERMISSIVE. Cymryd yn ganiataol. TAKING FOR GRANTED.

caniatáu, *be.* Rhoi caniatâd, rhoi hawl, cydsynio, trwyddedu. TO ALLOW.

caniedydd, *eg. ll.*-ion. Canwr ; llyfr canu. SONGSTER ; SONG-BOOK.

canig, *eb. ll.*-ion. Cân fechan, cân hawdd, cytgan. SONG.

canlyn, *be.* Mynd neu ddod ar ôl, dilyn, erlid, ymlid, mynd gyda. TO FOLLOW.

canlyniad, *eg. ll.*-au. Effaith, ffrwyth, dylanwad. RESULT, CONSEQUENCE.

canlynol, *a.* Yn canlyn, yn dilyn, dilynol, ar ôl(hynny). FOLLOWING.

canllaw, *egb. ll.*-iau. Rheilen i'r llaw afael ynddi megis ar bont neu risiau, &c. HANDRAIL, AID.

canmlwyddiant, *eg.* Can mlynedd, dathlu rhywbeth sy'n gan mlwydd oed. CENTENARY.

canmol, *be.* Clodfori, moli, moliannu. TO PRAISE.
canmoladwy, *a.* Teilwng o glod neu fawl. PRAISEWORTHY.
canmoliaeth, *eb. ll.*-au. Clod, mawl, moliant. PRAISE.
cannaid, *a.* Disglair, gwyn, llachar, claer, gloyw. BRIGHT, WHITE.
cannu, *be.* Gwynnu, gloywi, disgleirio. TO WHITEN, TO BLEACH.
cannwyll, *eb. ll.* canhwyllau. Pabwyr â gwêr o'i gwmpas. CANDLE.
Cannwyll y llygad. PUPIL OF THE EYE.
Cannwyll gorff. CORPSE-CANDLE.
canol, *eg.* Calon, craidd, rhuddin, canolbwynt. MIDDLE, CENTRE.
canolbarth, *eg. ll.*-au. Y rhan ganol o dir neu wlad. MIDLAND.
Canolbarth Lloegr. THE MIDLANDS.
canolbris, *eg. ll.*-iau. Y pris canol, cyfartaledd pris. AVERAGE PRICE.
canolbwynt, *eg. ll.*-iau. Y man canol, craidd. CENTRE POINT.
canolbwyntio, *be.* Canoli, dodi'r meddwl ar rywbeth arbennig. TO CENTRE, TO CONCENTRATE.
canoldir, *eg. ll.*-oedd. Y tir nad yw'n cyffwrdd â'r môr. INLAND REGION.
Y Môr Canoldir. THE MEDITERRANEAN SEA.
canolddydd, *eg.* Hanner dydd, nawn, canol dydd. NOON, MID-DAY.
canolfan, *ebg. ll.*-nau. Y prif fan-cyfarfod, &c. CENTRE.
canoli, *be.* Crynhoi o amgylch y canol, gosod yn y canol, canolbwyntio. TO CENTRE.
canolig, *a.* Cymedrol, gweddol, rhesymol. MIDDLING.
canolog, *a.* Yn y canol. CENTRAL.
canolradd : canolraddol, *a.* O'r radd ganol. INTERMEDIATE.
canolwr, *eg. ll.* canolwyr. Un sy'n gweithredu rhwng dau mewn dadl, &c., er mwyn penderfynu rhyngddynt ; cyfryngwr, dyn canol. MEDIATOR, REFEREE.
Canolwr blaen. CENTRE-FORWARD.
canon, *egb. ll.*-au. 1. Cyfarwyddyd ynglŷn ag ymddygiad. CANON LAW, RULE.
2. *eg. ll.*-iaid. Offeiriad sy'n perthyn i eglwys gadeiriol. CANON.
3. *eg. ll.*-au. Gwn mawr. CANNON.
canran, *eg. ll.*-au. Cyfartaledd y cant. PERCENTAGE.
canrif, *eb. ll.*-oedd. Can mlynedd, cant mewn nifer. CENTURY.
cant : can, *eg. ll.* cannoedd. Pum ugain. HUNDRED.
Tri y cant. THREE PER CENT.
cant, *eg. ll.*-au. Ymyl cylch, min. RIM.
cantawd, *eb. ll.*-au. Cantata, canig, cerddoriaeth i gôr. CANTATA.
cantel, *eg. ll.*-au. Cylch het, ymyl, min. BRIM.
cantor : cantwr : canwr, *eg. ll.* cantorion. (*b.* cantores). Un sy'n canu, cerddor, cethlydd. SINGER.

cantwr, *gw.* cantor.
cantref, *eg. ll.*-i. Hen raniad o wlad yn cynnwys i ddechrau gant o drefi. A HUNDRED (DIVISION OF LAND).
canu, *be.* Gwneud sŵn cerddorol neu felodaidd â'r llais, cathlu. TO SING.
Canu'r piano. TO PLAY THE PIANO.
Canu'r gloch. TO RING THE BELL.
Canu'n iach. TO SAY GOODBYE.
Canu clod. TO SING THE PRAISE OF.
Codwr canu. PRECENTOR.
canŵ, *eg. ll.*-od. Cwch syml heb gilbren. CANOE.
canŵio, *be.* Symud ar y dŵr mewn canŵ drwy ddefnyddio padl. TO CANOE.
canwr, *gw.* cantor.
canwriad, *eg. ll.* canwriaid. Swyddog Rhufeinig oedd â gofal can milwr. CENTURION.
canys, *cys.* Oherwydd, oblegid, o achos, gan, am. BECAUSE.
cap, *eg. ll.*-au, -iau. Capan, gwisg i'r pen. CAP.
capan, *eg. ll.*-au. 1. Cap, cap bach. SMALL CAP.
2. Darn o bren neu garreg uwchben drws. LINTEL.
Capandrwyn (esgid). TOECAP.
capel, *eg. ll.*-i, -au. Tŷ cwrdd neu addoldy Ymneilltuol. NONCONFORMIST MEETING-HOUSE OR CHAPEL.
Capel Annibynnol. CONGREGATIONAL CHAPEL.
Capel anwes. CHAPEL OF EASE.
Capel Bedyddiedig. BAPTIST CHAPEL.
Capel Presbyteraidd. PRESBYTERIAN CHAPEL.
capelwr, *eg.* (*b.* capelwraig). *ll.* capelwyr. Aelod o Eglwys Ymneilltuol, un sy'n mynychu tŷ cwrdd. CHAPEL-GOER.
caplan, *eg. ll.*-iaid. Clerigwr mewn capel preifat neu gyda'r lluoedd arfog, &c. CHAPLAIN.
capten, *eg. ll.* capteiniaid. Swyddog yn y fyddin ; un sydd â gofal llong ; un sy'n arwain neu reoli tîm chwarae neu ysgol, &c. CAPTAIN.
car, *eg. ll.* ceir. Cerbyd, cert, men. CAR.
Car campau. SPORTS CAR.
Car modur. MOTOR CAR.
Car llusg. SLEDGE.
câr, *eg. ll.* ceraint. (*b.* cares). Cyfaill, cyfeilles, perthynas. FRIEND, RELATIVE.
carafán, *eb.* Men, cerbyd neu dŷ ar olwynion. CARAVAN.
carbohydrad, *eg. ll.*-au. Cyfansawdd organig o garbon, ocsigen a hydrogen ; perthyn iddo ddosbarthiadau'r siwgrau, y startsiau a'r selwlosau. CARBOHYDRATE.
carbon, *eg. ll.*-au. Elfen anfetalaidd sy'n digwydd yn anghyfansawdd mewn diemwnt, graffid a golosg ; mewn deuocsid carbon a'r carbonedau ; ac ymhob cyfansawdd organig. CARBON.
carbonad, *eg. ll.*-au. Halwyn asid carbonig. CARBONATE.
carbwl, *a.* Trwsgl, anfedrus, lletchwith, trwstan, llibin. AWKWARD.

carc, *eb.* Gofal, sylw, cadwraeth, gwarchodaeth. CARE.
carco, *be.* Gofalu, edrych ar ôl, gwarchod, cadw golwg, diogelu, gwylio. TO TAKE CARE.
carcus, *a.* Gofalus, pwyllog, gwyliadwrus. CAREFUL.
carchar, *eg. ll.*-au. **carchardy,** *eg. ll.* carchardai. Lle i gadw'r rhai sy'n torri'r gyfraith. PRISON.
carcharor, *eg. ll.*-ion. Caeth, un a gedwir mewn carchar, gelyn a ddaliwyd mewn rhyfel. PRISONER.
carcharu, *be.* Dodi mewn carchar, caethiwo. TO IMPRISON.
carden, *eb.* : **cerdyn,** *eg. ll.* cardau, cardiau. Darn o bapur trwchus (anystwyth gan amlaf). CARD.
cardod, *eb. ll.*-au. Rhodd i'r tlawd, elusen, elusengarwch. CHARITY.
cardota, *be.* Gofyn am gardod neu elusen, erfyn, deisyf, ymbil, begian. TO BEG.
cardotyn, *eg. ll.* cardotwyr. Un sy'n cardota neu ofyn am elusen, beger. BEGGAR.
caredig, *a.* Hynaws, mwyn, cymwynasgar, cu, caruaidd, piwr, tirion. KIND.
caredigrwydd, *eg.* Hynawsedd, cymwynasgarwch, gwasanaeth, cymorth. KINDNESS.
caregog, *a.* Â llawer o gerrig, garw. STONY.
carfan, *eb. ll.*-au. Rhestr, rhes, plaid, gwanaf, *e.e.* yn crynhoi carfan o wair. ROW, PARTY, GROUP, SWATH.
Carfan yr ên. JAW-BONE.
cariad, *eg. ll.*-on. I. Carwr, cariadfab, cariadferch. LOVER.
2. Serch, hoffter, anwyldeb. LOVE.
Claf o gariad. LOVE-SICK.
cariadlon : **cariadus,** *a.* Serchog, serchus, caruaidd, anwesog. LOVING.
cario, *be.* Symud peth trwy ei godi, cludo, dwyn, cywain. TO CARRY.
Cario'r dydd. TO WIN.
carlam, *eg. ll.*-au. Symudiad cyflym, yr act o garlamu, brys. GALLOP.
carlamu, *be.* Symud yn gyflym fel y gwna ceffyl pan gwyd ei bedair troed gyda'i gilydd wrth redeg. TO GALLOP.
carlwm, *eg. ll.* carlymod. Anifail bychan tebyg i wenci ac iddo gorff main hir. STOAT.
Cyn wynned â'r carlwm. AS WHITE AS ERMINE.
carn, *eg. ll.*-au. I. Rhan galed troed anifail (megis ceffyl, &c.) ; ewingarn. HOOF.
Yn ysgolor i'r carn. A SCHOLAR TO HIS FINGER-TIPS.
2. Dwrn cyllell neu gleddyf. HILT, HANDLE.
carn, *eb. ll.*-au. Carnedd, pentwr, crug, crugyn, twr, twmpath. CAIRN, HEAP.
Carnau o bobl. HEAPS OF PEOPLE.
carn-, *rhagdd.* Arch-, prif-. ARCH-.
Carn-lleidr. NOTORIOUS THIEF.
carnedd, *eb. ll.*-au. Carn, pentwr, crug. CAIRN.
carnog, *a.* Â charn iddo (am anifail neu arf). HOOFED ; HAFTED.
carol, *ebg. ll.*-au. Cân o lawenydd neu o fawl, cân, cerdd. CAROL.
Carol Nadolig. CHRISTMAS CAROL.

carolwr, *eg. ll.* carolwyr. Canwr carolau. CAROLLER.
carp, *eg. ll.*-iau. Cerpyn, clwt, brat, rhecsyn, llarn. RAG.
carped, *eg. ll.*-au, -i. Defnydd trwchus o wlân, &c., i orchuddio llawr neu risiau, &c. CARPET.
carpiog, *a.* Bratiog, rhacsog, clytiog, llarpiog. RAGGED.
carrai, *eb. ll.* careiau, careion. Cordyn neu linyn fel yr un lledr i glymu esgid. LACE, THONG.
carreg, *eb. ll.* cerrig. Darn o graig, maen. STONE.
Carreg aelwyd. HEARTHSTONE.
Carreg ateb : carreg lafar : carreg lefain. ECHO-STONE.
Carreg fedd. TOMBSTONE.
cart : **cert,** *ebg. ll.* ceirt. Cerbyd dwy olwyn, trol. CART.
cartref, *eg. ll.*-i. Lle i fyw ynddo, tŷ, annedd, preswylfa, trigfa, cartrefle, preswyl. HOME.
Gartref : yn nhref. AT HOME.
cartrefu, *be.* Trigo, preswylio, trigiannu. TO DWELL.
carth, *eg. ll.*-ion. (Gan amlaf yn y ffurf luosog). Pethau diwerth a deflir i ffwrdd, ysbwriel, ysgubion, gwehilion, sothach ; tom, baw. OFFSCOURING ; EXCREMENT.
carthen, *eb. ll.*-ni. Gorchudd trwm o wlân a roir ar wely. SHEET OF COARSE CLOTH, WELSH BLANKET, COVERLET.
carthffos, *eb. ll.*-ydd. Ffos neu bibell i gario aflendid neu garthion ymaith, ceuffos. SEWER, DRAIN.
carthffosiaeth, *eb.* Carthiad dreiniau neu garthffosydd. DRAINAGE, SEWERAGE.
carthiad, *eg. ll.*-au. Glanhad, puredigaeth. CLEANSING.
carthu, *be.* Glanhau, sgwrio, puro. TO CLEANSE.
Carthu'r gwddf. TO CLEAR THE THROAT.
caru, *be.* Serchu, ymserchu, hoffi, gorhoffi. TO LOVE.
caruaidd, *a.* Serchus, cariadus, hoffus, serchog, hawddgar, hynaws, anwesog. LOVING.
carw, *eg. ll.* ceirw (b. ewig). Anifail gwyllt a chyrn iddo, hydd. RED DEER.
carwr, *eg. ll.* carwyr. Un sy'n caru. LOVER.
carwriaeth, *eb. ll.*-au. Yr act o garu neu ymserchu. COURTSHIP.
cas, *eg.* I. Gorchudd neu flwch am rywbeth. CASE.
Cas llythyr : amlen. ENVELOPE.
2. Casineb, atgasedd, ffieidd-dra. HATRED.
cas, *a.* Atgas, ffiaidd, annymunol. HATEFUL.
Caseion. ENEMIES.
Cas gennyf. I HATE.
casáu, *be.* Ffieiddio, peidio â hoffi. TO HATE.
casbeth, *eg. ll.*-au. casineb, Peth a gaséir, cas, gwrthwynebiad. AVERSION.
caseg, *eb. ll.* cesig. Y fenyw o rywogaeth march. MARE.
Caseg eira. A LARGE SNOWBALL.
gw. **ceffyl.**
casét, *eg. ll.*-iau. Dyfais yn cynnwys film, tâp magnetig, &c., yn barod i'w gosod i mewn i gyfarpar addas fel camera, recordydd tâp, &c. CASSETTE.

casgen, *eb. ll.*-ni, casgiau, Twb, twba, twbyn, baril, barilan. CASK.

casgliad, *eg. ll.*-au. I. Crynhoad (arian, &c.). COLLECTION.
  2. Barn derfynol. CONCLUSION.
  3. Gôr neu fater (ar groen, &c.). GATHERING.

casglu, *be.* I. Crynhoi, hel, cynnull, ymgasglu, ymgynnull, tyrru, cronni. TO COLLECT.
  2. Awgrymu, cyfleu. TO INFER.

Cas-gwent, *eb.* Tref fasnachol ym Mynwy. CHEPSTOW.

casglwr, *eg. ll.* casglwyr. Un sy'n casglu casglydd. COLLECTOR.

casineb, *eg.* Cas, atgasedd, ffieidd-dra. HATRED.

Casllwchwr, *eb.* Pentref ar lan Afon Llwchwr yn Ne Cymru. LOUGHOR.

Casnewydd, *eb.* Tref ar aber yr Afon Wysg. NEWPORT.

cast, *eg. ll.*-au, -iau. Ystryw, pranc, tric, dichell, twyll, stranc, cnac. TRICK.
  Castiau hud. JUGGLERY.

castanwydden, *eb. ll.* castanwydd. Pren mawr â chnau cochlyd. CHESTNUT TREE.
  Castanwydden bêr. SWEET CHESTNUT.

castell, *eg. ll.* cestyll. Amddiffynfa, caer. CASTLE.

castellaidd : castellog, *a.* Yn perthyn neu'n debyg i gastell. PERTAINING TO OR RESEMBLING A CASTLE, CASTELLATED, BATTLEMENTED.

Castell-nedd, *eb.* Tref ar aber yr Afon Nedd yn Ne Cymru. NEATH.

castellu, *be.* Codi caer, gwersyllu, byw mewn caer, cadarnhau. TO BUILD A CASTLE, TO ENCAMP, TO DEFEND, TO FORTIFY.

castiog, *a.* Ystrywgar, dichellgar, twyllodrus, pranciog, stranciog, cnaciog. FULL OF TRICKERY.

caswir, *eg.* Gwirionedd annymunol neu gas. UNPALATABLE TRUTH.

catalog, *eg. ll.*-au. Rhestr drefnus a chyflawn gan amlaf yn nhrefn y wyddor neu dan benawdau. CATALOGUE.

catrawd, *eg. ll.* catrodau. Adran o fyddin dan awdurdod cyrnol. REGIMENT.
  Y Gatrawd Gymreig. THE WELCH REGIMENT.

cath, *eb. ll.*-od. Anifail dof cyffredin. CAT.
  Cath fach. KITTEN.
  Cath goed : Cath wyllt. WILD CAT.
  Gwrcath. TOMCAT.

cathl, *eb. ll.*-au. Cân, cerdd, melodi, caniad, peroriaeth. MELODY, SONG.

cathlu, *be.* Canu, pyncio, trydar. TO SING, TO CHIRP.

cathod, *gw.* cath.

catholig, *a.* Cyffredinol, byd-eang, pabaidd, pabyddol. CATHOLIC.

Catholigiaeth, *eb.* Y grefydd neu'r drefn neu'r traddodiad Catholig, agwedd gyffredinol hollgynhwysfawr fel nodwedd eglwys ; trefn a chredo eglwys Rufain, Pabyddiaeth. CATHOLICISM.

cau, *be.* Gwneud yn gaeëdig, caead, cloi, diweddu, dibennu, terfynu. TO CLOSE.

cau, *a.* Gwag, coeg. HOLLOW.
  Pren cau : ceubren. HOLLOW TREE.

cawad, *eg. ll.*-au. cawod, *eb. ll.* cawodydd. Tywalltiad neu gwympiad byr o law neu gesair neu eira, neu ddŵr. SHOWER.
  Cawod o niwl. A FALL OF MIST.
  Cawad o wynt. A GUST OF WIND.

cawdel, *eg.* Cymysgfa, cymysgedd, cymysgwch, cybolfa, llanastr, cawl. MESS.

cawell, *eg. ll.* cewyll. I. Basged. BASKET.
  2. Crud. CRADLE.
  3. Caets. CAGE.
  Cawell saethau. QUIVER.

cawg, *eg. ll.*-iau. Powlen, basn, noe. BOWL.

cawl, *eg.* I. Bwyd a wneir wrth ferwi cig, llysiau, &c. ; potes, sew. SOUP, BROTH.
  2. Cybolfa, cymysgfa, cawdel. MESS.

cawn, *e.ll.* (*un. b.* cawnen). Brwyn neu wellt at doi. REEDS, STALKS, REED-GRASS, RUSHES OR STRAW FOR THATCHING.
  Tŷ to cawn. THATCH ROOFED HOUSE.

cawod, *gw.* cawad.

cawodi, *be.* Ymolchi dan gawod o ddŵr (mewn ystafell ymolchi). TO BATHE UNDER A SHOWER (IN A BATHROOM), TO SHOWER.

cawr, *eg. ll.* cewri. Dyn anferth anghyffredin. GIANT.
  Cawr o ddyn. A HUGE MAN.

cawraidd, *a.* Fel cawr. GIGANTIC.

cawres, *eb. ll.*-au. Dynes anferth anghyffredin. GIANTESS.

caws, *eg.* Bwyd a wneir o laeth. CHEESE.
  Cosyn. A CHEESE.

cawsu, *be.* Troi'n gaws, tewhau, tewychu. TO CURDLE.

cebystr, *eg. ll.*-au. Peth i glymu ceffyl, penffestr, tennyn, rhaff. HALTER, ROPE.

cecru, *be.* Ffraeo, cweryla, ymryson, ymgecru, ymrafael. TO BICKER.

cecrus, *a.* Ymrafaelus, cwerylgar, ymrysongar, dadleuol. QUARRELSOME.

cecryn, *eg. ll.*-nod (*b.* cecren). Gŵr cecrus neu ymrysongar. WRANGLER.

ced, *eb. ll.*-au. Rhodd, anrheg, ffafr. GIFT.

cedennog, *a.* Blewog. SHAGGY.

cedrwydden, *eb. ll.* cedrwydd. Pren mawr bytholwyrdd. CEDAR.

cefn, *eg. ll.*-au. Rhan ôl y corff, y tu ôl. BACK.
  Tu cefn. BEHIND.
  Cefn nos. DEAD OF NIGHT.
  Cefnlu. RESERVE(S).

cefnder, *eg. ll.*-oedd, cefndyr. (*b.* cyfnither). Mab i fodryb neu ewythr. FIRST COUSIN.

cefndir, *eg. ll.*-oedd. Y tir neu'r ffeithiau y tu ôl i ffigur neu ddigwyddiad. BACKGROUND.

cefnen, *eb. ll.*-nau. Trum, cefn grwn, crib, esgair. RIDGE.

cefnfor, *eg. ll.*-oedd. Eigion, y môr mawr, gweilgi, cyfanfor. OCEAN.

cefnog, *a.* Cyfoethog, goludog, abl, da ei fyd, da ei ffawd. RICH.

cefnogaeth, *eb.* Calondid, anogaeth, ysbrydiaeth, cymorth, cynhorthwy, help. SUPPORT.

cefnogi, *be.* Ategu, annog, calonogi, cynorthwyo, helpu. TO SUPPORT.

cefnu (ar), *be.* Ymadael â, gwrthod, gadael, ffoi, encilio. TO FORSAKE.

cefnwr, *eg ll.* cefnwyr. Chwaraewr mewn tîm rybgi, hoci, &c. BACK, FULL-BACK.

ceffyl, *eg. ll.*-au. (*b.* caseg). Anifail mawr cryf a dof, march, cel. HORSE.
Ceffyl blaen. LEADING HORSE ; PUSHY PERSON.
Ceffyl brith. PIEBALD HORSE.
Ceffyl gwinau. BAY HORSE.
Ceffyl pren. WOODEN HORSE.
Ceffyl siglo. ROCKING HORSE.
Ar gefn ei geffyl. ON HIS HIGH HORSE ; EXULTANT.

ceg, *eb. ll.*-au. Genau, safn, pen. MOUTH.

cegin, *eb. ll.*-au. Ystafell goginio, ystafell waith yn y tŷ. KITCHEN.
Cegin gefn : cegin fach. BACK-KITCHEN.

cegog, *a.* Siaradus, tafodrydd, yn llawn cleber. MOUTHY, GARRULOUS.

cegrwth, *a.* Yn dylyfu gên, safnrhwth, â cheg agored. GAPING.

cengl, *eb. ll.*-au. Rhwymyn i ddal cyfrwy ar geffyl. BAND ; GIRTH.

cei, *eg.* Lle i lwytho llongau, porthladd bychan, glanfa, angorfa, harbwr. QUAY.

ceibio, *be.* Turio neu grafu'r ddaear â chaib, defnyddio caib. TO DIG, TO PICK (WITH A MATTOCK).

ceidwad, *eg. ll.* ceidwaid. I. Gofalwr, gwarchodydd, ymgeleddwr, diogelwr, KEEPER.
2. Achubwr, gwaredwr. SAVIOUR.

ceidwadol, *a.* Yn cadw, yn diogelu, yn amddiffyn. CONSERVATIVE.

Ceidwadwr, *eg. ll.* ceidwadwyr. Un sy'n perthyn i'r blaid Geidwadol, Tori. A CONSERVATIVE.

ceiliagwydd, *eg. ll.*-au. Clacwydd, gŵydd wryw. GANDER.

ceiliog, *eg. ll.*-od. (*b.* iâr). Aderyn gwryw. COCK.
Ceiliog gwynt. WEATHERCOCK.
Ceiliog rhedyn. GRASSHOPPER.

ceinach, *eb. ll.*-od. Ysgyfarnog. HARE.

ceinder, *eg.* Prydferthwch, harddwch, coethder, gwychder, glendid, tegwch. BEAUTY.

Ceinewydd, *eb.* Porthladd a phentre ar arfodir Ceredigion. NEWQUAY.

ceiniog, *eb. ll.*-au. Darn arian, y ganfed ran o bunt. PENNY.
Ceiniogwerth. PENNYWORTH.

ceinion, *e.ll.* Pethau neu weithiau prydferth, gemau, tlysau, addurniadau. WORKS OF ART.

ceintach, *be.* I. Achwyn, grwgnach, tuchan, cwyno, conach, conan. TO GRUMBLE.
2. Cweryla, ffraeo, ymrafael. TO QUARREL.

ceintachlyd, *a.* Grwgnachlyd, cwynfannus, cwerylgar, cecrus. DISCONTENTED, QUERULOUS.

ceirch, *e. torfol.* (*un. b.*-*en. g.*-yn). Grawn a ddefnyddir fel bwyd. OATS.
Bara ceirch. OATCAKES.

ceirios, *e.ll.* (*un. b.*-en). Ffrwythau bach coch, sirian. CHERRIES.

ceisbwl, *eg. ll.* ceisbyliaid. Swyddog sirif. CATCHPOLE, BAILIFF.

ceisio, *be.* Deisyfu, deisyf, dymuno, erchi, erfyn, chwilio am, ymofyn, ymgeisio, cynnig am. TO SEEK.

cel, *eg.* Ceffyl. HORSE.

cêl, *a.* Cudd, cuddiedig, dirgel, cyfrin. HIDDEN, SECRET.
Dan gêl. IN SECRET.

celain, *eb. ll.* celanedd. Corff, burgyn, ysgerbwd. CARCASS.
Yn farw gelain. STONE-DEAD.

celf, *eb. ll.*-au. Gwaith llaw, celfyddyd, crefft. ART, CRAFT.
Ysgol Gelf. ART SCHOOL.

celfi, *e.ll.* (*un. g.* celficyn). I. Offer, arfau, gêr. TOOLS, GEAR.
Celfi min. EDGED TOOLS.
2. Dodrefn. FURNITURE.

celfydd, *a.* Medrus, galluog, cywrain, hyfedr. SKILFUL, SKILLED.

celfyddyd, *eb. ll.*-au. Celf, crefft, cywreinrwydd. ART, SKILL, CRAFT.
Celfyddyd gain. FINE ART.

celu, *be.* Dodi o'r golwg, cadw'n gyfrinachol, cuddio, llechu, cwato. TO HIDE.

celwrn, *eg. ll.* celyrnau. Llestr mawr agored wedi ei wneud o bren, twb, twba, twbyn, stwc. TUB.

celwydd, *eg. ll.*-au. Anwiredd, dywediad gau, twyll. LIE.

celwyddgi, *eg. ll.* celwyddgwn. Un sy'n dweud celwydd neu anwiredd. LIAR.

celwyddog, *a.* Anwir, anwireddus, ffug, gau, ffals, twyllodrus. UNTRUTHFUL.

celyn, *e.ll.* (*un. b.* celynnen). Coed bythwyrdd â dail pigog ac aeron cochion. HOLLY.

cell, *eb. ll.*-oedd. Lle bychan caeëdig yn aml yn rhan o adeilad mwy fel ystafell fach mewn mynachlog neu garchar &c. ; yr uned fywiol leiaf mewn cyfansoddiad y corff dynol, anifail, planhigyn, &c. CELL.

celli, *eb. ll.* cellïau, cellïoedd. Llwyn, coedwig fechan, gwigfa. GROVE.

cellog, *a.* Yn cynnwys celloedd. CELLULAR.

cellwair, *eg. ll.* cellweiriau. Ffraetheb, ysmaldod. JOKE, FUN.

cellwair : cellweirio, *be.* Dweud rhywbeth doniol neu ddigrif, smalio, gwatwar. TO JOKE, TO MOCK.

cellweirus, *a.* Ysmala, arabus, ffraeth, doniol. JOCULAR.

cemeg, *eb.* Gwyddor sy'n ymdrin â chyfansoddiad mater ac ag elfennau mater a'r deddfau sy'n eu rheoli. CHEMISTRY.

cemegol, *a.* Yn perthyn i gemeg. CHEMICAL.

cemegwr, *eg. ll.* cemegwyr. Un sy'n astudio cemeg. CHEMIST.

cen, *eg.* Pilen, pilionen, haenen, caenen, gorchudd. FILM, LAYER.
Cen y cerrig : cen y coed. LICHEN.

cenadwri, *eb.* Neges, gair. MESSAGE.

cenau, *eg. ll.* cenawon. (*b.* cenawes). I. Anifail ifanc (megis cadno, llew, &c.). CUB.
2. Gwalch, dihiryn, cnaf. RASCAL.

cenedl, *eb. ll.* cenhedloedd. I. Pobl o'r un dras neu wlad. NATION.
2. Math, rhywogaeth. KIND.
3. *eb. ll.* cenhedlau. Rhyw geiriau (mewn gramadeg). GENDER.
Cenedl (y) Cymru. THE WELSH NATION.
Y Cenhedloedd. THE GENTILES.
Y Cenhedloedd Unedig. THE UNITED NATIONS.

cenedlaethol, *a.* Yn perthyn i genedl neu wlad. NATIONAL.

cenedlaetholdeb, *eg.* Cred yn y genedl neu ymdeimlad gwladgarol. NATIONALISM.

cenedlaetholi, *be.* Peri bod nwyddau, &c., yn mynd yn eiddo i'r genedl ; gwladoli. TO NATIONALIZE.

cenedlaetholwr, *eg. ll.* cenedlaetholwyr. Ymladdwr dros ei genedl ; cefnogwr cenedlaetholdeb. NATIONALIST.

cenedl-ddyn, *eg. ll.*-ion. Rhywun nad yw'n Iddew ; rhywun digrefydd, pagan. GENTILE.

cenfaint, *eb. ll.* cenfeintiau. Gyr, diadell, haid, nifer fawr (yn arbennig am foch). HERD (ESPECIALLY OF PIGS).

cenfigen, *eb. ll.*-nau. Teimlad anniddig ynglŷn â sefyllfa neu lwyddiant rhywun arall, eiddigedd, malais. JEALOUSY.

cenfigennu, *be.* Eiddigeddu, dal cenfigen. TO ENVY.

cenfigennus, *a.* Eiddigeddus, eiddigus, maleisus, gwenwynllyd. JEALOUS.

cenhadaeth, *eb. ll.* cenadaethau. Neges, cenadwri, gwaith arbennig. MISSION.
Y Genhadaeth Dramor. THE FOREIGN MISSION.

cenhadol, *a.* Yn perthyn i gennad, yn ymwneud â chenhadaeth, ar gennad. MISSIONARY.
Y maes cenhadol. THE MISSION FIELD.

cenhadu, *be.* I. Mynegi, datgan, dwyn neges. TO EXPRESS, TO DECLARE, TO BEAR TIDINGS.
2. Lledaenu ffydd grefyddol ymysg anghredinwyr, cynnal cenhadaeth. TO PROPAGATE A RELIGIOUS FAITH AMONG UNBELIEVERS, TO CONDUCT A MISSION.

cenhadwr, *eg. ll.* cenhadon. (*b.* cenhades). Un sy'n efengylu, un â chenadwri ganddo, cennad, negesydd. A MISSIONARY.

cenhedlaeth, *eb. ll.* cenedlaethau. Pobl o'r un oedran neu gyfnod, tua deng mlynedd ar hugain, hiliogaeth, oes, to. GENERATION.

cenhedlu, *be.* Rhoi bodolaeth i (am epil), peri beichiogi. TO BEGET, TO GENERATE.

cenllif, *eg.* Llifeiriant, rhyferthwy, cenlli, llif, ffrydlif, dilyw. TORRENT.

cenllysg, *e. torfol.* Glaw wedi rhewi, cesair. HAILSTONES.
Bwrw cenllysg. TO HAIL.

cennad, *eb. ll.* cenhadau, cenhadon. I. Caniatâd, hawl. PERMISSION, LEAVE.
2. Negesydd, cenhadwr. MESSENGER.

cennin, *e.ll.* (*un. b.* cenhinen). Llysiau gardd tebyg eu blas i'r wniwn. LEEKS.
Cennin Pedr. DAFFODILS.
Cennin syfi. CHIVES.

cerbyd, *eg. ll.*-au. Car, lorri, bws, beic modur, beic, coets fawr, &c. CAR, LORRY, BUS, MOTOR CYCLE, BICYCLE, COACH, VEHICLE, &C.

cerdin, *gw.* **cerdinen.**

cerdinen, *eb. ll.* cerdin. **cerddinen,** *eb. ll.* cerddin. Math o goeden, criafolen. MOUNTAIN ASH.

cerdyn, *gw.* **carden.**

cerdd, *eb. ll.*-i. Cân, darn o farddoniaeth, cathl, caniad. SONG, MUSIC.
Cerdd dafod. POETRY.
Cerdd dant. INSTRUMENTAL MUSIC.
Offer cerdd. MUSICAL INSTRUMENTS.

cerdded, *be.* Rhodio, teithio ar draed, mynd. TO WALK, TO GO.
Ar gerdded : i ffwrdd. AWAY.
Ar gerdded : ar waith. GOING ON.

cerddediad, *eg.* I. Rhodiad. GAIT.
2. Mesur cam. PACE.

cerddin, *gw.* **cerdinen.**

cerddor, *eg. ll.*-ion. (*b.* cerddores). Un galluog ym myd cerddoriaeth. MUSICIAN.

cerddorfa, *eb. ll.* cerddorfeydd. Parti o offerynwyr cerdd. ORCHESTRA.

cerddoriaeth, *eb.* Miwsig, peroriaeth. MUSIC.

cerddorol, *a.* Yn ymwneud â cherddoriaeth. MUSICAL.

cerddwr, *eg. ll.* cerddwyr. Rhodiwr, heiciwr. WALKER.

cerfddelw, *eb. ll.*-au. Cerfiad, delw gerfiedig ar lun dyn neu anifail, model. STATUE.

cerfiad, *eg. ll.*-au. Ysgythriad, cerflun. SCULPTURE.

cerfio, *be.* Gwneud delw, &c., ar fetel neu garreg ; ysgythru, llunio, naddu. TO CARVE.

cerflun, *eg. ll.*-iau. Delw gerfiedig, cerfddelw. STATUE.

cerfluniaeth, *eb.* Gwaith cerflunydd, cerfwaith. SCULPTURE.

cerflunydd, *eg. ll.* cerflunwyr. Un sy'n naddu cerfluniau o faen, pren, clai, &c. SCULPTOR.

cerlyn, *eg.* Taeog, costog, gŵr sarrug. CHURL.

cern, *eb. ll.*-au. Ochr yr wyneb o dan y llygad, grudd, boch, gên. CHEEK, JAW.
Cernlun. PROFILE.

cernod, *eb. ll.*-iau. Ergyd ar y gern, cernen, clowten, clewten, bonclust. A SLAP, A CLOUT.

cernodio, *be.* Rhoi ergyd ar y gern, clewtian, clowto. TO SLAP, TO CLOUT.

Cernyweg, *egb.* Iaith Cernyw. CORNISH LANGUAGE.
cerpyn, *eg. ll.* carpiau. Clwt, brat, rhecsyn. RAG.
cerrynt, *eg. ll.* cerhyntau. I. Llwybr, cwrs.
JOURNEY, COURSE.
2. Symudiad dŵr, awyr neu drydan i
gyfeiriad arbennig. CURRENT.
cert, *eg. ll.*-i, ceirt. Cerbyd ar olwynion a
ddefnyddir ar ffarm, trol. CART.
certh, *a.* I. Dychrynllyd, ofnadwy. AWFUL.
2. Dwys. INTENSE.
3. Llym, craff. KEEN.
ceriwb : cerub, *eg. ll.*-iaid. Angel adeiniog ; un
fel angel, plentyn bach diniwed. CHERUB.
cerwyn, *eb. ll.*-i. Twb, twba, baddon. TUB, VAT.
cerydd, *eg. ll.*-on. Cystwyad, cosbedigaeth, sen.
REBUKE, SCOLDING, CENSURE.
ceryddu, *be.* Cystwyo, cosbi, cymhennu, dwrdio.
TO REBUKE, TO REPROVE.
cesail, *eb. ll.* ceseiliau. Y pant dan yr ysgwydd, y
rhan o'r corff dan fôn y fraich. ARMPIT.
cesair, *e. torfol.* Glaw wedi rhewi, cenllysg.
HAILSTONES, HAIL.
cestog, *a.* Tew, boliog. CORPULENT.
cetyn, *eg. ll.* catiau. I. Darn, tamaid, gronyn,
mymryn. BIT.
2. Pibell â choes fer. A SHORT PIPE. (USED BY
SMOKERS).
cethin, *a.* I. Tywyll. DARK.
2. Gwyllt, cas, ffyrnig, llym ; ofnadwy ;
hyll, hagr. WILD, FIERCE ; TERRIBLE ; UGLY.
ceubren, *eg. ll.*-nau. Pren cau, pren neu goeden â
thwll drwy'r canol. HOLLOW TREE.
ceudod, *eg.* Gwacter, lle cau neu wag. CAVITY.
Ceudod y trwyn. NASAL CAVITY.
ceugrwm, *a.* Cafnog. CONCAVE.
ceulan, *eb. ll.*-nau, ceulennydd. Glan afon serth a
dofn, torlan. HOLLOW BANK OF RIVER.
ceulo, *be.* Troi'n sur (fel hen laeth), cawsu. TO
CURDLE, TO COAGULATE.
ceunant, *eb. ll.* ceunentydd. Cwm cul dwfn, hafn,
nant ddofn. RAVINE, GORGE.
cewyn, *eg. ll.*-nau, cawiau. Cadach, clwt, carp.
NAPKIN.
ci, *eg. ll.* cŵn (*b.* gast). Anifail dof cyffredin. DOG.
ciaidd, *a.* Yn ymddwyn fel ci, bwystfilaidd,
creulon, annynol. BRUTAL.
cib, *eg. ll.*-au. Plisgyn, mesglyn. POD, HUSK.
Cibyn wy : masgl wy. EGGSHELL.
cibddall, *a.* Bron yn ddall, coegddall, dwl, hurt.
PURBLIND.
cibws, *eb. ll.* cibysau. Malaith, llosg eira.
CHILBLAIN(S).
cic, *egb. ll.*-iau. Ergyd â throed. KICK.
Cic adlam. DROP-KICK.
Cic gosb. PENALTY-KICK.
cicio, *be.* Rhoi ergyd â throed. TO KICK.
cieidd-dra, *eg.* Creulondeb, bryntni, anfadwaith,
ysgelerder. BRUTALITY.

cig, *eg. ll.*-oedd Cnawd. MEAT.
Cig bras : cig gwyn. FAT MEAT.
Cig coch. LEAN MEAT.
Cig eidion. BEEF.
Cig moch. BACON, PORK.
Cig llo. VEAL.
Cig gwedder. MUTTON.
cigfran, *eb. ll.* cigfrain. Aderyn tebyg i frân. RAVEN.
cigydd, *eg. ll.*-ion. Un sy'n gwerthu cig. BUTCHER.
cignoeth, *a.* I'r byw, poenus. RAW, PAINFUL.
cil, *eg. ll.*-iau. Encil, lloches, cornel, congl.
CORNER ; BACK ; RETREAT.
Cnoi cil : cilgnoi. TO CHEW THE CUD.
Cil y drws. SPACE BETWEEN THE EDGE AND
THE FRAME OF A DOOR WHICH IS AJAR.
Cil y llygad. CORNER OF THE EYE.
Cil haul. SUNSET, A SHADY PLACE.
Cil y lleuad. WANE OF THE MOON.
cilagor, *be.* Hanner agor. TO HALF OPEN.
cilagored, *a.* Hanner agored. AJAR.
cilbren, *eg. ll.*-nau. Gwaelod llong. KEEL.
cildwrn, *eg.* Rhan isaf y dwrn ; rhodd fach
ddirgel, llwgrwobr. LOWER SIDE OF FIST ; TIP,
GRATUITY, BRIBE.
cildynnu, *be.* Bod yn gyndyn, ystyfnigo. TO BE
OBSTINATE.
cildynrwydd, *eg.* Cyndynrwydd, ystyfnigrwydd.
OBSTINACY.
cilddant, *eg. ll.* cilddannedd. Un o'r dannedd ôl
neu'r dannedd malu. MOLAR TOOTH.
cilfach, *eb. ll.*-au. Cornel clyd, lloches,
ymguddfan, congl. NOOK.
cilgant, *eg. ll.*-au. Ffurf lleuad newydd ;
arwyddlun Islam. CRESCENT.
cilio, *be.* Ffoi, dianc, encilio, ymneilltuo, mynd yn
ôl. TO RETREAT.
cilwenu, *be.* Gwenu mewn modd gwirion ac
annaturiol. TO SIMPER.
cilwg, *eg. ll.* cilygon. Gwg, cuwch. FROWN.
cilwgus, *a.* Cuchiog, gwgus, yn crychu'r aeliau.
FROWNING.
cimwch, *eg. ll.* cimychiaid. Anifail y môr, hir ei
gorff ac yn troi'n goch wrth ei ferwi. LOBSTER.
Cimwch coch. CRAYFISH.
cingroen, *eg.* Caws llyffant drewllyd. STINK-HORN.
Yn drewi fel cingroen. STINKING OFFENSIVELY.
ciniawa, *be.* Cael cinio, bwyta, ymuno i ginio. TO
DINE.
cinio, *egb. ll.* ciniawau. Pryd canol dydd, pryd
mwyaf y dydd. DINNER.
cip, *eg. ll.*-iau. I. Plwc, tyniad, lladrad. A SNATCHING.
2. Trem, cipdrem, cipolwg. GLIMPSE.
cipdrem, *eb.* Cipolwg, trem. GLIMPSE.
cipio, *be.* Plycio, tynnu, dwyn, lladrata, dwgyd,
crapio. TO SNATCH.
cipolwg, *egb. ll.* cipolygon. Cipdrem, trem.
GLANCE, GLIMPSE.
cist, *eb. ll.*-iau. Coffr, blwch mawr, bocs. CHEST,
COFFER.

cistfaen, *eb. ll.* cistfeini. Hen fedd cynhanesiol yn cynnwys pedair carreg fawr ac un arall ar ei gwastad drostynt fel clawr. SEPULCHRE.

ciw, *eg. ll.*-iau. I. Rhes hir o bobl neu o gerbydau y naill yn sefyll y tu ôl i'r llall gan ddisgwyl eu tro i symud ymlaen. QUEUE.
  2. Gwialen hir blaenllym a ddefnyddir i daro peli wrth chwarae biliards neu snwcer. CUE.
  3. Awgrym. CUE.

ciwb, *eg. ll.*-iau. Corff solet ag iddo chwech ochr sgwâr o'r un maint. CUBE.

ciwbig, *a.* Yn perthyn i giwb, ar lun ciwb. CUBIC.

ciwed, *eb.* Haid neu dorf afreolus a stwrllyd, dynionach, tyrfa. RABBLE.

ciwrad, *eg. ll.*-iaid. Offeiriad sy'n cynorthwyo rheithor neu ficer, curad. CURATE.

cladd, *eg. ll.*-au. Lle i gladdu tatws, &c. ; ffos, pwll, pydew. BURYING PLACE, TRENCH.

claddedigaeth, *eb. ll.*-au. Y weithred o gladdu, angladd, cynhebrwng, arwyl. BURIAL.

claddfa, *eb. ll.* claddfeydd. Lle i gladdu'r meirw, mynwent, erw Duw. CEMETERY.

claddu, *be.* Gosod mewn cladd neu fedd, daearu, cuddio yn y ddaear. TO BURY.

claear, *a.* Llugoer, oeraidd, difraw, difater, diddrwg-didda. LUKE-WARM.

claearineb : claearwch, *eg.* Bod yn glaear, difaterwch, difrawder. LUKE-WARMNESS.

claearu, *be.* I. Mwynhau, tirioni. TO BECOME MILD.
  2. Lliniaru, esmwytháu. TO SOOTHE.

claer, *a.* I. Disglair, llachar, gloyw. BRIGHT.
  2. Clir, eglur. CLEAR.

claerwyn, *a. ll.*-ion. (*b.* claerwen). Disgleirwyn. BRILLIANTLY WHITE.

claf, *a.* I. Sâl, tost, afiach, anhwylus. ILL.
  2. *eg. ll.* cleifion. Un sâl, person tost, dioddefydd. SICK PERSON, PATIENT.

clafr, *eg.* Math o glefyd y croen ar anifeiliaid, &c. ; brech y cŵn. MANGE.
  Clafr y defaid. SHEEP SCAB.
  Clafr y meillion. CLOVER ROT.

clafychu, *be.* Mynd yn sâl. TO SICKEN.

clai, *eg. ll.* cleiau. Pridd trwm a gludiog. CLAY.

clais, *eg. ll.* cleisiau. I. Yr hyn a geir wrth gleisio, marc, briw, dolur, anaf. BRUISE.
  Clais y wawr. THE BREAK OF DAY.

clamp, *eg.* Peth anferth o fawr, clobyn, talp. HUGE MONSTER.
  Clamp o ddyn. GREAT BIG MAN.

clap, *eg. ll.*-iau. I. Cnap, talp, cwlff. LUMP.
  2. Clec, cleber, clebar. GOSSIP.

clapgi, *eg. ll.* clapgwn. Clecyn, clepgi, chwedleuwr. A TELL-TALE.

clapio, *be.* I. Cnapio, ffurfio talpau. TO FORM LUMPS.
  2. Dweud clecau, clebran. TO TELL TALES.
  3. Curo dwylo. TO CLAP, TO APPLAUD.

clas, *eg. ll.*-au Sefydliad mynachaidd. CLOISTER, COLLEGE, MONASTIC COMMUNITY.

clasur, *eg. ll.*-on. Campwaith mewn llên neu gelfyddyd. A CLASSIC.

clasurol, *a.* Perthynol i gampwaith, arbennig, hir ei barhad, yn ymwneud â Groeg a Lladin. CLASSICAL.

clau, *a.* Buan, cyflym, ebrwydd, rhwydd, siarp. QUICK.
  Dere'n glau. COME QUICKLY.

clawdd, *eg. ll.* cloddiau. Argae, ffos, gwrych, cob. EMBANKMENT.
  Clawdd Offa. OFFA'S DYKE.

clawr, *eg. ll.* cloriau. Gorchudd, caead. COVER, LID.
  Ar glawr. ON RECORD ; IN EXISTENCE.

clebar : cleber, *egb.* Mân siarad, siaradach. CHATTERING, IDLE TALK.

clebran, *be.* Baldorddi, brygawthan, cyboli, clegar, hel straeon. TO CHATTER.

clebryn, *eg.* (*b.* clebren). Un sy'n clebran. CHATTERER.

clec : clep, *eb. ll.*-au, -iau. I. Ergyd, sŵn trwm. REPORT.
  2. Clap, chwedl, cleber, clegar, mân siarad. GOSSIP.

clecan : clepian, *be.* I. Bwrw'n drwm, ergydio, clician. TO CLICK.
  2. Chwedleua, hel straeon, cario clec (clep). TO GOSSIP.

clecyn, *eg. ll.* clecwn. Clapgi, clepgi, chwedleuwr. A TELL-TALE.

cledr, *eb. ll.*-au. I. Trawst, tulath. BEAM.
  2. Canllaw, rheilen. RAIL, STAKE.
  Cledr y llaw. PALM OF THE HAND.
  Cledrau. RAILS (OF RAILWAY).

cledro, *be.* Taro â chledr y llaw. TO CUFF.

cledd : cleddau : cleddyf, *eg. ll.* cleddyfau. Arf â llafn hir miniog. SWORD.

clefyd, *eg. ll.*-au, -on. Dolur, afiechyd, salwch, anhwyldeb, selni, haint. DISEASE.
  Clefyd melyn. JAUNDICE.
  Clefyd melys/siwgr. DIABETES.
  Clefyd y môr. SEA-SICKNESS.

clegar, *be.* Gwneud sŵn gan iâr, crecian. TO CACKLE.

cleiog, *a.* Llawn clai, tebyg i glai. CLAYEY.

cleisio, *be.* Peri clais, marcio, anafu, dolurio, briwio. TO BRUISE.

cleisiog, *a.* Â chleisiau. BRUISED.

clem, *eg. ll.*-au. Amcan, syniad, crap. NOTION.
  Gwneud clemau (ystumiau). PULLING FACES.
  Heb glem. NO NOTION, USELESS.

clên, *a.* Hynaws, caruaidd, dymunol, hyfryd. AGREEABLE.

clep, *gw.* clec.

clêr, *gw.* cleren.

clêr, *eb. torf.* Beirdd neu gerddorion crwydrol. ITINERANT BARDS OR MINSTRELS.

cleren, *eg. ll.* clêr. Cylionen, math o bryf. FLY.
  Cleren las. BLUE BOTTLE.
  Cleren lwyd. HORSE-FLY.

clerigwr, *eg. ll.* clerigwyr. Offeiriad, person, gweinidog. CLERGYMAN.

clicied, *eb. ll.*-au. I. Bach i gau drws. LATCH.
2. Y darn a dynnir i danio gwn neu ddryll.
TRIGGER.

clindarddach, *be.* I. Gwneud sŵn craciog. TO
CRACKLE.
2. *eg.* Sŵn craciog. CRACKLING.

clinig, *eg. ll.*-au. Lle i gynnig cyngor neu
driniaeth feddygol arbennig ; canolfan
iechyd. CLINIC.

clinigol, *a.* Yn wrthrychol oeraidd ; yn perthyn i
glinig. CLINICAL.

clir, *a.* Eglur, plaen, amlwg, rhydd, dieuog.
CLEAR.

clirio, *be.* Symud rhwystrau, glanhau, rhyddhau.
TO CLEAR.

clo, *eg. ll.*-eau, -eon. Peth i ddiogelu neu sicrhau
drws, clwyd, ffenestr, cist, &c. LOCK.

clobyn, *eg.* (*b.* cloben). Un mawr o gorff, clamp.
HUGE ONE, MONSTER.
Cloben o fenyw. A HUGE WOMAN.

cloc, *eg. ll.*-au, -iau. Teclyn i fesur amser. CLOCK.
Cloc larwm. ALARM CLOCK.
Cloc wyth niwrnod. EIGHT-DAY CLOCK,
GRANDFATHER CLOCK.

clocsen, *eb. ll.* clocsiau. Esgid â gwadn o bren.
CLOG.

cloch, *eb. ll.* clychau, clych. Llestr gwag o fetel
sy'n canu wrth ei daro. BELL.
Un o'r gloch. ONE O'CLOCK.
Deg o'r gloch. TEN O'CLOCK.
Clychau'r gog. BLUEBELLS.

clochaidd, *a.* Fel cloch, soniarus, croch, seinfawr,
trystfawr, trystiog. SONOROUS, NOISY.

clochdar, *be.* Gwneud sŵn gan iâr, clwcian. TO
CLUCK, CACKLE.

clochdy, *eg. ll.* clochdai. Lle cedwir y gloch
mewn eglwys, &c. BELFRY.

clochydd, *eg. ll.*-ion. Swyddog mewn eglwys sy'n
canu'r gloch, torrwr beddau, gofalwr
eglwys. SEXTON.

clod, *egb. ll.*-ydd. Mawl, moliant, enw da, bri,
enwogrwydd, anrhydedd, canmoliaeth.
PRAISE, FAME.

clodfawr, *a.* Teilwng o glod, enwog.
PRAISEWORTHY.

clodfori, *be.* Canmol, moli, moliannu. TO PRAISE,
TO EXTOL.

cloddio, *be.* Gwneud clawdd, ceibio, turio, palu,
ffosi, rhychu, rhigoli. TO BANK, TO DIG.

cloddiwr, *eg. ll.* cloddwyr. Un sy'n cloddio.
DIGGER, NAVVY.

cloëdig, *a.* Wedi ei gloi. LOCKED.

cloff, *a.* Â gwendid yn y coesau, llipa, clipa.
LAME.

cloffi, *be.* Gwneud yn gloff, methu yn y coesau,
petruso. TO LAME, BECOME LAME.
Cloffi rhwng dau feddwl. TO HESITATE.

cloffni, *eg.* Y cyflwr o fod yn gloff, diffyg yn y
coesau. LAMENESS.

clog, *egb. ll.*-au. **clogyn,** *eg. ll.*-au. Mantell, cochl,
hug, hugan. CLOAK.

clog, *eb.* **clogwyn,** *eg. ll.*-i. Dibyn, craig, creigle.
CLIFF.

clogyn, *gw.* **clog.**

clogyrnaidd, *a.* Lletchwith, llibin, trwsgl,
trwstan, garw, carbwl. CLUMSY.

cloi, *be.* Diogelu neu sicrhau drws â chlo. TO
LOCK.
Cloi dadl : diweddu dadl. TO END A DEBATE
OR ARGUMENT.

clopa, *eb. ll.*-nau. Dwrn, pen (ffon, pin). KNOB.

cloren, *eb. ll.*-nau. Bôn, cynffon, cwt, llosgwrn.
TAIL.

clorian, *egb. ll.*-nau. Peiriant i bwyso ag ef,
mantol, tafol. PAIR OF SCALES.

cloriannu, *be.* Pwyso, mantoli, barnu, ystyried.
TO WEIGH.

clorin, *eg.* Nwy tew melynwyrdd drewllyd a
gwenwynig. CHLORINE.

clos, *eg. ll.*-au. I. Llodrau, trwser byr. PAIR OF
BREECHES.
Clos pen-glin. KNEE-BREECHES.
2. *eg. ll.*-ydd. Buarth, iard, beili, clwt, cae
bach. YARD.

clòs, *a.* Trymaidd, mwrn, mwrnaidd, mwll,
mwygl, tesog. CLOSE.

cludiad, *eg. ll.*-au. Y weithred neu'r gost o gludo,
trosglwyddiad. CONVEYANCE, CARRIAGE.
Y cludiad yn rhad. CARRIAGE PAID.

cludo, *be.* Cario, dwyn, cywain. TO CONVEY.

cludwr, *eg. ll.* cludwyr. **cludydd,** *eg. ll.*-ion. Un
sy'n cludo, cariwr, porthor, drysor. PORTER.

clun, *eb. ll.*-iau. Y rhan o'r goes uwchlaw'r ben-
lin. HIP.
O glun i glun. STEP BY STEP.
Wrth ei glun. BY HIS SIDE.

clunhercian : clymhercian, *be.* Cerdded yn gloff.
TO LIMP.
Clunhercyn. A LAME PERSON.

clust, *egb. ll.*-iau. Organ y clyw. EAR.

clustfeinio, *be.* Gwrando'n astud, gwrando ar y
slei. TO LISTEN INTENTLY.

clustfys, *eg.* Bys bach. LITTLE FINGER.

clustffôn, *eg. ll.* clustffonau. Teclyn a wisgir dros
neu yn y clust i hybu clywed neu wrando ar
radio, ffôn, &c. EARPHONE.

clustdlws, *eg. ll.* clustdlysau. Modrwy neu dlws a
wisgir ar y glust fel addurn. EAR-RING.

clustnod, *eg. ll.*-au. Nod neu arwydd
perchenogaeth a dorrir ar glustiau dafad.
EAR-MARK.

clustnodi, *be.* Torri nod ar glustiau dafad fel
arwydd perchenogaeth ; neilltuo arian,
adnoddau, &c., at ryw bwrpas arbennig. TO
EAR-MARK.

clustog, *eb. ll.*-au. Peth i orffwys pen arno,
gobennydd. PILLOW, CUSHION.

clwb, *eg. ll.* clybiau. Cymdeithas o bobl yn
diddori yn yr un pethau. CLUB.

clwc, *a.* I. Drwg, gorllyd. BROODY, ADDLED.
Iâr glwc. BROODY HEN.
Wy clwc. ADDLED EGG.
2. Gwael, sâl, tost. ILL.
Yn teimlo'n eithaf clwc. FEELING QUITE POORLY.

clwcian, *be.* Clochdar. TO CLUCK.

clwm : cwlwm, *eg. ll.* clymau. Y peth a wneir ar
linyn, &c., wrth ei glymu. KNOT.
Cwlwm cariad. LOVE-KNOT.
Clwm o gnau. BUNCH OF NUTS.

clwstwr, *eg. ll.* clystyrau. Grŵp neu glwm o
bethau tebyg fel ffrwythau, sêr, &c. CLUSTER.

clwt : clwtyn, *eg. ll.* clytau, clytiau. Darn o
frethyn, darn, llain, brat, cerpyn, rhecsyn.
PIECE, RAG.
Yn glwt. COMPLETELY.
Ar y clwt. STRANDED, OUT OF WORK.
Clwtyn llawr. FLOOR CLOTH.
Clwtyn llestri. DISH CLOTH.
Clwtyn ymolch. FACE FLANNEL.

clwyd, *eb. ll.*-i, -au. I. Llidiart, iet, gât, porth.
GATE, HURDLE.
2. Esgynbren, darn o bren i gynnal ieir yn
ystod y nos. ROOST.

clwydo, *be.* Mynd i orffwys dros nos (gan ieir).
TO ROOST.

clwyf, *eg. ll.*-au. Toriad ar y cnawd, archoll, briw,
gweli, clefyd. WOUND.

clwyfedig, *a.* Wedi ei glwyfo, briwedig,
archolledig. WOUNDED.

clwyfo, *be.* Archolli, briwio, torri cwt. TO WOUND.

clwyfus, *a.* Tost, blin, dolurus, poenus, anhwylus.
WOUNDED, SORE.

clyd, *a.* Cysurus, diddos, cysgodol, cynnes, cryno.
COSY.

clydwch, *eg.* Cysur, cysgod, diddosrwydd.
SHELTER, WARMTH.

clymau, *gw.* **clwm.**

clymblaid, *eb. ll.* clymbleidiau. Undeb dros dro o
bleidiau gwleidyddol. COALITION.

clymhercian, *gw.* **clunhercian.**

clymu, *be.* Cylymu, dodi clwm ar rywbeth,
rhwymo. TO TIE.

clytio, *be.* Cywiro rhwyg mewn dilledyn, gosod
darnau wrth ei gilydd. TO PATCH.

clytiog, *a.* Bratiog, yn ddarnau, wedi ei glytio.
PATCHED.

clytwaith, *eg.* Gwaith yn cynnwys darnau
gwahanol i'w gilydd. PATCHWORK.

clyw, *eg.* Y gallu i glywed neu i adnabod sŵn.
HEARING.

clywadwy, *a.* Y gellir ei glywed, hyglyw. AUDIBLE.

clywed, *be.* Amgyffred â'r glust neu'r trwyn neu'r
tafod neu'r galon, &c. ; teimlo. TO HEAR, TO
SMELL, TO FEEL.
Clywed arogl : clywed gwynt. TO SMELL.
Clywed blas. TO TASTE.

cnaf, *eg. ll.*-on. Dihiryn, gwalch, adyn, twyllwr,
cenau, cyfrwysddyn. RASCAL, KNAVE.

cnafaidd, *a.* Cyfrwys, dichellgar, twyllodrus,
bawaidd, brwnt. KNAVISH.

cnaif, *eg. ll.* cneifiau. Yr hyn a gneifir, cnu. FLEECE.

cneifio, *be.* Torri gwlân y ddafad â gwellau, &c. ;
gwelleifio, tocio, torri. TO SHEAR.

cneifiwr, *eg. ll.* cneifwyr. Un sy'n cneifio,
gwelleifydd. SHEARER.

cnap, *eg. ll.*-au, -iau. Telpyn, talp, clap, darn.
LUMP, KNOB.
Cnepyn. SMALL LUMP.

cnapiog, *a.* Talpiog, clapiog, cnyciog. LUMPY.

cnau, *gw.* **cneuen.**

cnawd, *eg.* Y rhan feddal o'r corff rhwng y croen
a'r esgyrn, cig. FLESH.

cnawdol, *a.* Yn perthyn i'r cnawd. CARNAL.

cneua, *be.* Casglu neu hel cnau. TO NUT.

cneuen, *eb. ll.* cnau. Ffrwyth y gollen, &c. NUT.

cnewyllyn, *eg. ll.* cnewyll. Y tu mewn i gneuen,
bywyn. KERNEL.

cno, *eg.* Tamaid, cnoad, brathiad. BITE.

cnoc, *egb. ll.*-au. Ergyd, trawiad. A KNOCK.
Yr hen gnoc. THE OLD SILLY.

cnofil, *eg. ll.*-od. Anifail bach fel rheol (llygoden,
gwiwer, cwningen …) sydd â dau ddant
blaen cryf yn yr ên uchaf ond heb ddannedd
llygad. RODENT.

cnoi, *be.* Torri â'r dannedd, brathu. TO BITE, TO CHEW.

cnu, *eg. ll*-au : **cnuf,** *eg. ll.*-iau. Y cudyn gwlân a
gneifir oddi ar ddafad, cnaif. FLEECE.
Cnufyn. SMALL FLEECE.

cnùl : clùl, *eg. ll.*-iau. Sŵn cloch, sŵn cloch ar
farwolaeth neu angladd. KNELL.

cnwc, *eg. ll.* cnycau, cnyciau. Bryncyn, ponc,
bryn, twmpath. HILLOCK.

cnwd, *eg. ll.* cnydau. Cynnyrch, ffrwyth. CROP.

cnydfawr, *a.* Yn llawn cnwd, toreithiog,
ffrwythlon, cynhyrchiol. PRODUCTIVE.

cnydio, *be.* Cynhyrchu, ffrwytho. TO CROP.

cnydiog, *a.* Ffrwythlon, cnydfawr. PRODUCTIVE.

cob : coban, *eb. ll.*-iau. Mantell, hugan, clog,
clogyn, cochl. CLOAK.
Coban nos. NIGHT-SHIRT.

còb, *eg. ll.*-iau. Clawdd, ffos, argae. EMBANKMENT.
Codi còb (wrth droi tir) : y cwysi cyntaf.
Còb Malltraeth.

cobler, *eg. ll.*-iaid. Un sy'n gwneud neu gyweirio
esgidiau, crydd. COBBLER.

coblyn, *eg.* Ysbryd drygionus, ellyll, bwgan,
bwci, drychiolaeth. GOBLIN.

cocos : cocs, *e.ll. (un. b.* cocsen). Pysgod y môr
sy'n byw mewn cregyn, rhython. COCKLES.

coch, *a. ll.*-ion. Lliw gwaed, rhudd, ysgarlad. RED.
Coch y berllan. BULLFINCH.
Rhuddgoch. DARK RED.
Purgoch : fflamgoch. BRIGHT RED.
Cochddu. BROWNISH.

cochi, *be.* Troi'n goch, gwneud yn goch, rhuddo,
gwrido. TO REDDEN, TO BLUSH.
gw. **cochni.**

cochl, *eb. ll.*-au. Mantell, clogyn, hugan, cob, coban, clog. MANTLE.

cochni : cochi : cochder, *eg.* Gwrid, lliw coch. REDNESS.

cod, *eb. ll.*-au. I. Cwd, cwdyn, ffetan, sach, ysgrepan. BAG.
2. Coden, plisgyn, masgl, cibyn. POD.
Codau pys. PEA-PODS.
Codog. MISER.
Codau mwg. PUFF BALLS.

codi, *be.* I. Cyfodi, cwnnu, tarddu (afon). TO RISE.
2. Adeiladu. TO ERECT.
3. Chwyddo. TO SWELL.
4. Achosi, creu. TO CAUSE.
5. Cynhyrchu. TO PRODUCE.
6. Prynu (ticed). TO BUY.
7. Tynnu allan. TO WITHDRAW (MONEY).

codiad : cyfodiad, *eg. ll.*-au. Y weithred o godi, esgynfa, tarddiad. RISE, RISING.
Codiad yr afon. THE SOURCE OF THE RIVER.

codwm, *eg. ll.* codymau. Syrthiad sydyn, cwymp, cwympiad, disgyniad. A FALL.
Taflu codwm : ymaflyd codwm. TO WRESTLE.

codwr, *eg. ll.* codwyr. Un sy'n codi, dyrchafwr. RISER, RAISER.
Codwr canu. PRECENTOR.

coed, *e.ll.* ac *e. torf.* (*un. b.* coeden). Nifer o brennau yn tyfu gyda'i gilydd ac yn ymestyn dros dipyn o dir, coedwig, gallt ; llwyni ; darnau o goed. FOREST, WOOD, TREES ; SHRUBS ; TIMBER, PIECES OF WOOD.

coeden, *eb. ll.* coed. Un pren (bedwen, castanwydden, derwen, onnen . . .). A TREE.
gw. **coed.**

coediog, *a.* Â llawer o goed. WOODY.

coedwig, *eb. ll.*-oedd. Gwig, fforest, coed, gwŷdd. FOREST.

coedwigaeth, *eb.* Gwyddor sy'n ymwneud â choed. FORESTRY.
Comisiwn Coedwigaeth. FORESTRY COMMISSION.

coedwigo, *be.* Plannu coed, fforesta. TO PLANT TREES.

coedwigwr, *eg. ll.* coedwigwyr. Torrwr coed, fforestwr. FORESTER.

coedd, *a.* Yn perthyn i bawb, cyhoeddus, cyffredin. PUBLIC.
Ar goedd. PUBLICLY.

coeg : coeglyd, *a.* I. Gwag. EMPTY.
2. Ofer. VAIN.
3. Gwirion, ffôl. SILLY.

coegedd : coegni, *eg.* Gwagedd, gorwagedd, oferedd, gwatwareg, coegfalchder. VANITY, SARCASM.

coel, *eb. ll.*-ion. Arwydd, cred, crediniaeth, ymddiried, goglyd, credud. BELIEF, TRUST, OMEN, CREDIT.
Ar goel. ON CREDIT.

coelbren, *eg. ll.*-nau, -ni. Tynged neu'r hyn a benderfynir wrth dynnu blewyn cwta. LOT.
Bwrw coelbren. TO CAST LOTS.

coelcerth, *eb. ll.*-i. Tân mawr yn yr awyr agored yn enwedig ar ben mynydd neu le uchel i rybuddio rhag perygl neu i ddathlu digwyddiad arbenning. BONFIRE.

coelio, *be.* Credu, ymddiried, hyderu, goglyd. TO BELIEVE, TO TRUST.

coes, *eb. ll.*-au. I. Un o aelodau'r corff, esgair. LEG.
Tynnu coes. TO PULL ONE'S LEG.
2. *eg.* Bonyn, dwrn, carn, corn. STALK, HANDLE.
Coes bresych. CABBAGE-STALK.
Coes mwrthwl. HANDLE OF A HAMMER.

coeth, *a.* I. Pur, glân, purlan. PURE.
2. Gwych, cain. FINE.
3. Diwylliedig. CULTURED.

coethder, *eg.* Gwychder, ceinder, puredd, purdra, coethiad. REFINEMENT, ELEGANCE.

coethi, *be.* Puro, glanhau ; clebran. TO REFINE ; TO BABBLE.

cof, *eg. ll.*-ion. Y gallu i alw yn ôl i'r meddwl neu i gadw yn y meddwl, atgof, coffa, coffadwriaeth. MEMORY, REMEMBRANCE.
Adrodd o'r cof. TO RECITE FROM MEMORY.
Dyn o'i gof. A MADMAN.
Mynd maes o'i gof. TO BECOME ANGRY.

cofadail, *eb. ll.* cofadeiladau. **cofgolofn,** *eb. ll.*-au. Rhywbeth i gofio am berson neu ddigwyddiad, cofarwydd, gwyddfa, beddadail. MONUMENT.

cofeb, *eb. ll.*-ion. Peth i gadw rhywun neu rywbeth mewn cof, cofarwydd, coffa, coffadwriaeth. MEMORIAL.

cofgolofn, *gw.* **cofadail.**

cofiadur, *eg. ll.*-iaid. Un sy'n cofnodi. RECORDER.

cofiadwy : cofus, *a.* A gedwir mewn cof, gwerth ei gofio, bythgofiadwy, hygof. MEMORABLE.

cofiannydd, *eg. ll.* cofianyddion, cofianwyr. Un sy'n ysgrifennu cofiant, bywgraffydd. BIOGRAPHER.

cofiant, *eg. ll.* cofiannau. Hanes person wedi ei ysgrifennu, bywgraffiad. BIOGRAPHY.

cofio, *be.* Dwyn i gof, bod ar gof, atgofio. TO REMEMBER, TO RECOLLECT.

cofl : côl, *eb.* Mynwes. BOSOM, EMBRACE.

coflaid, *eb. ll.* cofleidiau. Llond cesail, llond côl. ARMFUL, BUNDLE.

cofleidio, *be.* Tynnu i'r gôl neu i'r fynwes, mynwesu, gwasgu, anwesu. TO EMBRACE, TO HUG.

coflyfr, *eg. ll.*-au. Llyfr cofnodi. RECORD BOOK.

cofnod, *eg. ll.*-ion. Nodiad i helpu'r cof, cofnodiad. MEMORANDUM, MINUTE (OF MEETING).
Cofnodion. MINUTES (OF MEETING).

cofnodi, *be.* Dodi ar glawr, nodi mewn ysgrifen. TO RECORD.

cofrestr, *eb. ll.*-i, -au. Coflyfr a gedwir yn gyson, rhestr o enwau. REGISTER.

cofrestru, *be.* Gwneud rhestr o enwau, rhoi enw i ymuno. TO REGISTER.

cofrestrydd, *eg.* Un sy'n cofrestru. REGISTRAR.
cofus, *a.* Cofiadwy, â chof da. MEMORABLE, WITH GOOD MEMORY, MINDFUL.
coffa : coffâd : coffadwriaeth, *eg.* Cof. REMEMBRANCE.
coffáu, *be.* Dwyn i gof, cadw mewn cof, atgofio, atgoffa, atgoffáu. TO COMMEMORATE, TO RECOLLECT, TO REMEMBER.
coffr, *eg. ll.*-au. Cist, coffor, blwch, bocs. COFFER.
cog, *eb. ll.*-au. Cwcw. CUCKOO.
  Mor llawen â'r gog. AS BLITHE AS THE LARK. (*lit.* AS HAPPY AS THE CUCKOO).
cog, *eg. ll.*-au. **cogydd:** *eg. ll.*-ion. (*b.* cogyddes). Un sy'n coginio. COOK.
coginiaeth : cogyddiaeth, *eb.* Y grefft o wneuthur bwyd neu goginio. COOKERY.
coginio, *be.* Gwneud bwyd (sef crasu, berwi, ffrio, &c.,). TO COOK.
cogio, *be.* Cymryd ar, ffugio, honni, ymhonni, ffuantu. TO PRETEND.
cogor, *be.* Trydar, cadw sŵn (gan adar). TO CHATTER (BY BIRDS).
cogwrn, *eg. ll.* cogyrnau. Tas fach o lafur (ŷd), helm, côn, copyn. SMALL STACK OF CORN, CONE.
cogydd, *gw.* **cog.**
cogyddiaeth, *gw.* **coginiaeth.**
congl, *eb. ll.*-au. Cornel, cwr, cil, ongl. CORNER.
conglfaen, *eg. ll.* conglfeini. Carreg gornel. CORNER STONE.
col, *e. torfol.* Barf ŷd. BEARD (OF CORN).
côl : cofl, *eb.* Mynwes, arffed. BOSOM, LAP.
coledd : coleddu, *be.* Meithrin, noddi, mynwesu, llochesu. TO CHERISH.
  Coleddu syniadau. TO HARBOUR THOUGHTS.
coleg, *eg. ll.*-au. Canolfan addysg uwchradd. COLLEGE.
  Coleg Hyfforddi. TRAINING COLLEGE.
  Coleg Technegol. TECHNICAL COLLEGE.
colegol, *a.* Yn perthyn i goleg. COLLEGIATE.
coler, *egb. ll.*-i. Rhwymyn am y gwddf, torch. COLLAR.
colfen, *eb. ll.*-ni. I. Cainc, cangen, aelod o goeden. BRANCH.
  2. Coeden. TREE.
colofn, *eb. ll.*-au. Piler uchel, rhes. COLUMN.
colomen, *eb. ll.*-nod. Aderyn cyffredin. PIGEON.
colomendy, *eg. ll.* colomendai. Adeilad lle cedwir colomennod. DOVE-COT.
colsyn, *eg. ll.* cols. Marworyn. EMBER.
coludd : coluddion, *e. torfol. (un. g.* coluddyn). Ymysgaroedd, perfedd. BOWELS.
colur, *eg. ll.*-au. Y powder a'r paent a ddefnyddir gan rai i addurno'r wyneb, y llygaid a'r gwefusau. COLOUR, MAKE-UP.
coluro, *be.* Lliwio, peintio. TO COLOUR, TO MAKE-UP.
colwyn, *eg. ll.*-od. Ci bach, cenau. PUPPY.
colyn, *eg. ll.* Peth sy'n pigo (fel colyn gwenynen). STING.
coll, *eg. ll.*-iadau. Rhywbeth yn eisiau, colled ; diffyg, ffaeledd, nam, gwendid. LOSS ; DEFECT.

colled, *egb. ll.*-ion. Yr hyn sydd ar goll, peth sy'n eisiau. LOSS.
colledig, *a.* Ar goll, ar grwydr, ar ddisberod, diflanedig ; wedi ei ddamnio. LOST ; DAMNED.
colledigaeth, *eb.* Distryw. PERDITION.
colledu, *be.* Peri colled. TO CAUSE A LOSS.
colledus, *a.* Â cholled, yn dwyn colled. INJURIOUS, FRAUGHT WITH LOSS.
colledwr, *eg. ll.* colledwyr. Un sy'n colli. LOSER.
collen, *eb. ll.* cyll. Pren cnau. HAZEL.
collfarnu, *be.* Condemnio ar gam. TO CONDEMN UNJUSTLY.
colli, *be.* Methu dod o hyd i, gweld eisiau, gwastraffu. TO LOSE.
collnod, *eg. ll.*-au. Sillgoll ('), nod i ddangos bod llythyren neu lythrennau yn eisiau. APOSTROPHE.
coma, *eg. ll.* Gwahannod (,), math o atalnod a ddaw ynghanol brawddeg. COMMA.
comin, *eg.* Tir cyd, cytir, tir cyffredin. COMMON (LAND).
comisiwn, *eg. ll.* comisiynau. Gorchymyn i weithredu mewn dull penodol ; awdurdod a draddodir i rywun ; dirprwyaeth ; tâl *pro rata* am fusnes a wnaed gan asiant. COMMISSION.
comisiynu, *be.* Y weithred o roi comisiwn. TO COMMISSION.
Comiwnydd, *eg. ll.*-ion. Un sy'n credu mewn Comiwnyddiaeth. COMMUNIST.
Comiwnyddiaeth, *eb.* Yr athrawiaeth sy'n dweud y dylai nwyddau, ynghyd â'r modd i'w cynhyrchu, &c., fod yn eiddo cymdeithas. COMMUNISM.
concro, *be.* Gorchfygu, trechu, maeddu, ennill, curo. TO CONQUER.
concwerwr, *eg. ll.* concwerwyr. Un sy'n concro, gorchfygwr, maeddwr, trechwr, enillwr. CONQUEROR.
concwest, *eb. ll.*-au. Buddugoliaeth, goruchafiaeth, ennill. VICTORY.
condemniad, *eg. ll.*-au. Yr act o gondemnio, euogfarn. CONDEMNATION.
condemnio, *be.* Barnu yn euog, euogfarnu. TO CONDEMN.
consurio, *be.* Peri i ymddangos, ymarfer castau hud, ystrywio. TO CONJURE.
consuriwr, *eg. ll.* consurwyr. Un sy'n ymarfer castau hud, dyn hysbys. CONJURER.
conyn, *eg. (b.* conen). Un sy'n cwyno, crintachwr. GRUMBLER.
cop, *eg.* **copyn,** *eg. ll.*-nau, -nod. Pryf copyn, corryn. SPIDER.
  Copyn y grog : copyn yr ardd. GARDEN SPIDER.
  Gwe cop : gwe pryf copyn. SPIDER'S WEB, COBWEB.
copa, *eg. ll.* copâu, copaon. Pen, crib, brig, blaen, top. SUMMIT, TOP.
copi, *eg. ll.* copïau. I. Adysgrif, efelychiad. COPY.
  2. Llyfr ysgrifennu, cyfrol. COPY-BOOK, VOLUME.

copïo, *be.* Adysgrifennu, efelychu, dynwared. TO COPY, TO TRANSCRIBE.

copïwr, *eg. ll.* copïwyr. Un sy'n adysgrifennu neu ddynwared. COPYIST.

copr, *eg.* Metel melyngoch. COPPER.

côr, *eg. ll.* corau. I. Mintai o gantorion. CHOIR.
2. Sedd, eisteddle. PEW.
3. Lle i fwydo ceffyl neu fuwch. STALL.

côr-feistr, *eg. ll.* côr-feistriaid. Un sy'n hyfforddi ac yn arwain côr. CHOIRMASTER.

Côr-y-Cewri, *eg.* Cyfres o gylchoedd yn cynnwys cerrig gleision anferth o fynyddoedd y Preselau, a godwyd gan Bobl y Diodlestri ar wastadedd Caersallog, De Lloegr, tua 2,500 c.c. STONEHENGE.

cor, *eg. ll.-*rod. I. Dyn bach, corrach. DWARF.
2. Corryn, cop. SPIDER.

corawl, *a.* Yn ymwneud â chôr. CHORAL.

corcyn, *eg. ll.* cyrc. Rhisgl pren arbennig, peth a wneir ohono i gau pen potel, &c. CORK.

cord, *eg.* Cyfuniad o nodau cerddorol. CHORD.

cordeddu, *be.* Cyfrodeddu, troi, nyddu. TO TWIST, TO TWINE.

cordyn, *eg. ll.*-ion. (*b.* corden). **cortyn,** *eg. ll.*-nau. Rhaff, rheffyn, tennyn, llinyn. CORD, STRING.

corddi, *be.* I. Gwneud ymenyn mewn buddai. TO CHURN.
2. Cythryblu, terfysgu. TO AGITATE.

corddiad, *eg. ll.*-au. Yr act o wneud ymenyn, troad, cynhyrfiad. CHURNING.

cored, *eb. ll.*-au. Mur o bolion ar draws afon i ddal pysgod, cronfa, argae. WEIR, DAM.

coredu, *be.* Gwneud cored. TO MAKE A WEIR.

corfan, *eg. ll.*-nau. Rhan o linell mewn barddoniaeth. METRICAL FOOT.

corfannu, *be.* Cyfrif yr adrannau mewn llinell o farddoniaeth. TO SCAN.

corfran, *eb. ll.* corfrain. Jac-y-do, cogfran. JACKDAW.

corff, *eg. ll.* cyrff. I. Y cwbl o ddyn neu anifail. BODY.
2. Celain. CORPSE.
3. Nifer o bersonau â'r un diddordeb. SOCIAL BODY.
4. Swm o arian mewn banc, &c. CAPITAL.

corffolaeth, *eb. ll.*-au. Maint, uchder, taldra. SIZE, STATURE.

corfforaeth, *eb. ll.*-au. Cymdeithas a all trwy gyfraith weithredu fel un person, cwmni. CORPORATION.
Corfforaeth Ddarlledu. BROADCASTING CORPORATION.

corffori, *be.* Cynnwys, cyfuno. TO IN-CORPORATE.

corfforol, *a.* Yn ymwneud â'r corff, yn gyfan gwbl. BODILY.

corgan, *eb. ll.*-au. Cân i gôr, peroriaeth, siant. CHANT.

corgi, *eg. ll.* corgwn. I. Ci a choesau byr ganddo o Sir Benfro neu Geredigion. CORGI.
2. Un annymunol, costog, taeog. CUR.

corlan, *eb. ll.*-nau. Lle bach caeëdig i gadw defaid, &c. ; ffald, lloc, pen. FOLD, PEN.

corlannu, *be.* Gosod mewn corlan neu ffald, llocio, ffaldio. TO FOLD (SHEEP, &c.).

corn, *eg. ll.* cyrn. I. Sylwedd caled sy'n tyfu ar ben rhai anifeiliaid, &c. HORN.
2. Offeryn cerdd, utgorn. TRUMPET.
3. Croen caled ar law neu droed. CORN.
4. Offeryn cario sŵn a ddefnyddir gan feddyg. STETHOSCOPE.
Corn aradr. PLOUGH-HANDLE.
Corn gwddf : corn chwyth. WIND-PIPE.
Corn mwg : corn simnai. CHIMNEY.
Corn siarad. LOUDHAILER.
Yn feddw gorn. REELING DRUNK.

cornant, *eb. ll.* cornentydd. Nant fechan, afonig, ffrwd, gofer. BROOK.

cornel, *egb. ll.*-i, *a.* **cornelyn,** *eg.* Lle y cyferfydd dwy ochr, congl, cwr, cil, ongl. CORNER.

cornelu, *be.* Gyrru i gornel. TO CORNER.

cornicyll, *eg. ll.*-od. Aderyn cyffredin, cornchwiglen. LAPWING, PLOVER.

cornio, *be.* I. Ymosod â chyrn, gwthio. TO GORE.
2. Archwilio â chorn meddyg. TO EXAMINE WITH A STETHOSCOPE.

corniog, *a.* Yn meddu ar gyrn, cyrnig. HORNED.

cornwyd, *eg. ll.*-ydd, -on. Chwydd llidus ar y corff yn cynnwys crawn, pendduyn, llinoryn. BOIL.

coron, *eb. ll.*-au. Penwisg brenin neu fardd, &c. CROWN.

coroni, *be.* I. Gosod coron ar ben frenin neu fardd, &c. ; anrhydeddu. TO CROWN.
2. *eg.* Y weithred o goroni neu urddo'n frenin neu'n fardd, &c., coroniad. CORONATION, CROWNING.
Coroni'r bardd. CROWNING THE BARD.
I goroni'r cwbl. TO CAP IT ALL.

coroniad, *eg.* Y weithred o goroni. CROWNING, CORONATION.

coronog, *a.* Wedi ei goroni. CROWNED.

corrach, *eg. ll.* corachod. Dyn neu anifail neu blanhigyn llai na'r cyffredin, un bach, cor. DWARF.

corryn, *eg. ll.* corynnod. Cor, pryf copyn, cop, copyn. SPIDER, COBWEB.
Gwe'r cor : gwe copyn. SPIDER'S WEB.

cors, *eg. ll.*-ydd. Tir gwlyb a meddal, mignen, siglen. BOG, FEN.

corsen, *eb. ll.*-nau, cyrs. Cawnen. REED.

cortyn, *gw.* **cordyn.**

corun, *eg. ll.*-au. Top neu gopa'r pen. CROWN OF THE HEAD.
O'r corun i'r sawdl. FROM TIP TO TOE.
Corun mynach. TONSURE.

corwg : corwgl, *eg. ll.* coryglau. Cwrwgl, math o fad pysgota wedi ei wneud o wiail a chroen. CORACLE.

corwynt, *eg. ll.*-oedd. Trowynt, hyrddwynt, WHIRLWIND.

cos : cosfa, *eb. ll.* cosfeydd. Y crafu, y clafr. ITCH.

cosb, *eb. ll.*-au. Poen neu ddioddefaint am drosedd, cosbedigaeth, dirwy, cerydd. PUNISHMENT, PENALTY.
  Cic gosb (pêl-droed). PENALTY KICK.
cosbedigaeth, *eb.* Cosb, tâl am ddrwg. PENALTY.
cosbi, *be.* Ceryddu, niweidio, poeni. TO PUNISH.
cosfa, *eb. ll.* cosfeydd. I. Cos, y crafu, cosi. ITCH.
  2. Crasfa, cweir, curfa, cot, coten. THRASHING.
cosi, *eg.* I. Y crafu, cos, cosfa. ITCH.
  2. *be.* Crafu, ysu. TO ITCH.
cost, *eg. ll.*-au. Pris, traul, gwerth. COST.
costfawr, *gw.* **costus.**
costio, *be.* I brisio rhywbeth ; i wario (ar), i dalu (am), i brynu. TO COST ; TO SPEND (ON), TO PAY (FOR), TO BUY.
  Costied a gostio. AT ALL COSTS, (*Cost what it may*).
costog, *a.* I. Sarrug, taeog. SURLY.
  2. *eg.* Corgi, taeog, cerlyn. CUR, CHURL.
costrel, *eb. ll.*-au, -i. Potel. BOTTLE.
costrelaid, *eb. ll.* costreleidiau. Llond costrel. BOTTLEFUL.
costrelu, *be.* Gosod mewn costrel, potelu. TO BOTTLE.
costus, *a.* Drud, prid, gwerthfawr, drudfawr. EXPENSIVE.
cosyn, *eg. ll.*-nau. Darn cyflawn crwn o gaws. A CHEESE.
cot, *eb. ll.*-au. **côt**, *eb. ll.* cotiau. Gwisg uchaf. COAT.
  Cot law. MACKINTOSH.
  Rhoi cot iddo. TO GIVE HIM A THRASHING.
cotwm, *eg. ll.* cotymau. Defnydd meddal a geir o blanhigyn i wneud dillad. COTTON.
cownter, *eg. ll.*-au, -i. Bwrdd hir mewn siop y gwerthir nwyddau wrtho ; bwrdd tebyg mewn banc y trafodir arian arno ; darn o arian ffug, darn o fetel neu blastig a ddefnyddid yn lle arian. COUNTER.
cowper, *eg. ll.*-iaid. Gwneuthurwr casgenni, &c. COOPER.
crablyd, *a.* I. Sarrug, cas. CRABBED.
  2. Bach iawn. STUNTED.
crac, *eg. ll.*-au, -iau. I. Agen, hollt, toriad, rhaniad. CRACK.
  2. *a.* Llidiog, cynddeiriog. ANGRY.
cracio, *be.* Hollti, torri. TO CRACK.
craciog, *a.* Â chrac ynddo. CRACKED.
crach, *gw.* **crachen.**
crachach, *e.ll.* Crachfoneddwyr. SNOBS.
crachen, *eb. ll.* crach. I. Cramen neu groen newydd ar glwyf.
  2. *ll.* Clefyd tatws neu ffrwythau, &c. SCAB. Crachfeddyg. QUACK.
crachennu, *be.* Ffurfio crachen. TO SCAB.
crafangu, *be.* Cipio [â chrafanc]. TO GRAB.
crafanc, *eb. ll.* crafangau. Ewin aderyn neu anifail, pawen, palf. CLAW, TALON.
crafat, *egb.* Defnydd hir a wisgir am y gwddf a'r ysgwyddau, sgarff. SCARF.
crafiad, *eg. ll.*-au. Marc a wneir ag offeryn blaenllym, clwyf arwynebol, cosiad. A SCRATCH.

crafion : creifion, *e.ll.* Yr hyn a grefir, ysgrafion, pilion, naddion. SCRAPINGS.
crafu, *be.* I. Rhwbio ag offeryn miniog. TO SCRATCH.
  2. Trachwantu, crafangu. TO GRAB, TO SCRAPE.
crafwr, *eg. ll.* crafwyr. Un sy'n crafu ; offeryn i grafu ag ef, crafell, sgrafell. SCRAPER.
craff, *a.* I. Eiddgar, llym, awchlym, awchus, miniog. KEEN.
  2. Sylwgar. OBSERVANT.
  3. Cyflym, clau. QUICK.
  4. Call, doeth. SAGACIOUS.
craffter, *eg.* I. Eiddgarwch, llymder. KEENNESS.
  2. Sylwadaeth fanwl. CLOSE OBSERVATION.
  3. Cyflymder. QUICKNESS.
  4. Callineb. SAGACITY.
craffu, *be.* Sylwi'n fanwl. TO LOOK OR LISTEN INTENTLY.
cragen, *eb. ll.* cregyn. Gorchudd caled a geir am rai creaduriaid. SHELL.
crai, *a.* Ffres, newydd, amrwd. FRESH, RAW.
  Defnydd crai. RAW MATERIAL.
  Bara crai : bara croyw. UN-LEAVENED BREAD.
craidd, *eg. ll.* creiddiau. Canol, calon, rhuddin. MIDDLE, HEART, CENTRE.
craig, *eb. ll.* creigiau. Darn enfawr o garreg, clogwyn. ROCK.
crair, *eg. ll.* creiriau. Darn er cof am rywbeth diflanedig, rhywbeth a gedwir i goffáu sant. RELIC.
craith, *eb. ll.* creithiau. Ôl clwyf neu ddolur. SCAR.
cramen, *eb. ll.*-nau. Crachen. SCAB, CRUST.
cramennog, *a.* Yn llawn crach. SCABBY, INCRUSTED.
cramennu, *be.* Crachennu. TO SCAB, TO ULCERATE.
cramwythen, *eb. ll.* cramwyth. Crempogen, ffroesen, ffreisen, poncagen. PANCAKE.
cranc, *eg. ll.*-od. Creadur bach y môr ac iddo ddeg coes a chragen galed. CRAB.
crand, *a.* Braf, ardderchog, godidog, gwych. GRAND.
crandrwydd, *eg.* Godidowgrwydd, ardderchowgrwydd, gwychder, mawredd. GRANDEUR, FINERY.
crap, *eg.* I. Gafael, dalfa. GRIP, HOLD.
  2. Gwybodaeth brin arwynebol. SMATTERING.
crapio, *be.* Bachu, gafael, gafaelyd, bachellu, cydio'n dynn. TO GRAPPLE.
cras, *a. ll.* creision. I. Wedi ei grasu. BAKED.
  2. Crasboeth, sych. SCORCHED.
  3. Aflafar, llym, gerwin, cas. HARSH.
  Llais cras. A RAUCOUS VOICE.
  Tafod cras. A HARSH TONGUE.
  gw. **creisionyn.**
crasu, *be.* Pobi, llosgi, sychu. TO BAKE, TO SCORCH.
crau, *eg. ll.* creuau. I. Twll, agorfa, soced, llygad. SOCKET, EYE.
  2. Twlc, cut. STY.
  Crau nodwydd. EYE OF A NEEDLE.
crawc, *eb. ll.*-iau. Sŵn isel aflafar brân neu froga, &c. CROAK.
crawcian, *be.* Crio'n aflafar, swnio fel brân neu froga, &c. ; crygleisio, grymial. TO CROAK.

crawen, *eb. ll.*-nau. Wyneb caled bara, &c. ; crofen, crystyn. CRUST.

crawn, *eg.* Mater tew mewn clwyf gwenwynllyd, gôr, madredd, gwaed-grawn. PUS.

crawni, *be.* Casglu (am glwyf), crynhoi, gori. TO GATHER PUS.

cread, *eg.* Yr hyn a grewyd, creadigaeth, bydysawd, hollfyd. CREATION.

creadigaeth, *eb. ll.*-au. Cread, bydysawd, hollfyd, peth creëdig. CREATION.

creadur, *eg. ll.*-iaid. (*b.* creadures). Peth byw, anifail, mil, milyn, bwystfil. CREATURE.

creawdwr, *eg. ll.* creawdwyr. Un sy'n creu, crëwr. CREATOR.
Y Creawdwr. THE CREATOR, GOD.

crebach : crebachlyd, *a.* Wedi tynnu ato, wedi crychu, wedi deifio, gwywol, crychlyd. SHRUNK, WITHERED.

crebachu, *be.* Tynnu ato, mynd yn llai, cywasgu, crychu, gwywo, crino. TO WITHER, SHRIVEL.

crebwyll, *eg. ll.*-ion. Y gallu i ddychmygu, dychmyg, darfelydd. FANCY, INVENTION.

crecian, *be.* 1. Gwneud sŵn byr siarp, clician. TO CLICK.
2. Gwneud sŵn byr siarp gan aderyn, trydar, clegar, cogor, yswitian. TO CHIRP, TO CLUCK ; TO CRACKLE.

crechwen, *eb. ll.*-au. 1. Chwerthin uchel. LOUD LAUGHTER.
2. Chwerthin gwawdlyd. DERISIVE LAUGHTER.

crechwenu, *be.* Chwerthin yn uchel neu'n wawdlyd. TO LAUGH LOUDLY, TO MOCK.

cred, *eb. ll.* credoau. Crediniaeth, coel, ffydd, hyder, ymddiried. BELIEF, FAITH.
Cyn Cred. BEFORE THE CHRISTIAN ERA.

credadun, *eg. ll.* credinwyr. Un sy'n credu, credwr Cristionogol. BELIEVER (RELIGIOUS).

credadwy, *a.* Y gellir ei gredu, hygoel, hygred. CREDIBLE.

crediniaeth, *eb.* Yr hyn a gredir, cred, tyb ; crefydd, credo ; ffydd, ymddiriedaeth ; y byd Cristnogol. BELIEF, OPINION ; RELIGION, CREED ; FAITH ; CHRISTENDOM.

crediniwr, *eg. ll.* credinwyr. Credadun, un a chanddo ffydd. BELIEVER.

credo, *eb. ll.*-au. Yr hyn y credir ynddo, cred, crediniaeth, athrawiaeth. CREED, BELIEF.

credu, *be.* Cymryd fel gwirionedd, coelio, ymddiried, hyderu. TO BELIEVE.

credwr, *eg. ll.* credwyr. Crediniwr, credadun. BELIEVER.

credyd, *eg. ll.*-au. 1. Ymddiriedaeth, ffydd ; enw da ; clod, bri. CREDIT.
2. Ymddiriedaeth yng ngallu a bwriad prynwr i dalu yn y dyfodol ; swm o arian a osodir at alwad cwsmer ar lyfrau banc ; cydnabyddiaeth o daliad ar lyfr cyfrif ; yr ochr honno i dudalen llyfr cyfrif y nodir derbyniadau arni. CREDIT (*in financial and commercial sense*).
Cerdyn credyd. CREDIT CARD.

credydu, *be.* Y weithred o gofnodi cyfraniad prynwr neu fuddsoddwr gan fasnachwr neu fancwr. TO CREDIT.

cref, *gw.* cryf.

crefu, *be.* Ymbil, erfyn, deisyf, atolygu. TO BEG, TO IMPLORE.

crefydd, *eb. ll.*-au. Cyfundrefn o ffydd ac addoliad, cred, defosiwn, cred yn Nuw. RELIGION.

crefydda, *be.* Addoli, bod yn grefyddol. TO PROFESS OR PRACTISE RELIGION.

crefyddol, *a.* Yn perthyn i grefydd, yn ymroi i grefydd, defosiynol, duwiol, duwiolfrydig. RELIGIOUS.

crefyddwr, *eg. ll.* crefyddwyr. Dyn crefyddol, credadun. RELIGIOUS PERSON.

crefft, *eb. ll.*-au. Gwaith celfydd neu gywrain, galwedigaeth, celfyddyd, gwaith llaw. CRAFT, TRADE.

crefftwaith, *eg.* Celfyddyd, crefft, gwaith celfydd. CRAFTSMANSHIP.

crefftwr, *eg. ll.* crefftwyr. Un celfydd neu gywrain, llaw-weithiwr, celfyddydwr, celfyddwr. CRAFTSMAN.

cregyn, *gw.* cragen.

creigiau, *gw.* craig.

creigiog, *a.* Wedi ei wneud o graig, yn llawn creigiau, anwastad, clogyrnog, ysgithrog, garw, gerwin. ROCKY.

creigle, *eg. ll.*-oedd. Lle yn llawn creigiau, craig. ROCKY PLACE.

creisionyn, *eg. ll.* creision. Haenen denau iawn o daten neu o fara wedi'i chrasu'n dda, bisgïen denau. CRISP, FLAKE.
Creision ŷd. CORNFLAKES.

creithio, *be.* Gadael craith, cael craith. TO SCAR, TO BECOME SCARRED.

creithiog, *a.* Â chraith neu greithiau. SCARRED.

crempog, *eb. ll.* crempogau, crempogen. Ffroesen, ffreisen, cramwythen. PANCAKE.

crensio, *be.* Cnoi neu falurio'n swnllyd. TO CRUNCH OR GRIND THE TEETH.

crepach, *a.* 1. Gwywedig, cwsg, diffrwyth. WITHERED, NUMB.
2. *eb.* Diffrwythdra, fferdod. NUMBNESS.

Creta, *eb.* Ynys yn y Môr Canoldir. CRETE.

creu, *be.* Dod â pheth i fod, peri, achosi, achlysuro, gwneud. TO CREATE.

creulon, *a.* Anfad, echrydus, milain, ffyrnig, anwar, ysgeler, echryslon, erchyll. CRUEL.

creulondeb : creulonder, *eg. ll.*-au. Anfadwaith, ysgelerder, mileindra, erchylltra, echryslonder. CRUELTY.

crëwr, *eg. ll.* crewyr. Un sy'n creu, creawdwr. CREATOR.

crëyr, *eg. ll.* crehyrod. Crychydd, aderyn hirgoes a chanddo wddf a phig hir a llais cras. HERON.

cri, *egb. ll.* Llef, dolef, gwaedd, bloedd. CRY.

criafol, *e. torf.* (*un. b.* criafolen). Aeron, grawn yn enwedig y rhai sy'n tyfu ar y gerdinen ; cerdin. BERRIES, ESPECIALLY ROWAN-BERRIES ; ROWAN TREES OR MOUNTAIN ASH.

crib, *egb. ll.*-au. 1. Copa, trum. CREST.
  2. Offeryn a dannedd iddo i drin gwallt neu
    wlân, &c. ; cribell, sgrafell. COMB.
  Crib ceiliog. A COCK'S COMB.
cribddeilio, *be.* Rheibio, crafangu. TO EXTORT.
cribddeiliwr, *eg. ll.* cribddeilwyr. Un sy'n
  cribddeilio, gorthrymwr, gormeswr, treisiwr ;
  ysbeiliwr, hapfasnachydd. EXTORTIONER,
  OPPRESSOR ; SPOILER ; SPECULATOR.
cribin, *eb. ll.*-iau. Rhaca. RAKE.
cribinio, *be.* Crafu â rhaca. TO RAKE.
cribo, *be.* Defnyddio crib, crafu, sgrafellu. TO COMB.
cribog, *a.* 1. A chrib iddo, cobynnog. CRESTED.
  2. Serth. STEEP.
criced, *eg.* Gêm boblogaidd a chwaraeir yn yr
  awyr agored adeg yr haf rhwng dau dîm o
  un ar ddeg o chwaraewyr â phêl galed,
  batiau a wicedi. CRICKET.
cricedwr, *eg. ll.* cricedwyr. Chwaraewr criced.
  CRICKETER.
cricedyn, *eg.* Math o geiliog y rhedyn, cricsyn,
  pryf tân. CRICKET.
crimog, *eg. ll.*-au. Asgwrn mawr rhan flaen y
  goes. SHIN.
crin, *a. ll.*-ion. Gwyw, sych, gwywedig. WITHERED.
  Cringroen. WITH WRINKLED SKIN.
cringoch, *a.* Rhudd, coch. RED (OF HAIR).
crinllys, *e.ll.* Fioledau. VIOLETS.
crino, *be.* Gwywo, sychu, deifio. TO WITHER.
crintach : crintachlyd, *a.* Cybyddlyd, llawgaead,
  llawdyn, prin. NIGGARDLY, STINGY.
crintachrwydd, *eg.* Cybydd-dod. NIGGARDLINESS.
crio, *be.* Wylo, llefain, gweiddi, cyhoeddi. TO CRY.
cripian : cropian, *be.* Ymlusgo, ymgripio,
  ymgripian. TO CREEP.
crisial, *eg.* Carreg glir dryloyw, gwydr gloyw.
  CRYSTAL.
Cristion, *eg. ll.* Cristionogion, Cristnogion.
  Credwr yng Nghrist. A CHRISTIAN.
Cristionogaeth : Cristnogaeth, *eb.* Crefydd y
  Cristion, cred yng Nghrist. CHRISTIANITY.
Cristionogol : Cristnogol, *a.* Â chred yng
  Nghrist. CHRISTIAN.
crïwr, *eg. ll.* criwyr. Gwaeddwr, wylwr. CRIER.
crocbont : crogbont, *eb. ll.*-ydd. Pont grog, pont
  yn hongian wrth gadwyni a gynhelir yn y
  ddau ben gan dyrau. SUSPENSION BRIDGE.
crocbren, *eg. ll.*-nau, -ni. Pren a ddefnyddir i
  grogi person, dienyddfa. GALLOWS.
crocbris, *eg. ll.*-iau. Pris afresymol, gorbris, pris
  rhy uchel. EXORBITANT PRICE.
croch, *a.* Uchel, garw, aflafar, cryg, angerddol.
  LOUD, RAUCOUS.
crochan, *eg. ll.*-au. Llestr o bridd neu wydr neu
  fetel, pair, cawg. POT, CAULDRON.
crochendy, *eg. ll.* crochendai. Gweithdy lle
  gwneir llestri pridd. A POTTERY.
crochenwaith, *eg. ll.* crochenweithiau. Gwaith y
  crochenydd, cynnyrch crochenydd, llestri
  pridd. POTTERY.

crochenydd, *eg. ll.*-ion. Gwneuthurwr llestri
  pridd. POTTER.
crochlefain, *be.* Llefain yn groch, gweiddi,
  bloeddio. TO CRY ALOUD.
croen, *eg. ll.* crwyn. Gorchudd allanol corff neu
  ffrwyth, &c. ; cen, pil, pilionyn, crawen,
  masgl, rhisgl. SKIN, PEEL.
croendenau, *a.* Hawdd ei ddigio, llidiog,
  teimladwy. TOUCHY, SENSITIVE.
croendew : croengaled, *a.* Caled, di-deimlad.
  CALLOUS, THICK-SKINNED.
croeni, *be.* Ffurfio croen, tyfu croen. TO FORM A SKIN.
croeniach, *a.* Dianaf, heb niwed, dihangol. UNHURT.
croes, *eb. ll.*-au. 1. Croesbren, crog. A CROSS.
  Y Groes. THE CROSS.
  2. Cystudd, adfyd. AFFLICTION.
croes, *a.* Traws, blin, anynad, dig. CROSS.
  Ar groes : yn groes : ar draws. ACROSS.
  Yn groes i. CONTRARY TO.
croesair, *eg. ll.* croeseiriau. Pos geiriau i'w
  ddyfalu mewn patrwm o sgwariau du a
  gwyn. CROSSWORD.
croesawgar : croesawus, *a.* Yn rhoi croeso
  dymunol cynnes, lletygar. HOSPITABLE.
croesawiad, *eg.* Y weithred o groesawu, croeso,
  derbyniad cynnes. WELCOME.
croesawu, *be.* Rhoi derbyniad cynnes, cyfarch. TO
  WELCOME.
croesbren, *egb. ll.*-nau. Pren ar ffurf croes. CROSS.
croesfan, *eb. ll.*-nau. Man i groesi. A CROSSING.
croesffordd, *eb. ll.* croesffyrdd. Lle cyferfydd
  dwy neu ragor o heolydd, sgwâr. CROSSROADS.
croesgad, *eb. ll.*-au. Ymgyrch Cristionogol i
  adennill y Tir Sanctaidd oddi ar y
  Mwslimiaid. CRUSADE.
croesgadwr, *eg. ll.* croesgadwyr. Milwr y groes,
  milwr yn ymladd mewn croesgad. CRUSADER.
croeshoeliad, *eg.* Y weithred o groeshoelio.
  CRUCIFIXION.
  Y Croeshoeliad. THE CRUCIFIXION.
croeshoelio, *be.* Hongian ar groes, dodi i
  farwolaeth ar groes. TO CRUCIFY.
croesholi, *be.* Holi gan wrthwynebydd fel y
  gwneir mewn llys barn. TO CROSS-EXAMINE.
croesi, *be.* Mynd yn groes, bod yn groes neu yn
  erbyn, mynd dros. TO CROSS.
croeso, *eg.* Derbyniad cynnes, croesawiad. WELCOME.
  Croeso'r gwanwyn. NARCISSUS.
Croesoswallt, *eb.* Tref farchnadol yng ngogledd
  orllewin swydd Amwythig. OSWESTRY.
crofen, *gweler* **crawen.**
crog, *eb. ll.*-au. 1. Croes, croesbren, crocbren. A
  CROSS.
  2. *a.* Yn hongian. HANGING.
crogbont, *gw.* **crocbont.**
crogi, *be.* Hongian. TO HANG.
croglath, *eb. ll.*-au. Magl, trap. SNARE.
Croglith, *egb. ll.*-iau. Dydd Gwener y Groglith,
  diwrnod y Croeshoeliad, Dydd Gwener cyn
  y Pasg. GOOD FRIDAY.

cronglwyd, *eb. ll.-i.* To, nen. ROOF, COVERING.
Dan ei gronglwyd. UNDER HIS ROOF.

crombil, *egb. ll.-iau.* Stumog aderyn, cropa, glasog. CROP (OF BIRD).
Crombil y ddaear. BOWELS OF THE EARTH.

cromen, *eb. ll.-nau, -ni.* Tŵr pengrwn bwaog, to crwn uchel, cryndo. DOME.

cromfachau, *e.ll.* Bachau crwm a ddefnyddir bob ochr i air neu eiriau. BRACKETS, ROUND BRACKETS.
Rhwng cromfachau. IN BRACKETS.

cromlech, *eb. ll.-i, -au.* Hen gofadail yn cynnwys maen ar ben nifer o rai eraill. CROMLECH.

cron, *gw.* **crwn.**

cronfa, *eb. ll.* cronfeydd. I. Rhywbeth wedi ei gronni (megis dŵr, &c.) ; argae. RESERVOIR.
2. Ffynhonnell o arian, trysorfa, casgliad. FUND.

cronnell, *eb. ll.* cronellau. Pêl, pelen, pellen, pelen a llun y ddaear arni, glob. BALL, GLOBE, SPHERE.

cronnen, *eb. ll.* cronennau. Cronnell, glob. SPHERE, GLOBE.

croniclo, *be.* Dodi mewn ysgrifen i'w gadw mewn cof, dodi ar gof a chadw, cofnodi. TO RECORD.

cronni, *be.* Casglu, crynhoi, cynnull. TO COLLECT.

croten, *eb. ll.* crotesi. Geneth, merch, hogen, lodes, llances. LASS.

crotyn, *gw.* **crwt.**

croth, *eb.* Y rhan o'r corff sy'n cynnwys y baban cyn ei eni, bru. WOMB.
Croth coes. CALF (OF LEG).

croyw, *a. ll.-on.* Gloyw, claer, clir, amlwg, crai, eglur, newydd, ffres, gwyrf, ir, cri. CLEAR, FRESH.
Bara croyw. UNLEAVENED BREAD.

crud, *eg. ll.-au.* Cawell baban. CRADLE.

crug, *eg. ll.-iau.* Twyn, twmpath, twmp, tomen. TUMP.

cruglwyth, *eb. ll.-i.* Swm mawr o fater, crug, twr, pentwr, carnedd. MASS, HEAP.

crugyn, *eg. ll.* crugiau. Twr, pentwr, nifer dda. SMALL HEAP.

crwban, *eg. ll.-od.* Ymlusgiad pedwartroediog araf ei symudiad sydd â'i gorff wedi'i amgáu mewn plisgyn caled. TORTOISE.
Crwban y môr. TURTLE.

crwca, *a.* Cam, anunion, yn gwyro, gwargrwm. CROOKED.

crwm, *a. (b.* crom). Yn crymu, plygedig, yn gwargamu, yn gwargrymu. BENT, STOOPING.

crwn, *a. ll.* crynion. *(b.* cron). I. O ffurf cylch neu bêl, rownd, cylchog. ROUND.
2. Cyflawn, cyfan. COMPLETE.

crwner, *eg. ll.-iaid.* Swyddog sir neu ranbarth neu fwrdeistref sy'n gyfrifol am gynnal cwest ar gyrff personau y tybir iddynt farw drwy ddamwain neu drais. CORONER.

crwt : crwtyn, *eg. ll.* crots, cryts, Bachgen, crotyn, llencyn, llanc, hogyn, gwas. BOY, LAD.

crwth, *eg. ll.* crythau. Hen offeryn cerdd ac iddo bedwar llinyn ac a genir â bwa, ffidil. VIOLIN.

crwybr, *eg. ll.-au.* I. Gwlith wedi rhewi, barrug, llwydrew, tawch. GROUND-FROST, MIST.
2. Y peth y ceidw gwenyn fêl ynddo, crwybr gwenyn, dil mêl. HONEYCOMB.

crwydr : crwydrol, *a.* Yn crwydro, yn gwibio, ar goll. WANDERING, ASTRAY.

crwydro, *be.* Troi oddi ar y ffordd iawn, mynd o fan i fan, rhodio'n ddiamcan, cyfeiliorni. TO WANDER.

crwydryn, *eg. ll.* crwydraid. Un sy'n crwydro, trempyn, tramp. WANDERER, TRAMP.
Crwydrwyr. RAMBLERS.

crwyn, *gw.* **croen.**

crybwyll, *be.* Sôn am, cyfeirio at, awgrymu. TO MENTION.

crybwyll, *eg. ll.-ion.* **crybwylliad,** *eg. ll.-au.* Sôn, cyfeiriad, awgrym, hysbysiad. A MENTION.

crych, *eg. ll.-au.* I. Plygiad croen, rhych. WRINKLE.
2. Cyffro ar ddŵr, lle mae afon yn crychu. RIPPLE, RUFFLED WATER.

crych : crychlyd, *a.* Wedi rhychu, â phlygiadau bychain. WRINKLED, CURLED.

crychni, *eg. ll.* Plygiadau yn y croen, rhychau. WRINKLES.

crychu, *be.* I. Cyrlio. TO CURL.
2. Rhychu, rhychio. TO WRINKLE.
3. Cyffroi dŵr, tonni. TO RIPPLE.

crychydd, *eg. ll.-ion.* Crëyr, aderyn hirgoes a chanddo wddf a phig hir a llais cras. HERON.

cryd, *eg. ll-iau.* Afiechyd sy'n peri codi gwres y gwaed, clefyd crynu, twymyn, clefyd. AGUE, FEVER.
Cryd cymalau. RHEUMATISM.

crydd, *eg. ll.-ion.* Gwneuthurwr neu drwsiwr esgidiau, cobler, coblwr. COBBLER.

cryddiaeth, *eb.* Y grefft o wneud neu drwsio esgidiau. SHOEMAKING.

cryf, *a. ll.-ion. (b.* cref). Grymus, cadarn, galluog, nerthol. STRONG.

cryfder : cryfdwr, *eg.* Grym, nerth, gallu, cadernid. STRENGTH.

cryfhau, *be.* Gwneud yn gryf neu'n gryfach, cynyddu mewn nerth, nerthu, grymuso, cadarnhau. TO STRENGTHEN.

cryg : cryglyd, *a.* Â llais cras neu arw. HOARSE.

crygu, *be.* Mynd yn gryg. TO BECOME HOARSE.

cryman, *eg. ll.-au.* Offeryn crwm i dorri perth neu ŷd, &c. SICKLE.

crymu, *be.* Plygu, camu, gwyro, gwargamu, gwargrymu. TO BEND, TO STOOP.

cryn, *a.* Tipyn, llawer. CONSIDERABLE.
Cryn awr yn ôl. QUITE AN HOUR AGO.
Cryn dipyn. A GOOD BIT.

crŷn : cryn, *a.* Crynedig, sigledig. SHAKING.

cryndod, *eg.* Y weithred o grynu, rhyndod, ias, crynfa. SHIVERING.

crynedig, *a.* Yn crynu, crŷn, rhynllyd. TREMBLING.

crynhoad, *eg. ll.* crynoadau. Pethau wedi eu crynhoi at ei gilydd, casgliad. COLLECTION, DIGEST.

crynhoi, *be.* Hel at ei gilydd, casglu, cynnull, ymgynnull, tyrru, pentyrru, cronni. TO COLLECT.

cryno, *a.* Twt, taclus, trefnus, dechau, cymen, destlus. TIDY.

crynodeb, *eb. ll.*-au. Datganiad byr neu gryno o'r prif bwyntiau, byrhad, talfyriad, cwtogiad. SUMMARY, PRÉCIS.

crynswth, *eg.* Cyfanswm, swm, cwbl, cyfan, cyfan gwbl, cyfanrwydd, cyflawnder. WHOLE.

crynu, *be.* Ysgwyd gan oerfel neu ofn, &c. ; rhynnu, echrydu, arswydo, dirgrynu. TO SHIVER, TO QUAKE.

Crynwr, *eg. ll.* Crynwyr. Aelod o Gymdeithas y Cyfeillion. A QUAKER.

crys, *eg. ll.*-au. Dilledyn isaf. SHIRT.

crystyn, *eg. ll.* crystiau. Darn o fara, crwst, crawen, crofen. CRUST.

crythor, *eg. ll.*-ion. Un sy'n canu'r crwth. FIDDLER, VIOLINIST.

cu, *a.* Annwyl, cariadus, hoff, caredig, hawddgar, serchus, serchog, caruaidd, hynaws, mwyn. BELOVED.

Tad-cu. GRANDFATHER.

Mam-gu. GRANDMOTHER.

cuchio, *be.* Crychu aelau, gwgu, cilwgu. TO FROWN.

cuchiog, *a.* Gwgus, llidiog. FROWNING.

cudyll, *eg. ll.*-od. Curyll, hebog. KESTREL.

Cudyll glas. SPARROW-HAWK.

cudyn, *eg. ll.*-nau. Cobyn, sypyn, tusw. TUFT.

Cudyn o wallt. LOCK OF HAIR.

cudd : cuddiedig, *a.* O'r golwg, wedi ei guddio, ynghudd. CONCEALED.

cuddio, *be.* Celu, llechu, ymguddio, cwato. TO HIDE.

cufydd, *eg. ll.*-au. Mesur tua hanner llathen. CUBIT.

cul, *a. ll.*-ion. Heb fod yn llydan, cyfyng, tenau, main. NARROW.

culfor, *eg. ll.*-oedd. Darn cul o fôr yn uno darnau mwy, cyfyngfor. A STRAIT.

culhau, *be.* Mynd neu wneud yn gulach, cyfyngu, teneuo, meinhau. TO NARROW.

culni, *eg.* Y stad o fod yn gul mewn lle neu feddwl, cyfyngder, culfarn, crintachrwydd. NARROWNESS.

cunnog, *eb. ll.* cunogau. Bwced llaeth, pwced, stwc. MILK PAIL.

cur, *eg.* I. Gofid, gofal. ANXIETY.

2. Poen, dolur, gwŷn, gloes. ACHE.

Cur yn y pen. HEADACHE.

curad, *eg. ll.*-iaid. Offeiriad, clerigwr sy'n cynorthwyo person plwyf, ciwrad. CURATE.

curadiaeth, *eb. ll.*-au. Swydd curad. CURACY.

curiad, *eg. ll.*-au. Trawiad, ergyd, amseriad. A BEAT.

Curiad y galon : curiad y gwaed. PULSE.

curio, *be.* Dihoeni gan ofid, nychu, difa, gofidio, blino, poeni. TO PINE.

curlaw, *eg.* Glaw trwm. PELTING RAIN.

curo, *be.* Taro, ergydio, trechu, maeddu, ffusto. TO STRIKE, TO BEAT.

Curo amser. BEATING TIME (MUSIC).

Curo dwylo. CLAPPING HANDS.

curyll, *eg. ll.*-od. Cudyll, hebog. KESTREL.

cusan, *egb. ll.*-au. Cyffyrddiad serchog â'r gwefusau, sws. A KISS.

Dal a chusan. KISS IN THE RING.

cusanu, *be.* Cyffwrdd yn serchog â'r gwefusau. TO KISS.

cut, *eg. ll.*-iau. I. Tŷ tlawd budr, hofel. HOVEL.

2. Twlc, cwt. STY.

Cut moch. PIGSTY.

cuwch, *eg. ll.* cuchiau. Gwg, cilwg. SCOWL.

Dan ei guwch. WITH A SCOWL.

cwafrio, *be.* Canu neu siarad â llais crynedig, crynu, crychleisio. TO TRILL.

cwar, *eg. ll.*-rau. Chwarel, cloddfa gerrig. QUARRY.

cwarel, *eg. ll.*-i. Darn o wydr mewn ffenestr neu ddrws, paen, chwarel gwydr. PANE.

cwb, *eg. ll.* cybiau. Cawell, caets ; cwt, twlc ; cenel. COOP, CAGE ; HUTCH, STY ; KENNEL.

cwbl, *eg.* Y cyfan, popeth, pawb, oll, i gyd. ALL, WHOLE.

O gwbl. AT ALL, COMPLETELY.

cwblhau, *be.* Cwpláu, gorffen, cyflawni, dod i ben, dibennu. TO FINISH.

cwcer, *eg. ll.*-au. Ffwrn neu bopty a wresogir gan nwy neu drydan er coginio. COOKER.

cwcw, *eb.* Cog, cethlydd, y gog. CUCKOO.

cwcwll, *eb. ll.* cycyllau. Penwisg mynach, cwfl. COWL.

cwch, *eg. ll.* cychod. I. Bad. BOAT.

2. Cwch gwenyn, tŷ gwenyn. BEEHIVE.

cwd : cwdyn, *eg. ll.* cydau. I. Bag, cod, ysgrepan. BAG.

2. Sach, ffetan. SACK.

cweir, *eg.* Curfa, cosfa, crasfa, cot, coten. THRASHING.

cweryl, *eg. ll.*-on. Ymrafael dicllon, ymryson, cynnen, ffrae. QUARREL.

cweryla, *be.* Ymryson, cwympo i maes, ymrafael, cynhennu, ffraeo, ymgiprys. TO QUARREL.

cwerylgar, *a.* Ymrysongar, cecrus, ymrafaelgar, ffraegar. QUARRELSOME.

cwerylwr, *eg. ll.* cwerylwyr. Un sy'n cweryla, ffraewr, ymrysonwr. ONE WHO QUARRELS.

cwest, *eg. ll.*-au. Archwiliad cyfreithiol ; prawf, treial ; ymchwil ; archwiliad crwner a rheithgor. JUDICIAL INQUIRY ; TRIAL ; QUEST ; CORONER'S INQUEST.

cwestiwn, *eg. ll.* cwestiynau. Gofyniad, hawl, holiad, dadl, testun. QUESTION.

cwestiyna : cwestiynu, *be.* Holi. TO QUESTION, TO INTERROGATE.

cwfl, *eg. ll.* cyflau. Penwisg mynach, cwcwll. COWL.

cwffio, *be.* Ymladd â dyrnau, paffio, cernodio. TO BOX.

cwffiwr, *eg. ll.* cyffwyr. Un sy'n cwffio, paffiwr. BOXER.

cwhwfan, *be.* Chwifio, chwyrlïo. TO WAVE.

cwilsen, *eb.* **cwilsyn**, *eg. ll.* cwils. Pluen gref o aden aderyn, ysgrifbin wedi ei wneud ohoni. QUILL.
Gwŷr y cwils. SOLICITORS.

cwlff, *eg. ll.*-au. (un. bach. cwlffyn). Darn mawr, tamaid braf, clamp, talp. CHUNK, HUNK, LUMP.

cwlwm, *gw.* **clwm**.

cwlltwr : cwlltr, *eg. ll.* cylltyrau. Darn blaen aradr. COULTER.

cwm, *eg. ll.* cymoedd. Dyffryn, glyn, ystrad. VALLEY.

cwman, *eg.* Y stad o grymu, cwrcwd. A STOOP.
Yn ei gwman. STOOPING.

cwmni, *eg. ll.* cwmnïau, cwmnïoedd. Cwmpeini, cwmpni, casgliad o bobl, cymdeithas fusnes, mintai. COMPANY.

cwmnïaeth, *eb.* Bod gyda'i gilydd, cyfeillach, cyfeillgarwch, cymdeithas. COMPANIONSHIP.

cwmnïwr, *eg. ll.* cwmniwyr. Cyfaill, cydymaith, un da mewn cwmni. COMPANION.

cwmpas, *eg. ll.*-oedd. Y gymdogaeth o amgylch, amgylchoedd, amgylchfyd. SURROUNDINGS.
O gwmpas. AROUND.

cwmpasu, *be.* Mynd oddi amgylch, bod oddi amgylch, amgylchynu, amgylchu, cylchynu. TO SURROUND.

cwmpawd, *eg. ll.*-au. Offeryn i ddangos cyfeiriad y gogledd (magnetig). COMPASS.

cwmwd, *eg. ll.* cymydau. Adran lai na chantref, ardal. PROVINCE, REGION.

cwmwl, *eg. ll.* cymylau. Tawch sy'n symud oddi amgylch yn yr awyr. CLOUD.

cŵn, *gw.* **ci**.

cwningen, *eb. ll.* cwningod. Anifail bychan o deulu'r ysgyfarnog. RABBIT.

cwnnu, *be.* Codi ; cychwyn ; dwyn i fyny, magu ; tyfu i fyny ; gofyn pris am. TO RISE ; TO START ; TO RAISE ; TO RAISE UP ; TO GROW UP, TO CHARGE (PRICE).

cwpan, *egb. ll.*-au. Llestr bychan i yfed ohono, dysgl. CUP.

cwpanaid, *egb. ll.* cwpaneidiau. Llond cwpan, dysglaid. CUPFUL.

cwpl, *eg. ll.* cyplau. Dau, pâr, nifer lled dda. COUPLE.

cwpláu, *be.* Tynnu i ben, gorffen, diweddu, dibennu, terfynu, darfod, cwblhau. TO FINISH.

cwpled, *eg. ll.*-i. Dwy linell olynol o farddoniaeth, yn enwedig dwy linell odledig. COUPLET.

cwpwrdd, *eg. ll.* cypyrddau. Cas caeëdig i gadw bwyd neu lestri, &c. CUPBOARD.
Cwpwrdd cornel. CORNER CUPBOARD.
Cwpwrdd tridarn. THREE-TIERED CUPBOARD.

cwr, *eg. ll.* cyrrau, cyrion. I. Pen, cornel, congl. CORNER.
2. Ffin, goror, cyffin, ymyl, godre. BORDER, EDGE.

cwrcwd, *eg.* Y stad o gyrcydu, cwman, plyg. STOOP.
Yn ei gwrcwd. SQUATTING.

cwrcyn, *eg.* Cath wryw, gwrcath. TOM-CAT.

cwrdd, *eg. ll.* cyrddau. Cyfarfod, gwasanaeth, cyfarfyddiad. MEETING.
Tŷ cwrdd. CHAPEL.

cwrdd : cwrddyd, *be.* I. Cyfarfod. TO MEET.
2. Cyffwrdd. TO TOUCH.

cwrel, *eg.* Sylwedd caled lliwiog yn tyfu yn y môr. CORAL.

cwricwlwm, *eg. ll.* cwricwla. Cwrs rheolaidd o astudiaeth mewn ysgol a choleg. CURRICULUM.

cwrlid, *eg. ll.*-au. Gorchudd uchaf gwely, cwilt ysgafn. COVERLET.

cwrs, *eg. ll.* cyrsiau. Gyrfa, rhedegfa, hynt, helynt, llwybr. COURSE.
Wrth gwrs. OF COURSE.

cwrt, *eg. ll.* cyrtau, cyrtiau. Llys, cyntedd, iard, clos, lawnt. COURT.

cwrtais, *a.* Moesgar, boneddigaidd, hynaws. COURTEOUS.

cwrteisi : cwrteisrwydd, *eg.* Moesgarwch, boneddigeiddrwydd, hynawsedd. COURTESY.

cwrw, *eg. ll.*-au. cyrfau. Diod feddwol a wneir o frag a hopys, bir. BEER.

cwrwg : cwrwgl, *eg. ll.* cyryglau. Corwg, corwgl, bad pysgota Cymreig. CORACLE.

cwsg, *eg.* Hun ; diffyg teimlad. SLEEP ; NUMBNESS.

cwsg, *a.* Yn cysgu, yn huno ; heb deimlad. ASLEEP ; NUMB.

cwsmer, *eg. ll.*-iaid. Prynwr cyson. CUSTOMER.

cwsmeriaeth, *eb.* **cwstwm**, *eg.* Bod yn gwsmer, masnach gyson. CUSTOM.

cwt, *eg. ll.* cytiau. I. Cut, twlc, hofel, sied. STY, SHED.
2. *eg. ll.* cytau. Archoll, clwyf, briw, gweli. WOUND.
3. *egb. ll.* cytau. Cynffon, llosgwrn. TAIL, QUEUE.

cwta, *a.* (*b.* cota). I. Byr, prin, cryno. SHORT.
2. Sydyn, swta, disymwth. ABRUPT.

cwter, *eb. ll.*-i. -ydd. Ffos, rhigol, sianel. GUTTER.

cwtogi, *be.* Byrhau, talfyrru, prinhau, crynhoi. TO SHORTEN.

cwymp : cwympiad, *eg. ll.*-au. Codwm, disgyniad, syrthiad, syrthfa. FALL.

cwympo, *be.* Syrthio, disgyn, torri i lawr, cymynu. TO FALL, TO FELL.

cwyn, *egb. ll.*-ion. Achwyniad, cyhuddiad, anhwyldeb, cwynfan. COMPLAINT.

cwynfan : cwyno, *be.* I. Achwyn, beio, grwgnach. TO COMPLAIN.
2. Galaru. TO LAMENT.

cwynfannus, *a.* Dolefus, lleddf, trist, galarus, trwm, alaethus. PLAINTIVE.

cwyr, *eg.* Sylwedd melyn a wneir gan wenyn. WAX.

cwyro, *be.* Rhwbio â chwyr, sgleinio. TO WAX, TO POLISH.

cwys, *eb. ll.*-i, -au. Rhych a wneir gan aradr, rhigol. FURROW.
Dan y gŵys. BURIED.

cyboli, *be.* Clebran, siarad dwli, preblan, boddran, baldorddi, brygawthan. TO TALK NONSENSE.

cybydd, *eg. ll.*-ion. Un sy'n rhoi ei holl fryd ar gasglu cyfoeth. MISER.

cybydd-dod : cybydd-dra, *eg.* Y weithred o dyrru arian, crintachrwydd. MISERLINESS.

cybyddlyd, *a.* Fel cybydd, hoff o arian, crintach, llawgaead, tyn, clòs, mên. MISERLY.

cychwr, *eg. ll.* cychwyr. Un sy'n rhwyfo neu lywio cwch, badwr, ysgraffwr, rhwyfwr. BOATMAN.

cychwyn, *be.* I. Codi, dechrau'r ffordd, symud. TO SET OUT.

2. Cyffroi, cynhyrfu. TO STIR.

cychwyn : cychwyniad, *eg.* I. Symudiad, codiad. START.

2. Cyffroad, cynhyrfiad. STIR.

"Y ddraig goch ddyry cychwyn." THE RED DRAGON GIVES IMPETUS.

cyd, *a.* I. Cyhyd, mor hir â. SO LONG, AS LONG AS.

2. Gyda'i gilydd, ynghyd. IN COMMON, TOGETHER.

I gyd. ALL.

Tir cyd : cytir. COMMON LAND.

cyd- *rhagdd,* Gyda'i gilydd, ynghyd. CO-, TOGETHER.

cydadrodd, *be.* Adrodd gyda'i gilydd. TO RECITE TOGETHER, TO ENGAGE IN CHORAL SPEAKING. Côr cydadrodd. CHORAL SPEAKERS.

cydbwysedd, *eg.* O'r un pwysau. BALANCE.

cyd-destun, *eg. ll.* cyd-destunau. Y rhannau hynny sy'n blaenori neu'n dilyn ymadrodd mewn llyfr, &c., ac yn penderfynu ei ystyr. CONTEXT.

cyd-ddyn, *eg. ll.*-ion. Cyd-aelod o'r hil ddynol. FELLOW-MAN.

cydfod, *eg.* Cytundeb, cytgord, cysondeb, cyfatebiaeth. AGREEMENT.

cydfynd : cydfyned, *be.* Cytuno, cydsynio, cyfateb, cydfod, cydredeg. TO AGREE.

cydfyw, *be.* Byw gydag un arall, byw fel gŵr a gwraig. TO COHABIT.

cydffurfio : cydymffurfio, *be.* Gwneud yn unol â, cymathu, gwneud yn unddull. TO CONFORM.

cydiad, *eg.* Cyswllt, cymal, cyfuniad, uniad, asiad, ieuad, cyffordd. JOINT, JUNCTION.

cydio, *be.* I. Uno, cysylltu, asio, ieuo. TO JOIN.

2. Gafael. TO GRASP.

cydnabod, *be.* Cyfaddef, addef, arddel, caniatáu, talu. TO ACKNOWLEDGE.

cydnabyddiaeth, *eb.* Y weithred o gydnabod, adnabyddiaeth, dangosiad, taliad, derbynneb. RECOGNITION, ACKNOWLEDGEMENT.

cydnabyddus, *a.* Yn adnabod neu'n gwybod yn dda, yn gyfarwydd, cynefin â. FAMILIAR.

cydnaws, *a.* Mewn cytgord, cytûn, cyfaddas. CONGENIAL.

cydnerth, *a.* Cryf, cadarn, nerthol, cyhyrog, gewynnog. WELL-BUILT.

cydoesi, *be.* Byw yn yr un cyfnod â. TO BE CONTEMPORARY.

cydol, *egb.* Cwbl, cyfan. ENTIRE. Trwy gydol y nos. THROUGHOUT THE NIGHT.

cydradd, *a.* O'r un radd neu safle, cyfartal. EQUAL.

cydraddoldeb, *eg.* Yn gyfartal o ran gradd neu safle, cyfartaledd. EQUALITY.

cydsyniad, *eg. ll.*-au. Cytundeb, cyfatebiaeth, caniatâd, cysondeb. AGREEMENT, CONSENT.

cydsynied : cydsynio, *be.* Cytuno, bodloni, cyfateb, dygymod, caniatáu. TO AGREE.

cydwastad, *a.* O'r un uchder, lefel â. LEVEL (WITH).

cydweddiad, *eg. ll.*-au. Geiriau neu frawddegau yn ymdebygu i'w gilydd, cytundeb, cyfatebiaeth, cymhariaeth, tebygrwydd. ANALOGY.

cydweddu, *be.* Bod yn addas. TO SUIT.

cydweithio, *be.* Gweithio gyda rhywun. TO CO-OPERATE.

cydweithrediad, *eg. ll.*-au. Y weithred o weithio gyda rhywun. CO-OPERATION.

cydweithredol, *a.* Yn cydweithredu. CO-OPERATING.

cydweithredu, *be.* Ymgymryd â gwaith gydag eraill i ryw bwrpas cyffredin, cydweithio, cydlafurio. TO CO-OPERATE.

cyd-weld : cyd-weled, *be.* Cydsynio, cytuno, bodloni, cyfateb, dygymod. TO AGREE.

cydwladol, *a.* Rhyngwladol. INTERNATIONAL.

cydwladwr, *eg. ll.* cydwladwyr. Dyn o'r un wlad â rhywun. COMPATRIOT, FELLOW-COUNTRYMAN.

cydwybod, *eg. ll.*-au. Yr ymdeimlad o ddrwg a da yn gyffredinol, yr adnabyddiaeth fewnol o ansawdd foesol. CONSCIENCE.

cydwybodol, *a.* Yn gweithredu yn ôl cydwybod, yn cymryd trafferth, dyfal, gofalus, diwyd. CONSCIENTIOUS.

cydymaith, *eg. ll.* cymdeithion. Un sy'n cyd-deithio neu gyd-weithio ag arall, cyfaill, cymar, cydweithiwr. COMPANION.

cydymdeimlad, *eg. ll.*-au. Tosturi at arall. SYMPATHY.

cydymdeimlo, *be.* Teimlo'n dosturiol tuag at arall, mynegi cydymdeimlad. TO SYMPATHIZE, TO CONDOLE.

cydymddwyn, *be.* Goddefgarwch tuag at arall. TO BEAR WITH ONE ANOTHER.

cydymffurfio, *gw.* **cydffurfio.**

cydyn : cwdyn, *eg. ll.* cydau. Cod, cwd, bag, ysgrepan. POUCH, BAG.

cyfadran, *eb. ll.*-nau. Un o brif ganghennau addysg mewn coleg, *e.e.* cyfadrannau Gwyddoniaeth, Diwinyddiaeth, Cyfraith, &c.

cyfaddas, *a.* Priodol, cymwys, addas, cyfamserol, manteisiol, ffafriol, cyfleus. SUITABLE.

cyfaddasiad, *eg. ll.*-au. Y weithred o gyfaddasu, addasiad, cymhwysiad. ADAPTATION.

cyfaddasu, *be.* Cymhwyso, addasu. TO ADAPT.

cyfaddawd, *eg. ll.*-au. Cytundeb trwy oddefiad, cymrodedd. COMPROMISE.

cyfaddawdu, *be.* Cymrodeddu, rhannu'r ymrafael. TO COMPROMISE.

cyfaddef, *be.* Cyffesu, cydnabod (bai). TO CONFESS.

cyfaddefiad, *eg. ll.*-au. Cyffes, cyffesiad. CONFESSION.

cyfagos, *a.* Agos, yn ymyl, ar gyfyl, gerllaw, o amgylch, ar bwys. NEAR.

cyfaill, *eg. ll.* cyfeillion. (*un. b.* cyfeilles). Un sy'n adnabod ac yn hoffi un arall, cydymaith, cydnabod. FRIEND.

cyfalaf, *eg. ll.*-au. Yr adnoddau ariannol sydd wrth gefn cwmni masnachol neu unigolyn, cyfoeth wedi ei grynhoi gyda'r bwriad o gynhyrchu rhagor o gyfoeth. CAPITAL.

cyfalafiaeth, *eb.* Meddiant cyfalaf ; cyfundrefn economaidd sy'n bleidiol i feddiant cyfalaf gan unigolion neu gwmnïoedd busnes preifat. CAPITALISM.

cyfalafwr, *eg. ll.* cyfalafwyr. Un sy'n cefnogi cyfalafiaeth, perchennog cyfalaf. CAPITALIST.

cyfamod, *eg. ll.*-au. Cytundeb rhwng dau berson neu ddwy blaid â'i gilydd, ymrwymiad. COVENANT.

cyfamodi, *be.* Gwneud cytundeb, ymrwymo. TO COVENANT.

cyfamodwr, *eg. ll.* cyfamodwyr. Un wedi ymrwymo mewn cyfamod. COVENANTER.

cyfamser, *eg. ll.*-au. Yr amser rhwng un digwyddiad ac un arall, cyfwng. MEANTIME.

cyfamserol, *a.* Amserol, ffafriol, cyfleus, cyfaddas, manteisiol, prydlon. OPPORTUNE.

cyfan, *eg.* I. Cwbl, swm, cyfanrif, crynswth. THE WHOLE.
2. *a.* Cyflawn, holl, i gyd, cyfan gwbl. WHOLE.
Ar y cyfan. ON THE WHOLE, IN THE MAIN.
Wedi'r cyfan. AFTER ALL.

cyfandir, *eg. ll.*-oedd. Un o rannau enfawr y byd, y tir mawr, gwlad (heb gynnwys ei hynysoedd). CONTINENT.

cyfandirol, *a.* Yn perthyn i gyfandir, nodweddiadol o gyfandir, Ewropeaidd yn hytrach na Phrydeinig. CONTINENTAL.

cyfanfyd, *eg.* Y cwbl o'r cread, hollfyd, bydysawd. UNIVERSE.

cyfangorff, *eg.* Y cyfan, crynswth, swm, cwbl, cyfanswm. WHOLE, MASS.

cyfan gwbl, *a.* I gyd, llwyr, hollol. ALTOGETHER.

cyfanheddu, *be.* Byw, preswylio, trigo. TO DWELL.

cyfannedd, *eb. ll.* cyfanheddau. Lle i fyw ynddo, preswylfod, preswyl, tŷ, trigfan. HABITATION.

cyfannu, *be.* Gwneud yn gyfan, uno. TO MAKE WHOLE.

cyfanrwydd, *eg.* Crynswth, cwbl, cyfan, swm, cyflawnder. ENTIRETY.

cyfansawdd, *a.* Yn cynnwys nifer o rannau, cymysg. COMPOUND.
Gair cyfansawdd : gair a wneir o ddau neu ragor o eiriau.

cyfansoddi, *be.* Trefnu neu ddodi ynghyd ; ysgrifennu llyfrau neu erthyglau neu gerddoriaeth, &c. ; creu. TO COMPOSE.

cyfansoddiad, *eg. ll.*-au. I. Gwaith creadigol. COMPOSITION.
2. Egwyddorion neu gyfreithiau sy'n penderfynu'r modd i lywodraethu gwlad, &c. CONSTITUTION.
3. Corffolaeth. PHYSIQUE.

cyfansoddiadol, *a.* Unol â threfn gydnabyddedig ynglŷn â llywodraeth, &c. ; yn ymwneud â chyfansoddiad neu â chyfansoddi. CONSTITUTIONAL (OF GOVERNMENT &C.) ; PERTAINING TO CONSTITUTION OR COMPOSITION.

cyfansoddwr, *eg. ll.* cyfansoddwyr. Un sy'n cyfansoddi. COMPOSER.

cyfansoddyn, *eg. ll.* cyfansoddion. Cyfuned o ddwy neu fwy o elfennau ; rhan hanfodol, cynhwysyn. COMPOUND ; CONSTITUENT.

cyfanswm, *eg. ll.* cyfansymiau. Cwbl, swm y cyfan, cyfanrif, crynswth. TOTAL AMOUNT.

cyfantoledd, *eg. ll.*-au. Cydbwysedd. EQUILIBRIUM.

cyfanwaith, *eg.* Y gwaith i gyd, gwaith cyflawn. WHOLE WORK.

cyfanwerthwr, *eg. ll.* cyfanwerthwyr. Un sy'n gwerthu nwyddau mewn symiau mawr. WHOLESALER.

cyfarch, *be.* Cyfarch gwell, annerch, croesawu. TO GREET.

cyfarchiad, *eg. ll.*-au. Annerch, anerchiad, croeso, dymuniad da. GREETING.

cyfarchol, *a.* Yn cyfarch neu'n annerch ; *Gram.* galwedigol. SALUTATORY, GREETING ; VOCATIVE.

cyfaredd, *eb. ll.*-au, -ion. Swyn, hud, hudoliaeth. CHARM, SPELL.

cyfareddol, *a.* Swynol, hudolus, hudol. ENCHANTING.

cyfarfod, *be.* Dod ar draws, taro ar draws, cwrdd, ymgynnull. TO MEET.

cyfarfod, *eg. ll.*-ydd. Cyfarfyddiad, cwrdd, cynulliad, cymanfa. MEETING.

cyfarpar, *eg.* Casgliad o offer at ryw arbrawf neu orchwyl. EQUIPMENT, APPARATUS.

cyfartal, *a.* Cydradd, cystal. EQUAL.

cyfartaledd, *eg.* Cydraddoldeb, y safon gyffredin, y nifer canol, canolrif. AVERAGE, PROPORTION.
Ar gyfartaledd. ON (THE) AVERAGE.

cyfarth, *be.* I. Gwneud sŵn cras â'r llais, lleisio'n gras a ffrwydrol (fel rheol am gi). TO BARK.
2. *eg.* Sŵn cras ffrwydrol a wneir gan gŵn, &c. A BARKING.

cyfarthiad, *eg. ll.*-au. Y weithred o gyfarth, y sŵn cras ffrwydrol a wneir gan gi. BARK.

cyfarwydd, *a.* I. Wedi cyfarwyddo, cynefin, medrus, adnabyddus, celfydd, cywrain. FAMILIAR, SKILLED.
2. *eg. ll.*-iaid. Storïwr, chwedleuwr. STORYTELLER.

cyfarwyddo, *be.* Arfer, cynefino, cyfeirio, hyfforddi, addysgu, dysgu. TO FAMILIARIZE, TO DIRECT.

cyfarwyddwr, *eg. ll.* cyfarwyddwyr. Un sy'n cyfarwyddo neu gyfeirio, llywodraethwr. DIRECTOR.

cyfarwyddyd, *eg. ll.* cyfarwyddiadau. Hyfforddiant, gwybodaeth, dysg, addysg, arweiniad. INSTRUCTION.

cyfateb, *be.* Ateb i'w gilydd, ymdebygu, cytuno, tebygu. TO CORRESPOND.

cyfatebiaeth, *eb. ll.*-au. Cytundeb, tebygrwydd. ANALOGY.

cyfatebol, *a.* Tebyg, yn cydweddu. LIKE, CORRESPONDING.

cyfathrach, *eb.* Cyfeillach, masnach, busnes. INTERCOURSE.

cyfathrachu, *be.* Cyfeillachu, cyfnewid syniadau, gwneud busnes â'i gilydd. TO ASSOCIATE.

cyfathrachwr, *eg. ll.* cyfathrachwyr. Câr, perthynas. KINSMAN.

cyfathrebu, *be.* Trosglwyddo gwybodaeth, newyddion, teimladau &c., llwyddo i gyflwyno gwybodaeth. TO COMMUNICATE.

cyfddydd, *eg.* Yr hanner golau cyn codiad haul, gwawr, glasddydd, glasiad dydd, toriad dydd, clais y dydd. DAWN.

cyfeddach, *eb.* Gloddest, gwledd yfed. CAROUSAL.

cyfeiliant, *eg. ll.* cyfeiliannau. Y weithred o gyfeilio. ACCOMPANIMENT (*in music*).

cyfeilio, *be.* Canu offeryn cerdd i ganwr. TO ACCOMPANY (MUSIC).

cyfeiliorn, *eg.* Camgymeriad, bod ar grwydr. STRAYING.
Ar gyfeiliorn. IN ERROR.

cyfeiliorni, *be.* Gwneud peth anghywir neu bechadurus, crwydro, camgymryd. TO ERR.

cyfeiliornus, *a.* Yn cyfeiliorni, gwallus, o'i le, hereticaidd, crwydrol. ERRONEOUS.

cyfeilydd, *eg. ll.*-ion. (*un. b.*-es). Un sy'n canu offeryn cerdd i ganwr. ACCOMPANIST.

cyfeillach, *eb. ll.*-au. Cyfeillgarwch, cymdeithas, cyfathrach. FELLOWSHIP.

cyfeillachu, *be.* Cymdeithasu, cyfathrachu. TO ASSOCIATE.

cyfeilles, *eb. ll.*-au. Cyfaill benywaidd. FEMALE FRIEND.

cyfeillgar, *a.* Yn teimlo'n garedig tuag at rywun, cymdeithasgar. FRIENDLY.

cyfeillgarwch, *eg.* Teimlad caredig. FRIENDSHIP.

cyfeiriad, *eg. ll.*-au. 1. Symudiad at fan neu nod arbennig, y ffordd, cyfarwyddyd. DIRECTION.
2. Manylion trigfan rhywun. ADDRESS.
3. Crybwylliad. ALLUSION, REFERENCE.

cyfeirio, *be.* Cyfarwyddo, anelu, sôn, crybwyll, trefnu. TO DIRECT, TO REFER.
Cyfeirio llythyr. TO ADDRESS A LETTER.

cyfeirnod, *eg. ll.*-au. Arwydd neu nod i dynnu sylw at rywbeth. MARK OF REFERENCE.

cyfenw, *eg. ll.*-au. Enw teuluol, enw olaf person. SURNAME.

cyfenwi, *be.* Rhoi enw teuluol i rywun. TO SURNAME.

cyfer, *eg. ll.* cyfeiriau. 1. Cyfeiriad, lle ; lle cyferbyn. DIRECTION, PLACE ; OPPOSITE POSITION.
2. Mesur o dir, erw. ACRE.
Ar gyfer. IN PREPARATION OR IN PROVISION FOR. IN RESPECT OF.
Mynd yn ei gyfer. RUSHING HEADLONG.

cyferbyn, *a.* Yn gwrthwynebu, yn erbyn. OPPOSITE, CONTRARY.

cyferbyniad, *eg. ll.*-au. Gwahaniaeth amlwg, gwrthgyferbyniad. CONTRAST.

cyferbynnu, *be.* Cymharu drwy ddangos gwahaniaeth, gwrthgyferbynnu. TO CONTRAST.

cyfethol, *be.* Ethol person ar bwyllgor drwy bleidleisiau'r aelodau. TO CO-OPT.

cyfiawn, *a.* Dibechod, dieuog, iawn, uniawn, gwir, teg, da, gonest, cyfreithlon. RIGHTEOUS, JUST.

cyfiawnder, *eg. ll.*-au. Uniondeb, tegwch, daioni, gonestrwydd. JUSTICE.

cyfiawnhad, *eg.* Y weithred o gyfiawnhau ; y weithred waredigol o gymodi dyn â Duw drwy ffydd yng Nghrist. JUSTIFICATION.
Cyfiawnhad drwy ffydd. JUSTIFICATION BY FAITH.

cyfiawnhau, *be.* Profi ei fod yn iawn, rhyddhau o fai, cyfreithloni, amddifyn. TO JUSTIFY.

cyfieithiad, *eg. ll.*-au. Peth wedi ei gyfieithu, dehongliad. TRANSLATION.

cyfieithu, *be.* Trosi o un iaith i iaith arall, dehongli. TO TRANSLATE.

cyfieithydd, *eg. ll.* cyfieithwyr. Un sy'n cyfieithu, dehonglwr, dehonglydd, lladmerydd. TRANSLATOR.

cyflafan, *eb.* Trosedd nwydwyllt, lladd cyffredinol, galanastra, trais, sarhad. OUTRAGE, MASSACRE.

cyflawn, *a.* Cyfan, perffaith. COMPLETE.

cyflawnder, *eg.* Digon, digonedd, toreth. ABUNDANCE.

cyflawni, *be.* Cwpláu, gorffen, diweddu, dibennu. TO FULFIL.

cyflawniad, *eg. ll.*-au. Y weithred o gyflawni, cwblhad, gorffeniad ; perffeithiad. FULFILMENT, COMPLETION.

cyfle, *eg. ll.*-oedd. Amser cyfaddas, siawns. OPPORTUNITY.

cyflead, *eg. ll.*-au. Trefniad, awgrymiad. ARRANGEMENT, IMPLICATION.

cyfled, *a.* O'r un lled, lleted. OF EQUAL BREADTH OR WIDTH.
Cyfled â. AS WIDE AS.

cyflenwad, *eg. ll.*-au. Yr hyn sy'n cyflenwi angen, stôr, stoc. SUPPLY.

cyflenwi, *be.* Digoni angen. TO SUPPLY.

cyfleu, *be.* Awgrymu, trefnu. TO IMPLY.

cyfleus, *a.* 1. Amserol, manteisiol. OPPORTUNE.
2. Hwylus. CONVENIENT.

cyfleustra, *eg. ll.* cyfleusterau. 1. Cyfle. OPPORTUNITY.
2. Hwylustod. CONVENIENCE.

cyflin, *a.* Cyfochrog. PARALLEL.

cyfliw, *eg. ll.*-iau. 1. Arlliw. HUE.
2. *a.* O'r un lliw. OF THE SAME COLOUR.

cyflog, *egb. ll.*-au. Tâl am waith, hur. WAGE.

cyflogedig, *a.* 1. Wedi ei gyflogi, yn derbyn cyflog am wasanaeth. HIRED, EMPLOYED.
2. *eg. ll.*-ion. Un y telir iddo am ei wasanaeth. EMPLOYEE.

cyflogi, *be.* Hurio. TO HIRE.
cyflogwr, *eg. ll.* cyflogwyr. Un sy'n cyflogi
gweithwyr. EMPLOYER.
cyflwr, *eg. ll.* cyflyrau. I. Sefyllfa, stad. CONDITION.
2. Term gramadegol. CASE.
cyflwyniad, *eg. ll.*-au. I. Cysegriad, ymroad, y
weithred o gyflwyno. DEDICATION ;
PRESENTATION.
2. Anrheg, rhodd. GIFT.
cyflwyno, *be.* I. Cysegru. TO DEDICATE.
2. Anrhegu, rhoddi'n rhad. TO PRESENT.
cyflym, *a.* Chwim, clau, buan. SWIFT.
cyflymder : cyflymdra, *eg.* Buandra. SPEED.
cyflymu, *be.* Cynyddu mewn cyflymder, mynd yn
gyflymach. TO ACCELERATE.
cyflyru, *be.* Dwyn i gyflwr arbennig. TO CONDITION.
cyflyrau, *gw.* **cyflwr.**
cyfnesaf, *eg. ll.* cyfneseifiaid. Câr, perthynas.
KINSMAN.
cyfnewid, *be.* Newid. TO EXCHANGE.
cyfnewidiad, *eg. ll.*-au. Newidiaeth, altrad. CHANGE.
cyfnewidiol, *a.* Yn dueddol o newid, anwadal, di-
ddal, gwamal. CHANGEABLE.
cyfnither, *eb. ll.*-oedd. Merch i fodryb neu
ewythr. FIRST COUSIN (FEMALE).
gw. **cefnder.**
cyfnod, *eg. ll.*-au. Ysbaid o amser, oes. PERIOD.
cyfnodol, *a.* Yn perthyn i gyfnod. PERIODICAL.
cyfnodolyn, *eg. ll.* cyfnodolion. Papur a gyhoeddir
yn gyson bob mis, &c. PERIODICAL.
cyfnos, *eg. ll.*-au. Hwyr y dydd, min nos, gyda'r
nos. TWILIGHT.
cyfochr : cyfochrog, *a.* Ochr yn ochr. PARALLEL.
cyfochredd, *eg.* Y stad o fod ochr yn ochr â
rhywbeth arall neu fod yn debyg iddo.
PARALLELISM.
cyfodi, *be.* Mynd i fyny, dod i fyny, dyrchafu,
tarddu. TO RISE, TO RAISE.
cyfodiad, *eg.* Y weithred o godi, tarddiad. RISE,
RISING.
cyfoedion, *e.ll.* Pobl o'r un oedran, cyfoeswyr.
CONTEMPORARIES.
cyfoes : cyfoesol, *a.* O'r un oes neu adeg.
CONTEMPORARY.
cyfoesi, *be.* Byw yr un adeg ag eraill, cydoesi. TO
BE CONTEMPORARY.
cyfoeswr, *eg. ll.* cyfoeswyr. Un yn byw yr un adeg
â rhywun, cydoeswr. A CONTEMPORARY.
cyfoeth, *eg.* Golud, da, meddiant, digonedd. WEALTH.
cyfoethog, *a.* Goludog, abl, cefnog, ariannog,
bras. WEALTHY.
cyfoethogi, *be.* Chwanegu cyfoeth. TO ENRICH, TO
GET RICH.
cyfog, *eg.* Chwydiad, salwch y stumog. VOMITING.
cyfogi, *be.* Cael stumog yn ôl, chwydu, taflu i
fyny. TO VOMIT.
cyforiog, *a.* Gorlawn, yn llawn i'r top, i'r ymyl.
OVERFLOWING.
cyfosod, *be.* Gosod ochr yn ochr. TO PLACE
TOGETHER.

cyfraith, *eb. ll.* cyfreithiau. Rheol a wneir gan
lywodraeth i'r holl ddinasyddion, deddf,
statud. LAW.
Merch-yng-nghyfraith. DAUGHTER-IN-LAW.
Tad-yng-nghyfraith. FATHER-IN-LAW.
cyfradd, *a.* Cydradd. OF EQUAL RANK.
cyfradd, *eb. ll.*-au. Safon neu ddull o gyfrif ;
swm, &c., y sonnir amdano mewn un
enghraifft a ddefnyddir ymhob sefyllfa
debyg ; pris. RATE.
Cyfradd y banc. BANC RATE.
Cyfradd llog. RATE OF INTEREST.
Cyfradd gyfnewid. RATE OF EXCHANGE.
Cyfradd geni. BIRTH RATE.
Cyfradd gyfredol/bresennol. CURRENT RATE.
cyfran, *eb. ll.*-nau. Rhan, siâr, gwaddol, mymryn,
gronyn. SHARE, PORTION.
cyfranddaliad, *eg. ll.*-au. Un o gyfrannau cyfalaf
cwmni masnachol. SHARE (*in business
company*).
cyfranddaliwr, *eg. ll.* cyfranddalwyr. Daliwr neu
berchennog cyfranddaliadau mewn cwmni
masnachol. SHAREHOLDER.
cyfraniad, *eg. ll.*-au. Rhoddiad, taliad,
tanysgrifiad. CONTRIBUTION.
cyfrannu, *be.* Talu i gronfa gyffredin, rhoi cymorth,
tanysgrifio, cyfranogi. TO CONTRIBUTE.
cyfrannwr, *eg. ll.* cyfranwyr. Un sy'n cyfrannu.
CONTRIBUTOR.
cyfranogi, *be.* Cael cyfran o rywbeth. TO PARTAKE.
cyfranogwr, *eg. ll.* cyfranogwyr, cyfranogion. Un
sy'n cyfranogi. PARTAKER.
cyfreithio, *be.* Mynd i gyfraith, ymgyfreithio. TO
GO TO LAW.
cyfreithiol, *a.* Yn perthyn i'r gyfraith, deddfol.
LEGAL.
cyfreithiwr, *eg. ll.* cyfreithwyr. Un sy'n
gweinyddu'r gyfraith fel swyddog o'r Uchel
Lys. SOLICITOR, LAWYER.
cyfreithlon, *a.* Yn iawn neu yn unol â'r gyfraith,
deddfol. LAWFUL.
cyfreithloni, *be.* Profi neu wneud yn iawn,
cyfiawnhau. TO JUSTIFY, TO LEGALIZE.
cyfres, *eb. ll.*-i. Rhestr o bethau tebyg, rhes. SERIES.
cyfrgoll, *eb.* Distryw, colledigaeth. PERDITION.
cyfrif, *eg. ll.* cyfrifon. Gosodiad, cyfrifiad.
RECKONING, ACCOUNT.
Ar bob cyfrif. BY ALL ACCOUNTS.
Ddim ar un cyfrif. NOT BY ANY MEANS.
cyfrif, *be.* Rhifo, cyfri, barnu, bwrw. TO RECKON.
Bwrdd cyfrif. COUNTER.
cyfrifeg, *eg. b.* Holl waith a disgyblaeth cyfrifydd,
cyfrifyddiaeth. ACCOUNTANCY.
cyfrifiad, *eg. ll.*-au. Cyfrif. RECKONING. CENSUS.
cyfrifiadur, *eg. ll.*-on. Cyfarpar awtomatig
electronig i hyrwyddo cyfrifiannu. COMPUTER.
cyfrifiadureg, *eg.* Gwyddor cyfrifiadurol.
COMPUTER SCIENCE.
cyfrifiadurol, *a.* Yn ymwneud â chyfrifiadureg.
COMPUTER.

cyfrifiannell, *eg. ll.-.* cyfrifianellau. Dyfais awtomatig electronig i hyby'r broses o gyfrif. CALCULATOR.

cyfrifiannu, *be.* Rhifo, cyfrif, defnyddio cyfrifiadur. TO COMPUTE, TO CALCULATE.

cyfrifol, *a.* Y gellir dibynnu arno, atebol, ystyriol, parchus, o fri. RESPONSIBLE.

cyfrifoldeb, *eg.* Gofal. RESPONSIBILITY.

cyfrifydd, *eg. ll.* cyfrifwyr. Un medrus mewn cyfrif a chadw cyfrifon, rhifwr. ACCOUNTANT.

cyfrin : cyfriniol, *a.* Dirgel, preifat, tywyll, cudd, aneglur, cyfareddol. SECRET, MYSTIC.
Y Cyfrin Gyngor. THE PRIVY COUNCIL.

cyfrinach, *eb. ll.-au.* Dirgelwch, rhin. SECRET.

cyfrinachol, *a.* Dirgel, cyfrin, cudd, o'r golwg, preifat. CONFIDENTIAL.

cyfrinachwr, *eg. ll.* cyfrinachwyr. Un sy'n cadw cyfrinach, cyfaill mynwesol. CONFIDANT.

cyfrinfa, *eb. ll.-oedd,* cyfrinfâu, cyfrinfeydd. Man cyfarfod cymundeb dirgel. LODGE.

cyfriniaeth, *eb.* Athrawiaeth y cyfrinwyr (sef ceisio cymundeb uniongyrchol â Duw). MYSTICISM.

cyfriniwr : cyfrinydd, *eg. ll.* cyfrinwyr. Yr hwn sy'n ymwneud â phethau cyfrin. MYSTIC.

cyfrodedd, *a.* Wedi ei droi, cordeddog. TWISTED.

cyfrodeddu, *be.* Cordeddu. TO TWIST.

cyfrol, *eb. ll.-au.* Llyfr cyfan (weithiau'n rhan o waith mwy). VOLUME.

cyfrwng, *eg. ll.* cyfryngau. Y ffordd y gwneir peth, moddion. MEDIUM, MEANS.
Trwy gyfrwng. BY MEANS OF.
Y Cyfryngau. THE MEDIA.

cyfrwy, *eg. ll.-au.* Sedd ledr ar gefn ceffyl neu feisigl. SADDLE.
Cyfrwy untu. SIDE-SADDLE.

cyfrwyo, *be.* Gosod cyfrwy ar geffyl, &c. TO SADDLE.

cyfrwys, *a.* Dichellgar, twyllodrus, call, cywrain, medrus. CUNNING.

cyfrwystra : cyfrwyster, *eg.* Dichell, twyll, callineb, medr. CUNNING.

cyfryngu, *be.* Gweithredu rhwng dau (neu bleidiau) i dorri dadl rhyngddynt, eiriol, bod yn ganolwr. TO MEDIATE, TO INTERVENE.

cyfryngwr, *eg. ll.* cyfryngwyr. Un sy'n cyfryngu, canolwr, eiriolwr, dyn canol. MEDIATOR.

cyfryw, *a.* Tebyg, cyffelyb, y fath. SUCH, LIKE.
Y cyfryw un. SUCH A ONE.

cyfun, *a.* Cytûn, unedig. AGREEING, UNITED ; COMPREHENSIVE.
Ysgol Gyfun. COMPREHENSIVE SCHOOL.

cyfundeb, *eg. ll.-au.* Undeb, cymdeithas, undod, uniad. ASSOCIATION.

cyfundrefn, *eb. ll.-au.* Nifer o bethau wedi eu huno, trefn, dosbarth. SYSTEM.
Y gyfundrefn addysg. THE EDUCATIONAL SYSTEM.

cyfundrefnu, *be.* Gosod mewn cyfundrefn neu drefn. TO SYSTEMATIZE.

cyfuno, *be.* Gwneud yn un, uno, cyd-uno, cysylltu. TO COMBINE, TO UNITE.

cyfuwch, *a.* Mor uchel, cyn uched. AS HIGH.
Cyfuwch â. AS HIGH AS.

cyfwerth, *a.* O'r un gwerth, cyfartal. OF EQUAL VALUE.

cyfwng, *eg. ll.* cyfyngau. I. Gofod, lle gwag. SPACE.
2. Saib, ysbaid, egwyl. INTERVAL.
3. Cyfyngder. STRAITNESS, TROUBLE.

cyfyng, *a.* Cul, tyn, caeth. NARROW, CONFINED.
Amgylchiadau cyfyng. STRAITENED CIRCUMSTANCES.

cyfyngder, *eg. ll.-au.* Blinder, ing, adfyd, caledi, taro, gofid, helbul, trwbwl, trallod, trafferth, argyfwng. TROUBLE, DISTRESS.

cyfyng-gyngor, *eg.* Dryswch, penbleth, trallod. PERPLEXITY.

cyfyngu, *be.* Culhau, pennu, rhoi terfyn ar, caethiwo. TO LIMIT.

cyfyl, *eg.* Cymdogaeth, cylchoedd, cyffiniau. VICINITY.
Ar ei gyfyl. NEAR HIM.

cyfyrder, *eg. ll.* cyfyrdyr. *(un. b.* cyfyrderes). Mab i gefnder neu gyfnither un o'r rhieni. SECOND (MALE) COUSIN.

cyfystyr, *a.* O'r un ystyr, yn golygu yr un peth. SYNONYMOUS.
Cyfystyron. SYNONYMS.

cyff, *eg.* Ach, hil, tylwyth, tras, llinach, bôn, cist, cronfa. STOCK, CHEST.
Cyff cenedl. STOCK OF A NATION.
Cyff gwawd. LAUGHING STOCK.
Boncyff. STUMP OF A TREE.

cyffaith, *eg. ll.* cyffeithiau. Bwydydd melys (fel jam, &c.). CONFECTION.

cyffelyb, *a.* Tebyg, yr un fath, unwedd, fel, megis. SIMILAR.

cyffelybiaeth, *eb. ll.-au.* Tebygrwydd, cymhariaeth, llun, delw. LIKENESS, SIMILE.

cyffelybu, *be.* Tebygu, cymharu. TO LIKEN.

cyffes, *eb. ll.-ion.* **cyffesiad,** *eg. ll.-au.* Cyfaddefiad, addefiad. CONFESSION.

cyffesu, *be.* Cyfaddef, addef, cydnabod. TO CONFESS.

cyffeswr, *eg. ll.* cyffeswyr : **cyffesydd,** *eg. ll.* cyffesyddion. Un sy'n cyffesu ; clerigwr sy'n gwrando cyffes. CONFESSOR.

cyffin, *eg. ll.-iau.* Cymdogaeth, goror, terfyn, ymyl, tuedd. BORDER, VICINITY.

cyffion, *e.ll.* Ffrâm a thyllau ynddi i draed drwgweithredwyr. STOCKS.

cyffordd, *eb. ll.* cyffyrdd. Man cyfarfod rheilffyrdd, heolydd, &c.. JUNCTION (RAILWAY, ROAD, &C.).
Cyffordd Llandudno. LLANDUDNO JUNCTION.

cyffredin : cyffredinol, *a.* Yn perthyn i bawb, arferol, cynefin, gwael, plaen. COMMON, ORDINARY, GENERAL.

cyffredinedd, *eg.* O ansawdd gyffredin. COMMONNESS ; GENERALITY.

cyffro, *eg. ll.*-adau. Cynnwrf, stŵr, symudiad, ysgogiad, ystwyrian, aflonyddwch. STIR, COMMOTION, EXCITEMENT.

cyffroi, *be.* Cynhyrfu, aflonyddu, symud, syflyd, cymell. TO MOVE, TO EXCITE.

cyffrous, *a.* Cynhyrfus, symudol. EXCITING ; EXCITED.

cyffur, *eg. ll.*-iau. Cynhwysyn meddyginiaethol, moddion ; narcotig ; tawelyn, &c. DRUG (*as used in Medicine*) ; NARCOTIC ; TRANQUILLISER, &C.

cyffwrdd, *be.* Dodi llaw ar, teimlo, dod ar draws, sôn am, cyfeirio at, cwrdd. TO TOUCH.

cyffylog, *eg. ll.*-od. Aderyn gwyllt tebyg i'r gïach. WOODCOCK.
"Nid wrth ei big y mae prynu cyffylog."
HEED NOT ITS BEAK WHEN BUYING A WOODCOCK.

cyffyrddiad, *eg. ll.*-au. Y weithred o gyffwrdd neu gwrdd, teimlad, cysylltiad. TOUCH, CONTACT.

cyffyrddus, *a.* Yn esmwyth o ran corff a meddwl, cysurus, diddan, clyd. COMFORTABLE.

cynganeddol, *a.* Yn perthyn i gynghanedd. APPERTAINING TO *CYNGHANEDD.*

cynganeddu, *be.* Llunio cynghanedd. TO FORM *CYNGHANEDD.*

cynganeddwr, *eg. ll.* cynganeddwyr. Un sy'n medru cynghanedd. WRITER OF *CYNGHANEDD.*

cyngerdd, *egb. ll.* cyngherddau. Cyfarfod cerdd (ac amrywiaeth). CONCERT.

cynghanedd, *eb. ll.* cynganeddion. Addurn barddonol mewn barddoniaeth gaeth lle mae seiniau yn ateb i'w gilydd yn ôl rheolau arbennig. METRICAL CONSONANCE (peculiar to Welsh).

cynghori, *be.* Rhoi cyngor. TO ADVISE.

cynghorwr, *eg. ll.* cynghorwyr. Un sy'n cynghori, aelod o gyngor. ADVISER, COUNCILLOR.

cynghrair, *eg. ll.* cynghreiriau. Undeb o bobl neu glybiau neu genhedloedd. ALLIANCE, LEAGUE.

cynghreiriad, *eg. ll.* cynghreiriaid. Aelod o gynghrair. ALLY.

cyngor, *eg. ll.* cynghorau. I. Cynulliad i drafod materion arbenning. COUNCIL.
2. *eg. ll.* cynghorion. Cyfarwyddyd, barn, hyfforddiant. ADVICE, COUNSEL.

cyngres, *eb. ll.*-au. -i. Cynulliad, cyfarfod, cymanfa, cyngor. CONGRESS.
Cyngres yr Unol Daleithiau. CONGRESS OF THE UNITED STATES.

cyngresydd, *eg. ll.* cyngreswyr. Aelod etholedig o Gyngress yr Unol Daleithiau. CONGRESSMAN.

cyhoedd, *eg.* Pobl, gwerin. PUBLIC.
Ar gyhoedd. PUBLICLY.
Y cyhoedd. THE PUBLIC.

cyhoeddi, *be.* Hysbysu, datgan, taenu ar led. TO ANNOUNCE.
Cyhoeddi llyfrau. TO PUBLISH BOOKS.

cyhoeddiad, *eg. ll.*-au. Y weithred o gyhoeddi newyddion neu lyfrau, &c., ; datganiad, hysbysiad, hysbysebiad. ANNOUNCEMENT, PUBLICATION.

cyhoeddus, *a.* Yn perthyn i bawb, gwybyddus, hysbys. PUBLIC.

cyhoeddusrwydd, *eg.* Y stad o fod yn hysbys, hysbysrwydd. PUBLICITY.

cyhoeddwr, *eg. ll.* cyhoeddwyr. I. Un sy'n cyhoeddi. ANNOUNCER.
2. Un sy'n gyfrifol am gyhoeddi llyfrau, &c. PUBLISHER.

cyhuddiad, *eg. ll.*-au. Y weithred o gyhuddo neu feio, achwyniad, cwyn. ACCUSATION.

cyhuddo, *be.* Beio, achwyn ar, cwyno am. TO ACCUSE.

cyhwfan : cwhwfan, *be.* Symud peth yn ôl ac ymlaen (yn enwedig baner), chwifio. TO WAVE.

cyhyd : cyd, *a.* Mor hir. AS LONG, SO LONG.

cyhydedd, *eg. ll.*-au, -ion. Y llinell ddychmygol am ganol y ddaear. EQUATOR.

cyhyrau, *e.ll.* (*un. g.* cyhyr, cyhyryn). Gweoedd yn y corff sy'n achosi symudiad trwy eu tynhau neu eu rhyddhau. MUSCLES.

cyhyrog, *a.* Yn meddu ar gyhyrau da. MUSCULAR.

cylch, *eg. ll.*-oedd, -au. I. Rhywbeth crwn, cant. CIRCLE, HOOP.
2. Dosbarth. CLASS.
3. Cyfnod. CYCLE.
4. Ardal, amgylchedd. REGION.
O gylch. AROUND.
Dodi'r got yn ei gylch. PUTTING ON HIS COAT.

cylchdaith, *eb. ll.* cylchdeithiau. Taith gweinidog eglwys neu farnwr llys. CIRCUIT.

cylchdro, *eg. ll.*-eon, -adau. Tro mewn cylch neu rod arbennig. ORBIT.

cylchdroi, *be.* Troi mewn cylch arbennig, amdroi, chwyldroi. TO REVOLVE.

cylchgrawn, *eg. ll.* cylchgronau. Cyhoeddiad gan wahanol awduron a ymddangosai'n gyson bob wythnos/mis/chwarter/tymor &c., cyfnodolyn. MAGAZINE.

cylchlythyr, *eg. ll.*-au. Rhybudd neu hysbysrwydd cyffredinol trwy lythyr. A CIRCULAR.

cylchredeg, *be.* Mynd neu anfon o amgylch. TO CIRCULATE.

cylchrediad, *eg.* Y nifer o bapurau, &c., a ddosberthir mewn hyn a hyn o amser, rhediad. CIRCULATION.

cylchwyl, *eb. ll.*-iau. Dathliad blynyddol o ddyddiad arbennig i goffáu digwyddiad cofiadwy. ANNIVERSARY.

cylchynol, *a.* O amgylch, amgylchynol, symudol. SURROUNDING, CIRCULATING.

cylchynu, *be.* Amgylchu, cwmpasu, mynd o gwmpas, cerdded o amgylch. TO SURROUND, TO ENCOMPASS, TO ENCIRCLE.

cylionen, *eb. ll.* cylion. Cleren, pryf, gwybedyn. FLY, GNAT.

cylymu, *gw.* **clymu**.

cyll, *gw.* **collen**.

cylla, *eg. ll.*-on. Stumog. STOMACH.

cyllell, *eb. ll.* cyllyll. Offeryn torri yn cynnwys llafn wrth garn. KNIFE.
Cyllell boced. PENKNIFE.

cyllid, *eg. ll.*-au. Enillion, incwm, elw, derbyniadau, materion ariannol. REVENUE, FINANCE.

cyllideb, *eb. ll.*-au. Amcangyfrif o dreuliau'r wladwriaeth am flwyddyn. BUDGET.

cyllidol, *a.* Yn ymwneud â chyllid neu arian. FINANCIAL, FISCAL.

cymaint, *a.* Mor fawr, mor niferus. AS LARGE, AS MANY.
Cymaint arall : dau cymaint. TWICE AS MUCH.
Cymaint â. AS LARGE AS. AS MUCH AS.

cymal, *eg. ll.*-au. I. Y lle y cysylltir dau asgwrn, cyswllt, cwgn. JOINT.
2. Rhan o frawddeg. CLAUSE.

cymalwst, *eb.* Poen llidus yn y cymalau neu'r cyhyrau, cryd cymalau, gwynegon. RHEUMATISM.

cymanfa, *eb. ll.*-oedd. Cynulliad, cyfarfod, dathliad. ASSEMBLY.
Cymanfa ganu. A SINGING FESTIVAL.

Cymanwlad, *eb.* Gwladwriaeth neu gymuned annibynnol, gwerinlywodraeth neu wladwriaeth ddemocratig. COMMONWEALTH.

cymar, *eg. ll.* cymheiriaid. (*b.* cymhares). Cyfaill, cydymaith, cymrawd. PARTNER, MATE.

cymathiad, *eg.* Yr act o gymathu, tebygiad, cydweddiad. ASSIMILATION.

cymathu, *be.* Gwneud yn debyg, tebygu, ymdebygu, cydweddu. TO ASSIMILATE.

cymdeithas, *eb. ll.*-au. Cwmni śy'n byw yr un bywyd gyda'i gilydd, pobl a'u harferion, cyfeillach. SOCIETY.

cymdeithaseg, *eb. ll.*-au. Un o'r Gwyddorau Cymdeithasol, astudiaeth o gymdeithas. SOCIOLOGY.

cymdeithasegol, *a.* Yn ymwneud â chymdeithaseg. SOCIOLOGICAL.

cymdeithasegwr, *eg. ll.* cymdeithasegwyr. Un sy'n trin a thrafod natur cymdeithas yn ôl gofynion Cymdeithaseg. SOCIOLOGIST.

cymdeithasol, *a.* Yn perthyn i gymdeithas, cyfeillgar, yn byw yr un bywyd. SOCIAL ; SOCIABLE.

cymdeithasu, *be.* Byw gydag eraill, cyfeillachu. TO ASSOCIATE.

cymdogaeth, *eb. ll.*-au. Ardal o amgylch, rhandir. NEIGHBOURHOOD.

cymdogaethol, *a.* Cyfagos, o amgylch, gerllaw, yn ymyl, ar gyfyl. NEIGHBOURING.

cymdogol, *a.* Cyfeillgar, caredig, cymwynasgar, cynorthwyol. NEIGHBOURLY.

cymedrol, *a.* Rhesymol, canolig, sobr, gweddol, tymherus, tymheraidd. MODERATE.

cymedroldeb : cymedrolder, *eg.* Heb fod yn eithafol, bod o fewn terfynau, arafwch, sobrwydd, atalfa, rhesymoldeb. MODERATION, TEMPERANCE.

cymell, *be.* Denu, darbwyllo, perswadio, gorfodi, annog, erfyn, erchi, deisyfu, dymuno. TO INDUCE, TO COMPEL.

cymen, *a.* Dillyn, dillynaidd, celfydd, twt, taclus, trefnus, destlus, gorffenedig. TIDY, FINISHED.

cymer, *eg. ll.*-au. Cydiad dwy afon, aber, uniad, cydlif. CONFLUENCE.

cymeradwy, *a.* Y gellir ei gymeradwyo, derbyniol, croesawus, ffafriol. ACCEPTABLE.

cymeradwyaeth, *eb. ll.*-au. Croeso, derbyniad, argymelliad, curiad dwylo. APPROVAL, APPLAUSE.

cymeradwyo, *be.* Rhoi gair da i, derbyn, argymell, croesawu, canmol, curo dwylo. TO APPROVE, TO RECOMMEND.

cymeriad, *eg. ll.*-au. Rhinweddau a beiau dyn at ei gilydd, enw, cárictor, gair da neu ddrwg. CHARACTER.

cymesur, *a.* Yn ôl cymesuredd, wedi eu cydbwyso, cyfartal. PROPORTIONATE.

cymesuredd, *eg.* Cydbwysedd, cyfartaledd. PROPORTION, SYMMETRY.

cymhariaeth, *eb. ll.* cymariaethau. Tebygrwydd ac annhebygrwydd pethau, cyffelybiaeth. COMPARISON, SIMILE.

cymharol, *a.* Mewn cymhariaeth â, o'i gymharu â. COMPARATIVE.

cymharu, *be.* Cyffelybu, gwneud cymhariaeth, tebygu neu annhebygu pethau, edrych ar un peth wrth ochr peth arall. TO COMPARE.

cymhelliad, *eg. ll.* cymhellion. Y weithred o gymell ; yr hyn sy'n cymell ; symbyliad ; gorfodaeth. AN URGING ; MOTIVE ; STIMULUS ; COMPULSION.

cymhendod, *eg.* Taclusrwydd, trefn, destlusrwydd. TIDINESS.

cymhennu, *be.* I. Tacluso, twtio, trefnu, cymoni. TO TIDY.
2. Dwrdio, tafodi, cadw stŵr â. TO SCOLD.

cymhleth, *a.* Yn cynnwys llawer rhan, dyrys, astrus, cymhlyg, anodd. COMPLEX.

cymhlethdod, *eg. ll.*-au. Y cyflwr o fod yn gymhleth, dryswch. COMPLEXITY.

cymhlethu, *be.* Plethu ynghyd, gwneud yn gymhleth neu'n ddyrys. TO COMPLICATE.

cymhorthdal, *eg. ll.* cymorthdaloedd. Arian a roddir gan y wladwriaeth neu gan gorff cyhoeddus i gynorthwyo sefydliad neu fusnes preifat. SUBSIDY, GRANT.

cymhwysiad, *eg.* Addasiad, cyfaddasiad, trefniad. ADJUSTMENT, APPLICATION.

cymhwyso, *be.* Addasu, cyfaddasu, trefnu, cywiro, twtian, gwella, unioni. TO APPLY, TO STRAIGHTEN.

cymhwyster, *eg. ll.* cymwysterau. Addasrwydd, addaster, cyfaddasrwydd, priodoldeb, teilyngdod. SUITABILITY.
Cymwysterau. QUALIFICATIONS.

cymod, *eg.* Cytgord, cydfod, heddwch, iawn. RECONCILIATION.

cymodi, *be.* Gwneud cytundeb, gwneud iawn, dod yn gyfeillgar drachefn, cysoni. TO RECONCILE.

cymoni, *be.* Cymhennu, tacluso, trefnu, twtio. TO TIDY.

cymorth, *eg.* I. Cynhorthwy, help, porth. HELP. 2. *be.* Cynorthwyo, helpu, nerthu. TO HELP.

Cymraeg, *ebg.* Iaith y Cymro. WELSH (LANGUAGE). Y Gymraeg. THE WELSH LANGUAGE. Yn Gymraeg. IN WELSH.

Cymraeg, *a.* Yn yr iaith Gymraeg. WELSH (IN LANGUAGE).

Cymraes, *eb.* Gwraig neu ferch o genedl y Cymry. WELSHWOMAN.

cymrawd, *eg. ll.* cymrodyr. Aelod o gymdeithas ddysgedig, swyddog mewn coleg, &c. ; cyfaill, cymar, cymrodor. FELLOW, COMRADE.

Cymreig, *a.* Yn perthyn i Gymru. WELSH.

Cymreigaidd, *a.* Yn Gymreig o ran acen neu ddull. WELSH-LIKE.

Cymreigeiddio : Cymreigio, *be.* Gwneud yn Gymreig, cyfieithu i Gymraeg. TO CHANGE INTO WELSH.

Cymreiges, *eb. ll.*-au. Cymraes, gwraig neu ferch sy'n arfer siarad Cymraeg. WELSHWOMAN ; WELSH-SPEAKING WOMAN OR GIRL.

Cymro, *eg. ll.* Cymry. Gŵr neu fachgen o genedl y Cymry, un sy'n perthyn i Gymru. WELSHMAN. *gw.* Cymraes.

cymrodedd, *eg.* Cytundeb rhwng dau i bob un ohonynt fynd heb ran o'r hyn a hawlir ganddynt, cyfaddawd. COMPROMISE, ARBITRATION.

cymrodeddu, *be.* Cytuno i gymrodedd, cyfaddawdu. TO COMPROMISE, TO RECONCILE.

cymrodor, *eg. ll.*-ion. Aelod o'r un gymdeithas â, cymrawd. FELLOW.

Cymru, *eb.* Gwlad i'r gorllewin o ganolbarth Lloegr yn ffinio â'r wlad honno a Chaerdydd ei phrifddinas. WALES.

Cymry, *e.ll.* Brodorion o Gymru sy'n eu cyfrif eu hunain yn aelodau o'r genedl Gymreig. WELSH PEOPLE, NATIVES OF WALES.

cymryd, *be.* Derbyn, cael. TO ACCEPT. Cymryd ar. TO PRETEND.

cymun : cymundeb, *eg.* Sacrament neu Sagrafen, Swper yr Arglwydd (sef y ddefod Gristnogol o gofio am farwolaeth Iesu Grist), cyfeillach. COMMUNION.

cymuned, *eb. ll.*-au. Corff o bobl yn byw yn yr un lle, nifer o bobl wedi'u trefnu'n wleidyddol, trefol, cymdeithasol, crefyddol, &c. COMMUNITY.

cymuno, *be.* Cyfranogi o'r Cymun Sanctaidd, cyfeillachu. TO COMMUNE.

cymunwr, *eg. ll.* cymunwyr. Un sy'n cymuno. COMMUNICANT.

cymwynas, *eb. ll.*-au. cymwynasgarwch, *eg.* Ffafr, caredigrwydd. FAVOUR, KINDNESS.

cymwynasgar, *a.* Caredig, hynaws, gwasanaethgar. KIND, HELPFUL, READY TO DO FAVOUR.

cymwynaswr, *eg. ll.* cymwynaswyr. Un caredig neu un sy'n gwneud cymwynas, noddwr, gwasanaethwr, cynorthwywr. BENEFACTOR.

cymwys, *a.* I. Priodol, addas, abl, teilwng iawn. SUITABLE. 2. Union, diwyro. STRAIGHT. Yn gymwys : yn gywir : yn hollol.

cymwysterau, *gw.* cymhwyster.

cymydog, *eg. ll.* cymdogion. (*b.* cymdoges). Un sy'n byw gerllaw, y dyn drws nesaf. NEIGHBOUR.

cymylog, *a.* Dan gwmwl, â llawer o gymylau, pŵl, tywyll, aneglur. CLOUDY.

cymylu, *be.* Gorchuddio â chymylau, cymylau'n crynhoi, tywyllu, cuddio. TO CLOUD.

cymynrodd, *eb. ll.*-ion. Rhodd mewn ewyllys. LEGACY.

cymynroddi : cymynnu, *be.* Gadael mewn ewyllys. TO BEQUEATH.

cymynu, *be.* Torri i lawr, cwympo (coed), torri â bwyell, &c. TO HEW, TO FELL.

cymynnwr, *eg. ll.* cymynwyr. Rhoddwr trwy ewyllys. TESTATOR.

cymynwr, *eg. ll.* cymynwyr. Cwympwr coed, torrwr coed. HEWER.

cymysg, *a.* O wahanol ddefnyddiau neu fathau, brith, amrywiol. MIXED.

cymysgedd, *eg.* cymysgfa, *eb.* cymysgwch, *eg.* Peth cymysg, cybolfa, dryswch, tryblith, anhrefn. MIXTURE.

cymysglyd, *a.* Bod â'r meddyliau'n gymysg, mewn cyfyng-gyngor, dryslyd, anhrefnus, dyrys, di-drefn. CONFUSED.

cymysgu, *be.* Gosod gwahanol bethau gyda'i gilydd, drysu. TO MIX.

cymysgwch, *gw.* cymysgedd.

cyn-, *rhagdd.* O'r blaen, cyntaf. FORMER, EX-. Cyn-Brifathro. FORMER PRINCIPAL. Cyn-löwr. FORMER MINER. Cyn-weinidog. FORMER MINISTER.

cyn, *ardd.* O flaen (amser), yn gynt. BEFORE (TIME).

cyn, *cys.* Mor. AS. Cyn drymed â phlwm. Cyn ddued â'r frân. Cyn goched â thân.

cŷn, *eg. ll.* cynion. Offeryn saer a blaen miniog iddo, gaing. CHISEL.

cynadledda, *be.* Cyfarfod mewn cynhadledd. TO MEET IN CONFERENCE.

cynaeafau, *gw.* cynhaeaf.

cynaeafu, *be.* Casglu'r cynhaeaf neu'r cnydau, cywain i'r ysguboriau. TO HARVEST.

cynamserol, *a.* Cyn pryd, rhy gynnar, annhymig, anaeddfed. PREMATURE.

cynaniad, *eg. ll.*-au. Y ffordd o ddweud neu seinio geiriau, ynganiad, seiniad, sain. PRONUNCIATION.

cynanu, *be.* Ynganu, seinio, swnio, traethu, llefaru. TO PRONOUNCE.

cyndad, *eg. ll.*-au. Hynafiad. ANCESTOR.

cynderfynol, *a.* Y gêm neu'r gystadleuaeth olaf ond un mewn cyfres. SEMI-FINAL.

cyndrigolion, *e.ll.* Rhai oedd yn byw o flaen, rhai genedigol o, cynfrodorion. PREDECESSORS, ABORIGINES.

cyndyn, *a.* Ystyfnig, cildyn, cildynus, anhydyn, anhydrin, gwarsyth, gwrthnysig, gwargaled. STUBBORN.

cyndynrwydd, *eg.* Bod yn gyndyn, ystyfnigrwydd, cildynrwydd. OBSTINACY.

cynddaredd, *eb.* Llid, cynddeiriogrwydd, bâr, gwylltineb, gwallgofrwydd, gorffwylltra. RAGE, MADNESS.

cynddeiriog, *a.* Gwallgof, gorffwyll, ffyrnig, gwyllt, ynfyd, o'i gof. FURIOUS.

cynddeiriogi, *be.* Ffyrnigo, gwallgofi, gorffwyllo, ynfydu, gwylltu. TO BE ENRAGED.

cynddrwg, *a.* Mor ddrwg, dryced. AS BAD, SO BAD.

cynddydd, *eg.* Cyfddydd, gwawr, glasddydd, gwawrddydd, glasiad dydd, bore bach, toriad dydd. DAWN.

cynefin, *a.* I. Yn gwybod am, cyfarwydd, adnabyddus, cydnabyddus. ACQUAINTED, FAMILIAR.

2. *eg.* Cartref, hen ardal, lle arferol. HABITAT.

cynefino, *be.* Cyfarwyddo, arfer, ymarfer. TO BECOME ACCUSTOMED (TO), GET USED (TO).

Cynfardd, *eg. ll.* Cynfeirdd. Un o feirdd cynnar Cymru (6ed. i'r 12fed. ganrif). EARLY WELSH POET.

cynfas, *eg. ll.*-au. Brethyn cwrs. CANVAS.

cynfyd, *eg.* Yr hen fyd, byd ein hynafiaid. ANCIENT WORLD.

cynffon, *eb. ll.*-nau. Cwt, llosgwrn. TAIL.

cynffonna, *be.* Ceisio ffafr, bod yn wasaidd, gwenieithio, ymgreinio, truthio. TO FAWN, TO TOADY.

cynffonnwr, *eg. ll.* cynffonwyr. Un sy'n cynffonna, un sy'n gwenieithio er mwyn ffafr, truthiwr. SYCOPHANT.

cyn-geni, *a.* Yn bodoli neu'n digwydd cyn genedigaeth ; yn ymwneud â thymor beichiogaeth. ANTENATAL.

cynhadledd, *eb. ll.* cynadleddau. Cyfarfod i drafod materion, cyngres, trafodaeth. CONFERENCE.

cynhaeaf, *eg. ll.* cynaeafau. Cnydau a gesglir, ffrwyth unrhyw lafur neu waith. HARVEST.

cynhaliaeth, *eb.* Y weithred o gynnal, yr hyn sy'n cynnal, ymborth. MAINTENANCE.

cynhaliol, *a.* Yn dal i fyny, yn cynnal. SUPPORTING, SUSTAINING.

cynhanesiol, *a.* Perthyn i gyfnod cyn bodolaeth record ysgrifenedig. PREHISTORIC.

cynhebrwng, *eg. ll.* cynhebryngau. Y seremoni o gladdu, angladd, claddedigaeth. FUNERAL.

cynhenid, *a.* Naturiol, greddfol, priodol, hanfodol, cynhwynol. INNATE.

cynhennus, *a.* Cwerylgar, cecrus, ymrysongar, ffraegar, ymrafaelgar. QUARRELSOME.

cynhesrwydd, *eg.* Gwres, twymdra. WARMTH.

cynhesu, *be.* Twymo, gwresogi, ymdwymo. TO WARM, TO GET WARM.

cynhorthwy, *eg. ll.* cynorthwyon. Cymorth, help, swcwr. HELP.

cynhwysfawr, *a.* Yn cynnwys llawer. COMPREHENSIVE.

cynhwysyn, *eg. ll.* cynhwysion. Cyfansoddyn, elfen mewn cymysgedd neu gyfuniad. INGREDIENT.

cynhyrchiad, *eg. ll.*-au. Y weithred o gynhyrchu ; yr hyn a gynhyrchir, cynnyrch. PRODUCTION ; PRODUCT, PRODUCE.

cynhyrchiol, *a.* Yn cynhyrchu'n dda, ffrwythlon, toreithiog. PRODUCTIVE.

cynhyrchu, *be.* Dwyn ffrwyth, codi, creu. TO PRODUCE.

cynhyrfiad, *eg. ll.* cynyrfiadau. Cyffro, cynnwrf, stŵr, mwstwr. STIR.

Ar gynhyrfiad y foment. ON THE SPUR OF THE MOMENT.

cynhyrfu, *be.* Cyffroi, symud, annog, annos, cyffro, cymell, ennyn, codi. TO EXCITE.

cynhyrfus, *a.* Cyffrous, llawn cynnwrf. EXCITING.

cynhyrfwr, *eg. ll.* cynhyrfwyr. Un sy'n cyffroi. AGITATOR.

cynhysgaeth, *eb.* Gwaddol a gaiff gwraig wrth briodi, rhan, cyfran. DOWRY, INHERITANCE.

cyni, *eg.* Trallod, cyfyngder, caledi, helbul, adfyd, ing. DISTRESS, ANGUISH.

cynifer, *a.* Cymaint (mewn nifer). AS MANY, SO MANY.

cynigiad, *eg. ll.*-au. Cynnig, awgrym, cais, cynllun. PROPOSAL, MOTION.

cynildeb, *eg.* Rheolaeth ofalus, darbodaeth, bod heb wastraff. ECONOMY.

cynilo, *be.* Gofalu am arian, cadw, arbed, safio. TO SAVE.

cynilion, *e.ll.* Yr hyn a gynilir. SAVINGS.

Cynilion Cenedlaethol. NATIONAL SAVINGS.

cyniwair : cyniweirio, *be.* Mynychu, mynd yn ôl ac ymlaen, ymweld yn aml â lle. TO FREQUENT.

cyniweirfa, *eb. ll.* cyniweirfeydd. Lle a fynychir, lle yr ymwelir ag ef yn aml, cyrchfa, cyrchle. HAUNT.

cynllun, *eg. ll.*-iau. Patrwm, plan, bwriad, amcan, arfaeth, trefniant. PLAN, DESIGN, PLOT.

cynllunio, *be.* Tynnu cynllun, arfaethu, bwriadu, braslunio. TO PLAN, TO DESIGN.

cynllwyn : cynllwynio, *be.* Cynllunio'n ddrwg neu'n niweidiol, brad-fwriadu. TO CONSPIRE.

cynllwyn, *eg. ll.*-ion. Brad, bradwriaeth, ystryw, cydfwriad. PLOT, STRATAGEM.

Y cynllwyn. THE RASCAL.

Beth gynllwyn . . . WHAT THE DEUCE . . . .

cynllwynwr, *eg. ll.* cynllwynwyr. Bradwr, ystrywiwr. CONSPIRATOR.

cynnal, *be.* I. Dal, dal i fyny, cefnogi, ategu. TO SUPPORT.
2. Cadw (rhywun). TO MAINTAIN.
cynnar, *a.* Mewn amser da, bore, boreol, cyn yr amser penodedig. EARLY.
cynnau, *be.* Rhoi ar dân, mynd ar dân, ennyn, tanio, llosgi, goleuo. TO KINDLE, TO LIGHT. Ar gynn : Ynghynn. ALIGHT.
cynneddf, *eb. ll.* cyneddfau. Natur, anian, tymer, tueddfryd, medr, gallu, priodoledd, cymhwyster. FACULTY, DISPOSITION.
cynnen, *eb. ll.* cynhennau. Ymryson, ymrafael, cweryl, dicter, dig. CONTENTION. Asgwrn y gynnen. BONE OF CONTENTION.
cynnes, *a.* Twym, gwresog, brwd, brwdfrydig. WARM.
cynnig, *be.* I. Ceisio, ymgeisio. TO ATTEMPT, TRY.
2. Estyn er mwyn rhoi, cyflwyno. TO OFFER.
3. Awgrymu rhywbeth (mewn cyfarfod). TO PROPOSE.
cynnig, *eg. ll.* cynigion. I. Ymgais, cais. ATTEMPT.
2. Awgrym. OFFER.
3. Dywediad i'w ystyried, cynigiad. PROPOSAL, PROPOSITION.
cynnil, *a.* I. Diwastraff, darbodus, crintach, prin, gofalus. THRIFTY.
2. Tyner, cyfrwys, cywrain. DELICATE, SUBTLE.
cynnor, *eb. ll.* cynhorau. Post ffrâm drws. DOOR POST.
cynnud, *eg.* Defnydd tân, coed tân, tanwydd. FUEL, FIREWOOD.
cynnull, *be.* Casglu, crynhoi, hel, pentyrru, ymgasglu, ymgynnull. TO GATHER.
cynnwrf, *eg. ll.* cynhyrfau. Cynhyrfiad, cyffro, terfysg, aflonyddwch, stŵr, cythrwfl, dadwrdd. AGITATION.
cynnwys, *be.* I. Dal o fewn, dodi i mewn. TO CONTAIN.
2. *eg.* Yr hyn y mae rhywbeth yn ei ddal, cynhwysiad. CONTENTS.
cynnydd, *eg.* Tyfiant, ychwanegiad, twf, tyfiad, datblygiad, amlhad. INCREASE.
cynnyrch, *eg. ll.* cynhyrchion. Yr hyn a gynhyrchir, ffrwyth. PRODUCE.
cynoesol, *a.* Yn perthyn i'r oesoedd gynt, o'r cynfyd, cyntefig. PRIMEVAL.
cynorthwyo, *be.* Rhoi cymorth, helpu, nerthu, cefnogi. TO HELP.
cynorthwyol, *a.* Yn cynorthwyo, yn helpu, yn cynnig cymorth, cynhaliol. HELPFUL, ASSISTING ; *gram.* AUXILIARY (*of verb*).
cynorthwywr, *eg. ll.* cynorthwywyr. Un sy'n helpu neu'n cynnig cymorth. HELPER, ASSISTANT.
cynradd, *a.* Y radd gyntaf. PRIMARY. Ysgol gynradd. PRIMARY SCHOOL.
cynrhon, *e.ll.* (*un. g.* cynrhonyn). Pryfed yn eu ffurf gynnar, maceiod. MAGGOTS.
cynrychiolaeth, *eb.* Un neu ragor sy'n cynrychioli cymdeithas, &c. REPRESENTATION.

cynrychioli, *be.* Mynd dros neu fynd yn lle rhywun, sefyll neu siarad dros rywun. TO REPRESENT.
cynrychiolwr : cynrychiolydd, *eg. ll.* cynrychiolwyr. Un sy'n cynrychioli. REPRESENTATIVE, DELEGATE.
cynsail, *eb. ll.* cynseiliau. Elfen, egwyddor. RUDIMENT, PRECEDENT.
cynt, *a.* I. Mwy cynnar. EARLIER.
2. Cyflymach, ynghynt. QUICKER. Na chynt na chwedyn. NEITHER BEFORE NOR AFTER.
3. *adf.* O'r blaen, yn flaenorol, yn yr amser a fu. FORMERLY, PREVIOUSLY, IN TIME PAST ; *née.*
Mrs Hafwen Tudur, gynt Rhys. MRS HAFWEN TUDUR, *née* Rhys.
cyntaf, *a.* Blaenaf, prif, pennaf, cynharaf, o flaen pawb neu bopeth. FIRST.
cyntedd, *eg. ll.*-au. Porth, drws, mynedfa i adeilad, cwrt. PORCH, COURT.
cyntefig, *a. ll.*-ion. Yn byw yn yr oesoedd cynnar, gwreiddiol, boreol, cysefin. PRIMITIVE.
cyntun, *eg.* Byrgwsg, seibiant byr, cwsg, hun, amrantun, hepian. NAP, SLEEP.
cynulleidfa, *eb. ll.*-oedd. Cyfarfod neu gynulliad o bobl, casgliad o bobl. CONGREGATION.
cynulleidfaol, *a.* Yn perthyn i gynulleidfa. CONGREGATIONAL.
cynulliad, *eg. ll.*-au. Casgliad, crynhoad, cyfarfod, cwrdd. CONGREGATION, ASSEMBLY.
cynyddu, *be.* Ychwanegu, amlhau, chwyddo, tyfu, datblygu. TO INCREASE.
cynysgaeddu, *be.* Gwaddoli, donio, cyfoethogi. TO ENDOW.
cyplysnod, *eg. ll.*-au. (-) Nod i uno dwy ran o air, cysylltnod. HYPHEN.
cyplysu, *be.* Cysylltu, uno, ieuo, cydio, asio, cyplu. TO JOIN, TO COUPLE.
cyraeddadwy, *a.* O fewn cyrraedd. ATTAINABLE.
cyraeddiadau, *e.ll.* (*un. g.* cyrhaeddiad). Cymwysterau a ddaw drwy ymdrech, yr hyn y gellir eu cyrraedd. ATTAINMENTS.
cyrbibion, *e.ll.* Gronynnau, teilchion, ysgyrion, yfflon, drylliau. ATOMS, SHREDS.
cyrcydu, *be.* Mynd yn ei gwrcwd, gwyro i lawr, plygu, swatio. TO SQUAT.
cyrch, *eg. ll.*-au, -oedd. Ymosodiad, rhuthr. ATTACK. Cyrch awyr. AIR-RAID. Dwyn cyrch. TO ATTACK.
cyrchfa, *eb. ll.* cyrchfeydd. **cyrchle,** *eg. ll.*-oedd. Lle yr ymwelir ag ef yn aml, cyrchfan, cyniweirfa. RESORT.
cyrchu, *be.* I. Ymofyn, hôl, nôl, hercyd. TO FETCH.
2. Mynd tua, nesáu. TO GO (TO), TO MAKE FOR.
cyrlog : cyrliog, *a.* Modrwyog (am wallt), crych, yn troi yn gylchoedd. CURLY.
cyrion, *gw.* **cyrrau.**
cyrn, *gw.* **corn.**
cyrnol, *eg.* Swyddog mewn byddin. COLONEL.

cyrraedd : cyrhaeddyd, *be.* Dod at, mynd at, estyn, ymestyn, cael gafael ar. TO REACH.

cyrrau : cyrion, *e.ll.* (*un. g.* cwr). Corneli, conglau, terfynau. CORNERS, BORDERS.

cyrren, *e.ll.* (*un. b.* cyrensen). Grawnwin bychain wedi eu sychu, rhyfon, grawn Corinth. CURRANTS.
Cyrren duon. BLACK CURRANTS.

cysefin, *a.* Yn enedigol o, gwreiddiol, cynhenid, cyntefig, brodorol, cynhwynol. NATIVE, ORIGINAL, RADICAL.

cysegr, *eg. ll.*-oedd. Lle sanctaidd, seintwar, lle i addoli Duw. SANCTUARY.

cysegredig, *a.* Wedi ei gysegru, sanctaidd. SACRED.

cysegredigrwydd, *eg.* Yr ansawdd o fod yn gysegredig, sancteidddrwydd. SACREDNESS, HOLINESS.

cysegriad, *eg. ll.*-au. Y weithred o gysegru neu sancteiddio. CONSECRATION.

cysegru, *be.* Gwneud yn gysegredig, sancteiddio, cyflwyno, diofrydu. TO CONSECRATE.

cysetlyd, *a.* Anodd ei foddhau, mursennaidd, gorfanwl. FASTIDIOUS.

cysgadrwydd, *eg.* Y cyflwr o fod yn gysglyd, syrthni, anegni, diogi. SLEEPINESS.

cysgadur, *eg. ll.*-iaid. Un cysglyd, cysgwr. SLEEPER.

cysglyd, *a.* Tueddol i gysgu, ag eisiau cysgu, swrth, marwaidd. SLEEPY.

cysgod, *eg. ll.*-ion, -au. Lle go dywyll neu o olwg yr haul, clydwch, cysgodfa, diddosfa, noddfa, nawdd, gwyll, darn tywyll a wneir gan rywbeth yn sefyll yn y golau. SHADE, SHELTER, SHADOW.

cysgodi, *be.* Bod mewn cysgod, tywyllu, gwasgodi, noddi, amddiffyn, ymochel. TO SHADE, TO SHELTER.

cysgodol, *a.* Yn y cysgod, diddos, clyd, amddiffynnol, o afael perygl neu dywydd garw, &c. SHADY, SHELTERED.

cysgu, *be.* 1. Huno. TO SLEEP.
2. Merwino, fferru. TO BE BENUMBED.

cysgwr, *eg. ll.* cysgwyr. Un sy'n cysgu, cysgadwr. SLEEPER.

cysodi, *be.* Dodi llythrennau'n barod i'w hargraffu. TO SET TYPE, TO COMPOSE.

cysodydd, *eg. ll.* cysodwyr. Un sy'n cysodi. COMPOSITOR.

cyson, *a.* Arferol, wedi ei sefydlu gan reol, rheolaidd, gwastadol, ffyddlon, cywir. REGULAR, CONSISTENT.

cysondeb, *eg.* Rheoleidd-dra, gwastadrwydd. REGULARITY.

cysoni, *be.* Dod â phethau i gytundeb â'i gilydd, rheoleiddio, cymodi, gwastatáu. TO RECONCILE.

cystadleuaeth, *eb. ll.*-au, cystadleuthau. Cydymgais, cydymgeisiaeth, ymryson, ymddadlau, ymgiprys. COMPETITION.

cystadleuol, *a.* Mewn cystadleuaeth. COMPETITIVE.

cystadleuwr : cystadleuydd, *eg. ll.* cystadleuwyr. Un sy'n cystadlu. COMPETITOR.

cystadlu, *be.* Cydymgeisio, ymryson, ymgiprys. TO COMPETE.

cystal, *a.* Mor dda, cyfartal. AS GOOD, EQUAL.

cystrawen, *eb. ll.*-nau. Y rhan o ramadeg sy'n ymwneud â threfn a chysylltiad geiriau mewn brawddeg. SYNTAX, CONSTRUCTION.

cystudd, *eg. ll.*-iau. Adfyd, trallod, gofid, cyfyngder, caledi, argyfwng, salwch, afiechyd. AFFLICTION, ILLNESS.

cystuddio, *be.* Peri poen neu drallod. TO AFFLICT.

cystuddiol, *a.* Dan gystudd. AFFLICTED.

cystwyo, *be.* Ceryddu, dwrdio, curo, cosbi, cymhennu. TO CHASTISE.

cysur, *eg. ll.*-on. Esmwythyd corff a meddwl, diddanwch, bod yn gysurus, esmwythdra. COMFORT.

cysuro, *be.* Rhoi cysur, gwneud yn gyffyrddus, diddanu. TO COMFORT.

cysurus, *a.* Yn cael cysur, cyffyrddus, diddan, esmwyth, diddanus. COMFORTABLE.

cysurwr, *eg. ll.* cysurwyr. Diddanydd. COMFORTER.

cyswllt, *eg.* Y man lle daw dau beth ynghyd, cymal, uniad, asiad, undeb, cysylltiad. CONNECTION.

cysylltair, *eg. ll.* cysyllteiriau. **cysylltiad,** *eg. ll.* cysylltiaid. Gair i uno geiriau neu frawddegau, &c. CONJUNCTION.

cysylltiad, *eg. ll.*-au. Perthynas. CONNECTION.

cysylltnod, *eg. ll.*-au. Cyplysnod, llinell gyswllt, llinell fer (-) a ddefnyddir i gysylltu'r elfennau mewn gair cyfansawdd (*e.e.* Llanfair-ym-Muallt, llaw-fer, môr-ladron . . .), neu i uno dwy ran o air. HYPHEN.

cysyniad, *eg. ll.*-au. Argraff feddyliol o wrthrych, syniad cyffredinol ynglŷn â dosbarth o wrthrychau. CONCEPT.

cysylltu, *be.* Cydio, uno, asio, cyplysu, cyfuno, cyduno, cyd-gysylltu. TO JOIN.

cytbwys, *a.* O'r un pwysau, gyda'r un aceniad. OF EQUAL WEIGHT.

cytbwysedd, *eg.* Cyfartaledd rhwng dwy ochr o raddfa, felly, cyfartaledd rhwng unrhyw rymoedd cyferbyniol. BALANCE.

cytgan, *egb. ll.*-au. Cân a genir gan nifer o bobl. CHORUS, REFRAIN.

cytgord, *eg.* Cydfod, cytundeb, harmoni. CONCORD.

cytir, *eg. ll.*-oedd. Tir sy'n perthyn i'r cyhoedd, tir cyd, comin, tir cyffredin. COMMON LAND.

cytsain, *eb. ll.* cytseiniaid. Llythyren nad yw'n llafariad. CONSONANT.

cytûn, *a.* Yn cydweld, unol, gyda'i gilydd. IN AGREEMENT, TOGETHER.

cytundeb, *eg. ll.*-au. Cyfatebiaeth, cyfamod, bargen. AGREEMENT, CONTRACT, TREATY.

cytuno, *be.* Bod o'r un meddwl, cyfamodi, cysoni, bodloni, dygymod, cyfateb. TO AGREE.

cythlwng, *eg.* Bod heb fwyta dim neu ond ychydig, ympryd. FASTING.

cythraul, *eg. ll.* cythreuliaid. Ysbryd drwg, gŵr drwg, diafol, diawl. DEVIL.

cythreuldeb, *eg.* Drygioni, direidi. DEVILMENT.

cythreulig, *a.* Dieflig, drygionus, direidus. DEVILISH.

cythruddo, *be.* Poeni, blino, llidio, ffyrnigo, poenydio, trallodi. TO ANNOY, TO ANGER.

cythrwfl, *eg.* Terfysg, cyffro, cynnwrf, dadwrdd. UPROAR.

cythryblu, *be.* Aflonyddu, poeni, blino, trallodi, trafferthu. TO TROUBLE.

cythryblus, *a.* Helbulus, aflonydd, terfysglyd, gofidus, blinderus, trallodus, trafferthus. TROUBLED.

cyw, *eg. ll.*-ion. Aderyn ifanc. CHICK, CHICKEN ; BABY.

cywain, *be.* Dwyn i mewn, crynhoi. TO HAUL, TO GARNER.

cywair, *eg. ll.* cyweiriau. **cyweirnod,** *eg. ll.*-au. Tôn, traw, tiwn, tymer dda neu ddrwg, hwyl. TUNE, KEY, PITCH.

cywaith, *eg.* Gwaith gan ragor nag un yn cydweithredu. PROJECT, JOINT EFFORT.

cywarch, *eg.* Planhigyn y ceir edau ohono i wneud rhaffau, &c. HEMP.

cywasgiad, *eg. ll.*-au. Yr act o gywasgu neu wneud yn llai, byrhad, talfyriad, cwtogiad, crebachiad. CONTRACTION, COMPRESSION.

cyweirio : cweirio, *be.* Trefnu, gwella, gwneud yn drefnus, trwsio, tiwnio. TO SET IN ORDER, TO REPAIR.
Cyweirio gwely : tannu gwely. TO MAKE A BED.

cywerinod, *gw.* **cywair**.

cywen, *eb. ll.*-nod. **cywennen,** *eb.* Iâr ieuanc, cyw benyw. PULLET.

cywilydd, *eg.* Teimlad euog o fod wedi gwneud rhywbeth o'i le ; gwarth, gwaradwydd, achlod, gwarthrudd. SHAME.

cywilyddio, *be.* Bod â chywilydd, teimlo'n warthus, gwaradwyddo, gwarthruddo. TO BE ASHAMED, TO SHAME.

cywilyddus, *a.* Gwaradwyddus, gwarthus. SHAMEFUL.

cywir, *a.* Priodol, addas, cymwys, iawn, union, cyfiawn, ffyddlon. CORRECT, SINCERE.
(I ddiweddu llythyr ffurfiol :) (TO END A FORMAL LETTER :)
Yr eiddoch yn gywir. YOURS TRULY.

cywirdeb, *eg.* Y sefyllfa o fod yn gywir, iawnder, gweddusrwydd, iawn, uniondeb, ffyddlondeb. CORRECTNESS, INTEGRITY.

cywiriad, *eg. ll.*-au. Y weithred o gywiro ; gwall a ddiwygiwyd. CORRECTION.

cywiro, *be.* Gwneud yn gywir, ceryddu, cosbi, unioni, addasu, cymhwyso. TO CORRECT.

cywrain, *a.* Celfydd, cyfarwydd, medrus, hyfedr. SKILFUL.

cywreinion, *e.ll.* Pethau anghyffredin. CURIOSITIES.

cywreinrwydd, *eg.* Celfyddyd, awydd i wybod, chwilfrydedd. SKILL ; CURIOSITY.

cywydd, *eg. ll.*-au. Un o'r pedwar mesur ar hugain, cân mewn cynghanedd â'r llinellau ar ffurf cwpledi yn saith sillaf yr un. *CYWYDD* (the name given to a Welsh poem in a special metre).

cywyddwr, *eg. ll.* cywyddwyr. Bardd sy'n cyfansoddi cywyddau. COMPOSER OF *'CYWYDDAU'*.

Chwa, *eb. ll.*-on. Awel, pwff o wynt. BREEZE, GUST.

chwaer, *eb. ll.* chwiorydd. Merch i'r un rhieni. SISTER.

Chwaer-yng-nghyfraith. SISTER-IN-LAW.

chwaerfaeth, *eb.* Un wedi ei chodi gydag un arall fel chwaer. FOSTER-SISTER.

chwaeroliaeth, *eb.* Cymdeithas o chwiorydd. SISTERHOOD.

chwaeth, *eb. ll.*-au. Archwaeth, ymdeimlad o'r hyn sy'n iawn neu addas, blas (mewn ystyr foesol). TASTE.

chwaethach, *adf.* Heb sôn am. MUCH LESS, NOT TO MENTION ; RATHER.

chwaethus, *a.* O chwaeth dda. IN GOOD TASTE.

chwaff : chwap, *a.* Buan cyflym, ebrwydd. QUICK. Dere'n chwaff. COME QUICKLY.

chwaith, *adf.* Ychwaith, hyd yn oed, hefyd. NOR EITHER, NEITHER.

chwâl, *a.* Gwasgarog, gwasgaredig. SCATTERED. Ar chwâl : ar wasgar. SCATTERED.

chwalfa, *eb. ll.* chwalfeydd. Gwasgariad, dryswch. DISPERSAL, ROUT.

chwalu, *be.* Gwasgaru. TO SCATTER.

chwaneg, *a. gw.* **ychwaneg.**

chwannen, *eb. ll.* chwain. Anifail bychan chwimwth sy'n byw ar waed. FLEA.

chwannog, *a.* 1. Awyddus, barus, gwancus, blysig. EAGER, GREEDY.
2. Tueddol. INCLINED.

chwant, *eg. ll.*-au. 1. Awydd, dymuniad, archwaeth. DESIRE, APPETITE.
2. Blys, trachwant. LUST.

chwantu, *be.* Awyddu, blysio. TO DESIRE, TO LUST.

chwantus, *a.* 1. Awyddus. DESIROUS.
2. Blysiog, trachwantus. LUSTFUL.

chwarae : chware, *eg. ll.*-on. 1. Gêm, camp, difyrrwch. GAME, SPORT.
2. *be.* Cymryd rhan mewn gêm neu ddrama, &c., ; actio. TO PLAY.
Chwarae teg. FAIR PLAY.
Maes chwarae. PLAY-GROUND.
Chwarae bach. AN EASY MATTER.

chwaraedy, *eg. ll.* chwaraedai. Lle i chwarae dramâu, &c., ; theatr. THEATRE.

chwaraegar, *a.* Hoff o chwarae, chwareus. PLAYFUL.

chwaraewr, *eg. ll.* chwaraewyr. Un sy'n chwarae, actwr. PLAYER, ACTOR.

chwarddaf, *gw.* **chwerthin.**

chwarddiad, *eg. ll.* Y weithred o chwerthin, chwerthiniad. A LAUGH.

chwarel, *eb. ll.*-i, -au, -ydd. Cwar, cloddfa gerrig. QUARRY.

chwarelwr, *eg. ll.* chwarelwyr. Gweithiwr mewn chwarel. QUARRYMAN.

chwareus, *a.* Llawn chwarae, nwyfus, ffraeth, cellweirus, smala, direidus, chwaraegar. PLAYFUL.

chwarren, *eb. ll.* chwarennau. Organ yn y corff sy'n tynnu defnyddiau o'r gwaed ac yn eu clirio o'r corff, cilchwyrnen, gland. GLAND.

chwart, *eg. ll.*-au, -iau. Dau beint. chwarter galwyn. QUART.

chwarter, *eg. ll.*-au. Un rhan o bedair. QUARTER.

chwarterol, *a.* Bob chwarter, bob tri mis. QUARTERLY.

chwarterolyn, *eg. ll.* chwarterolion. Cylchgrawn a gyhoeddir bob chwarter blwyddyn. QUARTERLY (MAGAZINE).

chwarteru, *be.* Rhannu yn chwarteri. TO QUARTER.

chwe, *a.* Y rhifol ar ôl pump. SIX. Defnyddir *chwe* o flaen enw unigol. Chwe drws ; chwe llyfr ; chwe thŷ. Chwe deg : chwech o ddegau. SIXTY.

chwech, *a.* ac *eg. ll.*-au. Y rhifol ar ôl pump. SIX. Defnyddir *chwech* heb enw, neu gydag *o* ac enw lluosog : Chwech o ddrysau ; chwech o lyfrau ; chwech o dai. Wedi chwech : ar ben. TOO LATE (*lit. After 6 o'clock*). Talu'r hen chwech yn ôl : talu'r pwyth yn ôl : dial. TO RETALIATE. (*lit. To repay the old sixpenny coin*).

chwechant, *eg.* Chwech o gannoedd. SIX HUNDRED.

chweched, *a.* Yr olaf o chwech. SIXTH.

chwechawd, *eg. ll.*-au. Grŵp neu barti o chwech o offerynwyr neu gantorion ; set o chwech. SEXTET.

chwedl, *eb. ll.*-au, -euon. Stori, hanes, hanesyn. STORY, TALE, FABLE.

chwedleua, *be.* Adrodd hanes neu chwedl, siarad, clebran, clepian, clecan, hel straeon, ymddiddan. TO GOSSIP, TO TELL A TALE. Paid â chwedleua : paid â sôn.

chwedleugar, *a.* Hoff o siarad, siaradus. TALKATIVE.

chwedleuwr, *eg. ll.* chwedleuwyr. Un sy'n chwedleua. STORY TELLER.

chwedloniaeth, *eb.* Storïau traddodiadol, hen storïau heb fod mewn hanes. MYTHOLOGY.

chwedlonol, *a.* Yn perthyn i chwedloniaeth, heb sail ei fod yn wir. MYTHOLOGICAL.

Chwefror, *eg.* Ail fis y flwyddyn, Mis Bach. FEBRUARY.

chweinllyd, *a.* Yn llawn chwain. VERMINOUS, FLEA-RIDDEN.

chwennych : chwenychu, *be.* Dymuno, awyddu, chwantu, eisiau. TO DESIRE, TO COVET.

chwenychiad, *eg. ll.*-au. Y weithred o chwenychu, awydd, chwant, trachwant. DESIRE, LUST, COVETOUSNESS.

chweochrog, *a.* A chanddo chwe ochr. HEXAGONAL.

chweongl, *eg. ll.*-au. Ffigur â chwe ongl. HEXAGON.

chwerthin, *be.* Gwneud sŵn â'r genau i ddangos difyrrwch neu ddirmyg. TO LAUGH. Chwarddaf. I LAUGH. Chwerthin am ei ben. TO LAUGH AT HIM.

chwerthin, *eg* : **chwerthiniad,** *eg. ll.*-au. Chwarddiad, y weithred o chwerthin. LAUGHTER.

chwerthinllyd, *a.* Yn peri chwerthin, digrif, gwrthun. LAUGHABLE, RIDICULOUS.

chwerw, *a.* Â blas cas, yn briwio'r teimladau, bustlaidd, dig, dicllon, llidiog, garw, gerwin. BITTER, SEVERE.

chwerwder : chwerwdod : chwerwedd, *eg.* Y cyflwr o fod yn chwerw, bustledd, dicter, llid, gerwinder. BITTERNESS.

chwerwi, *be.* Mynd yn arw neu'n gas neu'n ddig. TO EMBITTER, TO BECOME ROUGH.

chwi : chi, *rhag.* Rhagenw personol dibynnol ôl, ail berson lluosog, rhagenw annibynnol syml. YOU.

chwiban : chwibanu, *be.* Gwneud sŵn main uchel â'r gwefusau neu ag offeryn, &c., ; whislan. TO WHISTLE.

chwiban : chwibaniad, *eg.* Y sŵn a wneir wrth chwibanu. WHISTLING.

chwibanogl, *eb. ll.*-au. Offeryn chwibanu, chwisl, ffliwt. WHISTLE, FLUTE.

chwifio, *be.* Cyhwfan, ysgwyd. TO WAVE.

chwil, *a.* Yn siglo neu wegian. REELING.
Yn feddw chwil : yn feddw gaib : yn feddw gorn. REELING DRUNK.

chwilboeth, *a.* Crasboeth, poeth iawn. SCORCHING HOT.

chwilen, *eb. ll.* chwilod. Pryf â chas caled i'w adenydd. BEETLE.
Chwilen glust. EARWIG.

chwilenna, *be.* Chwilota, lladrata pethau bychain, chwiwladrata. TO PRY, TO PILFER, TO RUMMAGE.

chwilfriw, *a.* Yn yfflon, yn deilchion, wedi ei chwilfriwio. SHATTERED, SMASHED TO ATOMS.

chwilfriwio, *be.* Torri'n yfflon neu'n deilchion. TO SHATTER.

chwilfrydedd, *eg.* Awydd i wybod, cywreinrwydd. CURIOSITY.

chwilfrydig, *a.* Awyddus i wybod, yn llawn chwilfrydedd. CURIOUS.

chwiliad, *eg. ll.*-au. Y weithred o chwilio, ymchwiliad. A SEARCH.

chwilio, *be.* Edrych am, ceisio, profi. TO SEARCH, TO EXAMINE.

chwiliwr, *eg. ll.* chwilwyr. Un yn chwilio, ymchwiliwr. SEARCHER.

chwilolau, *eg.* Golau cryf o chwilamp i ddarganfod pethau yn y tywyllwch. SEARCHLIGHT.

chwilota : chwilmanta[n], *be.* Chwilio'n ddirgel. TO PRY, TO RUMMAGE.

chwilotwr, *eg. ll.* chwilotwyr. Un sy'n chwilota, un sy'n chwilio'n fanwl. RUMMAGER.

chwim : chwimwth, *a.* Sionc, bywiog, heini, gwisgi, byw, cyflym. NIMBLE.

chwiorydd, *gw.* chwaer.

chwip, *eb. ll.*-iau. Fferwyll, fflangell. WHIP.

chwipio, *be.* Taro â chwip, fflangellu, fferwyllu. TO WHIP.

chwipyn, *adf.* Ar unwaith. IMMEDIATELY.

chwirligwgan, *gw.* chwyrligwgan.

chwistrell, *eb. ll.*-au, -i. Gwn i saethu dŵr, &c., ; offeryn meddygol i dynnu hylif i mewn ac i'w yrru i maes. SYRINGE.

chwistrelliad, *eg. ll.*-au. Y weithred o chwistrellu. INJECTION.

chwistrellu, *be.* Pistyllu neu daenellu o chwistrell. TO SQUIRT, TO SYRINGE.

chwit-chwat, *a.* ac *eg.* Anwadal, cyfnewidiol, simsan ; un anwadal, oriog. FICKLE, INCONSTANT ; FICKLE PERSON.

chwith, *a.* Aswy, chwithig, dieithr. LEFT, STRANGE.
O chwith. THE WRONG WAY.
Y mae'n chwith gennyf glywed. I AM SORRY TO HEAR.
Dyn llawchwith. LEFT-HANDED MAN.
Dyn lletchwith. CLUMSY MAN.

chwithau, *rhag.* Chwi hefyd. YOU TOO.

chwithdod, *eg.* Dieithrwch, anghyfleustra. STRANGENESS, SENSE OF LOSS.

chwithig, *a.* 1. Dieithr, chwith. STRANGE.
2. Trwsgl, lletchwith, llibin. AWKWARD.

chwiw, *eb* : *ll.*-iau. Mympwy, ffit. WHIM.

chwiwgi, *eg. ll.* chwiwgwn. Rhywun gwael a ffals, llechgi, gwalch, cnaf ; twyllwr ; lleidr. SNEAK, ROGUE ; CHEAT ; THIEF.

chwychwi, *rhag.* Rhagenw personol dwbl, ail berson lluosog ; chwi eich hunain. YOU YOURSELVES.

chwŷd : chwydiad, *eg. ll.* chwydion. Yr hyn a deflir i fyny, cyfog. VOMIT.

chwydu, *be.* Taflu bwyd i fyny drwy'r genau, cyfogi, codi cyfog. TO VOMIT.

chwydd : chwyddi, *eg.* Man anafus wedi chwyddo, codiad ar groen, &c., ; ymchwyddiad. SWELLING.

chwyddiant, *eg. ll.* chwyddiannau. 1. Cyflwr economaidd pan fo cynnydd mewn prisiau nwyddau a gostyngiad yng ngwir werth yr arian i'w prynu. INFLATION.
2. Chwydd, ymchwyddiad. A SWELLING.

chwyddo, *be.* Mynd yn fwy neu'n uwch, codi (am groen, &c.,), ymchwyddo. TO SWELL.

chwyddwydr, *eg. ll.*-au. Meicrosgop, gwydr sydd yn peri i rywbeth edrych yn fwy. MICROSCOPE, MAGNIFYING GLASS.

chwyldro : chwyldroad, *eg. ll.* chwyldroadau. Tro cyflawn, cyfnewidiad mawr, dymchweliad llywodraeth trwy drais. REVOLUTION.
Y Chwyldro Diwydiannol. THE INDUSTRIAL REVOLUTION.
Y Chwyldro Ffrengig. THE FRENCH REVOLUTION.

chwyldroadol, *a.* Yn peri cyffro neu newid mawr. REVOLUTIONARY.

chwyldroadwr, *eg. ll.* chwyldroadwyr. Un sy'n argymell neu'n cymryd rhan mewn chwyldro. A REVOLUTIONARY.

chwyldroi, *be.* Troi mewn cylch, troelli ; peri troi, penfeddwi ; llwyr newid. TO REVOLVE ; TO CAUSE TO TURN, TO MAKE GIDDY ; TO REVOLUTIONIZE.

chwyn, *e. torfol.* (*un. g.* chwynnyn). Planhigion gwyllt diwerth yn tyfu lle nad oes eu heisiau. WEEDS.

chwynladdwr, *eg. ll.* chwynladdwyr. Cemegyn i ladd chwyn. WEED-KILLER.

chwynnu, *be.* Tynnu chwyn, glanhau. TO WEED.

chwyr, *gw.* **cwyr.**

chwyrligwgan : chwirligwgan, *eg. ll.*-od. Peth sy'n chwyrnellu, yn enwedig tegan sy'n troi'n gyflym ; chwilen. WHIRLIGIG ; WHIRLIGIG BEETLE.

chwyrlïo : chwyrnellu, *be.* Troi'n gyflym, troelli, cylchdroi, chwyrndroi, sïo. TO SPIN, TO WHIZ, TO WHIRL.

chwyrn, *a.* (*b.* chwern). Gwyllt, buan, cyflym. RAPID.

chwyrnu, *be.* I. sïo, chwyrnellu. TO WHIZ.
2. Cadw sŵn wrth gysgu, cadw sŵn (gan gi). TO SNORE, TO SNARL.

chwyro, *gw.* **cwyro.**

chwys, *eg.* Gwlybaniaeth sy'n dod o'r tyllau bach yn y croen. PERSPIRATION.
Yn chwys diferu (diferol). PERSPIRING FREELY.
Chwysdyllau. PORES.
gw. **cwys.**

chwysfa, *eb.* **: chwysiad,** *eg.* Yr act o chwysu. A SWEATING.

chwysigen, *eb. ll.* chwysigod. Pothell, codiad ar y croen. BLISTER.

chwyslyd, *a.* Yn chwysu llawer, yn dueddol i chwysu. SWEATY.

chwystyllau, *e.ll.* (*un. g.* chwystwll). Y mân dyllau yng nghroen dyn ac anifail ac mewn dail sy'n gollwng y chwys allan. PORES.

chwysu, *be.* Peri neu gynhyrchu chwys. TO SWEAT.

chwyth, *eg.* **chwythad : chwythiad,** *eg. ll.*-au.
I. Chwa, awel, gwynt. BLAST.
2. Anadl. BREATH.

chwythu, *be.* Achosi awel, symud (am wynt, &c.,), anadlu, peri ffrwd o awyr. TO BLOW.

chwythwr, *eg. ll.* chwythwyr. Un sy'n chwythu ; rhywbeth a ddefnyddir at chwythu. BLOWER.

chybydd, *gw.* **cybydd.**

chychwyn, *gw.* **cychwyn.**

chydbwysedd, *gw.* **cydbwysedd.**

chyd-ddyn, *gw.* **cyd-ddyn.**

chydfyw, *gw.* **cydfyw.**

chydio, *gw.* **cydio.**

chydnabod, *gw.* **cydnabod.**

chydnabyddiaeth, *gw.* **cydnabyddiaeth.**

chydraddoldeb, *gw.* **cydraddoldeb.**

chydsyniad, *gw.* **cydsyniad.**

chydweithio, *gw.* **cydweithio.**

chyd-weld, *gw.* **cyd-weld.**

chydwybod, *gw.* **cydwybod.**

chydymaith, *gw.* **cydymaith.**

chydymdeimlad, *gw.* **cydymdeimlad.**

chyfaddef, *gw.* **cyfaddef.**

chyfaill, *gw.* **cyfaill.**

chyfamod, *gw.* **cyfamod.**

chyfanfyd, *gw.* **cyfanfyd.**

chyfansoddi, *gw.* **cyfansoddi.**

chyfarfod, *gw.* **cyfarfod.**

chyfeiriad, *gw.* **cyfeiriad.**

chyfle, *gw.* **cyfle.**

chyfrif, *gw.* **cyfrif,** *eg. & be.*

chyfrwng, *gw.* **cyfrwng.**

chyffredin, *gw.* **cyffredin.**

chylch, *gw.* **cylch.**

chymylau, *gw.* **cwmwl.**

chynnig, *gw.* **cynning,** *be. & eg.*

chywir, *gw.* **cywir.**

Da, *eg.* I. Daioni, budd, lles. GOODNESS.
2. *e. torfol.* Meddiannau, eiddo, ychen, gwartheg. GOODS, CATTLE.
Da byw. LIVE STOCK.
Da pluog. FOWLS.
da, *a.* Buddiol, llesol, addas, cyfiawn, dianaf. GOOD, WELL.
Os gwelwch yn dda. IF IT PLEASE YOU.
Da gennyf. I AM GLAD.
dacw, *adf.* Wele, acw, gwêl acw, gwelwch acw. THERE IS, THERE ARE ; BEHOLD, SEE THERE.
da-da, *e.ll.* Melysion, losin, taffys. SWEETS.
dadansoddi, *be.* Dosrannu, dadelfennu, dosbarthu. TO ANALYSE.
dadansoddiad, *eg. ll.-au.* Dosraniad, dadelfeniad, dosbarthiad. ANALYSIS.
dadansoddwr, *èg. ll.* dadansoddwyr. Un sy'n dadansoddi neu ddosrannu. ANALYST.
dadchwyddiant, *eg. ll.* dadchwyddiannau. Cyflwr economaidd sy'n hollol groes i'r sefyllfa sy'n bodoli pan fod chwyddiant yn bresennol. DEFLATION.
dad-ddyfrïo, *be.* Tynnu dŵr o fwyd yn arbennig ar gyfer ei gadw dros amser ac i leihau ei folum. DEHYDRATE.
dadebru, *be.* Adfywhau, adfywio, ymadfywio, dadlewygu. TO REVIVE.
dadeni, *eg.* Adenedigaeth, ailenedigaeth, adfywiad. RENAISSANCE.
dadfachu, *be.* Rhyddhau, datglymu. TO UNHITCH.
dadfeilio, *be.* Dihoeni, nychu, pydru, adfeilio, cwympo, syrthio, dirywio. TO DECAY.
dadflino, *be.* Torri blinder, adfywio, adnewyddu nerth, diluddedu. TO REST.
dadl, *eb. ll.* -euon. I. Ymryson geiriol, ymresymiad. DEBATE, ARGUMENT.
2. Amheuaeth. DOUBT.
dadlaith, *be.* I. Toddi iâ neu eira, &c., ; dadmer, meirioli, dadleithio. TO THAW.
2. *eg.* Dadmer, meiriol, toddiad. THAW.
dadlau, *be.* Ymryson mewn geiriau, siarad yn groes, pledio, rhesymu, ystyried, profi. TO ARGUE, TO DEBATE.
Mân-ddadlau. QUIBBLING.
dadleniad, *eg. ll.-au.* Datguddiad, amlygiad, dadorchuddiad. DISCLOSURE.
dadlennu, *be.* Gwneud yn hysbys, datguddio, amlygu, dangos, dadorchuddio. TO DISCLOSE.
dadleuol, *a.* Y gellir dadlau amdano. CONTROVERSIAL.
dadleuwr : dadleuydd, *eg. ll.* dadleuwyr. Un sy'n dadlau neu'n ymryson, plediwr. DEBATER, ARGUER.
dadlwytho, *be.* Taflu neu dynnu llwyth oddi ar gerbyd, &c., ; gwacáu, ysgafnhau, difeichio. TO UNLOAD.
dadlygru, *be.* Y weithred o waredu llygredd oddi wrth ardal, dillad, person, &c., sy wedi ei heintio gan nwy neu ymbelydredd. TO DECONTAMINATE.

dadmer, *be.* I. Dadlaith, meirioli. TO THAW.
2. *eg.* Meiriol, dadlaith. THAW.
dadorchuddio, *be.* Datguddio, dangos, tynnu gorchudd, amlygu, dadlennu. TO UNVEIL.
dadrithio, *be.* Agor llygaid person i'r ffeithiau sy'n bodoli, peri sylweddoli'r gwirionedd. TO DISILLUSION.
dadwisgo, *be.* Tynnu oddi am, diosg, dihatru, dinoethi. TO UNDRESS.
dadwneud : dadwneuthur, *be.* Datod, andwyo, difetha, distrywio. TO UNDO.
dadwrdd, *eg.* Twrw, sŵn, twrf, terfysg, cynnwrf, cythrwfl, cyffro. NOISE, UPROAR.
dadwreiddio, *be.* Tynnu o'r gwraidd, diwreiddio. TO UPROOT.
dadymchwel, *be.* Dymchwelyd, bwrw i lawr, distrywio'n llwyr. TO OVERTURN, TO OVERTHROW.
daear, *eb. ll.-oedd.* Tir, pridd, daearen, llawr, y blaned yr ydym yn byw arni. EARTH, GROUND.
daeardy, *eg. ll.* daeardai. Cell dan y ddaear i garcharorion, daeargell. DUNGEON.
daeareg, *eb.* Gwyddor yn ymdrin â chrofen y ddaear a'i chreigiau, &c. GEOLOGY.
daearegol, *a.* Yn perthyn i ddaeareg. GEOLOGICAL.
daearegwr, *eg. ll.* daearegwyr. Un sy'n astudio daeareg. GEOLOGIST.
daearfochyn, *eg. ll.* daearfoch. Mochyn daear, broch, byrfochyn, twrch daear, pryf llwyd. BADGER.
daeargell, *eb. ll.-oedd.* Cell danddaearol ; daeardy, carchar dan y ddaear. UNDERGROUND CELL ; DUNGEON.
daeargi, *eg. ll.* daeargwn. Ci bychan bywiog a'i natur i dwrio'r ddaear ar drywydd ysglyfaeth. TERRIER.
daeargryd, *eg. ll.-iau.* Daeargryn ysgafn a llai brawychus. EARTH TREMOR.
daeargryn, *egb. ll.-fâu.* Ysgydwad neu gryndod daearol. EARTHQUAKE.
daearol, *a.* Yn perthyn i'r ddaear. EARTHLY.
daearu, *be.* Gosod yn y ddaear, claddu. TO INTER.
daearyddiaeth, *eb.* Astudiaeth o'r ddaear a'i harwynebedd. GEOGRAPHY.
daearyddol, *a.* Yn ymwneud â daearyddiaeth. GEOGRAPHICAL.
daearyddwr, *eg. ll.* daearyddwyr. Un hyddysg mewn daearyddiaeth. GEOGRAPHER.
dafad, *eb. ll.* defaid. I. Anifail ffarm, mamog. EWE, SHEEP.
2. Tyfiant caled ar groen, dafaden. WART.
dafaden, *eb. ll.-nau.* Tyfiant caled ar groen. WART.
dafn, *eg. ll.-au.* Diferyn, gronyn crwn o ddŵr neu hylif ; llymaid bach. DROP OF WATER OR ANY OTHER LIQUID ; SIP, DRINK.
dagr, *eg. ll.-au.* Cleddyf byr, bidog. DAGGER.
dagrau, *gw.* **deigryn.**
dagreuol, *a.* Yn tynnu dagrau, trist, prudd. TEARFUL.

dangos, *be.* Amlygu, peri gweld, arddangos, dadlennu, datguddio, esbonio. TO SHOW, TO REVEAL.

dail, *e.ll.* (*un. b.* deilen, dalen). I. Organau gwyrdd llafnaidd sy'n tyfu ar frigau planhigion neu'n union o'r gwraidd. LEAVES, FOLIAGE.
2. Dalennau llyfr, rhaniadau llyfr sy'n cynnwys dau dudalen yr un. LEAVES (*of book*).
Dail tafol. DOCK LEAVES.

daioni, *eg.* Rhinwedd, budd, lles. GOODNESS.

daionus, *a.* Da, llesol, buddiol. GOOD.

dal : dala, *be.* I. Cynnal. TO HOLD.
2. Goddef, dioddef. TO BEAR.
3. Gafael, gafaelyd, ymaflyd. TO CATCH.
4. Parhau. TO CONTINUE.
5. Atal, cadw. TO PREVENT.
Dal pen rheswm. TO KEEP UP A CONVERSATION.
Dal sylw. TO TAKE NOTICE.

dalen, *eb. ll.* dail, -nau. I. Deilen. LEAF.
2. Dau dudalen. LEAF (*two pages of a book*). *gw.* **dail.**

dalfa, *eb. ll.* dalfeydd. I. Daliad. CATCH.
2. Gafael, cadwraeth, gwarchodaeth, carchar. CUSTODY.

dalgylch, *eg. ll.*-oedd. Ardal lle y ceir glawiad sy'n llifo i afon neu gronfa, neu y cesglir plant ohoni i ysgol, neu gleifion i ysbyty, &c. CATCHMENT AREA.

daliad, *eg. ll.*-au. Sbel o waith, tymor o waith, tro o waith. HOLDING, SPELL.
Daliadau. BELIEFS.

dall, *a. ll.* deillion. I. Yn methu gweld, tywyll. BLIND.
2. *eg. ll.* deillion. Un sy'n methu gweld, dyn tywyll. BLIND PERSON.

dallineb, *eg.* Y cyflwr o fod yn ddall, dellni. BLINDNESS.

dallu, *be.* I. Gwneud yn ddall, disgleirio, pelydru, tywyllu, mygydu. TO BLIND.
2. Mynd yn ddall. TO GROW BLIND.

damcan, *eg. ll.*-ion. Damcaniaeth ; amcan, pwrpas. THEORY.

damcaniaeth, *eb. ll.*-au. Tyb, tybiaeth wedi ei sylfaenu ar reswm, theori. THEORY.

damcaniaethol, *a.* Yn ymwneud â damcaniaeth, tybiedig. THEORETICAL, HYPOTHETICAL.

damcaniaethwr, *eg. ll.* damcaniaethwyr. Un sy'n damcaniaethu. THEORIST.

damcanu, *be.* Tybio, dyfalu, llunio damcaniaeth. TO THEORISE, TO SPECULATE.

dameg, *eb. ll.* damhegion. Stori i ddysgu gwers neu wirionedd. PARABLE.

damhegol, *a.* Yn ymwneud â dameg. ALLEGORICAL.

damnedigaeth, *eb.* Condemniad i gosb dragwyddol, barnedigaeth, collfarn, tynged. DAMNATION.

damnio, *be.* Melltithio, rhegi, condemnio. TO DAMN.

damsang, *be.* Llethu dan draed, sangu, mathru, sengi, troedio ar, sathru. TO TRAMPLE.

damwain, *eb. ll.* damweiniau. I. Digwyddiad drwg annisgwyliadwy. ACCIDENT.
2. Siawns. CHANCE.

damweinio, *be.* Digwydd trwy ddamwain, digwydd. TO HAPPEN, TO BEFALL.

damweiniol, *a.* Trwy ddamwain, ar siawns. ACCIDENTAL.

dan : tan : o dan : oddi tan, *ardd.* Is, islaw. UNDER.

danadl, *e.ll.* (*un. b.* danhadlen). Dail poethion, planhigion â dail pigog, danad, dynad, dynaint. NETTLES.

danfon, *be.* Anfon, gyrru, hel, hela, hebrwng. TO SEND, TO ESCORT.

dangos, *be.* Amlygu, peri gweld, arddangos, dadlennu, datguddio, esbonio. TO SHOW, TO REVEAL.

dangoseg, *eb.* Rhestr o destunau neu enwau awduron, &c., mewn llyfr, &c., ; mynegai. INDEX.

dangosol, *a.* Yn mynegi neu ddangos, mynegol. INDICATIVE, DEMONSTRATIVE.

danheddog, *a.* Â dannedd iddo, amlwg ei ddannedd, ysgithrog, pigog, miniog. TOOTHED, JAGGED, SERRATED.

dannod, *be.* Ceryddu, edliw, gwawdio. TO TAUNT, TO REPROACH.

dannoedd, *eb.* Cur neu boen dant. TOOTHACHE.
Y ddannoedd. TOOTHACHE.

dansoddol, *a.* Haniaethol, anodd ei ddeall. ABSTRACT.

dant, *eg. ll.* dannedd. I. Y peth fel asgwrn sydd yn y genau ac a ddefnyddir i gnoi. TOOTH.
2. Cogen. COG.
Dant blaen. FORE TOOTH.
Dant llygad. EYE TOOTH.
Dannedd malu : cilddannedd. GRINDERS, MOLARS.
Dannedd gosod (dodi). FALSE TEETH.
Dant y llew. DANDELION.

danteithiol, *a.* Melys, blasus, prin, amheuthun. DELICIOUS.

danteithion, *e.ll.* Pethau melys neu flasus, pethau amheuthun neu brin. DELICACIES.

danto, *taf. be.* Digalonni, blino, diffygio, lluddedu, llwfrhau. TO TIRE, TO DAUNT.

darbodus, *a.* Cynnil, gofalus (o eiddo), crintach, diwastraff. THRIFTY.

darbwyllo, *be.* Bodloni trwy brofion, argyhoeddi, perswadio'n gryf. TO CONVINCE.

darfod, *be.* I. Gorffen, dibennu, cwpláu, terfynu, marw. TO END.
2. Difa. TO WASTE AWAY.
3. Digwydd. TO HAPPEN.

darfodedig, *a.* I. Wedi darfod, diflanedig, yn darfod. TRANSIENT.
2. Adfeiliedig. DECAYED.

darfodedigaeth, *eg.* Clefyd difaol ar yr ysgyfaint, dicáu. CONSUMPTION.

darganfod, *be.* Canfod, dod o hyd i. TO DISCOVER.

darganfyddiad, *eg. ll.*-au. Y weithred o ddarganfod, canfyddiad. DISCOVERY.

darganfyddwr, *eg. ll.* darganfyddwyr. Un sy'n darganfod. DISCOVERER.

dargyfeiriad, *eg. ll.*-au. Newidiaeth mewn cyfeiriad, gwyriad ; llwybr arall pan fo'r heol ar gau dros dro i drafnidiaeth. DIVERSION.

darlith, *eb. ll.*-iau, -oedd. Sgwrs i gynulleidfa, araith, llith. LECTURE.

darlithio, *be.* Rhoi darlith, traddodi darlith. TO LECTURE.

darlithiwr : darlithydd, *eg. ll.* darlithwyr. Un sy'n darlithio. LECTURER.

darlun, *eg. ll.*-iau. Llun, arlun, pictiwr. PICTURE.

darluniad, *eg. ll.*-au. Disgrifiad, portread. DESCRIPTION.

darluniadol, *a.* Disgrifiadol, yn ymwneud â lluniau, wedi ei ddarlunio. PICTORIAL.

darlunio, *be.* Disgrifio, portreadu, peintio, delweddu, tynnu llun. TO DESCRIBE, TO ILLUSTRATE.

darllediad, *eg. ll.*-au. Y weithred o ddarlledu, perfformiad a gyhoeddir drwy gyfrwng radio. BROADCAST.

darlledu, *be.* Datgan neu gyhoeddi drwy'r radio. TO BROADCAST.

darlledwr, *eg. ll.* darlledwyr. Un sy'n darlledu. BROADCASTER.

darllen, *be.* Deall symbolau ysgrifenedig drwy edrych, &c., ; deall â'r llygaid, llefaru geiriau wedi eu hysgrifennu neu eu hargraffu. TO READ.

darllenadwy, *a.* Dealladwy, amlwg, eglur, difyr. READABLE, LEGIBLE.

darllengar, *a.* Hoff o ddarllen, yn arfer darllen. STUDIOUS, FOND OF READING.

darlleniad, *eg. ll.*-au. Y weithred o ddarllen ; mater ysgrifenedig neu brintiedig i'w ddarllen. A READING.

darllenwr : darllenydd, *eg. ll.* darllenwyr. Un sy'n darllen. READER.

darn, *eg. ll.*-au. Dernyn, tamaid, rhan, dryll, cetyn, clwt, llain, cyfran. PIECE, PART. Darn-ladd. TO HALF-KILL.

darnio, *be.* Torri'n ddarnau, rhwygo, archolli, dryllio, briwio. TO CUT UP, TO TEAR.

darogan : daroganu, *be.* Rhagfynegi (drwg fel rheol), rhaghysbysu, proffwydo. TO PREDICT (*evil generally*), TO FORETELL, TO PROPHESY.

darogan, *eb. ll.*-au. Rhagfynegiad o'r dyfodol, proffwydoliaeth. PREDICTION, FORECAST, PROPHECY.

daroganwr, *eg. ll.* daroganwyr. Rhagfynegwr, rhagfynegydd, proffwyd. PREDICTOR, FORECASTER, PROPHET.

darostwng, *be.* Iselu, iselhau, gostwng, dwyn dan awdurdod, gorchfygu. TO HUMILIATE, TO SUBDUE.

darostyngedig, *a.* O dan, ufudd i, caeth, wedi ei ddarostwng. SUBJECTED, SUBJECT.

darostyngiad, *eg. ll.*-au. Y weithred o ddarostwng, ufudd-dod. SUBJECTION, HUMILIATION.

darpar : darparu, *be.* Gwneud yn barod, paratoi, arlwyo. TO PREPARE.

darpar, *eg. ll.*-ion, -iadau. ı. Paratoad, defnydd neu anghenraid wedi ei ddarparu. PREPARATION, PROVISION.

2. *a.* Wedi ei baratoi ; wedi ymrwymo, dan amod (i briodi) ; dewisiedig, etholedig (i swydd). PREPARED ; ENGAGED, INTENDED ; CHOSEN, ELECTED.
Darpar esgob. BISHOP ELECT.
Darpar ŵr. INTENDED HUSBAND.
Darpar wraig. INTENDED WIFE.

darpariaeth, *eb. ll.*-au. Paratoad, cyflenwad o angenrheidiau, arlwy. PREPARATION, SUPPLY OF NECESSITIES, PROVISION.

darwden, *eb.* Haint ar y croen sy'n ymddangos yn ysmotau crwn, tarwden, taroden, gwreinen, marchwreinen, tarddwreinen. RINGWORM.

datblygiad, *eg. ll.*-au. Twf, tyfiant, y weithred o ddatblygu. DEVELOPMENT.

datblygu, *be.* Ymagor, amlygu, tyfu. TO DEVELOP.

datchwyddiad, *gw.* **dadchwyddiant**.

datgan : datganu, *be.* Mynegi, traethu, adrodd, cyhoeddi, cyffesu, cyfleu. TO DECLARE, TO RECITE.

datganiad, *eg. ll.*-au. Mynegiad, traethiad, cyhoeddiad, adroddiad, cyffesiad, cyflead. DECLARATION, RENDERING.

datgloi, *be.* Agor clo (gwrthwyneb **cloi**). TO UNLOCK.

datgorffori, *be.* Rhoi terfyn ar fodolaeth sefydliad fel mynachlogydd, senedd, eglwys, &c. TO DISSOLVE (*monasteries, parliament, church, &c.,*), TO DISINCORPORATE.

datgorfforiad, *eg.* Y weithred o ddatgorffori mynachlogydd, senedd, &c.). DISSOLUTION.

datguddiad, *eg. ll.*-au. amlygiad, dadleniad, eglurhad, mynegiad, datganiad. DISCLOSURE, REVELATION.

datguddio, *be.* Gwneud yn amlwg, dod â pheth i'r golwg, amlygu, dadlennu, dangos. TO REVEAL.

datgymalu, *be.* Peri i'r cymalau fynd o'u lle ; diaelodi (corff) yn y cymalau, darnio. TO DISJOINT ; TO DISMEMBER, TO TAKE TO PIECES.

datgysylltu, *be.* Torri cysylltiad neu berthynas, datod. TO DISCONNECT.
Datgysylltiad yr Eglwys. DISESTABLISHMENT OF THE CHURCH.

datod, *be.* Tynnu'n rhydd, dadwneud, rhyddhau. TO UNDO.

datrys, *be.* Datod, dehongli, mysgu. TO SOLVE, TO UNRAVEL.

datseinio, *be.* Atseinio, peri seinio. TO RESOUND, TO REVERBERATE.

dathliad, *eg. ll.*-au. Y weithred o ddathlu. CELEBRATION.

dathlu, *be.* Gwneud rhywbeth i atgofio am rywbeth neu rywun a fu, gwneud rhywbeth diddorol ar amgylchiad arbennig. TO CELEBRATE.

dau, *a. &. eg. ll.* deuoedd. (*b.* dwy). Y rhifol ar ôl un. TWO.
Hwy ill dau. THEY TWO.
'Does dim dau amdani. THERE'S NO DOUBT ABOUT IT.

dauddyblyg, *a.* Cymaint arall (o faint, rhif, &c.,), dwbl. TWOFOLD, DOUBLE.

daufiniog, *a.* Â dau fin (yn enwedig am gleddyf, bwyell, &c.). DOUBLE-EDGED.

dauwynebog, *a.* Twyllodrus, dichellgar, rhagrithiol. DECEITFUL.

dawn, *egb. ll.* doniau. Talent, gallu arbennig. TALENT, GIFT.

dawns, *eb. ll.*-iau. Symudiad rheolaidd gyda cherddoriaeth. DANCE.
Seindorf ddawns. DANCE BAND.
Dawns y don. THE TOSSING OF THE WAVE.

dawnsio, *be.* Symud gydag amseriad cerddoriaeth, symud yn rhythmig. TO DANCE.

dawnsiwr, *eg. ll.* dawnswyr. Un sy'n dawnsio. DANCER.

dawnus, *a.* Talentog, galluog, a dawn ganddo. GIFTED.

de : deau, *eg. ll.* deheuoedd. I. Un o bedwar prif bwynt y cwmpawd yn union gyferbyn â'r gogledd. THE SOUTH (*as point of compass*).
De Affrica. SOUTH AFRICA.
2. *eb.* Deheulaw, llaw dde, yr ochr sydd gyberbyn â'r chwith. THE RIGHT (*hand, side, &c.*).
3. *a.* Yn gorwedd i gyfeiriad y de, deheuol ; ar yr ochr honno o'r corff gyferbyn â'r galon. SOUTHERN ; RIGHT (*of position*).

deall, *be.* Cael gafael yn yr ystyr, dirnad, amgyffred, gwybod. TO UNDERSTAND.

deall, *eg.* Y gallu i amgyffred, dirnadaeth, amgyffrediad, deallgarwch, deallusrwydd. INTELLIGENCE.

dealladwy, *a.* Y gellir ei ddeall, dirnadwy, amgyffredadwy. INTELLIGIBLE.

deallgar, *a.* Yn gallu deall yn dda, deallus. INTELLIGENT.

dealltwriaeth, *eb. ll.*-au. Dirnadaeth, synnwyr, gwybodaeth, cytundeb. UNDERSTANDING.

deallus, *a.* Yn defnyddio neu ddangos dealltwriaeth. INTELLECTUAL.

deallusion, *e.ll.* Personau deallus. INTELLECTUALS, INTELLIGENTSIA.

deallusrwydd, *eg.* Dealltwriaeth, gallu meddyliol i ddatod problemau, deall. INTELLIGENCE.
Prawf deallusrwydd. INTELLIGENCE TEST.

deau, *gw.* **de.**

dechrau, *eg.* I. Tarddiad, cychwyniad, dechreuad. BEGINNING.
2. *be.* Cychwyn, gwneud symudiad, tarddu, dodi ar waith. TO BEGIN.
Dechrau gwaith. TO BEGIN WORK.

dechreuad, *eg.* Dechrau. BEGINNING.

dechreunos, *eg.* Gyda'r hwyr, diwedydd, cyfnos, gyda'r nos, cyflychwr. DUSK.

dechreuwr, *eg. ll.* dechreuwyr. Un sy'n dechrau. BEGINNER.

dedfryd, *eb. ll.*-au, -on. Dyfarniad rheithwyr, rheithfarn ; barn ar ôl arholiad, &c. VERDICT.

dedfrydu, *be.* Rhoi dedfryd, dyfarnu. TO GIVE A VERDICT.

dedwydd, *a.* Hapus, wrth ei fodd, llawen, llon, gwynfydedig. HAPPY, BLESSED.

dedwyddwch : dedwyddyd, *eg.* Hapusrwydd, gwynfyd, llawenydd. HAPPINESS, BLISS.

deddf, *eb. ll.*-au. Rheol a wneir gan lywodraeth, cyfraith, ystatud, unrhyw reol. LAW, STATUTE.
Deddfau natur. LAWS OF NATURE.

deddfol, *a.* Yn ôl y ddeddf, cyfreithiol. LEGAL, LAWFUL, DICTATORIAL.

deddfu, *be.* Gwneud deddf. TO LEGISLATE.

deddfwr, *eg. ll.* deddfwyr. Un sy'n gwneuthur cyfreithiau. LEGISLATOR.

deddfwriaeth, *eb. ll.*-au. Y weithred o lunio neu wneud deddfau. LEGISLATION, LEGISLATURE.

defnydd : deunydd, *eg. ll.*-iau. I. Stwff. MATERIAL.
2. Mater, sylwedd. MATTER.
3. Pwrpas, diben. PURPOSE, END.

defnyddio, *be.* Gwneud iws neu ddefnydd, arfer. TO USE.

defnyddiol, *a.* Buddiol, llesol, o wasanaeth, o iws. USEFUL.

defnyddioldeb, *eg.* Buddioldeb, iws, y stad o fod yn ddefnyddiol, gwasanaeth. USEFULNESS.

defnyddiwr, *eg. ll.* defnyddwyr. Un sy'n defnyddio. USER, CONSUMER.

defnyn, *eg. ll.*-nau, Dafnau, dafn, diferyn. DROP.

defnynnu, *be.* Syrthio yn ddiferion, diferu, diferynnu. TO DRIP.

defod, *eb. ll.*-au. I. Arfer, arferiad. CUSTOM.
2. Seremoni. CEREMONY.
3. Ordinhad. ORDINANCE.

defodaeth, *eb.* Arferiaeth. RITUALISM.

defodol, *a.* Arferol, seremonïol. CUSTOMARY, RITUALISTIC.

defosiwn, *eg. ll.* defosiynau. Cysegriad neu ffyddlondeb cryf, teyrngarwch, duwioldeb, cydwybodolrwydd. DEVOTION.

defosiynol, *a.* Duwiol, duwiolfrydig, crefyddol, yn ymwneud â defosiwn. DEVOTIONAL, DEVOUT.

deffro : deffroi, *be.* Cyffroi o gwsg, dihuno. TO AWAKE, TO AWAKEN.

deffroad, *eg. ll.*-au. Yr act o ddeffro, adfywiad. AWAKENING.

deg : deng, *a. ll.* degau. Y rhifol sy'n dilyn naw. TEN.
Deng mlwydd. TEN YEARS (OLD).
Deng mlynedd. TEN YEARS (TIME).
Deng niwrnod. TEN DAYS.
Deng waith. TEN TIMES.
Deng ŵr. TEN MEN.
Arddegau. TEENS.

degawd, *eg. ll.*-au. Ysbaid neu gyfnod o ddeng mlynedd. DECADE.

degfed, *a.* Yr olaf o ddeg. TENTH.

degol, *a.* Yn ymwneud â'r system fetrig, wedi'i seilio ar y rhif deg. DECIMAL.

degwm, *eg. ll.* degymau. I. Un rhan o ddeg, y ddegfed ran. TENTH.
2. Math o dreth lle telir y ddegfed ran o enillion i'r eglwys. TITHE.
Degwm cil-dwrn. TIP, GRATUITY.

deheubarth, *eg. ll.*-au. **deheudir**, *eg. ll.*-oedd. Y deau, rhan o wlad sydd yn y deau. SOUTHERN REGION.
Y Deheubarth. SOUTH WALES.

deheuig, *a.* Medrus, celfydd, dechau, dethau, cyfarwydd, hyfedr, cywrain. SKILFUL.

deheulaw, *eb.* Llaw ddeau. RIGHT HAND.
Ar ei ddeheulaw. ON HIS RIGHT.

deheuol, *a.* I'r de, yn y de. SOUTHERN.

deheurwydd, *eg.* Y gallu a ddaw o ymarfer a phrofiad, medr, medrusrwydd. SKILL.

deheuwr, *eg. ll.* deheuwyr. Un o'r de. SOUTHERNER.

deheuwynt, *eg. ll.*-oedd. Gwynt o'r de. SOUTH WIND.

dehongli, *be.* Rhoi ystyr, egluro, esbonio, cyfieithu. TO INTERPRET.

dehongliad, *eg. ll.*-au. Ffrwyth dehongli, eglurhad, esboniad. INTERPRETATION.

dehonglwr : dehonglydd, *eg. ll.* dehonglwyr. Un sy'n dehongli, lladmerydd, esboniwr, cyfieithydd. INTERPRETER.

deial, *eg. ll.*-au. Offeryn sy'n defnyddio cysgod yr haul i ddangos amser y dydd ; wyneb cloc, wats, radio, &c. DIAL.

deialog, *eg.b. ll.*-au. Ymddiddan ; ymddiddan a gyfleir mewn nofel, drama neu stori. DIALOGUE.

deialu, *be.* Gwneud caniad ffôn drwy ddefnyddio'r rhifau ar y deial. TO DIAL (*telephone numbers*).

deifio, *be.* Llosgi, rhuddo, niweidio, mallu, anafu, ysu. TO SCORCH, TO SINGE, TO BLAST.

deifiol, *a.* Niweidiol, llosg, ysol, llym, miniog, tost, mallus. SCORCHING, SCATHING, BLASTING.

deigryn : deigr, *eg. ll.* dagrau. Diferyn o ddŵr o'r llygad, dafn. TEAR.

deildy, *eg. ll.* deildai. Lle caeëdig cysgodol mewn gardd. BOWER.

deilen, *eb. ll.* dail, dalennau. Organ gwyrdd llafnaidd sy'n rhan o blanhigyn, dalen ; dau dudalen o lyfr. LEAF.

deilgoll, *a.* Yn colli dail yn flynyddol (am goeden), collddail. DECIDUOUS.

deiliad, *eg. ll.* deiliaid. Tenant, un sy'n talu rhent am le, un o dan awdurdod eraill. TENANT, SUBJECT.

deiliadaeth, *eb. ll.*-au. Tenantiaeth. TENANCY.

deiliant, *eg. ll.* deiliannau. Dail y coed a'r llwyni. FOLIAGE.

deilio, *be.* Bwrw dail. TO PUT FORTH LEAVES.

deiliog, *a.* Â dail. LEAFY.

deillio, *be.* Tarddu, codi, dilyn fel effaith, digwydd fel canlyniad. TO RESULT FROM, TO ISSUE FROM.

deinameg, *eb.g.* Adran o fecaneg sy'n ymdrin â symudiad yn ei berthynas ag egni. DYNAMICS.

deinamig, *a.* Grymus, egnïol, nerthol, gweithredol. DYNAMIC.

deincod, *eg.* Rhygnu yn y dannedd, dincod. TEETH ON EDGE.

deintio, *be.* Darn-gnoi. TO NIBBLE.

deintydd, *eg. ll.*-ion. Meddyg dannedd. DENTIST.

deintyddiaeth, *eb.* Gwaith deintydd. DENTISTRY.

deintyddol, *a.* Yn ymwneud â dant, dannedd neu ddeintyddiaeth. DENTAL.

deiseb, *eb. ll.*-au. Cais ffurfiol, deisyfiad ysgrifenedig, erfyniad. PETITION.

deisebu, *be.* Gwneud deiseb, erfyn, deisyfu, erchi. TO PETITION.

deisebwr, *eg. ll.* deisebwyr. Un sy'n gwneud deiseb. PETITIONER.

deisyf, *eg. ll.*-ion. **deisyfiad**, *eg. ll.*-au. Yr act o ddeisyf neu ofyn, dymuniad, erfyniad, ymbil, cais. REQUEST.

deisyf : deisyfu, *be.* Dymuno, ymbil, erfyn, chwenychu, gofyn. TO DESIRE, TO BESEECH.

del, *a.* Pert, tlws, twt, cryno, taclus, dillyn, destlus. PRETTY, NEAT.

delfryd, *eg. ll.*-au. Drychfeddwl neu syniad o rywbeth perffaith. AN IDEAL.

delfrydiaeth, *eb.* Y weithred o lunio delfryd, ideolaeth. IDEALISM.

delfrydol, *a.* Perffaith, di-nam. IDEAL.

delff, *eg.* Hurtyn, penbwl, llabwst. OAF.

delio, *be.* Ymwneud â, trin, ymdrin. TO DEAL.

delw, *eb. ll.*-au. Cerflun, llun, eilun, darlun, rhith, ffurf. IMAGE, IDOL.
Penddelw. BUST.
Delw-dorrwr. ICONOCLAST.

delw-addoli, *be.* Addoli delw neu ddelwau. TO WORSHIP IMAGES.

delwedd, *eb. ll.*-au Drychfeddwl. MENTAL IMAGE.

delweddu, *be.* Ffurfio delwedd, darlunio. TO PICTURE.

delwi, *be.* Breuddwydio (ar ddi-hun), mynd fel delw, bod yn ddifeddwl neu'n ddisylw, parlysu gan ofn. TO BE WOOL-GATHERING, TO BE PARALYSED WITH FRIGHT.

dellni, *eg.* Dallineb. BLINDNESS.

dellt, *e.ll.* (*un. b.* dellten). Darnau meinion o bren neu fetel i ddal plastr mewn nenfwd, ffenestr a dellt ynddi neu ddarnau o goed neu fetel wedi eu croesi. LATHS, LATTICE.

democrataidd, *a.* Yn perthyn i ddemocratiaeth. DEMOCRATIC.

democratiaeth, *eb.* Gweriniaeth, llywodraeth gan y werin, gwladwriaeth a lywodraethir gan y werin. DEMOCRACY.

demograffeg, *eb.* Astudiaeth o ystadegau genedigaethau, marwolaethau, afiechydon, &c., yn dangos cyflwr bywyd mewn cymunedau. DEMOGRAPHY.

dengar, *a.* Hudol, atyniadol, deniadol, swynol. ALLURING, ATTRACTIVE.

deniadau, *e.ll.* Pethau sy'n denu, atyniadau, hudoliaethau. ATTRACTIONS.

deniadol, *a.* Yn denu, dengar, hudol, swynol. ATTRACTIVE.

denu, *be.* Tynnu at, hudo, llithio, swyno. TO ATTRACT.

deol, *be.* Gwahanu, didoli, alltudio. TO SEPARATE, TO BANISH.

deoledig, *a.* Wedi ei ddeol, didol, alltud. SEPARATED, BANISHED.

deon, *eg. ll.*-iaid. Pennaeth ar siapter o ganoniaid mewn eglwys gadeiriol : llywydd cyfadran mewn prifysgol neu goleg. DEAN : DEAN (OF FACULTY).

deondy, *eg. ll.* deondai. Preswylfa swyddogol deon. DEANERY (*house*).

deoniaeth, *eb. ll.*-au. Swydd deon ; rhan o esgobaeth dan arolygiaeth deon gwlad. DEANERY (*office*) ; RURAL DEANERY (*area*).

deor : deori, *be.* I. Eistedd ar wyau i gael adar bach ohonynt, gori. TO BROOD, TO HATCH. 2. Atal, rhwystro. TO PREVENT.

derbyn, *be.* Cael, cymryd, croesawu. TO RECEIVE, TO ACCEPT.

derbyniad, *eg. ll.*-au. Y weithred o dderbyn, croeso, croesawiad. RECEPTION, ACCEPTANCE.

derbyniol, *a.* Cymeradwy, dymunol, a groesewir ; gwrthrychol (*Gram.*). ACCEPTABLE ; ACCUSATIVE (*Gram.*).

derbyniwr, *eg. ll.* derbynwyr : **derbynnydd,** *eg. ll.* derbynyddion. Un sy'n derbyn rhodd neu gyfraniad, &c. ; un sy'n croesawu. ONE WHO RECEIVES, RECIPIENT ; ONE WHO WELCOMES.

derbynneb, *eb. ll.* derbynebau, derbynebion. Datganiad ysgrifenedig i ddangos bod arian, &c., wedi eu derbyn ; taleb. RECEIPT.

derbynnydd, *gw.* **derbyniwr**.

deri, *e.ll.* (*un. b.* dâr). Derw. OAK-TREES, OAK.

derlwyn, *eg. ll.*-i. Llwyn neu gelli o goed derw. OAK-GROVE.

dernyn, *eg. ll.*-nau, darnau. Tamaid, darn, dryll. PIECE.

dernynnach, *e. torfol.* Tameidiach, darnau bychain. SCRAPS.

derwen, *eb. ll.* derw, deri. Dâr, coeden dderw. OAK-TREE.

derwydd, *eg. ll.*-on. Offeiriad Celtaidd gynt a addolai dan goed derw. DRUID. Archdderwydd : prif swyddog Gorsedd y Beirdd. ARCHDRUID.

derwyddiaeth, *eb.* Credo neu athrawiaeth y derwyddon. DRUIDISM.

derwyddol, *a.* Yn ymwneud â derwyddon. DRUIDIC.

desg, *eb. ll.*-au, -iau. Bord ysgrifennu. DESK.

destlus, *a.* Taclus, twt, cryno, trwsiadus, dillyn, del. NEAT, TRIM.

destlusrwydd, *eg.* Taclusrwydd, dillynder. NEATNESS.

dethol, *be.* Dewis, tynnu un neu ragor o nifer fwy. TO CHOOSE, TO SELECT.

dethol : detholedig, *a.* Wedi ei ddethol, dewisedig. CHOICE, CHOSEN.

detholiad, *eg. ll.*-au, detholion. Yr act o ddethol neu ddewis, dewisiad. SELECTION.

deuawd, *eg. ll.*-au. Cân gan ddau. DUET.

deublyg, *a.* Dwbl. DOUBLE, TWOFOLD.

deuddeg : deuddeng, *a. rhifol.* Deg a dau, un-deg-dau. TWELVE.

deuddegfed, *a.* Yr olaf o ddeuddeg. TWELFTH.

deuddydd, *eg.* Dau ddiwrnod. TWO DAYS.

deufis, *eg.* Dau fis. TWO MONTHS.

deugain, *a. rhifol.* Dau ugain, pedwar deg. FORTY.

deugeinfed, *a.* Yr olaf o ddeugain. FORTIETH.

deunaw, *a. rhifol.* Dau naw, un-deg-wyth, dwsin a hanner. EIGHTEEN.

deunawfed, *a.* Yr olaf o ddeunaw. EIGHTEENTH.

deunydd, *eg. ll.*-iau. MATERIAL. *gweler* **defnydd**.

deuol, *a.* Â dwy ran. DUAL. Ffordd ddeuol. DUAL CARRIAGEWAY.

deuoliaeth, *eb. ll.*-au. Y stad o fod yn ddeuol. DUALISM.

deuparth, *a.* Dwy ran o dair. TWO-THIRDS.

deurudd : dwyrudd, *eg.* Y gruddiau, y bochau. THE CHEEKS.

deusain, *eb. ll.* deuseiniaid. Dipton, dwy lafariad yn dod gyda'i gilydd ac yn gwneud un sain. DIPHTHONG.

deutu, *eg.* Dwy ochr, bob ochr. TWO SIDES. Oddeutu. ABOUT.

dewin, *eg. ll.*-iaid. (*b.*-es). Un sy'n meddu ar allu hud, swynwr, swyngyfareddwr, dyn hysbys. MAGICIAN.

dewines, *eb. ll.*-au. Gwraig sy'n ymhel â dewiniaeth, gwiddon, swynwraig, proffwydes. WITCH, SORCERESS, ENCHANTRESS, PROPHETESS.

dewiniaeth, *eb.* Gwaith dewin, hud, hudoliaeth, swyn, swyngyfaredd. MAGIC.

dewinio : dewino, *be.* Hudo, swyno, proffwydo. TO DIVINE.

dewis, *be.* I. Cymryd un neu ragor o nifer fwy, dethol, ethol. TO CHOOSE. 2. Dymuno. TO DESIRE.

dewis : dewisiad, *eg.* I. Detholiad, etholiad. CHOICE. 2. Dymuniad. DESIRE.

dewisol, *a.* Wedi ei ddewis, dethol, etholedig. CHOICE, CHOSEN, ELECT.

dewr, *a. ll.*-ion. I. Gwrol, glew, hy, eofn, beiddgar. BRAVE. 2. *a. ll.*-ion. Dyn gwrol, gwron, arwr. BRAVE MAN, HERO.

dewrder, *eg.* Gwroldeb, glewder, ehofndra, hyfdra, arwriaeth. BRAVERY, COURAGE, VALOUR.

di-, *rhagdd.* I. Heb, heb ddim (fel yn **diflas**). WITHOUT, NOT, UN-, NON-. 2. *rhag. gw.* **ti**.

diacen, *a.* Heb acen. UNACCENTED.

diacon, *eg. ll.*-iaid. (*b.*-es). Swyddog eglwys ; y radd isaf yn yr offeiriadaeth. DEACON.

diaconiaeth, *eb. ll.*-au. Swydd diacon mewn eglwys neu gapel. DIACONATE.

diachos, *a.* Heb achos. WITHOUT CAUSE.

diadell, *eb. ll.*-au, -oedd. Nifer o anifeiliaid o'r un rhyw gyda'i gilydd, praidd, gyr, cenfaint. FLOCK.

diadlam, *a.* Na ellir mynd yn ôl heibio iddo neu drosto. THAT CANNOT BE RECROSSED.

diaddurn, *a.* Heb fod wedi ei addurno, syml, plaen, moel, cartrefol. PLAIN.

diaelodi, *be.* Torri i ffwrdd aelod(au) ; amddifadu o aelodaeth. TO DISMEMBER, TO DISJOINT ; TO DEPRIVE OF MEMBERSHIP.

diafael, *a.* Heb afael, llithrig. SLIPPERY.

diafol, *eg. ll.* dieifl. Ysbryd drwg, cythraul, dyn drwg iawn neu greulon. DEVIL.

diangen, *a.* Heb fod galw amdano ; heb eisiau arno. UNNECESSARY ; FREE FROM WANT.

dianghenraid, *a.* Di-alw-amdano. UNNECESSARY, NEEDLESS.

di-ail, *a.* Heb ei debyg, dihafal, digymar. UNRIVALLED, UNEQUALLED.

dial, *be.* Cosbi rhywun am ddrwg a wnaeth, talu drwg am ddrwg, talu'r pwyth, talu'n ôl. TO AVENGE.

dial : dialedd, *eg.* Yr act o ddial, drwg a delir yn ôl i rywun am ddrwg. VENGEANCE.

dialgar, *a.* Yn hoff o ddial. VINDICTIVE.

diallu, *a.* Analluog, dirym, dinerth. POWERLESS.

diamau : diamheuol, *a.* Sicr, dilys, na ellir ei amau. CERTAIN, UNQUESTIONABLE, INDISPUTABLE.

diamwys, *a.* Clir, eglur, plaen. UNAMBIGUOUS.

dianc, *be.* Mynd yn rhydd, mynd heb gosb neu niwed, ffoi, cilio, diflannu, gochel, osgoi. TO ESCAPE.

diarddel, *be.* Gwrthod cydnabod neu ymwneud dim â, gwadu, diswyddo, diaelodi, bwrw allan. TO DISOWN, TO EXPEL.

diarfogi, *be.* Cymryd arfau oddi ar, diosg arfau. TO DISARM.

diarfogiad, *eg.* Y weithred o ddiarfogi. DISARMAMENT.

diarffordd, *a.* Yn anodd neu'n amhosibl mynd ato, anghysbell, anhygyrch, anghyraeddadwy. INACCESSIBLE.

diargyhoedd, *a.* Heb fai, difai, difeius. BLAMELESS.

diarhebol, *a.* Fel dihareb, gwir, cyffredin, gwybyddus i bawb. PROVERBIAL.

diaroglydd, *eg. ll.*-ion. Defnydd sy'n cuddio neu'n dileu arogleuon drwg. DEODORANT.

diaros, *a.* Heb aros, di-oed, ar unwaith. WITHOUT DELAY.

diarwybod, *a.* Heb yn wybod i un. UNAWARES.

diasbad, *eb. ll.*-au. Gwaedd, bloedd, cri, llef. SHOUT, CRY.

diasbedain, *be.* Gweiddi, llanw o sŵn, atseinio, dadseinio, adleisio. TO RESOUND.

diatreg, *a.* Di-oed, uniongyrchol, ar unwaith, heb golli amser. IMMEDIATE.

diau, *a.* Diamau, gwir, cywir, sicr. DOUBTLESS, TRUE, CERTAIN.

diawen, *a.* Heb awen neu ysbrydoliaeth, anfarddonol. UNINSPIRED.

diawl, *eg. ll.*-iaid. Diafol, cythraul, gŵr drwg. DEVIL.

diawledig, *a.* Cythreulig, tebyg i'r diafol. DEVILISH.

di-baid : dibaid, *a.* Heb beidio, gwastadol, diatal, diaros, diderfyn, cyson, diddarfod, di-dor, diddiwedd. UNCEASING.

di-ball : diball, *a.* Heb ballu, di-feth, di-ffael, di-fwlch, sicr. UNFAILING, SURE.

diben, *eg. ll.*-ion. Bwriad, amcan, pwrpas, perwyl. PURPOSE, OBJECT, END.
Ateb y diben. TO ANSWER THE PURPOSE.

di-ben-draw, *a.* Diderfyn, diddiwedd, bythol, anorffen, annherfynol. ENDLESS.

dibennu, *be.* Gorffen, terfynu, diweddu, cwpláu, tynnu i ben. TO END.

dibetrus, *a.* Heb betruster neu amheuaeth ; diamheuol ; sicr. UNHESITATING, UNDOUBTING, SURE.

diboblogi, *be.* Lleihau'r boblogaeth. TO DEPOPULATE.

dibrin, *a.* Heb brinder, digon, toreithiog. ABUNDANT.

dibriod, *a.* Heb briodi, gweddw, sengl. UNMARRIED, SINGLE.

dibris, *a.* Esgeulus, diofal, anystyriol. NEGLIGENT, RECKLESS.

dibrisio, *be.* Edrych i lawr ar, esgeuluso, dirmygu, diystyru. TO DEPRECIATE, TO DESPISE.

dibristod, *eg.* Esgeulustod, esgeulustra, anystyriaeth, rhyfyg, dirmyg. NEGLIGENCE, CONTEMPT.

dibwys, *a.* Heb fod o bwys, heb fod yn bwysig, amhwysig. UNIMPORTANT.

dibyn, *eg. ll.*-nau. Lle serth, clogwyn, creigle, craig. PRECIPICE.

dibynadwy, *a.* Y gellir dibynnu arno. DEPENDABLE, RELIABLE.

dibyniad, *eg.* Y stad neu gyflwr dibynnol, dibyniaeth. DEPENDENCE.

dibynnol, *a.* 1. Yn dibynnu neu bwyso ar. DEPENDENT.
2. Un o'r moddau sy'n perthyn i ferfau. SUBJUNCTIVE.

dibynnu, *be.* Ymddiried, hyderu, byw ar. TO DEPEND, TO RELY.

dicllon : digllon, *a.* Yn dal dig, llidiog, digofus, barus. ANGRY.

dicllonedd : dicllonrwydd, *eg.* Llid, dicter, digofaint, bâr, dig, gwg, soriant, llidiogrwydd. WRATH.

dicter, *eg.* Dicllonedd, llid, dig. ANGER.

dichell, *eb. ll.*-ion. Ystryw, stranc, cast, cyfrwystra, twyll, hoced. TRICK, DECEIT.

dichellgar, *a.* Twyllodrus, ystrywgar, castiog, cyfrwys, cywrain, anonest. CUNNING.

dichlyn, *a.* 1. Manwl, trwyadl gywir. EXACT, ACCURATE, CAREFUL.
2. *be.* Dethol, dewis. TO CHOOSE, TO PICK.

dichon, *adf.* Efallai, ysgatfydd, hwyrach. PERHAPS. Dichon i mi fod yno unwaith.

dichonadwy, *a.* Posibl. POSSIBLE, FEASIBLE.

didaro, *a.* Diofal, difater, difraw. UNCONCERNED.

di-daw, *a.* Heb dewi, di-baid. CEASELESS.

diden, *eb. ll.*-nau. Teth, pen bron. NIPPLE, TEAT.

diderfyn, *a.* Heb derfyn, diddiwedd, annherfynol. BOUNDLESS, INFINITE.

didol, *a.* Wedi ei ddidoli neu ei wahanu, alltud. SEPARATED, EXILED.

didoli, *be.* Gwahanu, neilltuo, ysgar, chwynnu. TO SEPARATE.

didoliad, *eg. ll.*-au. Y weithred o ddidoli, gwahaniad. SEPARATION, SEGREGATION.

didolnod, *egb. ll.*-au. (¨) nod a ddodir dros un o ddwy lafariad i ddangos y dylid eu cynanu ar wahân. DIAERESIS.

didolwr, *eg. ll.* didolwyr. **didolydd,** *eg. ll.*-ion. Un sy'n didoli neu wahanu, gwahanwr. SEPARATOR.

didor : di-dor, *a.* Heb doriad, parhaus, dibaid, diddiwedd. UNINTERRUPTED, CONTINUOUS.

didoreth, *a.* Diog, diddim, dioglyd, di-les, diddarbod, di-fedr, di-glem, di-drefn, di-weld, gwamal. SHIFTLESS, LAZY.

didoriad, *a.* Di-dor, di-fwlch, parhaus, diddiwedd ; heb ei ddofi, gwyllt. UNINTERRUPTED, UNBROKEN, CONTINUOUS ; NOT BROKEN IN, UNTAMED, ROUGH.

didostur : didosturi, *a.* Heb drugaredd neu dosturi, didrugaredd, creulon. MERCILESS.

didraha, *a.* Heb ymffrost, diymffrost, gwylaidd. MODEST.

di-drai : didrai, *a.* Heb dreio, di-feth. UNFAILING.

di-drais : didrais, *a.* Diormes, hynaws, addfwyn. NON VIOLENT, MEEK, GENTLE.

diduedd, *a.* Heb dueddu un ffordd na'r llall, di-ogwydd, teg, di-dderbyn-wyneb, amhleidiol, diwyro, heb ragfarn. IMPARTIAL.

didwyll, *a.* Heb dwyll, diddichell, annichellgar, diffuant. GUILELESS.

didwylledd, *eg.* Diffuantrwydd, gonestrwydd, cywirdeb, dilysrwydd. SINCERITY.

didda, *a.* Heb ddaioni, diwerth. VOID OF GOODNESS.

di-ddadl, *a.* Diamau, diamheuol, dilys, heb amheuaeth. UNQUESTIONABLE.

di-ddal, *a.* Na ellir dibynnu arno, gwamal, anwadal. UNRELIABLE.

diddan, *a.* Diddorol, difyrrus, dymunol, smala. INTERESTING, AMUSING.

diddanion, *e.ll.* Pethau a ddywedir i beri chwerthin, ffraethebau. JOKES.

diddanol, *a.* Diddanus, yn rhoi cysur, cysurlon ; difyrrus. CONSOLING, COMFORTING ; ENTERTAINING, AMUSING.

diddanu, *be.* 1. Peri diddanwch, diddori, adlonni, smalio, ffraethebu, difyrru. TO AMUSE. 2. Cysuro. TO CONSOLE.

diddanus, *gw.* **diddanol.**

diddanwch, *eg.* 1. Difyrrwch. ENTERTAINMENT. 2. Cysur corff a meddwl. COMFORT.

diddanwr : diddanydd, *eg. ll.* diddanwyr : diddanyddion. Un sy'n diddanu, cysurwr (*yn enwedig am yr Ysbryd Glân*) ; difyrrwr. ONE WHO CONSOLES, COMFORTER (*especially the Holy Spirit, the Comforter*) : ENTERTAINER.

di-dderbyn-wyneb, *a.* Heb dderbyn wyneb, yn ymddwyn tuag at bawb fel ei gilydd, diduedd. WITHOUT RESPECT OF PERSONS, OUTSPOKEN.

diddig, *a.* Tawel, bodlongar, digyffro, llonydd. CONTENTED.

diddigrwydd, *a.* Y cyflwr o fod yn ddiddig, bodlonrwydd. CONTENTMENT.

diddim, *a.* Da i ddim, didda, diwerth, di-fudd, annefnyddiol, diddefnydd. WORTHLESS.

diddordeb, *eg. ll.*-au. Peth sy'n diddori, sylw arbennig. INTEREST. Diddordebau. INTERESTS, HOBBIES.

diddori, *be.* Yn achosi cywreinrwydd neu chwilfrydedd, difyrru, diddanu. TO INTEREST.

diddorol, *a.* Yn dal y sylw, difyr, diddanus, difyrrus. INTERESTING.

diddos, *a.* Nad yw'n gollwng dŵr i mewn, cynnes, clyd, cysgodol, cyffyrddus. WATERTIGHT, SNUG.

diddos : diddosrwydd, *eg.* Clydwch, cysgod, noddfa, diogelwch. SHELTER.

diddosi, *be.* Gwneud yn ddiddos neu'n glyd, cysgodi. TO MAKE WEATHER-PROOF, TO SHELTER.

diddosrwydd, *eg.* Cysgod rhag tywydd garw, diogelwch rhag peryglon. SHELTER, SAFETY.

diddrwg, *a.* Heb ddrwg, diniwed. HARMLESS. Diddrwg-didda. INDIFFERENT.

di-dduw, *a.* Heb Dduw (neu wybodaeth am Dduw), annuwiol. WITHOUT GOD, GODLESS.

di-ddweud, *a.* Tawedog, heb ddim i'w ddweud ; ystyfnig. TACITURN ; STUBBORN.

diddyfnu, *be.* Peri i blentyn gynefino â bwyd amgen na llaeth ei fam. TO WEAN.

diddymiad, *eg. ll.*-au. Dilead, croesiad allan, llwyr ddifodiad. ABOLITION, CANCELLATION, ANNIHILATION.

diddymiant, *eg.* Difodiant, dilead ; dirymedd. ANNIHILATION, ABOLITION ; NULLITY.

diddymu, *be.* Gwneud yn ddiddim, rhoi pen ar, difodi, dileu, distrywio i'r eithaf. TO ABOLISH.

dieflig, *a.* Fel diafol, cythreulig, ellyllaidd. DEVILISH.

dieisiau, *a.* Heb eisiau, dianghenraid, afraid. UNNECESSARY.

dieithr, *a.* Estronol, anarferol, anghyffredin, newydd, anghynefin, anghyfarwydd. STRANGE, UNFAMILIAR.

dieithriad, *a.* Heb eithriad. WITHOUT EXCEPTION.

dieithriaid, *gw.* **dieithryn.**

dieithrio : dieithro, *be.* Bod neu wneud yn ddieithr, gwneud yn anghyfeillgar. TO ESTRANGE.

dieithrwch, *eg.* Rhyw nodwedd anghyffredin, odrwydd. STRANGENESS.

dieithryn, *eg. ll.* dieithriaid. Dyn dieithr, estron, dyn dŵad, alltud. STRANGER.

diemwnt, *eg.* Maen gwerthfawr caled. DIAMOND.
dienaid, *a.* Cas, creulon, ffiaidd, annynol, dideimlad. SOULLESS, CRUEL.
dienw, *a.* Anadnabyddus. ANONYMOUS.
dienyddiad, *eg. ll.*-au. Y weithred o roi i farwolaeth trwy gyfraith. EXECUTION.
dienyddio : dienyddu, *be.* Rhoi i farwolaeth trwy gyfraith. TO EXECUTE.
dienyddiwr, *eg. ll.* dienyddwyr. Un sy'n gweinyddu marwolaeth gyfreithlon. EXECUTIONER.
diepil, *a.* Heb blant, di-blant. CHILDLESS.
dieuog, *a.* Heb deimlo euogrwydd, diniwed, di-fai, diddrwg. INNOCENT.
difa, *a.* Ysu, treulio, nychu, dihoeni, llosgi, difrodi, llyncu. TO CONSUME, TO RAVAGE.
difancoll, *eb.* Colledigaeth, distryw. PERDITION.
difaol, *a.* Ysol, difrodol, distrywiol. CONSUMING, DESTRUCTIVE.
difater, *a.* Diofal, didaro, difraw, esgeulus. UNCONCERNED.
difaterwch, *eg.* Diofalwch, difrawder, esgeulustra. INDIFFERENCE.
difeddiannu, *be.* Cymryd meddiant oddi ar, dwyn oddi ar, amddifadu (o). TO DISPOSSESS, TO DEPRIVE (OF).
difenwad, *eg. ll.*-au. Cabledd, sen, difrïad. BLASPHEMY, DEFAMATION.
difenwi, *be.* Galw rhywun wrth enwau drwg, difrïo, dirmygu, dilorni, gwaradwyddo, cablu. TO REVILE.
difenwr, *eg. ll.* difenwyr. Difrïwr, dilornwr, gwaradwyddwr. REVILER.
diferol, *a.* Yn diferu. DRIPPING.
diferu, *be.* Syrthio yn ddiferion, defnynnu. TO DRIP. Yn wlyb diferu (diferol).
diferyn, *eg. ll.*-nau, diferion. Dafn, defnyn, dropyn. A DROP.
difesur, *a.* Heb fesur ; anfeidrol. HUGE ; IMMEASURABLE ; INFINITE.
difeth : di-feth, *a.* Heb fethu, anffaeledig, diffael. INFALLIBLE.
difetha, *be.* Rhoi diwedd ar, distrywio, dinistrio, andwyo, sbwylio. TO DESTROY.
difethwr, *eg. ll.* difethwyr. Un sy'n difetha, distrywiwr. DESTROYER.
diflanedig, *a.* Yn diflannu neu'n darfod, darfodedig, dros dro. TRANSIENT, FLEETING.
diflaniad, *eg. ll.*-au. Yr act o ddiflannu. DISAPPEARANCE.
diflannu, *be.* Mynd ar goll, cilio o'r golwg, darfod. TO VANISH.
diflas : di-flas, *a.* Heb flas arno ; anniddorol ; annifyr. TASTELESS ; DULL ; TIRESOME.
diflastod, *eg.* Diflasrwydd, atgasrwydd, atgasedd, teimladau drwg. DISGUST, BAD FEELING.
diflasu, *be.* Gwneud yn ddiflas, peri diflastod, alaru, syrffedu. TO SURFEIT, TO DISGUST.
diflin : diflino, *a.* Heb flino, dyfal, diwyd. INDEFATIGABLE.

difodi, *be.* Gwneud pen ar, diddymu, dileu, distrywio am byth. TO ANNIHILATE.
difodiad : difodiant, *eg.* Diddymiad, dilead. EXTINCTION.
di-foes : difoes, *a.* Heb foes(au), anfoesgar, anghwrtais. RUDE, UNMANNERLY.
difraw, *a.* Difater, didaro, diofal, anystyriol. INDIFFERENT.
difrawder, *eg.* Difaterwch, diofalwch. INDIFFERENCE.
difreinio, *be.* Amddifadu o fraint (neu hawl). TO DEPRIVE OF PRIVILEGE, TO DISFRANCHISE.
difrïaeth, *eb.* Gogan ; amarch, sarhad. ABUSE ; INDIGNITY.
difrif : difrifol, *a.* Difri, meddylgar, heb gellwair, pwysig, sobr. SERIOUS. O ddifrif. IN EARNEST.
difrifoldeb : difrifwch, *eg.* Y stad o fod yn ddifrif, dwyster. SERIOUSNESS.
difrifoli, *be.* Sobri ; dod yn sobr neu'n ddifrifol. TO SOBER, TO BECOME SOBER OR SERIOUS.
difrïo, *be.* Dilorni, difenwi. TO MALIGN.
difrïol, *a.* Dilornus, difenwol, gwaradwyddus. DEFAMATORY.
difrod, *eg. ll.*-au Niwed, distryw, colled, drwg. DAMAGE.
difrodi, *be.* Difetha, niweidio, distrywio, amharu. TO DESTROY, TO SPOIL.
difrodol, *a.* Yn difrodi, dinistriol. DESTRUCTIVE.
difrodwr, *eg. ll.* difrodwyr. Distrywiwr, difethwr. SPOILER, DESTROYER.
difrycheulyd, *a.* Heb smotyn (ar gymeriad), pur, glân. IMMACULATE.
di-fudd : difudd, *a.* Anfuddiol, dielw, diwerth, didda. UNPROFITABLE, USELESS.
difuddio, *be.* Amddifadu, difreinio. TO DEPRIVE.
di-fwlch : difwlch, *a.* Heb fwlch, di-dor, parhaol. WITHOUT A BREAK, CONTINUOUS.
difwyniad, *eg.* Y weithred o ddifwyno, andwyad ; llygriad. DEFILEMENT ; ADULTERATION.
difwyno : diwyno : dwyno, *be.* Gwneud yn frwnt neu'n fudr, trochi, andwyo, difrodi, difetha, niweidio, amharu, hagru, baeddu. TO SPOIL, TO MAR.
difyfyr, *a.* Heb baratoad ymlaen llaw, ar y pryd, byrfyfyr. IMPROMPTU.
difyr : difyrrus, *a.* Llon, siriol, diddorol, dymunol, pleserus, smala. AMUSING.
difyrru, *be.* Diddanu, adlonni, llonni, sirioli. TO AMUSE. Difyrru'r amser. TO PASS THE TIME.
difyrrus, *gw.* **difyr.**
difyrrwch, *eg. ll.* difyrion. Teimlad a achosir gan rywbeth difyr, adloniant, diddanwch, hwyl. AMUSEMENT.
difyrrwr, *eg. ll.* difyrwyr. Diddanwr. ENTERTAINER.
difyrwaith, *eg. ll.* difyrweithiau. Difyrrwch, adloniant, ymarfer, &c., sy'n diddori person yn ei amser hamdden. LEISURE, PURSUIT, HOBBY.
difywyd, *a.* Heb fywyd, marwaidd, marw, digalon. LIFELESS.

diffaith, *a.* Anial, gwyllt, anghyfannedd, diffrwyth, didda. UNFRUITFUL.
Dyn diffaith. A WASTREL.
diffaith : diffeithwch, *eg.* Tir diffrwyth, anialwch, anghyfaneddle, diffeithdir. WILDERNESS.
diffiniad, *eg. ll.*-au. Esboniad, eglurhad, darnodiad. DEFINITION.
diffinio, *be.* Esbonio ystyr, egluro, darnodi. TO DEFINE.
diffodd : diffoddi, *be.* Peri i ddiflannu, dodi allan, dileu, diddymu, mynd allan. TO EXTINGUISH, TO GO OUT.
diffoddiad, *eg.* Y weithred o ddiffodd. EXTINCTION.
diffoddwr, *eg. ll.* diffoddwyr. Person sy'n diffodd. ONE WHO EXTINGUISHES OR QUENCHES.
Diffoddwr tân. FIREMAN.
diffoddydd, *eg. ll.*-ion. Teclyn neu gyfarpar sy'n diffodd tân. FIRE EXTINGUISHER.
diffrwyth, *a.* I. Heb ddim ffrwyth, di-les, di-fudd, diffaith. UNPROFITABLE.
2. Hysb. STERILE.
3. Wedi ei barlysu. PARALYSED.
diffrwythder : diffrwythdra, *eg.* Y cyflwr o fod heb ffrwyth. BARENNESS.
diffrwytho, *be.* Gwneud yn ddiffrwyth neu'n ddiymadferth, parlysu. TO MAKE BARREN ; TO PARALYSE.
diffuant, *a.* Dilys, didwyll, diledryw, pur, cywir. GENUINE, SINCERE.
diffuantrwydd, *eg.* Didwylledd, dilysrwydd. GENUINENESS, SINCERITY.
di-ffurf, *a.* Heb ffurf reolaidd. AMORPHOUS.
diffyg, *eg. ll.*-ion. Nam, eisiau, bai, gwendid, ffaeledd, aflwydd, amherffeithrwydd, angen. DEFECT, WANT, LACK.
Diffyg anadl. SHORTNESS OF BREATH.
Diffyg ar yr haul (lleuad). SOLAR (LUNAR) ECLIPSE.
diffygio, *be.* Methu, ffaelu, aflwyddo, blino, colli grym. TO FAIL, TO BE TIRED.
diffygiol, *a.* Â nam neu â rhywbeth yn eisiau, amherffaith, anghyflawn, blinedig, lluddedig. DEFICIENT, WEARY.
diffyndoll, *eb. ll.* Toll amdiffynnol ar nwyddau a fewnforir. TARIFF (*on imports*).
diffynnydd, *eg. ll.* diffynyddion. Un sydd ar brawf mewn llys barn, un a gyhuddir. DEFENDANT.
dig, *eg.* I. Dicter, gwg, llid, bâr, dicllonedd, soriant, digofaint, llidiowgrwydd. ANGER.
2. *a.* Llidiog, digofus, barus, yn dal dig. ANGRY.
digalon, *a.* Gwangalon, trist, diysbryd. DISHEARTENED, DEPRESSED.
digalondid, *eg.* Iselder ysbryd, gwan-galondid, anghefnogaeth, rhwystr. DISCOURAGEMENT, DEPRESSION.
digalonni, *be.* Mynd yn ddigalon, gwan-galonni. TO BECOME DISHEARTENED.

digamsyniol, *a.* Na ellir ei gamsynied, amlwg, clir, eglur. UNMISTAKEABLE.
digartrefedd, *eg.* Y cyflwr o fod yn ddigartref. HOMELESSNESS.
digasedd, *eg.* Casineb, atgasedd ; gelyniaeth. HATRED ; ENMITY.
digellwair, *a.* Didwyll, diffuant, o ddifrif. SINCERE.
digio, *be.* Bod neu wneud yn ddig, llidio, sorri, cythruddo, tramgwyddo, anfodloni. TO OFFEND.
di-glem, *a.* Diamcan, di-siâp. INEPT.
digllon, *gw.* dicllon.
digofaint, *eg.* Dicter, llid, dig, bâr, dicllonrwydd. ANGER.
digofus, *a.* Wedi digio, dig, dicllon, llidiog, anfodlon. ANGRY.
digoll, *a.* Cyflawn, perffaith. COMPLETE.
digolledu, *be.* Gwneud iawn, talu iawn. TO COMPENSATE.
digon, *eg.* I. Swm addas, toreth, gwala, digonoldeb, digonolrwydd, digonedd. ENOUGH.
Uwchben ei ddigon. WELL OFF.
2. *a.* ac *adf.* Digonol. SUFFICIENT(LY).
Digon da. GOOD ENOUGH.
digonedd, *eg.* Cyflawnder, toreth, helaethrwydd, mwy na digon. ABUNDANCE, PLENTY.
digoni, *be.* I. Bod yn ddigon, diwallu, boddhau. TO SUFFICE.
2. Pobi, rhostio. TO ROAST.
digonol, *a.* Cymwys i'r pwrpas ; boddhaol ; yn ddigon. ADEQUATE ; SATISFYING ; SATISFIED.
di-gred, *a.* Heb gred, anghrediniol, di-dduw. WITHOUT (RELIGIOUS) BELIEF, FAITHLESS, GODLESS.
di-grefft : digrefft, *a.* Heb grefft, heb ddysgu sgiliau crefftwr. UNSKILLED.
digrif : digri : digrifol, *a.* Difyr, difyrrus, comig, smala, ffraeth, hyfryd. AMUSING, PLEASANT.
digrifwas, *eg. ll.* digrifweision. Gŵr digrif, clown. CLOWN.
digroeso, *a.* Heb groeso, anlletygar. INHOSPITABLE.
digrifwch, *eg.* Difyrrwch, cellwair, smaldod, miri. FUN.
diguro, *a.* Digymar, dihafal. UNSURPASSED.
digwydd, *be.* Damweinio, darfod. TO HAPPEN.
digwyddiad, *eg. ll.*-au. Yr act o ddigwydd, achlysur. EVENT.
digyfnewid, *a.* Heb newid, yn parhau yr union fath. UNCHANGEABLE.
digymar, *a.* Heb ddim i'w gymharu ag ef, digyffelyb, anghymarol, dihafal, dihefelydd, di-ail. INCOMPARABLE.
digymysg, *a.* Heb gymysgu, heb gynnwys unrhyw ddefnydd arall, pur. UNMIXED.
digynnwrf, *a.* Digyffro, tawel, llonydd. STILL, QUIET.
digyrraedd, *a.* Pendew, hurt, dwl, ynfyd. DENSE, STUPID.
digyrrith, *a.* Hael, haelionus. UNSPARING.
digywilydd, *a.* Haerllug, wyneb-galed, anweddus, eofn, hy, difoes, anfoesgar. IMPUDENT.

digywilydd-dra, *eg.* Haerllugrwydd, hyfdra, beiddgarwch. IMPUDENCE.

dihafal, *a.* Digyffelyb, digymar, di-ail, anghymarol. UNEQUALLED.

dihangfa, *eb. ll.* diangfâu. Yr act o ddianc, ymwared, ffoedigaeth. ESCAPE.

dihangol, *a.* Heb newid, yn rhydd o niwed neu berygl, diogel, croeniach. SAFE. Bwch dihangol. SCAPEGOAT.

dihalog, *a.* Di-lwgr, glân, pur. UNDEFILED.

dihareb, *eb. ll.* diarhebion. Hen ddywediad doeth a ddefnyddir yn aml. PROVERB.

dihatru, *be.* Diosg, dinoethi, tynnu oddi am, dadwisgo. TO STRIP.

dihefelydd, *a.* Digyffelyb, digymar, dihafal, di-ail. UNEQUALLED.

diheintio, *be.* Clirio haint, puro o hadau clefyd. TO DISINFECT.

diheintydd, *eg. ll.*-ion. Cyffur neu gemegau diheintio. DISINFECTANT.

dihenydd, *eg.* Diwedd, marwolaeth, marwolaeth trwy gyfraith. END, DEATH, EXECUTION. Yr hen Ddihenydd. THE ANCIENT OF DAYS.

dihewyd, *eg.* Ymroddiad. DEVOTION.

di-hid : dihidio, *a.* Anystyriol, didaro, difater, diofal, esgeulus. HEEDLESS, INDIFFERENT.

dihidlo, *be.* Distyllu, defnynnu, diferu. TO DISTIL.

dihiryn, *eg. ll.* dihirod. Adyn, cnaf, gwalch, cenau, twyllwr. RASCAL.

dihoeni, *be.* Bod yn flinedig a gwan, nychu, llesgáu, curio, llewygu. TO LANGUISH.

di-hun, *a.* Wedi dihuno neu ddeffro, effro, di-gwsg. AWAKE. Ar ddi-hun. TO BE AWAKE.

dihuno, *be.* Cyffroi o gwsg, deffro, deffroi. TO WAKEN, TO AWAKEN.

di-hwyl, *a.* Heb fod mewn hwyliau da, anhwylus, OUT OF SORTS.

dihyder, *a.* Heb hyder, swil, gwylaidd. LACKING CONFIDENCE.

dihydradu, *be.* Tynnu dŵr o, dad-ddyfrio. TO DEHYDRATE.

dihysbydd, *a.* Na ellir ei wacáu, diderfyn, diddiwedd. INEXHAUSTIBLE.

dihysbyddu, *be.* Gwneud yn wag, gwacáu, disbyddu. TO EMPTY, TO EXHAUST.

dil, *eg. ll.*-iau. Dil mêl. HONEYCOMB.

dilead, *eg.* Diddymiad, difodiant. DELETION.

dilechdid, *eg.* Yr adran sy'n ymwneud â rheolau a moddau dadlau mewn rhesymeg. DIALECTICS.

diledryw, *a.* Pur, dilys, diffuant, digymysg, didwyll, gwir. PURE, SINCERE.

dilestair, *a.* Dirwystr. UNIMPEDED.

dileu, *be.* Tynnu neu fwrw allan, diddymu, difodi. TO DELETE.

dilewyrch, *a.* Tywyll, digalon, digysur, aflwyddiannus. GLOOMY, UNPROSPEROUS.

dilin, *a.* Coeth. REFINED.

di-lol, *a.* Heb lol, heb wiriondeb. WITHOUT NONSENSE.

dilorni, *be.* Difenwi, cablu, difrïo, gwaradwyddo. TO REVILE.

di-lun, *a.* Afluniaidd, aflêr, anniben. SHAPELESS.

dilychwin, *a.* Pur, glân, heb ei ddifwyno, difrycheulyd. SPOTLESS.

dilyffethair, *a.* Heb hual neu lyffethair, rhydd. UNFETTERED.

dilyn, *be.* Mynd neu ddod ar ôl, canlyn, ufuddhau, mynd ar hyd, deall, efelychu. TO FOLLOW.

dilyniad, *eg.* Y weithred o ddilyn ; efelychiad. FOLLOWING ; IMITATION.

dilyniant, *eg. ll.* dilyniannau. Cyfres gysylltiedig mewn barddoniaeth, cerddoriaeth, mathemateg, &c. SEQUENCE IN POETRY, MUSIC, MATHEMATICS, &c.

dilynol, *a.* Canlynol, ar ôl hynny. FOLLOWING.

dilynwr, *eg. ll.* dilynwyr. Canlynwr. FOLLOWER.

dilys, *a.* Gwir, sicr, diffuant, didwyll, diledryw. SURE, AUTHENTIC.

dilysnod, *eg. ll.*-au. Stamp neu farc swyddogol ar waith aur neu arian yn warant o'i ansawdd. HALLMARK.

dilysrwydd, *eg.* Sicrwydd am wirionedd peth. GENUINENESS.

dilysu, *be.* Gwarantu, profi'n ddilys. TO GUARANTEE ; TO WARRANT.

di-lyth, *a.* Diball, di-feth, diflin, dyfal. UNFAILING.

dilyw, *eg.* Dŵr yn llifo'n gryf neu'n gorlifo, llif, llifeiriant, ffrydlif, rhyferthwy, cenllif, dylif. FLOOD. Y Dilyw. THE FLOOD.

dilywodraeth, *a.* Afreolus, aflywodraethus. UNRULY.

dillad, *e.ll.* (*un. g.* dilledyn). Pethau i'w gwisgo neu i'w dodi ar wely, gwisg. CLOTHES. Dillad parod. READY-MADE CLOTHES. Dillad gwaith. WORKING CLOTHES. Pâr o ddillad. SUIT.

dilladu, *be.* Dodi dillad am, gwisgo. TO CLOTHE.

dilledydd, *eg. ll.*-ion. Brethynnwr, un sy'n gwerthu neu wneud dillad neu frethyn. CLOTHIER.

dilledyn, *gw.* dillad.

dillyn, *a.* Coeth, chwaethus, pur, têr, lluniaidd. REFINED, SMART.

dillynder, *eg.* Y stad o fod yn ddillyn, coethder, coethiad. REFINEMENT.

dim, *eg.* Unrhyw (beth), rhywbeth. ANY, ANYTHING, NOTHING. I'r dim. EXACTLY. Uwchlaw pob dim. ABOVE ALL. Y peth i'r dim. THE VERY THING.

dimai, *eg. ll.* dimeiau. Darn arian na ddefnyddir mwyach a fu gwerth hanner ceiniog. HALFPENNY. Heb ddimai goch y delyn.

dinam : di-nam, *a.* Difai, perffaith. FAULTLESS.

dinas, *eb. ll.*-oedd. Tref fawr, tref freiniol neu ag eglwys gadeiriol. CITY.

dinasol, *a.* Yn perthyn i ddinas neu fwrdeistref. MUNICIPAL, CIVIC.

dinasyddiaeth, *eb.* Perthynas â dinas neu dref neu wlad. CITIZENSHIP.

dincod, *gw.* **deincod.**

dinesig, *a.* Gwladol, trefol, yn ymwneud â dinas neu â dinasyddion. CIVIC.

dinesydd, *eg. ll.* dinasyddion. Deiliad dinas neu wlad, bwrdais. CITIZEN, SUBJECT.

dinistr, *eg.* Distryw. DESTRUCTION.

dinistrio, *be.* Rhoi diwedd ar, distrywio, difetha, andwyo, difa, lladd. TO DESTROY.

dinistriol, *a.* Yn achosi dinistr, distrywiol, andwyol. DESTRUCTIVE.

dinistriwr, *eg. ll.* dinistriwyr. Distrywiwr, un sy'n dinistrio ; ysbeiliwr. DESTROYER ; SPOILER.

diniwed, *a.* Heb niwed, diddrwg, gwirion, dieuog, difai. HARMLESS.

diniweidrwydd, *eg.* Dieuogrwydd, y stad o fod yn syml ac yn naturiol, bod yn ddiniwed. INNOCENCE.

di-nod : dinod, *a.* Distadl, disylw, dibwys, tila, anhysbys, anenwog. INSIGNIFICANT.

dinodedd, *eg.* Y stad o fod yn ddi-nod, distadledd, anenwogrwydd. OBSCURITY.

dinoethi, *be.* Amlygu, arddangos, dangos, gadael yn ddiymgeledd. TO EXPOSE.

diod, *eb. ll.*-ydd. Peth i'w yfed. A DRINK.
Diod fain. SMALL BEER.
Diod gadarn. STRONG DRINK.

diodi, *be.* Rhoi rhywbeth i'w yfed. TO GIVE TO DRINK.

dioddef, *be.* Teimlo poen neu ofid, &c., ; goddef, caniatáu. TO SUFFER.

dioddefaint, *eg.* Poenedigaeth, gofid, dolur, blinder. SUFFERING.

dioddefgar, *a.* Yn goddef poen (blinder, gofid, &c.,) ; amyneddgar, goddefgar. PATIENT.

dioddefgarwch, *eg.* Y cyflwr o fod yn ddioddefgar, hir-ymaros, amynedd, goddefgarwch. PATIENCE, FORBEARANCE.

dioddefwr : dioddefydd, *eg. ll.* dioddefwyr. Un sy'n dioddef. SUFFERER.

di-oed : dioed, *a.* Heb oedi, heb golli amser, ar unwaith. WITHOUT DELAY.

diofal, *a.* Heb ofal, esgeulus, hynod, rhyfedd. CARELESS, ODD.

diofalwch, *eg.* Esgeulustra, esgeulustod. CARELESSNESS.

diog : dioglyd, *a.* Segur, ofer, musgrell, swrth. LAZY.

diogel, *a.* Yn rhydd o berygl neu niwed, wedi ei arbed, dihangol, saff, mawr. SAFE, SECURE, GREAT.
Pellter diogel. A FAIR DISTANCE.

diogelu, *be.* Gwneud yn ddiogel, sicrhau. amddiffyn, gwaredu, cysgodi, arbed, noddi, coleddu, llochesu, gwarchod, gwylio. TO SECURE, TO SAFEGUARD.

diogelwch, *eg.* Lle diogel, y stad o fod yn ddiogel. SAFETY.

diogi, *eg.* I. Segurdod. IDLENESS.
2. *be.* Peidio â gwneud dim, segura, ofera. TO IDLE.

diogyn, *eg.* Dyn diog, un nad yw'n gwneud dim, segurwr, oferwr. IDLER.

dioglyd, *gw.* **diog.**

diolch, *eg. ll.*-iadau. I. Geiriau o werthfawrogiad. THANKS.
2. *be.* Dangos diolchgarwch. TO THANK.

diolchgar, *a.* Yn llawn diolch, yn dangos gwerthfawrogiad. GRATEFUL.

diolchgarwch, *eg.* Yr act o ddangos gwerthfawrogiad, diolch. GRATITUDE.

diolwg, *a.* Salw, hagr, hyll. UGLY.

diomedd, *a.* Heb ballu, diwrthod, diwarafun. WITHOUT REFUSING.

diorseddu, *be.* Amddifadu brenin o'i orsedd, diswyddo teyrn. TO DETHRONE, TO DEPOSE.

di-os, *a.* Heb amheuaeth, diamau, diau, di-ddadl. WITHOUT DOUBT.

diosg, *be.* Tynnu dillad, &c., oddi am ; dihatru, dinoethi. TO DIVEST.

diota, *be.* Yfed diod neu win, llymeitian. TO TIPPLE.

diotwr, *eg. ll.* diotwyr. Yfwr diod gadarn, llymeitiwr. DRINKER.

diploma, *eg. b. ll.* diplomâu. Tystysgrif yn cyflwyno gradd neu anrhydedd i berson. DIPLOMA.

diplomydd, *eg. ll.*-ion. Swyddog yn trin materion cydwladol. DIPLOMAT.

diplomyddol, *a.* Yn perthyn i swydd diplomydd. DIPLOMATIC.

dipton, *eb. ll.*-au. Dwy lafariad yn ffurfio un sain, deusain. DIPHTHONG.

diraddiad, *eg. ll.*-au. Y weithred o ddiraddio, dirywiad. DEGRADATION.

diraddio, *be.* Peri colli sefyllfa neu hunan-barch, darostwng, iselhau, difreinio. TO DEGRADE.

diraddiol, *a.* Yn diraddo, isel, gwael. DEGRADING.

di-raen : diraen, *a.* Heb fawr o raen arno, dilewyrch, gwael. SHABBY, DULL.

dirboen, *eb. ll.*-au. Poen arteithiol neu ddirdynnol. EXTREME PAIN, TORTURE.

dirboeni, *be.* Poenydio, dirdynnu. TO TORTURE.

dirboenus, *a.* Dirdynnol, arteithiol. EXCRUCIATING.

dirdyniad, *eg. ll.*-au. Dirboen, artaith, dirgryniad. TORTURE, CONVULSION.

dirdynnol, *a.* Dirboenus, arteithiol. EXCRUCIATING.

dirdynnu, *be.* Arteithio, dirboeni, poenydio. TO TORTURE.

direidi, *eg.* Drygioni, digrifwch, cellwair, difyrrwch. MISCHIEVOUSNESS.

direidus, *a.* Drygionus, digrif, cellweirus, difyr, smala, ffraeth. MISCHIEVOUS.

direol, *a.* Afreolus, annosbarthus, aflywodraethus. UNRULY.

direwi, *be.* Y broses o gynhesu bwyd o rewgell ar gyfer coginio neu fwyta. TO DEFROST.

direwyn, *eg.* Hylif i'w ychwanegu at ddŵr i'w atal rhag rhewi. ANTIFREEZE.

dirfawr, *a.* Anferth, enfawr, aruthrol, difesur, diderfyn. ENORMOUS.

dirgel, *a.* Cyfrinachol, cyfrin, cudd, cuddiedig, preifat. SECRET.
Yn y dirgel. IN SECRET.

dirgelu, *be*. Cuddio, cadw o'r golwg heb wybod i neb. TO CONCEAL, TO HIDE, TO SECRETE.

dirgelwch, *eg*. Peth sy'n ddirgel, cyfrinach, cyfriniaeth. MYSTERY. Dirgelion. SECRETS.

dirgryniad, *eg*. *ll.*-au. Dirdyniad. CONVULSION, VIBRATION.

dirgrynu, *be*. Crynu, symud ôl a blaen, ysgwyd. TO VIBRATE, TO CONVULSE.

diriaeth, *eg*. Rhywbeth a sylwedd iddo, rhywbeth real. CONCRETE.

diriaethol, *a*. Sylweddol, real. CONCRETE.

di-rif : dirifedi, *a*. Aneirif, afrifed. COUNTLESS.

dirmyg, *eg*. Teimlad bod rhywbeth yn wael ac isel, diystyrwch. CONTEMPT. Dirmyg llys. CONTEMPT OF COURT.

dirmygu, *be*. Dangos dirmyg, diystyru, ysgornio. TO DESPISE.

dirmygus, *a*. Yn dirmygu, diystyrllyd, ysgornllyd. CONTEMPTUOUS.

dirnad, *be*. Amgyffred, deall, synied, gwybod, dychmygu. TO COMPREHEND.

dirnadaeth, *eb*. Dealltwriaeth, syniad, amgyffred, craffter. COMPREHENSION.

dirnadwy, *a*. Y gellir ei ddirnad, dealladwy. COMPREHENSIBLE.

dirodres, *a*. Diymffrost, diymhongar, gwylaidd. UNASSUMING.

dirprwy, *eg*. *ll.*-on. I. Un sy'n gweithredu dros arall. DEPUTY.
2. Cennad, cynrychiolydd. DELEGATE.

dirprwyaeth, *eb*. *ll.*-au. Cynrychiolaeth, cenhadaeth, dirprwyad. DEPUTATION.

dirprwyo, *be*. Cymryd lle neu weithredu dros rywun arall. TO DEPUTISE.

dirwasgiad, *eg*. *ll.*-au. Stad o isel ysbryd, diffyg masnach, &c. DEPRESSION.

dirwasgu, *be*. Gwasgu'n eithafol. TO CRUSH.

dirwest, *eb*. Cymedroldeb ynglŷn â diodydd meddwol, cymedroldeb, sobrwydd, llwyrymwrthodiad. TEMPERANCE.

dirwestol, *a*. Yn ymwneud â dirwest. TEMPERATE.

dirwestwr, *eg*. *ll.* dirwestwyr. Ymataliwr, llwyrymwrthodwr. ABSTAINER.

dirwy, *eb*. *ll.*-on. Cosb ariannol. A FINE.

dirwyn, *be*. Troi, trosi, newid cyfeiriad. TO WIND.

dirwyo, *be*. Cosbi'n ariannol, cosbi trwy ddirwy. TO FINE.

dirwyol, *a*. Yn ymwneud â dirwy. PERTAINING TO A FINE.

di-rym : dirym, *a*. Heb rym, gwan, eiddil. POWERLESS, WEAK. FEEBLE.

dirymu, *be*. Peri fod yn colli grym, diddymu, dileu. TO ANNUL.

diryw, *a*. (*Gram.*). Heb fod yn wrywaidd na benywaidd. NEUTER (*of noun, &c., in gram.*).

dirywiad, *eg*. Gwaethygiad. DETERIORATION.

dirywio, *be*. Mynd yn waeth, gwaethygu, adfeilio. TO DETERIORATE.

dirywiol, *a*. Yn dirywio, gwaeth. DEGENERATE.

dis, *eg*. *ll.*-iau. Ciwb mewn chwarae. DICE.

di-sail, *a*. Heb sail, anwir. GROUNDLESS.

disathr, *a*. Ansathredig, didramwy, anhygyrch. UNFREQUENTED.

disberod, *a*. Cyfeiliornus, crwydrol. WANDERING. Ar ddisberod. ASTRAY.

disbyddu, *be*. Dihysbyddu, gwacáu. TO EXHAUST.

diserch, *a*. Heb fod yn serchog, drwg ei dymer, sarrug, cuchiog, blwng, gwgus, prudd. SULLEN, SULKY.

disg, *eg*. *ll.*-iau. Plât crwn o fetel neu blastig ; record gramaffôn. DISK ; GRAMOPHONE RECORD. Cryno ddisg. COMPACT DISK.

disgen, *eb*. *ll.* disgiau. Plât crwn arbennig a deflir gan gystadleuwyr penodol mewn mabolgampau. DISCUS.

disglair, *a*. Gloyw, claer, llachar, llewyrchus. BRIGHT, BRILLIANT.

disgleinio, *be*. Disgleirio. TO SHINE.

disgleirdeb : disgleirder, *eg*. Gloywder, llewyrch. BRIGHTNESS.

disgleirio, *be*. Gloywi, tywynnu, llathru, llewyrchu, pelydru, serennu, disgleinio. TO GLITTER.

disgleirwyn, *a*. Claerwyn. BRILLIANTLY WHITE.

disgrifiad, *eg*. *ll.*-au. Yr act o ddisgrifio, darluniad, hanes. DESCRIPTION.

disgrifiadol, *a*. Yn disgrifio, darluniadol. DESCRIPTIVE.

disgrifio, *be*. Dweud am beth mewn gair neu ysgrifen, darlunio, rhoi hanes. TO DESCRIBE.

disgwyl, *be*. Hyderu, gobeithio, aros am (rywun), erfyn (rhywun). TO EXPECT.

disgwylgar, *a*. Yn disgwyl, yn edrych ymlaen yn obeithiol. WATCHFUL, EXPECTANT.

disgwyliad, *eg*. *ll.*-au. Hyder, gobaith, erfyniad. EXPECTATION.

disgybl, *eg*. *ll.*-ion. Un sy'n dysgu gan un arall, ysgolor, ysgolhaig. PUPIL.

disgyblaeth, *eb*. Ymarfer ag ufuddhau i orchmynion, rheolaeth. DISCIPLINE.

disgyblu, *be*. Hyfforddi, gwneud yn ufudd neu'n weddaidd, ceryddu, rheoli. TO DISCIPLINE.

disgybledig, *a*. Wedi ei ddisgyblu. DISCIPLINED.

disgyblwr, *eg*. *ll.* disgyblwyr. Un a disgyblaeth ganddo. DISCIPLINARIAN.

disgyn, *be*. Mynd neu ddod i lawr, syrthio (ar), ymostwng, gostwng, hanu. TO DESCEND, TO POUNCE.

disgynfa, *eb*. *ll.* disgynfeydd. Cwympiad, lle i lanio. DESCENT, LANDING-PLACE.

disgyniad, *eg*. *ll.*-au. Syrthiad. DESCENT.

disgynnydd, *eg*. *ll.* disgynyddion. Un sydd o hil neu hiliogaeth, un sy'n hanu o. DESCENDANT.

disgyrchiant, *eg*. Yn ymwneud â phwysau, pwysfawredd. GRAVITY.

disgyrchu, *be*. Tynnu tua'r ddaear, tynnu'n gryf tuag at rywbeth arall. TO GRAVITATE.

di-sigl, *a.* Cadarn, diysgog, di-syfl, sicr, safadwy, dianwadal, digyfnewid. STEADFAST.

disiwr, *eg. ll.* diswyr. Un sy'n chwarae, â dis. DICE-PLAYER.

disodli, *be.* Cymryd lle un arall yn annheg. TO SUPPLANT.

dist, *eg. ll.*-iau. Trawst sy'n cyrraedd o wal i wal i ddal llawr neu nenfwd, tulath. JOIST.

distadl, *a.* Di-nod, dibwys, tila, di-sylw, diystyr, isel, iselfryd. INSIGNIFICANT.

distadledd, *eg.* Dinodedd, anenwogrwydd. INSIGNIFICANCE.

distain, *eg. ll.* disteiniaid. Stiward y llys, gweinyddwr. STEWARD.

distaw, *a.* Heb sŵn, heb ddweud dim, tawedog, di-stŵr, tawel. SILENT.
Yn ddistaw fach. ON THE QUIET.

distawrwydd, *eg.* Absenoldeb sŵn, tawelwch, gosteg, taw. SILENCE, QUIET.

distewi, *be.* Rhoi taw ar, tawelu, gostegu, gwneud yn ddistaw. TO SILENCE, TO BE SILENT, TO CALM.

distryw, *eg.* Dinistr, ôl distrywio. DESTRUCTION.

distrywgar, *a.* Dinistriol. DESTRUCTIVE.

distrywio, *be.* Dinistrio, difetha, difa. TO DESTROY.

distrywiol, *a.* Dinistriol, distrywgar. DESTRUCTIVE.

distrywiwr, *eg. ll.* distrywyr. Dinistriwr, un sy'n distrywio, dymchwelwr. DESTROYER, DEMOLISHER.

distyll, *eg. ll.*-ion. 1. Dihidliad, defnyniad, diferiad. DISTILLATION.
2. Trai. EBB.

distyllu, *be.* Dihidlo. TO DISTIL.

distyllwr, *eg. ll.* distyllwyr. Un sy'n distyllu. DISTILLER.

di-sut, *a.* 1. Anhwylus, tost, claf. UNWELL.
2. Bach, di-glem. SMALL, INEPT.

diswyddiad, *eg. ll.*-au. Y weithred o ddanfon person o'i swydd. DISMISSAL.

diswyddo, *be.* Symud o swydd, deol, diarddel, troi i maes. TO DISMISS.

disychedu, *be.* Torri syched, diwallu (â dŵr, te, cwrw, &c.,). TO QUENCH THIRST.

disyfyd, *a.* Sydyn, disymwth, diarwybod. SUDDEN, INSTANTANEOUS, UNEXPECTED.

disymwth : disyfyd : diswta, *a.* Sydyn, swta, cyflym, annisgwyliadwy, rhwydd. SUDDEN, ABRUPT.

disynnwyr, *a.* Heb synnwyr, ffôl, annoeth. SENSELESS.

ditectif, *eg. ll.*-s. Cuddswyddog, un sy'n hyddysg neu fedrus yn y gwaith o ddal drwgweithredwyr. DETECTIVE.

di-wad, *a.* Anwadadwy, diymwad. UNDENIABLE.

diwahân, *a.* Anwahanadwy, na ellir eu gwahanu. INSEPARABLE.

diwair, *a.* Rhinweddol, diniwed, heb bechod, pur, dillyn, chwaethus, difrycheulyd. CHASTE, PURE.

di-waith : diwaith, *a.* Heb waith, segur, person heb waith. UNEMPLOYED, IDLE, UNEMPLOYED PERSON.

diwallu, *be.* Digoni, bodloni, cyflenwi. TO SATISFY, TO SUPPLY.

diwarafun, *a.* 1. Dirwgnach. UNGRUDGING.
2. Dilestair. WITHOUT HINDRANCE.
3. Diwahardd. UNFORBIDDEN.

diwasgedd, *eg. ll.*-au. Y cyflwr, o ran tywydd, pan fo'r baromedr yn isel, pwysedd isel (o ran yr awyr). LOW PRESSURE (*weather*).

diwedydd, *eg.* Diwedd dydd, yr hwyr, gyda'r nos. EVENING.

diwedd, *eg.* Pen, terfyn, y rhan olaf, diweddglo, pwrpas, marwolaeth. END.

diweddar, *a.* Hwyr, ar ôl amser, yn y dyddiau hyn, wedi marw. LATE, MODERN.

diweddaru, *be.* Newid i ffurf ddiweddar. TO MODERNISE.

diweddarwch, *eg.* Y cyflwr o fod yn ddiweddar neu'n hwyr. LATENESS.

diweddglo, *eg.* Diwedd araith neu gân, &c., ; terfyn, clo, terfyniad, diweddiad. CONCLUSION.

diweddiad, *eg. ll.*-au. Terfyn, diwedd, terfyniad, diweddglo. ENDING, CONCLUSION.

diweddu, *be.* Terfynu, gorffen, cwpláu, dibennu, dod i ben, darfod. TO END.

diweirdeb, *eg.* Y stad o fod yn ddiwair, purdeb. PURITY.

diwel, *be.* Arllwys, tywallt, bwrw'n drwm. TO POUR.
Yn diwel y glaw. POURING RAIN.

diweniaith, *a.* Diragrith, didwyll. WITHOUT FLATTERY, SINCERE.

diwerth, *a.* Heb werth. WORTHLESS.

diwethaf, *a.* Olaf, yn dod ar y diwedd, diweddaraf. LAST.

diwinydd, *eg. ll.*-ion. Un sy'n astudio'r wyddor sy'n ymdrin â Duw. THEOLOGIAN.

diwinyddiaeth, *eb.* Myfyrdod ar Dduw a materion crefyddol. THEOLOGY.

diwinyddol, *a.* Yn ymwneud â diwinyddiaeth. THEOLOGICAL.

diwnïad, *a.* Heb edefyn neu wnïad. SEAMLESS.

diwreiddio, *be.* Tynnu o'r gwraidd, dileu. TO UPROOT.

diwrnod, *eg. ll.*-au. Rhan o amser, pedair awr ar hugain, dydd, dwthwn. DAY.
Rhoi diwrnod i'r brenin : segura am ddiwrnod.

diwrthdro, *a.* Na ellir ei wrthdroi, na ellir ei ddiddymu, di-droi'n-ôl. IRREVERSIBLE, IRREVOCABLE, INEXORABLE.

diwyd, *a.* Dyfal, gweithgar, ystig, prysur. DILIGENT.

diwydiannaeth, *eb.* Cyfundrefn gymdeithasol ac economaidd yn seiliedig ar weithgareddau diwydiannol. INDUSTRIALISM.

diwydiannol, *a.* Yn ymwneud â diwydiant. INDUSTRIAL.
Y Chwyldro Diwydiannol. THE INDUSTRIAL REVOLUTION.

diwydiannwr, *eg. ll.* diwydianwyr. Un sy'n gysylltiedig â diwydiant, gwneuthurwr nwyddau. INDUSTRIALIST.

diwydiant, *eg. ll.* diwydiannau. Gwaith masnach. INDUSTRY.

diwydrwydd

86

dolennu

diwydrwydd, *eg.* Dyfalwch, prysurdeb, gweithgarwch. DILIGENCE, INDUSTRY.

diwyg, *eg.* Trefn, gwisg, ymddangosiad, ffurf, dull. DRESS, CONDITION, FORM.

diwygiad, *eg. ll.*-au. Adfywiad crefyddol, adnewyddiad bywyd ac ynni. REVIVAL, REFORM.

diwygiedig, *a.* Wedi ei ddiwygio neu ei gywiro, newydd. REVISED, REFORMED.
Y Cyfieithiad Diwygiedig. THE REVISED VERSION.
Eglwys Unedig Ddiwygiedig. UNITED REFORMED CHURCH.

diwygio, *be.* Peri bod bywyd newydd mewn rhywbeth, adfywio, adnewyddu, gwella, cywiro, adolygu, cyfnewid. TO AMEND, TO CORRECT.

diwygiwr, *eg. ll.* diwygwyr. Arweinydd adfywiad, pregethwr diwygiad. REFORMER, REVIVALIST.

diwylliadol, *a.* Yn ymwneud â diwylliant. CULTURAL.

diwylliannol, *a.* Yn ymwneud â diwylliant, diwylliadol. CULTURAL.

diwylliant, *eg. ll.* diwylliannau. Datblygiad personau oherwydd eu haddysg neu eu gwareiddiad. CULTURE.
Diwylliant gwerin. FOLK-CULTURE.

diwylliedig, *a.* Goleuedig neu ddysgedig, coeth, chwaethus. CULTURED.

diwyllio, *be.* Meithrin neu oleuo'r meddwl, trin, coethi, gwrteithio, llafurio, amaethu. TO CULTIVATE.

difwyno, *be.* Llychwino, difetha, andwyo, baeddu, trochi. TO MAR, TO SOIL.

diymadferth, *a.* Heb allu i helpu ei hunan, diynni, diegni, difywyd. HELPLESS.

diymdroi, *a.* Ar unwaith, diatreg, di-oed, heb oedi. WITHOUT DELAY.

diymffrost : diymhongar, *a.* Gwylaidd, dirodres. UNASSUMING.

diymod, *a.* Diysgog, di-syfl, cadarn, sicr. STEADFAST.

diymwad, *a.* Diamau, diau, di-wad, di-ddadl. UNDENIABLE.

diysgog, *a.* Di-sigl, diymod, di-syfl, ansymudol, sicr, safadwy, ffyrf, penderfynol, dianwadal, cadarn. STEAD-FAST.

diystyr, *a.* Heb ystyr, disynnwyr, direswm ; anystyriol ; dirmygus. MEANINGLESS ; INCONSIDERATE ; CONTEMPTUOUS.

diystyrllyd, *a.* Dirmygus, ffroenuchel, gwawdlyd, gwatwarus, anystyriol. CONTEMPTUOUS.

diystyru, *be.* Anwybyddu, dirmygu, gwawdio, gwatwar. TO DESPISE, TO DISREGARD.

diystyrwch, *eg.* Esgeulustod, dirmyg, gwawd. DISREGARD, CONTEMPT.

do, *adf.* Ateb cadarnhaol i ofyniadau yn yr amser perffaith (gorffennol). YES.

doc, *eg. ll.* Porth i longau ; brawdle neu far mewn llys barn. DOCK ; DOCK (*in Courtroom*).

docio, *be.* Cwtogi, torri'n fyr ; dod â llong i mewn i ddoc. TO SHORTEN ; TO BERTH, TO DOCK.

doctor, *eg. ll.*-iaid. Meddyg, ffisigwr, doethur, doethor. DOCTOR.

doctora, *be.* Rhoi triniaeth feddygol, meddygu. TO DOCTOR.

dod, *gw.* **dyfod.**

dodi, *be.* Gosod mewn lle arbennig, rhoi, rhoddi. TO PLACE, TO GIVE.

dodrefn, *e.ll.* (*un. g.* dodrefnyn). Pethau fel cadeiriau neu fordydd, &c., ; celfi, offer, eiddo. FURNITURE.

dodrefnu, *be.* Dodi dodrefn (mewn adeilad), darparu, cyflenwi. TO FURNISH.

dodrefnwr, *eg. ll.* dodrefnwyr. Gwerthwr dodrefn. FURNISHER.

dodwy, *be.* Cynhyrchu wy. TO LAY (EGGS).

doe : ddoe, *eg. ll.*-au. 1. Y diwrnod o flaen heddiw. YESTERDAY.
2. *adf.* Yn ystod y diwrnod o flaen heddiw. YESTERDAY.
Bore ddoe. YESTERDAY MORNING.

doeth, *a. ll.*-ion. Call, synhwyrol, pwyllog, craff, deallus. WISE.
Y Doethion. THE WISE MEN.

doethineb, *eg.* Pwyll, synnwyr, callineb, tact, barn iawn. WISDOM.

doethinebu, *be.* Siarad yn ddoeth. TO DISCOURSE WISELY, TO PONTIFICATE.

doethor : doethur, *eg. ll.*-iaid. Gŵr doeth neu ddysgedig, doctor. DOCTOR (*of a university*).

doethyn, *eg.* Ffwlcyn, ffŵl. WISEACRE.

dof, *a. ll.*-ion. Gwâr, hywedd, swci, difywyd, marwaidd. TAME.

dofednod, *e.ll.* Adar dof, ieir, ffowls, da pluog. POULTRY.

dofi, *be.* Gwneud yn ddof, gwareiddio, hyweddu, lliniaru, esmwytho, tawelu. TO TAME, TO ASSUAGE.

Dofydd, *eg.* Duw, Yr Arglwydd. GOD.

dogfen, *eb. ll.*-ni, -nau. Ysgrifen yn cynnwys tystiolaeth neu wybodaeth, gweithred. DOCUMENT.
Rhaglen ddogfen. DOCUMENTARY PROGRAMME.

dogn, *eg. ll.*-au. Cyfran benodol o fwyd, &c., ; saig, rhan, siâr. RATION, DOSE.

dogni, *be.* Rhannu, dosbarthu. TO RATION.

dol, *eb. ll.*-iau. Doli, tegan ar ddelw neu lun person. DOLL.

dôl, *eb. ll.* dolydd, dolau. Tir pori, maes, cae, gweirglodd, gwaun. MEADOW.

dolef, *eb. ll.*-au. Cri, llef, gwaedd, bloedd, crochlef. CRY.

dolefain, *be.* Gweiddi, llefain, crio, crochlefain, oernadu. TO CRY OUT.

dolefus, *a.* Lleddf, cwynfanus, trist, alaethus. PLAINTIVE.

dolen, *eb. ll.*-ni, -nau. Y rhan o rywbeth y cydir ynddo, peth sy'n cysylltu. *e.e.* dolen cwpan. HANDLE, LINK.

dolennu, *be.* Ymddolennu, troi oddi amgylch, troelli, gwneud dolen. TO WIND, TO MEANDER.

doler, *eb. ll.*-i. Darn arian Americanaidd. (Dynodir â'r nod $ o flaen y rhif.). DOLLAR.

dolffin, *eg. ll.*-iaid. Creadur o dylwyth y morfil a chanddo drwyn hirfain a symudiadau gosgeiddig. DOLPHIN.

dolur, *eg. ll.*-iau. Poen, niwed, anaf, briw, archoll, clwyf, afiechyd, anhwyldeb, gofid. HURT, AILMENT.

dolurio, *be.* Achosi poen, niweidio, clwyfo, briwio, brifo, anafu. TO HURT.

dolurus, *a.* Poenus, tost, blin, anafus, gofidus. SORE, GRIEVOUS.

donio, *be.* Cynysgaeddu â dawn neu dalent, cyfoethogi. TO ENDOW.

doniog, *a.* Dawnus, talentog. GIFTED.

doniol, *a.* Ffraeth, arabus, digrif, cellweirus, smala. WITTY, HUMOROUS.

donioldeb : doniolwch, *eg.* Ffraethineb, arabedd, digrifwch, smaldod. WIT, HUMOUR.

dôr, *eb. ll.* dorau. Drws, porth. DOOR.

dosbarth, *eg. ll.*-iadau. Gradd mewn cymdeithas, nifer o ddisgyblion, adran, rhaniad, ardal. CLASS, DISTRICT.

dosbarthiad, *eg. ll.*-au. Y weithred o ddosbarthu, adran, rhaniad. CLASSIFICATION, DISTRIBUTION.

dosbarthiadol, *a.* Yn ymwneud â dosbarthiad, adrannol, rhaniadol. DIVISIONAL, DISTRIBUTIVE.

dosbarthu, *be.* Rhannu, gwahanu, rhestru, trefnu, gwahaniaethu, gwasgaru. TO CLASSIFY, TO DISTRIBUTE.

dosbarthus, *a.* Trefnus. ORDERLY.

dosraniad, *eg. ll.*-au. Dadansoddiad. ANALYSIS.

dosrannu, *be.* Rhannu, gwahanu, dadansoddi. TO DIVIDE, TO ANALYSE.

dot, *eg.b. ll.*-iau. Marc arbennig o'r maint lleiaf fel a geir ar ben y llythrennau i a j, a hefyd fel atalnod ar ddiwedd brawddeg. SPOT ; DOT ; FULL STOP.

dotio (ar, at), *be.* Ymgolli mewn rhywbeth neu ar rywun, gwirioni, ffoli, dylu, dwli. TO DOTE.

drachefn, *adf.* Eto, eilwaith, unwaith yn rhagor. AGAIN.

A thrachefn. AND AGAIN.

drach ei gefn, *adf.* Tuag yn ôl, yn wysg ei gefn, gwrthol, llwrw ei gefn. BACKWARDS.

dracht, *eg. ll.* -iau. Yr hyn a yfir ar y tro, llymaid, llwnc. DRAUGHT *(of liquor, &c.)*.

drachtio, *be.* Yfed yn ddwfn. TO DRINK DEEPLY.

draen : draenen, *eb. ll.* drain. Pigyn ar blanhigyn, pren pigog. THORN, PRICKLE.

Draenen ddu. BLACKTHORN.

Draenen wen. HAWTHORN.

draen, *eb. ll.*-iau, dreiniau. Sianel neu bib(au) i gario dŵr, carthffosiaeth, &c., ; carthffos. DRAIN ; SEWER.

draenio, *be.* Sychu (clwyf, tir, &c.,) drwy gyfrwng pib(au) neu ffosydd. TO DRAIN.

draenog, *egb. ll.*-od. Anifail bach â chroen pigog. HEDGEHOG.

draig, *eb. ll.* dreigiau. Anghenfil chwedlonol neu ddychmygol. DRAGON.

Y Ddraig Goch. THE RED DRAGON.

drain, *gw.* draen : draenen.

drama, *eb. ll.* dramâu. Chwarae ar lwyfan, radio neu deledu, chwarae ; darn o lenyddiaeth i'w chwarae. DRAMA.

dramateiddio, *be.* Troi yn ddrama, disgrifio mewn dull dramatig. TO DRAMATIZE.

dramatig, *a.* Yn perthyn i ddrama, yn meddu nodweddion drama, cyffrous. DRAMATIC.

dramodwr : dramodydd, *eg. ll.* dramodwyr. Un sy'n cyfansoddi dramâu. DRAMATIST.

drannoeth, *adf.* Y diwrnod wedyn. NEXT DAY.

drâr : drôr, *eg.* Blwch symudol mewn bord, &c. DRAWER.

draw, *adf.* Acw, y fan acw, hwnt. YONDER, AWAY.

Yma a thraw. HERE AND THERE.

dreng, *a.* Blwng, sarrug. MOROSE, SULLEN.

dreiniog, *a.* Yn llawn drain, pigog. THORNY.

dresel : dreser, *eg. ll.*-i : -ydd. Celficyn i gadw llestri, &c., arno ; tresal, seld. DRESSER.

drewdod, *eg.* Drygsawr, gwynt cas, drewi, arogl afiach. STINK.

drewedig : drewllyd, *a.* Â sawr drwg, ag arogl afiach. STINKING.

drewi, *be.* Bod â gwynt cas, sawru'n ddrwg. TO STINK.

dril, *eg. ll.*-iau. Teclyn i dorri tyllau crynion mewn pren, plastig, metel, &c. DRILL.

dringo : dringad, *be.* Mynd i fyny ris wrth ris neu gam a cham, esgyn, codi. TO CLIMB.

dringwr, *eg. ll.* dringwyr. Un sy'n dringo creigiau, mynyddoedd, &c. CLIMBER.

dripsych, *a.* Nad sydd angen ei smwddio ar ôl ei olchi. DRIP DRY.

dropsi, *eg.* Math o afiechyd, dyfrglwyf. DROPSY.

drôr, *gw.* drâr.

dros : tros, *ardd.* Uwch, uwchben, ar draws, ar groes. OVER.

Dros ben. LEFT, IN EXCESS.

Drosodd, *adf.* OVER, FINISHED.

drud, *a. ll.*-ion. Gwerthfawr, prid, costus, drudfawr. EXPENSIVE.

drudaniaeth, *eb.* Prinder. SCARCITY.

drudwen, *eb.* **drudwy : drydw,** *eg.* Aderyn yr eira, aderyn y ddrycin. STARLING.

drwg, *eg. ll.* drygau. Drygioni, niwed, anaf. EVIL, HARM.

drwg, *a.* Drygionus, anfad, blin, gwael, sâl, ysgeler. EVIL, BAD.

drwgdybiaeth, *eb. ll.*-au. Amheuaeth, ansicrwydd, teimlad un sy'n drwgdybio. SUSPICION.

drwgdybio, *be.* Peidio â chredu, amau, teimlo amheuaeth neu ansicrwydd. TO SUSPECT.

drwgdybus, *a.* Mewn dau feddwl, amheus, ansicr. SUSPICIOUS.

drwgweithredwr, *eg. ll.* drwgweithredwyr. Un sy'n gwneud drygioni, troseddwr, pechadur. EVIL-DOER.

drwm, *eg. ll.* drymiau. Tabwrdd, offeryn cerdd a genir trwy ei daro â darnau o bren. DRUM.

drws, *eg. ll.* drysau. Dôr, porth. DOOR.
Carreg y drws. DOOR-STEP.

drwy, *ardd.* Trwy, o ben i ben, o ochr i ochr, rhwng, oherwydd. THROUGH.
Drwodd, *adf.* THROUGH.

drycin, *eb. ll.*-oedd. Tywydd garw, tywydd mawr, tymestl. STORMY WEATHER.

drycinog, *a.* Tymhestlog, stormus, gwyntog, garw, gerwin. STORMY.

drych, *eg. ll.*-au. I. Gwydr sy'n adlewyrchu. MIRROR.
2. Golwg, agwedd. SIGHT, SPECTACLE.

drychfeddwl, *eg. ll.* drychfeddyliau. Syniad, meddylddrych, yr hyn a greir yn y meddwl. IDEA.

drychiolaeth, *eb. ll.*-au. Ysbryd, bwgan, rhith, ymddangosiad. APPARITION, PHANTOM.

drydw : drudwy *gweler* **drudwen.**

drygair, *eg. ll.* drygeiriau. Gair drwg, enllib, tramgwydd, athrod, absen, anghlod. SCANDAL.

drygioni, *eg.* Direidi, anfadwaith, drwg, drygedd, ysgelerder. WICKEDNESS.

drygionus, *a.* Drwg, anfad, direidus, ysgeler. WICKED.

dryll, *egb. ll-*iau. I. Arf i saethu ag ef, gwn, magnel. GUN.
2. *eg.* Darn, dernyn, rhan, cetyn. PIECE, PART.

drylliad, *eg.* Peth wedi ei ddistrywio, toriad, difrod, colled, adfeiliad, llongddrylliad. WRECK.

drylliedig : drylliog, *a.* Toredig, wedi ei ddistrywio. BROKEN.

dryllio, *be.* Dinistrio, difetha, distrywio, difrodi, chwilfriwio. TO SHATTER.

drysi, *e.ll.* (*un. b.* drysïen). Drain, mieri, pigau llwyni. THORNS.

dryslyd, *a.* Cymysglyd, anhrefnus, dyrys, didrefn. CONFUSED.

drysu, *be.* Cymysgu, anhrefnu'r meddwl. TO CONFUSE, TO TANGLE.

dryswch, *eg.* Anhrefn, cymysgedd, tryblith, terfysg, penbleth. CONFUSION.

dryw, *egb. ll.*-od. Aderyn bach iawn, y dryw bach. WREN.

du, *a. ll.*-on. O'r lliw tywyllaf posibl ; heb oleuni. BLACK.

dudew, *a.* Pygddu, fel y fagddu. JET-BLACK.

dug, *eg. ll.*-iaid. (*b.*-es). Uchelwr o'r radd uchaf. DUKE.

dugiaeth, *eb. ll.*-au. Swydd dug. DUCHY.

Dulyn, *eb.* Prifddinas gweriniaeth Iwerddon. DUBLIN.

dull, *eg. ll.*-iau. Ffurf, gwedd, modd, trefn, math, ffordd. FORM, MODE, MANNER.

duo, *be.* Troi'n ddu, tywyllu, pardduo. TO BLACKEN, TO DARKEN.

dur, *eg.* Math o fetel caled a wneir o haearn trwy gymysgu carbon ag ef. STEEL.

duw, *eg. ll.*-iau. (*b.*-ies.) Delw, un a addolir gan bagan. A GOD.
Duw. GOD.

düwch, *eg.* Lliw du, tywyllwch, gwyll. BLACKNESS, GLOOM.

duwdod, *eg.* Dwyfoldeb. DEITY.
Y Duwdod : Duw. THE DEITY.

duwies, *eb. ll.*-au. Un o'r duwiau benywaidd yn y crefyddau paganaidd. GODDESS.

duwiol, *a.* Yn credu yn Nuw, duwiolfrydig, crefyddol, sanctaidd, glân. GODLY.

duwioldeb : duwiolfrydedd, *eg.* Cred yn Nuw, sancteiddrwydd, crefyddoldeb. GODLINESS, PIETY.

duwiolfrydig, *a.* Crefyddol. PIOUS.

dwbl, *a.* Yn ddwy ran, dau cymaint, dwywaith, dyblyg, deublyg, dauddyblyg. DOUBLE.

dwbled, *eb. ll.*-au. Crysbais a wisgid gynt. DOUBLET.

dwblo, *be.* Plygu. TO DOUBLE.

dweud, *gw.* **dywedyd.**

dwfn, *a. ll.* dyfnion. (*b.* dofn). I lawr ymhell, isel iawn, dwys. DEEP.

dwfr : dŵr, *eg. ll.* dyfroedd. Gwlybwr di-liw heb flas na sawr. WATER.
Dwfr swyn. HOLY WATER.
Gwaith dŵr : cronfa ddŵr. RESERVOIR.

dwgyd, *gw.* **dwyn.**

dwl, *a.* Twp, hurt, syfrdan, pendew. DULL.

dwli : dylu, *be.* Gwirioni, ffoli, dotio. TO DOTE.

dwndwr, *eg.* Sŵn, twrf, dadwrdd, twrw, trwst. NOISE.

dŵr, *gw.* **dwfr.**

dwrdio, *be.* Ceryddu, cymhennu, tafodi, cystwyo. TO SCOLD.

dwrdiwr, *eg. ll.* dwrdwyr. Ceryddwr, cymhennwr. SCOLDER.

dwrgi, *eg. ll.* dwrgwn : **dyfrgi,** *eg. ll.* dyfrgwn. Anifail y dŵr sy'n hoff o bysgod. OTTER.

dwrn, *eg. ll.* dyrnau. Llaw gaeëdig, carn. FIST, KNOB, HANDLE.
Dyrnau pladur. GRIPS ON HANDLE OF SCYTHE.
Dwrn drws. DOOR KNOB.
Arian cil-dwrn. TIP.

dwsin, *eg. ll.*-au. Dysen, deuddeg. DOZEN.

dwst, *eg.* Llwch, powdr. DUST.

dwthwn, *eg.* Diwrnod, dydd, y dydd hwn. DAY, SPECIFIED TIME.

dwy, *a. rhifol b.* (*g.* dau). TWO.

dwyfol, *a.* Yn perthyn i Dduw, cysegredig, sanctaidd. DIVINE.

dwyfoldeb, *eg.* Natur dwyfol. DIVINITY.

dwyfoli, *be.* Dyrchafu'n dduw, addoli fel duw. TO DEIFY.

dwyfron, *eb. ll.*-nau. Bron, mynwes. BREAST, CHEST.

dwyfronneg, *eb. ll.* dwyfronegau. Peth i amddiffyn y fynwes. BREAST-PLATE.

dwyieithog, *a.* Yn medru dwy iaith. BILINGUAL.

dwyieithrwydd, *eg.* Y cyflwr o fod yn ddwyieithog. BILINGUALISM.

dwylo, *e.ll.* (*un. b.* llaw). Aelodau o'r corff ; gweithwyr. HANDS.

dwyn, *be.* I. Cymryd, mynd â. TO TAKE.
2. Dod â. TO BRING.
3. Lladrata, cipio. TO STEAL.
4. Byw (bywyd). TO LEAD (A LIFE).

dwyrain, *eg.* Cyfeiriad codiad yr haul. EAST.
dwyreiniol, *a.* Yn ymwneud â'r dwyrain.
EASTERLY, ORIENTAL.
dwyreiniwr, *eg. ll.* dwyreinwyr. Un o'r dwyrain.
AN ORIENTAL.
dwyreinwynt, *eg. ll.*-oedd. Gwynt yn chwythu o'r
dwyrain, gwynt traed y meirw. EAST WIND.
dwys, *a.* I. Difrifol, difrifddwys, sobr, gofidus,
blin. GRAVE, GRIEVOUS.
2. Angerddol. INTENSE.
dwysáu, *be.* Angerddoli, difrifoli, sobreiddio. TO
INTENSIFY, TO BECOME CONCENTRATED.
dwysbigo, *be.* Brathu neu bigo'n ddwys. TO PRICK.
dwysedd, *eg. ll.* Dwyster ; y gymhareb rhwng
más a foliwm. SERIOUSNESS ; DENSITY.
dwyster, *eg.* Difrifwch, difrifoldeb, angerddoldeb,
pwysigrwydd. SERIOUSNESS, IMPORTANCE.
dwywaith, *adf.* Dau dro, dau cymaint â. TWICE.
Cymaint ddwywaith. TWICE AS MUCH.
Nid oes dim dwywaith amdani. THERE'S NO
DOUBT ABOUT IT.
dy, *rhag.* Ail berson unigol rhagenw personol
blaen. YOUR (*sing.*), THY, THINE.
dyblu, *be.* Gwneud yn ddwbl, gwneud yn
gymaint ddwywaith, gwneud yr ail waith,
plygu'n ddwbl. TO DOUBLE.
dyblyg, *a.* Dwbl. DOUBLE.
dyblygydd, *eg. ll.*-ion. Peiriant sy'n gwneud
copïau cywir. DUPLICATOR.
dybryd, *a.* Gresynus, arswydus, cywilyddus,
gwaradwyddus, echryslon, dygn, gwarthus,
echrys. DIRE.
Camsyniad dybryd. A GRAVE ERROR.
dychan, *eg. ll.*-au. Gogan, coegni, gwatwar. SATIRE.
dychangerdd, *eb. ll.*-i. Cân â gogan neu ddychan,
cân sy'n gwawdio neu watwar. SATIRICAL POEM.
dychanol, *a.* Yn cynnwys dychan, gwatwarus.
SATIRICAL.
dychanu, *be.* Gwawdio, goganu, gwatwar,
diystyru. TO SATIRIZE.
dychanwr, *eg. ll.* dychanwyr. Un sy'n dychanu,
goganwr. SATIRIST.
dychmygol, *a.* Yn perthyn i ddychymyg ac nid i
ffaith. IMAGINARY.
dychmygu, *be.* Creu yn y dychymyg, tybio,
dyfalu. TO IMAGINE.
dychryn, *eg. ll.*-iadau. Ofn sydyn, braw, arswyd.
FRIGHT, HORROR.
dychryn : dychrynu, *be.* Cael ofn, brawychu,
ofni, arswydo. TO FRIGHTEN, TO BE FRIGHTENED.
dychrynllyd, *a.* Ofnadwy, brawychus, arswydus,
erchyll. FRIGHTFUL.
dychrynu, *gw.* **dychryn.**
dychweledig, *a. ll.*-ion. Wedi dychwelyd wedi
dod yn ôl. RETURNED.
Dychweledigion. CONVERTS, RETURNED
PERSONS.
dychweliad, *eg. ll.*-au. Dyfodiad yn ôl. RETURN.
dychwelyd, *be.* Dod yn ôl, mynd yn ôl, rhoi yn
ôl, anfon yn ôl. TO RETURN.

dychymyg, *eg. ll.* dychmygion. Y gallu i
ddychmygu, crebwyll, darfelydd. IMAGINATION.
dydd, *eg. ll.*-iau. Diwrnod, dwthwn. DAY.
Toriad dydd : clais y dydd. DAYBREAK.
Canol dydd : hanner dydd. MIDDAY.
Y dydd a'r dydd. SUCH AND SUCH A DAY.
dyddgwaith, *eg.* Rhyw ddiwrnod, hyd diwrnod,
diwrnod. A (CERTAIN) DAY.
dyddhau, *be.* Gwawrio. TO DAWN.
dyddiad, *eg. ll.*-au. Y dydd o'r mis, adeg o'r mis,
amseriad. DATE.
dyddiadur, *eg. ll.*-on. **dyddlyfr,** *eg. ll.*-au. Llyfr i
gadw cyfrif o ddigwyddiadau pob dydd. DIARY.
dyddio, *be.* Gwawrio, dyddhau, torri'r wawr,
goleuo ; amseru. TO DAWN ; TO DATE.
dyddiol, *a.* Bob dydd, beunyddiol, beunydd, o
ddydd i ddydd. DAILY.
dyfais, *eb. ll.* dyfeisiau. Rhywbeth newydd a
gwreiddiol, cynllun. INVENTION, DEVICE.
dyfal, *a.* Diwyd, prysur, gweithgar, â'i holl egni,
taer. DILIGENT, EARNEST.
dyfalbarhad, *eg.* Diwydrwydd. PERSEVERANCE.
dyfalbarhau, *be.* Bod yn ddiwyd neu'n weithgar.
TO PERSEVERE.
dyfalbarhaus, *a.* Diwyd. PERSEVERING.
dyfaliad, *eg. ll.*-au. Tybiaeth, tyb, amcan,
dychymyg. CONJECTURE.
dyfalu, *be.* I. Dyfeisio, dychmygu, tybio. TO
IMAGINE, TO GUESS.
2. Disgrifio, cymharu. TO DESCRIBE.
dyfarniad, *eg. ll.*-au. Dedfryd, barn, beirniadaeth,
rheithfarn. VERDICT.
dyfarnu, *be.* Rhoi dyfarniad, barnu, dedfrydu,
rheithfarnu, penderfynu. TO ADJUDGE.
dyfeisgar, *a.* Yn llawn dyfais, hoff o ddyfeisio.
INVENTIVE.
dyfeisio, *be.* Gwneud peth yn y meddwl, creu o'r
newydd, cynllunio, cynllwyno. TO DEVISE.
dyfnant, *eb. ll.* dyfnentydd. Ceunant, hafn. RAVINE.
dyfnder, *eg. ll.*-oedd, -au. Y mesur tuag i lawr, lle
dwfn. DEPTH.
dyfnhau, *be.* Mynd yn ddyfnach. TO DEEPEN.
dyfod : dod : dŵad, *be.* Agosáu, dynesu,
cyrraedd, digwydd. TO COME.
Dere yma : tyrd yma. COME HERE.
dyfodiad, *eg. ll.*-au. Yr act o ddyfod, cyrhaeddiad.
ARRIVAL.
dyfodol, *eg.* Yr amser i ddyfod. FUTURE.
Yn y dyfodol. IN FUTURE.
dyfodol, *a.* I ddod. FUTURE.
dyfrgi, *gw.* **dwrgi.**
dyfrhau, *be.* Rhoi dŵr i, troi dŵr i dir er mwyn ei
ffrwythloni. TO WATER, TO IRRIGATE.
dyfrllyd, *a.* Yn cynnwys llawer o ddŵr, gwlyb,
llaith, tenau, gwan. WATERY.
dyfyniad, *eg. ll.*-au. Darn neu eiriau a ddyfynnir o
lyfr neu o'r hyn a lefarodd rhywun arall.
QUOTATION.

dyfynnod, *eg. ll.* dyfynodau. Y marc a ddefnyddir i ddangos dyfyniad. QUOTATION MARK.

dyfynnu, *be.* Adrodd geiriau o lyfr neu eiriau a lefarodd rhywun arall. TO QUOTE.

dyffryn, *eg. ll.*-noedd. Daear isel rhwng bryniau, glyn, cwm, nant, ystrad, bro. VALLEY.

dygaf, *Person cyntaf Presennol y ferf* dwyn. *gw.* **dwyn**.

dygn, *a.* Caled, llym, gerwin, tost, gresynus, echrys, echryslon, arswydus, blin. SEVERE.

dygnu, *be.* Ymegnïo. TO STRIVE, TO PERSEVERE.

dygnwch, *eg.* Diwydrwydd, dyfalbarhad. ASSIDUITY, PERSEVERANCE.

dygwyl, *eg.* Dydd gŵyl, diwrnod wedi ei neilltuo i gofio rhyw amgylchiad neu berson. FEAST DAY, FESTIVAL, HOLIDAY.
Dygwyl Dewi. ST. DAVID'S DAY.

dygyfor, *be.* 1. Codi'n donnau, ymchwyddo. TO SURGE.
2. *eg.* Cynnull, crynhoi, casglu ynghyd. TO MUSTER, TO ASSEMBLE.

dygymod, *be.* Goddef, cytuno, bodloni, caniatáu, ymostwng. TO PUT UP WITH.

dyhead, *eg. ll.*-au. Awydd cryf, chwenychiad, chwant, blys, uchelgais. ASPIRATION.

dyheu, *be.* 1. Chwenychu, bod â chwant, blysio, hiraethu. TO YEARN, TO LONG (FOR).
2. Anadlu'n gyflym. TO PANT.

dyladwy, *a.* Cyfaddas, priodol, teilwng, cymwys. DUE, PROPER.

dylanwad, *eg. ll.*-au. Y gallu i ddylanwadu, effaith. INFLUENCE.

dylanwadol, *a.* Â dylanwad, yn dylanwadu. INFLUENTIAL.

dylanwadu, *be.* Effeithio ar, bod â dylanwad. TO INFLUENCE.

dyled, *eb. ll.*-ion. Peth sy'n ddyledus i rywun arall, rhwymau, rhwymedigaeth. DEBT.
Mewn dyled. IN DEBT.

dyledus, *a.* Dyladwy, o dan rwymau. OBLIGATORY, DUE, OWING.

dyledwr, *eg. ll.* dyledwyr. Un mewn dyled. DEBTOR.

dyletswydd, *eb. ll.*-au. Yr hyn y dylai dyn ei wneud, gwasanaeth rhesymol. DUTY.
Dyletswydd deuluaidd. FAMILY PRAYERS AND DEVOTIONS.
Cadw dyletswydd. TO CONDUCT FAMILY PRAYERS.

dylif, *eg.* Llifeiriant, llif, dilyw. FLOOD.

dylifo, *be.* Symud fel dŵr, symud yn hawdd ac yn helaeth, llifo, ffrydio, rhedeg, arllwys. TO FLOW, TO POUR.

dylni : dwli : dyli, *eg.* Twpdra, hurtwch, hurtrwydd, ynfydrwydd, ffolineb. STUPIDITY.

dylyfu gên, *be.* Agor y geg yn llydan. TO YAWN.

dylyn : dwlyn, *eg.* Un dwl, gwirionyn, ffwlcyn. SIMPLETON.

dylluan : tylluan, *eb. ll.*-od. Aderyn ysglyfaethus y nos, gwdihŵ. OWL.

dyma, *adf.* A weli di yma, gwelwch yma, hwn yw, hon yw, y rhain yw. HERE IS, HERE ARE ; THIS IS, THESE ARE.
Dyma lun. HERE IS (THIS IS) A PICTURE.

dymchweliad, *eg. ll.*-au. Cwymp, tyniad i lawr. AN OVERTHROW.

dymchwelyd, *be.* Bwrw neu dynnu i lawr, troi wyneb i waered, distrywio, gorchfygu. TO OVERTHROW, TO OVERTURN.

dymuniad, *eg. ll.*-au. Ewyllys, chwant, awydd, chwenychiad. DESIRE.

dymuno, *be.* Ewyllysio, chwennych, bod ag eisiau, hiraethu. TO WISH, TO WILL.

dymunol, *a.* I'w chwennych, i'w ddymuno, pleserus, hyfryd. DESIRABLE, PLEASANT.

dyn, *eg. ll.*-ion. (*b.*-es). Bod dynol, y gwryw o'r bodau dynol, gŵr, person, bachgen yn ei faint. MAN, PERSON.

dyna, *adf.* A weli di yna, gwelwch yna, dacw, hwn yna yw, hon yna yw, y rhai yna yw. THERE, SEE, THAT IS, THOSE ARE.
Dyna ddafad. THAT IS (THERE IS) A SHEEP.

dynaint : danad : danadl : dynad, *e.ll.* Dail poethion, planhigion â blewiach pigog ar eu dail. NETTLES.

dynan, *eg.* Dyn bach, dynyn, corrach. MANIKIN.
Dyneddon. LITTLE MEN, PYGMIES.

dynod, *eg.* Nodweddion dyn, gwroldeb. MANHOOD.

dyneiddiaeth, *eb.* Cyfundrefn o feddwl sy'n ymwneud â phethau dynol yn hytrach na phethau dwyfol. HUMANISM.

dyneiddiwr, *eg. ll.* Un sy'n astudio dyn a'r natur ddynol. HUMANIST.

dynes, *eb. ll.* Gwraig, benyw. WOMAN, FEMALE.

dynesiad, *eg.* Nesâd, dyfodiad yn nes, mynediad at. APPROACH.

dynesu, *be.* Nesáu, dod at, mynd at, agosáu. TO APPROACH.

dyngarol, *a.* Gwasanaethgar, defnyddiol, rhyddfrydig, hael, cymwynasgar. PHILANTHROPIC.

dyngarwch, *eg.* Cariad at ddynion, cymwynasgarwch, gwasanaeth, defnyddioldeb. PHILANTHROPY.

dyngarwr, *eg. ll.* dyngarwyr. Un sy'n caru dynion cymwynaswr, gwasanaethwr. PHILANTHROPIST.

dyniawed, *eg. ll.* dyniewaid. Llo blwydd. YEARLING.

dynlladdiad, *eg.* Y weithred o ladd dyn yn anfwriadol. MANSLAUGHTER.

dynodi, *be.* Arwyddo, dangos, golygu, cyfleu. TO DENOTE.

dynol, *a.* Fel dyn, gwrol, yn meddu ar nodweddion y ddynoliaeth. HUMAN.

dynoliaeth, *eb.* Priodoledd(au) dynol, rhinwedd, tynerwch, yr hil ddynol. HUMANITY.

dynolryw, *eb.* Y ddynoliaeth, bodau dynol, dynion, pobl. MANKIND.

dynwared, *be.* Cymryd fel patrwm, efelychu, ffugio, gwatwar, copïo. TO IMITATE.

dynwarediad, *eg. ll.*-au. Efelychiad. IMITATION.
dynwaredol, *a.* Yn dynwared, efelychiadol. IMITATIVE.
dynwaredwr, *eg. ll.* dynwaredwyr. Un sy'n dynwared, efelychwr. IMITATOR, MIMIC.
dyraddiant, *eg.* Dirywiad, gostwng i safon is ; (*Gwyddoniaeth*) rhydwytho i gyflwr symlach. DEGRADATION.
dyrchafael, *eg.* Esgyniad. ASCENSION.
dyrchafedig, *a.* Wedi ei ddyrchafu. ELEVATED, EXALTED.
dyrchafiad, *eg. ll.*-au. Yr act o godi i swydd neu safle uwch, codiad, cyfodiad. PROMOTION, ELEVATION.
dyrchafol, *a.* Yn dyrchafu. ELEVATING.
dyrchafu, *be.* Dodi i fyny, adeiladu, codi, esgyn, cyfodi, cwnnu. TO RAISE, TO ASCEND.
dyri, *eb. ll.* dyrïau. Darn o farddoniaeth, cerdd. POEM.
dyrnaid, *eg. ll.* dyrneidiau. Llond dwrn, llond llaw, ychydig. HANDFUL.
dyrnod, *egb. ll.*-au. Ergyd â dwrn, cernod, clowten, clewten. BLOW.
dyrnu, *be.* I. Ffusto, tynnu'r grawn o'r llafur (ŷd). TO THRESH.
    2. Curo â dwrn, pwnio, dyrnodio, pwyo. TO THUMP.
dyrnwr, *eg. ll.* dyrnwyr. Peiriant dyrnu, un sy'n dyrnu. THRESHER.
    Dyrnwr medi. COMBINE HARVESTER.
dyrys, *a.* Anodd, afrwydd, cymhleth, astrus. INTRICATE, DIFFICULT.
dyrysbwnc, *eg. ll.* dyrysbynciau. Problem, tasg, pwnc anodd. PROBLEM.
dysen, *eb.* Dwsin. DOZEN.

dysg, *egb.* Gwybodaeth a geir drwy astudio, dysgeidiaeth, addysg, cyfarwyddyd, hyfforddiant, disgyblaeth. LEARNING, EDUCATION.
dysgedig, *a.* Wedi dysgu llawer, yn meddu ar ddysg, gwybodus. LEARNED.
dysgeidiaeth, *eb.* Athrawiaeth, credo, yr hyn a ddysgir, dysg. DOCTRINE, TEACHING.
dysgl, *eb. ll.*-au. Llestr ag ymyl isel i ddal bwyd, cwpan. DISH, CUP.
dysglaid, *eb. ll.* dysgleidiau. Llond dysgl. DISHFUL, CUPFUL.
dysgu, *be.* Ennill gwybodaeth neu fedrusrwydd, addysgu, athrawiaethu, rhoi gwybod, cael gwybod. TO LEARN, TO TEACH.
dysgub, *gw.* ysgubo.
dysgwr, *eg. ll.* dysgwyr. I. Un sy'n cael addysg. LEARNER.
    2. Un sy'n hyfforddi. TEACHER.
dywediad, *eg. ll.*-au. Yr hyn a ddywedir, ymadrodd, gair, traethiad. SAYING.
dywedwst, *a.* Di-ddweud, tawel, mud, tawedog. TACITURN.
dywedyd : dweud, *be.* Ymadroddi, siarad, datgan, mynegi, adrodd, traethu. TO SAY.
dyweddi, *ebg. ll.* dyweddïau. Addewid i briodi, dyweddïad ; un sy dan amod i briodi, darpar wraig, darpar ŵr. ENGAGEMENT ; ONE WHO IS ENGAGED, FIANCÉ(E).
dyweddïad, *eg. ll.* Y weithred o ddyweddïo, cyntundeb priodas. BETROTHAL, ENGAGEMENT.
dyweddïedig, *a.* A ddiweddïwyd. ENGAGED.
dyweddïo, *be.* Ymrwymo i briodi. TO BECOME ENGAGED.

Eang, *a.* Yn ymestyn ymhell, helaeth, llydan, mawr, dirfawr, ymledol. WIDE, EXPANSIVE.

eangfrydedd, *eg.* Yr ansawdd o fod yn eangfrydig. MAGNANIMITY.

eangfrydig, *a.* Rhydd oddi wrth gulni meddwl, mawrfrydig. MAGNANIMOUS.

eb : ebe : ebr, *bf.* Meddai. SAID, QUOTH, SAYS.

ebargofiant, *eg.* Y stad o fod wedi anghofio, angof, anghofrwydd. OBLIVION.

ebill, *eg. ll.*-ion. Offeryn bach a ddefnyddir gan saer i dorri tyllau, taradr. AUGER, GIMLET.

ebol, *eg. ll.*-ion. (*b.*-es). Ceffyl ieuanc, swclyn, cyw. COLT, FOAL.
Dail troed yr ebol. COLT'S FOOT.

ebran, *eg. ll.*-nau. I. Bwyd sych i wartheg neu anifeiliaid, bwyd anifeiliaid. FODDER.
2. Abwyd. BAIT.

Ebrill, *eg.* Y pedwerydd mis. APRIL.

ebrwydd, *a.* Buan, clau, cyflym. QUICK, SWIFT.

ebychiad, *eg. ll.*-au. I. Y weithred o ebychu, ochenaid. A GASPING OR SIGHING, GASP, SIGH. (*e.e.* O! Ach!).
2. Ebychair (*Gram.*). INTERJECTION, EXCLAMATION.

ebychu, *be.* Gweiddi, llefain, bloeddio, dweud yn sydyn. TO GASP, TO SIGH, TO INTERJECT, TO EXCLAIM.

eciwmenaidd, *a.* Byd-eang, catholig ; yn ymwneud ag undeb eglwysig. ECUMENICAL.

eco, *eg.* Atsain, adlef, adlais. ECHO.

ecoleg, *ebg. ll.*-au. Adran o fioleg sy'n ymwneud â phlanhigion ac anifeiliaid yn eu hamgylchfyd. ECOLOGY.

ecolegol, *a.* Yn perthyn i ecoleg. ECOLOGICAL.

ecolegwr, *eg. ll.* Un sy'n astudio ecoleg. ECOLOGIST.

economaidd, *a.* Yn ymwneud ag economeg. ECONOMIC.

economeg, *eg.* Yr wyddor sy'n astudio cyfoeth o ran ei gynnyrch a'i ddosbarthiad. ECONOMICS.

economegol, *a.* Yn perthyn i economeg. ECONOMIC.

economegwr, *eg. ll.* economegwyr. Astudiwr economeg. ECONOMIST.

economegydd, *eg. ll.* economegyddion. Economegwr, un sy'n astudio neu'n hyddysg yng ngwyddor economeg. ECONOMIST.

economydd, *eg. ll.* economyddion. Economegwr, economegydd, arbenigwr ar faes economeg. ECONOMIST.

ecsema, *eg.* Llid y croen a nodweddir gan gosi tost. ECZEMA.

echblyg : echblygol, *a.* Wedi'i fynegu'n glir a phendant ac nid drwy awgrym. EXPLICIT.

echdoe, *eg.* ac *adf.* Y diwrnod cyn ddoe. THE DAY BEFORE YESTERDAY.

echel, *eb. ll.*-au. I. Y bar y mae olwyn yn troi arno. AXLE.
2. Y llinell ddychmygol y bydd peth yn troi o'i hamgylch. AXIS.

echnos, *eb.* ac *adf.* Y noson cyn neithiwr. THE NIGHT BEFORE LAST.

echrydus, *a.* Arswydus, ofnadwy, dychrynllyd, brawychus, echryslon, erchyll, echrys. HORRIBLE.

echrys, *a.* Erchyll. HORRIBLE.

echryslonder, *eg. ll.*-au. Braw, dychryn, ofn. HORROR.

echwyn, *eg. ll.*-ion. Benthyg, peth y rhoir ei fenthyg, peth a fenthycir. LOAN.

echwynna, *be.* Rhoi benthyg, cael benthyg, benthyca. TO BORROW, TO LEND.

echwynnwr, *eg. ll.* echwynnwyr. Un sy'n rhoi benthyg. LENDER, CREDITOR.

edau, *eb.* : **edefyn,** *eg. ll.* edafedd. Llinyn o gotwm, &c. THREAD.

edfryd, *be.* Adfer, rhoi'n ôl. TO RESTORE.

edifar : edifeiriol, *a.* Drwg gan, edifarus, blin. SORRY, PENITENT.

edifarhau : edifaru, *be.* Teimlo'n flin am rywbeth a wnaed neu a adawyd heb ei wneud. TO BE SORRY, TO REPENT.

edifarus : edifeiriol, *a.* Yn edifarhau, y teimlir yn edifar yn ei gylch. REPENTANT, PENITENT, CONTRITE.

edifeirwch, *eg.* Gofid oherwydd gwneud drwg, bod yn flin am bechod, &c. REPENTANCE.

edliw : edliwio, *be.* Atgoffa rhywun am fai (gwir neu honedig), dannod, ceryddu, gwaradwyddo. TO REPROACH.

edliwiad, *eg. ll.*-au. Cerydd, gwaradwydd. TAUNT.

edmygedd, *eg.* Parch, cariad, gwerthfawrogiad, syndod. ADMIRATION.

edmygol, *a.* Yn edmygu. ADMIRING.

edmygu, *be.* Parchu, synnu at, caru. TO ADMIRE.

edmygwr : edmygydd, *eg. ll.* edmygwyr. Un sy'n edmygu neu barchu. ADMIRER.

edn, *eg. ll.*-od. Aderyn, ffowlyn. BIRD, FOWL.

edrych, *be.* Defnyddio'r llygaid, syllu, gwylio, tremu, ceisio gweld, ymddangos, wynebu. TO LOOK.
Edrych am. TO LOOK FOR.

edrychiad, *eg. ll.*-au. Golwg, trem, ymddangosiad, gwedd. LOOK.

edwi : edwino, *be.* Gwywo, dihoeni, nychu, deifio, crino. TO DECAY, TO WITHER.

ef : efe : efô, *rhag.* Trydydd person unigol gwrywaidd y rhagenw personol. HE, HIM, IT.

efallai, *adf.* Hwyrach, dichon, ysgatfydd. PERHAPS.

efengyl, *eb. ll.*-au. Newyddion da, gair Duw, un o'r pedwar llyfr cyntaf yn y Testament Newydd. GOSPEL.

efengylaidd, *a.* Yn ymwneud â'r Efengyl. EVANGELICAL.

efengylu : efengyleiddio, *be.* Pregethu'r Efengyl, cenhadu, pregethu, taenu'r Efengyl. TO EVANGELIZE, TO PREACH THE GOSPEL (TO).

efengylwr : efengylydd, *eg. ll.* efengylwyr. (*b.* efengyles). Cenhadwr, pregethwr. EVANGELIST.

efelychiad, *eg. ll.*-au. Dynwarediad, ffug, copi. IMITATION.

efelychu, *be.* Cymryd fel patrwm, dynwared, gwatwar, ffugio, copïo. TO IMITATE.

efelychwr, *eg. ll.* efelychwyr. Dynwaredwr, ffugiwr, copïwr. IMITATOR.

efo, *ardd.* Gyda, gydag, ynghyd â, â. WITH, BY MEANS OF.

efô, *gw.* **ef.**

efrau, *e.ll. (un. g.* efryn). Chwyn. TARES.

Efrog, *eb.* Dinas bwysicaf Swydd Gogledd Efrog, yn Lloegr. YORK.

Efrog Newydd, *eb.* Dinas fwyaf a phorthladd mwyaf yr Unol Daleithiau ar arfordir Môr Iwerydd. NEW YORK.

efrydiaeth, *eb. ll.*-au. Yr hyn a geir wrth efrydu, myfyrdod, astudiaeth. STUDY.

efrydiau, *e.ll. (un g.* efryd). Astudiaethau. STUDIES.

efrydu, *be.* Astudio, myfyrio. TO STUDY.

efrydydd, *eg. ll.* efrydwyr, -ion. Myfyriwr, astudiwr, dysgwr. STUDENT.

efydd, *eg.* Metel brown, pres, cymysgedd o gopr ac alcam neu sinc. BRONZE, BRASS.

effaith, *eb. ll.* effeithiau. Canlyniad, ffrwyth, dylanwad. EFFECT.

effeithio, *be.* Achosi, dylanwadu, peri. TO AFFECT.

effeithiol : effeithlon, *a.* Yn effeithio, yn gadael argraff, dylanwadol, yn dwyn ffrwyth. EFFECTIVE.

effro, *a.* Wedi deffro, ar ddi-hun, wedi dihuno, gwyliadwrus. AWAKE.

egin, *e.ll. (un. g.*-yn). Blagur, imp, blaenffrwyth, planhigyn. SHOOTS.

eginhad : eginiad : eginad, *eg. ll.*-au. Y weithred o egino, blaguriad, dechreuad datblygu. A GERMINATION, A SPROUTING, A BEGINNING TO DEVELOP.

egino, *be.* Dechrau tyfu, blaguro, impio, glasu, blaendarddu. TO SPROUT.

eglur, *a.* Hawdd ei weld, plaen, clir, amlwg, disglair, claer. EVIDENT, CLEAR, BRIGHT.

eglurdeb : eglurder, *eg.* Clirder, disgleirdeb, goleuni, llewyrch. CLARITY, CLEARNESS, BRIGHTNESS.

eglureb, *eb. ll.*-au. Darlun, eglurhad. ILLUSTRATION.

eglurhad, *eg.* Esboniad. EXPLANATION.

eglurhaol, *a.* Yn egluro, esboniadol. EXPLANATORY.

egluro, *be.* Gwneud yn eglur neu'n hawdd ei ddeall, esbonio. TO EXPLAIN.

eglwys, *eb. ll.*-i. Lle i addoli, llan, cymdeithas o rai yn cyd-addoli. CHURCH.

eglwysig, *a.* Yn ymwneud ag eglwys. ECCLESIASTICAL.

eglwyswr, *eg. ll.* eglwyswyr. (*b.* eglwyswraig). Aelod o eglwys. CHURCHMAN.

egni, *eg. ll.* egnïon. Ynni, gallu, grym, ymroddiad, bywyd, nwyfiant. ENERGY, MIGHT.

egnïo, *be.* Ymdrechu, ymegnïo, ymgeisio, ceisio, bywiogi. TO ENDEAVOUR.

egnïol, *a.* Yn llawn egni, ymdrechgar, grymus, bywiog, nwyfus. VIGOROUS, ENERGETIC.

egr, *a.* Hy, eofn, beiddgar, ffyrnig, milain, sur. DARING, IMPUDENT ; FIERCE ; SHARP, SOUR.

egroes, *e.ll. (un. b.* -en). Aeron neu rawn y rhosyn gwyllt, ogfaen. HIPS.

egru, *be.* Suro. TO GROW STALE.

egwan, *a.* Gwan, gwanllyd, eiddil, llesg, musgrell. FEEBLE.

egwyd, *eb. ll.*-ydd. Twffyn o flew neu rawn wrth gefn carn ceffyl, y rhan honno o'r goes, bacsau. FETLOCK.

egwyddor, *eb. ll.*-ion. I. Gwyddor, llythrennau iaith wedi eu trefnu, yr a b c. ALPHABET. 2. Rheol sy'n penderfynu ymddygiad, gwirionedd sylfaenol, elfen, uniondeb. PRINCIPLE, RUDIMENT.

egwyddorol, *a.* Yn ôl egwyddor, uniawn, cyfiawn. HIGH PRINCIPLED.

egwyl, *eb. ll.*-iau. Gorffwys am ysbaid, saib, seibiant, hoe, hamdden. RESPITE.

enghraifft, *eb. ll.* enghreifftiau. Un o nifer yr un fath, eglureb, esiampl, patrwm. EXAMPLE. Er enghraifft (*e.e.*). FOR EXAMPLE.

enghreifftiol, *a.* Yn gwasanaethu fel enghraifft, patrymol. EXEMPLARY.

englyn, *eg. ll.*-ion. Mesur o bedair llinell mewn cynghanedd. ALLITERATIVE STANZA.

englyna : englynu, *be.* Cyfansoddi englynion. TO COMPOSE *ENGLYNION.*

englynwr, *eg. ll.* englynwyr. Cyfansoddwr englynion. COMPOSER OF *ENGLYNION.*

engyl, *gw.* **angel.**

ehangder, *eg. ll.* eangderau. Y stad o fod yn ymestyn ymhell, helaethrwydd, ymlediad, lled. EXPANSE.

ehangu, *be.* Ymestyn, taenu, lledu, ymledu, ymagor, datblygu, helaethu, ymhelaethu. TO ENLARGE.

ehedeg, *be.* Hedeg, hedfan, symud yn yr awyr ar adenydd neu mewn awyren. TO FLY.

ehediad, *eg. ll.* ehediaid. I. Aderyn. BIRD. 2. *eg. ll.*-au. Y weithred o hedfan, hedfa. FLIGHT.

ehedog, *a.* Yn abl i hedfan, yn hedfan. ABLE TO FLY, FLYING.

ehedydd, *eg. ll.*-ion. Hedydd, aderyn sy'n hedfan yn uchel. LARK.

ehofnder : ehofndra, *eg.* Hyfdra, beiddgarwch, haerllugrwydd, digywilydd-dra. AUDACITY.

ei, *rhag.* Trydydd person unigol rhagenw personol blaen. HIS, HER, ITS, OF HIM, OF HER, OF IT.

eich, *rhag.* Ail berson lluosog rhagenw personol blaen. YOUR, OF YOU.

Eidal, Yr, *eb.* Gwlad yn ne Ewrop sy'n ymestyn allan i Fôr Canoldir. ITALY.

Eidalaidd, *a.* Yn perthyn i'r Eidal. ITALIAN.

Eidalwr, *eg. ll.* Eidalwyr. Brodor o'r Eidal. AN ITALIAN.

eidion, *eg. ll.*-nau. Bustach, ych, tarw. BULLOCK. Cig eidion. BEEF.

eiddew, *eg.* Planhigyn bythwyrdd sy'n dringo, iorwg. IVY.

eiddgar, *a.* Selog, brwdfrydig, cydwybodol, tanbaid, awyddus, awchus. ZEALOUS.

eiddgarwch, *eg.* Sêl, brwdfrydedd, awydd. ZEAL.

eiddigedd, *eg.* Teimlad anniddig ynglŷn â sefyllfa neu lwyddiant rhywun arall, cenfigen, gwenwyn. JEALOUSY.

eiddigeddu, *be.* Teimlo eiddigedd, cenfigennu. TO ENVY.

eiddigeddus : eiddigus, *a.* Cenfigennus, gwenwynllyd. JEALOUS.

eiddil, *a.* Gwan, gwanllyd, egwan, llesg, methedig, musgrell, llegach. FEEBLE, FRAIL.

eiddo, *eg.* I. Yr hyn mae person yn berchen arno. PROPERTY, POSSESSIONS.
Eiddo personol. PERSONAL PROPERTY.
2. *rhag. pers.* Eiddof ; eiddot ; eiddo/eiddi ; eiddom ; eiddoch ; eiddynt. MINE ; YOURS ; HIS/HERS ; OURS ; YOURS ; THEIR.

eidduno, *be.* I. Dymuno. TO DESIRE.
2. Diofrydu. TO VOW.

Eifftaidd, *a.* Yn perthyn i'r Aifft. EGYPTIAN.

Eifftiwr : Eifftiad, *eg. ll.* Eifftiaid. (*b.* Eifftes). Brodor o'r Aifft. AN EGYPTIAN.

eigion, *eg. ll.*-au. Dyfnder, canol, gwaelod, cefnfor. DEPTH, OCEAN.

eingion : einion, *eb. ll.*-au. Darn mawr trwchus o haearn a ddefnyddir gan of i daro metelau arno. ANVIL.

Eingl, *e.ll.* Saeson cynnar. ANGLES, SAXONS, ENGLISHMEN.

Eingl-Gymro, *eg. ll.* Eingl-Gymry. Person sy'n Gymro o ran gwaed ond yn Saesneg ei iaith. ANGLO-WELSHMAN.

eil, *eb. ll.*-iau. I. Mynedfa rhwng seddau mewn eglwys neu gapel, ystlys eglwys. AISLE.
2. *eb. ll.* eilion. Cwt, penty, sied. SHED.

eilchwyl, *adf.* Unwaith eto, eto, eilwaith, drachefn. AGAIN.

eiliad, *egb. ll.*-au. Un rhan o drigain o funud, amrantiad, munudyn, moment. A SECOND, MOMENT.

eilio, *be.* I. cynorthwyo, cefnogi, siarad yn ail. TO SECOND.
2. Plethu, cyfansoddi. TO PLAIT, TO COMPOSE.

eiliw, *eg.* Lliw, arlliw. HUE.

eiliwr, *eg. ll.* eilwyr. Un sy'n eilio, eilydd. SECONDER.

eilradd, *a.* O ail radd ; ail mewn safle, llai o bwys. SECONDARY, INFERIOR.

eilrif, *eg. ll.*-au. Rhif y gellir ei rannu â dau heb weddill, *e.e.* 2, 4, 6, 8 ... 34 ... 100 ... 574 ... EVEN NUMBER. *gw.* **odrif.**

eilun, *eg. ll.*-od. Delw, eilun-ddelw, peth a addolir. IDOL.

eilunaddoli, *be.* Addoli eilunod. TO WORSHIP IDOLS.

eilwaith, *adf.* Unwaith eto, eilchwyl, eto, drachefn, am yr ail dro. A SECOND TIME, AGAIN.

eillio, *be.* Torri barf ag ellyn, torri'n glòs. TO SHAVE.

eilliwr, *eg. ll.* eillwyr. Un sy'n eillio, barbwr. BARBER.

ein, *rhag.* Person cyntaf lluosog rhagenw personol blaen. OUR, OF US.

einioes, *eb.* Cyfanswm yr amser y bydd person byw, bywyd, oes, hoedl. LIFE.

einion, *gw.* **eingion.**

eira, *eg. ll.* eiraoedd. Tawch wedi rhewi ac yn disgyn fel plu, ôd. SNOW.
Mae'n bwrw eira. IT IS SNOWING.
Pelen eira. A SNOWBALL.
Caseg eira. A SNOWBALL THAT GROWS BY ROLLING.
Cwymp eira. A SNOWFALL.
Llosg eira. CHILBLAINS.
Tlws yr eira. SNOWDROP.

eirias, *a.* Poeth iawn, tanbaid, chwilboeth, gwynias, crasboeth. RED HOT.

eirin, *e.ll.* (*un. b.*-en). Ffrwythau bychain melys. PLUMS.
Pren eirin. PLUM TREE.
Eirin duon. DAMSONS.

eiriol, *be.* Pleidio â rhywun dros rywun arall, gofyn yn daer, ymbil, dadlau, cyfryngu. TO INTERCEDE.

eiriolaeth, *eb.* Deisyfiad dros rywun arall (fel rheol cyfryngdod Crist dros grediniwr). INTERCESSION.

eiriolwr : eiriolydd, *eg. ll.* eiriolwyr. Un sy'n eiriol dros arall, dadleuwr, dadleuydd, cyfryngwr, canolwr. INTERCESSOR, MEDIATOR.

eirlaw, *eg.* Cymysgedd o eira a glaw, glaw iâ. SLEET.

eirlithriad, *eg. ll.*-au. Llwyth anferth o eira, iâ a chreigiau yn llithro'n gyflym i lawr ochr mynydd. AVALANCHE.

eirlys, *eg. ll.*-iau. Blodeuyn gwyn y gwanwyn, blodyn yr eira, tlws yr eira, cloch maban, lili wen fach. SNOWDROP.

eisiau, *eg.* Angen, rhaid, diffyg, bod heb feddiant. NEED.
Y mae arnaf eisiau. I WANT.

eisin, *eg.* Y tu faes i rawn, us, rhuddion, rhuchion, cibau, plisg, masgl. HUSK.

eising, *eg.* Cymysgwch o swigr, gwyn ŵy a sudd lemwn wedi'i roi fel haenen i addurno teisen briodas, teisen Nadolig, &c., (CAKE) ICING.

eisoes, *adf.* Yn barod, cyn hyn(ny). ALREADY.

eistedd, *be.* Gorffwys ar sedd neu gadair, &c., ; seddu. TO SIT, TO SEAT.

eisteddfa, *eb. ll.* eisteddfeydd. Lle i eistedd, sedd. SEAT.

eisteddfod, *eb. ll.*-au. Cwrdd cystadleuol, eisteddiad. EISTEDDFOD.

eisteddfodol, *a.* Yn ymwneud ag eisteddfod. EISTEDDFODIC.

eisteddfodwr, *eg. ll.* eisteddfodwyr. Un sy'n mynychu eisteddfodau. ONE WHO FREQUENTS EISTEDDFODAU.

eisteddle, *eg. ll.*-oedd. Lle i eistedd, sedd. SEAT.

eitem, *eb. ll.*-au. Un o nifer o bethau mewn rhestr, pwnc, peth, darn, testun. ITEM.

eithaf, *a.* ac *adf.* Hollol, i raddau mawr, i'r dim, pellaf. VERY, QUITE, UTMOST.
Eithaf peth. NOT A BAD THING.
Yn eithaf bodlon. QUITE WILLING.
Y radd eithaf. THE SUPERLATIVE DEGREE.

eithaf, *eg. ll.*-ion, -oedd. Terfyn, y man pellaf. EXTREMITY.
Eithafoedd y ddaear. THE ENDS OF THE EARTH.
I'r eithaf. TO THE UTMOST.

eithafbwynt, *eg. ll.*-iau. Terfyn eithaf. EXTREME POINT.

eithafion, *gw.* **eithaf.**

eithafol, *a.* Yn mynd â pheth i eithafion, yn methu cerdded llwybr canol. EXTREME.

eithin, *e.ll.* (*un. b.*-en). Planhigion gwyllt bytholwyrdd pigog trwchus (a melyn eu blodau). GORSE.

eithr, *cys.* ac *ardd.* Ond, namyn, oddieithr, ar wahân i, heb, heblaw. BUT, EXCEPT.

eithriad, *eg. ll.*-au. Yr hyn sy'n wahanol, yr hyn a adewir allan. EXCEPTION.

eithriadol, *a.* Gwahanol, rhyfeddol, anghyffredin. EXCEPTIONAL.

eithrio, *be.* Gadael allan, peidio â chynnwys. TO EXCEPT, TO OPT OUT.
Ac eithrio. WITH THE EXCEPTION OF.

electron, *eg. ll.*-au. Gronyn mân o drydan negatif sy'n cylchdroi am gnewyllyn atom. ELECTRON.

electroneg, *ebg.* Yr adran o ffiseg a thechnoleg sy'n ymwneud â'r ffenomen o symudiad electronau mewn gwagle, nwy, &c. ELECTRONICS.

electronig, *a.* Yn perthyn i electroneg.

eleni, *adf.* Y flwyddyn hon. THIS YEAR.

elfen, *eb. ll.*-nau. Peth na ellir ei ddadansoddi, defnydd, mymryn, gronyn. ELEMENT.

elfennol, *a.* Yn ymwneud ag elfennau, dechreuol, sylfaenol. ELEMENTARY.

eli, *eg. ll.* elïau. Ennaint, defnydd seimlyd i iacháu neu i feddalu'r croen. OINTMENT.

eliffant, *eg. ll.*-od. Anifail mawr – y mwyaf o'r rhai â phedair coes, cawrfil. ELEPHANT.

eliffantaidd, *a.* Fel eliffant neu gawrfil, anferth, enfawr. ELEPHANTINE.

elin, *eb. ll.*-au. Penelin, cymal canol y fraich. ELBOW.

elor, *eb. ll.*-au. Ffrâm i gludo arch arni. BIER.

elusen, *eb. ll.*-nau. Rhodd i'r tlawd, cardod, haelioni, caredigrwydd. ALMS.

elusendy, *eg. ll.* elusendai. Tŷ lle gall tlodion fyw yn rhad, tloty. ALMSHOUSE.

elusengar, *a.* Hael, rhyddfrydig, haelionus, cariadlon. CHARITABLE, BENEVOLENT.

elusengarwch, *eg.* Haelioni, cardod. CHARITY, BENEVOLENCE.

elw, *eg.* Budd, lles, ennill, mantais. PROFIT.

elwa, *be.* Ennill, cael lles (budd, mantais), manteisio. TO PROFIT.

ellyll, *eg. ll.*-on. Ysbryd drwg, cythraul, bwgan, drychiolaeth. FIEND, GHOST.

ellyllaidd, *a.* Cythreulig, bwganaidd, rhithiol, drychiolaethol. FIENDISH, ELFISH.

ellyn, *eg. ll.*-od, -au. Erfyn eillio, rasal, raser. RAZOR.

emosiwn, *eg. ll.* emosiynau. Cyffro teimlad, nwyd cynhyrfus. EMOTION.

emosiynol, *a.* Yn perthyn i'r emosiwn. EMOTIONAL.

emrallt, *eg. ll.*-iau. Maen gwerthfawr iawn o liw gwyrdd. EMERALD.

emyn, *eg. ll.*-au. Cân o fawl i Dduw, hymn. HYMN.
Emyn-dôn. HYMN-TUNE.

emynwr : emynydd, *eg. ll.* emynwyr. Un sy'n cyfansoddi emynau. HYMNIST.

emynyddiaeth, *eb.* Astudiaeth emynau. HYMNOLOGY.

enaid, *eg. ll.* eneidiau. Y rhan ysbrydol o fod dynol, ysbryd, person. SOUL.

enbyd : enbydus, *a.* Dychrynllyd, alaethus, blin, erchyll, ofnadwy, echryslon, cas, garw, peryglus. DANGEROUS, AWFUL.

enbydrwydd, *eg.* Perygl, cyfyngder, ing, blinder, adfyd, trallod, helbul. PERIL, DISTRESS.

encil, *eg. ll.*-ion. Lloches, dirgelfa. RETREAT.

encilio, *be.* Mynd yn ôl, tynnu'n ôl, cilio, ffoi, ymneilltuo, dianc, diflannu. TO RETREAT.

enciliwr, *eg. ll.* encilwyr. Un sy'n encilio neu'n rhedeg ymaith a gadael ei ddyletswyddau, ffoadur. DESERTER.

encyd, *gw.* **ennyd.**

eneidiog, *a.* Ag enaid ynddo, a bywyd ynddo. HAVING A SOUL, ANIMATE.

eneidiol, *a.* A chanddo enaid ; bywiog. ENDOWED WITH A SOUL ; LIVING, ANIMATE.

eneiniad, *eg. ll.*-au. Y weithred o eneinio, cysegriad, ysbrydoliaeth. ANOINTING, CONSECRATION.

eneinio, *be.* Arllwys olew ar, cysegru ag olew, cysegru. TO ANOINT, TO CONSECRATE.

eneiniog, *a.* Wedi ei eneinio, cysegredig. ANOINTED.
Yr Eneiniog. THE ANOINTED, CHRIST.

enfawr, *a.* Dirfawr, mawr iawn, anferth, eang, difesur, diderfyn. ENORMOUS.

enfys, *eb. ll.*-au. Bwa amryliw yn yr wybren yn cael ei achosi yn y glaw gan belydrau'r haul, bwa'r Drindod, bwa'r arch. RAINBOW.

enillfawr : enillgar, *a.* Yn talu, yn dwyn elw, buddiol, llesol. LUCRATIVE.

enillwr : enillydd, *eg. ll.* enillwyr. Un sy'n ennill, manteisiwr, y gorau, maeddwr, trechwr. WINNER.

enllib, *eg. ll.*-ion. Athrod, anair, cabl, absen, drygair, anghlod. SLANDER, LIBEL.

enllibio, *be.* Athrodi, absennu, bwrw anghlod ar, lladd ar. TO SLANDER, TO LIBEL.

enllibiwr, *eg. ll.* enllibwyr. Athrodwr, absennwr. SLANDERER, LIBELLER.

enllibus, *a.* Athrodus, cableddus. SLANDEROUS, LIBELLOUS.

enllyn, *eg.* Rhywbeth blasus i'w fwyta gyda bara. RELISH, SOMETHING TASTY EATEN WITH BREAD.

ennaint, *eg. ll.* eneiniau. Eli. OINTMENT.

ennill, *be.* 1. Elwa, manteisio, cael. TO PROFIT, TO GAIN.
2. Curo, bod yn orau. TO WIN.

ennill, *eg. ll.* enillion. Elw, budd, mantais, lles. A PROFIT.
Enillion. EARNINGS.

ennyd, *egb.* Moment, talm, amser, ysbaid, seibiant. A WHILE, MOMENT.

ennyn, *be.* Cynnau, cyffroi, llidio, cynhyrfu, cymell. TO INFLAME, TO LIGHT.

ensynio, *be.* Awgrymu, cyfeirio'n an-uniongyrchol. TO INSINUATE.

entrych, *eg. ll.*-oedd. Ffurfafen, wybren, uchelder, nen. FIRMAMENT, HEIGHT.

enw, *eg. ll.*-au. Y gair a ddefnyddir am rywun neu rywbeth wrth sôn amdano, gair da. NAME, NOUN.
Enw priod. PROPER NOUN.
Enw cyffredin. COMMON NOUN.
Enw bedydd. CHRISTIAN NAME.
Cyfenw. SURNAME.
Llysenw. NICKNAME.

enwad, *eg. ll.*-au. Sect grefyddol. DENOMINATION.

enwadaeth, *eb.* Teyrngarwch i enwad, sêl enwadol, sectyddiaeth. DENOMINATIONALISM, SECTARIANISM.

enwadol, *a.* Yn perthyn i enwad neu sect. DENOMINATIONAL, SECTARIAN.

enwaediad, *eg. ll.*-au. Y weithred o enwaedu. CIRCUMCISION.

enwaedu, *be.* Torri ymaith flaengroen y pidyn. TO CIRCUMCISE.

enwebiad, *eg. ll.*-au. Y weithred o enwebu ymgeisydd am swydd neu mewn etholiad. NOMINATION.

enwebu, *be.* Enwi fel ymgeisydd, dewis. TO NOMINATE.

enwedig, *a.* Arbennig, neilltuol, mwy na'r cyffredin. ESPECIAL.
Yn enwedig : yn anad dim. ESPECIALLY.

enwi, *be.* Galw wrth enw, rhoi enw ar. TO NAME.

enwog, *a.* Hyglod, o fri, clodfawr. FAMOUS.
Enwogion. FAMOUS MEN.

enwogi, *be.* Rhoi bri (clod, enwogrwydd, enw da, gair da). TO MAKE FAMOUS.

enwogrwydd, *eg.* Bri, clod, anrhydedd, enw da, gair da. FAME.

enwol, *a.* Yn perthyn i'r enw (*Gram.*). NOMINATIVE (*Gram.*).
Cyflwr enwol. NOMINATIVE CASE.

enwyn, *eg.* Llaeth enwyn, y llaeth sy'n aros ar ôl corddi. BUTTERMILK.

eofn, *a.* Hy, di-ofn, beiddgar, diarswyd, digywilydd, hyderus, dewr. BOLD, DARING.

eog, *eg. ll.*-iaid. Pysgodyn mawr yr afon, samwn. SALMON.

eos, *eb. ll.*-iaid. Aderyn sy'n enwog am ei gân swynol. NIGHTINGALE.

epa, *eg. ll.*-od. Anifail digynffon tebyg i'r mwnci. APE.

epil, *eg. ll.*-iaid. Plant, hil, hiliogaeth, disgynyddion. OFFSPRING.

epilio, *be.* Dod â rhai bach, cael plant, planta, hilio. TO BREED.

epilgar, *a.* Toreithiog, ffrwythlon. PROLIFIC.

epilog, *eg.* Diweddglo gwaith llenyddol ; oedfa grefyddol fel ar derfyn dydd. EPILOGUE.

epistol, *eg. ll.*-au. Llythyr. EPISTLE.

eples, *eg.* Lefain, surdoes. LEAVEN, FERMENT.

eplesu, *be.* Lefeinio, gweithio (am win, &c.). TO LEAVEN, TO FERMENT.

er, *ardd.* (Erof, erot, erddo/erddi, erom, eroch, erddynt). Oherwydd, er mwyn ; oddi ar. FOR, FOR THE PURPOSE OF, IN ORDER TO ; SINCE.
Er coffa. IN REMEMBRANCE (OF).
Er gwaethaf. IN SPITE OF, DESPITE.
Er popeth. FOR HEAVEN'S SAKE (*lit. for the sake of everything*).
Er mwyn. FOR THE SAKE OF, IN ORDER TO.
Er ys : ers. SINCE.

eraill, *gw.* **arall**.

erbyn, *ardd.* Croes, gwrthwyneb, ar gyfer. BY, AGAINST.
Byddaf yn ôl erbyn naw. I SHALL BE BACK BY NINE.
Mynd i'w erbyn. TO GO TO MEET HIM.
Yn erbyn. AGAINST.

erch, *a.* Dychrynllyd, ofnadwy, arswydus, erchyll. FRIGHTFUL.

erchi, *be.* Deisyf, ymbil, gofyn, holi, ceisio, erfyn, hawlio, atolygu, gweddïo, gorchymyn. TO ASK, TO DEMAND, TO COMMAND.

erchwyn, *egb. ll.*-ion, -nau. Ochr, ymyl gwely. SIDE, BEDSIDE.

erchyll, *a.* Dychrynllyd, ofnadwy, brawychus, echrydus, echrys, echryslon. HORRIBLE.

erchyllter : erchylltra, *eg.* Ysgelerder, echryslonder. HORROR.

erfin, *e.ll.* (*un. b.*-en). Planhigion i'w bwyta ac iddynt wreiddiau crwn, maip, rwdins. TURNIPS.

erfyn, *be.* 1. Ymbil, deisyf, gofyn yn daer, ceisio, erchi, atolygu, disgwyl. TO BEG, TO PRAY, TO EXPECT.
2. *eg. ll.* arfau. Arf, offeryn, twlsyn. WEAPON, TOOL.

erfyniad, *eg. ll.*-au. Ymbiliad, arch, cais, gweddi, deisyfiad, dymuniad. REQUEST, PETITION.

ergyd, *egb. ll.*-ion. Dyrnod, cernod, trawiad, curiad. BLOW, SHOT.

ergydio, *be.* Rhoi ergyd, cernodio, curo, taro, saethu. TO STRIKE, TO SHOOT.

erioed, *adf.* O gwbl, o'r dechrau, unrhyw amser o'r blaen. EVER.

erledigaeth, *eb. ll.*-au. Erlid, ymlidiad, triniaeth wael. PERSECUTION.

erlid, *be.* Ymlid, dilyn, hela, hel, trin yn arw, gorthrymu, gormesu. TO PURSUE, TO PERSECUTE.

erlidiwr, *eg. ll.* erlidwyr. Ymlidiwr, gorthrymwr, gormeswr. PURSUER, PERSECUTOR.

erlyn, *be.* Cyhuddo o flaen llys. TO PROSECUTE, TO SUE.

erlyniad, *eg. ll.*-au. Cyhuddiad mewn llys. PROSECUTION.

erlynydd, *eg. ll.*-ion, erlynwyr. Un sy'n cyhuddo neu ddwyn achos yn erbyn un arall mewn llys. PROSECUTOR.

ern : ernes, *eb. ll.*-au. Rhywbeth a roir fel sicrwydd o gytundeb, gwystl. EARNEST, PLEDGE.

ers, *ardd.* Er ys. SINCE (*a stated length of time gone by*).
　　Ers hir amser. FOR A LONG TIME.

erof, *gw.* er.

erthygl, *eb. ll.*-au. Ysgrif mewn cylchgrawn neu bapur newydd, rhan o gredo neu gytundeb, &c. ARTICLE.

erthyl : erthyliad, *eg. ll.* erthylod. ABORTION.

erthylu, *be.* Esgor neu eni cyn yr amser. TO ABORT, TO MISCARRY.

erw, *eb. ll.*-au. Mesur o dir, cyfer, acer, acr. ACRE.

erydiad, *eg. ll.*-au. Treuliad (tir, &c.,) ymaith gan dywydd, &c. EROSION.

erydu, *be.* Treulio neu ddifa (tir, &c.,) gan dywydd, &c. TO ERODE.

eryr, *eg. ll.*-od. (*b.*-es). I. Aderyn mawr ysglyfaethus, brenin yr adar. EAGLE.
　　Eryr melyn. GOLDEN EAGLE.
　　Cyw eryr. EAGLET.
　　2. Math o glefyd llidus ar y croen. SHINGLES.

esblygiad, *eg. ll.*-au. Datblygiad, dechreuad rhywogaethau, cychwyniad y bydysawd, &c. EVOLUTION.

esboniad, *eg. ll.*-au. Eglurhad, dehongliad ; llyfr eglurhaol. EXPLANATION, EXPOSITION, COMMENTARY.

esboniadol, *a.* Yn esbonio, eglurhaol. EXPLANATORY.

esbonio, *be.* Gwneud yn eglur, egluro, rhoi ystyr. TO EXPLAIN.

esboniwr, *eg. ll.* esbonwyr. Un sy'n esbonio, eglurwr. EXPOSITOR, COMMENTATOR.

esgair, *eb. ll.* esgeiriau. I. Coes, gar, clun. LEG.
　　2. Trum, cefn, crib. RIDGE.

esgeulus, *a.* Diofal, anystyriol. NEGLIGENT.

esgeuluso, *be.* Bod yn ddiofal neu anystyriol, anwybyddu. TO NEGLECT.

esgeulustod : esgeulustra, *eg.* Diofalwch. NEGLECT, CARELESSNESS.

esgid, *eb. ll.*-iau. Gwisg o ledr, &c., i'r droed, botasen. BOOT, SHOE.

esgob, *eg. ll.*-ion. Offeiriad mewn eglwys gadeiriol. BISHOP.

esgobaeth, *eb. ll.*-au. Rhan o wlad i bwrpas yr eglwys, swydd esgob. DIOCESE, BISHOPRIC.

esgobol, *a.* Yn ymwneud ag esgob. EPISCOPAL.

esgor (ar), *be.* Dwyn i'r byd, geni, rhoi genedigaeth i, rhoi bywyd i. TO GIVE BIRTH, TO BEAR, TO BRING FORTH.

esgoriad, *eg. ll.*-au. Genedigaeth. BIRTH.

esgud, *a.* Gwisgi, heini, sionc, cyflym, clau, buan, craff. ACTIVE, QUICK.

esgus, *eg. ll.* esgusion, esgusodion. Ffug ymhoniad, ymddiheuriad, rhith. EXCUSE, PRETENCE.

esgusodi, *be.* Gwneud esgus, ymddiheuro. TO MAKE EXCUSE, TO EXCUSE.

esgusodol, *a.* Wedi ei esgusodi ; yn ymddiheuro. EXCUSED ; APOLOGETIC.

esgyn, *be.* Symud i fyny, codi, cyfodi, cwnnu, dringo, neidio ar. TO ASCEND, TO MOUNT.

esgynbren, *eg. ll.*-nau. Peth i ieir gysgu arno, clwyd ieir. PERCH.

esgynfaen, *eg.* Carreg farch. HORSEBLOCK.

esgyniad, *eg. ll.*-au. Codiad, cyfodiad, dringiad, dyrchafael. ASCENT, ASCENSION.

esgynnol, *a.* Yn codi neu ddringo. ASCENDING.

esgyrnog, *a.* Yn meddu ar esgyrn cryf, asgyrnog. BONY.

esiampl, *eb. ll.*-au. Enghraifft, patrwm, peth i'w efelychu. EXAMPLE.

esmwyth, *a.* Cysurus, cyffyrddus, tawel, llyfn. COMFORTABLE, QUIET.

esmwythâd, *eg.* Ysgafnhad (poen, tyndra, &c.), rhyddhad, diddanwch. EASEMENT (OF PAIN, TENSION, &C.), RELIEF.

esmwytháu : esmwytho, *be.* Lliniaru, lleddfu, llonyddu, cysuro, diddanu. TO SOOTHE, TO EASE.

esmwythder : esmwythdra, *eg.* Ansawdd esmwyth neu gyflwr cysurus, rhyddid oddi wrth boen a gofid. EASE, FREEDOM FROM PAIN AND WORRY.

esmwythyd, *eg.* Esmwythâd, rhyddid oddi wrth boen neu ofid. RELIEF FROM PAIN OR WORRY.

estron, *eg. ll.*-iaid. (*b.*-es). Dyn dieithr, dyn o wlad arall, tramorwr, dieithryn, alltud. STRANGER, FOREIGNER.

estron : estronol, *a.* Yn ymwneud ag estron, tramor, dieithr, diarth, alltud. FOREIGN, STRANGE, ALIEN.

estrys, *egb. ll.*-iaid. Aderyn mawr o'r Affrig na all ehedeg. OSTRICH.

estyllen, *eb. ll.* estyll. Astell, planc, plencyn. PLANK.

estyn, *be.* I. Cyrraedd. TO REACH.
　　2. Ymestyn, tynnu, ehangu, hwyhau. TO STRETCH, TO LENGTHEN.
　　3. Rhoi, rhoddi â'r llaw. TO HAND.

estyniad, *eg. ll.*-au. I. Ymestyniad, hwyhad, helaethiad. EXTENSION.
　　2. Y weithred o roi â'r llaw. HANDING.

estheteg, *eb.* Y rhan o athroniaeth sy'n ymwneud â chwaeth ac â chanfod ceinder. AESTHETICS.

esthetig, *a.* Yn ymwneud â'r prydferth, yn gwerfawrogi ceinder celfyddyd. AESTHETIC.

etifedd, *eg. ll.*-ion. (*b.*-es). Un sydd â hawl i gael eiddo ar ôl un arall, aer. HEIR.

etifeddiaeth, *eb.* I. Hawl etifedd, treftadaeth. INHERITANCE.
　　2. Etifeddeg, y trosglwyddo a wneir i blant gan eu rhieni mewn perthynas â chyneddfau'r meddwl a'r corff. HEREDITY.

etifeddu, *be.* Derbyn cyfran etifedd. TO INHERIT.

eto, *cys.* I. Drachefn, hefyd, er hynny. STILL.
2. *adf.* O hyd, eilwaith. AGAIN.

ethnig, *a.* Cenhedlig, yn perthyn i hil. ETHNIC.

ethol, *be.* Dewis, dethol, enwi, tynnu un neu ragor o nifer fwy. TO ELECT, TO CHOOSE.

etholaeth, *eb. ll.*-au. Rhaniad seneddol i bwrpas dewis aelod i'r senedd, cynrychiolaeth. CONSTITUENCY ; ELECTORATE.

etholedig, *a.* Wedi ei ethol, dewisedig. ELECT, CHOSEN.

etholedigaeth, *eb. ll.*-au. Y weithred o ethol (mewn diwinyddiaeth). ELECTION (IN THEOLOGY).

etholfraint, *eb. ll.* etholfreintiau, etholfreiniau. Yr hawl i bleidleisio, dinasyddiaeth, braint, rhyddfraint. FRANCHISE.

etholiad, *eg. ll.*-au. Dewisiad trwy bleidleisio, lecsiwn. ELECTION.

etholwr : etholydd, *eg. ll.* etholwyr. Un sydd â hawl i bleidleisio. ELECTOR.

eu, *rhag.* Trydydd person lluosog rhagenw personol blaen. THEIR.

euog, *a.* Beius, wedi troseddu, yn haeddu cosb, diffygiol. GUILTY.

euogrwydd, *eg.* Y stad neu'r teimlad o fod yn euog, bai, trosedd. GUILT.

euraid : euraidd, *a.* O aur, fel aur. OF GOLD, GOLDEN.

euro, *be.* Gorchuddio ag aur neu liw euraid. TO GILD.

eurych, *eg. ll.*-iaid. I. Gweithiwr mewn aur. GOLDSMITH.
2. Tincer. TINKER.

ewig, *eb. ll.*-od. Anifail benyw (g. carw). HIND.

ewin, *egb. ll.*-edd. Yr haen galed a dyf ar fys, crafanc. NAIL, CLAW.

ewinrhew, *eb.* Effaith rhew ar aelodau'r corff, gofitrew. FROSTBITE.

ewro, *eg. ll.*-s. Uned arian y Gymuned Ewropeaidd. EURO.

Ewrop, *eb.* Cyfandir yn hemisffer y gogledd wedi'i amgylchynu gan fôr i'r gogledd, gorllewin a de, a chan Fynyddoedd yr Ural i'r dwyrain. EUROPE.

Ewropead, *eg. ll.* Ewropeaid. Brodor o gyfandir Ewrop. Un sy'n perthyn i wlad neu genedl Ewropeaidd. EUROPEAN (*person*).

Ewropeaidd, *a.* Yn perthyn i gyfandir Ewrop. EUROPEAN.

ewyllys, *eb. ll.*-iau. I. Datganiad mewn ysgrifen o'r hyn y dymuna person ei wneud â'i eiddo ar ôl ei farw, cymynrodd, llythyr cymyn, testament. WILL.
2. *eg.* Y gallu i ddewis a phenderfynu, dymuniad, pwrpas, ewyllys rydd. DESIRE, WILL.
Rhyddid ewyllys : ewyllys rhydd : rhydd-ewyllys. FREE WILL.

ewyllysgar, *a.* Bodlon, boddlon, parod a siriol. WILLING.

ewyllysgarwch, *eg.* Parodrwydd, dymuniad da. WILLINGNESS.

ewyllysio, *be.* I. Dymuno, chwennych, mynnu, dewis. TO WISH, GOOD WILL.
2. Rhoi drwy ewyllys. TO WILL.

ewyn, *eg.* I. Mân glychau dŵr yn ymddangos yn wyn, distrych. FOAM.
2. Glafoer. FROTH.
Malu ewyn. TO FOAM.
gw. gewyn.

ewynnog, *a.* Âg ewyn, yn bwrw ewyn. FOAMING, FROTHING.

ewynnu, *be.* Malu ewyn, bwrw ewyn. TO FOAM, TO FROTH.

ewythr : ewyrth, *eg. ll.* ewythredd. Brawd i fam neu dad person, gŵr modryb. UNCLE.

Fagddu, *eb.* Y fagddu (gynt *afagddu*), tywyllwch hollol, uffern. UTTER DARKNESS.

faint, *rhag. gof.* Pa faint, pa swm, pa rif ? HOW MUCH, HOW MANY ?

fandal, *eg. ll.*-iaid. Un sy'n dibrisio a distrywio prydferthwch a hynafiaeth. VANDAL.

fandaleiddio, *be.* Y weithred o ddistrywio'n ddiystyr bethau a gydnabyddir yn hyfryd. TO VANDALISE.

fandaliaeth, *eb.* Dibrisiad a dinistriad o weithiau celfyddyd a phrydferthwch natur. VANDALISM.

farnais, *eg. ll.* farneisiau. Gwlybwr gloyw a roir ar baent. VARNISH.

farneisio, *be.* Gosod farnais, defnyddio farnais. TO VARNISH.

fe, *rhag.* I. Ef. Efe, e, efô, fo, O. HE, HIM, IT.
    2. Geiryn (a ddefnyddir o flaen berfau). e.e. fe glywais, fe welais. PARTICLE (BEFORE VERBS).

feallai, *adf.* Efallai, o bosibl, dichon. PERHAPS.

fel, *cys.* ac *ardd.* Megis, tra, tebyg, cyffelyb, unwedd, ail. AS, SO, LIKE.

felly, *adf.* Fel hynny, am hynny. SO, THUS.

fersiwn, *eg. ll.* fersiynau. Llyfr wedi'i gyfieithu i iaith arall, stori wedi'i hadrodd gan dyst gwahanol, &c. VERSION.

festri, *eb. ll.* festrïoedd. Adeilad yn perthyn i eglwys neu gapel, ysgoldy, gwisgfa. VESTRY.

fi, *rhag.* Person cyntaf unigol rhagenw personol ôl, mi, i. I, ME.

ficer, *eg. ll.*-iaid. Offeiriad â gofal plwyf. VICAR.

ficerdy, *eg. ll.* ficerdai. Tŷ offeiriad. VICARAGE.

ficeriaeth, *eb. ll.*-au. Swydd offeiriad neu ficer. VICARIATE.

finegr, *eg.* Hylif sur a wneir o win, &c., i'w ddefnyddio i roi blas ar fwydydd. VINEGAR.

fiola, *eb.* Math o ffidil neu grwth. VIOLA.

fioled, *eb. ll.*-au. Blodeuyn o liw porffor neu wyn, crinllys. VIOLET.

firws, *eg. ll.*-au, fira. Organeb llai na bacteriwm sy'n achosi afiechyd heintus yn y corff. VIRUS.

fitamin, *eg. ll.*-au. Un o'r sylweddau organig a geir mewn bwydydd ffres naturiol sy'n angenrheidiol i iechyd. VITAMIN.

fo, *gw.* **ef : efe : efô**.

fory : yfory, *adf.* Trannoeth i heddiw. TOMORROW.

fry, *adf.* Yn yr entrych, uwchben, i fyny (yn uchel), ymhell i fyny. ABOVE, ALOFT.

Fwlgat, Y, *eg.* Fersiwn Lladin o'r Beibl a baratowyd yn y bedwaredd ganrif gan Jerôm. THE VULGATE.

fwltur, *eg. ll.*-iaid. Aderyn ysglyfaethus y gwledydd poeth. VULTURE.

fy, *rhag.* Person cyntaf unigol rhagenw personol blaen. MY, OF ME.

fyny, i. *adf.* I'r lan. UP, UPWARDS.
    Oddi fyny. FROM ABOVE.

FFa, *e.ll.* (*un. b.* ffäen, ffeuen). Had planhigyn a dyfir mewn gardd. BEANS.
Ffa'r gors. BUCKBEANS.

ffael, *eg.* Diffyg, methiant, aflwydd. FAULT, FAILING. Yn ddi-ffael. WITHOUT FAIL.

ffaeledig, *a.* I. Yn methu, diffygiol, gwallus. FALLIBLE.
2. Methedig, llesg, claf, clwyfus, methiannus. AILING.

ffaeledd, *eg. ll.*-au. Bai, trosedd, diffyg, nam, anaf. FAULT.

ffaelu, *be.* Methu, llesgáu, diffygio. TO FAIL, TO FAINT.

ffafr, *eb. ll.*-au. Cymwynas, caredigrwydd, cymeradwyaeth. FAVOUR.

ffafriaeth, *eb.* Pleidiaeth, y gymwynas a roir i ffefryn. FAVOURITISM.

ffafrio, *be.* Pleidio, derbyn wyneb, cynorthwyo, boddio, dewis o flaen. TO FAVOUR.

ffafriol, *a.* Pleidiol, o blaid, o help. FAVOURABLE.

ffagl, *eb. ll.*-au. Fflam, tors, golau i'w gario ; coelcerth. TORCH, FLAME ; BONFIRE.

ffaglu, *be.* Fflamio. TO FLAME.

ffair, *eb. ll.* ffeiriau. Marchnad yn yr awyr agored, lle i ymblesera. FAIR.

ffaith, *eb. ll.* ffeithiau. Gwirionedd. FACT.

ffald, *eb. ll.*-au. Corlan defaid. FOLD, PEN ; POUND.

ffals, *a. ll.* ffeilsion. Twyllodrus, gau, cyfrwys, dichellgar. CUNNING, FALSE.

ffalsedd, *eg. ll.*-au. Yr ansawdd o fod yn ffals, ffalster, twyll. FALSENESS, DECEIT.

ffalster, *eg.* Twyll, geudeb, dichell, hoced, cyfrwyster, cyfrwystra. DECEIT.

ffalwm, *gw.* **ffelwm.**

ffansi, *eb.* Dychymyg. FANCY.

ffansïo, *be.* Dychmygu, hoffi. TO FANCY.

ffansïol, *a.* Yn llawn ffansi ; dychmygol. FANCIFUL.

ffarm, *eb. ll.* ffermydd. Fferm, tir lle tyfir cnydau a chadw anifeiliaid, tyddyn. FARM.

ffarmio, *be.* Trin tir, amaethu, ffermio. TO FARM.

ffarmwr, *eg. ll.* ffermwyr. Ffermwr, amaethwr. FARMER.

ffarmwraig, *eb. ll.* ffarmwragedd. Gwraig sy'n ffarmio. FARMWOMAN.

ffarwél : ffárwel, *egb.* Yn iach ! dymuniad da wrth ymadael. FAREWELL.

ffarwelio, *be.* Canu'n iach, dymuno'n dda. TO BID FAREWELL.

ffasiwn, *eg. ll.* ffasiynau. Dull, dullwedd, gwedd, ffurf, arfer, defod. FASHION.

ffasiynol, *a.* Yn dilyn y ffasiwn. FASHIONABLE.

ffatri, *eb. ll.* ffatrïoedd. Gweithfa, adeilad lle gwneir nwyddau. FACTORY.

ffau, *eb. ll.* ffeuau. Y lle y bydd anifail yn cuddio a gorffwys, gwâl, lloches. DEN, LAIR.

ffawd, *eb. ll.* ffodion. Tynged, tynghedfen, digwyddiad, hap, lwc. FATE, FORTUNE, PROSPERITY.

ffawydd, *e.ll.* (*un. b.*-en). Coed ac iddynt risgl llwyd llyfn. BEECH TREES.

ffedog, *eb. ll.*-au. Arffedog, gwisg flaen i ddiogelu'r dillad eraill, barclod, brat. APRON.

ffefryn, *eg.* Un sy'n cael ffafr, dewisddyn. FAVOURITE.

ffei, *ebych.* I ffwrdd ! ymaith ! FIE !

ffeil, *eb.* Offeryn i lyfnhau rhywbeth caled (fel metel), llifddur, rhathell. FILE.

ffein : ffeind, *a.* Braf, teg, hardd, gwych, lluniaidd, coeth, têr, dymunol, clên, hyfryd, caredig. FINE, KIND.

ffeindio, *be.* Dod o hyd i, cael. TO FIND.

ffeirio, *be.* Cyfnewid rhywbeth am beth arall, trwco, trwpo, &c. TO BARTER, TO EXCHANGE.

ffel, *a.* Annwyl, hoffus, cu, deallus. DEAR ; KNOWING.

ffelwm, *eg.* Clwyf poenus gwenwynig ar fys, ewinor, bystwn, clewyn. WHITLOW.

ffenestr, *eb. ll.*-i. Twll (a gwydr ynddo) mewn gwal i adael awyr neu oleuni i mewn. WINDOW.

ffenomen, *eb. ll.*-au. Digwyddiad neu ffaith anghyffredin, rhyfeddod. PHENOMENON.

ffens, *eb. ll.*-ys. ffensiau. Rhes o bolion a gwifrau rhyngddynt sy'n ffinio rhwng dau gae, &c., ; gwrych. FENCE.

ffensio, *be.* I. Cau â ffens, amgáu. TO FENCE, TO ENCLOSE.
2. (Esgus) ymladd â chleddyfau. TO FENCE (*with swords*).

ffêr, *eb. ll.* fferau. Migwrn, y cymal rhwng y droed a'r goes. ANKLE.

ffer, *e.ll.* (*un. b.*-ren). Ffynidwydd. FIR-TREES.

fferins, *e.ll.* (*un. b.* fferen, ffeiryn). Melysion, da-da, taffis. SWEETS.

fferllyd, *a.* Rhewllyd, rhynllyd, wedi merwino, ynghwsg. CHILLY, BENUMBED.

fferm, *eb. ll.*-ydd. Ffarm. FARM.

ffermdy, *eg. ll.* ffermdai. Tŷ fferm, amaethdy. FARM-HOUSE.

ffermio, *gw.* **ffarmio.**

ffermwr, *eg. ll.* ffermwyr. Ffarmwr, amaethwr. FARMER.

fferru, *be.* Dioddef oddi wrth oerfel, rhewi, ceulo, trengi. TO FREEZE, TO CONGEAL.

fferyllfa, *eb. ll.* fferyllfeydd. Siop fferyllydd ; ystafell(oedd) lle y darperir moddion, cyffuriau, &c. PHARMACY, DISPENSARY.

fferylliaeth, *eb.* Cemeg. PHARMACY.

fferyllol, *a.* Cemegol. CHEMICAL, PHARMACEUTICAL.

fferyllydd, *eg. ll.*-ion, fferyllwyr. Cemegwr. CHEMIST, PHARMACIST.

ffesant, *egb.* Coediar, iâr goed, ceiliog y coed. PHEASANT.

ffetan, *eb. ll.*-au. Bag mawr wedi ei wneud o ddefnydd garw, sach. SACK.

ffi, *eb. ll.*-oedd. Y swm a delir i berson proffesiynol am ei wasanaeth. FEE.

ffiaidd, *a.* Atgas, aflan, brwnt, cas, mochaidd. LOATHSOME.

ffidil, *eb. ll.* ffidlau. Offeryn cerdd llinynnol, crwth. FIDDLE, VIOLIN.

ffidlan, *be.* Trafod pethau dibwys, gwastraffu amser. TO FIDDLE, TO DAWDLE.

ffieidd-dod, ffieidd-dra, *eg.* Digasedd, atgasedd, cas. LOATHING.

ffieiddio, *be.* Teimlo diflastod tuag at rywbeth, casáu, atgasu. TO LOATHE.

ffigur, *egb. ll.*-au. I. Rhif, rhifair, llun, ffurf. FIGURE.
2. Ffigur ymadrodd. FIGURE OF SPEECH.

ffigurol, *a.* Cyffelybiaethol, damhegol, ag ystyr wahanol i'r cyffredin. FIGURATIVE.

ffigys, *e.ll.* (*un. b.*-en). Ffrwythau meddal ar ffurf gellyg. FIGS.

ffigysbren, *eg. ll.*-nau. Coeden ffigys. FIG-TREE.

ffilm, *eb. ll.*-iau. Rholyn a ddefnyddir i dynnu lluniau, lluniau byw. FILM.

ffiloreg, *eb.* Lol, ffregod, rhibidirês, geiriau ffôl diystyr, dyli. RIGMAROLE, NONSENSE.

ffin, *eb. ll.*-iau. Terfyn, goror, cyffin. BOUNDARY.

Ffindir, Y, *eb.* Gweriniaeth yng ngogledd-ddwyrain Ewrop rhwng Rwsia a gorynys Llychlyn. FINLAND.

ffindir, *eg. ll.*-oedd. Tir o amgylch y ffin, goror, mars. BORDER, BORDER-LAND, MARCH.

Ffiniad, *eg. ll.* Ffiniaid. Aelod o'r genedl sy'n byw yn Y Ffindir. A FINN.

ffinio, *be.* Cyffinio, terfynu, ymylu. TO BORDER.

ffiol, *eb. ll.*-au. Costrel, costrelan, potel, cwpan, cawg, dysgl. VIAL, BOWL.

ffiseg, *eb.* Anianeg, anianaeth, anianyddiaeth, gwyddor sy'n ymwneud â mater ac ynni. PHYSICS.

ffisegwr, *eg. ll.* ffisegwyr. Arbenigwr mewn ffiseg. PHYSICIST.

ffisig, *eg.* Meddyginiaeth, cyffur, moddion. MEDICINE.

ffisigwr, *eg. ll.* Meddyg, doctor. PHYSICIAN, DOCTOR.

ffisioleg, *eb.g.* Gwyddor sy'n ymwneud â ffwythiant a ffenomenau organebau byw a'u rhannau. PHYSIOLOGY.

ffiws, *eg. ll.*-iau. Dyfais a ddefnyddir i beri ffrwydrad mewn chwareli, pyllau glo, bomiau, &c. ; gwifren fach denau a ddefnyddir mewn plwg neu swits drydan er diogelwch. FUSE.

ffiwsio, *be.* Toddi o'r wifren fach denau mewn plwg neu fwlb trydan. TO FUSE.

fflach, *eb. ll.*-iau. **fflachiad,** *eg. ll.*-au. Pelydryn, llygedyn, llewyrchyn, llucheden, mellten. FLASH.

fflachio, *be.* Pelydru, tanbeidio, tywynnu, melltennu. TO FLASH.

fflangell, *eb. ll.*-au. Ffrewyll, chwip. WHIP, SCOURGE.

fflangellu, *be.* Ffrewyllu, chwipio, ffonodio, curo, cystwyo. TO FLOG.

fflam, *eb. ll.*-au. Fflach o oleuni, gloywder tân. FLAME.

fflamio, *be.* Cynnau yn fflamau. TO BLAZE.

fflat, *a.* I. Gwastad, llyfn, rhy isel (canu). FLAT.
2. *eb. ll.*-au, -iau. Rhan o dŷ. A FLAT.

ffliwt, *eb. ll.*-iau. Pibell, chwibanogl, offeryn cerdd yn adran y chwythbrennau. FLUTE.

fflodiad : fflodiart, *eg.* Llidiart neu iet sy'n rheoli dŵr o gronfa. FLOOD-GATE.

ffo, *eg.* Encil, enciliad, ffoëdigaeth. FLIGHT.
Gyrru ar ffo. TO PUT TO FLIGHT.
Ar ffo. IN FLIGHT.

ffoadur, *eg. ll.*-iaid. Enciliwr, un ar ffo. FUGITIVE, REFUGEE.

ffodus : ffortunus, *a.* Lwcus, â ffawd o'i du. LUCKY.

ffoëdigaeth, *eb.* Encil, enciliad, ffo. FLIGHT.

ffoi, *be.* Cilio, dianc, diflannu, rhedeg ymaith. TO FLEE.

ffôl, *a.* Ynfyd, angall, annoeth, gwirion, disynnwyr, penwan. FOOLISH.

ffoledd : ffolineb, *eg.* Ynfydrwydd, annoethineb, gwiriondeb, penwendid. FOLLY.

ffolen, *eb. ll.*-nau. Rhan uchaf morddwyd, pedrain. BUTTOCK, HAUNCH.

ffoli, *be.* Dotio, dwlu, gwirioni, gwynfydu, ynfydu. TO DOTE.

ffolineb, *gw.* **ffoledd.**

ffolog, *eb. ll.*-od. Gwraig ffôl. SILLY WOMAN.

ffon, *eb. ll.* ffyn. Gwialen. STICK.
Ffon dafl. SLING.
Ffon ysgol. RUNG OF A LADDER.

ffôn, *eg. ll.*-au. Cyfarper electronig i drosglwyddo sain ac yn arbennig lais, i bellteroedd byd. TELEPHONE.
Ffôn symudol. MOBILE PHONE.

ffônio, *be.* Galw ar y ffôn, siarad ar y ffôn, rhoi caniad i rywun. TO PHONE.

ffonnod, *eb. ll.* ffonodiau. Ergyd â ffon. BEAT WITH A STICK.

ffonodio, *be.* Ergydio, baeddu, taro â ffon. TO BEAT (WITH STICK).

fforc, *eb. ll.* ffyrc. Offeryn fforchog i ddal bwyd. FORK (TABLE).

fforch, *eb. ll.* ffyrch. Fforch fawr i godi tail, &c. FORK.

fforchi, *be.* Ymrannu yn nifer o raniadau. TO FORK.

fforchog, *a.* Yn fforchi. FORKED.

ffordd, *eb. ll.* ffyrdd. I. Llwybr, heol, modd, dull. WAY, MANNER.
2. Pellter. DISTANCE.
Ffordd allan. EXIT.
Ffordd fawr. HIGHWAY.
Ffordd gefn. BACK STREET, BACKWAY.
Ffordd Laethog. MILKY WAY.
Rhyw ffordd neu'i gilydd. ONE WAY OR ANOTHER.
Lleidr pen ffordd. HIGHWAYMAN.

fforddio, *be.* Bod â modd (i brynu, i wneud), dwyn traul, sbario. TO AFFORD.
Ni allaf fforddio colli diwrnod o waith.

fforddol, *eg. ll.*-ion. Crwydryn, teithiwr. WAYFARER.

fforest, *eb. ll.*-ydd, -au. Coedwig, gwŷdd, gwig, coed, darn eang o goed. FOREST.

fforestwr, *eg. ll.* fforestwyr. Coedwigwr. FORESTER.

fforffedu, *be.* Colli rhywbeth oherwydd cosb neu ddirwy. TO FORFEIT.

ffortiwn, *eb. ll.* ffortiynau : **ffortun**, *eb. ll.*-au. Cyfoeth ; rhywbeth a geir drwy hap neu siawns. FORTUNE.

ffortunus, *gw.* **ffodus**.

ffos, *eb. ll.*-ydd. Cwter, clais. DITCH, TRENCH.

ffosil, *eg. ll.*-au. Gweddillion neu olion anifeiliaid, planhigion, &c., o'r cyn-oesoedd wedi ymgaregu mewn carreg neu graig. FOSSIL.

ffracsiwn, *eg. ll.* ffracsiynau. Rhan o uned neu rif cyflawn ; *e.e.* chwarter, tri-chwarter, hanner, &c. FRACTION.

ffradach, *eg.* Sitrach, stecs, llanastr. COLLAPSED HEAP, MESS.

ffrae, *eb. ll.*-au, -on. Ymrafael, cweryl, ffrwgwd, ymryson, cynnen. QUARREL.

ffraeo, *be.* Cweryla, ymrafaelu, ymgiprys, ymryson, cwympo i maes. TO QUARREL.

ffraeth, *a.* Doniol, arabus, rhugl, llithrig ei dafod, digrif, smala, brathog. WITTY, HUMOROUS, SHARP-TONGUED.

ffraetheb, *eb. ll.*-ion. **ffraethair**, *eg.* Dywediad ffraeth, jôc. A WITTICISM, JOKE.

ffraethineb : **ffraethder**, *eg.* Doniolwch, arabedd, smaldod, digrifwch. WIT.

Ffrangeg, *ebg.* Iaith Ffrainc. FRENCH.

Ffrainc, *eb.* Un o wledydd Ewrop i'r de o'r Sianel (Y Môr Udd), a'r Môr Canoldir ar ei harfordir deheuol. FRANCE.

ffrâm, *eb. ll.* fframau. Ymyl ffenestr neu lun, &c. FRAME.

fframio, *be.* Dodi ffrâm am rywbeth. TO FRAME.

Ffrancwr, *eg. ll.* Ffrancwyr, Ffrancod. (*b.* Ffrances). Brodor o Ffrainc. FRENCHMAN.

ffregod, *eb. ll.*-au. Baldordd, cleber, dadwrdd. CHATTER.

Ffrengig, *a.* Yn perthyn i Ffrainc. FRENCH (CHARACTERISTICS).

ffres, *a.* Ir, croyw, gwyrf, crai, newydd, pur, glân. FRESH.

ffresni, *eg.* Irder, newydd-deb, purdeb, glendid. FRESHNESS.

ffreutur, *eg. ll.*-iau. Ystafell fwyta mewn mynachlog, coleg, &c. REFECTORY.

ffrewyll, *eb. ll.*-au. Chwip, fflangell. SCOURGE, WHIP.

ffrewyllu, *be.* Fflangellu, chwipio. TO SCOURGE.

ffridd : **ffrith**, *eb. ll.*-oedd. Porfa defaid, pordir mynyddig, rhosfa, defeidiog. SHEEP WALK, MOUNTAIN PASTURE.

ffrind, *eg. ll.*-iau. Cyfaill. FRIEND.

ffrio, *be.* Coginio mewn braster, crasbobi, digoni. TO FRY.

ffrith, *gw.* **ffridd**.

ffrithiant, *eg. ll.* ffrithiannau. Rhwystriad symudiad rhwng dau gorff yn cyffwrdd â'i gilydd, rhygniad. FRICTION.

ffroc, *gw.* **ffrog**.

ffroch : **frochwyllt**, *a.* Ffyrnig, gwyllt, cynddeiriog. FURIOUS.

ffroen, *eb. ll.*-au. Un o'r ddau geudod sydd yn y trwyn, trwyn gwn. NOSTRIL, MUZZLE (OF GUN).

ffroeni, *be.* Gwyntio, gwneud sŵn fel gwyntio. TO SNIFF.

ffroenuchel, *a.* Balch, trahaus, diystyrllyd, talog. HAUGHTY.

ffroes, *e.ll.* (*un. b.*-en). Cramwyth, crempog, ffreisod. PANCAKES.

ffrog : **ffroc**, *eb. ll.*-au, -iau. Gwisg merch, gŵn mynach. FROCK.

ffrom : **ffromllyd**, *a.* Dig, dicllon, sorllyd, digofus. ANGRY.

ffromi, *be.* Digio, brochi, sorri, gwylltu, cynddeiriogi. TO FUME, TO BE ANGRY.

ffrost, *eg.* Ymffrost, brol, bocsach. BOAST.

ffrostio, *be.* Ymffrostio, brolio. TO BRAG.

ffrwd, *eb. ll.* ffrydiau. Ffrydlif, nant, llif, rhediad hylif. STREAM.

ffrwgwd, *eg. ll.* ffrygydau. Ffrae, ymrafael, ymryson, cweryl, cynnen. SQUABBLE, BRAWL.

ffrwst, *eg.* Brys, ffwdan, prysurdeb, hast. HASTE.

ffrwtian, *be.* Poeri siarad, baldorddi, tasgu, gwneud sŵn wrth ferwi (uwd). TO SPLUTTER.

ffrwydrad, *eg. ll.*-au. Tanchwa, ergyd, sŵn dryllio neu rwygo sydyn. EXPLOSION.

ffrwydro, *be.* Chwalu, chwythu'n ddarnau, ymrwygo neu ddryllio â sŵn mawr. TO EXPLODE.

ffrwydryn, *eg. ll.*-nau, ffrwydron. Defnydd ffrwydrol ; un o gynhwysion bom. EXPLOSIVE. Ffrwydron tir. LAND-MINES.

ffrwyn, *eb. ll.*-au. Afwyn â genfa a ddefnyddir i reoli ceffyl. BRIDLE. Ffrwyn ddall. BRIDLE WITH BLINKERS.

ffrwyno, *be.* Atal, dal yn ôl, rheoli, cadw o fewn terfynau, gosod ffrwyn ar geffyl. TO CURB, TO BRIDLE.

ffrwyth, *eg. ll.*-au, -ydd. Cynnyrch, cnwd, aeron, canlyniad gweithred, effaith. FRUIT, EFFECT.

ffrwythlon, *a.* Cnydfawr, toreithiog, bras, cynhyrchiol. FRUITFUL, FERTILE.

ffrwythlondeb : **ffrwythlonedd**, *gw.* **ffrwythlonrwydd**.

ffrwythloni, *be.* Gwneud yn ffrwythlon, cyfoethogi, brasáu. TO FERTILIZE.

ffrwythlonrwydd, *eg.* Y stad o fod yn ffrwythlon, ffrwythlondeb, ffrwythlonedd. FERTILITY.

ffrwytho, *be.* Cynhyrchu ffrwyth. TO BEAR FRUIT.

ffrydio, *be.* Llifo, llifeirio, pistyllu. TO STREAM.

ffuantus, *a.* Rhagrithiol, anghywir, ffugiol, ffug, gau, dauwynebog. FALSE.

ffug : **ffugiol**, *a.* Dychmygol, anwir, gau, ffuantus, coeg. FICTITIOUS.

ffugenw, *eg. ll.*-au. Enw ffug a ddefnyddir gan awdur, cyfenw, llysenw. NOM-DE-PLUME.

ffugio, *be.* Cymryd ar, honni, ffuantu. TO PRETEND.

ffuglen, *eb.* Nofel, stori ddychmygol. FICTION.

ffugliw, *eg. ll.*-iau. Lliw gau, cuddliw. CAMOUFLAGE.

ffugliwio, *be.* Y weithred o guddio dryllau, llongau, &c., drwy ddefnyddio amryw o liwiau, brigau deiliog, mwg, &c. TO CAMOUFLAGE.

ffumer, *eg. ll.*-au. Simnai, corn mwg. CHIMNEY.

ffunud, *eg. ll.*-au. Ffurf, dull, agwedd, math. FORM, MANNER.
Yr un ffunud â. EXACTLY LIKE.

ffured, *eb. ll.*-au. Anifail bach tebyg i wenci a ddefnyddir i ddal cwningod. FERRET.

ffureta, *be.* Hela â ffured, chwilio fel ffured. TO FERRET.

ffurf, *eb. ll.*-iau. Dull, llun, ystum, siâp. FORM, SHAPE.

ffurfafen, *eb. ll.*-nau. Y nen, yr awyr, wybren, wybr, nef. FIRMAMENT, SKY.

ffurfeb, *eb. ll.*-au. Fformwla, y modd o nodi rheol, egwyddor neu gyfansoddiad cemegol drwy gyfrwng symbolau a rhifau. FORMULA.

ffurfiad, *eg. ll.*-au. Lluniad, trefniad. FORMATION.

ffurfio, *be.* Llunio, ystumio. TO FORM.

ffurfiol, *a.* Defodol, trefnus, rheolaidd, yn ôl rheol. FORMAL.

ffurfioldeb, *eg.* Defod a hawlir gan arferiad, defodaeth. FORMALITY.

ffurflen, *eb. ll.*-ni. Papur ac arno gwestiynau i'w hateb ynglŷn â materion amrywiol. FORM (PRINTED, &C.).

ffurfwasanaeth, *eg.* Ffurfweddi, gwasanaeth arferol eglwys, litwrgi. LITURGY.

ffust, *eb. ll.*-iau. Offeryn i ddyrnu llafur (ŷd) â llaw. FLAIL.

ffusto : ffustio, *be.* I. Dyrnu â ffust. TO THRESH.
2. Maeddu, curo, trechu, gorchfygu, cael y gorau ar. TO BEAT.

ffwdan, *eb.* Helynt, stŵr, trafferth. FUSS.

ffwdanu, *be.* Trafferthu heb eisiau. TO FUSS.

ffwdanus, *a.* Trafferthus, yn llawn helynt dieisiau. FUSSY.

ffwng, *eg. ll.* ffyngoedd, ffyngau. Planhigion sy'n perthyn i'r un dosbarth â'r caws llyffant, y fadarchen, y gingroen, &c. FUNGUS.

ffwl, *eg. ll.* ffyliaid. Ynfytyn, ynfyd, un ffôl a dwl. FOOL.

ffwlbart, *eg. ll.*-iaid. Math o wenci fawr â sawr cryf. POLECAT.

ffwlbri, *eg.* Lol, sothach, dwli. NONSENSE.

ffwlcyn, *eg.* (*b.* ffolcen). Gwirionyn, ynfytyn, penbwl. FOOL.

ffwndro, *be.* Drysu, cymysgu, mwydro. TO BECOME CONFUSED.

ffwndrus, *a.* Dryslyd, cymysglyd. CONFUSED.

ffwr, *eg. ll.* ffyrrau. Blew rhai anifeiliaid, dillad a wneir ohono. FUR.

ffwrdd, i, *adf.* Ymaith, i bant. AWAY.

ffwrn, *eb. ll.* ffyrnau. Popty, ffwrnais, lle i grasu. OVEN.

ffwrnais, *eb. ll.* ffwrneisiau. Lle i doddi metelau. FURNACE.

ffwrwm, *eb. ll.* ffyrymau. Mainc, sedd, math o ford hir. BENCH, FORM.

ffydd, *eb.* Cred, coel, ymddiriedaeth, hyder. FAITH.

ffyddiog, *a.* Cadarn yn y ffydd, yn ymddiried yn, ymddiriedus, hyderus. TRUSTFUL.

ffyddlon, *a. ll.*-iaid. Cywir, yn dal ymlaen, teyrngarol. FAITHFUL.
Y ffyddloniaid. THE FAITHFUL ONES.

ffyddlondeb, *eg.* Cywirdeb, teyrngarwch. FAITHFULNESS.

ffynhonnell, *eb. ll.* ffynonellau. Tarddiad, blaen (afon), dechreuad, tarddell. SOURCE, FOUNT.

ffyniannus, *a.* Llwyddiannus, yn ffynnu. PROSPEROUS.

ffyniant, *eg.* Llwyddiant, llwydd, cynnydd. PROSPERITY.

ffynidwydd, *e.ll.* (*un. b.*-en). Coed tal llathraidd, coed ffyr, coed pîn. FIR-TREES.

ffynnon, *eb. ll.* ffynhonnau. Tarddiad (dŵr), pydew. WELL.
Llygad y ffynnon. SOURCE.

ffynnu, *be.* Llwyddo, tycio, dod ymlaen, ennill tir, prifio. TO THRIVE.

ffyrf, *a.* (*b.* fferf). Trwchus, praff, cadarn. THICK, FIRM.

ffyrling, *egb. ll.*-od, -au. Y swm arian lleiaf gynt, chwarter ceiniog. FARTHING.

ffyrnig, *a.* Cas, milain, mileinig, anifeilaidd, cynddeiriog. FIERCE.

ffyrnigo, *be.* Cynddeiriogi, mynd yn gas, gwylltu. TO ENRAGE.

ffyrnigrwydd, *eg.* Gwylltineb, cynddeiriogrwydd, mileindra. FEROCITY.

Gadael : gadel : gadu, *be.* I. Ymadael â, symud.
TO LEAVE.
2. Caniatáu, goddef. TO ALLOW.
3. Cefnu ar. TO DESERT.
gaeaf, *eg. ll.*-au. Un o bedwar tymor y flwyddyn.
WINTER.
gaeafaidd : gaeafol, *a.* Fel gaeaf, oer. WINTRY.
gaeafu, *be.* Bwrw'r gaeaf. TO WINTER.
gafael : gafaelyd : gafel, *be.* Cydio, dal â'r llaw,
crafangu, bachu, bachellu. TO GRASP, TO HOLD.
gafael, *eb. ll.*-ion. I. Glyniad, y weithred o ddal,
gwasgiad. HOLD, GRASP.
2. Sylwedd. SUBSTANCE.
gafaelgar, *a.* I. Tyn ei afael, yn gafael. TENACIOUS.
2. Cyffrous. GRIPPING.
gafaelgi, *eg. ll.* gafaelgwn. Math o gi sy'n gafael
yn dynn. MASTIFF.
gafr, *eb. ll.* geifr. Anifail hirflew sydd â chyrn a
barf ac yn cnoi ei gil. GOAT.
Bwch gafr. BILLY GOAT.
gaing, *eb. ll.* geingiau. Cŷn. WEDGE, CHISEL.
Gaing gau. GOUGE.
Gaing galed. COLD CHISEL.
gair, *eg. ll.* geiriau. Sain neu gyfuniad o seiniau
yn ffyrfio drychfeddwl. WORD.
galanas, *eb. ll.*-au. **galanastra,** *eg.* Lladdfa,
cyflafan, llofruddiaeth. CARNAGE, MURDER.
galar, *eg.* Gofid o golli rhywun, tristwch,
wylofain. MOURNING, GRIEF.
galarnad, *eb. ll.*-au. Galar, cwynfan, alaeth,
cwyn, wylofain. LAMENTATION.
galarnadu, *be.* Galaru, cwynfan, cwyno. TO LAMENT.
galaru, *be.* Hiraethu ar ôl colli rhywun, cwynfan,
arwylo, cwyno, gofidio. TO MOURN.
galarus, *a.* Gofidus, cwynfanus, dolefus,
alaethus, trist. MOURNFUL.
galarwr, *eg. ll.* galarwyr. Un sy'n galaru. MOURNER.
galw, *be.* I. Gweiddi, gwysio. TO CALL.
2. Ymweled â. TO VISIT.
Di-alw-amdano. UNCALLED FOR.
galwad, *ebg. ll.*-au. I. Gwaedd, gwŷs,
gwahoddiad. A CALL.
2. Galwedigaeth. VOCATION.
galwedigaeth, *eb. ll.*-au. Gwaith bob dydd,
gorchwyl. OCCUPATION.
galwyn, *eg. ll.*-i, -au. Pedwar chwart. GALLON.
gallt, *eb. ll.* gelltydd. **allt,** *eb. ll.* elltydd. I. Llethr
goediog. WOODED HILL-SIDE.
2. Tyle. HILL.
3. Coedwig. WOOD.
gallu, *eg. ll.*-oedd. I. Medr, awdurdod, nerth,
pŵer, grym, cryfder. ABILITY, POWER.
2. *be.* Bod yn abl, medru. TO BE ABLE.
galluog, *a.* Abl, nerthol, grymus, medrus,
deheuig. ABLE, POWERFUL.
galluogi, *be.* Rhoi gallu, gwneud yn alluog. TO
ENABLE.
gambo, *egb.* Cerbyd dwy olwyn, trol. DRAY.

gan, *ardd.* (Gennyf, gennyt, ganddo/gandddi,
gennym, gennych, ganddynt). Ym meddiant,
wrth, oddi wrth, trwy. WITH, BY, FROM.
Gan hynny. THEREFORE.
Gan mwyaf. MOSTLY.
Mae gennyf. I HAVE.
Mae'n dda (ddrwg) gennyf. I AM GLAD (SORRY).
ganedig, *gw.* **genedigol.**
gar, *egb. ll.*-rau. Coes, esgair, rhan o'r goes (yn
enwedig rhwng y penlin a'r migwrn). SHANK.
Afal y gar. KNEE-CAP.
Ar ei arrau. ON HIS HAUNCHES.
gw. **car.**
garan, *egb. ll.*-od. Crëyr, crychydd. HERON, CRANE.
Garawys, *gw.* **Grawys.**
gardas, *eb. ll.* gardysau. **gardys,** *eg. ll.* gardyson.
Rhwymyn i gadw hosanau i fyny. GARTER.
gardd, *eb. ll.* gerddi. Tir i dyfu blodau a
ffrwythau a llysiau. GARDEN.
garddio : garddu, *be.* Paratoi gardd, trin gardd.
TO CULTIVATE A GARDEN.
garddwr, *eg. ll.* garddwyr. Un sy'n trin gardd.
GARDENER.
garddwriaeth, *eb.* Y grefft o drin gardd.
HORTICULTURE.
gargam, *a.* Â choesau neu arrau cam. KNOCK-
KNEED.
garlleg, *e.ll.* (*un. b.*-en). Llysiau ac iddynt
wreiddiau cnapiog ac aroglau cryf. GARLIC.
garsiwn, *eg. ll.* garsiynau. I. Llu o filwyr i
warchod caer, &c. GARRISON.
2. Ciwed. RABBLE.
gartref, *adf.* Yn y tŷ, yn y cartref, yn nhref. AT
HOME.
garth, *egb.* I. Caeadle, lle caeëdig. ENCLOSURE.
2. Trum, bryn, cefn. HILL, RIDGE.
garw, *a. ll.* geirwon. I. Cwrs, bras, aflednais. COARSE.
2. Gerwin, gwyntog, tonnog. ROUGH.
3. Dybryd. GRIEVOUS.
garw, *eg.* Gerwinder, garwedd. ROUGHNESS.
Torri'r garw. TO BREAK THE ICE.
garwhau, *be.* Gwneud yn arw, gerwino, mynd yn
arw, ysgwyd. TO ROUGHEN, TO RUFFLE.
gast, *eb. ll.* geist. Ci benyw. BITCH.
gât, *eb. ll.* gatiau. Clwyd, iet, llidiart. GATE.
gau, *a.* Ffug, coeg, ffals, anwir, anghywir,
cyfeiliornus, twyllodrus, celwyddog. FALSE.
gefail, *eb. ll.* gefeiliau. Gweithdy gof, siop y gof.
SMITHY.
gefel, *eb. ll.* gefeiliau. Offeryn i afael mewn
rhywbeth a'i dynnu, &c. TONGS, PINCERS.
Gefel gnau. NUT CRACKER.
gefell, *eg. ll.* gefeilliaid. Un o ddau a aned gyda'i
gilydd. TWIN.
Gefeilldref. TWINNED TOWN.
gefyn, *eg. ll.*-nau. Llyffethair, hual. FETTER.
gefynnu, *be.* Dodi mewn gefyn, llyffetheirio. TO
FETTER.
geirda, *eg.* Clod. GOOD REPORT.

geirdarddiad, *eg.* Astudiaeth o darddiad geiriau. ETYMOLOGY.

geirfa, *eb. ll.*-oedd. Rhestr o eiriau yn ôl trefn yr wyddor a'u hystyron, cyfanswm geiriau rhyw berson neu ryw lyfr, &c. VOCABULARY.

geiriad, *eg.* Trefn geiriau mewn brawddeg neu baragraff, defnydd o eiriau. WORDING.

geiriadur, *eg. ll.*-on. Llyfr sy'n egluro geiriau a'u hystyron, geirlyfr. DICTIONARY.

geiriadurwr, *eg. ll.* geiriadurwyr. Cyfansoddwr geiriadur. LEXICOGRAPHER.

geirio, *be.* Ynganu gair neu eiriau. Gosod mewn geiriau. TO WORD, TO PHRASE, TO ENUNCIATE.

geiriog, *a.* Â gormod o eiriau. WORDY.

geirwir, *a.* Gwir, cywir, union. TRUTHFUL.

geirwiredd, *eg.* Y stad o fod yn eirwir, gonestrwydd. TRUTHFULNESS.

geiryn, *eg. ll.*-nau. Rhan ymadrodd am air bach nas treiglir ac nas defnyddir ar ei ben ei hun, *e.e.* **fe, y.** PARTICLE.

gelau : gelen, *eb. ll.* gelod. Pryf sy'n sugno gwaed ac yn byw mewn dŵr croyw. Fe'i defnyddid gan feddygon i drin creithiau a achoswyd gan losgiadau. LEECH.

gelyn, *eg. ll.*-ion. (*b.*-es). Yr hwn sy'n gweithredu'n groes i arall, gwrthwynebydd. ENEMY.

gelyniaeth, *eb.* Dygasedd, atgasedd, casineb, cas. ENMITY.

gelynol, *a.* Gwrthwynebus. HOSTILE.

gellyg, *e.ll.* (*un. b.*-en). Pêr. PEARS.

gem, *eb. ll.*-au. Tlws gwerthfawr, glain. GEM.

gêm, *eb. ll.* gêmau. Chwarae, yr hyn a wneir er mwyn difyrrwch. GAME.

gemog, *a.* Â gemau, yn cynnwys gemau. JEWELLED.

gemydd, *eg. ll.*-ion. Un yn gwerthu neu'n torri a thrin gemau. JEWELLER.

gên, *eb. ll.* genau. Cern, bochgern. JAW, CHIN. Y ddwyen. CHEEKS (OF PIG).

genau, *eg. ll.* geneuau. Ceg, pen, safn, gweflau. MOUTH.

genedigaeth, *eb. ll.*-au. Y weithred o eni neu gael bywyd, dechreuad. BIRTH.

genedigol, *a.* Wedi ei eni, brodor, ganedig. BORN, NATIVE.

geneth, *eb. ll.*-od. Merch, hogen, lodes, herlodes, meinir, llances. GIRL. Genethig. LITTLE GIRL.

genethaidd, *a.* Fel geneth. GIRLISH.

geneufor, *eg. ll.*-oedd. Darn o'r môr yn ymestyn i mewn i'r tir, gwlff. GULF.

genfa, *eb. ll.* genfâu. Y rhan o'r ffrwyn sydd yn safn ceffyl. BIT.

geni, *be.* Cael bywyd, dod yn fyw, esgor, dechrau. TO BE BORN, TO BEAR.

genwair, *eb. ll.* genweiriau. Gwialen bysgota. FISHING-ROD.

genweirio, *be.* Pysgota â genwair. TO ANGLE.

genweiriwr, *eg. ll.* genweirwyr. Pysgotwr â gwialen neu enwair. ANGLER.

gêr, *e.ll.* 1. Offer, taclau, tresi, celfi. GEAR, TACKLE. 2. Pethau di-werth, geriach, llanastr. RUBBISH.

ger, *ardd.* Wrth, yn agos, ar bwys, yn ymyl. AT, BY, NEAR. Gerbron. IN THE PRESENCE OF. Gerllaw. NEAR AT HAND.

gerfydd, *ardd.* Wrth. BY. Yn cydio ynddo gerfydd ei fraich.

geri, *eg.* Bustl. BILE.

gerwin, *a.* Garw, cwrs, gwyntog, tonnog, llym, caled. ROUGH, SEVERE.

gerwindeb : gerwinder, *eg.* Llymder, chwerwder, caledwch. SEVERITY.

gerwino, *be.* Chwerwi, codi'n wynt, garwhau. TO BECOME ROUGH.

geudeb, *eg.* Twyll, dichell, anonestrwydd. DECEIT.

gewyn, *eg. ll.*-nau, gïau. Y peth gwydn sy'n dal y cyhyrau wrth yr esgyrn, giewyn. SINEW.

gewynnog, *a.* Yn meddu ar ewynnau cryf. SINEWY.

gïach, *eg. ll.*-od. Aderyn y gors ac iddo big hir. SNIPE.

gilydd, *eg.* a *rhag.* Ei gilydd. EACH OTHER. Gyda'i gilydd. TOGETHER.

gimbill, *eb.* Ebill, taradr, imbill, whimbil, offeryn bychan i dorri tyllau. GIMLET.

gini, *egb.* Un swllt ar hugain (hen arian). GUINEA.

glafoeri, *be.* Slobran, dreflan, diferu o'r genau. TO DRIVEL. Glafoerion. SLOBBER.

glain, *eg. ll.* gleiniau. 1. Gem. JEWEL. 2. Pelen addurnol o wydr, &c. BEAD. Glain baderau. ROSARY.

glân, *a.* 1. Glanwaith, yn glir o faw, pur, sanctaidd, di-fai. CLEAN, PURE. 2. Prydferth, teg, golygus. BEAUTIFUL.

glan, *eb. ll.*-nau, glennydd. Torlan, traethell, traeth, tywyn. BANK, SHORE. Glan yr afon. Glan y Môr.

glandeg, *a.* Teg, prydweddol, glwys, golygus, hyfryd i edrych arno. COMELY.

glanfa, *eb.* Lle i lanio, porthfa, cei. LANDING PLACE.

glanhad, *eg.* Y weithred o lanhau, puredigaeth. CLEANSING.

glanhau, *be.* Gwneud yn lân, puro. TO CLEAN, TO CLEANSE.

glaniad, *eg.* Yr act o lanio neu ddod i dir. LANDING.

glanio, *be.* Dod i dir, tirio, dod i'r lan. TO LAND.

glas, *a. ll.* gleision. 1. Asur. BLUE. 2. Gwelw, gwyn. PALE. 3. Llwyd. GREY. 4. Gwyrdd, ir. GREEN. 5. Ieuanc. YOUNG, RAW. Arian gleision/gwynion. SILVER (COINS). Glas groeso. COOL WELCOME. Gorau glas. LEVEL BEST. Glas y dorlan. KINGFISHER. Glasiad y dydd. DAY-BREAK.

glasgoch, *a.* Porffor, rhuddgoch. PURPLE.

glaslanc, *eg. ll.*-iau. Llencyn, llanc, bachgen ifanc. YOUTH.

glasog, *eb. ll.*-au. Crombil, stumog. CROP, GIZZARD.

glastwr, *eg.* Dŵr yn gymysg â llaeth. MILK AND WATER.

glastwraidd, *a.* O ansawdd glastwr, diflas, claear ; cymysglyd. MILK-AND-WATERY, INSIPID ; MUDDLED.

glastwreiddio, *be.* Teneuo â dŵr, gwanhau. TO WATER DOWN, TO WEAKEN.

glasu, *be.* I. Troi'n asur. TO GROW BLUE.
2. Gwelwi, gwynnu. TO TURN PALE.
3. Troi'n wyrdd. TO BECOME GREEN.
4. Gwawrio. TO DAWN.
5. Blaguro, egino. TO SPROUT.

glaswellt, *e.ll.* (*un. g.*-yn). Porfa, gwelltglas. GREEN GRASS.

glaswenu, *be.* I. Gwenu'n wannaidd. TO SMILE FEEBLY.
2. Gwenu'n ddirmygus. TO SMILE DISDAINFULLY.

glaw, *eg. ll.*-ogydd. Dŵr yn disgyn o'r cymylau. RAIN.
Bwrw glaw. TO RAIN.
Glaw mân : gwlithlaw. DRIZZLE.

glawio, *be.* Bwrw glaw. TO RAIN.

glawog, *a.* Gwlyb. RAINY.

gleisiad, *eg. ll.* gleisiaid. Eog neu samwn ifanc. YOUNG SALMON, SEWIN.

glendid, *eg.* Y stad o fod yn lân, tegwch, prydferthwch, purdeb, harddwch, gwychder. CLEANNESS, BEAUTY.

glesni, *eg.* Y stad o fod yn las. I. Lliw asur. BLUENESS.
2. Gwelwder. PALENESS.
3. Gwyrddni. VERDURE.

glew, *a. ll.*-ion. Dewr, gwrol, hy, di-ofn, beiddgar. BRAVE, DARING.
Go lew. PRETTY FAIR.

glewder : glewdra, *eg.* Dewrder, gwroldeb, hyfdra, ehofndra. COURAGE.

glin, *egb. ll.*-iau. Pen-glin, pen-lin, cymal canol y goes. KNEE.

glo, *eg.* Mwyn du a ddefnyddir i gynnau tân. COAL.
Glo brig. OPEN CAST COAL.
Glo carreg, glo caled. ANTHRACITE.
Glo meddal, glo rhwym. BITUMINOUS COAL.
Glo mân. SMALL COAL.
Y Bwrdd Glo. THE COAL BOARD.

gloddest, *eg. ll.*-au. Cyfeddach, gwledd, rhialtwch, ysbleddach. REVELLING, CAROUSAL.

gloddesta, *be.* Gwledda, mwynhau gwledd, ymhyfrydu. TO REVEL.

gloddestwr, *eg. ll.* gloddestwyr. Un sy'n gloddesta. REVELLER.

gloes, *eb. ll.*-au. Pang, poen, gwayw, dolur, brath, pangfa. PAIN, ACHE.

glofa, *eb. ll.* glofeydd. Pwll glo, gwaith glo, y lle y ceir glo ohono. COLLIERY.

glofaol, *a.* Yn ymwneud â glo neu lofa. MINING.

glöwr, *eg. ll.* glowyr. Gweithiwr mewn pwll glo, torrwr glo. COLLIER.

glöyn, *eg. ll.*-nod, -nau. I. Cnepyn neu ddernyn o lo. PIECE OF COAL.
2. Magïen, pryf tân, glöyn tân. GLOW-WORM.
Glöyn byw : iâr fach yr haf : pili-pala : bili-balo. BUTTERFLY.

gloyw, *a.* Disglair, claer, llachar, golau. BRIGHT.

gloywder, *eg.* Disgleirdeb, llewyrch. BRIGHTNESS.

gloywi, *be.* Disgleirio, rhoi golau, mynd neu wneud yn loyw, caboli. TO BRIGHTEN.
Ei gloywi hi : gwadnu. TO CLEAR OUT.

glud, *eg. ll.*-ion. I. Defnydd glynol at gydio coed, &c., wrth ei gilydd. GLUE.
2. Defnydd i ddal adar gerfydd eu traed. BIRD-LIME.

glud, *a.* Glynol, gludiog, gafaelgar. STICKY, TENACIOUS.

gludio, *be.* Uno pethau drwy ddefnyddio glud. TO GLUE.

gludiog, *a.* O natur glud. STICKY.

glwth, *eg. ll.* glythau. I. Dodrefnyn i orwedd arno. COUCH.
2. *a.* Bolrwth, yn bwyta gormod, trachwantus. GLUTTONOUS.

glwys, *a.* Teg, glân, prydferth, prydweddol, glandeg. COMELY.

glyn, *eg. ll.*-noedd. Dyffryn, cwm, ystrad, bro. VALLEY, GLEN.

glynol, *a.* Yn glynu, gludiog. ADHESIVE.

glynu (wrth), *be.* Ymlynu, dal wrth, bod yn ffyddlon i. TO ADHERE.

glythineb, *eg.* Y stad o fod yn lwth, yr act o or-fwyta neu fod yn drachwantus, glythni. GLUTTONY.

go, *adf.* Braidd, lled, i raddau. RATHER, SOMEWHAT.
Go dda. RATHER GOOD.

gobaith, *eg. ll.* gobeithion. Hyder, dymuniad, disgwyliad. HOPE.
Gobeithlu. BAND OF HOPE.

gobeithio, *be.* Hyderu, dymuno, disgwyl. TO HOPE.

gobeithiol, *a.* Hyderus, disgwylgar, addawol. HOPEFUL.

goben, *eg. ll.*-nau. Y sillaf olaf ond un mewn gair. PENULTIMATE.

gobennydd, *eg. ll.* gobenyddion, gobenyddiau. Clustog wely (yn enwedig clustog isaf hir). PILLOW, BOLSTER.

gochel : gochelyd, *be.* Gofalu rhag, gwylio rhag, pwyllo, osgoi. TO AVOID, TO BEWARE.

gochelgar, *a.* Gwyliadwrus, gofalus, pwyllog. CAUTIOUS.

godidog, *a.* Rhagorol, campus, ardderchog, gwych. EXCELLENT.

godidowgrwydd, *eg.* Rhagoriaeth, gwychder, ardderchowgrwydd. EXCELLENCE.

godineb, *eg.* Cyfathrach rywiol rhwng dyn a menyw y tu allan i lân briodas. ADULTERY.

godinebu, *be.* Gwneuthur godineb, puteinio. TO COMMIT ADULTERY.

godinebus, *a.* Euog o odineb, yn ymarfer â godineb. ADULTEROUS.

godinebwr, *eg. ll.* godinebwyr. Person sy'n euog o odineb. ADULTERER.

godre, *eg. ll.*-on. Gwaelod, ymyl isaf, cwr isaf, troed (mynydd). BOTTOM, EDGE.

godro, *be.* Tynnu llaeth o fuwch, &c. TO MILK.

godrad, *eg.* Y llaeth a geir ar un tro wrth odro. A MILKING, RESULT OF ONE MILKING.

goddaith, *eb. ll.* goddeithiau. Tanllwyth, coelcerth, tân mawr. BONFIRE, BLAZE.

goddef, *be.* Dioddef, dal, caniatáu, cydymddwyn. TO BEAR, TO SUFFER.

goddefgar, *a.* Yn fodlon goddef, yn abl i oddef, amyneddgar. TOLERANT.

goddefgarwch, *eg.* **goddefiad,** *eg. ll.*-au. Amynedd, dioddefgarwch, pwyll, y gallu i gydymddwyn. TOLERANCE, CONCESSION.

goddefol, *a.* Esgusodol, y gellir ei oddef, gweddol, cymedrol. TOLERABLE, ALLOWED.

goddiweddyd : goddiwes, *be.* Dal, dilyn nes dal. TO OVERTAKE, TO CATCH UP (WITH).

goddrych, *eg. ll.*-au. 1. Y person neu'r peth y siaredir amdano.
2. Y gwrthwyneb i'r gwrthrych (mewn gramadeg). SUBJECT (*Gram.*).

goddrychol, *a.* Yn ymwneud â'r goddrych, personol. SUBJECTIVE.

gof, *eg. ll.*-aint. Un sy'n gweithio â haearn (megis pedoli ceffylau, &c.). BLACKSMITH.

gofal, *eg. ll.*-on. 1. Pryder, gofid. ANXIETY.
2. Carc, cadwraeth. CHARGE.

gofalu, *be.* 1. Gwylio, carco, gwarchod. TO TAKE CARE.
2. Pryderu, gofidio, talu sylw, malio, hidio. TO VEX.

gofalus, *a.* Gwyliadwrus, carcus, sylwgar. CAREFUL.

gofer, *eg. ll.*-ydd. 1. Ffrwd, cornant. STREAMLET.
2. Gorlif ffynnon. THE OVERFLOW OF A WELL.

gofid, *eg. ll.*-iau. Trallod, galar, tristwch, tristyd, adfyd, alaeth, trymder. SORROW, TROUBLE.

gofidio, *be.* Galaru, tristáu, hiraethu, blino, poeni, trallodi, ymboeni, ymofidio. TO VEX, TO GRIEVE.

gofidus, *a.* Blin, trallodus, alaethus, poenus, trist, cwynfanus. SAD, SORROWFUL.

gofod, *eg.* Gwagle, ehangder diderfyn y cread ; y pellter rhwng dau neu ragor o bethau, bwlch. SPACE, OUTER SPACE ; DISTANCE, GAP. Llong ofod. SPACE SHIP.

gofyn, *be.* 1. Holi, ceisio, erchi, hawlio. TO ASK.
2. *eg. ll.*-ion. Cais, arch, deisyfiad. REQUEST, REQUIREMENT, DEMAND.

gofyniad, *eg. ll.*-au. Dywediad sy'n hawlio ateb, arch, holiad, ymofyniad, cwestiwn. QUESTION.

gofynnod, *eg. ll.* gofynodau. Nod i ddynodi gofyniad neu gwestiwn. QUESTION MARK.

gofynnol, *a.* Angenrheidiol. REQUIRED, NECESSARY.

gogan, *eb. ll.*-au. Dychan, coegni, gwawd. SATIRE.

goganu, *be.* Dychanu, gwawdio, gwatwar, chwerthin am ben. TO SATIRIZE.

goganwr, *eg. ll.* goganwyr. Dychanwr, gwawdiwr, gwatwarwr. SATIRIST.

goglais : gogleisio, *be.* Cyffwrdd yn ysgafn nes peri chwerthin, difyrru. TO TICKLE.

gogledd, *eg. & a.* Y cyfeiriad i'r chwith wrth wynebu codiad haul, un o bedwar prif bwynt y cwmpawd ; yn gorwedd i gyfeiriad y gogledd. NORTH ; NORTHERN.
Gogledd Cymru. NORTH WALES.
Gogledd Iwerddon. NORTHERN IRELAND.
Gwynt y gogledd : Gogleddwynt. NORTH WIND.

gogleddol, *a.* Yn ymwneud â'r gogledd. NORTHERN.

gogleddwr, *eg. ll.* gogleddwyr. Un sy'n byw yn y Gogledd neu'n dod oddi yno. NORTHERNER.

gogleisio, *gw.* **goglais**.

gogleisiol, *a.* Difyrrus, ysmala. AMUSING.

goglyd, *eg.* Ymddiriedaeth, hyder. TRUST.

gogoneddu, *be.* Gorfoleddu, ymogoneddu, mawrhau, clodfori, mawrygu, dyrchafu. TO GLORIFY.

gogoneddus, *a.* Dyrchafedig, mawreddog, ardderchog, godidog. GLORIOUS.

gogoniant, *eg.* Rhwysg, mawredd, gwychder, dyrchafiad, bri. GLORY.

gogr, *eg. ll.*-au. Gwagr, offeryn i rannu'r mawr oddi wrth y bach, rhidyll, hidl, hesgyn. SIEVE.

gogri : gogrwn : gogryn, *be.* Rhidyllu, hidlo. TO SIFT.

gogwydd : gogwyddiad, *eg.* Goledd, tuedd, tueddiad, tueddfryd. INCLINATION, TREND ; DECLENSION ; SLANT.
Ar ogwydd : ar oleddf. SLANTING.

gogwyddo, *be.* Tueddu, goleddu, troi i'r naill ochr, gwyro, plygu. TO INCLINE, TO SLOPE.

gogyfer (â), *a.* 1. Gyferbyn (â), yn wynebu, yr ochr arall. OPPOSITE.
2. *ardd.* At, er mwyn, erbyn. FOR, BY.

Gogynfardd, *eg. ll.* Gogynfeirdd. Bardd Cymraeg yn y cyfnod o'r 12fed. ganrif i'r 14eg. WELSH POET (12TH TO 14TH CENTURY).

gohebiaeth, *eb. ll.*-au. Llythyrau. CORRESPONDENCE.

gohebu (â), *be.* Ysgrifennu llythyr neu nodyn, cyfnewid llythyrau. TO CORRESPOND.

gohebydd, *eg. ll.* gohebwyr. Un sy'n anfon newyddion i bapur, radio, teledu, &c. REPORTER, CORRESPONDENT.

gohiriad, *eg. ll.*-au. Oediad. DELAY, POSTPONEMENT.

gohirio, *be.* Oedi, taflu, gadael hyd yn ddiweddarach. TO POSTPONE, TO DELAY.

golau, *eg.* 1. Goleuni, gwawl, llewyrch, dealltwriaeth. LIGHT.
2. *a.* Disglair, gloyw, claer, heb fod yn dywyll. LIGHT, FAIR.

golau leuad : golau lleuad, *eg.* Golau'r lleuad, lloergan. MOONLIGHT.

golch, *eg. ll.*-ion. 1. Yr hyn a olchir, golchiad. WASH.
2. Gwlybyrwch i wella neu lanhau clwyf, &c. LOTION.
Golchion : dŵr a sebon ynddo : dŵr wedi ei ddefnyddio i olchi. SLOPS.
Golchion (moch). SWILL.

golchdy, *eg. ll.* golchdai. Tŷ golchi, ystafell i olchi dillad ynddi. WASH-HOUSE, LAUNDRY.

golchi, *be.* Glanhau â dŵr. TO WASH.

golchwr, *eg. ll.* golchwyr : **golchydd,** *eg. ll.*-ion. Person neu beiriant sy'n golchi dillad, llestri, &c. WASHER, LAUNDERER.

golchwraig, *eb. ll.* golchwragedd. Gwraig sy'n golchi dillad, golchyddes. WASHER-WOMAN.

goleddf, *eg.* Gogwydd. SLANT, SLOPE. Ar oleddf : ar ogwydd. SLANTING.

goleuad, *eg. ll.*-au. Golau, peth sy'n rhoi golau. ILLUMINATION, LIGHT.

goleudy, *eg. ll.* goleudai. Tŵr a golau ynddo i gyfarwyddo llongau. LIGHTHOUSE.

goleuni, *eg.* Golau, gwawl, llewyrch. LIGHT.

goleuo, *be.* Gwneud yn olau, cynnau, llanw â goleuni. TO LIGHT.

goleuedig, *a.* Wedi ei oleuo, golau ; deallus, gwybodus. LIGHTED, LUMINOUS ; ENLIGHTENED.

golosg, *eg.* Defnydd tân a geir o lo ; côc, marwor. COKE.

golosgi, *be.* Llosgi'n rhannol. TO CHAR.

golud, *eg. ll.*-oedd. Cyfoeth, da lawer, meddiant, digonedd. WEALTH.

goludog, *a.* Cyfoethog, cefnog, ariannog. WEALTHY.

golwg, *egb. ll.* golygon. I. Y gallu i weld, trem. SIGHT.
2. Drych. APPEARANCE.
3. Golygfa. VIEW.
O'r golwg. OUT OF SIGHT.
Golygon. EYES.

golwyth, *eg.* **golwythen,** *eb.* **golwythyn,** *eg. ll.* golwythion. Sleisen, ysglisen, darn tenau o gig moch, darn mawr o gig. RASHER, CHUNK.

golygfa, *eb. ll.* golygfeydd. Golwg, yr hyn a welir o gwmpas, ar lwyfan, &c. SCENERY, SCENE.

golygu, *be.* I. Meddwl, tybio, bwriadu, amcanu, arwyddo, awgrymu, arwyddocau. TO MEAN, TO IMPLY.
2. Paratoi i'r wasg. TO EDIT.

golygus, *a.* Hardd, prydferth, teg, glân, telaid, lluniaidd, gweddaidd. HANDSOME.

golygydd, *eg. ll.*-ion, golygwyr. Un sy'n paratoi gwaith llenyddol (a wnaed gan amlaf gan eraill) ar gyfer ei gyhoeddi. EDITOR.

golygyddiaeth, *eb.* Gwaith neu swydd golygydd. EDITORSHIP.

golygyddol, *a.* Yn ymwneud â golygydd. EDITORIAL.

gollwng, *be.* I. Gadael yn rhydd, rhoi rhyddid i, rhyddhau. TO RELEASE.
2. Colli, diferu. TO LEAK.
Gollwng dros gof : gollwng yn angof. TO FORGET.

gollyngdod, *eg.* Rhyddhad oddi wrth boen neu drallod, &c., ; maddeuant pechodau drwy offeiriad. RELIEF, ABSOLUTION.

gomedd, *be.* Nacau, pallu, gwrthod. TO REFUSE.

gomeddiad, *eg. ll.*-au. Gwrthodiad, nacâd. REFUSAL.

gonest : onest, *a.* Didwyll, unplyg, diddichell, uniawn, cywir. HONEST.

gonestrwydd : onestrwydd, *eg.* Didwylledd, geirwiredd. HONESTY.

gôr, *eg.* Crawn, madredd, gwaedgrawn. MATTER, PUS.

gor-, *rhagdd.* Dros, tra, rhy (fel yn **gor-hoff**). OVER-, SUR-.
gw. **côr.**

gorau, *a. & eg. ll.* goreuon. Gradd eithaf yr ansoddair **da.** BEST.
Gorau glas. ONE'S LEVEL BEST (*lit.* BLUE BEST).
Gorau i gyd. BEST OF ALL ; ALL THE BETTER.
Gorau po gyntaf. THE SOONER THE BETTER.
Gyda'r gorau. WITH THE BEST.
O'r goreu. VERY WELL.
Rhoi'r gorau i. TO GIVE UP.
Y goreuon. THE BEST (PEOPLE, THINGS, &c.).

gorchest, *eb. ll.*-ion. Camp. Gwrhydri, gweithred fedrus a beiddgar, rhagoriaeth. FEAT, EXCELLENCE.

gorchestol, *a.* Meistrolgar, meistrolaidd, rhagorol, medrus, deheuig. MASTERLY.

gorchestwaith, *eg. ll.* gorchestweithiau. Campwaith. MASTERPIECE.

gorchfygiad, *eg. ll.*-au. Trechiad, dymchweliad, yr act o golli. DEFEAT.

gorchfygol, *a.* Buddugol, buddugoliaethus, wedi ennill. VICTORIOUS.

gorchfygu, *be.* Trechu, maeddu, ffusto, curo, ennill, goresgyn. TO DEFEAT.

gorchfygwr, *eg. ll.* gorchfygwyr. Un sy'n gorchfygu gelynion, rhwystrau, &c., concwerwr. VICTOR, CONQUEROR.

gorchmynnol, *a.* (Mewn gramadeg) yn ymwneud â'r modd sy'n cyfleu gorchymyn, angenrheidiol. IMPERATIVE.
Y Deg Gorchymyn. THE TEN COMMANDMENTS.

gorchudd, *eg. ll.*-ion. I. Yr hyn sy'n cuddio. COVERING.
2. Llen. VEIL.

gorchuddio, *be.* Toi, cysgodi, gor-doi, dodi dros. TO COVER.

gorchwyl, *eg. ll.*-ion. Tasg, gwaith, gweithred. TASK.

gorchymyn, *be.* Rheoli, hawlio, erchi, gorfodi peth ar rywun. TO COMMAND.

gorchymyn, *eg. ll.* gorchmynion. Arch, archiad, ordor, y peth a orchmynnir. COMMAND.

gordoi, *be.* Cuddio'n gyfan gwbl. TO OVERSPREAD.

gordd, *eb. ll.* gyrdd. Morthwyl pren, mwrthwl trwm gof, &c. MALLET, SLEDGE-HAMMER.

goresgyn, *be.* Gorchfygu, trechu, gormesu, llifo dros. TO CONQUER, TO OVERRUN.

goresgyniad, *eg. ll.*-au. Gorchfygiad, trechiad, gormes. INVASION, CONQUEST.

goresgynnydd, *eg. ll.* goresgynyddion. Gorchfygwr, torrwr i mewn, ymyrrwr, tresbaswr, tresmaswr. INVADER, CONQUEROR.

goreuro, *be.* Gorchuddio ag aur. TO GILD.

gorfod, *eg.* gorfodaeth, *eb.* Rheidrwydd, rhwymau, rhwymedigaeth, cymhelliad. OBLIGATION, COMPULSION.

gorfod, *be.* Bod dan rwymedigaeth. TO BE OBLIGED.

gorfodi, *be.* Gosod dan rwymedigaeth, gyrru, treisio, gorthrechu, gwthio. TO COMPEL.

gorfodol, *a.* Rheidiol, o reidrwydd, rhwymedig, trwy rym, trwy orfodaeth. COMPULSORY.

gorfoledd, *eg.* Llawenydd, y stad o fod wrth ei fodd neu'n falch. REJOICING.

gorfoleddu, *be.* Llawenhau, llawenychu, ymlawenhau, ymfalchïo. TO REJOICE.

gorfoleddus, *a.* Llawen, llon, balch. JOYFUL.

gorffen, *be.* Dibennu, diweddu, cwpláu, terfynu, tynnu i ben, darfod. TO FINISH.

gorffenedig, *a.* Wedi ei orffen, caboledig, perffaith. FINISHED, PERFECT.

Gorffennaf, *eg.* Y seithfed mis. JULY.

gorffennol, *eg.* I. Yr amser a fu, yr amser gynt. THE PAST.
2. *a.* Wedi mynd heibio, wedi bod, cyn. PAST.

gorffwyll : gorffwyllog, *a.* Ynfyd, o'i gof, gwallgof, gwyllt, cynddeiriog. MAD.

gorffwyllo, *be.* Ynfydu, mynd o'i gof, gwallgofi, gwylltu, cynddeiriogi. TO RAVE.

gorffwylltra : gorffwylledd, *eg.* Ynfydrwydd, gwallgofrwydd, gwylltineb, cynddaredd. MADNESS.

gorffwys : gorffwyso, *be.* Cymryd seibiant, ymorffwys, aros, esmwytho, llonyddu, tawelu. TO REST.

gorffwys, *eg.* Esmwythdra. REST.

gorffwysfa, *eg. ll.*-oedd. Lle i orffwys. RESTING-PLACE.

gorhendad, *eg. ll.*-au. Tad taid neu dad nain, tad tad-cu neu dad mam-gu, hendaid, hen dad-cu. GREAT-GRANDFATHER.

gorhendaid, *eg. ll.* gorhendeidiau. Tad hendaid, neu dad hennain, tad hen dad-cu neu dad hen fam-gu. GREAT-GREAT-GRANDFATHER.

gorhenfam, *eb. ll.*-au. Mam taid neu dad-cu neu fam nain neu fam-gu, hen nain, hen fam-gu. GREAT-GRANDMOTHER.

gorhennain, *eb. ll.* gorheneiniau. Mam hen daid neu hen dad-cu, mam hen nain neu hen fam-gu. GREAT-GREAT-GRANDMOTHER.

gori, *be.* I. Deor, deori, eistedd ar wyau. TO BROOD, TO HATCH.
2. Crawni, crynhoi, casglu. TO FESTER.

gorifyny, *eg.* Esgyniad, rhiw, tyle, codiad, bryn, allt. ASCENT.

goriwaered, *eg.* Disgyniad, disgynfa, tir sy'n disgyn, llethr. DESCENT.

gorlenwi, *be.* Llenwi at yr ymylon, llenwi rhy lawn, gorlifo. TO OVERFILL, TO FLOOD.

gorlifo, *be.* Llifo dros yr ymyl, goresgyn. TO OVERFLOW, TO OVERRUN.

gorliwio, *be.* Lliwio'n ormodol, camliwio, gorddweud. TO COLOUR TOO HIGHLY, TO EXAGGERATE.

gorllewin, *eg.* Cyfeiriad machlud haul. WEST. Gorllewin Cymru. WEST WALES.

gorllewinol, *a.* Yn ymwneud â'r gorllewin, tua'r gorllewin. WESTERN.

gorllewinwr, *eg. ll.* gorllewinwyr. Brodor o un o wledydd y gorllewin. A WESTERNER.

gormes : gormesiad, *eg.* Triniaeth arw, gorthrech, gorthrwm, gorthrymder. OPPRESSION.

gormesol, *a.* Gorthrymus, llethol. TYRANNICAL.

gormesu, *be.* Trin yn arw, llethu, gorthrechu, gorthrymu. TO OPPRESS.

gormeswr : gormesydd, *eg. ll.* gormeswyr. Un sy'n gormesu, gorthrymwr. OPPRESSOR.

gormod : gormodd, *a. & adf.* Mwy na digon. TOO MUCH.

gormod : gormodedd : gormodaeth, *eg.* Yr hyn sydd dros ben yr angen, rhysedd. EXCESS, EXAGGERATION.

gormodiaith, *eb.* Ymadrodd eithafol neu ormodol. *e.e.* y car yn mynd fel mellten. HYPERBOLE.

gormodol, *a.* Eithafol, mwy na digon. EXCESSIVE.

gormwyth, *eg.* Annwyd, annwyd pen. CATARRH.

gornest, *eb.* Ornest, ymryson, ymladdfa, ymddadlau. CONTEST.
Her-ornest. CHAMPIONSHIP.

goroesi, *be.* Gor-fyw, byw ar ôl, para'n fyw wedi. TO OUTLIVE, TO SURVIVE.

goroeswr, *eg. ll.* goroeswyr. Un sy wedi goroesi, un sy'n fyw er gwaethaf rhyw drychineb. SURVIVOR.

goror, *egb. ll.*-au. Ffin, cyffin, terfyn, ymyl. BORDER. Gororau Cymru : Y Gororau. THE BORDERS OF WALES, THE WELSH BORDERS.

gorsaf, *eb. ll.*-oedd. Y lle y saif rhywbeth neu rywun, y lle y bydd teithwyr yn mynd ar drên, &c., ; arhosfa, stesion. STATION.

gorsedd, *eb. ll.*-au. **gorseddfa**, *eb. ll.*-oedd.
   gorseddfainc, *eb. ll.* gorseddfeinciau. Sedd brenin, brenhinfainc, sedd y coronir brenin arni. THRONE.
   Gorsedd y Beirdd : Yr Orsedd. THE GORSEDD OF BARDS (BARDIC INSTITUTION).

gorseddu, *be.* Gosod ar orsedd. TO ENTHRONE.

gorthrech, *eg.* Gorthrymder, gormes, trais, gorthrwm. OPPRESSION.

gorthrechu, *be.* Gorthrymu, llethu, gormesu, treisio. TO OPPRESS.

gorthrwm, *eg.* Gorthrymder, gormes, gorthrech, trais. OPPRESSION.

gorthrymder, *eg. ll.*-au. I. Gormes, gorthrwm. OPPRESSION.
2. Trallod, gofid, cystudd. TRIBULATION.

gorthrymedig, *a.* Dan orthrwm neu ormes. OPPRESSED.

gorthrymu, *be.* Llethu, gormesu, gorthrechu. TO OPPRESS.

gorthrymus, *a.* Gormesol. OPPRESSIVE.

gorthrymwr : gorthrymydd, *eg. ll.* gorthrymwyr. Gormeswr, treisiwr. OPPRESSOR.

goruchaf, *a.* Eithaf, prif, pennaf. SUPREME. Y Goruchaf. THE MOST HIGH, GOD.

goruchafiaeth, *eb.* Meistrolaeth, uchafiaeth, arglwyddiaeth, yr awdurdod neu'r gallu uchaf. SUPREMACY.

goruchel, *a.* Aruchel, uchel iawn. LOFTY, SUBLIME.

goruchwyliaeth, *eb.* Arolygiaeth, gweinyddiad, trefn, camp, tasg. SUPERVISION, STEWARDSHIP.

goruchwylio, *be.* Arolygu, cyfarwyddo, rheoli, trefnu. TO SUPERVISE.

goruchwyliwr, *eg. ll.* goruchwylwyr. Arolygwr, rheolwr, trefnwr. SUPERVISOR, MANAGER.

goruwch, *ardd.* Uwchben, uwchlaw, dros. ABOVE, OVER.

goruwchnaturiol, *a.* Tu hwnt i ddeddfau natur. SUPERNATURAL.

gorwedd, *be.* Gorffwys y corff yn ei hyd. TO LIE DOWN.
Ar ei orwedd. LYING DOWN.

gorweddfa, *eb. ll.*-oedd. **gorweddfan,** *eb. ll.*-nau. Lle i orwedd. RESTING-PLACE.

gorweddian, *be.* Lled-orwedd. TO LOUNGE.

gorweddog : gorweiddiog, *a.* Yn gorwedd ar lawr, yn cadw'r gwely, claf. LYING DOWN, BEDRIDDEN.

gorwel, *eg. ll.*-ion. Y llinell lle'r ymddengys bod y ddaear a'r wybren yn cyffwrdd â'i gilydd, terfyngylch. HORIZON.

gorwych, *a.* Tra rhagorol, ardderchog, godidog. GORGEOUS, SUPERB, MAGNIFICENT.

gorwyr, *eg. ll.*-ion. Mab i ŵyr. GREAT-GRANDSON.

gorwyres, *eb. ll.*-au. Merch i ŵyr. GREAT-GRAND-DAUGHTER.

gorymdaith, *eb. ll.* gorymdeithiau. Y weithred o orymdeithio. PROCESSION.

gorymdeithio, *be.* Cerdded yn ffurfiol. TO MARCH.

gorynys, *eb. ll.*-oedd. Darn o dir a dŵr ymron o'i amgylch, penrhyn. PENINSULA.

gosber, *eg. ll.*-au. Gweddi brynhawn, prynhawnol weddi. VESPER.

gosgedd, *eg. ll.*-au. Ffurf, ffigur. FORM, FIGURE.

gosgeiddig, *a.* Telaid, cain, prydferth, teg, lluniaidd. GRACEFUL.

gosgordd, *eb. ll.*-ion. Rhai sy'n hebrwng ac amddiffyn person(au) pwysig, mintai o hebryngwyr, canlynwyr. RETINUE, ESCORT.

goslef, *eb. ll.*-au. Tôn, tonyddiaeth, codiad a gostyngiad y llais, oslef. INTONATION.

gosod, *be.* I. Sefydlu, dodi. TO PLACE.
Gosod tŷ. TO LET A HOUSE.
2. Gair technegol cysylltiedig â chelfyddyd canu penillion. A TECHNICAL TERM CONNECTED WITH THE ART OF PENILLION SINGING.
3. *a.* Ffug, heb fod yn wreiddiol. ARTIFICIAL, FALSE.
Dannedd gosod : dannedd dodi. FALSE TEETH.

gosodiad, *eg. ll.*-au. Haeriad, dywediad, trefniant. ASSERTION, ARRANGEMENT.

gosteg, *eg. ll.*-ion. Tawelwch, distawrwydd, taw, cyhoeddiad. SILENCE ; PROCLAMATION.

Gostegion priodas. MARRIAGE BANNS.
Ar osteg. IN PUBLIC.

gostegu, *be.* Distewi, tewi, tawelu, llonyddu. TO SILENCE.
Y gwynt yn gostegu. THE WIND DROPPING.

gostwng, *be.* Iselu, darostwng, tynnu i lawr, lleihau. TO LOWER.
Gostwng y pris. TO LOWER THE PRICE.

gostyngedig, *a.* Difalch, iselfrydig, ufudd, gwylaidd, diymffrost, diymhongar. HUMBLE.

gostyngeiddrwydd, *eg.* Iselfrydedd, rhadlonrwydd, gwyleidd-dra. HUMILITY.

gostyngiad, *eg.* Yr act o ostwng, lleihad. REDUCTION.

gradell, *eb. ll.* gredyll. Maen, llechfaen, plât haearn i bobi bara neu deisenni. BAKESTONE.
Bara'r radell : bara planc. GRIDDLE CAKE.

gradd, *eb. ll.*-au. I. Safon, safle, urdd, gris. GRADE, DEGREE.
2. Urdd prifysgol. UNIVERSITY DEGREE.
I raddau. TO SOME EXTENT.
I raddau helaeth. TO A GREAT EXTENT.

graddedig, *a.* Wedi graddio ; wedi'u trefnu yn ôl maint, pris, pwysau, &c. GRADUATED ; GRADED.

graddedigion, *e.ll.* Gwŷr gradd, rhai wedi ennill graddau mewn prifysgol. GRADUATES.

graddfa, *eb. ll.* graddfeydd. Mesur wedi ei raddio, safle, gris, safon, maint. SCALE.

graddio, *be.* I. Ennill gradd mewn prifysgol. TO GRADUATE.
2. Penderfynu safle, trefnu yn ôl graddau. TO GRADE.

graddol, *a.* Araf, bob yn dipyn, ychydig ar y tro. GRADUAL.
Yn raddol. BY DEGREES.

graddoli, *be.* Trefnu neu ddosbarthu yn ôl graddfa ; rhoi gradd (academaidd) i. TO GRADE, TO CLASSIFY ; TO CONFER (ACADEMIC) DEGREE UPON.

graean, *e.ll.* (*un. g.* greyenyn). Cerrig mân, tywod cwrs, gro. GRAVEL.

graeanu, *be.* Taenu graean ar draws heolydd, llwybrau, traffyrdd, &c., ar adegau rhewllyd yn y gaeaf. TO GRIT (*roads, paths, motorways, &c.*).

graen, *eg.* I. Trefn haenau mewn coed, &c. GRAIN.
2. Crefft, gloywder, llewyrch, sglein. LUSTRE, GLOSS.

graenus, *a.* Da ei raen, mewn cyflwr da, cain, gwiw, llewyrchus, llyfndew, telaid. OF GOOD APPEARANCE.

graff, *eg. ll.*-iau. Deiagram sy'n dangos ystadegau, llinell neu linellau sy'n dangos y berthynas rhwng dau newidyn. GRAPH.

gramadeg, *eg. ll.*-au. Yr wyddor sy'n ymdrin â geiriau a brawddegau. GRAMMAR.

gramadegol, *a.* Yn ymwneud â gramadeg. GRAMMATICAL.

gramadegwr, *eg. ll.* gramadegwyr. Un hyddysg mewn gramadeg. GRAMMARIAN.

gramoffon, *eb. ll.*-au. Offeryn i ganu recordiau, adleisydd, adseinydd. GRAMOPHONE.

gras, *eg. ll.*-usau. Rhad, rhadlonedd, graslonrwydd, ffafr, cymwynas, bendith Duw. GRACE.
Gofyn bendith. TO SAY GRACE (*before food*).

graslon : grasol : grasusol, *a.* Rhadlon, yn llawn gras. GRACIOUS.

grat : grât, *egb. ll.* gratau, gratiau. Lle i gynnau tân. GRATE.

grawn, *e.ll.* (*un. g.* gronyn). I. Hadau ŷd. GRAINS OF CORN.
2. Aeron. BERRIES.
3. Darnau neu dameidiau bychain. GRAINS.

grawnfwyd, *e. torf. ll.*-ydd. Bwyd a wneir o rawn. CEREAL.

grawnsypiau, *e.ll.* Sypiau neu glystyrau o rawnwin. BUNCHES OF GRAPES.

grawnwin, *e.ll.* Ffrwythau'r winwydden. GRAPES.

Grawys, Y : Garawys, Y, *eg.* Y deugain niwrnod rhwng Mawrth Ynyd a'r Pasg. LENT.

greal, *eg.* Llestr. GRAIL.
Y Greal Sanctaidd. THE HOLY GRAIL.

greddf, *eb. ll.*-au. Y gallu naturiol sy'n rheoli ymddygiad anifail ; awen, natur, anian, tuedd, cymhelliad. INSTINCT.

greddfol, *a.* Naturiol, yn ôl greddf neu gymhelliad. INSTINCTIVE.

gresyn, *eg.* Trueni, piti garw. PITY.
Gresyn na fyddech yno.

gresynu, *be.* Cymryd trueni, gofidio, galaru. TO DEPLORE.

gresynus, *a.* Truenus, gofidus, blin, poenus, trallodus, alaethus. WRETCHED.

griddfan, *be.* Ochneidio, ochain, cwyno, galaru. TO GROAN, TO MOAN.

griddfannus : griddfanus, *a.* Cwynfanus, galarus. GROANING.

gris, *eg. ll.*-iau. Cam (i fyny). STEP.
Grisiau : staer : stâr. STAIRCASE.

grisial, *eg. ll.*-au. Mwyn clir tryloyw, gwydr clir iawn. A CRYSTAL.

grisialaidd, *a.* Tryloyw, gloyw, clir iawn. CRYSTAL.

gro, *e.ll.* (*un. g.* gröyn). Cerrig mân, graean. GRAVEL.

Groeg, *eb.* I. Gwlad fynyddig yn ne-ddwyrain Ewrop a llu o ynysoedd o fewn ei thiriogaeth ac Athen yn brifddinas iddi. GREECE.
2. *eb. & a.* Iaith brodorion Groeg. Yr iaith Roeg ; yn perthyn i Roeg (y wlad neu'r iaith). GREEK.

Groegaidd, *a.* Yn perthyn i Roeg (y wlad neu'r iaith) neu i'r Groegiaid. GRECIAN, GREEK.

Groegwr, *eg.* Brodor o Groeg. A GREEK.
Y Groegiaid gynt. THE ANCIENT GREEKS.

gronell, *eb. ll.* gronellau. Grawn pysgod. ROE.

gronyn, *eg. ll.*-nau. Mymryn, ychydig. GRAIN, PARTICLE.
Ymhen gronyn bach. IN A LITTLE WHILE.

grual, *eg.* Bwyd a wneir drwy ferwi blawd ceirch mewn dŵr. GRUEL.

grudd, *eb. ll.*-iau. Ochr yr wyneb o dan y llygad, boch, cern. CHEEK.

grug, *e. torfol.* Planhigyn a dyf ar rosydd a mynyddoedd. HEATHER.

grugiar, *eb. ll.* grugieir. Iâr y rhos, iâr y mynydd. GROUSE.

grugog, *a.* Â llawer o rug. HEATHERY.

grwgnach, *be.* Tuchan, murmur, achwyn, cwyno. TO GRUMBLE, TO COMPLAIN.

grwgnachlyd, *a.* Yn grwgnach, achwyngar, cwynfannus. GRUMBLING.

grwgnachwr, *eg. ll.* grwgnachwyr. Un sy'n grwgnach, cwynwr. GRUMBLER.

grwn, *eg. ll.* grynnau. Y darn o dir rhwng dau gob wrth aredig. RIDGE (IN A FIELD).
Torri grwn wrth droi'r cae.

grŵn, *eg.* I. Su. HUM.
2. Sŵn cath (yn canu grwndi). PURR.

grwnan, *be.* I. Mwmian canu, suo. TO CROON, TO HUM.
2. Canu crwth, canu grwndi. TO PURR.

grym, *eg. ll.*-oedd. Gallu, cadernid, cryfder, nerth, ynni. STRENGTH, ENERGY.

grymus, *a.* Nerthol, cryf, galluog. POWERFUL.

grymuso, *be.* Gwneud yn rymus, nerthu, cryfhau, cadarnhau. TO STRENGTHEN.

grymuster : grymustra, *eg.* Cryfder, nerth, grym, cadernid. POWER, MIGHT.

gwacáu, *be.* Gwagio, gwagu, arllwys, disbyddu. TO EMPTY.

gwacsaw, *a.* Gwamal, disylwedd, diystyr, dibwys. FRIVOLOUS.

gwacter, *eg. ll.*-au. Lle gwag, lle heb ddim, gwagle. EMPTINESS.

gwachul, *a.* I. Main, tenau. LEAN.
2. Llesg, egwan. FEEBLE, POORLY.
Y gwych a'r gwachul. THE FINE AND THE POOR.

gwad : gwadiad, *eg. ll.*-au. Yr act o wadu. DENIAL.

gwadn, *eg. ll.*-au. Y rhan isaf o'r droed neu'r esgid ; darn o ddefnydd ar siâp y droed a roddir y tu mewn i'r esgid. SOLE.

gwadnu, *be.* I. Rhoi gwadn ar esgid. TO SOLE.
2. Rhedeg ymaith, ffoi, dianc. TO RUN AWAY.

gwadu, *be.* Honni nad yw peth yn wir, diarddel, gadael, ymadael â. TO DENY, TO DISOWN.

gwadwr, *eg. ll.* gwadwyr. Un sy'n gwadu. DENIER.

gwadd, *eb. ll.*-od, gwahaddod. (*un. bach. taf.* gwadden, gwahadden). Anifail bach melfedaidd ei flew sy'n byw gan mwyaf mewn twnelau dan wyneb y ddaear. MOLE.
Pridd y wadd. MOLE HILL.

gwadd : gwahodd, *a. & be.* Wedi ei wahodd. INVITED GUEST.
gw. **gwadd,** *eb.*

gwaddod, *eg. ll.*-ion. Gwaelodion. SEDIMENT.
Gwaddodi. TO PRECIPITATE.
gw. **gwadd,** *eb.*

gwaddol, *eg. ll.*-ion, -iadau. Cynhysgaeth, arian neu eiddo a adewir i rywun, rhodd. DOWRY, ENDOWMENT.

gwaddoli, *be.* Cynysgaeddu, rhoi arian tuag at. TO DOWER, TO ENDOW.

gwaddota, *be.* Dal gwaddod. TO CATCH MOLES.

gwaddotwr, *eg. ll.* gwaddotwyr. Un sy'n dal gwaddod, tyrchwr. MOLECATCHER.

gwae, *eg. ll.*-au. Trueni, gofid, galar, ing, trallod, adfyd. WOE.
Gwae fi. WOE IS ME.

gwaed, *eg.* Yr hylif coch a red drwy'r gwythiennau. BLOOD.
Curiad y gwaed. PULSE.
Trallwysiad gwaed. BLOOD TRANSFUSION.

gwaedlif, *eg.* Toriad gwaed. HAEMORRHAGE.

gwaedlyd, *a.* A gwaed arno. BLEEDING.

gwaedoliaeth, *eb.* Hil, ach, llinach, cenedl, teulu. BLOOD, RACE.

gwaedu, *be.* Colli gwaed, tynnu gwaed. TO BLEED.

gwaedd, *eb. ll.*-au. Bloedd, llef, dolef, bonllef, crochlef. SHOUT.

gwaeddodd, *3ydd person unigol amherffaith y ferf* **gweiddi**. HE/SHE SHOUTED.
gw. **gweiddi.**

gwael, *a.* Tlawd, truan, sâl, claf, afiach, anhwylus. POOR, ILL.

gwaelder, *eg. ll.*-au. Gwaeledd, tlodi ; cyflwr iselradd. POORNESS, VILENESS.

gwaeledd, *eg.* Afiechyd, salwch, anhwyldeb, selni, clefyd, tostrwydd. ILLNESS, POORNESS.

gwaelod, *eg. ll.*-ion. Godre, llawr, rhan isaf, sail. BOTTOM.
Gwaelodion. SEDIMENT.

gwaelodi, *be.* Gwaddodi, gadael gwaelodion. TO DEPOSIT SEDIMENT.

gwaelu, *be.* Clafychu, colli iechyd, mynd yn dost. TO SICKEN.

gwaell, *eb. ll.* gwëyll, gweill. Nodwydd wau. KNITTING NEEDLE.

gwaered, *eg.* Llethr, llechwedd. DESCENT.
I waered. DOWN.

gwaetgi, *eg. ll.* gwaetgwn. Ci arbennig sy'n medru ffroeni gwaed, &c. BLOODHOUND.

gwaeth, *a.* Gradd gymharol **drwg**. WORST.

gwaethaf, *a.* Gradd eithaf **drwg**, y mwyaf drwg. WORST.
Er gwaethaf. IN SPITE OF.
Gwaetha'r modd. WORSE LUCK.

gwaethygu, *be.* Mynd yn waeth, dirywio. TO MAKE OR BECOME WORSE.

gwag, *a. ll.* gweigion. Heb ddim ynddo, cau, coeg, coegfalch. EMPTY, VAIN.
Gwag-symera. IDLE WANDERING.

gwagedd, *eg.* Oferedd, gwegi, gwag-ogoniant, coeg-falchder, ffolineb. VANITY.

gwagen, *eb. ll.*-i. Cerbyd pedair olwyn, men, wagen. WAGGON.

gwaglaw, *a.* Heb ddim yn y llaw. EMPTY-HANDED.

gwagle, *eg. ll.*-oedd. Lle gwag, gwacter. EMPTY PLACE, SPACE.

gwagio : gwagu, *be.* Gwacáu, mynd yn wag, ymwacáu, diysbyddu. TO EMPTY, TO MAKE EMPTY, TO BECOME EMPTY.

gwahadden, *eb. ll.* gwahaddod. *gw.* **gwadd,** *eb.*

gwahân : gwahaniaeth, *eg.* I. Didoliad. SEPARATION.
2. Stad wahanol, anghytundeb, annhebygrwydd. DIFFERENCE.
Ar wahân. SEPARATELY, APART.

gwahangleifion, *e.ll.* Personau claf o'r gwahanglwyf. LEPERS.

gwahanglwyf, *eg.* Afiechyd heintus a ffiaidd sy'n effeithio'r croen a'r nerfau. LEPROSY.

gwahanglwyfus, *a.* Yn dioddef oddi wrth y gwahanglwyf. LEPROUS.

gwahaniaethu, *be.* Anghytuno, peidio â bod yn debyg. TO DIFFER.

gwahanol, *a.* Heb fod yn debyg, amgen, annhebyg, amrywiol. DIFFERENT, VARIOUS.

gwahanu, *be.* Ymrannu oddi wrth ei gilydd, neilltuo, ysgar, didoli, ymwahanu. TO SEPARATE.

gwahardd, *be.* Rhwystro, lluddias, atal, gwarafun, gomedd. TO PROHIBIT.

gwaharddiad, *eg. ll.*-au. Llesteiriad, ataliad, gwrthodiad, lluddiad. PROHIBITION.

gwahodd, *be.* Gwneud cais cwrtais. TO INVITE.

gwahoddedigion, *e. ll.* Rhai sy'n cael eu gwahodd. GUESTS.

gwahoddiad, *eg. ll.*-au. Deisyfiad, erfyniad, cais, dymuniad. INVITATION.

gwain, *eb. ll.* gweiniau. Cas cleddyf neu gyllell. SHEATH.

gwair, *eg. ll.* gweiriau. Glaswellt wedi ei dorri a'i sychu. HAY.
gw. **gweiryn.**

gwaith, *eg. ll.* gweithiau, gweithfeydd (diwydiant). I. Tasg, gorchwyl, llafur, cyfansoddiad, goruchwyliaeth. WORK, COMPOSITION.
2. Gweithfa. WORKS.
Gwaith llaw. HAND-MADE.
Pwyllgor gwaith. EXECUTIVE COMMITTEE.

gwaith, *eb.* Tro, adeg. TIME, TURN.
Dwywaith. TWICE.

gwaith, *cys.* (O) waith, o achos, canys, oherwydd. FOR, BECAUSE.

gwâl, *eb. ll.* gwalau. Ffau, lloches, gorweddle creadur. LAIR.
Gwâl ysgyfarnog.

gwal, *eb. ll.*-iau, -au, gwelydd. Mur, pared, magwyr. WALL.

gwala, *eb.* Digon, digonedd, amlder, helaethrwydd, llawnder. SUFFICIENCY, ENOUGH.
Cei yno dy wala.
Yn gall ei wala.

gwalch, *eg. ll.* gweilch. I. Hebog, cudyll, curyll. HAWK.
2. Dihiryn, cnaf, cenau, adyn. RASCAL.

gwall, *eg. ll.*-au. Diffyg, camsyniad, amryfusedd, camgymeriad, cyfeiliornad. DEFECT, MISTAKE.

gwallgof, *a.* Ynfyd, gorffwyll, amhwyllog, o'i bwyll. INSANE, MAD.

gwallgofdy, *eg. ll.* gwallgofdai. Lle i gadw pobl sydd o'u pwyll. MENTAL HOME.

gwallgofddyn, *eg. ll.* gwallgofiaid. Un o'i bwyll, dyn gorffwyll. INSANE PERSON.

gwallgofi, *be.* Amhwyllo, ynfydu, gorffwyllo. TO BECOME MAD.

gwallgofrwydd, *eg.* Gorffwylledd, ynfydrwydd. MADNESS.

gwallt, *eg. ll.*-au. Blew'r pen. HAIR. Blewyn (o wallt). SINGLE HAIR.

gwalltog, *a.* Blewog, â llawer o wallt. HAIRY.

gwallus, *a.* Yn cynnwys gwallau, beius, diffygiol, anafus, cyfeiliornus, o'i le. FAULTY.

gwamal, *a.* Anwadal, oriog, cyfnewidiol, ansefydlog, di-ddal. FICKLE.

gwamalrwydd, *eg.* Anwadalwch, oriogrwydd, ysgafnder, petruster. FRIVOLITY.

gwamalu, *be.* Bod yn anwadal, anwadalu, petruso, gwamalio. TO WAVER.

gwan, *a. ll.* gweinion, gweiniaid. Egwan, eiddil, heb fod yn gryf. WEAK.

gwanaf, *eb. ll.*-au. I. Haen. LAYER.
2. Ystod o wair. SWATH.

gwanc, *eg.* Trachwant, bâr, rhaib, bolrythi. GREED.

gwancu, *be.* Safnio, traflyncu, gwancio. TO GORGE.

gwancus, *a.* Trachwantus, barus, bolrwth, rheibus, blysig. GREEDY.

gwaneg, *eb. ll.*-au. Gwenyg, ton. WAVE.

gwan-galon, *a.* Â chalon wan, heb galon, digalon. FAINT-HEARTED.

gwan-galonni, *be.* Tueddu i ddigalonni, colli ffydd neu ymddiriedaeth. TO BE DISCOURAGED, TO LOSE HEART.

gwanhau : gwanychu, *be.* Mynd neu wneud yn wannach, gwneud yn wannach. TO WEAKEN.

gwanllyd : gwannaidd, *a.* Gwan o iechyd, eiddil. WEAK (OF HEALTH).

gwanu, *be.* Trywanu, tyllu, treiddio, brathu, dwysbigo. TO PIERCE.

gwanwyn, *eg. ll.*-au. Tymor cyntaf y flwyddyn, y tymor sy'n dilyn y gaeaf. SPRING.

gwanwynol, *a.* Yn perthyn i'r gwanwyn, fel gwanwyn. VERNAL.

gwanychu, *gw.* gwanhau.

gwâr, *a.* Dof, boneddigaidd, tirion, moesgar, mwyn. TAME, CIVILISED, GENTLE.

gwar, *eg. ll.*-rau. Cefn y gwddf, gwegil. NAPE OF THE NECK.

gwaradwydd, *eg. ll.*-iadau. Cywilydd, achlod, sarhad, gwarth, gwarthrudd, amarch. SHAME.

gwaradwyddo, *be.* Cywilyddio, gwarthruddo, sarhau, amharchu. TO SHAME, TO DISGRACE.

gwaradwyddus, *a.* Cywilyddus, gwarthus, sarhaus, amharchus. SHAMEFUL, DISGRACEFUL.

gwarafun, *be.* Gwrthod caniatáu, gomedd, gwahardd. TO FORBID.

gwaraidd, *a.* Gwâr, gwareiddiedig, mwyn, tawel. CIVILIZED, GENTLE, CALM.

gwarant, *eb. ll.*-au. Hawl, awdurdod, dogfen yn rhoi hawl, dilysrwydd. WARRANT.

gwarantu, *be.* Dilysu, ateb dros, mechnïo. TO WARRANT.
Mi wranta'. I WARRANT.

gwarantydd, *eg.* Un sy'n gwarantu neu ateb dros, meichiau. GUARANTOR.

gwarchae, *be.* I. Amgylchu, amgylchynu (tref, byddin, &c.). TO BESIEGE.
2. *eg.* Amgylchyniad (tref, &c.). SIEGE.

gwarcheidiol, *a.* Amddiffynnol. GUARDIAN.

gwarcheidwad, *eg. ll.* gwarcheidwaid. Ceidwad, gwarchodwr, gwyliwr. GUARDIAN, KEEPER.

gwarchod, *be.* Cadw, amddiffyn, diogelu. TO GUARD, TO MIND.
Gwarchod cartref. TO STAY AT HOME.
Gwarchod pawb ! MY GOODNESS !

gwarchodlu, *eg.* Llu i warchod, llu arfog a godir o blith y dinasyddion i amddiffyn y wlad. GUARDS, HOMEGUARD.
Y Gwarchodlu Cymreig. WELSH GUARDS.

gward, *egb. ll.*-iau. Adran neu ystafell neilltuol mewn ysbyty, carchar, &c. WARD (*of hospital, prison, &c.*).

gwarden, *eg. ll.* gwardeniaid. Gwarcheidwad, gwarchodwr, ceidwad. WARDEN, GUARDIAN, KEEPER.

gwarder, *eg.* Tirionwch, tynerwch, moesgarwch, boneddigeiddrwydd. GENTLENESS.

gwared, *eg.* : **gwaredigaeth,** *eb. ll.*-au. Ymwared, rhyddhad, arbediad. DELIVERANCE.

gwared, *be.* Rhyddhau (o berygl, &c.), achub, rhoi gwaredigaeth, prynu nôl. TO DELIVER (*from danger, &c.*), TO SAVE, TO RID, TO REDEEM.

gwaredigion, *e.ll.* Prynedigion, rhai a ryddhawyd o bechod. REDEEMED PERSONS.

gwaredu, *be.* Achub, arbed, cadw, rhyddhau, mynnu gwared o. TO SAVE, TO DELIVER, TO DO AWAY WITH.

gwaredwr, *eg.* Prynwr, achubwr, rhyddhawr, arbedwr, ceidwad. DELIVERER.
Y Gwaredwr. THE SAVIOUR.

gwareiddiad, *eg.* Stad uchel o ddatblygiad cymdeithasol. CIVILIZATION.

gwareiddiedig, *a.* Wedi ei wareiddio, gwaraidd. CIVILIZED.

gwareiddio, *be.* I. Dofi, hyweddu. TO TAME.
2. Troi'n wareiddiedig, dwyn o'r stad anwaraidd. TO CIVILIZE.

gwargaled, *a.* Cyndyn, ystyfnig, cildyn, cildynnus, anhydyn, gwrthnysig, gwarsyth. OBSTINATE, UNBENDING.

gwargam : gwargrwm, *a.* Yn crymu, yn plygu, yn gwarro, gwarrog. STOOPING.

gwargamu : gwargrymu : gwarro, *be.* Crymu, plygu. TO STOOP.

gwarged, *eb.* Gweddillion, yr hyn sydd dros ben. REMAINS.
Gwarged cinio. REMAINS OF DINNER.

gwargrwm, *gw.* **gwargam.**
gwargrymu, *gw.* **gwargamu.**
gwario, *be.* Treulio, hela ; defnyddio arian, &c.
TO SPEND.
gwarogaeth, *gw.* **gwrogaeth.**
gwarrog, *a.* Gwargam, gwargrwm. STOOPING.
gwarth, *eg.* Gwarthrudd, cywilydd, achlod,
gwaradwydd, sarhad, amarch. DISGRACE,
SHAME.
gwarthaf, *eg.* Rhan uchaf, pen. SUMMIT.
Ar ei warthaf. UPON HIM.
gwarthafl, *eb. ll.*-au. **gwarthol,** *eb. ll.*-ion. Peth
wrth gyfrwy i ddodi troed ynddo. STIRRUP.
gwartheg, *e.ll.* Buchod, da. COWS, CATTLE.
gwarthnod, *eg. ll.*-au. Arwydd o warth, amlygiad
o euogrwydd am drosedd, pechod, &c.
STIGMA, DISGRACE.
gwarthnodi, *be.* Rhoi gwarthnod ar, dynodi â
geiriau difrïol. TO STIGMATIZE, TO BRAND.
gwarthol, *gw.* **gwarthafl.**
gwarthrudd, *gw.* **gwarth.**
gwarthruddo, *be.* Gwaradwyddo, cywilyddio,
sarhau, amharchu. TO DISGRACE.
gwarthus, *a.* Cywilyddus, gwaradwyddus.
DISGRACEFUL.
gwas, *eg. ll.* gweision. : **gwasanaethwr,** *eg. ll.*
gwasanaethwyr. Llanc, un sy'n
gwasanaethu. LAD, MAN-SERVANT.
Gwas ystafell. CHAMBERLAIN.
Yr hen was. THE DEVIL.
Gwas y dryw. TITMOUSE.
Gwas y neidr. DRAGON-FLY.
Gwas y gog. HEDGE-SPARROW.
gwasaidd, *a.* Fel gwas, ufudd, gor-ufudd. SERVILE.
gwasanaeth, *eg. ll.*-au. I. Yr act o wasanaethu,
addoliad cyhoeddus. SERVICE.
2. Iws, defnydd, help, mantais. USE.
gwasanaethgar, *a.* Defnyddiol, o iws. SERVICEABLE.
gwasanaethu, *be.* Gweini, gweinyddu, bod yn
was, gwneud gwaith dros arall. TO SERVE.
gwasanaethwr, *eg. ll.* gwasanaethwyr. Un sy'n
gwasanaethu, neu'n gweini, gwas.
MANSERVANT, SERVANT.
gwasg, *eb. ll.*-au, -oedd, gweisg. I. Offeryn
argraffu, y lle yr argreffir. PRESS.
2. *egb. ll.*-au, -oedd. Canol y corff,
meingorff. WAIST.
gwasgar : gwasgaru, *be.* Chwalu, ysgaru,
rhannu, ymrannu, lledu, taenu, lledaenu,
ymdaenu. TO SPREAD, TO SCATTER.
gwasgaredig, *a.* Ar wasgar, gwasgarog, ar chwâl,
dros y lle, ar led. SCATTERED.
gwasgarwr, *eg. ll.* gwasgarwyr. Un sy'n
gwasgaru ; dosbarthwr. SCATTERER ;
DISTRIBUTOR.
gwasgedig, *a.* Caled, mewn cyfyngder, trallodus,
adfydus, gofidus, blin, alaethus. PRESSED.
Amgylchiadau gwasgedig. STRAITENED
CIRCUMSTANCES.

gwasgfa, *eb. ll.* gwasgfeydd, gwasgfeuon.
Cyfyngder, ing, trallod, caledi, adfyd, helbul,
haint ; pwysau, gwasgiad. DISTRESS ; SQUEEZE.
gwasgod, *eb. ll.*-au. Dilledyn a wisgir dan y got
ac sy'n cyrraedd hyd at y wasg. WAISTCOAT.
gwasgu, *be.* Pwyso, llethu, gwthio, gafael yn
dynn. TO PRESS, TO SQUEEZE.
gwastad, *a.* I. Fflat, lefel, llyfn. LEVEL, FLAT.
2. Cyson. CONSTANT.
Yn wastad : o hyd : bob amser. ALWAYS.
Yn gydwastad â. LEVEL WITH.
gwastad, *eg. ll.*-oedd. : **gwastadedd,** *eg. ll.*-au.
Tir gwastad, gwastatir. PLAIN.
gwastadol, *a.* Yn wastad, cyson, o hyd, bob
amser. PERPETUAL.
gwastatáu, *be.* I. Gwneud yn wastad neu fflat,
lefelu. TO LEVEL.
2. Darostwng. TO SUBDUE.
gwastatir, *eg. ll.*-oedd. Tir gwastad, gwastadedd,
gwastad. PLAIN.
gwastraff, *eg.* Y weithred o wastraffu, traul,
difrod, gormodedd, afradlonedd. WASTE.
gwastraffu, *be.* Afradu, difa, difrodi, anrheithio,
treulio, gwario. TO WASTE.
gwastraffus, *a.* Afradus, afradlon. WASTEFUL.
gwastrawd, *eg. ll.* gwastrodion. Un sy'n gofalu
am geffylau. GROOM.
gwatwar, *be.* Gwawdio, dynwared, diystyru,
dirmygu, chwerthin am ben. TO MOCK.
gwatwareg, *eb.* Gwawd, gwawdiaith, coegni,
dirmyg. SARCASM, IRONY.
gwatwariaeth, *eb.* Gwatwareg, gwawdiaith. IRONY.
gwatwarus, *a.* Dirmygus, coeglyd, gwawdlyd,
gwawdlym, goganus, dychanol. MOCKING.
gwau : gweu, *be.* Gwneud brethyn, &c., â gwŷdd
neu â gweill, cysylltu, clymu. TO WEAVE, TO
KNIT.
gwaun, *eb. ll.* gweunydd. Tir pori, dôl, gweirglodd,
gweundir, rhostir. MEADOW, MOOR.
gwawch, *eb. ll.*-iau, -iadau. Sgrech, ysgrech, nâd,
gwaedd, oernad, oergri. SCREAM.
gwawd, *eg.* : **gwawdiaeth,** *eb.* I. Gwatwar,
dirmyg, gwatwareg, diystyrwch. SCORN.
2. Dychan, gogan. SATIRE, MOCKERY.
gwawdio, *be.* Gwatwar, dirmygu, dychanu,
chwerthin am ben, diystyru. TO JEER, TO
RIDICULE.
gwawdlyd, *a.* Dirmygus, gwatwarus, gwawdus,
gwawdlym, goganus, dychanol. SCORNFUL,
SATIRICAL.
gwawl, *eg.* Golau, goleuni. LIGHT.
gwawn, *eg.* Gwe fân yn nofio yn yr awyr neu ar
goed ar dywydd teg. GOSSAMER.
gwawr, *eb.* I. Gwawrddydd, cyfddydd, glasddydd,
glasiad dydd, clais y dydd, toriad dydd. DAWN.
2. Lliw, gwedd, eiliw, arlliw, rhith. HUE.
gwawrio, *be.* Dyddio, goleuo, torri'r wawr. TO
DAWN.

gwayw, *eg. ll.* gwewyr. I. Gloes, brath, pang, pangfa, ing, poen, dolur. PANG, PAIN.
    2. *eb.* Gwaywffon, picell. SPEAR.
gwaywffon, *eb. ll.* gwaywffyn. Arf hir blaenllym, picell, bêr. SPEAR.
gwden, *eb. ll.*-nau, -ni, gwdyn. Gwialen neu frigyn ystwyth, gwiail ystwyth wedi eu plethu. WITHE, COIL.
gwdihŵ, *eg.* Aderyn ysglyfaethus y nos, tylluan. OWL.
gwddf, *eg. ll.* gyddfau. Gwddwg, gwddw, gwar, gwegil, mwnwgl. NECK, THROAT.
gwe, *eb. ll.*-oedd. Peth wedi ei wau. WEB.
    Gwe copyn : gwe cor. COBWEB.
    Safle ar y we : Gwefan. WEB SITE.
gwead, *eg.* Y weithred o wau, dull y gwau. KNITTING, WEAVING, TEXTURE.
gwedd, *eb. ll.*-oedd. I. Iau, pâr, cwpl, tîm. YOKE, TEAM.
    Chwech o weddoedd : chwe phâr o geffylau neu ychen : chwe iau o.
    2. *eb. ll.*-au. Trem, golwg, wyneb, ymddangosiad, dull, pryd. APPEARANCE.
gweddaidd, *gw.* **gweddus.**
gweddeidd-dra : gwedduster : gweddustra, *eg.* Addasrwydd, priodoldeb, cymhwyster. DECENCY, PROPRIETY.
gwedder, *eg. ll.* gweddrod. Llwdn, mollt, molltyn. WETHER.
    Cig gwedder. MUTTON.
gweddi, *eb. ll.* gweddïau. Deisyfiad, erfyniad, ymbil. PRAYER.
    Gweddi'r Arglwydd. THE LORD'S PRAYER.
gweddigar, *a.* Yn ymroi i weddi, yn hoff o weddïo. PRAYERFUL, GIVEN TO PRAYER.
gweddill, *eg. ll.*-ion. Yr hyn sydd dros ben, rhelyw, gwarged. REMNANT.
gweddïo, *be.* Galw ar Dduw, deisyf, erfyn, ymbil. TO PRAY.
gweddïwr, *eg. ll.* gweddïo, gweddïwyr. Un sy'n gweddïo, ymbiliwr. ONE WHO PRAYS.
gweddol, *a. & adf.* Lled, lled dda, cymedrol, go. FAIR, FAIRLY.
gweddu, *be.* Gwneud y tro, taro, bod yn gymwys, bod yn addas, ateb y pwrpas. TO SUIT.
gweddus : gweddaidd, *a.* Addas, priodol, cymwys. SEEMLY.
gweddw, *eb. ll.*-on. Gwraig wedi colli ei gŵr, un sengl neu ddibriod. WIDOW, SPINSTER.
gweddw, *a.* I. Dibriod. SINGLE.
    2. Wedi colli gŵr neu gymar. WIDOWED, SOLITARY.
    Gŵr gweddw : gwidwer. WIDOWER.
    Mab gweddw. BACHELOR.
    Gwraig weddw. WIDOW.
    Merch weddw. SPINSTER.
    Hen ferch weddw. OLD MAID.
    Maneg weddw. ODD GLOVE.
gweddwdod, *eg.* Y stad o fod yn weddw. WIDOWHOOD.

gwefl, *eb. ll.*-au. Min, gwefus (anifail). LIP (OF ANIMAL).
gweflog, *a.* Â gwefusau mawr. THICK-LIPPED.
gwefr, *eg.* Ias, llymias, cyffro. THRILL.
gwefreiddio, *be.* Peri ias, cyffroi. TO THRILL.
gwefreiddiol, *a.* Cyffrous, treiddgar. THRILLING.
gwefus, *eb. ll.*-au. Ymyl y genau, min, gwefl. LIP.
gwegi, *eg.* Gwagedd, oferedd, rhywbeth diwerth, gwag-ogoniant, coegfalchder. VANITY.
gwegian : gwegio, *be.* Siglo, cerdded yn sigledig, bod bron â chwympo, simsanu. TO TOTTER, TO SWAY.
gwegil, *egb. ll.*-au. Gwar, rhan ôl ac uchaf y gwddf. NAPE OF THE NECK.
gwehelyth, *egb.* Ach, llinach, llin, hil, tylwyth, hiliogaeth. LINEAGE, STOCK.
gwehilion, *e.ll.* Sothach, ysgubion, ysbwrial, sorod, ysgarthion, carthion. REFUSE.
gwehydd : gwëydd : gwŷdd, *eg. ll.* gwehyddion. Un sy'n gwau neu wneud dillad. WEAVER.
gweiddi, *be.* Bloeddio, crochlefain, dolefain. TO SHOUT.
gweilgi, *eb.* Y môr, y cefnfor. SEA, OCEAN.
gweini, *be.* Gwasanaethu, gweinyddu, gofalu am, gweithio i arall. TO SERVE, TO MINISTER.
gweinidog, *eg. ll.*-ion. Un sy'n gofalu am eglwys neu weinyddiaeth wladol. MINISTER.
gweinidogaeth, *eb. ll.*-au. Gwasanaeth gweinidog. MINISTRY.
gweinidogaethu, *be.* Gweithredu fel gweinidog yr Efengyl, gwasanaethu ; gweinyddu. TO MINISTER ; TO ADMINISTER.
gweinio, *be.* Dodi cledd mewn gwain. TO SHEATHE.
gweinyddes, *eb. ll.*-au. Merch sy'n gweini. NURSE, WAITRESS.
    Gweinyddes feithrin. NURSERY ASSISTANT.
gweinyddiaeth, *eb. ll.*-au. Rheolaeth (yn enwedig gan y Llywodraeth). ADMINISTRATION, MINISTRY.
gweinyddu, *be.* Rheoli, trefnu, gofalu am, llywodraethu, llywio. TO MANAGE, TO OFFICIATE, TO ADMINISTER.
gweinyddwr, *eg. ll.* gweinyddwyr. Un sy'n gweini, gwasanaethwr, gwas ; un sy'n gweinyddu ordinhadau, &c. ONE WHO MINISTERS, SERVANT, WAITER ; ONE WHO ADMINISTERS ORDINANCES, &C., ADMINISTRATOR.
gweirglodd, *eb. ll.*-iau. Gweundir, gwaun, dôl, tir gwair. MEADOW.
gweiryn, *eg. ll.* gweirynnau. Blewyn o wair ; glaswelltyn. BLADE OF GRASS.
    gw. **gwair.**
gweithdy, *eg. ll.* gweithdai. **gweithfa,** *eb.* Siop waith, ystafell waith. WORKSHOP.
gweithfaol, *a.* Diwydiannol, yn ymwneud â gwaith a masnach. INDUSTRIAL.
gweithgar, *a.* Diwyd, dyfal, prysur, ystig, hoff o waith. INDUSTRIOUS.
gweithgaredd, *eg. ll.*-au. **gweithgarwch,** *eg.* Diwydrwydd, dyfalwch, bywiogrwydd, prysurdeb. ACTIVITY.

gweithio, *be.* I. Gwneud gwaith, llafurio. TO WORK.
2. Eplesu, (diod yn cyffroi). TO FERMENT.
3. Dodi peiriant i fynd a gofalu amdano. TO OPERATE.

gweithiwr, *eg. ll.* gweithwyr. Un sy'n gweithio, llafurwr. WORKER.

gweithred, *eb. ll.*-oedd. Rhywbeth a wneir, act, dogfen. ACT, DEED, DOCUMENT.

gweithrediad, *eg. ll.*-au. Yr hyn a weithredir. ACTION, OPERATION.

gweithredol, *a.* A amlygir mewn gweithred, a gyflawnir â'r ewyllys, yn gweithredu. EXPRESSED IN DEED, ACTUAL, ACTIVE.

gweithredu, *be.* Gwneud, cyflawni goruchwyliaeth, defnyddio grym neu ddylanwad. TO ACT, TO OPERATE.

gweithredwr, *eg. ll.* gweithredwyr. Un sy'n gweithredu. DOER, OPERATOR.

gweladwy, *a.* Y gellir ei weld, gweledig. VISIBLE.

gweled : gweld, *be.* Canfod, edrych ar beth a bod yn ymwybodol ohono, deall, ymchwilio. TO SEE.
Os gwelwch yn dda. IF YOU PLEASE.

gwelediad, *eg.* Y gallu i weld, golwg, trem, gweledigaeth. SIGHT.

gweledig, *a.* Yn y golwg, y gellir ei weled. VISIBLE.

gweledigaeth, *eb. ll.*-au. Gwelediad, golwg, y gallu i ganfod. VISION.

gweledydd, *eg. ll.*-ion. Un sy'n gweld â'r meddwl, proffwyd, un â gweledigaeth ganddo. SEER, PROPHET.

gwelw, *a. ll.*-on. Llwyd, glas, glaswyn, wyneblas. PALE.

gwelwder, *eg.* Glaswynder, llwydni. PALENESS.

gwelwi, *be.* Mynd yn welw, wyneblasu, gwynnu. TO GROW PALE.

gwely, *eg. ll.*-au, gwelâu. Gorweddfa, peth i gysgu arno, rhan o ardd, gwaelod afon. BED.

gwell, *a.* Gradd gymharol **da**. BETTER.
Gwellwell. BETTER AND BETTER.

gwella : gwellhau, *be.* Dod yn well, diwygio, cael iachâd, newid er gwell. TO IMPROVE, TO GET WELL.

gwellau, *eg. ll.* gwelleifiau. Offeryn deulafn i gneifio neu dorri. SHEARS.

gwellhad, *eg.* Diwygiad, gwelliant, cynnydd, yr act o wella. IMPROVEMENT.

gwellhau, *gw.* **gwella**.

gwelliant, *eg. ll.* gwelliannau. Gwellhad, newid er gwell. AMENDMENT.

gwellt, *e. torf. & ll.* (*un. g.* gwelltyn). I. Glaswellt, porfa. GRASS.
2. Coesau neu fonion llafur (ŷd), &c. STRAW.

gwelltglas, *eg.* Glaswellt, porfa. GRASS.

gwelltog, *a.* I. Porfaog. GRASSY.
2. Yn cynnwys bôn gwenith, &c. OF STRAW, STRAWY.

gwelltyn, *gw.* **gwellt**.

gwên, *eb. ll.* gwenau. Mynegiant o foddhad, &c., â'r wyneb. SMILE.

gwen, *a.* Ffurf fenywaidd **gwyn**. WHITE.

gwenci, *eb. ll.* gwencïod. Bronwen, anifail bychan gwinau ac iddo gorff hir ac yn byw ar greaduriaid eraill. WEASEL.

gwendid, *eg. ll.*-au. Eiddilwch, llesgedd. WEAKNESS.
Gwendid y lleuad. THE WANE OF THE MOON.

Gwener, *eb.* I. Y chweched dydd o'r wythnos. FRIDAY.
2. Duwies Rufeinig, planed. VENUS.

gwenfflam, *a.* Yn fflamio, yn llosgi'n gyflym, yn ffaglu. BLAZING.

gweniaith, *eb.* Truth, canmoliaeth ffuantus, clod gwag. FLATTERY.

gwenieithio, *be.* Canmol heb eisiau neu'n ffuantus, truthio. TO FLATTER.

gwenieithwr, *eg. ll.* gwenieithwyr. Llefarwr gweniaith, un sy'n hudo arall a gormod o ganmoliaeth. FLATTERER.

gwenieithus, *a.* Ffuantus, rhagrithiol. FLATTERING.

gwenith, *e.ll.* (*un. b.*-en). Yr ŷd y gwneir blawd (can) ohono. WHEAT.

gwenithfaen, *eb.* Ithfaen, carreg galed iawn. GRANITE.

gwennol, *eb. ll.* gwenoliaid. I. Aderyn mudol. SWALLOW.
Gwennol y bondo. HOUSE MARTIN.
Gwennol ddu. SWIFT.
2. Offeryn a ddefnyddir i gario'r edau wrth wau brethyn. SHUTTLE.

gwenu, *be.* Dangos boddhad neu ddifyrrwch, &c., â'r wyneb. TO SMILE.

gwenwisg, *eb. ll.* gwenwisgoedd. Gwisg wen offeiriad. SURPLICE.

gwenwyn, *eg.* Defnydd sy'n niweidiol iawn i fywyd ac iechyd. POISON.

gwenwynig : gwenwynol, *a.* Yn meddu ar natur gwenwyn. POISONOUS.

gwenwynllyd, *a.* Gwenwynig, croes, blin, anfoddog, piwis, cenfigennus, eiddigus. SPITEFUL.

gwenwyno, *be.* Lladd neu niweidio â gwenwyn. TO POISON.

gwenyn, *e.ll.* (*un. b.*-en). Creaduriaid ehedog sy'n casglu mêl. BEES.

gwep, *eb. ll.*-au, -iau. Wyneb hir, mingamiad. GRIMACE, VISAGE.
Tynnu gwep. PULLING FACES.

gwepian : gwepio, *be.* Wylo, crio, tynnu wynebau. TO WEEP, TO GRIMACE.

gwêr, *eg.* Braster a ddefnyddir i wneud canhwyllau. TALLOW.

gŵer, *eg.* Go-oer, cysgod, lle oer neu gysgodol. SHADE.

gwerdd, *gw.* **gwyrdd**.

gŵeru, *be.* Mynd i'r gŵer, cysgodi mewn lle oer. TO GO TO THE SHADE.

gwerin, *eb. ll.*-oedd. Pobl gyffredin. ORDINARY FOLK, POPULACE.
Cân werin. FOLK SONG.
Dawns werin. FOLK DANCE.

gweriniaeth, *eb. ll.*-au. Llywodraeth gan y werin. DEMOCRACY, REPUBLIC.
Gweriniaeth Iwerddon. EIRE.

gweriniaethol, *a.* Yn perthyn i weriniaeth. REPUBLICAN.

gweriniaethwr, *eg. ll.* gweriniaethwyr. Un sy'n credu mewn gwerinlywodraeth. REPUBLICAN.

gwerinlywodraeth, *eb. ll.*-au. Gwladwriaeth heb frenin, gweriniaeth. REPUBLIC.

gwerinol, *a.* Gwerinaidd, gwrengaidd, yn ymwneud â'r werin, democrataidd. PLEBEIAN.

gwerinos, *eb. & e.ll.* Y werin bobl, dynionach, gwehilion y bobl, ciwed, y dorf. THE RABBLE.

gwerinwr, *eg. ll.* gwerinwyr. Dyn cyffredin, un sy'n credu mewn llywodraeth gan y werin. DEMOCRAT.

gwern, *eb. ll.*-i, -ydd. I. Tir gwlyb neu gorsog. SWAMP.
2. *e.ll.* (*un. b.*-en). Prennau o deulu'r fedwen sy'n tyfu ar dir llaith. ALDER-TREES.

gwers, *eb. ll.*-i. I. Rhywbeth a ddysgir, cyfnod arbennig at ddysgu, &c. LESSON.
2. Tro, gwaith. WHILE, TURN.
Bob eilwers. ALTERNATELY.

gwerslyfr, *eg. ll.*-au. Llyfr i ddisgybl gael gwersi ohono. TEXTBOOK.

gwersyll, eg. ll.-oedd. Casgliad o bebyll lle mae milwyr, ffoaduriaid, pobl ar eu gwyliau, &c., yn byw dros dro. CAMP, ENCAMPMENT.

gwersyllu, *be.* Byw mewn gwersyll, lluesta. TO ENCAMP.

gwerth, *eg. ll.*-oedd. Rhinwedd, pris, ansawdd, pwys, teilyngdod. WORTH, VALUE.
Ar werth. FOR SALE.
Dim gwerth. NOT MUCH, NO GOOD.

gwerthadwy, *a.* Y gellir ei werthu. SALEABLE.

gwerthfawr, *a.* Yn werth llawer, buddiol, drud, prid, teilwng. VALUABLE.

gwerthfawrogi, *be.* Rhoi pris neu werth ar, prisio, gwneud yn fawr o. TO APPRECIATE.

gwerthfawrogiad, *eg. ll.*-au. Y weithred o werthfawrogi, prisiad. APPRECIATION.

gwerthiant, *eg.* Yr act o werthu, arwerthiant. SALE.

gwerthu, *be.* Cyfnewid (nwyddau, &c.), am arian, dodi ar werth. TO SELL.

gwerthwr, *eg. ll.* gwerthwyr. Un sy'n gwerthu, masnachwr. SELLER, DEALER.

gweryd, *eg. ll.*-au, -on. Pridd, daear, y bedd. EARTH, THE GRAVE.

gweryrad : gweryriad, *eg.* Gwaedd neu gri a wneir gan geffyl. NEIGHING.

gweryru, *be.* Gweiddi (gan geffyl). TO NEIGH.

gwestai, *eg. ll.* gwesteion. Un sydd wedi ei wahodd, un sy'n aros mewn gwesty, ymwelydd. GUEST.

gwesty, *eg. ll.* gwestai, gwestyau. Lle i letya, tafarn, llety. HOTEL, INN.

gwestywr, *eg. ll.* gwestywyr. Un sy'n cadw gwesty, lletywr, tafarnwr. HOTELIER, HOST, INNKEEPER.

gweu, *gw.* **gwau.**

gwewyr, *eg.* Ing, loes ; poen. ANGUISH ; PAIN.

gwg, *eg.* Cuwch, cilwg, y stad o wgu neu anghymeradwyo. FROWN.

gwgu, *be.* Cuchio, crychu'r aeliau, anghymeradwyo. TO FROWN.

gwgus, *a.* Cuchiog, cilwgus. FROWNING.

gwialen, *eb. ll.* gwiail, gwialenni, gwialennod. Cainc, ffon, darn hir o bren, cansen. ROD.

gwialenodio, *be.* Ffonodio, taro â gwialen. TO BEAT WITH A ROD.

gwib, *eb. ll.*-iau. I. Symudiad cyflym. FLASH.
2. Crwydrad, rhodiad. WANDERING.
Ar wib. FULL SPEED.

gwib, *a.* Yn symud yn gyflym. DARTING.
Seren wib. SHOOTING STAR.

gwibdaith, *eb. ll.* gwibdeithiau. Pleserdaith. EXCURSION.

gwiber, *eb. ll.*-od. Neidr wenwynig, sarff. VIPER, ADDER.

gwibio, *be.* I. Mynd yn gyflym, rhuthro o gwmpas. TO FLIT, TO DART.
2. Crwydro. TO WANDER.

gwibiog, *a.* Yn gwibio yma a thraw ; crwydredig. FLITTING, DARTING ; WANDERING.

gwich, *eb. ll.*-iau, -iadau. Sgrech, gwawch, sŵn drws rhydlyd, &c. SQUEAK, CREAK.

gwichian, *be.* Sgrechian, crecian, gwneud sŵn bach main fel mochyn bach neu ddrws. TO SQUEAK, TO CREAK.

gwichlyd, *a.* Sgrechlyd, main, meinllais, uchel ei sain. SQUEAKY.

gwiddon : gwiddan, *eb. ll.*-od. Dewines, gwrach, rheibes. HAG.

gwifren, *eb. ll.* gwifrau. Metel wedi ei dynnu i ffurf cordyn, wirsen, weir, weier. WIRE.

gwig : gwigfa, *eb. ll.*-oedd. Coedwig, fforest, allt, coed. WOOD.

gwingo, *be.* Troi a throsi, ffwdanu, ymnyddu, ystwyrian, strancio. TO WRIGGLE, TO WRITHE.

gwin, *eg. ll.*-oedd. Hylif i'w yfed, diod a wneir o sudd llysiau. WINE.

gwinau, *a.* Gwineugoch, melyngoch. BAY, AUBURN.
Ceffyl gwinau. BAY HORSE.

gwinllan, *eb. ll.*-nau, -noedd. Tir lle tyf gwinwydd. VINEYARD.

gwinllannwr, *eg. ll.* Perchen gwinllan, un sy'n gweithio mewn gwinllan. VINEYARD-MAN, VINE-DRESSER.

gwinwryf, *eg. ll.*-oedd. Offeryn i wasgu grawnwin. WINE-PRESS.

gwinwydd, *e.ll.* (*un. b.*-en). Coed y tyf grawnwin arnynt. VINES.

gwir, *eg.* I. Gwirionedd, uniondeb, geirwiredd, cywirdeb. TRUTH.
2. *a.* Cywir, geirwir, iawn, yn ei le. TRUE.
Yn wir. INDEED.

gwireb, *eb. ll.*-au, -ion. Gwir amlwg, dywediad diarhebol. TRUISM, MAXIM, PROVERB.

gwireddu, *be.* Profi'n wir, sylweddu, cadarnhau. TO VERIFY.

gwirfodd, *eg.* Ewyllys, teimlad da, ffafr. GOODWILL.
O'm gwirfodd. OF MY OWN ACCORD.

gwirfoddol, *a.* O fodd, o ewyllys, heb ei ofyn, heb orfodaeth. VOLUNTARY.

gwirfoddolwr, *eg. ll.* gwirfoddolwyr. Un sy'n cynnig ei wasanaeth yn ddigymell. VOLUNTEER.

gwirio, *be.* Taeru, haeru, honni. TO ASSERT.

gwirion, *a. ll.*-iaid. Diniwed, dieuog, di-ddrwg, di-fai, glân, pur, ynfyd, ffôl, annoeth. INNOCENT, FOOLISH, NAÏVE.

gwiriondeb, *eg. ll.*-au. Diniweidrwydd ; ffolineb, dwli. INNOCENCE ; SILLINESS.

gwirionedd, *eg. ll.*-au. Gwir, uniondeb, geirwiredd, cywirdeb. TRUTH.

gwirioneddol, *a.* Gwir, mewn gwirionedd, diffuant, dilys, diledryw. TRUE, REAL, ACTUAL.

gwirioni, *be.* Ffoli, dwlu, dotio, gwynfydu, ymgolli mewn rhywbeth neu rywun. TO DOTE, TO INFATUATE.

gwirod, *eg. ll.*-ydd. Diod feddwol. LIQUOR.

gwisg, *eb. ll.*-oedd. Dillad, peth i'w wisgo. DRESS.

gwisgi, *a.* Ysgafn, sionc, heini, hoenus. LIVELY.
Cnau gwisgi. RIPE NUTS.

gwisgo, *be.* Dilladu, dodi dillad am, bod â dillad am, treulio. TO DRESS, TO WEAR.

gwiw, *a.* Addas, cymwys, gweddus, teilwng. FIT.
Ni wiw iddo. HE DARE NOT, IT WON'T DO FOR HIM.

gwiwer, *eb. ll.*-od. Anifail bychan sy'n byw yn y coed ac iddo gwt (gynffon) hir blewog. SQUIRREL.

gwlad, *eb. ll.* gwledydd. Bro, daear, tir, tir cenedl. COUNTRY, LAND.
Cefn gwlad. THE COUNTRYSIDE.
Gwlad yr Addewid. THE PROMISED LAND.

gwladaidd, *a.* O gefn gwlad, gwledig. COUNTRYFIED.

Gwlad Belg, *eb.* Teyrnas yng Ngorllewin Ewrop sy wedi'i ffinio gan Ffrainc, Yr Iseldiroedd, Yr Almaen a Luxembourg, ac sydd â Môr y Gogledd ar ei harfordir byr. BELGIUM.

gwladfa, *eb. ll.* gwladfeydd. Trefedigaeth, sefydliad, gwladychfa. COLONY, SETTLEMENT.
Y Wladfa Gymreig. THE WELSH COLONY (*in Patagonia*).

gwladgarol : gwlatgar, *a.* Yn caru ei wlad. PATRIOTIC.

gwladgarwch, *eg.* Cariad at wlad. PATRIOTISM.

gwladgarwr, *eg. ll.* gwladgarwyr. Un sy'n caru ei wlad. PATRIOT.

gwladol, *a.* Yn perthyn i wlad, sifil. COUNTRY, CIVIL.
Cydwladol : rhyngwladol. INTERNATIONAL.
Eglwys wladol. STATE CHURCH.

Gwlad Thai, *eb.* Gwlad yn ne ddwyrain Asia a adnabuwyd gynt fel Siam. THAILAND.

gwladweinydd, *eg. ll.*-ion, gwladweinwyr. Gŵr sy'n gyfarwydd â thrin materion gwladwriaeth. STATESMAN.

gwladwriaeth, *eb. ll.*-au. Gwlad mewn ystyr wleidyddol. STATE.

gwladychu, *be.* Preswylio, byw, trigo, cyfanheddu. TO INHABIT.

Gwlad yr Iâ, *eb.* Ynys a gweriniaeth annibynnol yng Ngogledd Môr Iwerydd. ICELAND.

gwlân, *eg. ll.* gwlanoedd. Gwisg y ddafad, &c. WOOL.

gwlana, *be.* Casglu gwlân. TO GATHER WOOL.

gwlanen, *eb. ll.*-ni, gwlenyn. Defnydd o wlân. FLANNEL.

gwlanog, *a.* Â llawer o wlân, wedi ei wneud o wlân. WOOLLY.

gwlatgar, *gw.* **gwladgarol**.

gwlaw, *gw.* **glaw.**

gwledig, *a.* Gwladaidd, yn ymwneud â chefn gwlad. RURAL, RUSTIC.

gwledd, *eb. ll.*-oedd. Pryd arbennig o fwyd, gloddest, cyfeddach, gŵyl. FEAST.

gwledda, *be.* Gloddesta, cyfeddach. TO FEAST.

gwleidydd, *eg. ll.*-ion. **gwleidyddwr,** *eg. ll.* gwleidyddwyr. Un sy'n cymryd diddordeb mewn gwleidyddiaeth, un gwybodus ynglŷn â llywodraeth gwlad. POLITICIAN, STATESMAN.

gwleidyddiaeth, *eb.* Gwyddor llywodraeth gwlad. POLITICS.

gwleidyddol, *a.* Yn ymwneud â gwleidyddiaeth. POLITICAL.

gwleidyddwr, *gw.* **gwleidydd.**

gwlith, *eg. ll.*-oedd. Defnynnau dŵr a ddaw ar y ddaear gyda'r nos. DEW.

gwlithlaw, *eg.* Glaw mân. DRIZZLE.

gwlitho, *be.* Bwrw gwlith, defnynnu gwlith. TO DEW.

gwlithog, *a.* Wedi ei wlychu â gwlith, fel gwlith. DEWY, MOIST.

gwlithyn, *eg.* Defnyn o wlith. DEWDROP.

gwlyb, *a. ll.*-ion. (*b.* gwleb). Yn cynnwys hylif, llaith, wedi gwlychu, yn bwrw glaw. WET.

gwlybaniaeth, *eg.* Lleithder. MOISTURE.

gwlybwr, *eg. ll.* gwlybyron. Hylif, sylwedd sy'n llifo. LIQUID, MOISTURE, FLUID.

gwlybyrog, *a.* Fel gwlybwr, llaith. WET, DAMP, RAINY.

gwlych, *eg.* Gwlybaniaeth, gwlybwr. WET.
Rhoi dillad yng ngwlych. TO STEEP, TO SOAK (*clothes*).

gwlychu, *be.* Mynd yn wlyb, gwneud yn wlyb. TO WET.

gwlydd, *e.ll.* (*un. g.*-yn). Callod, gwellt, cyrs, gwrysg. HAULM.

gwn, *eg. ll.* gynnau. Offeryn saethu, dryll, magnel. GUN.

gwn, *bf.* Yr wyf yn gwybod, (person cyntaf unigol Amser Presennol y ferf **gwybod**). I KNOW.

gŵn, *eg. ll.* gynau. Dilledyn uchaf a wisgir gan ferched neu bobl y colegau, &c. GOWN.
Gŵn nos. NIGHT-GOWN.

gwndwn, *gw.* **gwyndwn.**

gwneud : gwneuthur, *be.* Cyflawni, achosi, peri, creu, llunio, gweithredu. TO MAKE, TO DO.

gwneuthuriad, *eg. ll.*-au. Y weithred o gyflawni, ffurfiad. A MAKING, MAKE.

gwneuthurwr, *eg. ll.* gwneuthurwyr. Un sy'n gwneuthur, lluniwr. MAKER.

gwnïad, *eg. ll.* gwniadau. Pwyth, pwythyn. SEWING, SEAM.

gwniadur, *egb. ll.*-iau, -on. Offeryn i amddiffyn y bys wrth wnïo. THIMBLE.

gwniadwaith, *eg.* Gwaith â nodwydd ac edau, brodiad, brodwaith. NEEDLEWORK, EMBROIDERY.

gwniadyddes, *eb. ll.*-au. **gwniadwraig,** *eb.* Un sy'n gwnïo, gwniyddes. SEAMSTRESS.

gwnïo, *be.* Pwytho, uno â nodwydd ac edau. TO SEW.

gwniyddes, *gw.* **gwniadyddes.**

gwobr, *eb. ll.*-au. **gwobrwy : gobrwy,** *eb. ll.*-on. Tâl am deilyngdod neu haeddiant (mewn cystadleuaeth, &c.). PRIZE, REWARD.

gwobrwyo, *be.* Rhoi gwobr. TO REWARD.

gŵr, *eg. ll.* gwŷr. Dyn, dyn priod, priod, cymar. MAN, HUSBAND.

    Y gŵr drwg : y diafol. THE DEVIL.

gwrach, *eb. ll.*-ïod. Hen wraig hyll, gwiddon, hudoles, rheibes, dewines, swynwraig. HAG, WITCH.

gwrachïaidd, *a.* Fel gwrach. LIKE A HAG.

gẃraidd : gwrol, *a.* Fel gŵr, gwrol, dynol. MANLY.

gwraidd, *e.ll.* (*un. g.* gwreiddyn). Rhannau o blanhigyn sydd yn y ddaear ac yn tynnu sudd o'r pridd, gwreiddiau. ROOTS.

gwraig, *eb. ll.* gwragedd. Gwreigen, merch briod, priod, menyw, benyw, cymhares. WIFE, WOMAN.

gwrandawiad, *eg.* Yr act o wrando, gosteg. HEARING.

gwrandawr, *eg. ll.* gwrandawyr. Un sy'n gwrando. LISTENER.

gwrando, *be.* Clustfeinio, ceisio clywed, dal sylw. TO LISTEN.

gwrcath : cwrcath, *eg. ll.*-od. Cath wryw. TOM-CAT.

gwregys, *eg. ll.*-au. Rhwymyn am y canol neu'r llwynau. BELT, GIRDLE.

gwregysu, *be.* Gwisgo gwregys. TO GIRD.

gwrêng, *eg. &. e. torfol.* Gwerinwr, un o'r bobl gyffredin, y bobl gyffredin. PLEBEIAN.

    Gwrêng a bonedd : y tlawd a'r cyfoethog.

gwreichion, *e.ll.* (*un. b.*-en). Darnau bychain o goed, &c., yn llosgi ac yn tasgu. SPARKS.

gwreichioni, *be.* Cynhyrchu gwreichion. TO SPARK.

gwreiddio, *be.* Bwrw neu dyfu gwreiddiau. TO ROOT.

gwreiddiol, *a.* Cyntefig, cynhenid, cysefin, dechreuol, hen. ORIGINAL.

    Pechod gwreiddiol. ORIGINAL SIN.

gwreiddioldeb, *eg.* Yr ansawdd o fod yn wreiddiol. ORIGINALITY.

gwreiddyn, *eg. ll.* gwraidd, gwreiddiau. Y rhan o blanhigyn sydd o dan y ddaear ac yn ei gyflenwi â maeth, bôn, gwaelod, gwreiddair. ROOT.

gwreigen, *gw.* **gwraig.**

gwres, *eg.* Poethder, cynhesrwydd, twymdra, llid, angerdd. HEAT, WARMTH.

    Gwresogydd. HEATER.

gwresog, *a.* Twym, poeth, cynnes, brwd, taer. WARM.

gwresogi, *be.* Twymo, poethi, cynhesu. TO WARM.

gwrhyd : gwryd, *eg. ll.* gwrhydoedd. Mesur tua chwe throedfedd. FATHOM.

gwrhydri, *eg.* Dewrder, gwroldeb, glewder, grymuster, arwriaeth, gwroniaeth. VALOUR.

gwrid, *eg.* Cochni (ar rudd), cywilydd. BLUSH.

gwrido, *be.* Cochi, cywilyddio, mynd yn goch yn yr wyneb. TO BLUSH.

gwridog, *a.* Bochgoch. ROSY-CHEEKED.

gwritgoch, *a.* Rhosliw, wynepgoch, â bochau cochion, teg, rhudd, rhuddgoch. RUDDY, ROSY.

gwrogaeth, *eb.* Parch, cydnabyddiaeth gan daeog neu ddeiliad o'i deyrngarwch i'w arglwydd. HOMAGE.

gwrol, *a.* Dewr, glew, beiddgar, hy, eofn. BRAVE.

gwroldeb, *eg.* Dewrder, glewder, arwriaeth, hyfdra, ehofndra. BRAVERY.

gwron, *eg. ll.* gwroniaid. Arwr, gŵr dewr, gŵr o fri. HERO.

gwroniaeth, *eb.* Arwriaeth. HEROISM.

gwrtaith, *eg. ll.* gwrteithiau, gwrteithion. Tail, achles, tom, dom. MANURE, FERTILISER.

    Gwrtaith pysgod. FISH MANURE.

    Gwrtaith hylif. LIQUID MANURE.

    Gwrtaith llusieuaidd. VEGETABLE MANURE.

gwrteithiad, *eg.* Y weithred o wrteithio neu deilio, triniaeth tir neu ardd. A MANURING, DUNGING, CULTIVATION.

gwrteithio, *be.* Teilio, sgwaru dom, amaethu, llafurio, trin, meithrin. TO MANURE, TO CULTIVATE.

gwrth-, *rhagdd.* Yn erbyn (fel yn **gwrthdaro** : taro yn erbyn), yn ôl. AGAINST, ANTI-, CONTRA-.

gwrthban, *eg. ll.*-au. Blanced, dilledyn gwely. BLANKET.

gwrthblaid, *eb. ll.* gwrthbleidiau. Y blaid gryfaf o'r rhai sydd yn erbyn y Llywodraeth. OPPOSITION (IN PARLIAMENT).

gwrthbrofi, *be.* Datbrofi, dangos bod y ddadl neu'r honiad yn anghywir. TO DISPROVE.

gwrthdaro, *be.* Taro yn erbyn, anghytuno. TO CLASH.

gwrthdrawiad, *eg. ll.*-au. Y weithred o bethau'n gwrthdaro. COLLISION, CLASH.

gwrthdroi, *be.* Troi tuag yn ôl. TO TURN BACK.

gwrthdystiad, *eg. ll.*-au. Datganiad cyhoeddus o anghytundeb, protest. PROTEST.

gwrthdystio, *be.* Siarad yn erbyn, lleisio anghytundeb, gwneud protest. TO PROTEST.

gwrthddweud : gwrthddywedyd, *be.* Croesddweud, dweud yn erbyn. TO CONTRADICT.

    Gwrthddywediad. PARADOX.

gwrthfiotig, *eg. ll.*-au, -ion. I. Cyffur at ddifa bacteria a heintiau. ANTIBIOTIC.
　2. *a.* Yn ymwneud â chyffur(iau) gwrthfiotig. ANTIBIOTIC.

gwrthgiliad, *eg. ll.*-au. Enciliad, ciliad, ymneilltuad. WITHDRAWAL, BACK-SLIDING.

gwrthgilio, *be.* Encilio, cilio'n ôl, ymneilltuo. TO RECEDE, TO RETIRE.

gwrthglawdd, *eg. ll.* gwrthgloddiau. Clawdd wedi ei godi i amddiffyn, rhagfur, amddiffynfa. RAMPART.

gwrthgorffyn, *eg. ll.*-nau. Sylwedd sydd yn y gwaed i wrthweithio gwenwyn. ANTIBODY.

gwrthgyferbyniad, *eg. ll.*-au. Annhebygrwydd wrth gymharu pethau. CONTRAST.

gwrthgyferbynnu, *be.* Dangos annhebygrwydd pethau drwy eu cymharu. TO CONTRAST.

gwrthnaws, *eg.* I. Casineb, atgasrwydd. ANTIPATHY.
　2. *a.* Atgas, gwrthun. REPUGNANT.

gwrthnysig, *a.* Cyndyn, ystyfnig, cildyn, cildynnus, anhydyn, gwarsyth, gwargaled. OBSTINATE.

gwrthod, *be.* Pallu, gomedd, nacáu, bwrw ymaith. TO REFUSE, TO REJECT.

gwrthodedig, *a.* Wedi ei wrthod, wedi ei adael. REJECTED, FORSAKEN.

gwrthodedigion, *e.ll.* (*un. g.* gwrthodedig). Rhai sy wedi eu gwrthod. REJECTS.

gwrthodiad, *eg.* Nacâd, gomeddiad. REFUSAL.

gwrthol, *adf.* Tuag yn ôl. BACKWARDS.
　Ôl a gwrthol. TO AND FRO.

gwrthrych, *eg. ll.*-au. I. Rhywbeth y gellir ei weld neu ei synied neu ei gyffwrdd. OBJECT.
　2. Term gramadegol-gwrthwyneb i'r goddrych. OBJECT.

gwrthrychol, *a.* I. Yn ymwneud â gwrthrych, gweladwy, materol. OBJECTIVE.
　2. Yn dynodi'r gwrthrych mewn brawddeg (Gramadeg). ACCUSATIVE (Gram.).
　Cyflwr gwrthrychol. ACCUSATIVE CASE.

gwrthryfel, *eg. ll.*-oedd. Terfysg, rhyfel yn erbyn y sawl sydd mewn awdurdod. REBELLION.

gwrthryfela, *be.* Terfysgu, codi yn erbyn. TO REBEL.

gwrthryfelwr, *eg. ll.* gwrthryfelwyr. Person sy'n gwrthryfela, terfysgwr. REBEL, MUTINEER.

gwrthsafiad, *eg.* Yr act o wrthsefyll. RESISTANCE.

gwrthsefyll, *be.* Gwrthwynebu, gwrthladd, sefyll yn erbyn. TO RESIST.

gwrthun, *a.* Atgas, cas, ffiaidd. ODIOUS.

gwrthuni, *eg.* Atgasedd, ffieidd-dra. ODIOUSNESS.

gwrthweithio, *be.* Gweithio'n groes i neu yn erbyn, rhwystro, atal. TO COUNTERACT.

gwrthwyneb, *a.* Croes, gyferbyn, gogyfer. CONTRARY.
　Gwrthwyneb afon. UP-STREAM.
　I'r gwrthwyneb. ON THE CONTRARY.

gwrthwynebiad, *eg. ll.*-au. Gwrthsafiad, gwrthddadl. OBJECTION.

gwrthwynebol : gwrthwynebus, *a.* Yn mynegi'r gwrthwyneb, bod yn erbyn. OPPOSING, OPPOSED.

gwrthwynebu, *be.* Gwrthsefyll, gwrthladd. TO OPPOSE, TO OBJECT.

gwrthwynebus, *gw.* **gwrthwynebol.**

gwrthwynebwr, *eg. ll.* gwrthwynebwyr. Un sy'n gwrthwynebu, gelyn. OPPONENT, OBJECTOR.

gwrych, *eg. ll.*-oedd. I. Perth, clawdd o lwyni. HEDGE.
　Llwyd y gwrych. HEDGE-SPARROW.
　2. *e.ll.* (*un. g.*-yn). Blew byr anystwyth. BRISTLES.
　Yn codi gwrychyn : yn digio. TO BECOME ANGRY.

gwryd, *eg.* Gwrhyd, mesur tua chwe throedfedd. FATHOM.

gwrym, *eg. ll.*-iau. I. Gwnïad. SEAM.
　2. Ôl ffonnod ar gnawd. WEAL.

gwrymiog, *a.* Â gwrymiau. SEAMED, RIBBED.

gwrysg, *e.ll.* (*un. b.*-en). Gwlydd, callod, gwellt. HAULMS, TOP (OF POTATOES, &c.).

gwryw, *eg. ll.*-od. Dyn neu fachgen neu anifail gwryw. MALE.
　Gwryw a benyw. MALE AND FEMALE.

gwryw : gwrywaidd : gwrywol, *a.* Yn perthyn i'r rhyw wrywol, yn ymwneud â'r genedl wryw. MALE, MASCULINE.

gwrywgydiad, *eg.* : **gwrywgydiaeth,** *eb.* Cyfathrach rywiol annaturiol rhwng gŵr a gŵr. HOMOSEXUALITY.

gwrywgydiol, *a.* Yn cyflawni gwrywgydiad, yn hoyw. HOMOSEXUAL.

gwrywgydiwr, *eg. ll.* Un mewn perthynas rywiol annaturiol ag arall o'r un rhyw ag yntau. A HOMOSEXUAL.

gwsberys, *e.ll.* (*un. b.* gwsber[s]en). Ffrwyth llwyni gardd, eirin Mair. GOOSEBERRIES.

gwth, *eg.* Hwb, hwp, hyrddiad, hwrdd, ergyd, hergwd, gwân. THRUST.
　Gwth o wynt. A GUST OF WIND.
　Mewn gwth o oedran. WELL STRICKEN IN YEARS.

gwthio, *be.* Hyrddio, ergydio, cilgwthio, hwpo. TO PUSH, TO THRUST.

gwthiwr, *eg. ll.* gwthwyr. Un sy'n gwthio. PUSHER.

gwybed, *e.ll.* (*un. g.*-yn). Pryfed, clêr bach sy'n sugno gwaed. GNATS.

gwybeta, *be.* Dal gwybed, sefyllian, ymdroi, swmera. TO CATCH GNATS, TO DAWDLE.

gwybod, *be.* Meddu ar ddirnadaeth neu amgyffrediad o ffeithiau, &c., ; bod yn gyfarwydd â rhywbeth. TO KNOW.
　Heb yn wybod i mi. WITHOUT MY KNOWING.

gwybodaeth, *eb. ll.*-au. Amgyffrediad, canfyddiad, dirnadaeth, dysg, adnabyddiaeth. KNOWLEDGE.

gwybodus, *a. ll.*-ion. Yn meddu ar wybodaeth. WELL-INFORMED.

gwybyddus, *a.* Adnabyddus, yn gwybod pwy neu beth yw, hysbys. KNOWN.

gwych, *a.* Campus, ysblennydd, braf, coeth, têr, lluniaidd, rhagorol. SPLENDID.
Bydd wych. FARE THEE WELL.

gwychder, *eg. ll.*-au. Ysblander, rhwysg, coethder, godidowgrwydd. SPLENDOUR.

gwydn, *a.* Caled, cyndyn, yn abl i wrthsefyll, cryf. TOUGH.

gwydnwch, *eg.* Caledwch, cyndynrwydd. TOUGHNESS.

gwydr, *eg. ll.*-au. I. Defnydd caled tryloyw. GLASS.
2. Llestr gwydr. GLASS DISH.

gwydraid, *eg. ll.* gwydreidiau. Llond llestr gwydr, yn enwedig o win. GLASSFUL.

gwydro, *be.* Gosod gwydr mewn ffenestr. TO GLAZE.

gwydrwr, *eg. ll.* gwydrwyr. Un sy'n gwerthu gwydr a'i osod mewn ffenestri. GLAZIER.

gwydryn, *eg. ll.* gwydrau. Gwydr. DRINKING-GLASS.

gŵydd : gwyddfod, *eg.* Presenoldeb. PRESENCE.
Yng ngŵydd. IN THE PRESENCE OF.

gŵydd, *a.* Gwyllt, diffaith. WILD.

gŵydd, *eb. ll.* gwyddau. Aderyn mawr dof. GOOSE.

gwŷdd, *e.ll.* I. (*un. b.* gwydden). Coedwig, fforest, coed. WOODS, TREES.
2. *eg. ll.* gwyddion. Aradr. PLOUGH.
3. *eg. ll.* gwehyddion. Gwehydd, un sy'n gwau defnyddiau ar wŷdd at wneud dillad. WEAVER.
4. *eg. ll.* gwyddiau. Offeryn i wau brethyn. LOOM.

gwyddbwyll, *eb.* Hen gêm neu chwarae adnabyddus. A KIND OF CHESS.

Gwyddel, *eg. ll.*-od, Gwyddyl. (*b.* Gwyddeles). Brodor o Iwerddon, un o'r genedl Wyddelig. IRISHMAN.

Gwyddeleg, *eb.g.* Un o'r ieithoedd Celteg, iaith y Gwyddel. IRISH LANGUAGE, ERSE.

Gwyddelig, *a.* Yn perthyn i'r Gwyddel neu i Iwerddon. IRISH.

gwyddfid, *eg.* Gwyddwydd, pren neu flodau'r pren 'llaeth y gaseg'. HONEY-SUCKLE.

gwyddoniadur, *eg. ll.*-on. Llyfr sy'n rhoi gwybodaeth am wahanol destunau ac wedi ei drefnu yn ôl llythrennau'r Wyddor. ENCYCLOPAEDIA.

gwyddoniaeth, *eb.* Gwyddor, astudiaeth a gwybodaeth cyfundrefnol ar ryw bwnc. SCIENCE.

gwyddonol, *a.* Yn ymwneud â gwyddoniaeth. SCIENTIFIC.

gwyddonydd, *eg. ll.* gwyddonwyr. Un sy'n ymwneud â gwyddoniaeth. SCIENTIST.

gwyddor, *eb. ll.*-ion. Elfen, egwyddor. RUDIMENT, SCIENCE.
Yr Wyddor. THE ALPHABET.

gwyfyn, *eg. ll.*-od. Pryfyn dillad, meisgyn, pryfyn sy'n cael ei fagu mewn dillad, &c. MOTH (GRUB).

gŵyl, *eb. ll.* gwyliau. Adeg i orffwys, dydd cysegredig, diwrnod dathlu. FEAST, HOLIDAY.
Gŵyl Dewi. ST. DAVID'S DAY.

gŵyl : gwylaidd, *a.* Gweddaidd, diymffrost, swil, diymhongar, anymwthgar. MODEST, BASHFUL.

gwylad, *gw.* gwylio.

gwylan, *eb. ll.*-od. Un o adar y môr. SEAGULL.
Gwylan o'r môr, glaw ar ei hôl.

gwylder : gwyleidd-dra, *eg.* Gwedduster, lledneisrwydd, swildod. MODESTY, BASHFULNESS.

gwyliadwriaeth, *eb.* Gochelgarwch, pwyll, cyfnod gwylio. WATCHFULNESS, WATCH.

gwyliadwrus, *a.* Effro, gochelgar, gofalus, pwyllog. WATCHFUL.

gwylied, *gw.* gwylio.

gwyliedydd, *eg. ll.*-ion. Un sy'n gwylio, gwarchodwr. SENTINEL.

gwylio : gwylad : gwylied, *be.* Bod ar ddi-hun, aros yn effro yn ystod y nos, yn enwedig i weini ar berson claf, cadw gwylnos ; gweithredu fel gwyliwr swyddogol, cadw gwyliadwriaeth, gwarchod. TO WATCH, TO REMAIN AWAKE ESPECIALLY WITH SICK PERSON, TO KEEP VIGIL ; TO ACT AS WATCHMAN OR SENTINEL.

gwylmabsant, *eb. ll.*-au. Gŵyl nawddsant. FEAST OF PATRON SAINT.

gwylnos, *eb. ll.*-au. Cyfarfod y nos cyn claddu, y noswaith cyn gŵyl, noswyl. VIGIL, WATCH-NIGHT.

gwyll, *eg.* Tywyllwch, caddug. GLOOM, DARKNESS.

gwylliad, *eg. ll.* gwylliaid. Carnlleidr, herwr, ysbeiliwr. BANDIT.

gwyllt, *a. ll.*-ion. Anial, ynfyd, gwallgof, gorffwyll, anwar, cynddeiriog, o'i gof, nwydus, diffaith, anifeilaidd. WILD, MAD.

gwylltineb, *eg.* Gorffwylledd, cynddaredd, gwallgofrwydd, llid, ffyrnigrwydd. WILDNESS, FURY.

gwylltio : gwylltu, *be.* Arswydo, ofni, tarfu, ffyrnigo, terfysgu, cynddeiriogi. TO LOSE CONTROL OF ONESELF.

gwymon, *eg.* Gwmon, planhigyn sy'n tyfu yn y môr. SEAWEED.

gwymp, *a.* (*b.* gwemp). Teg, hardd, prydferth. FINE, FAIR.

gwyn, *a. ll.*-ion. (*b.* gwen). Lliw can, lliw'r eira, gwelw, sanctaidd. WHITE, HOLY.
Gwyn ei fyd. BLESSED IS HE.

gwŷn, *eg. ll.* gwyniau. I. Poen, cur, gloes, dolur. ACHE.
2. Cynddaredd. RAGE.
3. Nwyd, blys, chwant. LUST.

gwynad, *a.* Llidiog. ANGRY.

gwynder : gwyndra, *eg.* Lliw eira, y stad o fod yn wyn. WHITENESS.

gwyndwn : gwndwn, *eg.* Tir heb ei droi ers rhai blynyddoedd, ton. UNPLOUGHED LAND.

gwynegon, *eg.* Clefyd llidus yn y cymalau a'r cyhyrau, cryd cymalau. RHEUMATISM.

gwynegu : gwynio, *be.* Achosi poen, poeni, dolurio, anafu, brathu, brifo. TO SMART, TO ACHE.

gwynfa, *eb.* Paradwys, gwynfyd, y nefoedd. PARADISE.

gwynfyd, *eb. ll.*-au. Dedwyddyd, gorhoen, gwynfydedigrwydd. BLISS.

gwynfydedig, *a.* Bendigedig, dedwydd, hapus, wrth ei fodd, yn wyn ei fyd. BLESSED.

gwyngalch, *eg.* Cymysgedd o ddŵr a chalch a ddefnyddir i wynnu waliau, &c. WHITEWASH.

gwyngalchu, *be.* Gwneud yn wyn â chalch. TO WHITEWASH.

gwyniad, *eg. ll.* gwyniaid. Math o bysgodyn yn perthyn i deulu'r eog. WHITING.

gwynias, *a.* Yn wyn neu'n gochwyn gan dân, poeth iawn. WHITE-HOT.

gwynnin(g) : gwnning, *eg.* Y rhan feddal o bren lle mae'r sudd. SAP-WOOD.

gwynnu, *be.* Cannu, gwneud yn wyn. TO WHITEN.

gwynnwy, *eg.* Gwyn wy. WHITE OF AN EGG.

gwynt, *eg. ll.*-oedd. Awel gref, anadl, arogl, sawr, drewdod. WIND, SMELL.

gwyntell, *eb. ll.*-i. Basged gron heb ddolen iddi. ROUND BASKET WITHOUT HANDLE.

gwyntio : gwynto, *be.* Clywed gwynt, arogli, sawru, drewi. TO SMELL.

gwyntog, *a.* I. Â gwynt yn chwythu, stormus, tymhestlog. WINDY.
2. Yn llawn gwynt, chwyddedig. BOMBASTIC.

gwyntyll, *eb. ll.*-au. Nithlen, offeryn i beri awel o wynt. FAN.

gwyntylliad, *eg.* Y weithred o wyntyllio ; awyriad. A WINNOWING ; A FANNING.

gwyntyllu : gwyntyllio, *be.* Nithio, puro, achosi awel, archwilio. TO WINNOW, TO VENTILATE, INVESTIGATE.

Gŵyr, *eb.* Penrhyn sy'n rhan o'r arfordir rhwng Bae Abertawe a Bae Caerfyrddin. GOWER.

gŵyr, *bf. 3ydd person unigol Amser Presennol y ferf* **gwybod.** Mae ef/hi yn gwybod. HE/SHE KNOWS.

gŵyr, *a.* Lletraws, ar osgo, ar oleddf, anunion, cam, crwca, gwyrgam. CROOKED.

gŵyr, *e.ll.* (*un. g.* gŵr). Dynion. MEN.
Gwŷr traed. FOOT SOLDIERS.

gwyrdroi, *be.* Camdroi, trawswyro, llygru, camliwio, anffurfio, ystumio. TO DISTORT.

gwyrdd, *a. ll.*-ion. (*b.* gwerdd) Lliw yn cynnwys melyn a glas. GREEN.

gwyrddlas, *a.* Glaswyrdd, o liw'r borfa. VERDANT.

gwyrddni, *eg.* Yr ansawdd o fod yn wyrdd, glesni. GREENNESS.

gwyrgam, *gw.* **gŵyr.**

gwyriad, *eg. ll.*-au. I. Osgoad, gwyrdro, gwyrdroad, trawswyriad, llygriad. DEVIATION.
2. Term gramadegol. MUTATION.

gwyrni, *eg.* Camedd, yr ansawdd o fod yn gam. CROOKEDNESS.

gwyro, *be.* Osgoi, troi o'r neilltu. TO DEVIATE.

gwyrth, *eb. ll.*-iau. Digwyddiad rhyfedd, rhywbeth goruwch-naturiol. MIRACLE.

gwyrthiol, *a.* Rhyfedd, rhyfeddol, aruthr, syn, aruthrol. MIRACULOUS.

gwyryf, *eb. ll.*-on. I. Gwraig neu ferch heb gyfathrach rywiol â gŵr, morwyn, morwynig, merch, geneth. VIRGIN.
2. *a.* Gwyryfol, yn perthyn i wyryf, morwynol ; pur ; ffres, ifanc. VIRGINAL, CHASTE ; PURE ; FRESH, YOUTHFUL.
Mair Wyryf : Mair Forwyn : y Forwyn Fair. (THE) VIRGIN MARY.

gwŷs, *eb. ll.* gwysion. Dyfyn, rhybudd, galwad i ymddangos o flaen rhywun ag awdurdod ganddo. SUMMONS.

gwysio, *be.* Galw i ymddangos o flaen llys, &c. TO SUMMON.

gwystl, *eg. ll.*-on. Peth(au) neu berson(au) a roddir (neu a gymerir gan derfysgwyr) fel sicrwydd y cyflawnir addewidion neu fwriadau. PLEDGE, HOSTAGE.
Cymryd/Dal gwystlon. HOSTAGE TAKING.

gwystlo, *be.* Mechnïo, bod yn wystl. TO PLEDGE.

gwythïen, *eb. ll.* gwythiennau. I. Gwythen, pibell yn y corff i gario gwaed i'r galon, gwaed-lestr, rhydweli. VEIN.
2. Haen o lo, &c. SEAM.

gwyw : gwywedig, *a.* I. Wedi gwywo, yn gwywo. WITHERED.
2. Eiddil, gwan. FEEBLE.

gwywo, *be.* Crino, edwino, dihoeni, sychu, colli lliw. TO WITHER, TO FADE.

gyd, i, *adf.* Oll. ALL.

gyda : gydag, *ardd.* Ynghyd â, efo, yng nghwmni. TOGETHER WITH.

gyddfol, *a.* Yn y gwddf, yn seinio yn y gwddf. GUTTURAL.

gyferbyn (â), *ardd,* Yr ochr arall, go-gyfer, yn wynebu. OPPOSITE.

gylfin, *eg. ll.*-au, -od. Pig, genau aderyn. BEAK.

gylfinir, *eg.* Chwibanogl y mynydd, cwrlip, aderyn ac iddo big hir, chwibanwr. CURLEW.

gynnau, *adf.* Eiliad yn ôl, ychydig amser yn ôl. A WHILE AGO.
Gynnau fach. JUST NOW.
gw. **gwn,** *eg.*

gynt, *adf.* Yn flaenorol, yn yr hen amser. FORMERLY.

gyr, *eg. ll.*-roedd. Diadell, cenfaint, mintai. DROVE.
Yn mynd â gyr o wartheg o'i flaen.

gyrfa, *eb. ll.*-oedd. Gyrfeydd. Hynt, rhedegfa, cwrs trwy fywyd. RACE, CAREER.

gyrru, *be.* Anfon o flaen, hela, ymlid, gwthio, taro i mewn. TO DRIVE, TO SEND.

gyrwynt, *eg. ll.*-oedd. Gwynt nerthol, corwynt, hyrddwynt. HURRICANE, TORNADO.

gyrrwr : gyriedydd, *eg. ll.* gyrwyr. Un sy'n gyrru. DRIVER.

Ha, *ebych.* HA!

hac, *egb. ll.*-au, -iau. Bwlch, agen, rhic, rhint, toriad. NOTCH.

had, *e. torfol.* (*un. g.* hedyn). Y peth y tyf planhigyn ifanc ohono, hil, epil. SEED.

hadu, *be.* Yn tyfu hadau, mynd yn wyllt. TO SEED.

hadyd, *eg.* Had llafur (ŷd), tatws had. SEED CORN, SEED POTATOES.

haearn, *eg. ll.* heyrn. Metel caled. IRON.
Haearn bwrw. CAST IRON.
Haearn gyr. WROUGHT IRON.
Hearn smwdd(i)o. SMOOTHING-IRON.
Haearn sinc. GALVANISED IRON.
Rhwd haearn. IRON RUST.

haeddiant, *eg. ll.* haeddiannau. Teilyngdod, rhyglyddiant. MERIT.

haeddu, *be.* Teilyngu, rhyglyddu, bod yn deilwng o. TO DESERVE.

hael : haelfrydig : haelionus, *a.* Rhyddfrydig, rhydd, caredig, parod. GENEROUS.

haelfrydedd : haelioni, *eg.* Bod yn hael neu anhunanol. GENEROSITY.

haelionus, *gw.* **hael.**

haen, *eb. ll.*-au. **haenen,** *eb. ll.*-nau. I. Gwanaf, caen, gwythïen. LAYER, STRATUM, SEAM.

haeriad, *eg. ll.*-au. Honiad, dywediad pendant, datganiad, yr hyn a haerir. ASSERTION.

haerllug, *a.* Digywilydd, difoes, anfoesgar. IMPUDENT.

haerllugrwydd, *eg.* Digywilydd-dra, anfoesgarwch. IMPUDENCE.

haeru, *be.* Taeru, honni, gwirio, sicrhau, datgan. TO ASSERT, TO AFFIRM.

haf, *eg. ll.*-au. Y tymor sy'n dilyn y gwanwyn, y tymor twymaf. SUMMER.

hafaidd, *a.* Fel haf, yn perthyn i'r haf. SUMMER-LIKE, SUMMERY.

hafal, *a.* Tebyg, cyffelyb, cyfartal, cydradd. EQUAL, LIKE.

hafaliad, *eg. ll.*-au. (*Mathemateg.*). Fform(i)wla yn dangos cyfartaledd dau fynegiant a gysylltir â'r hafalnod =. EQUATION.

hafalnod, *eg. ll.*-au. (*Mathemateg.*). Yr arwydd a ddefnyddir mewn hafaliad i ddynodi bod y ddwy ochr yn gyfartal. EQUAL(S) SIGN.
53-28 = 16 + 9.

hafan, *eb.* Porthladd, harbwr, lle i long lochesu. HAVEN.

hafdy, *eg. ll.* hafdai. Tŷ haf neu lety haf. SUMMER DWELLING.
gw. **hendref.**

hafddydd, *eg. ll.*-iau. Dydd o haf, diwrnod fel un ynghanol haf. A SUMMER'S DAY.

hafn, *eb. ll.*-au. Lle cau, cwm, nant, ceunant. HOLLOW, GORGE.

hafod, *eb. ll.*-ydd. Tŷ haf ; trigfan . . . SUMMER DWELLING, UPLAND FARM.

hafog, *eg.* Difrod, dinistr, distryw, niwed, colled. HAVOC.

hagr, *a.* Salw, hyll, diolwg. UGLY.

hagru, *be.* Gwneud yn hyll neu'n hagr. TO DISFIGURE.

hagrwch, *eg.* Hylltod, hylltra. UGLINESS.

haid, *eb. ll.* heidiau. Gyr, diadell, cenfaint, mintai, torf. SWARM.

haidd, *e. torfol.* (*un. b.* heidden). Barlys, math o rawn a ddefnyddir i wneud brag. BARLEY.

haig, *eb. ll.* heigiau. Llawer o bysgod yn symud o amgylch gyda'i gilydd. SHOAL.

haint, *eb. ll.* heintiau. I. Pla, afiechyd, gwendid. PESTILENCE.
2. Llewyg. FAINT.

hala, *be.* Danfon, gwario, hela, taenu. TO SEND, TO SPEND, TO SPREAD.

halen, *eg.* Heli, defnydd gwyn a geir o ddŵr y môr &c., ac a ddefnyddir i roi blas ar fwydydd. SALT.

halian : halio, *be.* Tynnu, llusgo, cario, dwyn. TO HAUL.

halogedig, *a.* Llwgr, llygredig. POLLUTED.

halogi, *be.* Difwyno, dwyno, llygru, gwneud yn frwnt neu amhur. TO POLLUTE.

hallt, *a.* Â blas halen, llym. SALT, SEVERE.
Talu'n hallt. TO PAY DEARLY.

halltu, *be.* Trin â halen. TO SALT.

hambwrdd, *eg. ll.* hambyrddau. Bwrdd llaw (crwn, sgwâr, &c.,) a ddefnyddir i gario llestri te, brechdanau, &c. TRAY.

hamdden, *eb.* Seibiant, saib, oediad, hoe. LEISURE.
Canolfan hamdden. LEISURE CENTRE.
Oriau hamdden. SPARE TIME.

hamddenol, *a.* Heb frys, pwyllog, heb ffwdan, wrth ei bwysau. LEISURELY.

hances, *eb.* Cadach poced, neisied, macyn poced, napcyn. HANDKERCHIEF.

hanerob, *eb. ll.*-au. Hanner neu ystlys mochyn. FLITCH OF BACON.

haneru, *be.* Rhannu'n ddau. TO HALVE.

hanes, *eg. ll.*-ion. I. Cangen o wybodaeth sy'n ymdrin â digwyddiadau'r gorffennol, stori'r gorffennol. HISTORY.
2. Stori, chwedl, hanesyn. TALE.
3. Adroddiad. REPORT.

hanesydd, *eg. ll.* haneswyr. Un sy'n hyddysg mewn hanes. HISTORIAN.

hanesyddol, *a.* Yn ôl hanes, mewn perthynas â hanes. HISTORICAL.

hanesyn, *eg.* Stori, chwedl, hanes. STORY, ANECDOTE, TALE.

hanfod, *be.* I. Tarddu, deillio, disgyn o. TO ISSUE FROM.
2. *eg.* Ansawdd neu rinwedd sydd yn rhaid wrtho i wneud peth yr hyn ydyw. ESSENCE.

hanfodol, *a.* O bwys, yn wir angenrheidiol, rheidiol. ESSENTIAL.

haniad, *eg. ll.*-au. Tarddiad, hiliogaeth, hil, disgyniad. ORIGIN, DERIVATION, DESCENT.

haniaeth, *eg.* Rhywbeth heb sylwedd materol iddo, syniad, priodoledd. ABSTRACTION.

haniaethol, *a.* Yn ymwneud â haniaeth neu briodoledd. ABSTRACT.

hanner, *eg. ll.* hanerau, haneri. Un rhan o ddwy. HALF.
Hanner dydd. MIDDAY.
Hanner munud! JUST A MOMENT!
Hanner nos. MIDNIGHT.

hanu, *be.* Tarddu, deillio, disgyn o. TO SPRING (FROM), TO DERIVE (FROM), TO DESCEND (FROM).

hap, *eb. ll.*-au, -iau. Damwain, siawns, lwc, ffawd. CHANCE.
Hapchwarae. GAME OF CHANCE.
Hap a damwain. CHANCE, LUCK.

hapus, *a.* Dedwydd, llon, bendigedig, wrth ei fodd. HAPPY.

hapusrwydd, *eg.* Dedwyddwch, gwynfydedigrwydd, llonder. HAPPINESS.

hardd, *a. ll.* heirdd. Prydferth, teg, pert, tlws, cain. BEAUTIFUL.

harddu, *be.* Prydferthu, tecáu, addurno. TO ADORN.

harddwch, *eg.* Prydferthwch, tegwch, ceinder. BEAUTY.

harnais, *eg. ll.* harneisiau. Gêr, celfi. HARNESS.

hatling, *eb. ll.*-au, -od. Arian bathol o werth bach, hanner ffyrling. MITE.

hau, *be.* Gwasgaru had. TO SOW.

haul, *eg. ll.* heuliau. Y seren y teithia'r ddaear o'i hamgylch gan dderbyn gwres a goleuni oddi wrthi, huan. SUN.

hawdd, *a.* Rhwydd, heb fod yn galed. EASY.

hawddamor, *egb.* 1. Croeso ! WELCOME !
2. Cyfarchiad. Henffych well ! WELCOME !

hawddfyd, *eg.* Esmwythdra, esmwythyd, rhwyddineb. EASE.

hawddgar, *a.* Serchus, serchog, cyfeillgar, hynaws, tirion. AMIABLE.

hawddgarwch, *eg.* Serchowgrwydd, hynawsedd, cyfeillgarwch, tirionдеб. AMIABILITY.

hawl, *eb. ll.*-iau. 1. Gofyniad, cais, arch. DEMAND.
2. Braint gyfreithlon, dyled, iawn. RIGHT, CLAIM.
Hawl ac ateb. QUESTION AND ANSWER.

hawlio, *be.* Mynnu hawl, gofyn iawn. TO CLAIM.

haws, *a. Gradd gymharol* **hawdd,** rhwyddach. EASIER.

heb, *ardd.* Yn fyr o, ar wahân i. (Hebof, hebot, hebddo/hebddi, hebom, heboch, hebddynt). WITHOUT.

heblaw, *ardd.* Yn ogystal â. BESIDES.
Yr oedd dau yno heblaw'r swyddog.

hebog, *eg. ll.*-au. Aderyn ysglyfaethus, gwalch glas. HAWK.

Hebraeg, *egb.* Iaith yr Hebrëwr. HEBREW LANGUAGE.

Hebreig, *a.* Yn perthyn i'r Hebrëwr. HEBREW.

Hebrëwr, *eg. ll.* Hebrëwyr, Hebreaid. (*b.* Hebrëes). Iddew. A HEBREW.

hebrwng, *be.* Mynd gyda, ymuno â, arwain. TO ACCOMPANY.

hedeg : ehedeg : hedfan : ehedfan, *be.* Symud yn yr awyr ar adenydd, mewn awyren, hofrennydd, &c. TO FLY.

hedegog, *a.* Yn hedeg, yn gallu hedfan, ar aden. FLYING.

hedydd, *eg. ll.*-ion. Aderyn sy'n esgyn yn uchel i'r awyr ac yn canu'n llon, ehedydd. LARK.

hedyn, *eg. ll.* hadau. Y peth y tyf planhigyn newydd ohono, eginyn. SEED.

hedd : heddwch, *eg.* Cyfnod o fod heb ryfela ac ymladd, tangnefedd, tawelwch, llonyddwch. PEACE.

heddgeidwad, *eg. ll.* heddgeidwaid. Plisman, plismon, un o'r heddlu. POLICEMAN.

heddiw, *adf.* Y diwrnod hwn, y diwrnod rhwng ddoe ac yfory. TODAY.

heddlu, *eg. ll.*-oedd. Corff o weision y llywodraeth i gadw trefn ac i ddal drwgweithredwyr. POLICE FORCE.

heddwas, *eg. ll.* heddweision. Aelod o'r heddlu, plismon. POLICE OFFICER, POLICEMAN.

heddwch, *gw.* **hedd.**

heddychlon : heddychol, *a.* Mewn heddwch, llonydd, tawel, distaw, heb gweryla, digyffro. PEACEFUL.

heddychu, *be.* Gwneud heddwch, tawelu, dyhuddo, dofi. TO PACIFY.

heddychwr, *eg. ll.* heddychwyr. Un sy'n hoffi heddwch, un sy'n gwrthod rhyfela. PEACEMAKER, PACIFIST.

hefelydd, *a.* Hafal, tebyg. SIMILAR.

hefyd, *adf.* Yn ogystal, chwaith. ALSO, EITHER.

heffer, *eb. ll.* heffrod. Treisiad, anner. HEIFER.

hegl, *eb. ll.*-au. Coes, esgair. LEG.

heglu, *be.* Rhedeg ymaith, dianc, baglan, dodi traed yn y tir. TO RUN AWAY.

heibio (i), *adf.* (Mynd) gerllaw, tu hwnt i. PAST.
Mynd heibio i'r tŷ.

heidio, *be.* Mynd yn dorf, tyrru. TO SWARM.
Y gwenyn yn heidio i'r cwch.

heidden, *eb. ll.* haidd. Un gronyn o had barlys, hedyn barlys. GRAIN OF BARLEY.

heigio (o), *be.* Epilio, hilio, bod yn llawn o. TO TEEM.
Yr afon yn heigio o bysgod.

heini, *a.* Bywiog, sionc, hoenus. ACTIVE.

heintio, *be.* Cyfrannu haint i arall, llygru. TO INFECT.

heintus, *a.* Yn gwasgar hadau afiechyd, clefydus, yn effeithio ar eraill. INFECTIOUS, CONTAGIOUS.

hel, *be.* 1. Crynhoi, casglu, cynnull. TO GATHER.
2. Gyrru, danfon. TO DRIVE.

hela, *be.* 1. Ymlid, erlid, ceisio dal. TO HUNT.
Cŵn hela. FOXHOUNDS.
2. Hala, gyrru, danfon, treulio, gwario. TO SEND, TO SPEND.
Yn hela'r ci ar ôl y defaid.

helaeth, *a.* 1. Eang, mawr, yn ymestyn ymhell, llydan. EXTENSIVE.
2. Digonol, toreithiog. ABUNDANT.

helaethrwydd, *eg.* Amlder, ehangder, maint, hyd, mesur. ABUNDANCE, EXTENT.

helaethu, *be.* Ehangu, cynyddu, gwneud yn fwy. TO ENLARGE.

helbul, *eg. ll.*-on. Blinder, trallod, trafferth, adfyd. TROUBLE.

helbulus, *a.* Blinderus, trallodus, trafferthus. TROUBLED, DISTRESSED.

helfa, *eb. ll.* helfâu, helfeydd. Y weithred o hela, helwriaeth, dalfa. A CATCH, A HUNT.
Helfa bysgod. A CATCH OF FISH.

helgi, *eg. ll.* helgwn. Ci hela, bytheiad. HOUND.

heli, *eg.* Dŵr hallt, y môr. SALT WATER, BRINE, SEA.

heliwr, *eg. ll.* helwyr. I. Un sy'n hela. HUNTSMAN.
2. Un sy'n hel, casglwr. GATHERER.

helm, *eb. ll.*-ydd. I. Tas gron o ŷd ; tŷ gwair agored. CORN STACK ; OPEN SHED.
Helm wair. DUTCH BARN.
Helm drol(iau). OPEN CART-SHED.
2. *eb. ll.*-au. Llyw ar long, peth i droi llong. HELM (OF SHIP).
3. Penwisg. HELMET.

help, *eg.* Cymorth, cynhorthwy. HELP.

helpu, *be.* Cynorthwyo, cymorth, nerthu, cefnogi. TO HELP.

helwriaeth, *eb. ll.*-au. Helfa, yr hyn a ddelir wrth hela, hela. GAME, HUNTING.

helyg, *ell.* (*un. b.*-en). Coed ystwyth a geir gan amlaf yn ymyl dŵr. WILLOWS.

helynt, *eb. ll.*-ion. I. Hynt, cyflwr. COURSE, STATE.
2. Ffwdan, stŵr, trafferth, blinder, trallod. TROUBLE, FUSS.

helyntus, *a.* Trafferthus, ffwdanus. TROUBLOUS.

hen, *a.* Oedrannus, heb fod yn ieuanc, wedi byw yn hir, hynafol. OLD, ANCIENT.
Wedi hen fynd. GONE LONG AGO.
Yr hen oesoedd. REMOTE AGES.

henadur, *eg. ll.*-iaid. Aelod cyfetholedig o gyngor tref neu sir, &c. ALDERMAN.

henaduriad, *eg. ll.* henaduriaid. Aelod o'r Henaduriaeth. PRESBYTERIAN.

henaduriaeth, *eb.* Yr enwad Presbyteraidd, rhan o'r gyfundrefn Bresbyteraidd.
PRESBYTERIANISM, PRESBYTERY.

henaidd, *a.* Hen o ran natur, ffordd, &c. OLDISH.

henaint, *eg.* Yn hen (y stad o fod). OLD AGE.

hendad, *eg. ll.*-au. Tad-cu, taid. GRANDFATHER.

hendaid, *eg. ll.* hendeidiau. Tad tad-cu, tad taid ; (cyndad). GREAT GRANDFATHER, FOREFATHER.

hendref, *eb. ll.*-i, -ydd. Trigfan dros gaeaf ar dir is lle y dychwelai'r teulu a'r anifeiliaid ar ôl treulio'r haf ar ucheldir yn yr hafod. WINTER RESIDENCE, LOWLAND FARM.
gw. **hafod.**

heneb, *eb. ll.*-ion : **henebyn,** *eg. ll.* henebion. Hen adeiladwaith : cromlech, castell, abaty, &c. ANCIENT MONUMENT.

heneiddio, *be.* Mynd yn hen. TO GROW OLD.

henfam, *eb.* Mam-gu, nain. GRANDMOTHER.

hennain, *eb. ll.* heneiniau. Mam taid neu nain, hen fam-gu. GREAT-GRANDMOTHER.

heno, *adf.* Y noson hon. TONIGHT.

henoed, *eg. & e. torf.* Henaint ; un oedrannus ; hen bobl. OLD PERSON ; OLD PEOPLE.

heol, *eb. ll.*-ydd. Ffordd, stryd. ROAD.
Heol ddeuol. DUAL CARRIAGEWAY.
Heol fawr. HIGHWAY.
Heol gefn. BACK-ROAD, BY-WAY.

hepgor, *be.* Gwneud heb, sbario, gadael allan. TO SPARE, TO OMIT.

hepian, *be.* Cysgu, huno, hanner cysgu. TO DOZE.

her, *eb.* Sialens, yr act o herio, gwrthwynebiad. CHALLENGE.

herc, *eb.* Llam, hec, hwb. HOP.
Herc a cham a naid. HOP, SKIP (STEP) AND JUMP.

hercian, *be.* Mynd ar un goes, hecian, cloffi, clunhercian, siarad yn afrwydd. TO HOP, TO LIMP, TO STUTTER.

hercyd, *be.* Cyrraedd, estyn, cyrchu, nôl, ymofyn. TO REACH, TO FETCH.

heresi, *eb. ll.* heresïau. Gau gred, gwrthgred, cam gred, cyfeiliornad, gau athrawiaeth. HERESY.

heretic, *eg. ll.*-iaid. Camgredwr. HERETIC.

hereticaidd, *a.* Anuniongred o ran daliadau crefyddol. HERETICAL.

herfeiddio, *be.* Beiddio, herio. TO DARE, TO DEFY.

herfeiddiol, *a.* Beiddgar. DARING, DEFIANT.

hergwd, *eg.* Gwth, hwb, hwrdd. THRUST.

herian : herio, *be.* Beiddio, rhoi her, rhoi sialens, gwrthwynebu. TO CHALLENGE.

herw, *eg.* I. Cyrch i ddwyn ysbail. RAID.
2. Y cyflwr o fyw fel ffoadur heb nawdd cyfraith. BANISHMENT, EXILE.
Bod ar herw. OUTLAWED.

herwgipiad, *eg.* Y digwyddiad pan fod rhywun wedi'i gipio a'i ddal am bridwerth. A KIDNAP(PING), A HIJACKING.

herwgipio, *be.* Cipio rhywun neu rywbeth drwy drais a'i ddal am bridwerth. TO KIDNAP, TO HIJACK.

herwgipiwr, *eg. ll.* herwgipwyr. I. Un sy'n dwyn person drwy drais a'i ddal yn wystl. KIDNAPPER.
2. Un sy'n dwyn llong, awyren, darlun, &c., drwy drais ac yn dal y cyfan am bridwerth. HIJACKER.

herwhela, *be.* Hela heb ganiatâd. TO POACH.

herwr, *eg. ll.* herwyr. Troseddwr sy wedi'i amddifadu o nawdd cyfraith, ffoadur : lleidr, ysbeiliwr. OUTLAW, FUGITIVE ; ROBBER, PLUNDERER.

herwydd, *ardd.* Yn ôl, gerfydd. ACCORDING TO, BY.
Oherwydd. BECAUSE OF.
O'r herwydd. ON ACCOUNT OF THAT.

hesb, *a.* (*g.* hysb). Sych. DRY.
Buwch hesb : buwch heb ddim llaeth.

hesbin, *eb. ll.*-od. Dafad ifanc. YOUNG EWE.

hesbwrn, *eg. ll.* hesbyrniaid. Hwrdd ifanc. YOUNG RAM.

hesg, *e.ll.* (*un. b.*-en). Gwair cwrs yn tyfu ger afonydd, &c. SEDGES, RUSHES.
Iâr fach yr hesg. MOOR-HEN.

het, *eb. ll.*-au, -iau. Gwisg i'r pen. HAT.

heulo, *be.* (yr haul yn) tywynnu. TO BE SUNNY.

heulog, *a.* Yn heulo. SUNNY.
heulwen, *eb.* Tywyniad neu belydrau'r haul.
SUNSHINE.
heuwr, *eg. ll.* heuwyr. Un sy'n hau. SOWER.
hewcan, *be.* Crwydro, gwibio, gwibdeithio. TO
WANDER.
Y mae ef wedi mynd i hewcan i rywle.
hewer, *eg.* Chwynnogl, hof, chwynnydd. HOE.
hewo : hofio, *be.* Chwynogli, chwynnu â hewer.
TO HOE.
hi, *rhag.* Trydydd person unigol benywaidd o'r
rhagenwau personol syml annibynnol. SHE,
HER.
hidio, *be.* Ystyried, pryderu, trafferthu, malio,
gwneud sylw. TO HEED.
hidl, *eb. ll.*-au. **hidlen,** *eb. ll.*-ni. I. Gogr, rhidyll,
gwagr. STRAINER.
2. *a.* Trwm (am wylo). PROFUSE, COPIOUS.
Wylo'n hidl. WEEPING UNCONTROLLABLY.
hidlo, *be.* Arllwys drwy hidl. TO FILTER.
hiffyn, *eg.* Pluen eira. SNOWFLAKE.
hil, *eb.* Ach, llinach, tylwyth, hiliogaeth,
perthynas, tras. RACE, LINEAGE.
hilio, *be.* Epilio. TO BRING FORTH, TO BREED.
hiliogaeth, *eb.* Disgynyddion, epil, plant, hil.
DESCENDANTS, OFFSPRING.
hiliol, *a.* Yn ymwneud â hil. RACIAL.
hilydd, *eg. ll.*-ion. Un sy'n dangos gelyniaeth yn
erbyn cenedl arall. RACIST.
hilyddiaeth, *eb.* Gelyniaeth rhwng gwahanol
genhedloedd. RACISM.
hin, *eb.* Tywydd, tymheredd. WEATHER.
hindda : hinon, *eb.* Tywydd sych, tywydd teg.
FAIR WEATHER.
hiniog, *gw.* **rhiniog**.
hinon, *gw.* **hindda**.
hinsawdd, *eb. ll.* hinsoddau. Ansawdd neu
gyfartaledd y tywydd am amser maith.
CLIMATE.
hir, *a. ll.*-ion. Maith, mawr ei hyd, yn cymryd
llawer o amser. LONG.
hiraeth, *eg.* I. Dyhead, dymuniad neu chwant
mawr. LONGING, NOSTALGIA.
2. Galar, gofid. GRIEF.
hiraethu, (am, ar ôl), *be.* I. Dyheu, dymuno. TO
YEARN.
2. Gofidio, galaru. TO SORROW.
hiraethus, *a.* Yn llawn hiraeth. LONGING, HOME-
SICK.
hirbell, *a.* Pell iawn, pellennig, anghysbell. DISTANT.
O hirbell. FROM AFAR.
hirben, *a.* Call, craff, cyfrwys. SHREWD.
hirddydd, *eg. ll.*-iau. Diwrnod hir. LONG DAY.
hirgrwn, *a.* (*b.* hirgron). Ar lun wy, hir a chrwn.
OVAL, ELLIPTICAL.
hirgylch, *eg. ll.*-au. Ffurf hirgrwn, ffigur gwastad
crwm rheolaidd a'i hyd yn fwy na'i led. AN
OVAL, ELLIPSE.
hirhoedlog, *a.* Yn byw'n hir, wedi byw'n hir.
LONG-LIVED.

hirnod, *eg. ll.*-au. Acen grom, to, nod i ddangos
llafariad hir (^). CIRCUMFLEX.
hirnos, *eb. ll.*-au. Nos hir. LONG NIGHT.
hirwyntog, *a.* Yn meddu ar anadl neu wynt da, yn
siarad yn faith. LONG-WINDED.
hirymarhous, *a.* Yn goddef neu'n caniatáu am
amser maith, amyneddgar. LONG-SUFFERING.
hithau, *Rhagenw benywaidd dyblyg, trydydd
person unigol,* hi hefyd. SHE, HER (ALSO).
hiwmor, *eg.* Digrifwch, donioldeb. HUMOUR.
hobaid, *eb. ll.* hobeidiau. Llond hob (sef mesur
yn cynnwys dau alwyn). PECK.
hoced, *eb. ll.*-ion. Twyll, dichell, ystryw. DECEIT.
hocedu, *be.* Twyllo. TO CHEAT, TO DEFRAUD.
hodi, *be.* Blaguro, torri allan, egino, blaendarddu.
TO SHOOT, TO RUN TO SEED.
hoe, *eb.* Sbel, seibiant, hamdden, gorffwys. SPELL.
Cymryd hoe fach weithiau.
hoeden, *eb. ll.*-nod. Merch sy'n cellwair caru,
merch benwan, mursen. FLIRT, HOYDEN.
hoedl, *eb. ll.*-au. Bywyd, einioes, oes. LIFE.
hoel : hoelen, *eb. ll.* hoelion. Darn hir main o
fetel. NAIL.
Hoelion wyth. *lit.,* EIGHT (INCH) NAILS ;
NOTABILITIES, 'BIG GUNS.'
hoelio, *be.* Sicrhau â hoelion. TO NAIL.
hoen, *eb.* Nwyfiant, egni, bywyd, asbri,
bywiogrwydd. VIGOUR, VIVACITY.
hoenus, *a.* Bywiog, nwyfus, egnïol, llawen, llon.
LIVELY.
hoenusrwydd, *eg.* Bywiogrwydd, llawenydd.
LIVELINESS.
hof, *eb.* Hewer, chwynnogl, chwynnydd. HOE.
hofio, *be.* Gweithio â hof, chwynnu. TO HOE.
hofran, *be.* Hedfan yn yr unfan, gwibio. TO HOVER.
hoff, *a.* Annwyl, cu, cariadus. FOND.
hoffi, *be.* Caru, serchu, gorhoffi, anwylo. TO LIKE.
hoffus, *a.* Hawddgar, serchus, serchog, caruaidd,
anwesog. LIKEABLE, LOVEABLE.
hogen, *eb. ll.*-nod. Merch ifanc, croten, geneth.
GIRL, LASS.
hogfaen, *eg. ll.* hogfeini. Carreg hogi.
WHETSTONE, HONE.
hogi, *be.* Minio, awchu, awchlymu, blaenllymu.
TO SHARPEN.
Hogi pladur neu gyllell.
hogyn, *eg. ll.* hogiau. (*b.* hogen). Crwt, mab,
bachgen, llanc, llencyn, gwas. BOY, LAD.
hongian, *be.* Crogi, sicrhau wrth rywbeth
uwchben. TO HANG.
hôl, *be.* Cyrchu, nôl, (mynd i) ymofyn. TO FETCH.
holi, *be.* Gofyn, ceisio, ymofyn, ymholi. TO ASK.
holiadur, *eg. ll.*-on. Taflen o gwestiynau.
QUESTIONNAIRE.
holwr, *eg. ll.* holwyr. Un sy'n holi, archwiliwr.
QUESTIONER, EXAMINER.
holwyddoreg, *eb. ll.*-au. Llyfr yn cynnwys cyfres
o gwestiynau ac atebion parod. CATECHISM.
holl, *a.* I gyd, y cwbl o, y cyfan o. ALL, WHOLE.

hollalluog, *a.* Hollgyfoethog, yn cynnwys pob gallu. ALMIGHTY.
Yr Hollalluog. THE ALMIGHTY.
hollalluowgrwydd, *eg.* Gallu diderfyn. OMNIPOTENCE.
hollbresenoldeb, *eg.* Yr ansawdd neu'r cyflwr o fod yn bresennol ym mhobman ar yr un pryd. OMNIPRESENCE.
hollfyd, *eg.* Y byd cyfan, bydysawd. UNIVERSE.
holliach, *a.* Yn gwbl iach. WHOLE, SOUND, PERFECTLY WELL.
hollol, *a. adf.* Cyfan, i gyd. WHOLE, ENTIRE.
Yn hollol : yn gyfan gwbl. ENTIRELY.
hollt, *egb.* *ll.*-au. Agen, rhigol, rhwyg. A SLIT, SPLIT.
hollwybodaeth, *eb.* Ansawdd neu gyflwr hollwybodol, gwybodaeth am bopeth. OMNISCIENCE.
hollti, *be.* Rhannu, agennu, rhwygo, trychu. TO SPLIT.
hollwybodol, *a.* Yn gwybod popeth. OMNISCIENT.
homili, *eb.* *ll.* homilïau. Pregeth ymarferol er lles ysbrydol y gwrandawyr. HOMILY.
hon, *a. &. rhag.* (*g.* **hwn**). Yr un wrth law. THIS (*fem.*).
honiad, *eg.* *ll.*-au. Hawl, haeriad, yr hyn a honnir. ASSERTION, CLAIM.
honna, *a. &. rhag.* (*g.* **hwnna**). Yr un sydd yna, hon yna. THAT ONE (*fem.*).
honni, *be.* Hawlio, haeru, mynnu, taeru, cymryd ar, ffugio. TO ASSERT, TO PRETEND.
honno, *a. &. rhag.* (*g.* **hwnnw**). Yr un y soniwyd amdani. ONE SPOKEN OF (*fem.*).
hosan, *eb.* *ll.*-au, (ho)sanau. Gwisg i'r droed a'r goes. STOCKING.
Yn nhraed ei sanau. IN HIS STOCKINGS (STOCKINGED FEET).
hoyw, *a.* *ll.*-on. Bywiog, hoenus, heini, sionc, llon, llawen, nwyfus ; gwrywgydiol. LIVELY ; HOMOSEXUAL.
hoywder : hoywdeb, *eg.* Bywiogrwydd, hoen, nwyfiant, bywyd, sioncrwydd. LIVELINESS.
hual, *eg.* *ll.*-au. Llyffethair, gefyn. FETTER, SHACKLE.
hualu, *be.* Llyffetheirio, gefynnu. TO FETTER.
huan, *eb.* Haul. SUN.
huawdl, *a.* Llithrig, rheithegol, llyfn, hylithr, rhwydd, rhugl. ELOQUENT.
hud, *eg.* *ll.*-ion. Swyn, cyfaredd, dewiniaeth, lledrith, swyngyfaredd. MAGIC.
Hud-lusern. MAGIC LANTERN.
hudlath, *eb.* *ll.*-au. Gwialen y swynwr. MAGIC WAND.
hudo, *be.* Swyno, cyfareddu, lledrithio, rheibio, rhithio. TO CHARM.
hudol : hudolus, *a.* Cyfareddol, swynol, lledrithiol. ENCHANTING.
hudol, *eg.* *ll.*-ion. Swynwr. ENCHANTER.
Hudoles. ENCHANTRESS.
hudoliaeth, *eb.* *ll.*-au. Cyfaredd, swyn. ENCHANTMENT.
hudolus, *gw.* **hudol,** *a.*
hudol, *eg.* *ll.*-ion. Swynwr. ENCHANTER.

hudoliaeth, *eb.* *ll.*-au. Cyfaredd, swyn. ENCHANTMENT.
hudwr, *eg.* *ll.* hudwyr. Swynwr, dewin. ENTICER.
huddygl, *eg.* Parddu, y llwch du a ddaw o'r simnai. SOOT.
hufen, *eg.* Wyneb llaeth neu'r rhan fwyaf maethlon ohono, y rhan orau o rywbeth. CREAM.
Hufen iâ. ICE-CREAM.
hug : hugan, *eb.* *ll.*-au. Mantell, cochl, clog, cwrlid. CLOAK.
hulio, *be.* Taenu, gosod, trefnu. TO SPREAD OVER, TO SET.
Hulio'r bwrdd. TO LAY THE TABLE.
hun, *eb.* Cwsg, cysgfa. SLEEP.
hun : hunan, *rhag.* *ll.* hunain. Y person ei hun. SELF.
Myfi fy hunan. I MYSELF.
Fy nhŷ fy hun. MY OWN HOUSE.
hunan, *eg.* *ll.* hunain. Hanfod person, personoliaeth ; hunanoldeb ; myfïaeth ; hunan-dyb. SELF, EGO, PERSONALITY ; SELFISHNESS ; EGOTISM ; CONCEIT.
hunan-barch, *e.g.* Parch at hunan. SELF-RESPECT.
hunan-dyb, *eg.* Mympwy, tyb. CONCEIT, SELFISHNESS.
hunanladdiad, *eg.* *ll.*-au. Yr act o ladd hunan. SUICIDE.
hunanol, *a.* Yn meddwl yn unig am fantais neu elw personol ar draul sefyllfa pobl eraill. SELFISH.
hunanoldeb, *eg.* Ymddygiad hunanol. SELFISHNESS.
hunllef, *eb.* *ll.*-au. Breuddwyd annymunol neu ddychrynllyd. NIGHTMARE.
huno, *be.* Cysgu. TO SLEEP.
Wedi huno : wedi marw.
huodledd, *eg.* Rheitheg, y gallu i siarad yn rhugl neu'n llithrig. ELOQUENCE.
hur, *eg.* *ll.*-iau. Cyflog, tâl am waith, enillion. WAGE.
hurio, *be.* Cyflogi, llogi, derbyn i wasanaeth. TO HIRE.
hurt, *a.* Dwl, twp, pendew, â'r meddwl wedi cymysgu, syfrdan. STUPID, DULL, STUNNED.
hurtio : hurto, *be.* Syfrdanu, mynd yn ddwl, drysu. TO BECOME STUPID.
hurtrwydd, *eg.* Y cyflwr o fod yn hurt, twpdra. STUPIDITY.
hurtyn, *eg.* *ll.*-nod. Un dwl, delff, twpsyn, penbwl. A STUPID PERSON.
hwb : hwp, *eg.* Gwth, gwthiad, hergwd. PUSH.
hwch, *eb.* *ll.* hychod. Mochyn benyw. SOW.
hwdwch : hwdwg : hudwg, *eg.* Bwgan, bwbach, bwci. BUGBEAR.
Rhyw hen hwdwch du.
hwn, *a.* a *rhag.* (*b.* **hon**). *ll.* hyn. Yr un wrth law. THIS (*masc.*).
hwnna, *a.* a *rhag.* (*b.* **honna**). Yr un sydd yna, hwn yna. THAT ONE (*masc.*).
hwnnw, *a.* a *rhag.* (*b.* **honno**). *ll.* hynny. Yr un y soniwyd amdano. THAT ONE SPOKEN OF (*masc.*).

hwnt, *adf.* Draw, tu draw, acw. YONDER.
Y tu hwnt. BEYOND.

hwpo : hwpio, *be.* Gwthio, hyrddio. TO PUSH.
Yn hwpo'r cerbyd.

hwrdd, *eg. ll.* hyrddiau. Hwp, gwth, pwt. PUSH,
THRUST.

hwrdd, *eg. ll.* hyrddod. Dafad wryw, maharen. RAM.

hwre : hwde, *bf. Ail berson gorchmynnol* **cymer.**
Derbyn hwn. TAKE (THIS).

hwsmon, *eg. ll.* hwsmyn. Goruchwyliwr, beili,
ffarmwr. BAILIFF.

hwsmonaeth, *eb.* Triniaeth tir, amaethyddiaeth.
HUSBANDRY, AGRICULTURE.

hwter, *eb. ll.*-i. Math o gorn sy'n gwneud sŵn
uchel i roi rhybudd. HOOTER.

hwy, *a. Gradd gymharol* **hir,** mwy hir. LONGER.

hwy : hwynt : nhw, *rhag. Y trydydd person
lluosog o'r rhagenwau personol syml
annibynnol.* Y rhai hynny. THEY, THEM.

hwyad : hwyaden, *eb. ll.* hwyaid. Aderyn dof
sy'n nofio. DUCK.
Hwyaid gwylltion. WILD DUCKS.

hwyl, *eb. ll.*-iau. I. Cyflwr, mwynhad, tymer. MOOD.
2. Cynfas ar hwylbren llong. SAIL.
3. Ffordd arbennig o ddweud rhywbeth
wrth annerch, &c. SING-SONG, CADENCE.
Pob hwyl. BEST OF LUCK.
Mewn hwyl dda. IN GOOD MOOD.

hwylbren, *eg. ll.*-nau, -ni. Post uchel ar long
hwyliau. MAST.

hwylio, *be.* Morio, mordwyo, mynd ar long
hwyliau. TO SAIL.

hwylus, *a.* Iach, iachus, cyfleus, hawdd, rhwydd,
esmwyth. HEALTHY, CONVENIENT, EASY.

hwyluso, *be.* Rhwyddhau, hyrwyddo. TO
FACILITATE.

hwylustod, *eg.* Cyfleustra, cyfleuster,
rhwyddineb. CONVENIENCE.

hwynt, *gw.* **hwy,** *rhag.*

hwynt-hwy, *rhag.* Hwy eu hunain. THEY
THEMSELVES.

hwyr, *eg.* I. Min nos, wedi'r nos. EVENING.
2. *a.* Diweddar, ar ôl amser. LATE.
Hwyr neu hwyrach. SOONER OR LATER.

hwyrach, *adf.* I. Efallai, dichon, ysgatfydd. PERHAPS.
Nid hwyrach. PERHAPS, MAYBE.
2. *a. Gradd gymharol* **hwyr,** diweddarach.
LATER.

hwyrfrydig, *a.* Anfodlon, anewyllysgar, araf.
RELUCTANT.

hwyrhau, *be.* Mynd yn hwyr, nosi, mynd yn
ddiweddar. TO GET LATE.

hwyrnos, *eb. ll.*-au. Nos, hwyr, min nos. EVENING.

hwyrol, *a.* Gyda'r nos, wedi'r nos. EVENING.
Hwyrol weddi : gosber. EVENING PRAYER,
VESPERS.

hwythau, *rhagenw cysylltiol, trydydd person
lluosog.* Hwy hefyd. THEY, THEM (TOO).

hy, *a.* Eofn, beiddgar, digywilydd, hyderus, hyf,
dewr, haerllug, rhyfygus. BOLD.

hybarch, *a.* Yn cael parch neu'n haeddu parch,
hen. VENERABLE.

hyblyg, *a.* Y gellir ei blygu, ystwyth. FLEXIBLE.

hybu, *be.* Gwella. TO IMPROVE IN HEALTH, TO
PROMOTE.

hyd, *eg. ll.*-au, -oedd, -ion. I. Mesur o faint,
meithder, pellter. LENGTH.
2. Ysbaid. WHILE.
Ar hyd. ALONG.
O hyd. ALWAYS.

hyd, *ardd.* Mor bell â, nes ei bod. TO, TILL.
Hyd at. AS FAR AS.
Hyd yn oed. EVEN.

hyder, *eg.* Ffydd, ymddiried, coel, cred fawr.
CONFIDENCE.

hyderu, *be.* Ymddiried, coelio, credu. TO TRUST.

hyderus, *a.* Ymddiriedol, ffyddiog. CONFIDENT.

hydred, *eg.* Pellter onglog mewn graddau, hyd at
180^0 i'r dwyrain neu i'r gorllewin oddi wrth
Greenwich. LONGITUDE.

hydredol, *a.* Yn perthyn i hydred. LONGITUDINAL.

Hydref, *eg.* Y degfed mis. OCTOBER.
Yr hydref. AUTUMN.

hydrefol, *a.* Yn ymwneud â'r hydref. AUTUMNAL.

hydrin : hydyn, *a.* Hawdd ei drin. TRACTABLE.

hydwyll, *a.* Y gellir ei-dwyllo. GULLIBLE.

hydwyth, *a.* Yn ymestyn a byrhau, ystwyth. ELASTIC.

hydd, *eg. ll.*-od. (*b.* ewig). Anifail gwryw ymhlith
y ceirw, carw. STAG.

hyddysg, *a.* Dysgedig, gwybodus. LEARNED.

hyf, *gw.* **hy.**

hyfdra : hyfder, *eg.* Ehofndra, beiddgarwch,
haerllugrwydd. BOLDNESS.

hyfedr, *a.* Medrus iawn, celfydd, deheuig. EXPERT.

hyfryd, *a.* Pleserus, siriol, difyr, teg, dymunol,
braf. PLEASANT.

hyfrydu, *gw.* **ymhyfrydu.**

hyfrydwch, *eg.* Pleser, tegwch, sirioldeb. DELIGHT.

hyfforddi, *be.* Addysgu, ymarfer, cyfarwyddo,
rhoi ar y ffordd. TO INSTRUCT.

hyfforddiant, *eg.* Cyfarwyddyd, ymarferiad,
disgyblaeth. TRAINING, INSTRUCTION.

hyfforddwr, *eg. ll.* hyfforddwyr. Un sy'n
hyfforddi, llyfr hyfforddi, cyfarwyddwr.
INSTRUCTOR, GUIDE.

hygar, *a.* Hawddgar, serchus, dengar, atyniadol.
AMIABLE.

hygarwch, *eg.* Hawddgarwch, serchowgrwydd.
AMIABILITY.

hyglod, *a.* Enwog, o fri, clodfawr. FAMOUS.

hyglyw, *a.* Clywadwy, y gellir ei glywed. AUDIBLE.

hygoel, *a.* Credadwy, hygred, y gellir ei goelio.
CREDIBLE.

hygoeledd, *eg.* Y stad o fod yn hygoelus. CREDULITY.

hygoelus, *a.* Tueddol i gredu heb brawf. CREDULOUS.

hygyrch, *a.* Hawdd mynd ato, o fewn cyrraedd.
ACCESSIBLE.

hyhi, *rhagenw benywaidd dyblyg, trydydd person
unigol.* Honno. SHE, HER, THAT ONE (*fem.*).

hylaw, *a.* Cyfleus, hwylus, medrus, celfydd. HANDY, DEXTEROUS.
Casgliad hylaw o ganeuon.

hylif, *eg.* Sylwedd sy'n llifo, gwlybwr, peth nad yw'n galed nac o natur nwy. LIQUID.

hylwydd, *a.* Llwyddiannus, ffyniannus. SUCCESSFUL, PROSPEROUS.

hyll, *a.* Hagr, salw, diolwg, diofal. UGLY.

hylltra : hylltod, *eg.* Hagrwch, y stad o fod yn hyll. UGLINESS.

hyllu, *be.* Hagru, anffurfio. TO DISFIGURE.

hymn, *eb. ll.*-au. Emyn, cân o fawl i Dduw. HYMN.

hyn, *a. & rhag. Rhagenw dangosol lluosog.* Wrth law, ar bwys. THIS, THESE.
Ar hyn o bryd. JUST NOW.

hŷn, *a. Gradd gymharol* **hen.** Yn fwy oedrannus. OLDER.

hynafgwr, *eg. ll.* hynafgwyr. Hen ŵr, henwr. OLD MAN, ELDER.

hynafiad, *eg. ll.* hynafiaid. Cyndad, rhagflaenydd, un o'r hen bobl gynt. FOREFATHER, ANCESTOR.

hynafiaeth, *eb. ll.*-au. Y stad o berthyn i'r dyddiau gynt. ANTIQUITY.

hynafiaid, *ell.* Cyndeidiau. Perthnasau gynt. ANCESTORS.

hynafiaethol, *a.* Yn perthyn i'r dyddiau gynt. ANTIQUARIAN.

hynafiaethydd : hynafiaethwr, *eg. ll.* hynafiaethwyr. Un sy'n ymddiddori mewn hen bethau. ANTIQUARIAN.

hynafol, *a.* Hen, yn perthyn i'r dyddiau gynt. ANCIENT.

hynaws, *a.* Caredig, caruaidd, rhadlon, tyner, tirion. GENIAL.

hynawsedd, *eg.* Caredigrwydd, rhadlondeb, rhadlonrwydd, tynerwch, tiriondeb, rhywiogrwydd. GENIALITY.

hynna, *rhag.* Y rhai sydd draw, hyn yna. THAT, THOSE.

hynny, *rhag.* Y rhai a soniwyd amdanynt. THAT, THOSE (*not present*).

hynod : hynodol, *a.* Nodedig, rhyfedd, dieithr, enwog, eithriadol, od. REMARKABLE, STRANGE.

hynodi, *be.* Enwogi, gwahaniaethu. TO DISTINGUISH.

hynodion, *ell.* Rhinweddau arbennig. PECULIARITIES.

hynodrwydd, *eg.* Arbenigrwydd. PECULIARITY.

hynt, *eb. ll.*-oedd. Ffordd, modd, cwrs, treigl, gyrfa, taith. WAY, COURSE.

hyrddio, *be.* Gwthio, taflu'n chwyrn. TO HURL, TO PUSH.

hyrddwynt, *eg. ll.*-oedd. Gwynt nerthol, corwynt. HURRICANE.

hyrwydd, *a.* Rhwydd iawn, dirwystr, dilestair. FACILE.

hyrwyddo, *be.* Cymell, helpu ymlaen, hwyluso, rhwyddhau. TO PROMOTE, TO FACILITATE.

hysb, *a.* (*b.* hesb). Sych, diffrwyth. DRY, BARREN.

hysbyddu, *be.* Gwacáu, sychu. DRAIN, EXHAUST.

hysbys, *a.* Adnabyddus, gwybyddus, amlwg, eglur. KNOWN.
Dyn hysbys. SOOTHSAYER.

hysbyseb, *eb. ll.*-ion. Hysbysiad cyhoeddus mewn papur newydd, &c. ADVERTISEMENT.

hysbysebu, *be.* Gwneud yn hysbys, rhoi rhybudd. TO ADVERTISE.

hysbysiad, *eg. ll.*-au. Datganiad, cyhoeddiad. ANNOUNCEMENT.

hysbysrwydd, *eg.* Gwybodaeth. INFORMATION.

hysbysu, *be.* Rhoi gwybodaeth, cyhoeddi, amlygu, egluro. TO INFORM.

hysbyswr, *eg. ll.* hysbyswyr. Un sy'n hysbysu (nwyddau, &c.), neu'n trosglwyddo gwybodaeth. ADVERTISER, INFORMANT.

hysian : hysio, *be.* Annog, annos, gyrru. TO SET ON.

hytrach, *adf.* Braidd, go, lled. RATHER.
Yn hytrach na. RATHER THAN.

hywaith, *a.* Deheuig, celfydd, medrus, dyfal, gweithgar, diwyd. DEXTEROUS.

I, *ardd.* (Imi, iti, iddo / iddi, inni, ichwi, iddynt). TO, FOR.
Rhoi'r llyfr iddo ef. GIVING THE BOOK TO HIM.
I fyny : i'r lan. UP, UPWARD.
I ffwrdd : i bant. AWAY.
I lawr. DOWN.
I maes. OUT.
I mewn. INTO.
i, *rhag.* Fi. I, ME.
iâ, *eg.* Rhew, dŵr wedi rhewi. ICE.
Clychau iâ. ICICLES.
iach, *a.* Iachus, heb afiechyd, yn meddu ar iechyd da. HEALTHY.
Canu'n iach. TO BID FAREWELL.
Yn iach! FAREWELL!
iachâd, *eg.* Gwellhad. CURE.
iacháu, *be.* Meddyginiaethu, gwella, adfer i iechyd. TO HEAL.
iachawdwr, *eg. ll.* iachawdwyr. Achubwr, gwaredwr. SAVIOUR.
iachawdwriaeth : iechydwriaeth, *eb.* Achubiaeth, gwaredigaeth, ymwared. SALVATION.
iachus, *a.* Iach, yn dda ei iechyd. HEALTHY.
Y mae'n iachus yn y wlad.
iachusol, *a.* Gwerthfawr i iechyd. HEALTH-GIVING.
iad, *eb. ll.*iadau. Pen, corun, copa. PATE, CRANIUM.
iaith, *eb. ll.* ieithoedd. Parabl, lleferydd, ymadrodd. LANGUAGE.
Iaith ein mam : iaith y cartref.
Yr iaith fain : Saesneg.
iâr, *eb. ll.* ieir. Aderyn benyw. HEN.
Iâr glwc. BROODY HEN.
iâr fach yr haf, *eb.* Glöyn byw, bili-bala, pili-pala. BUTTERFLY.
iâr fach yr hesg, *eb.* Aderyn â phlu brown a du sy'n cartrefu ymhlith y brwyn ar gorstir. MOOR-HEN.
iard, *eb. ll.* ierdydd. Clos, buarth, beili. YARD.
iarll, *eg. ll.* ieirll. (*b.*-es). Bonheddwr o radd uchel. EARL.
ias, *eb. ll.*-au. I. Gwefr, cyffro, teimlad cynhyrfus. THRILL.
2. Cryndod, aeth. SHIVER.
iasol, *a.* I. Cyffrous, gwefreiddiol. THRILLING.
2. Oerllyd, aethus. INTENSELY COLD.
iau, *eb. ll.* ieuau, ieuoedd. I. Darn o bren dros warrau dau anifail sy'n cydweithio. YOKE.
"Fel iau ar war yr ych."
2. *eg. ll.* ieuau. Afu, au. LIVER.
Iau, *eg.* Y pumed diwrnod o'r wythnos, Difiau ; y blaned fwyaf yn system yr haul ; brenin duwiau'r Groegiaid a'r Rhufeiniaid. THURSDAY, JUPITER (*planet*) ; ZEUS, JUPITER (*god*).
iau, *a.* Gradd gymharol **ieuanc**, ifancach, ieuangach. YOUNGER.
iawn, *adf.* I. Tra, dros ben, pur. VERY.
Da iawn. VERY GOOD.
2. *a.* Cywir, addas. RIGHT.

iawn, *eg.* I. Iawndal, tâl. COMPENSATION.
2. Cymod. ATONEMENT.
Yr iawn. THE ATONEMENT.
iawndal, *eg.* Arian a delir fel iawn am niwed ; aberth a wneir fel iawn. COMPENSATION ; ATONEMENT.
iawnder, *eg. ll.*-au. Iawn, uniondeb, cyfiawnder. JUSTICE.
Iawnderau. RIGHTS.
idiom, *eb. ll.*-au. Dull-ymadrodd sy'n nodweddiadol o iaith neilltuol, priod-ddull. IDIOM.
Iddew, *eg. ll.*-on. (*b.*-es). Brodor o wlad Canaan, Israeliad. JEW.
Iddewiaeth, *eb.* Crefydd yr Iddew. JUDAISM.
Iddewig, *a.* Yn ymwneud â'r Iddew. JEWISH.
ie, *adf.* Ateb cadarnhaol i ofyniad yn cynnwys *ai* . . . ? neu *oni* . . . ?, gair i gytuno â dywediad arbennig. YES.
Ai hwn yw'r dyn? Ie.
"Fy llyfr i yw hwn." "Ie."
iechyd, *eg.* Cyflwr da'r corff. HEALTH.
iechydaeth, *eb.* Cyfryngau fel carthffosiaeth, &c., i hyrwyddo iechyd da. SANITATION.
iechydfa, *eb. ll.* iechydfeydd. Sanatoriwm. SANATORIUM.
iechydol, *a.* Yn perthyn i iechyd da, iachusol, da er lles iechyd. SANITARY.
iechydwriaeth, *gw.* **iachawdwriaeth**.
ieitheg, *eb.* Gwyddor iaith, ieithyddiaeth. PHILOLOGY.
ieithegydd, *eg. ll.*-ion, ieithegwyr. Yr hwn sy'n diddori mewn ieitheg. PHILOLOGIST.
ieithydd, *eg. ll.*-ion. Yr hwn sy'n hyddysg mewn ieithoedd. LINGUIST.
ieithyddiaeth, *eb.* Gwyddor iaith neu ieithoedd ; ieitheg, gramadeg. LINGUISTICS ; PHILOLOGY ; GRAMMAR.
iet, *eb. ll.*-au. Clwyd, llidiart, giât. GATE.
ieuaf, *a.* Gradd eithaf **ieuanc**. Ifancaf, ieuangaf. YOUNGEST.
ieuanc : ifanc, *a.* Heb fod yn hen, bach o oedran. YOUNG.
Merch ifanc. UNMARRIED GIRL.
ieuenctid, *eg.* Mebyd, llencyndod, yr adeg rhwng bod yn blentyn a bod yn ddyn. YOUTH.
ieuo, *be.* Uno â iau. TO YOKE.
Wedi eu hieuo wrth ei gilydd.
ifanc, *gw.* **ieuanc**.
ifori, *eg.* Defnydd gwyn caled a geir o ysgithr (*tusk*) yr eliffant. IVORY.
ig, *eg. ll.*-ion. Y symudiad anfwriadol a'r sŵn wrth igian. HICCUP.
igam-ogam, *a.* I gam o gam, anunion, yn troi a throsi'n sydyn. ZIGZAG.
igam-ogamu, *be.* Symud ar lwybr anunion. TO SIDE-STEP.
igian : eigian, *be.* Dal yr anadl yn ysbeidiol ac anfwriadol. TO HICCUP.

ing, *eg. ll.*-oedd. Amgylchiadau neu gyflwr cyfyng, gwewyr, gloes, dirboen, cyni, artaith. ANGUISH.

ingol, *a.* Mewn cyni neu loes, trallodus. AGONIZING.

ildio, *be.* Rhoi'r gorau i wrthwynebu mewn brwydr, dadl, &c. TO YIELD.

ill, *rhag.* Hwy (o flaen rhifolion isaf fel yn **ill dau** neu **ill tri**). THEY, THEM.
Ill dau : Ill dwy. BOTH, THE TWO OF THEM.

imp : impyn, *eg. ll.* impiau. Blaguryn, ysbrigyn, eginyn. SHOOT, SPROUT.

impio, *be.* Blaguro, blaendarddu, torri allan, egino, glasu. TO SPROUT, TO BUD, TO SHOOT, TO GRAFT.

imiwnedd, *eg. ll.*-au. Diogelwch rhag clefyd heintus ; diogelwch neu ryddid rhag trethi, &c. IMMUNITY.

imiwneiddiad, *eg. ll.*-au. Brechiad, gwrthheintiad. IMMUNIZATION.

imiwneiddio, *be.* Brechu, gwrth heintio rhag clefyd heintus. TO IMMUNIZE.
Brechu rhag difftheria. TO IMMUNIZE AGAINST DIPHTHERIA.

inc, *eg.* Hylif neu wlybwr a ddefnyddir i ysgrifennu ag ef. INK.

incil, *eg.* Tâp, llinyn ; tâp mesur. TAPE ; TAPE MEASURE.

incwm, *eg.* Tâl, enillion. INCOME.
Treth incwm. INCOME TAX.

Indiad, *eg. ll.* Indiaid. Brodor o'r India ; aelod o hil frodorol America neu India'r Gorllewin. AN INDIAN.

India, Gweriniaeth Yr, *eb.* Gwlad yn ne Asia, aelod o'r Gymanwlad Brydeinig, rhan o'r isgyfandir rhwng mynyddoedd Himalaya a Chefnfor India. REPUBLIC OF INDIA.

India'r Gorllewin, *eb.* Grŵp o ynysoedd rhwng Môr y Caribi a Chefnfor Iwerydd. WEST INDIES.

iod : iota, *eg.* Mymryn, tipyn. IOTA, JOT.

iolyn, *eg.* Ffŵl, ynfyd, ynfytyn, penbwl, creadur gwirion. NINCOMPOOP.

Iôn, *eg.* Yr Arglwydd, Iôr. THE LORD.

Ionawr : Ionor, *eg.* Y mis cyntaf. JANUARY.

Iôr, *gw.* **Iôn.**

iorwg, *eg.* Eiddew, eiddiorwg. IVY.

ir : iraidd, *a.* Yn llawn sudd, ffres, gwyrdd. FRESH, GREEN.

irder : ireidd-dra, *eg.* Y stad o fod yn iraidd. FRESHNESS.

iro, *be.* Rhwbio saim ar rywbeth, eneinio. TO GREASE, TO ANOINT.
Iro blonegen : gwneud rhywbeth dianghenraid. TO CARRY COALS TO NEWCASTLE.
Iro llaw. TO BRIBE.

is, *a.* I. Gradd gymharol **isel.** LOWER.
2. *ardd.* O dan. BELOW, UNDER.
3. *rhagdd.* Dirprwy, o dan. SUB-, UNDER-, VICE-.
Is-bwyllgor. SUBCOMMITTEE.
Is-deitl. SUBTITLE.
Is-ysgrifennydd Cartref. UNDER-SECRETARY (OF STATE) AT THE HOME OFFICE.
Is-gadeirydd. VICE-CHAIRMAN.

isaf, *a.* Gradd eithaf **isel.** LOWEST.

isafbwynt, *eg.* Y man isaf. LOWEST POINT.

isel, *a.* I lawr, gwael, distadl, prudd, digalon, gostyngedig. LOW, BASE, DEPRESSED.

iselder, *eg. ll.*-au. Gwasgfa, stad isel. DEPRESSION.
Iselder ysbryd : digalondid, anobaith. DEPRESSION OF SPIRITS.

Iseldiroedd, Yr, *eb.* Gwlad fach a llawer o dir isel, rhwng Gwlad Belg a'r Almaen, â Môr y Gogledd yn golchi ei glannau, ac yn nodedig am ei morgloddiau. THE NETHERLANDS.

iselhau : iselu, *be.* Gostwng, diraddio, difreinio, darostwng. TO LOWER, TO ABASE, TO DEGRADE.

islaw, *ardd.* O dan, oddi tan. BENEATH.
Y mae'r beudy islaw'r daflod.

is-lywydd, *eg. ll.*-ion. Dirprwy lywydd, un i gymryd lle'r llywydd. VICE-PRESIDENT.

isod, *adf.* Oddi tanodd, islaw, obry ; ar odre'r tudalen, yn nes ymlaen (mewn llyfr, &c.). UNDER, BELOW, BENEATH ; AT THE FOOT OF THE PAGE, FURTHER ON (*in a book,* &c.).
Wedi mynd i lawr isod. GONE DOWN BELOW.

isradd, *eg. ll.*-au. Gradd neu safle is. INFERIOR, SUBORDINATE.

israddol, *a.* Gwaelach, o radd is, darostyngedig, atodol. INFERIOR.

isymwybod, *eg.* Y rhan o'r meddwl nad yw'n hollol ymwybodol ond sy'n gallu dylanwadu ar weithredoedd, &c. THE SUBCONSCIOUS SELF.
Yr isymwybod. THE SUBCONSCIOUS SELF.

isymwybyddiaeth, *eb.* Ymdeimlad yn deillio o'r isymwybod. SUBCONSCIOUSNESS.

Iwerddon, *eb.* Ynys fawr i'r gorllewin rhwng Cymru a Chefnfor Iwerydd, yn cynnwys Gweriniaeth Iwerddon a Gogledd Iwerddon. IRELAND.

iwrch, *eg. ll.* iyrchod. (*b.* iyrches). Math o garw bach. ROEBUCK.

iws, *eg.* Gwasanaeth, arfer, defnydd, llog (ar arian). USE.

Jac, *eg.* Teclyn a ddefnyddir i godi blaen car, ochr lorri, &c. JACK.

jac-codi-baw, *eg.* Math o dractor a ddefnyddir i agor ffosydd neu symud tomenni o bridd, graean, ysbwriel, &c. 'J.C.B.' (*digger*).

jac-y-do, *eg.* Un o adar lleiaf teulu'r frân. JACKDAW.

jam, *eg.* Cyffaith, ffrwyth wedi ei ferwi a'i felysu. JAM.

Japán, *eb.* Gwlad yn y Dwyrain Pell gerllaw arfordir Asia â Tokio yn brifddinas iddi. JAPAN.

Japanead, *eg. ll.* Japaneaid. Brodor o Japán. A JAPANESE.

Japaneaidd, *a.* Yn ymwneud â Japán. JAPANESE.

Japanaeg, *eb.* Iaith y Japaneaid. JAPANESE (*language*).

jar, *eb. ll.*-au. Math o lestr pridd neu wydr. JAR.

jas, *eg.* Math o gerddoriaeth rythmig a gychwynnodd ymhlith dynion duon Deau Unol Daleithiau America ar ddiwedd y bedwaredd ganrif ar bymtheg. JAZZ.

jeli, *eg. ll.*-s, jeliau. Bwyd meddal lled-dryloyw, yn cynnwys yn bennaf gelatin, sudd ffrwythau a siwgr. JELLY.

jersi : jyrsi : siersi, *eb. ll.*-s. Dilledyn gweuedig ac iddo lewys hir a wisgir dan got neu yn lle un. JERSEY.

jet, *eg. ll.*-iau. Chwistrylliad o ddŵr, nwy, &c., ; y trwyn neu'r agoriad y daw'r chwistrylliad ohono. JET.
   Awyren jet. JET AIRCRAFT.
   Peiriant jet. JET ENGINE.

ji-binc, *eb. ll.*-od. Asgell fraith, aderyn bach â'i sŵn yn debyg i'w enw. CHAFFINCH.

jig-so, *eg.* Llun ar gerdyn neu bren wedi'i dorri'n ddarnau i'w rhoi'n ôl wrth ei gilydd fel pos. JIGSAW PUZZLE.
   Pos jig-so. JIGSAW PUZZLE.

jins, *eg.* Trwser o gotwm caerog, glas ei liw, yn ffitio'n dynn a phoblogaidd gan yr ifainc. JEANS.

jîp, *eg.* Cerbyd bach cadarn â gyriant pedair olwyn. JEEP.

jiráff, *eg. ll.* jiraffod. Y talaf o'r anifeiliaid byw, yn meddu ar groen brych, gwddf hir a daw o Affrica. GIRAFFE.

jiwbili : jubili, *eb. ll.* jiwbilïau. Achlysur gorfoledd ; dathliad penblwydd digwyddiad, teyrnasiad, &c. JUBILEE.
   Jiwbili arian. Chwarter can mlwyddiant.
   Jiwbili aur. Hanner can mlwyddiant.
   Jiwbili ddeimwnt. Trigain mlwyddiant.

job, *eg. ll.*-iau, -s : **job,** *eb. ll.*-sys. Darn o waith, gorchwyl, tasg, swydd. JOB.
   Job a chwpla. 'JOB AND FINISH.'
   Jobyn. SMALL JOB.
   Jobyn coler-a-thei. WHITE-COLLAR OCCUPATION.
   Jobyn da ! GOOD JOB !

jôc, *eb.* Peth digrif. JOKE.

jocan, *be.* Cellwair, smalio. TO JOKE.

joch, *eg. ll.*-iau. Dracht. GULP.

joio, *be.* Mwynhau, cael mwynhad. TO ENJOY.

jubili, *gw.* jiwbili.

jwg, *eg. ll.* jygiau : siygiau. Llestr dwfn i ddal hylif. JUG.
   Jwg laeth. MILK JUG.

jygiau, *gw.* jwg.

jyngl, *eg.* Drystir coediog yn arbennig yn y trofannau. JUNGLE.

jyrsi, *gw.* jersi.

Label, *eg.b. ll.*-au, -i. Darn o bapur, cerdyn, &c.,
yn glwm wrth rywbeth i ddynodi ei
gynnwys, ei berchennog, ei bris, &c., llabed.
LABEL.

labelu, *be.* Rhoi label ar rywbeth. TO LABEL.

labordy, *eg. ll.* labordai. Gweithdy arbrofi
gwyddonydd, ieithegydd, &c. LABORATORY.
Labordy ysgol. SCHOOL LABORATORY.
Labordy iaith. LANGUAGE LABORATORY.

labro, *be.* Llafurio. Gweithio. TO LABOUR.

labrwr, *eg. ll.* labrwyr. Llafurwr, gweithiwr.
LABOURER.

lafant, *eg.* Planhigyn ac iddo flodau peraroglus.
LAVENDER.

lafwr : lawr, *eg.* Math o wymon bwytadwy,
llafan. A KIND OF EDIBLE SEAWEED, LAVER.
Bara lawr. LAVER BREAD.

lamp, *eb. ll.*-au. Teclyn trydan sy'n defnyddio
bwlb i gynhyrchu golau, llestr sy'n dal olew
ac yn llosgi pabwyr i roi golau, llusern. LAMP.

lamplen, *eb. ll.*-ni. Gorchudd o wydr, sidan,
cotwm, &c., a roddir am y lamp i'w
haddurno neu i feddalu'r golau. LAMPSHADE.

lan, *adf.* I'r lan, i fyny. UP.
Mynd lan i'r mynydd.

larwm, *eg. ll.*-au. Alarwm, dyfais i roi rhybudd.
ALARM (OF CLOCK).
Cloc larwm. ALARM CLOCK.
Larwm mwg. SMOKE ALARM.

las, *gw.* **glas.**

laswellt, *gw.* **glaswellt.**

lastig, *eg.* Rwber tenau yn ymestyn wrth ei
dynnu. ELASTIC.

law, *gw.* **glaw ;** *gw.* **llaw.**

lawnt, *eb. ll.*-iau. Darn o dir glas neu borfa o
flaen tŷ, coleg, &c., a dorrir yn gwta yn
gyson ; llannerch. LAWN ; GLADE.

lawr : i lawr, *adf.* Tua'r llawr. DOWN.

lawr, *eg. gw.* **lafwr.**

lefain, *eg.* Berman, burum, eples, surdoes. LEAVEN.

lefeinio, *be.* Trin â lefain. TO LEAVEN.

lefel, *eb.* Twnel gwastad i weithio glo ; lefel saer,
lefel wirod. LEVEL ; SPIRIT LEVEL.

lefelu, *be.* Gwastatáu. TO LEVEL.

lein, *eb.* Llinyn, tennyn, llin, llinell, rhes. LINE.
Lein bysgota : Llinyn pysgota. FISHING LINE.
Lein ddillad. CLOTHES LINE.
Lein fach. NARROW-GAUGE RAILWAY.
Lein fawr. MAIN RAILWAY LINE.
Lein. LINE-OUT (*rugby*).
Llinell ystlys. TOUCH LINE (*rugby*).

lelog, *egb.* Planhigyn ac iddo flodau gwyn (neu
fioled) peraroglus. LILAC.

lendid, *gw.* **glendid.**

letys, *e.ll.* (*un. b.*-en). Llysieuyn bwyd. LETTUCE.

lew, *gw.* **glew ;** *gw.* **llew.**

libart, *eg.* Tir o gwmpas bwthyn neu dŷ. GROUND
SURROUNDING A HOUSE.

lifrai, *eg.* Gwisg gweision, gwisg arbennig. LIVERY.

lili, *eb. ll.* lilïau. Planhigyn â blodau prydferth a
phêr. LILY.

lin, *gw.* **glin ;** *gw.* **llin.**

lincyn-loncyn, *adf.* Wrth ei bwysau, araf.
HALTING(LY).

lindys, *eg. & e.ll.* (*un. bach. g.*-yn, *b.*-en). Pryfyn
blewog sy'n tyfu'n wyfyn neu'n iâr fach yr
haf, Jini Flewog, Siani flewog. CATERPILLAR.

litani, *eb. ll.* litanïau. Ffurf benodedig o weddi
gyhoeddus yn cynnwys cyfres o ymbiliau.
LITANY.

lo, *gw.* **glo ;** *gw.* **llo.**

locust, *eg. ll.*-iaid. Pryfyn dinistriol sy'n debyg i
geiliog y rhedyn. LOCUST.

lodes, *eb. ll.*-i. Herlodes, merch, geneth, croten,
hogen. LASS.

loetran, *be.* Oedi, sefyllian, ymdroi. TO LOITER.

lofa, *gw.* **glofa.**

lol, *eb.* Dwli, ffwlbri, gwiriondeb, cellwair.
NONSENSE.

lolfa, *eb. ll.* lolfeydd. Ystafell ac ynddi gadeiriau
cyffyrddus, &c., lle gellir ymlacio, ystafell
hamdden. LOUNGE.

lolian, *be.* Siarad lol, cellwair. TO TALK NONSENSE.

lôn, *eb. ll.* lonydd. Heol gul, ffordd gul, wtre,
heolan, beidr. LANE.

loncian, *be.* Rhedeg yn hamddenol. TO JOG.

lonciwr, *eg. ll.* loncwyr. Un sy'n loncian. JOGGER.

lorri : lori, *eb. ll.* lorïau. Cerbyd mawr i gludo
nwyddau. LORRY.

losin, *e.ll.* (*un. b.* losinen, losen). Melysion,
fferins, taffys. SWEETS.

lot, *eb. ll.*-au, -iau. Llawer. LOT.

löwr, *gw.* **glöwr.**

loyw, *gw.* **gloyw.**

loywi, *gw.* **gloywi.**

ludio, *gw.* **gludio.**

lwans : lwfans, *eg.* Dogn. ALLOWANCE.

lwc, *eb.* Hap, ffawd, damwain, ffortiwn. LUCK.

lwcus, *a.* Ffodus, damweiniol, ffortunus. LUCKY.

lwmp, *eg. ll.* lympau, lympiau. Telpyn, talp. LUMP.

lwyn, *gw.* **llwyn,** *eg. gw.* **llwyn,** *eb.*

lyn, *gw.* **glyn ;** *gw.* **llyn.**

lynu, *gw.* **glynu.**

Llabed, *eb. ll.*-au. Fflap llaes ar ddilledyn. LAPEL.
llabwst, *eg. ll.* llabystiau. Lleban, llaprwth, rhywun trwsgl anfoesgar. LOUT.
llabyddio, *be.* Taflu cerrig at rywun i'w ladd, lladd. TO STONE, TO KILL.
llac, *a.* Rhydd, llaes, diofal, esgeulus. SLACK, LAX.
llaca, *eg.* Llaid, mwd, baw, llacs. MUD.
llacio, *be.* Rhyddhau, gollwng, llaesu, ymollwng. TO SLACKEN.
llacrwydd, *eg.* Diofalwch, esgeulustod. SLACKNESS.
llacs, *eg.* Llaid, baw, mwd. MUD.
llacsog, *a.* Lleidiog, mwdlyd, bawaidd, budr, tomlyd, afiach. MUDDY.
llach, *eb. ll.*-au, -iau. Ergyd â chwip. SLASH.
llachar, *a.* Disglair, claer, gloyw, yn fflachio. FLASHING.
llachio, *be.* Ergydio â chwip, curo. TO SLASH.
Lladin, *ebg.* Hen iaith Rhufain. LATIN.
lladmerydd, *eg. ll.*-ion. Dehonglwr. INTERPRETER.
lladrad, *eg. ll.*-au. Yr act o ladrata, ysbeiliad, yr hyn a ladrateir. THEFT.
lladradaidd, *a.* Llechwraidd. STEALTHY.
lladrata, *be.* Dwyn, cipio, ysbeilio. TO ROB.
lladd, *be.* Dwyn einioes, dodi i farwolaeth, distrywio, torri. TO KILL, TO CUT.
Lladd gwair. TO MOW HAY.
Lladd ar. TO DENOUNCE.
lladd-dy, *eg. ll.* lladd-dai. Lle i ladd anifeiliaid. SLAUGHTER-HOUSE.
lladdedig, *a.* Wedi ei ladd. KILLED.
Lladdedigion a chlwyfedigion. KILLED AND WOUNDED.
lladdfa, *eb. ll.* lladdfeydd. **lladdiad,** *eg. ll.*-au. Y weithred o ladd, cyflafan. A KILLING, MASSACRE.
lladdwr, *eg. ll.* lladdwyr. Un sy'n lladd. KILLER.
llaes, *a.* Rhydd, llac, hir. LOOSE, LONG.
Y Treiglad Llaes. THE SPIRANT MUTATION.
llaesod[r], *eb.* Gwellt neu redyn, &c., a ddodir dan anifail, sarn. LITTER.
llaesu, *be.* Rhyddhau, gollwng, llacio, ymollwng. TO SLACKEN.
Llaesu dwylo. TO GROW WEARY.
llaeth, *eg.* Hylif gwyn buwch neu afr, &c., ; llefrith. MILK.
Llaeth enwyn. BUTTERMILK.
Llaeth tor : llaeth melyn. FIRST MILK (AFTER CALVING).
llaethdy, *eg. ll.* llaethdai. Tŷ llaeth, ystafell lle cedwir llaeth ac ymenyn, &c. DAIRY.
llaethog, *a.* Â digon o laeth, fel llaeth. ABOUNDING IN MILK, MILKY.
Y Llwybr Llaethog. THE MILKY WAY.
llafar, *eg.* I. Parabl, ymadrodd, lleferydd. UTTERANCE, SPEECH.
Iaith lafar. SPOKEN LANGUAGE.
Arholiad llafar. ORAL (*as opposed to written*) EXAMINATION.
Llafar gwlad. EVERYDAY SPEECH.
Llafarganu. TO CHANT.

2. *a.* Yn ymwneud â'r llais, uchel, adleisiol. LOUD, RESOUNDING.
Carreg lafar : carreg ateb. ECHO-STONE.
llafaredd, *eg.* Y gallu i fynegi'ch hun yn rhugl drwy lefaru. ORACY.
llafariad, *eb. ll.* llafariaid. Y llythrennau a, e, i, o, u, w, y (sef y seiniau a gynenir heb orfod gwneud dim mwy nag agor y genau ac anadlu). VOWEL.
llafn, *eg. ll.*-au. I. Rhan finiog cyllell neu gleddyf. BLADE.
2. Llanc, llefnyn. YOUTH.
llafur, *eg. ll.*-iau. I. Gwaith, ymdrech, egni. LABOUR.
Maes Llafur. SYLLABUS.
Y Blaid Lafur. THE LABOUR PARTY.
Llafur cariad. LABOUR OF LOVE.
2. Grawn o wahanol fathau, ŷd. CORN.
Tir llafur. ARABLE LAND.
llafurio, *be.* Gweithio, ymdrechu, poeni, trin, amaethu. TO TOIL, TO TILL.
llafurus, *a.* Â llafur caled. LABORIOUS.
llafurwr, *eg. ll.* llafurwyr. Un sy'n llafurio, labrwr, gweithiwr. LABOURER.
llai, *a.* Gradd gymharol **bychan (bach)** ac **ychydig.** SMALLER, LESS.
llaid, *eg.* Budreddi, mwd, llaca, baw. MUD, MIRE.
llain, *eb. ll.* lleiniau. Clwt, darn bach cul o dir. PATCH, STRIP.
Llain galed. HARD SHOULDER (*of motorway*).
Llain glanio. LANDING-STRIP, AIRSTRIP.
llais, *eg. ll.* lleisiau. Lleferydd, llef, llafar, sŵn a wneir â'r genau. VOICE.
llaith, *a.* Gwlyb, meddal, tyner. DAMP, SOFT.
llall, *rhag. ll.* lleill. (Yr) un arall ; (y) nesaf, (yr) ail. (THE) OTHER, (THE) NEXT, (THE) SECOND.
Y llall. THE OTHER (*person/thing*).
Y lleill. THE OTHER PERSONS/THINGS.
Dyma'r naill a dacw'r llall.
llam, *eg. ll.*-au. Naid, ysbonc. LEAP.
llamhidydd, *eg. ll.*-ion. Math o bysgodyn mawr sy'n llamu o'r dŵr, morfochyn. PORPOISE.
llamu, *be.* Neidio, codi oddi ar y ddaear, ysboncio. TO LEAP.
llan, *eb. ll.*-nau. I. Eglwys, plwyf, ardal yng ngôfal offeiriad. CHURCH, PARISH.
2. Lle caeëdig, clos, iard. ENCLOSURE, YARD.
3. Ceir **Llan-** hefyd yn elfen gyntaf yn enw llawer tref a phentref : **Llanelli, Llangurig, Llantrisant ...**
Llanandras, *eb.* Un o drefi'r Gororau i'r gogledd ddwyrain o Landrindod yn agos i Glawdd Offa, a saith milltir o Drefyclo. PRESTEIGN.
llanastr, *eg.* Anhrefn, dryswch, cymysgwch, terfysg, tryblith. CONFUSION.
Llanbedr Pont Steffan, *eb.* Tref farchnad yng Ngheredigion ar yr Afon Teifi. LAMPETER.
llanc, *eg. ll.*-iau. Llencyn, bachgen, crwt, crotyn, hogyn. YOUTH.
Hen lanc. BACHELOR.

llances, *eb. ll.*-i, -au. Hogen, merch, lodes, meinir, croten. LASS.

Llanelwy, *eb.* Dinas fechan yng Ngogledd Cymru sy'n cynnwys safle hen fynachlog Llanelwy. ST. ASAPH.

Llanfair-ym-Muallt, *eb.* Tref rhwng Aberhonddu a Llandrindod sy'n gartref i Sioe Amaethyddol Frenhinol Cymru. BUILTH.

llannerch, *eb. ll.* llennyrch, llanerchau. Llecyn agored ynghanol coedwig, clwt. GLADE.

llanw : llenwi, *be.* Gwneud yn llawn. TO FILL.

llanw, *eg.* Y môr yn dod i mewn. FLOW OF TIDE. Trai a llanw. EBB AND FLOW.

llariaidd, *a.* Addfwyn, boneddigaidd, tyner, tirion, mwyn, gwâr, dof. MEEK.

llarieidd-dra, *eg.* Addfwynder, tiriondeb, tynerwch. MEEKNESS.

llarp, *eg. ll.*-iau. Llerpyn, carp, cerpyn, rhecsyn. SHRED ; RAGGED-LOOKING FELLOW. Yn llarpiau. IN SHREDS.

llarpio, *be.* Torri'n llarpiau, rhwygo, cynhinio, dryllio. TO TEAR, TO REND.

llaswyr, *eg. ll.*-au. Llyfr y Salmau, sallwyr. PSALTER.

llatai, *eg. ll.* llateion. Negesydd serch. MESSENGER OF LOVE.

llarpiog, *a.* Wedi rhwygo, carpiog, bratiog, rhacsog, clytiog, llaprog. TATTERED.

llath, *eb. ll.*-au. **llathen,** *eb. ll.*-ni. Tair troedfedd. YARD. Llathaid. YARD'S LENGTH.

llathr, *a.* I. Disglair, gloyw, claer. BRIGHT. 2. Llyfn. SMOOTH.

llathraidd, *a.* Llyfn, wedi tyfu'n dda. OF FINE GROWTH. Coed llathraidd : coed tal heb glymau ynddynt.

llathru, *be.* I. Gloywi, disgleirio, pelydru. TO SHINE. 2. Caboli. TO POLISH.

llau, *e.ll.* (*un. b.* lleuen). Pryfed sy'n byw ar anifeiliaid a phobl. LICE.

llaw, *eb. ll.* dwylo. Y rhan isaf o'r fraich islaw'r arddwrn. HAND. Ail-law. SECOND-HAND. Curo dwylo. TO CLAP HANDS. Gerllaw. NEAR. Hen law ar. ONE WHO POSSESSES THE 'KNOW HOW' (*literally an old hand*). Islaw. BELOW, BENEATH. Llawchwith. LEFT HANDED. Llawdde. SKILFUL, DEXTEROUS. Llaw galed. TROUBLE, ROUGH TIME, HARD TIME (*especially with sick person*). Llaw yn llaw. HAND IN HAND. Maes o law. PRESENTLY. Rhag llaw. HENCEFORTH. Rhoi help llaw. TO GIVE A HELPING HAND. Uwchlaw. ABOVE. Yn dipyn o law. QUITE A FAVOURITE (*lad*).

llawdde, *a.* Medrus, cyfarwydd, dechau, dethau, deheuig, hyfedr, celfydd. SKILFUL.

llawddewin, *eg. ll.*-iaid. Un sy'n darllen ffawd rhywun yn y llaw. PALMIST.

llawddryll, *eg. ll.*-iau. Dryll a ddefnyddir yn y llaw. REVOLVER.

llawen, *a.* Llon, siriol, hoenus, gorfoleddus. CHEERFUL.

llawenhau : llawenychu, *be.* Llonni, gorfoleddu, ymlawenhau. TO REJOICE.

llawenydd, *eg.* Gorfoledd, llonder, lloniant. JOY.

llawer, *eg. ll.*-oedd. I. Nifer mawr, llu, toreth, swm mawr. MANY, LARGE NUMBER, LOT, MUCH, LARGE QUANTITY. 2. *a.* Aml, sawl. MANY, MUCH. Llawer gwaith/tro. MANY A TIME, OFTEN. Llawer iawn. GREAT MANY. O lawer. BY FAR, BY A GREAT DEAL, BY MUCH. Yn llawer gwell. MUCH BETTER.

llawes, *eb. ll.* llewys. Y rhan o ddilledyn sydd am y fraich. SLEEVE.

llawfaeth, *a.* A fwydir neu a fegir â'r llaw, llywaeth, swci. REARED BY HAND.

llawfeddyg, *eg. ll.*-on. Meddyg clwyfau, &c. SURGEON.

llaw-fer, *eb.* Ffordd fer a chyflym o ysgrifennu trwy ddefnyddio ffurfiau syml neu symbolau. SHORT-HAND.

llawgaead, *a.* Cynnil, an-hael. STINGY.

llawlif, *eb. ll.*-iau. Offeryn a ddefnyddir i lifio â'r llaw. HANDSAW.

llawlyfr, *eg. ll.*-au. Llyfr bychan. HANDBOOK, MANUAL.

llawn, *a.* I. Cyflawn, cyfan, i'r ymyl. FULL, COMPLETE. 2. *adf.* Yn gyflawn, yn llwyr, i'r eithaf. FULLY.

llawnder : llawndra, *eg.* Cyflawnder, gwala, digonedd, helaethrwydd, amlder. ADUNDANCE.

llawr, *eg. ll.* lloriau. Daear, sylfaen, sail, gwaelod. FLOOR, GROUND. Ar lawr. ON THE GROUND. I lawr. DOWN. Nef a llawr. HEAVEN AND EARTH.

llawryf, *eg. ll.*-oedd. Planhigyn bythwyrdd ac iddo ddail disglair ac a ddefnyddid gynt i wneud torchau. LAUREL.

llawysgrif, *eb. ll.*-au. Llyfr, &c., wedi ei ysgrifennu â'r llaw. MANUSCRIPT.

llawysgrifen, *eb.* Ysgrifen o waith llaw. HANDWRITING.

lle, *eg. ll.*-oedd, llefydd. Sefyllfa, llecyn, man, mangre. PLACE. Yn lle. INSTEAD OF. Lle y mae nyth. WHERE THERE IS A NEST. Lle chwech. TOILET.

lleban, *eg. ll.*-od. Ffŵl ffair, digrifwas, llabwst, llaprwth. CLOWN.

llecyn, *eg. ll.*-nau. Man, lle. SPOT. Dyma lecyn da i godi tŷ arno.

llech, *eb. ll.*-au. Clefyd sy'n effeithio ar esgyrn plant. RICKETS.
Y llechau. RICKETS.
gw. **llechen.**
llechen : llech, *eb. ll.* llechi. Craig galed las neu werdd sy'n hollti'n rhwydd yn haenau tenau a ddefnyddir i doi. SLATE.
llechfaen, *eb.* Gradell, maen i grasu. BAKESTONE.
llechgi, *eg. ll.* llechgwn. Celgi, bawddyn, rhywun llechwraidd, cynllwyngi. SNEAK.
llechu, *be.* Cysgodi, ymguddio, llercian, ystelcian, cynllwyno. TO LURK.
llechwedd, *eg. ll.*-au. Llethr, goleddf. SLOPE.
llechwraidd : llechwrus, *a.* Fel llechgi, lladradaidd, dirgel. STEALTHY.
lled, *eg. ll.*-au. I. Y mesur ar draws. BREADTH, WIDTH.
Lled y pen. WIDE OPEN.
Ar led. ABROAD.
2. *adf.* Gweddol, go, o ran, yn rhannol, braidd, hytrach. RATHER.
Yn lled dda. FAIRLY WELL.
lledaenu, *be.* Taenu, lledu, gwasgaru, cyhoeddi. TO SPREAD, TO CIRCULATE.
lleden, *eb. ll.* lledod. Math o bysgodyn sydd â'r ddau lygad yr un ochr i'r pen, pysgodyn fflat. FLAT-FISH.
lledfyw, *a.* Hanner byw, hanner marw. ALMOST DEAD.
llediaith, *eb.* Acen estronol, iaith lwgr. FOREIGN ACCENT.
Y mae tipyn o lediaith arno ef.
llednais, *a.* Mwyn, bonheddig, gwylaidd, gweddaidd, diymffrost, diymhongar. MODEST.
llednant, *eb. ll.* llednentydd. Rhagnant, isafon. TRIBUTARY.
lledneisrwydd, *eg.* Gwyleidd-dra, mwynder, boneddigeiddrwydd. MODESTY.
lled-orwedd, *be.* Gorweddian, segura, sefyllian, diogi. TO LOLL.
lledr, *eg. ll.*-au. Croen anifail wedi ei drin, defnydd esgidiau, &c. LEATHER.
Lledr y gwefusau. GUMS.
lledred, *eg. ll.*-ion. Pellter (onglog) i'r gogledd neu i'r de o'r cyhydededd. LATITUDE (*Geography*).
Mae lledred Abergwaun oddeutu 52° G.
lledrith, *eg.* Hud, swyngyfaredd, dewiniaeth, rhith, twyll. MAGIC, ILLUSION.
Hud a lledrith. MAGIC AND FANTASY.
lledu, *be.* Gwneud yn lletach, llydanu, ehangu, helaethu, ymagor, datblygu. TO EXPAND, TO WIDEN.
lledwyr, *a.* Cam, wedi ei blygu ychydig, ar oleddf. CROOKED, OBLIQUE.
lleddf, *a.* Cwynfannus, dolefus, pruddglwyfus. PLAINTIVE.
Y cywair lleddf. THE MINOR KEY.
lleddfolyn, *eg. ll.* lleddfolion. Cyffur i dawelu'r meddwl. SEDATIVE.

lleddfu, *be.* Lliniaru, dofi, tawelu, esmwytho. TO SOOTHE.
llef, *eb. ll.*-au. Dolef, cri, gwaedd, bloedd. CRY.
llefain, *be.* Wylo, crio, gweiddi. TO CRY.
llefareg, *eg.* Therapi lleferydd. SPEECH THERAPY.
Therapydd lleferydd. SPEECH THERAPIST.
llefaru, *be.* Siarad, parablu, traethu ymadrodd. TO SPEAK.
llefarwr, *eg. ll.* llefarwyr. Un sy'n siarad, llefarydd. SPEAKER.
llefelyn, *eg.* **llefrithen : llyfrithen,** *eb.* Ploryn bach tost ar amrant y llygad. STYE.
lleferydd, *egb.* Parabl, ymadrodd, araith. UTTERANCE, SPEECH.
llefn, *gw.* **llyfn.**
llefrith, *eg.* Llaeth. MILK.
llefrithen, *gw.* **llefelyn.**
llegach, *a.* Gwan, eiddil, musgrell. FEEBLE.
lleng, *eb. ll.*-oedd. Llu, catrawd o filwyr. LEGION.
Y Lleng Brydeinig. THE BRITISH LEGION.
lleiaf, *a.* Gradd eithaf **bychan (bach)** ac **ychydig.** SMALLEST.
O leiaf. AT LEAST.
lleiafrif, *eg. ll.* -oedd. Y rhif lleiaf. MINORITY.
lleian, *eb. ll.*-od. Mynaches. NUN.
lleiandy, *eg. ll.* lleiandai. Y lle y mae lleianod yn byw, cwfaint. CONVENT.
lleidiog, *a.* Brwnt, bawlyd, tomlyd, budr, mwdlyd. MUDDY, MIRY.
lleidr, *eg. ll.* lladron. (*b.* lladrones). Ysbeiliwr. ROBBER.
Lleidr-pen-ffordd. HIGHWAYMAN.
lleihad, *eg.* Gostyngiad, disgyniad. DECREASE.
lleihau, *be.* Gostwng, prinhau, gwneud neu fynd yn llai. TO LESSEN.
lleisio, *be.* Seinio, swnio, gwneud trwst, gweiddi, bloeddio, crochlefain. TO SOUND.
lleisiwr, *eg. ll.* lleiswyr. Canwr, llefarwr. VOCALIST.
lleithder : lleithdra, *eg.* Gwlybaniaeth, meddalwch. MOISTURE, SOFTNESS.
lleitho, *be.* Gwlychu. TO DAMPEN, TO MOISTEN.
llem, *gw.* **llym.**
llen, *eb. ll.*-ni. Croglen, caeadlen ; peth o gynfas, &c., i guddio neu i rannu. CURTAIN, VEIL.
llên, *eb.* **llenyddiaeth,** *eb. ll.*-au. Gwaith llenorion a beirdd, &c. LITERATURE.
Llên a lleyg. CLERGY AND LAITY.
Llên gwerin. FOLKLORE.
Gŵr llên. A LEARNED MAN.
llencyn, *eg.* Llanc, hogyn, crwt. LAD.
llengar, *a.* Hoff o lên. FOND OF LITERATURE.
llengig, *eb.* Cyhyryn rhwng y frest a'r bol. DIAPHRAGM.
Torllengig. HERNIA, RUPTURE (*med.*).
llenor, *eg. ll.*-ion. Awdur, gŵr llên, un sy'n diddori mewn ysgrifennu llyfrau neu ysgrifau, &c. LITERARY MAN.
llenwi, *be.* Llanw, diwallu, gwneud yn llawn. TO FILL.
llenyddol, *a.* Yn ymwneud â llên. LITERARY.
Cymdeithas Lenyddol. LITERARY (DEBATING) SOCIETY.

lleol, *a.* Yn perthyn i le, i'w gael mewn un lle yn unig, nid cyffredinol. LOCAL.

lleoli, *be.* Sefydlu mewn lle, dod o hyd i'r man iawn, gosod. TO LOCATE.

lleoliad, *eg.* Lle, safle. LOCATION.

llercian, *be.* Llechu, ystelcïan, ymdroi, sefyllian. TO LURK.

lles : llesâd, *eg.* Budd, elw, daioni, da. BENEFIT.

llesáu, *eb.* Elwa, gwneud lles. TO BENEFIT.

llesg, *a.* Gwan, eiddil, gwanllyd, egwan, llegach, nychlyd. FEEBLE.

llesgáu, *be.* Gwanhau, gwanychu, nychu, dihoeni. TO LANGUISH.

llesgedd, *eg.* Gwendid, eiddilwch, nychdod. WEAKNESS.

llesmair, *eg. ll.* llesmeiriau. Llewyg, cyflwr anymwybodol. FAINT.

llesmeirio, *be.* Diffygio, llewygu, cael llewyg. TO FAINT.

llesmeiriol, *a.* Llewygol, hudol, swynol. FAINTING, ENCHANTING.

llesol, *a.* Buddiol, da, o les, daionus. BENEFICIAL.

llesteirio, *be.* Rhwystro, atal, lluddias, gwneud yn anodd. TO HINDER.

llesyddiaeth, *eb.* Yr athrawiaeth sy'n uniaethu daioni â defnyddioldeb. UTILITARIANISM.

llestr, *eg. ll.-*i. Dysgl, peth i ddal rhywbeth. VESSEL. Llestri pridd. EARTHENWARE.

lletchwith, *a.* Trwsgl, llibin, trwstan, afrosgo, anfedrus, anghyfleus. AWKWARD.

lletraws, *a.* O gornel i gornel, croes-ongl. DIAGONAL. Ar letraws. OBLIQUELY.

lletwad, *eb. ll.-*au. Llwy ddofn a choes hir iddi. LADLE.

llety, *eg. ll.-*au. Lle i aros neu letya. LODGING(S).

lletya, *be.* Aros dros dro, rhentu ystafell yn nhŷ rhywun arall. TO LODGE.

lletygarwch, *eg.* Croeso, derbyniad cyfeillgar i ddieithriaid neu westeion. HOSPITALITY.

lletywr, *eg. ll.* lletywyr. Un sy'n lletya ; un sy'n rhoi llety. LODGER ; HOST.

llethol, *a.* Gorthrymus, gwasgedig, myglyd, trymllyd, gormesol. OPPRESSIVE.

llethr, *eb. ll.-*au. Goleddf, dibyn, clogwyn. SLOPE.

llethrog, *a.* Yn gogwyddo, serth, clogwynog. SLOPING, STEEP.

llethu, *be.* Gorthrymu, gwasgu, trechu, mygu. TO OPPRESS.

lleuad, *eb. ll.-*au. Y goleuni mawr sydd yn y ffurfafen yn y nos, lloer. MOON. Lleuad lawn. FULL MOON. Lleuad fedi. HARVEST MOON.

lleuen, *gw.* **llau.**

lleuog, *a.* Yn heigio o lau. LOUSY.

llew, *eg. ll.-*od. (*b.-*es). Anifail mawr ffyrnig o'r un teulu â'r gath. LION. Dant y llew. DANDELION.

llewpart, *eg. ll.* llewpardiaid. Anifail gwyllt ffyrnig o liw melyn ac arno smotiau tywyll. LEOPARD.

llewyg, *eg. ll.-*on. Gwendid, llesmair, perlewyg. A FAINT.

llewygu, *be.* Diffygio, llesmeirio. TO FAINT.

llewyrch : llewych, *eg.* I. Disgleirdeb pelydryn. GLEAM.
2. Llwyddiant, ffyniant. PROSPERITY.

llewyrchu, *be.* Disgleirio, tywynnu, pelydru. TO SHINE.

llewyrchus, *a.* Llwyddiannus, yn tycio, yn ffynnu, mewn hawddfyd. PROSPEROUS.

lleyg, *a. ll.-*ion. Heb fod yn glerigwr, heb fod yn arbenigwr mewn rhyw faes neilltuol. LAY.

lleygwr, *eg. ll.* lleygwyr. Un nad yw'n glerigwr, gŵr nad yw'n arbenigwr mewn rhyw faes neilltuol. LAYMAN.

lliain, *eg. ll.* llieiniau. Brethyn. CLOTH. Lliain bord (bwrdd). TABLECLOTH. Llian sychu : tywel. TOWEL.

lliaws, *eg.* Tyrfa, torf, llu. MULTITUDE.

llibin, *a.* I. Gwan, eiddil. FEEBLE.
2. Trwsgl, anfedrus, lletchwith. CLUMSY.

llid, *eg.* Digofaint, soriant, dicter : WRATH ; INFLAMMATION. Llid yr ymennydd. MENINGITIS. Llid yr ysgyfaint. PNEUMONIA.

llidiart, *eg. ll.* llidiardau. Clwyd, iet, porth, gât. GATE.

llidio, *be.* Digio, sorri, colli tymer. TO BECOME ANGRY.

llidiog, *a.* Dig, yn sorri, â gwres ynddo, llidus. ANGRY, INFLAMED.

llif : lli, *eg. ll.* llifogydd. **llifeiriant,** *eg. ll.* llifeiriaint. Dilyw, llanw, cenllif. FLOOD. Llifddor. FLOOD-GATE, LOCK.

llif, *eb. ll.-*iau. Offeryn â dannedd llym i lifio. SAW. Llawlif. HAND-SAW. Llif fras. RIP-SAW. Blawd llif. SAWDUST.

llifanu, *be.* Hogi, minio, awchlymu. TO GRIND.

llifio, *be.* Torri coed neu fetel, &c., â llif. TO SAW.

llifo : llifeirio, *be.* Gorlifo, rhedeg. TO FLOW.

llifolau, *eg. ll.* llifoleuadau. Golau trydan llachar sy'n goleuo maes chwarae, llwyfan, adeilad, &c. FLOODLIGHT.

llin, *eg.* Planhigyn y gwneir lliain ohono. FLAX. Had llin. LINSEED.

llinach, *eb.* Hil, ach, bonedd, tras. LINEAGE.

llindagu, *be.* Tagu, mygu, mogi. TO STRANGLE.

llinell, *eb. ll.-*au. Rhes, marc hir cul. LINE. Llinelliad. A DRAWING. Llinellog. LINED, RULED. Llinell rad-ffôn. FREE PHONE. Llinell syth. STRAIGHT LINE. Llinellu. TO DRAW. Llinellydd. SKETCHER ; RULER (*straight edge*).

llinglwm, *eg.* Cwlwm tyn. TIGHT KNOT.

lliniaru, *be.* Esmwytho, lleddfu. TO SOOTHE.

llinos, *eb.* Aderyn bach cerddgar o deulu'r pinc (asgell fraith). LINNET. Llinos werdd. GREENFINCH. Llinos felen. YELLOW HAMMER.

llinyn, *eg. ll.*-nau. Incil, darn hir cul o liain. TAPE, STRING.
llipa, *a.* Masw, ystwyth, hyblyg, gwan, di-hwyl. LIMP.
llipryn, *eg. ll.*-nod. Creadur masw, rhywun llipa. HOBBLEDEHOY.
llith, *eb. ll.*-iau, -oedd. Gwers, darlleniad, ysgrif. LESSON.
llith, *eg. ll.*-iau. I. Bwyd cymysg i anifeiliaid. MASH. 2. Abwyd. BAIT.
llithiadur, *eg. ll.*-on. Llyfr sy'n cynnwys neu'n cyfeirio at rannau o'r Ysgrythurau a benodwyd i'w darllen mewn gwasanaethau crefyddol. LECTIONARY.
llithio, *be.* Denu, hudo. TO ENTICE.
llithrad, *eg. ll.*-au. Symudiad esmwyth, camgymeriad. SLIP, GLIDE.
llithren, *eb. ll.*-nau. Man i lithro arno mewn lle chwarae i blant, sleid. SLIDE.
llithrig, *a.* Diafael, di-ddal, llyfn, yn symud yn esmwyth. SLIPPERY.
llithrigrwydd, *eg.* Yr ansawdd o fod yn llithrig neu'n rhugl. SLIPPERINESS, FLUENCY.
llithro, *be.* Dianc, colli gafael â'r traed, camgymryd. TO SLIP.
lliw, *eg. ll.*-iau. Gwawr, gwedd. COLOUR.
Lliw dydd. BY DAY.
Lliw nos. BY NIGHT.
lliwdeg, *a.* Wedi ei liwio'n llachar. BRIGHTLY COLOURED.
lliwgar, *a.* Â lliw da. OF GOOD COLOUR.
lliwio, *be.* Peintio, newid gwedd. TO COLOUR.
lliwiog, *a.* Â lliw arno, lliwgar. COLOURED.
lliwydd, *eg.* Peintiwr. PAINTER.
llo, *eg. ll.* lloi. Epil y fuwch. CALF.
lloc, *eg. ll.*-iau. Corlan, ffald. FOLD, PEN.
lloches, *eb. ll.*-au. Noddfa, cysgod, amddiffynfa, diogelwch. SHELTER.
llochesu, *be.* Cysgodi, amddiffyn, diogelu, noddi, coleddu, gwarchod, gwylio. TO SHELTER, TO CHERISH.
llochfa, *gw.* **lluchfa**.
llodrau, *ell.* Trowsus, trowser. TROUSERS.
Lloegr, *eb.* Y wlad sy'n ffinio ar Gymru, gwlad y Saeson. ENGLAND.
lloer, *eb. ll.*-au. Lleuad, y goleuni mawr sydd yn y ffurfafen yn y nos. MOON.
Lloergan. MOONLIGHT.
lloeren, *eb. ll.*-nau. Lleuad fechan ; dyfais a saethir i'r gofod i gylchdroi o amgylch y ddaear, &c. A LITTLE MOON ; A SATELLITE.
lloerig, *a. ll.*-ion. Gwallgof, amhwyllog, ynfyd, gorffwyll, o'i bwyll. LUNATIC.
llofnod, *eg. ll.*-au. Arwyddnod. SIGNATURE.
llofnodi, *be.* Torri enw ar ddogfen, siec, derbynneb, &c. TO SIGN.
llofrudd, *eg. ll.*-ion. **llofruddiwr**, *eg. ll.* llofruddwyr. Yr hwn sy'n lladd un arall. MURDERER.
llofruddiaeth, *eb. ll.*-au. Lladdiad anghyfreithlon. MURDER.

llofruddio, *be.* Lladd yn anghyfreithlon. TO MURDER.
lloffa, *be.* Crynhoi tywysennau ar ôl y sawl sy'n medi. TO GLEAN.
lloffion, *ell.* Yr hyn a gesglir â'r dwylo ar ôl y medelwyr. GLEANINGS.
llofft, *eb. ll.*-ydd. Ystafell neu ystafelloedd uwchlaw'r llawr, oriel, ystafell wely, galeri. UPSTAIRS, GALLERY.
Ar y llofft. UPSTAIRS.
lloffwr, *eg. ll.* lloffwyr. Un sy'n lloffa. GLEANER.
llog, *eg. ll.*-au. Yr hyn a delir am gael benthyg arian. INTEREST.
Rhoi ar log. TO INVEST.
llogi, *be.* Talu am fenthyca. TO HIRE.
llogwr, *eg. ll.* llogwyr. Un sy'n hurio, yn rhentu. HIRER.
llogell, *eb. ll.*-au. Poced. POCKET.
llong, *eb. ll.*-au. Llestr i gario pobl a nwyddau dros ddŵr. SHIP.
llongddrylliad, *eg. ll.*-au. Dinistriad llong. SHIPWRECK.
llongwr, *eg. ll.* llongwyr. Gweithiwr ar long, morwr. SAILOR.
llongwriaeth, *eb.* Y grefft o hwylio llong. SEAMANSHIP.
llom, *gw.* **llwm**.
llon, *a.* Llawen, balch, gorfoleddus. MERRY.
llond : llonaid, *eg.* Yr hyn sydd ddigon i lenwi. FULL(NESS).
Yn llond ei groen : yn dew.
Ei lond ef o ddŵr. FULL OF WATER.
llonder, *eg.* Llawenydd, balchder, gorfoledd. JOY.
llongyfarch, *be.* Dymuno llawenydd, canmol. TO CONGRATULATE.
llongyfarchiad, *eg. ll.*-au, llongyfarchion. Yr act o longyfarch, canmoliaeth. CONGRATULATIONS.
llonni, *be.* Llawenhau, ymfalchïo, gorfoleddu, sirioli. TO CHEER.
llonydd, *a.* Tawel, distaw. QUIET.
Gadael llonydd. TO LEAVE ALONE.
llonyddu, *be.* Tawelu, distewi. TO QUIETEN.
llonyddwch, *eg.* Tawelwch, distawrwydd. QUIETNESS.
llorio, *be.* Bwrw i'r llawr, bwrw i lawr, gwneud llawr. TO FLOOR.
llosg : llosg(i)ad, *eg.* Canlyniad llosgi. BURNING.
Llosg eira. CHILBLAINS.
llosg, *a.* Yn llosgi, wedi llosgi. BURNING, BURNT.
Llosgfynydd. VOLCANO.
Pwnc llosg. BURNING QUESTION.
llosgi, *be.* Ysu, difetha trwy dân. TO BURN.
llosgwrn, *eg. ll.* llosgyrnau. Bôn, cwt, cynffon, rhonell. TAIL.
llosgydd, *eg. ll.*-ion. Ffwrnais neu gyfarpar i losgi ysbwriel, &c. INCINERATOR.
llu, *eg. ll.*-oedd. Lliaws, tyrfa, byddin. HOST.
Lluoedd arfog. ARMED FORCES.
lluched, *e.ll.* (*un. b.*-en). Mellt, trydan yn fflachio yn yr awyr. LIGHTNING.
Tyrfau a lluched : mellt a tharanau.

lluchedo : lluchedu, *be.* Melltennu, fflachio yn yr awyr. TO FLASH.

lluchfa, *eb. ll.* lluchfeydd, lluwchfeydd. Eira wedi ei grynhoi gan y gwynt, llochfa. SNOWDRIFT. Roedd lluchfa fawr wrth y gamfa.

lluchio, *be.* Taflu, bwrw. TO THROW.

lludw : lludu, *eg.* Y llwch a adewir ar ôl tân. ASHES. Dydd Mercher y Lludw. ASH WEDNESDAY.

lludded, *eg.* Blinder, y stad o fod wedi blino. FATIGUE.

lluddedig, *a.* Blinedig. TIRED.

lluddias : lluddio, *be.* Rhwystro, atal, llesteirio. TO HINDER.

lluest, *eg. ll.*-au : **lluesty**, *eg. ll.* lluestai. Pabell, bwth, caban. TENT, BOOTH.

lluestu, *be.* Gwersyllu. TO ENCAMP.

lluesty, *gw.* **lluest**.

llugoer, *a.* O dymheredd rhwng poeth ac oer, gweddol gynnes, claear. LUKEWARM.

lluman, *eg. ll.*-au. Baner, darn o frethyn a chwifir. BANNER.

llun, *eg. ll.*-iau. Darlun ; delwedd ; ffotograff ; ffurf ; siâp. PICTURE ; IMAGE ; PHOTOGRAPH ; FORM ; SHAPE.
Tynnu llun. TO SKETCH, TO PHOTOGRAPH.
Lluniau lliw. COLOURED PHOTOGRAPHS.

Llun : dydd Llun, *eg.* Yr ail ddydd o'r wythnos, y diwrnod sy'n dilyn dydd Sul. MONDAY.

Llundain, *eb.* Prifddinas Lloegr. LONDON.

lluniaeth, *eg.* Bwyd, ymborth, maeth. FOOD.

lluniaidd, *a.* O ffurf gain, gosgeiddig, telaid, cain, prydferth, siapus. SHAPELY, GRACEFUL.

llunio, *be.* Ffurfio, gwneud yn gain. TO FORM, TO FASHION.

lluniwr, *eg. ll.* llunwyr. Gwneuthurwr, ffurfiwr. MAKER.

lluosflwydd, *a.* Planhigyn sy'n byw dros lawer o flynyddoedd. PERENNIAL.

lluosi, *be.* Cynyddu, gwneud yn fwy, lluosogi. TO MULTIPLY.

lluosiad, *eg. ll.*-au. Y weithred o luosi. MULTIPLICATION.

lluosill : lluosillafog, *a.* (Gair) yn cynnwys mwy nag un sillaf. POLYSYLLABIC.

lluosog, *a.* Aml, nifeiriog, niferus. NUMEROUS, PLURAL.
Yn y lluosog. IN THE PLURAL.

lluosogi, *be.* Amlhau, cynyddu mewn rhif. TO MULTIPLY.

lluosogiad, *eg.* Y weithred o luosogi neu amlhau, lluosiad. MULTIPLICATION.

lluosogrwydd, *eg.* Llu, torf, tyrfa, lluosowgrwydd, lliaws. MULTITUDE.

lluoswm, *eg.* Y swm a geir wedi lluosi dau neu ragor o rifau. PRODUCT (*Mathematics*).

lluosydd, *eg. ll.*-yddion. Y rhif y lluosir y lluosyn ag ef. MULTIPLIER (*Mathematics*).

lluosyn, *eg. ll.*-ion. Y rhif a luosogir. MULTIPLICAND (*Mathematics*).

llurgunio, *be.* Anafu, hagru, niweidio, anffurfio. TO MUTILATE.

llurguniwr, *eg. ll.* **llurgunwyr**.

llurig, *eb. ll.*-au. Arfwisg, crys mael, pais ddur. COAT OF MAIL.

llus, *e.ll.* (*un. b.*-en). Llusi duon bach, llysau duon, llusi. WHINBERRIES, BILBERRIES.

llusern, *eb. ll.*-au. Lamp, llestr i oleuo, lantern. LANTERN.

llusgfad, *eg. ll.*-au. Cwch tynnu, bad tynnu. TUG. *gw.* **tynfad**.

llusgo, *be.* Tynnu ag anhawster, mynd yn araf. TO DRAG.
Car llusg. SLEDGE.

llusgwr, *eg. ll.* llusgwyr. Un sy'n llysgo. DRAGGER.

lluwch : llwch, *eg.* Peth wedi ei chwalu'n fân, dwst. DUST.
Lluwch eira. SNOWDRIFT.

lluwchio, *be.* Taenu neu chwythu llwch, neu eira. TO DUST, TO DRIFT.

llw, *eg. ll.*-on. Datganiad dwys o'r gwirionedd, adduned. OATH.

llwch, *gw.* **lluwch**.

llwdn, *eg. ll.* llydnod. Anifail ifanc. YOUNG ANIMAL.

llwfr, *a.* Ofnus, ofnog, gwangalon, diffygiol, heb wroldeb, difywyd, diegni. COWARDLY, INERT.

llwfrdra, *eg.* Ofn, gwangalondid. COWARDICE.

llwfrddyn : llwfrgi, *eg.* Un ofnus neu wangalon. COWARD.

llwfrhau, *be.* Ofni, diffygio, gwangalonni, colli calon. TO LOSE HEART, TO BECOME COWARDLY.

llwgr : llygredig, *a.* Pwdr, anonest, wedi ei amharu. CORRUPT.

llwgrwobr : llwgrwobrwy, *eg. ll.* llwgrwobrau, llwgrwobrwyon, llwgrwobrwyau. Cydnabyddiaeth a roddir i berson yn anghyfreithlon, i'w gael i weithredu mewn ffordd neilltuol, cildwrn. BRIBE.

llwgrwobrwyo, *be.* Talu cil-dwrn, rhoi tâl i gael gan arall wneud peth nas dylai. TO BRIBE.

llwgu, *be.* Newynu, bod ag eisiau bwyd. TO FAMISH.

llwm, *a. ll.* llymion. (*b.* llom). Noeth, moel, tlawd, heb dyfiant. BARE, POOR.

llwrw ei gefn, *adf.* Tuag yn ôl, drach ei gefn, yn wysg ei gefn. BACKWARDS.

llwy, *eb. ll.*-au. Peth i fwyta ag ef. SPOON.
Llwy arian. SILVER SPOON.
Llwy bren. WOODEN SPOON.
Llwy de. TEASPOON.
Llwy fwrdd : llwy gawl. TABLE-SPOON.
Llwy ganol. DESSERTSPOON.
gw. **lletwad**.

llwyaid, *eb.* Llond llwy. SPOONFUL.

llwybr, *eg. ll.*-au. Troedffordd, ffordd gul. PATH.
Llwybr tarw. SHORT CUT.

llwybreiddio, *be.* Cyfeirio, gwneud ei ffordd. TO DIRECT.

llwybro, *be.* Ymlwybro, mynd ar draed, cerdded. TO WALK.

llwyd, *a.* Lliw glaswyn, gwelw. GREY, PALE.
Papur llwyd. BROWN PAPER.
Llwyd y to. SPARROW.
Brawd llwyd. GREY FRIAR.
llwydaidd, *a.* Braidd yn llwyd, braidd yn welw.
GREYISH.
llwydi : llwydni, *eg.* Gwelwedd, malltod.
GREYNESS, MILDEW.
llwydnos, *eb.* Yr adeg o'r dydd sydd rhwng dau
olau, cyfnos. DUSK, TWILIGHT.
llwydo, *be.* Gwelwi, casglu llwydni. TO TURN
GREY, TO BECOME MOULDY.
llwydrew, *eg.* Barrug, arien, crwybr. HOARFROST.
llwydrewi, *be.* Barugo. TO CAST HOARFROST.
llwydd, *eg.* **llwyddiant,** *eg. ll.* llwyddiannau.
Tyciant, ffyniant, hawddfyd. SUCCESS.
llwyddiannus, *a.* Yn llwyddo, yn ffynnu,
ffynadwy, yn dod ymlaen yn dda. SUCCESSFUL.
llwyddo, *be.* Ffynnu, dod ymlaen. TO SUCCEED.
llwyfan, *egb. ll.*-nau. Esgynlawr, llawr wedi ei
godi. PLATFORM, STAGE.
Llwyfan gorsaf. RAILWAY PLATFORM.
llwyfannu, *be.* Cyflwyno drama ar lwyfan, bod ar
lwyfan. TO STAGE.
llwyfen, *eb. ll.* llwyf. Pren tal cyffredin. ELM.
llwyn, *eg. ll.*-i. I. Coed bach, gwigfa, perth.
GROVE, BUSH.
Llwyni. GROVES.
Llwyn eithin. GORSE BUSH.
Llwyn celyn. HOLLY BUSH.
2. *eb. ll.*-au. Y rhan o'r corff rhwng yr
asennau a bôn y goes, lwyn. LOIN.
llwynog, *eg. ll.*-od. (*b.*-es). Cadno, canddo. FOX.
llwyo, *be.* Codi â llwy. TO SPOON.
llwyr, *a.* Cyflawn, hollol. COMPLETE.
Yn llwyr : yn hollol : i gyd : yn gyfan gwbl.
llwyredd, *eg.* Trylwyredd, cyflawnder.
THOROUGHNESS, TOTALITY.
llwyrymwrthodwr, *eg. ll.* llwyrymwrthodwyr. Un
sy'n ymwadu'n llwyr â diod feddwol,
dirwestwr. TEETOTALLER.
llwyth, *eg. ll.*-au. I. Tylwyth, gwehelyth,
teuluoedd. TRIBE.
2. *eg. ll.*-i. Baich, pwn, pwys, llond cerbyd.
LOAD.
llwytho, *be.* Beichio, pynio, gwneud llwyth ar
gerbyd, dodi baich ar. TO LOAD.
llychlyd, *a.* Yn llawn llwch, dystlyd, bawlyd. DUSTY.
Llychlyn, *eb.* Ardal yng ngogledd Ewrop yn
cynnwys Sweden, Norwy, Denmark a
Gwlad yr Iâ. SCANDINAVIA.
llychwino, *be.* Difwyno, baeddu, anurddo,
andwyo. TO SOIL.
llydan, *a.* Eang, helaeth. WIDE.
llydanu, *be.* Lledu, ehangu, helaethu. TO WIDEN.
Llydaw, *eb.* Penrhyn gogledd-orllewinol Ffrainc,
yn ymestyn allan i Gefnfor Iwerydd. BRITTANY.
Llydaweg, *egb.* Iaith Llydaw. BRETON.
llyfn, *a.* (*b.* llefn). Gwastad, graenus, lefel. SMOOTH.

llyfnder : llyfndra, *eg.* Yr ansawdd o fod yn
llyfn. SMOOTHNESS, SLEEKNESS.
llyfnhau, *be.* Gwneud yn llyfn. TO SMOOTH.
llyfnu, *be.* Gwastatáu, lefelu. TO HARROW, TO LEVEL.
Llyfnu'r cae â'r oged.
llyfr, *eg. ll.*-au. Cyfrol, dalennau wedi eu
rhwymo. BOOK.
Llyfrau ail-law. SECOND-HAND BOOKS.
llyfrbryf, *eg. ll.*-ed. Cynrhonyn sy'n difa
dalennau llyfrau ; un sy'n hoff iawn o
astudio llyfrau. BOOKWORM.
llyfrfa, *eb. ll.* llyfrfeydd. Llyfrgell ; gwasg neu
gyhoeddwr swyddogol i enwad,
llywodraeth, &c. LIBRARY ; OFFICIAL
PUBLISHING HOUSE OF RELIGIOUS
DENOMINATION, GOVERNMENT, &C.
llyfrgell, *eb. ll.*-oedd. Man lle cedwir llyfrau.
LIBRARY.
llyfrgellydd, *eg. ll.* llyfrgellwyr. Gofalwr llyfrgell.
LIBRARIAN.
llyfrnod, *eg. ll.*-au. Darn o bapur, cerdyn, rhuban,
&c., a roddir rhwng tudalennau llyfr i nodi
lle. BOOKMARK.
llyfrwerthwr, *eg. ll.* llyfrwerthwyr. Un sy'n
gwerthu llyfrau neu'n cadw siop lyfrau.
BOOKSELLER.
llyfryddiaeth, *eb.* Rhestr o lyfrau. BIBLIOGRAPHY.
llyfryn, *eg. ll.*-nau. Llyfr bach, pamffled. BOOKLET.
llyfu, *be.* Lleibio, llepian, llyo, tynnu'r tafod dros.
TO LICK.
llyffant, *eg. ll.*-od, llyffaint. Ymlusgiad tebyg i'r
broga. TOAD.
Clo llyffant. PADLOCK.
llyffethair, *eb. ll.* llyffetheiriau. Hual, gefyn,
cadwyn i'r traed. FETTER.
llyffetheirio, *be.* Hualu, clymu â llyffethair. TO
FETTER.
llygad, *egb. ll.* llygaid. Organ y golwg. EYE.
Cannwyll y llygad. PUPIL OF THE EYE.
Llygad y dydd. DAISY.
Llygad y ffynnon. THE SOURCE.
Yn llygad ei le. ABSOLUTELY CORRECT.
llygadog, *gw.* **llygatgraff.**
llygadrythu, *be.* Dal i edrych, syllu, synnu,
edrych yn syn, rhythu. TO STARE.
llygadu, *be.* Gwylio, gwylied. TO EYE.
llygatgraff, *a.* Craffus, byw, bywiog, treiddgar,
llygadlym, llygadog. SHARP-EYED.
llygedyn, *eg.* Pelydryn, fflach. A RAY OF LIGHT.
llygod, *e.ll.* (*un. b.*-en). Anifeiliaid bach dinistriol
â chynffonnau hir. MICE.
Llygoden fawr : llygoden ffrengig. RAT.
Llygoden fach. MOUSE.
llygradwy, *a.* Tueddol i lygru. CORRUPTIBLE.
llygredig, *a.* Llwgr, pwdr, anonest, wedi ei
amharu. CORRUPT.
llygredigaeth, *eb.* **llygredd,** *eg.* Pydredd, y stad o
fod yn llygredig. CORRUPTION.
llygru, *be.* Cymysgu â phethau gwael, gwneud yn
llygredig. TO CONTAMINATE.

llynges, *eb. ll.*-au. Llongau rhyfel ynghyd â'u morwyr a'u swyddogion. NAVY.

llyngesydd, *eg. ll.*-ion. Prif swyddog llynges. ADMIRAL.

llyngyr, *e.ll. (un. b.*-en). Math o bryfed neu abwyd a geir ym mherfedd anifeiliaid (a phobl ar adegau). TAPE-WORMS.

llym, *a. ll.*-ion. (*b.* llem). Miniog, awchlym, awchus, siarp. SHARP.

llymaid, *eg. ll.* llymeidiau. Ychydig o ddiod, peth i'w yfed, diferyn. SIP.

llymarch, *eg. ll.* llymeirch. Pysgodyn â chragen. OYSTER.

llymder : llymdra, *eg.* I. Noethder, moelni. BARENESS.

2. Prinder, tlodi. POVERTY.

llymeitian, *be.* Diota, yfed diod, cymryd llymeidiau o ddiod. TO TIPPLE.

llymeitiwr, *eg. ll.* llymeitwyr. Un sy'n llymeitian. TIPPLER.

llymhau, *be.* I. Noethi, prinhau, tlodi. TO MAKE BARE.

2. Hogi, llymu. TO SHARPEN.

llymru, *eg.* Bwdran, sucan. FLUMMERY.

llyn, *eg. ll.*-noedd, -nau. Pwll (pwllyn) mawr o ddŵr. LAKE.

Bwyd a llyn. FOOD AND DRINK.

llyncu, *be.* Traflyncu, llawcian, sugno, sychu, cymryd trwy'r gwddf. TO SWALLOW.

llynedd, *adf.* Y llynedd, y flwyddyn ddiwethaf. LAST YEAR.

llyo, *be.* Llyfu, lleibio, llepian, tynnu'r tafod dros. TO LICK.

llys, *eg. ll.*-oedd. I. Plas, brawdlys, cwrt. COURT.

2. *eg.* Llysnafedd. SLIME.

llysblant, *e.ll. (un. g.* llysblentyn). Plant i ŵr neu wraig rhywun o briodas arall. STEPCHILDREN.

llyschwaer, *eb. ll.* llyschwiorydd. Merch a aned o briodas arall llystad neu lysfam rhywun. STEPSISTER.

llysenw, *eg. ll.*-au. Ffugenw, blasenw, glasenw. NICKNAME.

llysenwi, *be.* Rhoi llysenw ar rywun, camenwi. TO NICKNAME.

llysfab, *eg. ll.* llysfeibion. Mab i ŵr neu wraig rhywun o briodas arall. STEPSON.

llysfam, *eb. ll.*-au. Ail wraig tad plant o'r wraig gyntaf. STEPMOTHER.

llysferch, *eb. ll.* llysferched. Merch i ŵr neu wraig rhywun o briodas arall. STEPDAUGHTER.

llysfrawd, *eg. ll.* llysfrodyr. Mab a aned o briodas arall llystad neu lysfam rhywun. STEPBROTHER.

llysgenhadaeth, *eb.* Adeilad swyddogol ar gyfer cenhadaeth llysgennad. EMBASSY.

llysgennad : llysgenhadwr, *eg.* Cennad o lys un wlad i lys gwlad arall. AMBASSADOR.

llysiau, *e.ll. (un. g.* llysieuyn). Planhigion a ddefnyddir fel bwyd neu'n gynhwysion moddion. VEGETABLES, HERBS.

llysieueg, *eb.* Yr astudiaeth sy'n ymwneud â phlanhigion a llysiau. BOTANY.

llysieuol, *a.* Yn ymwneud â llysiau a phlanhigion. HERBAL, VEGETABLE.

llysieuydd, *eg. ll.* llysieuwyr. Un sy'n hyddysg mewn llysieueg. BOTANIST, HERBALIST.

llysnafedd, *eg.* Ôl malwod &c., truth. SLIME, MUCUS.

llystad, *eg. ll.*-au. Ail ŵr mam plant o'r gŵr cyntaf. STEPFATHER.

llyswenwyn, *eg.* Gwenwyn chwyn, chwynladdwr. HERBICIDE.

llysywen, *eb. ll.* llyswennod, llysywod. Math o bysgodyn main hir fel neidr. EEL.

llythrennedd, *eg.* Y gallu i ddarllen ac ysgrifennu. LITERACY.

llythrennog, *a.* Yn gallu darllen. LITERATE.

llythrennol, *a.* Cywir yn ôl y llythyren, hollol. LITERAL.

llythyr, *eg. ll.*-au, -on. Neges wedi ei hysgrifennu, epistol. LETTER.

llythyraeth, *eb. ll.*-au. Sillafiaeth gywir, dull o sillafu, orgraff, gramadeg. ORTHOGRAPHY.

llythyrdy, *eg. ll.* llythyrdai. Swyddfa'r post. POST OFFICE.

llythyren, *eb. ll.* llythrennau. Un o'r nodau a ddefnyddir wrth ysgrifennu geiriau. LETTER. Priflythrennau. CAPITAL LETTERS.

llyw, *eg. ll.*-iau. Y peth a osodir o'r tu ôl i long i'w chyfeirio, yr olwyn i droi llong, arweinydd, tywysog. RUDDER, HELM, LEADER.

llywaeth, *a.* Dof, wedi ei godi ar y botel, swci. PET. Oen llywaeth (swci). PET LAMB. Hen lywaeth o ddyn. AN EFFEMINATE MAN.

llyweth, *eb. ll.*-au. Cudyn (o wallt). LOCK OF HAIR.

llywio, *be.* Cyfeirio, gwneud i beth fynd i'r cyfeiriad angenrheidiol. TO STEER.

llywodraeth, *eb. ll.*-au. Rheolaeth, corff o bobl sy'n rheoli'r wladwriaeth. GOVERNMENT.

llywodraethu, *be.* Rheoli. TO GOVERN.

llywodraethwr, *eg. ll.* llywodraethwyr. Un sy'n llywodraethu. GOVERNOR, RULER.

llywydd, *eg. ll.*-ion. Cadeirydd, yr un sydd yn y gadair, pennaeth cymdeithas neu gwmni. PRESIDENT.

llywyddiaeth, *eb. ll.*-au. Swydd llywydd. PRESIDENCY.

llywyddu, *be.* Cadeirio, rheoli. TO PRESIDE.

Mab, *eg. ll.* meibion. Bachgen, plentyn gwryw, etifedd. BOY, SON.
Mab maeth. FOSTER SON.
Llysfab. STEP-SON.

mabinogi, *eg.* Stori, chwedl, (*yn y lluosog*) yr enw ar gasgliad o chwedlau Cymraeg o'r Oesoedd Canol. STORY, TALE, (*in plural*) THE NAME OF A COLLECTION OF MEDIEVAL WELSH TALES.

maboed : mebyd, *eg.* Plentyndod, ieuenctid, llencyndod. CHILDHOOD.

mabolgampau, *ell.* Chwaraeon, campau (ieuenctid). ATHLETIC SPORTS.

mabsant, *eg.* Sant gwarcheidiol, nawdd sant. PATRON SAINT.
Gwylmabsant. PARISH WAKE, FESTIVAL OF PATRON SAINT.

mabwysiad, *eg. ll.*-au. Y weithred o fabwysiadu. ADOPTION.

mabwysiadu, *be.* Derbyn, cymryd at beth fel ei eiddo ei hun. TO ADOPT.

macrell, *egb. ll.* mecryll. Pysgodyn y môr ac iddo groen gloywlas. MACKEREL.

macwy, *eg. ll.*-aid. Gwas ieuanc, llanc, bachgen. YOUTH, PAGE.

macyn, *eg.* Neisied, hances, cadach, cewyn. HANDKERCHIEF, NAPKIN.

mach, *eg. ll.* meichiau. Mechnïydd, un sy'n mynd yn gyfrifol am sicrhau cyflawni contract, am ymddangosiad rhywun mewn llys, &c. SURETY, ONE WHO ACCEPTS RESPONSIBILITY FOR THE FULFILMENT OF A CONTRACT, FOR THE APPEARANCE OF SOMEONE IN COURT, &c.

machlud, *eg.* **machludiad,** *eg. ll.*-au. Y weithred o fynd i lawr (am yr haul). SETTING.

machlud : machludo, *be.* Mynd i lawr, araf ddiflannu. TO SET.

machniaeth, *gw.* mechniaeth.

mad, *a.* Da, daionus, gweddus, gweddaidd, addas. GOOD, SEEMLY.

madarch, *e.ll.* (*un. b.*-en). Caws llyffant, ffwng. MUSHROOMS, TOADSTOOLS.

madfall, *eb.* Ymlusgiad ac iddo bedair coes, genau goeg. LIZARD.

madrondod, *eg.* Pendro, syndod, syfrdandod. GIDDINESS, STUPEFACTION.

madru, *be.* Pydru, crawni, casglu. TO ROT, TO FESTER.

madruddyn, *eg. ll.*-au. Mêr ; llinyn y cefn, mwydyn y cefn. (*Bone*) MARROW ; SPINAL CORD.
Madruddyn y cefn. SPINAL CORD.

maddau, *be.* Esgusodi, rhyddhau o gosb. TO FORGIVE.

maddeuant, *eg.* Pardwn, gollyngdod. FORGIVENESS.

maddeugar, *a.* Parod i faddau. FORGIVING.

maddeuol, *a.* Yn maddau, maddeugar. PARDONING, FORGIVING.

mae, *bf.* Trydydd person unigol amser presennol modd mynegol y ferf **bod.** IS, ARE ; THERE IS, THERE ARE.

Mae Ben yno. BEN IS THERE.
Mae'r tai'n hen. THE HOUSES ARE OLD.
Ymhob dyn mae ... IN EVERY MAN THERE IS ...
Mae cŵn yma. THERE ARE DOGS HERE.

maeden, *eb.* Slebog, dihiren, merch front anniben, slwt. SLUT.

maeddu, *be.* Curo, ffusto, trechu, ennill, gorchfygu. TO CONQUER.

maen, *eg. ll.* meini. 1. Carreg. STONE.
Saer maen. MASON.
Maen tramgwydd. STUMBLING BLOCK.
Maen clo. KEYSTONE.
Maen melin. MILLSTONE.
Maen prawf. CRITERION.
2. *bf.* Trydydd person lluosog amser presennol modd mynegol y ferf **bod.** THEY ARE.
Maen nhw'n hwyr. THEY ARE LATE.
Ble maen nhw'n byw? WHERE DO THEY LIVE?
gw. **maent.**

maenol : maenor, *eb. ll.*-au. Tir sy'n perthyn i bendefig. MANOR.
Maenordy. MANORHOUSE.

maent : maen, *bf.* Trydydd person lluosog amser presennol modd mynegol y ferf **bod.** THEY ARE.
Maent hwy'n fyw. THEY ARE ALIVE.
Maent yn hardd. THEY ARE BEAUTIFUL.
gw. **maen,** *eg.*

maentumio, *be.* Dal, taeru, haeru, gwirio. TO MAINTAIN.

maer, *eg. ll.* meiri. (*b.*-es). Pennaeth corfforaeth tref. MAYOR.

maes, *eg. ll.* meysydd. 1. Cae agored. FIELD.
2. Lle agored, sgwâr. SQUARE.
I maes : allan.
Maes o law : yn y man.
Mynd i'r maes : mynd i aredig.
Maes glanio. AIRPORT.

maeslywydd, *eg. ll.*-ion. Cadfridog o'r radd uchaf. FIELD-MARSHAL.

maestir, *eg. ll.*-oedd. Gwlad neu dir agored. OPEN COUNTRY.

maestref, *eb. ll.*-i, -ydd. Treflan ar gwr dinas. SUBURB.

maeth, *eg.* Lluniaeth, meithriniaeth, bwyd, rhinwedd. NOURISHMENT.

maethlon, *a.* Yn llawn maeth. NOURISHING.

maethu, *be.* Cynnal (â bwyd, &c.), porthi. TO SUSTAIN, TO NOURISH.

mafon, *e.ll.* (*un. b.*-en). Ffrwyth bach meddal a choch sy'n tyfu ar lwyn, afan. RASPBERRIES.
Mafon duon : mwyar. BLACKBERRIES.

magïen, *eb. ll.* magïod. Pryfyn sy'n rhoi golau gwyrdd, tân bach diniwed, pryfyn tân, glöyn. GLOW-WORM.

magl, *eb. ll.*-au. Rhwyd i ddal ysglyfaeth, tagell. SNARE.

maglu, *be.* Rhwydo, bachellu, dal â magl. TO SNARE.

magnel, *eb. ll.*-au. Gwn mawr, dryll. CANNON.
magnetedd, *eg. b.* Ffenomenau magnetig.
MAGNETISM.
Magnetedd y ddaear. TERRESTRIAL
MAGNETISM.
magneteiddio, *be.* Gwneud yn fagnetig. TO
MAGNETISE.
magu, *be.* Meithrin, maethu, epilio, hilio, codi
(plant, &c.). TO BREED, TO NURSE.
magwraeth, *eb.* Meithriniad, codiad. NURTURE.
magwrfa, *eb. ll.* magwrfeydd. Meithrinfa.
NURSERY.
magwyr, *eb. ll.*-ydd. Mur, gwal. WALL.
maharen, *eg. ll.* meheryn. Hwrdd. RAM.
Mai, *eg.* Y pumed mis. MAY.
mai, *cys.* Taw. THAT IT IS.
Dywedir mai hwn yw'r llyfr gorau.
maidd, *eg.* Gleision, y llaeth sy'n weddill wrth
wneud caws. WHEY.
Meiddion. CURDS AND WHEY.
main, *a. ll.* meinion. Tenau, cul, eiddil. THIN.
Main y cefn : y meingefn. SMALL OF THE BACK.
mainc, *eb. ll.* meinciau. Ffwrwm, sedd, sêt,
eisteddfa. BENCH.
maint, *eg.* Hyd a lled, swm. QUANTITY, SIZE.
Faint ? Pa faint ? HOW MUCH ? HOW MANY ?
maintioli, *eg.* Maint, taldra, uchder, corffolaeth.
STATURE.
maip, *e.ll.* (*un. b.* meipen). Erfin, rwdins. TURNIPS.
maith, *a. ll.* meithion. I. Hir. LONG.
2. Blin. TEDIOUS.
mâl, *a.* Wedi ei falu, mân. GROUND.
Aur mâl. WROUGHT GOLD, GOLD COIN.
malais, *eg.* Casineb, teimlad angharedig. MALICE.
malaith, *gw.* **maleithiau.**
maleithiau, *e.ll.* (*un. g.* malaith). Llosg eira, llech
eira. CHILBLAINS.
maldod, *eg.* Ymgais i foddio, anwes, moethau.
INDULGENCE, WHIM.
Mae tipyn o faldod arno ef.
maldodi, *be.* Anwylo, anwesu, tolach, mwytho,
malpo. TO FONDLE.
maldodyn, *eg.* Un yn rhoi mwythau, anweswr,
plentyn anwes, un a maldod arno. PAMPERER,
FONDLING.
maleisus, *a.* Yn dwyn malais, cas. MALICIOUS.
malen, *eb.* Pruddglwyf, tristwch. MELANCHOLY.
malio, *be.* Gofalu, hidio, talu sylw. TO HEED.
Yn malio dim am neb.
malu, *be.* Chwalu'n fân mân. TO GRIND.
Malu ewyn. TO FOAM.
Dannedd malu. GRINDERS, MOLARS.
malurio, *be.* Torri'n ddarnau, chwilfriwio,
chwalu, adfeilio. TO BREAK INTO FRAGMENTS,
TO DECAY.
malurion, *e.ll.* Darnau mân, teilchion.
FRAGMENTS, DEBRIS.
malwod, *ell.* (*un. b.* -en, malwen). Ymlusgiaid
bychain meddal ac araf. SNAILS, SLUGS.

malwr, *eg. ll.* malwyr. Peiriant malu, dyn sy'n
malu. GRINDER.
mall, *a.* Llwgr, pwdr. CORRUPT.
Y fall. THE DEVIL.
malltod, *eg.* I. Llygriad, pydredd, madredd.
ROTTENNESS.
2. Deifiad. BLIGHT.
mam, *eb. ll.*-au. Un a roes enedigaeth. MOTHER, DAM.
Mam-gu : nain. GRANDMOTHER.
mamal, *eg. ll.*-iaid. Mamolyn. MAMMAL.
mamiaith, *eb. ll.* mamieithoedd. Iaith y fam, iaith
gyntaf plentyn. MOTHER TONGUE.
mamog, *eb. ll.*-iaid, -ion. Dafad ac oen ganddi.
EWE WITH LAMB.
mamolaeth, *eb. ll.*-au. Y cyflwr o fod yn fam.
MOTHERHOOD.
man, *egb. ll.*-nau. I. Mangre, lle, sefyllfa, llecyn.
PLACE.
2. Nod, marc. MARK.
Yn y man. SOON.
Yn y fan. AT ONCE.
Man geni. BIRTH MARK.
Man a('r) man i chwi fynd : cystal i chwi
fynd. YOU MAY AS WELL GO.
mân, *a.* Bach, bychain, bitw, biti, pitw. TINY, SMALL.
Oriau mân y bore. THE SMALL HOURS OF THE
MORNING.
Cerrig mân. SMALL STONES.
maneg, *eb. ll.* menig. Dilledyn i'r llaw. GLOVE.
manion, *ell.* Pethau mân dibwys. TRIFLES.
mannu (ar) : mennu : menu, *be.* Dylanwadu'n
drwm, effeithio'n fawr, gadael argraff. TO
AFFECT.
Nid oes dim yn menu arno.
mant, *egb. ll.*-au. Ceg, min, gwefus. MOUTH, LIP.
mantach, *a.* Heb ddant, di-ddant. TOOTHLESS.
mantais, *eb. ll.* manteision. Budd, lles, elw.
ADVANTAGE.
manteisio, *be.* Cymryd mantais, elwa. TO TAKE
ADVANTAGE.
manteisiol, *a.* Buddiol, llesol. ADVANTAGEOUS.
mantell, *eb. ll.*-oedd, mentyll. Cochl, clog,
clogyn, hug. MANTLE.
mantol, *eb. ll.*-ion. Offeryn pwyso, clorian, tafol.
BALANCE.
mantolen, *eb. ll.*-ni. Taflen yn rhoi cyfrif o gostau
a threuliau. BALANCE SHEET.
mantoli, *be.* Pwyso, cloriannu, mesur. TO WEIGH.
mân-werthu, *be.* Adwerthu, gwerthu eto,
gwerthu ychydig ar y tro. TO RETAIL.
mân-werthwr, *eg. ll.* mân-werthwyr. Un sy'n
mân-werthu. RETAILER.
Cyfan-werthwr. WHOLESALER.
manwl, *a.* Cywir, gofalus. EXACT.
Manwl-gywir. PRECISE.
manylion, *e.ll.* Cyfrif manwl, hanes manwl,
pethau bychain neu ddibwys. DETAILS.
manlrwydd : manyldeb : manylwch, *eg.*
Cywirdeb. EXACTNESS.
manylu, *be.* Rhoi manylion. TO GO INTO DETAILS.

map 144 **mawredd**

map, *eg. ll.*-iau. Darlun neu fraslun o wyneb y ddaear (neu ran ohoni) sy'n dangos nodweddion daearyddol, gwleidyddol, &c. MAP.

mapio, *be.* Gwneud map, cynllunio map. TO MAP.

mapiwr, *eg. ll.* mapwyr. Un sy'n gwneud mapiau. CARTOGRAPHER.

marblen, *eb. ll.* marblys. Pelen fach gron a ddefnyddir i chwarae. MARBLE.

marc, *eg. ll.*-iau. Nod, arwydd, argraff. MARK.

marcio, *be.* Nodi, gwneud marc. TO MARK.

march, *eg. ll.* meirch. Ceffyl, ystalwyn. HORSE, STALLION.

marchnad, *eb. ll.*-oedd. Marchnadfa, mart, man lle gwerthir nwyddau. MARKET.

marchnadol, *a.* Gwerthadwy. MARKETABLE.

marchnata, *be.* Prynu a gwerthu ar farchnad, masnachu. TO MARKET, TO TRADE.

marchnatwr, *eg. ll.* marchnatwyr. Marsiandïwr, un sy'n prynu a gwerthu. MERCHANT.

marchog, *eg. ll.*-ion. Un sy'n marchogaeth, gŵr arfog ar geffyl. RIDER, KNIGHT.

marchogaeth, *be.* Mynd ar gefn ceffyl neu feisigl. TO RIDE.

marchwellt, *ell.* Gwair tal cwrs. TALL COARSE GRASS.

marian, *eg.* Traeth, tir â cherrig rhydd. MORAINE.

marlad : marlat, *eg.* Barlad, gwryw hwyad. DRAKE.

marmor, *eg.* Mynor, maen clais, carreg galch galed y gellir ei gloywi. MARBLE.

marsiandïaeth, *eb.* Nwyddau a brynir ac a werthir, masnach. MERCHANDISE, COMMERCE.

marsiandïwr, *eg. ll.* marsiandïwyr. Masnachwr. MERCHANT.

marw, *be* I.. Colli bywyd, trengi, trigo (terigo) (am anifail), darfod. TO DIE.
2. *a. ll.* meirw, meirwon. Difywyd, wedi trengi, heb einioes. DEAD.
3. *eg. ll.* meirw, meirwon. Person wedi trengi. THE DEAD.
Bu Mel farw. MEL DIED.
Bu'r cŵn farw. THE DOGS DIED.
Bu'r coed farw. THE TREES DIED.

marwaidd, *a.* Difywyd, dilewyrch, diog, dioglyd, araf, musgrell, swrth, cysglyd, trymaidd, llethol. LIFELESS, OPPRESSIVE.

marweidd-dra, *eg.* Diogi, syrthni, musgrellni. SLUGGISHNESS.

marwnad, *eb. ll.*-au. Galarnad, cân drist, cân i alaru am y marw. ELEGY.

marwnadol, *a.* Galarnadol. ELEGIAC.

marwol, *a. ll.*-ion. Angheuol. FATAL, MORTAL.
Marwolion. MORTALS.

marwolaeth, *eb. ll.*-au. Angau, diwedd bywyd. DEATH.

marwolion, *e.ll.* (*un. g.* marwolyn). Dynion marwol. MORTALS.

marwor, *e.ll.* (*un. g.*-yn). Marwydos, glo wedi hanner llosgi, cols. EMBERS.

marwydos, *e.ll.* Marwor, lludw poeth. EMBERS, HOT ASHES.

masarnen, *eb. ll.* masarn. Pren o deulu'r sycamorwydden. MAPLE.

masgl, *eg. ll.*-au. I. Y tu faes i rai pethau, plisgyn, cibyn, coden. SHELL, POD.
Masgl wy. EGG-SHELL.
2. Y gofod rhwng llinellau rhwyd. MESH.

masglu : masglo, *be.* I. Diblisgo, gwisgïo, tynnu'r masgl oddi am, plisgo. TO SHELL.
2. Gwneud rhwydwaith. TO INTERLACE.

masnach, *eb. ll.*-au. Busnes, trafnidiaeth, marsiandïaeth. TRADE, COMMERCE.

masnachol, *a.* Yn perthyn i fasnach neu fusnes. COMMERCIAL, BUSINESS.

masnachu, *be.* Prynu a gwerthu, marchnata. TO TRADE.

masnachwr, *eg. ll.* masnachwyr. Siopwr, marsiandïwr. DEALER.

masw, *a.* Meddal, gwamal, di-fudd, anllad. SOFT, WANTON.

maswedd, *eg.* Ysgafnder, gwiriondeb, meddalwch, anlladrwydd. LEVITY, RIBALDRY, WANTONNESS.

maswr, *eg. ll.* maswyr. Chwaraewr allweddol mewn tîm pêl-droed. OUTSIDE HALF.

mat, *eg. ll.*-au, -iau. Peth i sychu traed arno, defnydd i'w ddodi dan lestr ar ford. MAT.

mater, *eg. ll.*-ion. Testun, pwnc, achos, defnydd, peth daearol. MATTER.

materol, *a.* Yn ymwneud â mater, bydol, daearol. MATERIAL, MATERIALISTIC.

materoliaeth, *eb.* Yr hyn sy'n ymwneud â phethau'r ddaear. MATERIALISM.

matras, *eb. ll.* matresi. Cas wedi ei lanw â rhawn, &c., a'i ddefnyddio fel gwely. MATTRESS.

matsien, *eb. ll.* matsys. Peth i gynnau tân ag ef, fflachen, fflachell, tanen. MATCH.

math, *eg. ll.*-au. Bath, rhyw, gradd, sort. SORT, KIND.
"Mathariaid" : rhai hen ffasiwn neu orgywir : puryddion. PEDANTS.

mathemateg, *eg.* Yr wyddor sy'n astudio'r berthynas rhwng rhif, maint, siâp a gofod. MATHEMATICS.

mathemategwr, *eg. ll.* mathemategwyr. Un sy'n hyddysg mewn mathemateg. MATHEMATICIAN.

mathru, *be.* Sangu, damsang, sathru, sengi, troedio (ar). TO TRAMPLE.

mawl, *eg.* Clod, moliant, canmoliaeth. PRAISE.

mawn, *eg.* Defnydd tân, tyweirch wedi eu sychu i'w llosgi. PEAT.

mawnog, *eb. ll.*-ydd. I. Tir yn cynnwys mawn, mawnen. PEAT-BOG.
2. *a.* Yn cynnwys mawn, mawnoglyd. PEATY.

mawr, *a. ll.*-ion. (Cymaint, mwy, mwyaf). Eang, helaeth. BIG.
O fawr werth. OF GREAT VALUE.

mawredd, *eg.* Rhwysg, gwychder, crandrwydd. GREATNESS, MAJESTY.

mawreddog, *a.* Gwych, godidog, dyrchafedig, rhwysgfawr, urddasol, pendefigaidd. FINE, NOBLE.

mawrfrydig, *a.* Hael, haelfrydig, anrhydeddus. MAGNANIMOUS.

mawrhau, *be.* Mawrygu, moli, mwynhau. TO MAGNIFY.

mawrhydi, *eg.* Mawredd, urddas. MAJESTY.

Mawrth, *eg.* Y trydydd mis ; trydydd dydd yr wythnos, y diwrnod sy'n dilyn dydd Llun. MARCH ; TUESDAY.
Mawrth Ynyd. SHROVE TUESDAY.

mawrygu, *be.* Clodfori, moli. TO MAGNIFY.

mebyd, *eg.* Plentyndod, maboed, ieuenctid, llencyndod. YOUTH.
gw. **maboed.**

mechni, *eg. g. ll.* mechnïon. Cyfrifoldeb mechnïydd ; ernes, mechnïaeth. OBLIGATION OF A SURETY, PLEDGE, SECURITY, BAIL.

mechnïaeth, *eb. g. ll.* mechniaethau. Cyfrifoldeb mechnïydd ; gwystl, sicrwydd, ernes (yn enwedig dros ymddangosiad mewn llys). OBLIGATION OF A SURETY ; PLEDGE, SECURITY, BAIL.
Bod ar fechnïaeth. TO BE ON BAIL.
Bond(iau) mechnïaeth. BAIL BOND(S).
Gwrthod mechnïaeth. TO REFUSE BAIL.
Torri mechnïaeth. TO JUMP BAIL.

mechnïo, *be.* (Dilynir yn aml gan **dros/tros** ac weithiau gan **am**). Bod neu fynd yn feichiau. TO BE A SURETY, TO GO OR GIVE BAIL.
Mechnïo rhywun. TO STAND/GO/BE/BECOME BAIL FOR SOMEONE.

mechnïwr, *eg.* mechnïwyr : **mechnïydd,** *eg. ll.* -ion : **meichiau,** *eg. ll.* meichiafon. Un sy'n gyfrifol am ymddangosiad rhywun arall mewn llys. SURETY, BAIL.

medel, *eb. ll.* -au. I. Y weithred o fedi. REAPING.
2. Cwmni o fedelwyr. REAPING-PARTY.

medelwr, *eg. ll.* medelwyr. Un sy'n medi. REAPER.

medi, *be.* Torri ŷd. (llafur). TO REAP.

Medi, *eg.* Y nawfed mis. SEPTEMBER.

medr : medrusrwydd, *eg.* Hyfedredd, gallu, cywreinrwydd. Deheurwydd. SKILL.

medru, *be.* Bod yn abl i wneud, gallu. TO BE ABLE.

medrus, *a.* Cyfarwydd, hyfedr, celfydd, abl, galluog, cywrain, deheuig. SKILFUL.

medrusrwydd, *eg.* Medr, gallu, sgil mewn crefft neu gelfyddyd neilltuol. SKILL, ABILITY, PROFICIENCY.

medd, *eg.* I. Diod (yn cynnwys mêl). MEAD.
2. *bf.* Meddai, eb, ebe, ebr, dywed. SAYS, SAID.

meddal, *a.* Tyner, llaith, masw, hyblyg. SOFT, PLIABLE.

meddalhau : meddalu, *be.* Tyneru, lleith[i]o, lleitháu. TO SOFTEN.

meddalwch, *eg.* Tynerwch, lleithder, ystwythder, hyblygrwydd. SOFTNESS.

meddalwedd, *eg.* Rhaglenni cyfrifiadur. (COMPUTER) SOFTWARE.

meddalwy, *eg.* Wy heb fasgl caled. SOFT-SHELLED EGG.

meddiannol, *a.* I. Â meddiant, yn meddu. POSSESSING.
2. (Term gramadegol), genidol. POSSESSIVE, GENITIVE CASE (*Grammar*).

meddiannu, *gw.* **meddu.**

meddiant, *eg. ll.* meddiannau. Perchenogaeth. POSSESSION.

meddu (ar) : meddiannu, *be.* Perchenogi, bod a pheth ar ei elw. TO OWN.

meddw, *a. ll.*-on. Brwysg, wedi meddwi. DRUNK.
Yn feddw caib (gaib) : yn feddw chwil. BLIND DRUNK.

meddwdod : medd-dod, *eg.* Y stad o fod yn feddw, brwysgedd. DRUNKENNESS.

meddwi, *be.* Brwysgo, yfed nes myned dan effaith diodydd meddwol. TO GET DRUNK.

meddwl, *eg. ll.* meddyliau. I. Syniad, ystyriaeth. THOUGHT.
2. Tyb, bryd, barn, bwriad. MIND.
Rhwng dau feddwl. IN TWO MINDS.

meddwl, *be.* Synio, synied, ystyried, tybied, golygu, bwriadu. TO THINK, TO MEAN, TO INTEND.

meddwol, *a.* Yn peri medd-dod. INTOXICATING.

meddwyn, *eg.* Dyn meddw. DRUNKARD.

meddyg, *eg. ll.*-on. Un sy'n gofalu am iechyd pobl, ffisigwr, doctor. DOCTOR.

meddygaeth, *eb. ll.*-au. Y wyddor sy'n ymwneud â hyrwyddo iechyd a'i adfer. MEDICINE (*Science of*).

meddygfa, *eb. ll.* meddygfeydd. Clinig ar gyfer cleifion. SURGERY.

meddyginiaeth, *eb. ll.*-au. Meddygaeth, moddion, ffisigwriaeth, help, cymorth, ymwared, crefft meddyg. REMEDY, MEDICINE.

meddyginiaethol, *a.* Yn adfer iechyd, iachaol, llesol. MEDICINAL.

meddyginiaethu, *be.* Doctora, meddygu, gwella, iacháu, adfer. TO CURE.

meddygol, *a.* Yn ymwneud â meddyginiaeth. MEDICAL.

meddylfryd, *eg.* Tuedd, gogwydd, tueddfryd, dychymyg, crebwyll. BENT, INCLINATION.

meddylgar, *a.* A'r meddwl ar waith, ystyriol, cofus, gofalus, synfyfyriol, myfyrgar. THOUGHTFUL.

meddyliol, *a.* Yn perthyn i'r meddwl, yn y meddwl. MENTAL.
Cyffro meddyliol. MENTAL DISTURBANCE.
Diffyg meddyliol. MENTAL DEFICIENCY.
Dirywiad meddyliol. MENTAL DEGENERATION.
Oedran meddyliol. MENTAL AGE.

meddyliwr, *eg. ll.* meddylwyr. Un sy'n meddwl, un meddylgar. THINKER.

mefl, *eg. ll.*-au. I. Nam, anaf, bai, diffyg, blot. BLEMISH.
2. Gwarth. SHAME.

mefus, *e.ll.* (*un. b.*-en). Ffrwythau cochion a geir ar blanhigyn bach, syfi. STRAWBERRIES.

megin, *eb. ll.*-au. Offeryn chwythu tân. BELLOWS.

megino, *be.* Chwythu â megin, chwythu. TO WORK BELLOWS, TO BLOW.

megis, *cys.* Fel, tebyg. AS.

Mehefin, *eg.* Y chweched mis. JUNE.

meicro-, *a.* Bychain iawn, bach bach. VERY SMALL. MICRO-.
Meicrocemeg. MICROCHEMISTRY.
Meicroffiseg. MICROPHYSICS.

meicrobioleg, *eg. b.* Adran o fywydeg lle yr astudir meicro organau a'u heffaith ar ddyn. MICROBIOLOGY.

meicrobrosesydd, *eg. ll.*-ion. Offeryn sy'n rhan o dechnoleg cyfrifiadurol. MICROPROCESSOR.

meicroffon, *eg.* Offeryn a ddefnyddir i siarad iddo (fel ar y radio, teledu, &c.). MICROPHONE.

meicrosgop, *eg.* Offeryn i alluogi dyn i weld pethau bychain. MICROSCOPE.

meicrosglodyn, *eg. ll.* meicrosglodion. Darn bychan o ddefnydd lled-ddargludydd sy'n cario nifer o gylchedau cyfannol. MICROCHIP.

meichiad, *eg. ll.* meichiaid. Un sy'n gofalu am foch. SWINEHERD.

meichiau, *gw.* **mechnïwr : mechnïydd**.

meidrol, *a.* Terfynol, â therfyn iddo (fel bywyd dyn). FINITE.

meiddio, *be.* Beiddio, anturio, rhyfygu. TO DARE.

meilart, *eg. ll.*-od. Ceiliog hwyaden, barlad. DRAKE.

meillion, *e.ll.* (*un. b.*-en). Clofer, planhigion ac iddynt ddail sy'n rhannu'n dair ac a ddefnyddir fel bwyd anifeiliaid. CLOVER.

meillionog, *a.* Â meillion neu glofer. HAVING CLOVER.

meim, *eg.b. ll.*-iau. Techneg theatrig sy'n cyfleu syniad, drama, &c., drwy gyfrwng ystymiau'r corff a'r wyneb, fel arfer heb eiriau. MIME.

meinder, *eg.* Teneuder, teneurwydd, teneuwch, y stad o fod yn fain, eiddilwch. SLENDERNESS.

meindwr, *eg. ll.* meindyrau. Twr main. SPIRE.

meingefn, *eg.* Main y cefn, y rhan isaf o'r cefn. SMALL OF THE BACK.

meinhau, *be.* Mynd yn feinach, teneuo. TO GROW SLENDER.

meini, *gw.* **maen**.

meinir, *eb.* Merch, genethig, morwyn. MAIDEN.

meinllais, *eg.* Llais gwichlyd. SHRILL VOICE, TREBLE.

meipen, *eb. ll.* maip. Erfinen, rwden, swedsen. SWEDE (*vegetable*).

meirch, *gw.* **march**.

meiriol, *eg.* Dadlaith, y weithred o ddadmer. THAW.

meirioli, *be.* Toddi, dadlaith, dadmer. TO THAW.

meistr, *eg. ll.*-i, -iaid, -adoedd, (*b.*-es). Athro, llywydd, un wedi dysgu ei grefft, perchen. MASTER.

meistres, *eb. ll.*-i. Gwraig a chanddi awdurdod ; athrawes ysgol ; cariadferch. WOMAN IN AUTHORITY ; SCHOOLMISTRESS ; MISTRESS.

meistrolaeth, *eb.* Goruchafiaeth, rheolaeth. MASTERY.

meistrolgar, *a.* Fel meistr, meistrolaidd. MASTERLY.

meistroli, *be.* Trechu, curo, ffusto, gorchfygu, maeddu. TO MASTER.

meitin, *eg.* (Yn yr ymadrodd) ers meitin. A GOOD WHILE SINCE.

meithder, *eg. ll.*-au. Pellter, hyd, blinder. LENGTH, TEDIOUSNESS.
Oherwydd meithder y daith.

meithrin, *be.* Maethu, magu, codi, cynnal, porthi, addysgu, coleddu, mynwesu. TO NOURISH.
Ysgol Feithrin. NURSERY SCHOOL.

meithrinfa, *eb. ll.*-oedd. Man lle gofelir am blant ifanc (am ran o'r dydd) ; bridfa planhigion. CHILDREN'S NURSERY, CRÈCHE ; NURSERY (*for plants*).

mêl, *eg.* Hylif melys a grynhoir gan wenyn a'i ddodi mewn diliau mêl. HONEY.
Dil mêl. HONEYCOMB.
Mis mêl. HONEYMOON.

mela, *be.* Casglu neu hel mêl. TO GATHER HONEY.

melfarêd, *eg.* Melfed, cotwm rhesog. CORDUROY.

melfed : felfed, *eg.* Math o ddefnydd sidan. VELVET.

melin, *eb. ll.*-au. 1. Lle neu beiriant i falu ŷd, &c.
2. Gwaith (alcam). MILL.
Melin wynt. WINDMILL.
Maen melin. MILLSTONE.

melinydd, *eg. ll.*-ion, melinwyr. Perchen melin, un sy'n malu. MILLER.

melodaidd, *a.* Perseiniol, hyfrydlais. MELODIOUS.

melodi, *be.* Peroriaeth, erddigan, melodeg, melodedd. MELODY.

melyn, *a. ll.*-ion. (*b.* melen). Lliw aur, &c. YELLOW.
Melyn wy. YOLK OF AN EGG.

melynaidd, *a.* Eithaf melyn ; lliw aur ; melyn afiach. YELLOWISH ; GOLDEN ; SALLOW.

melyngoch, *a.* Melyn cochlyd, o liw'r oren, rhuddfelyn. ORANGE (COLOUR).

melynu, *be.* Troi'n felyn. TO TURN YELLOW.

melys, *a.* Pêr, hyfryd, dymunol, peraidd, â blas fel mêl neu siwgr, &c. SWEET.
Melysion : losin : da-da : taffys. SWEETS.

melyslais, *a.* Â llais swynol neu felys. SWEET-VOICED.

melyster : melystra, *eg.* Cyflwr melys. SWEETNESS.

melysu, *be.* Gwneud yn felys. TO SWEETEN.

mellt, *e.ll.* (*un. b.*-en). Lluched. LIGHTNING.
Mellt a tharanau : tyrfau a lluched. THUNDER AND LIGHTNING.

melltennu, *be.* Lluchedu, fflachio. TO FLASH LIGHTNING.

melltigedig, *a.* Melltigaid, drwg, anfad, ysgeler, damniol. ACCURSED.

melltith, *eb. ll.*-ion. Drwg, drygioni, pla, adfyd. CURSE.

melltithio, *be.* Bwrw melltith (ar), rhegi, cablu, blino, dymuno drwg. TO CURSE.

memorandwm, *eg. ll.* memoranda. Datganiad ysgrifenedig ; record neu neges fel y ceir mewn swyddfa ; nodyn o'r hyn sydd i'w gofio. MEMORANDUM.

memrwn, *eg. ll.* memrynau. Croen wedi ei addasu i ysgrifennu arno. PARCHMENT.

memrynydd, *eg. ll.*-ion, memrynwyr. Lluniwr neu wneuthurwr memrwn. PARCHMENT-MAKER.

men, *eb. ll.*-ni. Cerbyd pedair olwyn, wagen. WAGGON, VAN.
Men sipsi. GIPSY CARAVAN.

mên, *a.* Crintach, gwael, isel. MEAN.

menig, *gw.* **maneg.**

mennu, *gw.* **mannu.**

mentr : menter, *eb.* Antur, anturiaeth, beiddgarwch. VENTURE.

mentro, *be.* Anturio, meiddio, rhyfygu, beiddio. TO VENTURE.

mentrus, *a.* Anturus, beiddgar. VENTURESOME.

mentrwr, *eg. ll.* mentrwyr. Un sy'n mentro ; un sy'n gyfrifol am fentrau masnachol. ENTREPRENEUR.

menyn : ymenyn, *eg.* Enllyn a wneir o laeth. BUTTER.
Bara-menyn. BREAD AND BUTTER.
Blodau ymenyn. BUTTERCUPS.

menyw : benyw, *eb. ll.*-od. I. Gwraig, dynes ; aelod benywaidd o unrhyw rywogaeth. WOMAN, FEMALE (*noun*).
2. *a.* Benywaidd. FEMALE (*adjective*).

menywaidd : benywaidd, *a.* Perthynol i wragedd. FEMALE, FEMININE.

mêr, *eg. ll.* merion. Madrudd, madruddyn, y sylwedd meddal o'r tu mewn i asgwrn. MARROW.

merbwll, *eg. ll.* merbyllau. Pwll o ddŵr marw. STAGNANT POOL.

merch, *eb. ll.*-ed. Geneth, lodes, croten, hogen. DAUGHTER, GIRL.
Merched y Tir. LAND GIRLS.
Merched y Wawr. DAUGHTERS OF THE DAWN.

Mercher, *eg.* I. Dydd Mercher, y pedwerydd dydd o'r wythnos. WEDNESDAY.
2. Planed, cennad y duwiau (Rhufeinig). MERCURY.

mercheta, *be.* Hel merched, hel menywod. TO WOMANISE.

merchetaidd, *a.* Gwreigaidd, anwrol. EFFEMINATE.

merddwr, *eg. ll.* merddyfroedd. **marddwr,** *eg.* marddyfroedd. Dŵr marw neu lonydd. STAGNANT WATER.

merf : merfaidd, *a.* Di-flas. Heb flas. TASTELESS.

merfeidd-dra, *eg.* Diflasrwydd, y stad o fod heb flas. INSIPIDITY.

merlota, *be.* Marchogaeth merlod er mwyn pleser. TO PONY-TREK.

merlotwr, *eg. ll.* merlotwyr. Un sy'n merlota. A PONY-TREKKER.

merlyn, *eg. ll.* merlod, -nod. (*b.* merlen). Poni, ceffyl bach ysgafn. PONY.

merthyr, *eg. ll.*-on, -i. Un sy'n dioddef hyd angau dros ei ffydd. MARTYR.

merthyrdod, *eg. ll.*-au. Dioddefaint a marwolaeth merthyr. MARTYRDOM.

merthyru, *be.* Rhoi i farwolaeth fel merthyr. TO MARTYR.

merwino, *be.* Fferru, parlysu, gwynio, poeni, peri enynfa. TO BENUMB, TO GRATE, TO JAR (ON).

mes, *e.ll.* (*un. b.*-en). Ffrwyth y dderwen. ACORNS.

mesglyn, *eg.* Masgl, plisgyn, cibyn. SHELL, HUSK.

mesur, *eg. ll.*-au. Mesuriad, mesur seneddol, mydr, bar (mewn cerddoriaeth). A MEASURE, METRE (*in Music*).

mesur, *be.* Mesuro, chwilio beth yw maint rhywbeth. TO MEASURE.
Mesur a phwyso. TO CONSIDER CAREFULLY.

mesuriad, *eg. ll.*-au. Y weithred o fesur, maint a bennir drwy fesur. A MEASURING, MEASUREMENT.

mesuro, *gw.* **mesur,** *be.*

mesurwr, *eg. ll.* mesurwyr. Un sy'n mesur. MEASURER.
Tirfesurwr. (*Land-*). SURVEYOR.

mesurydd, *eg. ll.*-ion. Erfyn i fesur unedau o ddŵr, nwy, trydan, &c. METER.

metel, *eg. ll.*-au, -oedd. Defnydd caled fel aur neu haearn neu alcam, &c. METAL.

metelaidd, *a.* Wedi ei wneud o fetel, fel metel. METALLIC.

metelydd, *eg. ll.*-ion, metelwyr. Un sy'n gweithio mewn metel. METALLURGIST.

metelyddiaeth, *eb.* Astudiaeth o fetelau. METALLURGY.

metr, *eg. ll.* Mesur o hyd sy'n gyfartal â 100 centimetr (tua 39.4 o fodfeddi). METRE (*unit of length*).

metrig, *a* I. System fesur sy'n defnyddio'r metr, y litr a'r Kilogram yn unedau sylfaenol. METRIC.
2. *a.* Mydryddol, ar gân. METRIC, METRICAL.

meth, *eg. ll.*-ion. Pall, nam, diffyg, mefl. MISS, DEFECT.

methdaliad, *eg. ll.*-au. Anallu i dalu dyledion ; y cyflwr o fod wedi ei ddyfarnu'n fethdalwr gan lys barn. INSOLVENCY ; BANKRUPTCY.

methdalwr, *eg. ll.* methdalwyr. Un sy'n methu talu ei ffordd, un mewn dyled fawr. BANKRUPT.

methedig, *a.* Efrydd, analluog, musgrell, llesg, yn methu. DISABLED, INFIRM.

methiannus, *a.* Diffygiol, llesg. FAILING.

methiant, *eg. ll.* methiannau. Pall, ffaeledd, aflwyddiant. FAILURE.

Methodist, *eg. ll.*-iaid. Aelod o un o'r enwadau a ddeilliodd o'r mudiad Methodistaidd. METHODIST.

Methodistaidd, *a.* Yn perthyn i Fethodistiaeth. METHODIST (*adjective*).

Methodistiaeth, *eb.* Mudiad crefyddol a
gychwynnodd yn yr hanner cyntaf o'r
ddeunawfed ganrif ; y traddodiadau sy'n
nodweddu'r mudiad hwnnw a'r enwadau a
ddeilliodd ohono. METHODISM.

methu, *be.* Ffaelu, diffygio, aflwyddo, pallu, torri
i lawr. TO FAIL.

meudwy, *eg. ll.*-aid, -od. Un sy'n byw ar ei ben ei
hun mewn unigedd, ancr. HERMIT.

meudwyaeth, *eb.* Bywyd meudwy. THE LIFE OF A
HERMIT.

mewian, *be.* Gwneud sŵn fel cath. TO MEW.

mewn, *ardd.* Yn. IN (*with indefinite nouns*).
I mewn. INTO.
O fewn. WITHIN.
Oddi mewn. INSIDE.
Y tu mewn (fewn). THE INSIDE.

mewnforio, *be.* Dwyn nwyddau i'r wlad o
wledydd tramor. TO IMPORT.

mewnforion, *e.ll.* (*un. g.* mewnforyn). Nwyddau
neu wasanaethau a fewnforir. IMPORTS.

mewnforiwr, *eg. ll.* mewnforwyr. Person neu
gwmni sy'n mewnforio. IMPORTER.

mewnfudwr, *eg. ll.* mewnfudwyr. Un sy wedi dod
o le arall neu o wlad arall i fyw, dyn
dŵad/dyfod. IMMIGRANT.

mewnol, *a.* Yn ymwneud â'r tu mewn ; yn
perthyn i'r meddwl, enaid, ysbryd, &c.,
goddrychol. INTERNAL, INWARD ; SUBJECTIVE.

mi, *rhag. personol.* I. Y person cyntaf unigol, fi,
myfi. I, ME.
2. *geiryn.* Particle.

mieri, *e.ll.* (*un. b.* miaren). Drysi, drain. BRIERS.

mig, *eb. ll.*-ion. Sbeit. SPITE.
Chwarae mig. TO PLAY HIDE AND SEEK.

mignen, *eb. ll.*-ni. Cors, siglen. BOG.

migwrn, *eg. ll.* migyrnau. Ffêr, arddwrn, cymal
dwrn. ANKLE, WRIST, KNUCKLE.

migwyn, *eg. ll.* Mwsogl gwyn y corsydd. BOG MOSS.

mil, *eg. ll.*-od. Milyn, anifail, creadur, bwystfil.
ANIMAL.

mil, *eb. ll.*-oedd. Deg cant. THOUSAND.
Y milflwyddiant : y mil blynyddoedd. THE
MILLENNIUM.
Mil o ddynion.

milain, *a.* I. Ffyrnig, cas, creulon, mileinig.
ANGRY, FIERCE.
2. *eg. ll.* mileiniaid. Dyn drwg neu gas,
athrodwr, enllibiwr, cnaf, adyn, dihiryn.
MALIGNANT PERSON.

mileinig, *a.* Cas, athrodus, llidiog, ysgeler, anfad.
SAVAGE.

milfed, *a.* Un rhan o fil, yr olaf o fil. THOUSANDTH.

milfeddyg, *eg. ll.*-on. Meddyg anifeiliaid, fet.
VETERINARY SURGEON.

milfeddygol, *a.* Yn ymwneud ag afiechydon
anifeiliaid. VETERINARY.

milflwyddiant, *eg. ll.* milflwyddiannau. Cyfnod o
fil o flynyddoedd, yn arbennig y cyfnod y
bydd Crist (*yn ôl Datguddiad 20 : 1-5*) yn
teyrnasu'n bersonol ar y ddaear, oes aur,
mileniwm. MILLENNIUM.

milgi, *eg. ll.* milgwn. (*b.* miliast). Ci main cyflym
a ddefnyddir i hela a rhedeg. GREYHOUND.
Miliast. GREYHOUND BITCH.

militaraidd, *a.* Milwriaethus ; milwrol ; yn arddel
militariaeth. MILITANT ; MILITARY ; MILITARISTIC.

militariaeth, *eb.* Dylanwad ysbryd a delfrydau
milwrol. MILITARISM.

militarydd, *eg. ll.* militarwyr. Un sy'n arddel
syniadau militaraidd. MILITARIST.

miliwn, *eb. ll.* miliynau. Mil o filoedd. MILLION.

miliynydd, *eg. ll.*-ion. Perchennog miliwn neu
fwy o bunnau. MILLIONAIRE.

milwr, *eg. ll.* milwyr. Un sy'n gwasanaethu yn y
fyddin. SOLDIER.

milwriaeth, *eb.* Rhyfel, y gamp o filwrio. WARFARE.

milwrio, *be.* Rhyfela, ymladd, gwrthwynebu. TO
MILITATE.

milwrol, *a.* Yn perthyn i filwr neu ryfel. MILITARY,
MARTIAL.

milltir, *eb. ll.*-oedd. 1760 o lathenni. MILE.

milltiredd, *eg.* Nifer o filltiroedd a deithiwyd.
MILEAGE.

min, *eg. ll.*-ion. I. Ymyl, cwr, ochr, goror. BRINK.
Min y ffordd. THE WAYSIDE.
2. Awch. EDGE.
3. Gwefus. LIP.

mingamu, *be.* Gwneud clemau, tynnu wynebau.
TO GRIMACE.

miniog, *a.* Â min arno, awchus, llym, awchlym.
SHARP.

minlliw, *eg.* Colur gwefusau. LIPSTICK.

minnau, *rhag. dyblyg annibynnol.* Y person
cyntaf unigol, mi hefyd, mi'n ogystal.
I ALSO, ME.

mintai, *eb. ll.* minteioedd. Llu, torf, cwmni
bychan. TROOP, COMPANY.

mintys, *eg.* Planhigyn gardd. MINT.

mirain, *a.* Glân, teg, prydweddol, hardd. COMELY.

mireinder, *eg.* Glendid, tegwch, prydferthwch,
harddwch. BEAUTY.

miri, *eg.* Digrifwch, difyrrwch, llawenydd,
llonder, rhialtwch, hwyl. MERRIMENT.

mis, *eg. ll.*-oedd. Un o ddeuddeg rhan y
flwyddyn. MONTH.
Mis Bach. FEBRUARY.
Y Mis Du. NOVEMBER.
Mis mêl. HONEYMOON.

misglwyf, *eg.* Llif gwaed o'r groth sy'n digwydd
yn fisol i fenywod dros gyfnod eu
hieuenctid. MENSTRUATION.

misglwyfo, *be.* Bod â'r misglwyf. TO MENSTRUATE.

misglwyfol, *a.* Yn misglwyfo, yn perthyn i'r
misglwyf. MENSTRUATING, MENSTRUAL.

misol, *a.* Yn ymwneud â mis, pob pedair
wythnos. MONTHLY.

misolyn, *eg. ll.* misolion. Papur neu gylchgrawn misol. MONTHLY (MAGAZINE).

miwsig, *eg.* Cerddoriaeth, cyfuniad o seiniau lleisiol neu offerynol yn creu ceinder neu fynegi teimlad. MUSIC.

mo, *talfyriad o* : **dim o.** NOTHING OF.
Nid oes mo'i well. THERE IS NONE BETTER THAN HE/IT.
Nid oes mo'i thebyg. THERE IS NONE LIKE HER.

moch, *e.ll.* (*un. g.*-yn). Anifeiliaid ffarm a fegir am eu cig. PIGS.
Mochyn bychan : broch : pryf llwyd : mochyn daear. BADGER.
Chwarae mochyn coed. PLAYING LEAP-FROG.
Moch y coed. WOODLICE.

mochaidd : mochynnaidd, *a.* Brwnt, afiach, bawlyd, tomlyd, budr, aflan. FILTHY.

mochyn, *gw.* **moch.**

modfedd, *eb. ll.*-i. Mesur o hyd cymal bawd, un rhan o ddeuddeg o droedfedd. INCH.
Modfedd sgwâr. SQUARE INCH.

modrwy, *eb. ll.*-au, -on. Cylch o aur neu arian, &c., i'w wisgo ar fys, neu i'w roi yn y trwyn neu'r glust, &c. RING.
Modrwy briodas. WEDDING RING.
Modrwy cadwyn. LINK OF A CHAIN.
Modrwy glust. EAR-RING.

modrwyo, *be.* Dodi modrwy ar rywbeth. TO RING.

modryb, *eb. ll.*-edd. Chwaer i dad neu fam person, gwraig ewythr. AUNT.

modur, *eg. ll.*-on. Peiriant sy'n rhoi'r gallu i symud. MOTOR.
Car modur. MOTOR CAR.
Moduro. TO MOTOR.

modurwr, *eg. ll.* modurwyr. Un sy'n gyrru car modur. MOTORIST.

modd, *eg. ll.*-ion. I. Cyfrwng, dull, ffordd. MANNER, MEANS.
Modd bynnag. HOWEVER.
Gwaetha'r modd. WORSE LUCK.
Modd i fyw. MEANS OF LIVING.
Pa fodd ? HOW ?
Moddion gras. MEANS OF GRACE.
2. *eg. ll.*-au. (*mewn Gramadeg*). MOOD.
Modd gorchmynnol. IMPERATIVE MOOD.
3. (*mewn Cerddoriaeth*). MODE.
Modd lleiaf. MINOR MODE.
Modd mwyaf. MAJOR MODE.

moddion, *eg.* Meddyginiaeth, cyffur, ffisig. MEDICINE.
gw. **modd.**

moel, *a. ll.*-ion. I. Noeth, llwm, prin ; heb wallt, heb gorn. BARE, BALD.
2. *egb. ll.*-ydd. Mynydd llwm neu noeth, pen y mynydd. BARE HILL (TOP).

moelni, *eg.* Diffyg gwallt ; noethni. BALDNESS ; BARENESS.

moes, *bf.* Rho, dyro. GIVE.
gw. **moesau.**

moesau, *e.ll.* (*un. b.* moes). Ymddygiad, ymarweddiad. MANNERS, MORALS.

moeseg, *eb.* Gwyddor yn ymwneud ag ymddygiad neu ymarweddiad. ETHICS.

moesgar, *a.* O ymddygiad da, cwrtais. POLITE.

moesgarwch, *eg.* Ymddygiad boneddigaidd, cwrteisi, moesau da. POLITENESS.

moesol, *a.* Yn perthyn i ymddygiad dyn, yn enwedig o ran y gwahaniaeth rhwng da a drwg, yn perthyn i foesau neu foesoldeb. MORAL.

moesoldeb, *eg.* Egwyddorion ynghylch ymddygiad dyn a seilir ar y gwahaniaeth rhwng drwg a da. MORALITY.

moesoli, *be.* Rhesymu neu draethu ynglŷn â moesoldeb. TO MORALIZE.

moeswers, *eb. ll.*-i. Gwers foesol (stori, homili, pregeth, &c.), gwireb foesol. THE MORAL (*of a story, homily, sermon, &c.*). MORAL MAXIM.

moeth, *eg. ll.*-au. Moethusrwydd, amheuthun. LUXURY, DELICACY.

moethus, *a.* Glwth, danteithiol, hoff o bethau drud neu gyffyrddus. LUXURIOUS, DAINTY.

moethusrwydd, *eg.* Y cyflwr o fod yn foeth, esmwythyd. LUXURIOUSNESS, LUXURY.

mogfa, *gw.* **mygfa.**

mogi : mygu, *be.* Tagu. TO SUFFOCATE.

molawd, *egb. ll.*-au. Canmoliaeth, mawl, cân o fawl, araith angladdol. EULOGY.

molecwl, *eg. ll.* molecylau. Y rhan leiaf o sylwedd a all fodoli'n annibynnol heb golli ei nodweddion cemegol. MOLECULE.

molecwlaidd, *a.* Molecwlar, yn perthyn i folecylau, yn cynnwys molecylau. MOLECULAR.

molecwlar, *a. gw.* **molecwlaidd.**

moli : moliannu, *be.* Canmol, addoli, anrhydeddu. TO PRAISE.

moliannus, *a.* Clodforus. PRAISEWORTHY.

moliant, *eg. ll.* moliannau. Canmoliaeth, mawl. PRAISE.

mollt, *eg. ll.* myllt. Llwdn dafad, gwedder. WETHER.

monni, *be.* Sorri, pwdu, llidio. TO SULK, CHAFE.

môr, *eg. ll.* moroedd. Cefnfor, ehangder mawr o ddŵr hallt. SEA.
Môr y Gogledd. NORTH SEA.
Môr Iwerddon. IRISH SEA.
Môr Udd (Y Sianel). ENGLISH CHANNEL.
Y Môr Canoldir. MEDITERRANEAN SEA.
Y Môr Celtaidd. CELTIC SEA.
Y Môr Coch. RED SEA.
Y Môr Du. BLACK SEA.
Y Môr Marw. DEAD SEA.

mor, *adf.* (*gyda gradd gysefin ansoddair*), cyn. AS, SO, HOW.
Mor wyn â : cyn wynned â. AS WHITE AS.

mordaith, *eb. ll.* mordeithiau. Taith ar fôr, taith mewn llong. SEA-VOYAGE.

mordwyo, *be.* Hwylio, teithio ar fôr, morio. TO SAIL, TO VOYAGE.

morddwyd, *eb. ll.*-ydd. Clun, y rhan o'r goes uwchlaw'r ben-lin. THIGH.

morfa, *eg. ll.* morfeydd. Cors, mignen, tir gwlyb neu ddifaith. BOG, FEN, SEA-MARSH.

morfil, *eg. ll.*-od. Anifail mwyaf y môr. WHALE. Asgwrn morfil. IVORY.

môr-forwyn, *eb. ll.* môr-forynion. Creadures chwedlonol sy'n hanner merch a hanner pysgodyn. MERMAID.

morfran, *eb. ll.* morfrain. Aderyn mawr y môr, mulfran, bilidowcar. CORMORANT.

morgais, *eg. ll.* morgeisiau. Trawsgludiad eiddo gan ddyledwr i echwynnwr fel ernes dros ddyled. MORTGAGE.

morgeisî, *eg. ll.* morgeisïon. Y parti mewn morgais sy'n rhoddi benthyg arian, gan ddal eiddo'r morgeisiwr fel ernes dros ddyled. MORTGAGEE.

morgeisio, *be.* Trawsgludo eiddo ar forgais. TO MORTGAGE.

morgeisiwr, *eg. ll.* morgeiswyr. Y parti mewn morgais sy'n morgeisio er mwyn benthyca arian gan y morgeisî. MORTGAGER, MORTGAGOR.

morglawdd, *eg. ll.* môr-gloddiau. Mur yn ymestyn i'r môr i amddiffyn traeth neu harbwr rhag grym y tonnau, argae môr. BREAKWATER, EMBANKMENT, DIKE, PIER.

morgrug, *e.ll.* (*un. g.*-yn). Pryfed bach prysur. ANTS. Twmpath morgrug. ANTHILL.

morio, *be.* Teithio ar y môr, mordwyo. TO SAIL.

môr-ladrad, *eg.* Y weithred o ysbeilio llongau ar y môr. PIRACY.

môr-leidr, *eg. ll.* môr-ladron. Ysbeiliwr llongau ar y môr. PIRATE.

morlo, *eg. ll.*-i. Anifail y môr, moelrhon. SEAL.

morlyn, *eg. ll.*-noedd. Llyn ar lan môr. LAGOON.

morlys, *eg.* Yr adran o'r llywodraeth sy'n rheoli'r llynges. ADMIRALTY.

moron, *e.ll.* (*un. b.*-en). Planhigion i'w bwyta a dyfir mewn gardd. CARROTS.

morter, *eg.* Cymysgedd o galch a thywod a dŵr i uno cerrig neu briddfeini, sment. MORTAR, CEMENT.

morthwyl, *eg. ll.*-ion. **mwrthwl**, *eg. ll.* myrthylau. Offeryn i daro hoelion, &c. HAMMER.

morthwylio, *be.* Taro â morthwyl. TO HAMMER.

morwr, *eg. ll.* morwyr. Un sy'n gweithio ar long. SAILOR.

morwriaeth, *eb.* Y grefft o reoli llong. SEAMANSHIP.

morwyn, *eb. ll.*-ion, morynion. Morwynig, merch, geneth, gwyryf, gwasanaethferch. MAID, GIRL, VIRGIN.

morwyndod, *eg.* Gwyryfdod, y cyflwr o fod yn forwyn. VIRGINITY.

moryd, *eb. ll.* -iau. Aber, genau afon. ESTUARY.

muchudd, *eg.* Math arbennig o lo du a ddefnyddir i wneud addurniadau. JET.

mud : mudan, *a.* Yn methu siarad. DUMB.

mudan, *eg. ll.*-od. Un sy'n methu neu'n gwrthod siarad. DUMB PERSON.

mudandod, *eg.* **mudaniaeth**, *eb.* Y cyflwr o fod yn fud, tawelwch. DUMBNESS.

mudferwi, *be.* Berwi'n araf, cadw ar fin berwi, lled-ferwi. TO SIMMER.

mudiad, *eg. ll.*-au. Symudiad, ysgogiad, cyffroad. MOVEMENT.

mudo, *be.* Symud, ymfudo. TO MOVE, TO EMIGRATE.

mudol, *a.* Symudol, ymfudol. MOVING, MIGRATORY.

mul, *eg. ll.*-od. I. Mulsyn, mwlsyn, anifail sy'n hanner asyn a hanner ceffyl. MULE.
2. Asyn. ASS, DONKEY.
Mules. SHE-MULE, SHE-ASS.

munud, *egb. ll.*-au. **munudyn**, *eg.* Cyfnod o drigain eiliad. MINUTE.
Milltir y funud. A MILE PER MINUTE.

munudio, *be.* Amneidio, gwneud arwydd neu ystum. TO BECKON, TO GESTURE.

mur, *eg. ll.*-iau. Gwal, pared, caer, magwyr. WALL.

murddun, *eg. ll.*-od. Adfail, gweddillion, adeilad sydd wedi ei niweidio. RUIN.

murlun, *eg. ll.* Llun wedi ei beintio ar fur. MURAL.

murmur, *eg. ll.*-on. I. Grwgnach, cwyn, achwyniad, sŵn. MURMUR.
2. *be.* Gwneud sŵn isel aneglur. TO MURMUR.

mursen, *eb. ll.*-nod. Hoeden, merch sy'n chwarae â serchiadau, putain. FLIRT, COQUETTE.

mursendod, *eg.* Ymddygiad mursennaidd, esgus swildod, maldod. AFFECTATION.

mursennaidd, *a.* Maldodaidd, annaturiol, cysetlyd. AFFECTED.

musgrell, *a.* I. Gwan, gwanllyd, egwan, eiddil, llesg, llegach. FEEBLE, SLOW.
2. Lletchwith, trwsgl. CLUMSY.

musgrellni : musgrelli, *eg.* I. Gwendid, eiddilwch, llesgedd. FEEBLENESS.
2. Lletchwithdod. CLUMSINESS.

mwd, *eg.* Llaca, llaid, bwdel, baw. MUD.

mwdwl, *eg. ll.* mydylau. Pentwr o wair, cocyn. HAYCOCK.

mwg, *eg.* Y cwmwl a gwyd oddi wrth rywbeth sy'n llosgi. SMOKE.

mwgwd, *eg. ll.* mygydau. Gorchudd i'r wyneb. MASK.

mwng, *eg. ll.* myngau. Blew hir ar war ceffyl neu lew, &c. MANE.

mwlsyn, *eg. ll.*-nod, mwlsod. Mul ; asyn. MULE ; DONKEY.

mwll, *a.* (*b.* moll). Mwrn, tesog, trymaidd, clòs, mwygl. CLOSE, SULTRY.

mwmian : mwmial : myngial : mwngial, *be.* Siarad yn aneglur, grymial. TO MUMBLE.

mwnci, *eg. ll.* mwncïod. Anifail y coed o deulu'r epa. MONKEY.

mwnwgl, *eg. ll.* mynyglau. Gwddf. NECK. Mwnwgl y droed. INSTEP.

mwrllwch, *eg.* Niwl, tawch. FOG, HAZE.

mwrn, *a.* Mwll, mwygl, trymaidd, clòs. SULTRY.

mwrno, *be.* I. Mynd yn drymaidd. TO BECOME SULTRY.
2. Galaru. TO BE IN MOURNING.

mwrthwl, *eg. ll.* myrthylau. **morthwyl,** *eg. ll.-*
ion. Offeryn i daro hoelion, &c. HAMMER.

mwsg, *eg.* Llysieuyn persawrus. MUSK.

mwsogl : mwswg(l) : mwswm, *eg.* Planhigyn
bychan a dyf ar bethau gwlyb. MOSS.

mwstard : mwstart, *eg.* Powdr a wneir o hadau'r
pren mwstard ac a ddefnyddir i roi blas ar
fwydydd. MUSTARD.

mwstro, *be.* Symud, cyffro, prysuro. TO SHIFT, TO
HURRY.

mwstwr, *eg.* Stŵr, sŵn mawr, twrf, twrw, trwst,
dadwrdd, ffwdan, cyffro, cynnwrf, terfysg.
NOISE, BUSTLE.

mwy, *a.* Gradd gymharol **mawr** a **llawer,** rhagor,
ychwaneg. BIGGER, MORE.
Mwyfwy. MORE AND MORE.

mwyach, *adf.* Eto, byth mwy, o hyn allan, o hyn
ymlaen, rhag llaw. HENCEFORTH.
Nid yw ef yma mwyach. HE IS NOT HERE ANY
MORE.

mwyafrif, *eg.* Y rhan fwyaf. MAJORITY.

mwyalch : mwyalchen, *eb. ll.* mwyalchod,
mwyeilch. Aderyn du. BLACKBIRD.

mwyar, *e.ll.* (*un. b.*-en). Mwyar duon, mafon
duon, ffrwythau bach duon a dyf ar fieri.
BLACKBERRIES.

mwyara, *be.* Hel neu gasglu mwyar. TO GATHER
BLACKBERRIES.

mwydion, *e.ll.* (*un. g.*-yn). Rhannau meddal. SOFT
PARTS, PITH.

mwydo, *be.* Gwlychu, dodi mewn dŵr, rhoi yng
ngwlych. TO SOAK, TO STEEP.

mwydro, *be.* Drysu, pensyfrdanu. TO BEWILDER.

mwydyn, *eg. ll.* mwydod. Abwydyn, pryf
genwair. WORM.

mwyfwy, *adf.* Yn cynyddu'n gyson, ar gynnydd,
mwy a mwy o hyd. MORE AND MORE.

mwyhau, *be.* Mynd yn fwy, cynyddu, amlhau. TO
INCREASE, TO ENLARGE.

mwygl, *a.* Mwll. SULTRY.

mwyn, *eg. ll.*-au. I. Defnydd o'r ddaear sy'n
cynnwys metel. MINERAL, ORE.
2. *eg.* (*Yn yr ymadrodd*) **er mwyn.** Er lles,
ar ran. FOR THE SAKE OF, FOR THE GOOD
OF, ON BEHALF OF.
3. *a.* Mwynaidd, hynaws, caruaidd, caredig,
tyner, tirion. GENTLE.

mwynder : mwyneidd-dra, *eg. ll.* mwynderau.
Addfwynder, tynerwch, tiriondeb
hynawsedd. GENTLENESS.

mwyneiddio, *be.* I. Tirioni, tyneru. TO BECOME
GENTLE.
2. Troi'n fwyn, mwynhau. TO BECOME MILD.

mwynglawdd, *eg. ll.* mwyngloddiau. Lle i
gloddio mwyn. MINE.

mwyngloddio, *be.* Cloddio'r ddaear i chwilio am
fwynau megis copr, haearn, plwm, arian,
aur, &c. TO MINE (*for ore*).

mwynhad, *eg.* Mwyniant, pleser, hyfrydwch.
ENJOYMENT.

mwynhau, *be.* I. Cael pleser neu fwynhad. TO ENJOY.
2. Troi'n fwyn, mwyneiddio. TO BECOME
MILD.

mwyniant, *eg. ll.* mwyniannau. Mwynhad, pleser.
ENJOYMENT.

mwynwr, *eg. ll.* mwynwyr. Un sy'n gweithio
mewn mwynglawdd. MINER.

mwys, *a.* Â mwy nag un ystyr, aneglur. AMBIGUOUS.
Mwysair : gair mwys. PUN.

mwytho, *be.* Tolach, anwylo, anwesu, maldodi.
TO PAMPER.

mwythus, *a.* Yn cael ei fwytho, maldodus.
PAMPERED.

mydr, *eg. ll.*-au. Mesur, aceniad mewn
barddoniaeth. METRE, VERSE.

mydru : mydryddu, *be.* Barddoni. TO VERSIFY.

mydryddiaeth, *eb.* Barddoniaeth. VERSIFICATION.

mydryddol, *a.* Yn ymwneud â mydr. METRICAL.

mydylu, *be.* Gosod mewn mwdwl neu fydylau.
TO STACK.

myfi, *rhag. annibynnol dyblyg.* Person cyntaf
unigol, fi fy hunan. I (ME) (*with emphasis*).

myfïaeth, *eb.* Hunanoldeb, cysêt. EGOTISM.

myfïol, *a.* Hunanol. EGOTISTIC.

myfyrdod, *eg. ll.*-au. Meddwl, ystyriaeth,
astudiaeth efrydiaeth, synfyfyr. MEDITATION.

myfyrgar, *a.* Myfyriol, meddylgar, synfyfyriol.
STUDIOUS, CONTEMPLATIVE.

myfyrgell, *eb. ll.*-oedd. Ystafell ar gyfer astudio.
STUDY.

myfyrio, *be.* Astudio, meddwl, dysgu, synfyfyrio,
efrydu. TO STUDY, TO MEDITATE.

myfyriol, *a.* Meddylgar, gweithgar, hoff o ddysgu
neu astudio. STUDIOUS.

myfyriwr, *eg. ll.* myfyrwyr. Efrydydd, un sy'n
myfyrio. STUDENT.

mygedol, *a.* Anrhydeddus, heb dâl. HONORARY.

mygfa : mogfa, *eb.* Diffyg anadl, asthma ;
marwolaeth drwy fygu. SHORTNESS OF
BREATH, ASTHMA ; SUFFOCATION.

myglyd, *a.* Yn cynnwys mwg, yn llawn mwg,
mwrn. SMOKY, CLOSE.

myglys, *eg.* Baco. TOBACCO.

mygu, *be.* I. Achosi mwg, creu mwg, ysmygu,
smocio. TO SMOKE.
2. Mogi, tagu. TO CHOKE.

mygydu, *be.* Rhoi mwgwd ar, tywyllu. TO
BLINDFOLD.

mygyn, *eg.* Ysmygiad. A SMOKE.

myngial, *gw.* **mwmian.**

myllni, *eg.* Cyflwr mwll, mwrndra. SULTRINESS.

myllu, *be.* Mwrno, mynd yn fwll. TO GROW SULTRY.

mympwy, *eg. ll.*-on. Syniad ffansïol byrhoedlog,
chwilen, gwamalwch, anwadalwch,
dychymyg, oferdyb. WHIM.

mympwyol, *a.* Yn ymwneud â mympwy.
WHIMSICAL.

mymryn, *eg. ll.*-nau. Gronyn, tipyn, tamaid,
dernyn. BIT, PARTICLE.

myn, *eg. ll.*-nod. Gafr ieuanc. KID.

myn, *ardd.* (Mewn llw ac fe'i defnyddir yn union o flaen yr hyn y tyngir iddo). 'Myn asen i', 'myn brain i'. BY (*in oaths*).

mynach, *eg. ll.*-od, mynaich. Un sy'n byw o dan amodau crefyddol mewn lle wedi ei neilltuo i gwmni o rai tebyg iddo. MONK.

mynachaeth, *eb.* Y drefn neu'r mudiad mynachaidd. MONASTICISM.

mynachaidd, *a.* Yn perthyn i fynachod, lleianod, mynachlogydd, lleiandai, &c. MONASTIC.

mynachlog, *eb. ll.*-ydd. *ll.* **mynachdy,** *eg. ll.* mynachdai. Adeilad lle mae cwmni o fynachod yn byw. MONASTERY.

mynawyd, *eg. ll.*-au. Pegol, offeryn blaenllym a ddefnyddir i wneud tyllau bychain. AWL, BRADAWL.

myned : mynd, *be.* Cerdded, rhodio, symud. TO GO.

Mynd am dro. GOING FOR A WALK.

mynedfa, *eb. ll.* mynedfeydd. I. Lle i fyned i mewn neu allan. ENTRANCE, EXIT.

2. Tramwyfa. PASSAGE.

mynediad, *eg. ll.*-au. I. Trwydded, dyfodfa. ADMISSION.

Mynediad am ddim. ADMISSION FREE.

2. Yr act o fyned. GOING.

mynegai, *eg. ll.* mynegeion. Rhestr yn nhrefn y wyddor, fel arfer ar ddiwedd llyfr yn cynnwys enwau, pynciau, &c., ynghyd â chyfeiriadau atynt. INDEX.

mynegair, *eg. ll.* mynegeiriau. Rhestr yn nhrefn y wyddor o'r geiriau neu'r pynciau mewn llyfr, yn enwedig y Beibl, ynghyd â chyfeiriadau atynt. CONCORDANCE.

mynegfys, *eg. ll.*-edd. I. Arwydd, nod, llun bys i ddangos cyfeiriad, mynegbost. DIRECTION SIGN.

2. Y bys cyntaf. FOREFINGER, INDEX FINGER.

mynegi, *be.* Adrodd, dweud, traethu. TO TELL.

mynegiad, *eg. ll.*-au. Adroddiad, traethiad, ymadrodd. STATEMENT.

mynegiant, *eg.* Dangos trwy eiriau a gweithred ac edrychiad. EXPRESSION.

mynnu, *be.* Hawlio, ewyllysio'n gryf. TO WILL.

Mynnodd fynd yn erbyn ewyllys ei fam.

mynor, *eg.* Marmor, maen clais, carreg galch galed y gellir ei gloywi. MARBLE.

mynwent, *eb. ll.*-ydd, -au. Claddfa, lle i gladdu. GRAVEYARD.

mynwes, *eb. ll.*-au. Cofl, côl, bron, dwyfron, brest. BOSOM, BREAST.

mynwesol, *a.* Agos, cynnes, caredig. CLOSE.

Cyfaill mynwesol. BOSOM FRIEND.

mynwesu, *be.* Cofleidio, coleddu. TO EMBRACE, TO CHERISH.

mynych, *a.* Aml, llawer gwaith, cyson. FREQUENT.

mynychu, *be.* Ymweled yn fynych â, mynd neu ganlyn neu ddilyn yn gyson. TO FREQUENT.

mynydd, *eg. ll.*-oedd. Daear uchel, bryn uchel iawn. MOUNTAIN.

Mynydd llosg : mynydd tân. VOLCANO.

mynydda, *be.* Cerdded a dringo mynyddoedd. TO MOUNTAINEER.

mynydd-dir, *eg.* Tir mynyddig. HILL-COUNTRY.

mynyddig, *a.* Uchel, yn esgyn ac yn disgyn. MOUNTAINOUS.

mynyddwr, *eg. ll.* mynyddwyr. Dringwr mynyddoedd. MOUNTAINEER.

myrdd : myrddiwn, *eg. ll.* myrddiynau. Rhif diderfyn, deng mil. MYRIAD.

myrr, *eg.* Defnydd peraroglus a ddefnyddir mewn moddion ac arogldarth. MYRRH.

myrtwydd, *e.ll.* (*un. b.*-en). Llwyni bythwyrdd ac iddynt flodau gwynion peraroglus. MYRTLES.

mysg, *eg.* Canol. MIDST.

Ymysg. AMONG.

Yn eu mysg. AMONG THEM.

mysgu, *be.* Datglymu, rhyddhau, datod, dad-wneud. TO UNDO, TO UNRAVEL.

Yn mysgu'i got. UNDOING HIS COAT.

myswynog, *eb. ll.*-ydd. Buwch heb lo ganddi. BARREN COW.

mytholeg, *eb.* Chwedloniaeth. MYTHOLOGY.

mythologel, *a.* Chwedlonol, yn perthyn i fytholeg. MYTHOLOGICAL.

Na : nac, *cys. (negyddol).* NO, NOT, NOR.
Nid oes yno na dafad nac oen.

na : nac, *geiryn negyddol, (gyda'r gorchmynnol).* NO, NOT.
Na ddos yno.
Nac ofnwch.

na : nac, *geiryn negyddol, (mewn ateb).* NO, NOT.
A ddaw ef ? Na ddaw. WILL HE COME ? NO.
A oes ? Nac oes. IS THERE ? THERE IS NOT.

na : nad : nas, *rhag. perthynol negyddol.* THAT ... NOT.
Y dyn na ddaeth. THE MAN WHO DID NOT COME.
Y dyn nad atebodd.
Dyna'r rhai nas daliwyd.

na : nag, *cys. (gyda'r radd gymharol).* THAN.
Y mae ef yn dalach nag y bu.
Roedd yr wybren yn gochach na thân.

nacâd, *eg.* Gwrthodiad. REFUSAL.

nacaol, *eg. a.* Negyddol. NEGATIVE.
Y mae'r ateb yn y nacaol : yr ateb yw **Na.**
Ateb nacaol. A NEGATIVE REPLY.

nacáu, *be.* Gwrthod, bwrw ymaith. TO REFUSE.

nâd, *eb. ll.* nadau. Llef, dolef, cri, sgrech, udiad. CRY.

Nadolig, *eg.* Gŵyl geni Crist, y Nadolig (Rhagfyr 25). CHRISTMAS.
Nadolig Llawen. HAPPY CHRISTMAS.
Noswyl Nadolig. CHRISTMAS EVE.
Dydd Nadolig. CHRISTMAS DAY.

Nadoligaidd, *a.* Yn perthyn i'r Nadolig. RELATING TO CHRISTMAS, CHRISTMASSY.

nadu, *be.* 1. Udo, oernadu, gwneud cri hir uchel. TO HOWL.
2. Rhwystro, gwrthod, atal, lluddio. TO PREVENT, TO FORBID, TO HINDER.

nadwr, *eg. ll.* nadwyr. Llefwr, bloeddiwr, gwaeddwr. CRIER.

nadd, *eg. ll.*-ion. Rhywbeth wedi ei naddu. WHAT IS HEWN OR CHIPPED.
Carreg nadd. HEWN STONE.

naddo, *adf.* Na, ateb negyddol i ofyniad yn yr amser gorffennol neu berffaith. NO.
A fuoch chwi yno ddoe? Naddo.

naddu, *be.* Torri, cymynu, hacio. TO HEW, TO CHIP.
Naddu blaen y pensil.

Naf, *eg.* Nêr, Arglwydd, Iôr, Iôn. LORD.

nage, *adf.* Na *(mewn ateb negyddol pan fo* **Ai** *yn dechrau cwestiwn).* NOT, NOT SO.
Ai hwn yw'r dyn ? Nage.

nai, *eg. ll.* neiaint. Mab i frawd neu chwaer person. NEPHEW.

naid, *eb. ll.* neidiau. Llam, sbonc, yr hyn a wneir wrth neidio. A LEAP.

naïf, *a.* Gwirion, diniwed, syml. NAÏVE.

naïfder, *eg.* Y cyflwr o fod yn naïf. NAÏVETY.

naill, *rhag.* Un (o ddau). THE ONE, EITHER.
Y naill ... y llall. THE ONE ... THE OTHER.
Naill ai yma neu acw. EITHER HERE OR THERE.

nain, *eb. ll.* neiniau. Mam-gu, mam tad neu fam. GRANDMOTHER.

nam, *eg. ll.*-au. Diffyg, bai, gwendid, nod. DEFECT.

namyn, *ardd.* Ar wahân i, ac eithrio, ond, oddieithr. EXCEPT.

nant, *eb. ll.* nentydd. Cornant, ffrwd, afonig, afon fechan. BROOK.

napcyn, *eg. ll.*-au. Macyn, cadach, cewyn. NAPKIN.
Napcyn poced. HANDKERCHIEF.

narcotig, *eg.* Cyflwr sy'n peri syrthni, cwsg, neu ddideimladrwydd. NARCOTIC.

natur, *eb.* Naws, tymer, anian, naturiaeth. NATURE, TEMPER.

naturiaeth, *eb. ll.*-au. Ansawdd hanfodol rhywbeth, cyfansoddiad sy'n nodweddu hanfod rhywbeth, cyflwr. NATURE.

naturiaethwr, *eg. ll.* naturiaethwyr, Anianydd, un sy'n astudio planhigion ac anifeiliaid. NATURALIST.

naturiol, *a.* Yn unol â natur, fel y disgwylir. NATURAL.

naturioldeb, *eg.* Yr ansawdd o fod yn naturiol. NATURALNESS.

naturus, *a.* Mewn tymer ddrwg, tymherus, dig, llidiog, llidus. ANGRY.

naw, *a. rhifol.* Un yn llai na deg, wyth ac un. NINE.

nawdd, *eg. ll.* noddau. Amddiffyn, diogelwch, lloches, cefnogaeth. PROTECTION, PATRONAGE.
Nawddsant. PATRON SAINT.

nawddogaeth, *eb.* Nawdd, cymorth, cefnogaeth. PATRONAGE.

nawfed, *a.* Yr olaf o naw. NINTH.

nawn, *eg. ll.*-au. Canol dydd, hanner dydd. NOON.

nawr, *adf.* Yn awr, rŵan, yrŵan. NOW.

naws, *eg. ll.*-au. Teimlad, tymheredd, blas, natur. FEELING, NATURE, TEMPERAMENT.

nawseiddio, *be.* Tymheru, tyneru. TO TEMPER, TO SOFTEN.

neb, *eg.* Un, rhywun, dim un *(gyda'r negyddol).* ANYONE, NO ONE.
Nid oedd neb yno. THERE WAS NO ONE THERE.

nedd, *e.ll. (un. b.*-en). Wyau pryfed bach. NITS.

nef : nefoedd, *eb.* Yr awyr, cartref Duw, lle gogoneddus a hyfryd, paradwys. HEAVEN.

nefol : nefolaidd, *a.* Yn ymwneud â'r Nefoedd, gogoneddus, hyfryd. HEAVENLY.

neges, *eb. ll.*-au, -euau, -euon. Cenadwri, geiriau wedi eu dweud neu eu hysgrifennu a'u hanfon gan un person i'r llall, busnes. ERRAND, MESSAGE.

negeseua : negesa, *be.* Mynd ar neges. TO RUN ERRANDS.

negeseuwr : negesydd, *eg. ll.* negeseuwyr. *(un. b.* negeseuwraig). Un sy'n mynd ar neges, cennad. MESSENGER, EMISSARY.

negydd, *eg. ll.*-ion. *(bach.*-yn). Nacâd, datganiad negyddol. NEGATIVE STATEMENT.

negyddol, *a. eg.* Nacaol, atebiad neu ddywediad sy'n gwadu neu'n dweud **Na.** NEGATIVE.

neidio, *be.* 1. Llamu, sboncio. TO JUMP.
2. Curo. TO THROB.

neidiwr, *eg. ll.* neidwyr. Un sy'n neido. JUMPER, LEAPER.

neidr, *eb. ll.* nadredd, nadroedd. Ymlusgiad hir, sarff. SNAKE.
Gwas y neidr. DRAGON FLY.
Neidr gantroed. CENTIPEDE.
Fel lladd nadroedd. AT FULL SPEED.

neillog, *eg. ll.*-ion. Posibiliad dewis (rhwng dau beth), i'w gael yn lle un arall. AN ALTERNATIVE.

Neifion, *eg.* Duw'r môr. NEPTUNE.

neilltu, *eg.* Ochr draw, un ochr. OTHER SIDE, ONE SIDE.
O'r neilltu : ar wahân. ASIDE, APART.

neilltuad, *eg. ll.*-au. Y weithred o osod o'r neilltu, gwahaniad. A SETTING ASIDE, SEPARATION.

neilltuo, *be.* Gwahanu, ysgar, ymwahanu, gosod o'r neilltu. TO SEPARATE.

neilltuol, *a.* Penodol, arbennig. SPECIAL, PARTICULAR.

neilltuolion, *ell.* Arbenigion, nodweddion. CHARACTERISTICS.

neis, *a.* Hyfryd, dymunol ; blasus ; manwl. NICE, PLEASANT ; TASTY ; EXACT.

neisied, *eb. ll.*-i. Cadach poced, hances, macyn poced. HANDKERCHIEF.

neithdar, *eg.* Mêl blodau, diod flasus, diod y duwiau. NECTAR.

neithior, *eb. ll.*-au. Cinio priodas, gwledd briodas. MARRIAGE FEAST.

neithiwr, *adf.* Y noswaith ddiwethaf, hwyrddydd ddoe. LAST NIGHT.

nemor, *a.* Prin, braidd. HARDLY ANY.
Nemor (o) ddim. HARDLY ANYTHING.
Nemor un. HARDLY ANY ONE.

nen, *eb. ll.*-nau. 1. Yr awyr, wybren. HEAVEN.
2. Nenfwd. CEILING.
3. To. ROOF, TOP.
Nenbren. ROOF-BEAM.

nenfwd, *eg. ll.* nenfydau. Top neu nen ystafell. CEILING.

nepell, *adf.* (Nid nepell), heb fod ymhell, yn agos, nid pell, gerllaw. NOT FAR.

Nêr, *eg.* Arglwydd, Naf, Iôr, Iôn. LORD.

nerf, *eg. ll.*-au. Gïau, llinyn sy'n trosglwyddo'r teimladau rhwng y corff a'r ymennydd. NERVE.

nerth, *eg. ll.*-oedd. Cryfder, grym, gallu, pŵer. STRENGTH, POWER.
Nerth braich ac ysgwydd. WITH ALL ONE'S MIGHT.
Nerth ei geg. AS LOUDLY AS POSSIBLE.
Nerth ei draed. FULL SPEED.

nerthol, *a.* Cryf, grymus, galluog. STRONG.

nerthu, *be.* Cryfhau, grymuso, galluogi. TO STRENGTHEN.

nes, *a.* 1. Gradd gymharol **agos**, mwy agos. NEARER.
Yn nes ymlaen. FURTHER ON.
Nes elin nag arddwrn.
Nesnes. NEARER AND NEARER.
2. *adf.* Tan, hyd oni, hyd. UNTIL.
Arhosaf yma nes y daw nos. I SHALL STAY HERE UNTIL NIGHT COMES.

nesaf, *a.* Gradd eithaf **agos**, y mwyaf agos. NEAREST, NEXT.
Y peth nesaf i ddim. NEXT TO NOTHING.

nesáu : nesu (at), *be.* Dod yn nes, mynd yn nes, agosáu, dynesu. TO APPROACH.

neu, *cys.* Ynteu, ai, naill ai. OR.

neuadd, *eb. ll.*-au. Adeilad mawr, mynediad i dŷ. HALL.

newid, *be.* 1. Cyfnewid, gwneud neu fod yn wahanol. TO CHANGE.
2. *eg.* Arian a geir yn ôl wrth dalu, gwahaniaeth, newidiad. CHANGE.

newidiaeth, *eb. ll.*-au. Newid, cyfnewid, ansefydlogrwydd. CHANGE, EXCHANGE (*of money*), CHANGEABILITY.

newidiol, *a.* Cyfnewidiol, amrywiol, wedi newid. CHANGEABLE, VARIABLE.

newidiwr, *eg. ll.* newidwyr. Un sy'n newid, cyfnewidiwr arian. CHANGER, MONEY-CHANGER.

newidydd, *eg. ll.*-ion. Cyfarpar sy'n lleihau neu'n cynyddu foltedd cerrynt tonnog. TRANSFORMER (*electrical*).

newidyn, *eg. ll.* newidion. Ffactor sy'n gallu newid, nodwedd gyfnewidiol. A VARIABLE.

newydd, *a. ll.*-ion. 1. Ffres, heb fod o'r blaen, wedi dod yn ddiweddar, gwahanol, anghyfarwydd. NEW.
O'r newydd. ANEW.
Newydd eni. JUST BORN.
Y mae ef newydd fynd. HE HAS JUST GONE.
2. *eg. ll.*-ion. Hanes diweddar, stori newydd, gwybodaeth ffres. NEWS.
Papur newydd. NEWSPAPER.

newyddbeth, *eg. ll.*-au. Peth newydd, newydd-deb. NOVELTY.

newydd-deb : newydd-der, *eg.* Bod yn newydd, ffresni, newyddbeth. NEWNESS, NOVELTY.

newydd-ddyfodiad, *eg. ll.* newydd-ddyfodiaid. Rhywun newydd gyrraedd (wedi cyrraedd yn ddiweddar). NEW-COMER.

newyddiadur, *eg. ll.*-on. Papur yn rhoi newyddion, papur newydd. NEWSPAPER.

newyddiaduriaeth, *eb.* Y gwaith sydd ynglŷn â chyhoeddi papur newydd. JOURNALISM.

newyddiadurwr, *eg.* Un sy'n ymwneud â newyddiaduriaeth. JOURNALIST.

newyddian, *eg.* Un sy'n dechrau, un sy'n newydd i'w waith. NOVICE.

newyn, *eg.* Chwant bwyd, prinder bwyd. HUNGER, FAMINE.

newynog, *a.* Â chwant bwyd, yn dioddef eisiau bwyd. HUNGRY.
Y newynog. THE HUNGRY.

newynu, *be.* Bod â chwant bwyd, dioddef o eisiau bwyd. TO STARVE.

nhw, *rhag.* Hwy, hwynt. THEY, THEM.
A welwch chwi nhw ? DO YOU SEE THEM ?
Ydy nhw yma ? ARE THEY HERE ?
Nhw sy'n ddrwg ! THEY ARE EVIL/BAD !

ni, *rhag. personol.* Person cyntaf lluosog : Nyni. WE, US.

ni : nid, *geiryn negyddol.* NOT.
Nid felly. NOT SO.
Ni wn i ddim : Wn i ddim. I DO NOT KNOW.
Nid oes dim lle yma. THERE IS NO ROOM HERE.
Nid amgen. NAMELY.

nifer, *egb. ll.*-oedd. Rhif, rhifedi, llawer. NUMBER.

niferus : niferog, *a.* Lluosog, aml. NUMEROUS.

nifwl, *gw.* **niwl.**

ninnau, *rhag. personol dyblyg.* Person cyntaf lluosog : Ni hefyd. WE ALSO.

nis, *ad.* ... *not* ... *him / her / it / them.* Nis gwelodd. HE DID NOT SEE HIM.
Nis cafodd. SHE DID NOT FIND IT.

nitrad, *eg. ll.*-au. Halwyn o asid nitrig ; gwrtaidd yn cynnwys halwynau nitrad, sef, potasiwm neu sodiwm nitrad. NITRATE.

nith, *eb. ll.*-oedd. Merch i frawd neu chwaer person. NIECE.

nithio, *be.* Gwyntyllu, rhannu'r us oddi wrth y grawn. TO WINNOW.

nithiwr, *eg. ll.* nithwyr. Gwyntyllwr. WINNOWER.

niwclear, *a.* Yn perthyn i niwclews atom ; yn perthyn i ynni a greir yn ystod adwaith rhwng niwclei atomig. NUCLEAR.

niwclews, *eg. ll.* niwclei. Canol atom sy'n cynnwys protonau a niwtronau. NUCLEUS.

niwed, *eg. ll.* niweidiau. Drwg, cam, colled, anaf, difrod. HARM.

niweidio, *be.* Drygu, gwneud cam â, difrodi, anafu, amharu. TO HARM.

niweidiol, *a.* Yn achosi niwed. HARMFUL.

niwl, *eg. ll.*-oedd. **niwlen,** *eb.* Tarth, caddug, mwrllwch, nudden, nifwl. FOG, MIST.

niwlog : niwliog, *a.* Wedi ei orchuddio â niwl, aneglur. MISTY.

nobl, *a.* Ardderchog, braf. NOBLE, FINE.

nod, *egb. ll.*-au. 1. Amcan, pwrpas, cyfeiriad. AIM.
2. Marc, arwydd. MARK.

nodedig, *a.* Anarferol, anghyffredin, amlwg, hynod, rhyfedd. REMARKABLE.

nodi, *be.* Arwyddo, dodi marc, dangos, sylwi, cofnodi. TO MARK, TO NOTE.

nodiad, *eg. ll.*-au. Nod, cofnod, cyfrif, sylwadaeth. NOTE.

nodiadur, *eg. ll.*-on. Llyfr nodiadau, llyfr ysgrifennu. NOTEBOOK.

nodiant, *eg.* Dull o nodi seiniau mewn cerddoriaeth. NOTATION.
Hen Nodiant. OLD NOTATION.

nodwedd, *eb. ll.*-ion. Arbenigrwydd, hynodrwydd. A CHARACTERISTIC.
Rhaglen nodwedd. FEATURE PROGRAMME.

nodweddiadol, *a.* Yn perthyn i arbennig i, y gellid ei ddisgwyl oddi wrth, yn briodol i. CHARACTERISTIC.

nodweddu, *be.* Hynodi, perthyn yn arbennig i. TO CHARACTERIZE.

nodwydd, *eb. ll.*-au. Offeryn blaenllym at wnïo. NEEDLE.
Crau nodwydd. EYE OF A NEEDLE.

nodwyddes, *eb. ll.*-au. Gwniadwraig, gwniadyddes. NEEDLE-WOMAN.

nodyn, *eg. ll.*-au. nodiadau, nodion. 1. Llythyr bach, neges fer mewn ysgrifen, nodiad. NOTE.
2. *eg. ll.* nodau. Sain gerddorol. MUSICAL NOTE.

nodd, *eg. ll.*-ion. Sudd, sug, sugn. SAP, JUICE.

nodded, *eg.* Nawdd, amddiffyn, diogelwch. PROTECTION.

noddfa, *eb. ll.* noddfâu, noddfeydd. Lle diogel, lloches, cysgod, diddosfa. REFUGE, SHELTER.

noddi, *be.* Amddiffyn, llochesu, diogelu, cysgodi, cefnogi, nawddogi, coleddu. TO PROTECT.

noddwr, *eg. ll.* noddwyr. Un sy'n noddi. PROTECTOR, PATRON.

noe, *eb. ll.*-au. Padell dylino, dysgl fas (fel twba bach isel) i ddal ymenyn ar ôl corddi. KNEADING-TROUGH, DISH.

noeth, *a. ll.*-ion. Llwm, moel. NAKED, BARE.

noethder, *eg.* Noethni, moelni. NAKEDNESS, BARENESS.

noethi, *be.* Dinoethi, diosg, arddangos. TO DENUDE.

noethlymun, *a.* Yn hollol noeth. STARK NAKED.

noethlymunwr, *eg. ll.* noethlymunwyr. (*un. b.* noethlymunwraig). Un sy'n arfer noethni ; un sy'n tynnu ei ddillad o flaen cynulleidfa i'w diddanu ; un sy'n rhedeg yn noeth drwy fan cyhoeddus. NUDIST ; STRIPPER ; STREAKER.

noethni : noethder, *eg.* Y cyflwr o fod yn noeth. NAKEDNESS.

nofel, *eb. ll.*-au. Ffugchwedl, ffuglen, stori hir ddychmygol. NOVEL.

nofelwr : nofelydd, *eg. ll.* nofelwyr. Un sy'n ysgrifennu nofelau. NOVELIST.

nofio, *be.* Symud drwy ddŵr wrth ddefnyddio'r corff a'r aelodau. TO SWIM.

nofiwr, *eg. ll.* nofwyr. (*un. b.* nofwraig). Un sy'n gallu nofio. SWIMMER.

nogio, *be.* Strancio, gwrthod mynd. TO JIB.

nôl, *be.* Ymofyn, cyrchu, ceisio, dwyn, hôl, dyfod â. TO FETCH.
Myned yn ôl. TO GO IN THE TRACK OF, TO GO BACK.

Normanaidd, *a.* Yn perthyn i'r Normaniaid. NORMAN (*adjective*).

Normaniaid, *e.ll.* (*un. g.* Norman). Brodorion Normandi ; dilynwyr Gwilym Goncwerwr (1066). NORMANS.

Normandi, *eb.* Ardal yng Ngogledd canolbarth Ffrainc. NORMANDY.

nos, *eb. ll.*-au. Y tywyllwch rhwng machlud a chodiad haul, tywyllwch, noson, noswaith. NIGHT.
Nos da : nos dawch. GOOD NIGHT.
Min nos. EVE.
Hanner nos. MIDNIGHT.
Nosgan. SERENADE.
gw. **noson : noswaith.**

nosi, *be.* Mynd yn dywyll, mynd yn nos. TO BECOME NIGHT.

nosol, *a.* Perthynol i nos, beunos, bob nos. NOCTURNAL, NIGHTLY.

noson : noswaith, *eb. ll.* nosweithiau. Diwedd dydd, min nos, diwedydd, nos. EVENING, NIGHT.

Noswaith waith. WEEK NIGHT.

gw. **nos.**

noswyl, *eb. ll.*-iau. Noson cyn gŵyl, gwylnos. VIGIL, EVE OF FESTIVAL.

Noswyl Ddwynwen. ST. DWYNWEN'S EVE (*24th January*).

Noswyl y Pasg. EASTER EVE, EASTER VIGIL.

Noswyl (y) Nadolig. CHRISTMAS EVE.

noswylio, *be.* Cadw noswyl, gorffwys gyda'r nos, gadael gwaith. TO REST AT EVE.

nudd : nudden, *eb.* Niwlen, tarth, caddug, mwrllwch. HAZE, MIST.

Y mae nudden fach yn ymestyn dros y cwm.

nwy, *eg. ll.*-on, -au. Peth o natur awyr a ddefnyddir i oleuo neu dwymo, &c. GAS.

Nwy dagrau. TEAR GAS.

Nwy potel. BOTTLED GAS.

nwyd, *eg. ll.*-au. Gwŷn, natur ddrwg, angerdd, gwylltineb, traserch, cyffro. PASSION.

Y Nwydau. THE PASSIONS.

nwydd, *eg. ll.*-au. Defnydd, peth. MATERIAL, ARTICLE.

Nwyddau. GOODS, COMMODITIES.

nwyf : nwyfiant, *eg.* Egni, ynni, hoen, bywiogrwydd, bywyd, sioncrwydd. VIVACITY.

nwyfus, *a.* Bywiog, hoenus, hoyw, llon, llawen, heini, sionc. LIVELY.

nwyol, *a.* Yn perthyn i nwy. GASEOUS.

nych : nychdod, *eg.* Gwendid, eiddilwch, llesgedd. FEEBLENESS.

nychlyd, *a.* Llesg, eiddil, gwanllyd, llegach, musgrell. FEEBLE.

nychu, *be.* Dihoeni, gwanychu, llesgáu. TO LANGUISH.

nyddu, *be.* Cordeddu, cyfrodeddu, troi, troelli, cymhlethu. TO SPIN.

nyddwr, *eg. ll.* nyddwyr. Un sy'n nyddu. SPINNER.

nyni, *rhag. personol dyblyg.* Person cyntaf lluosog : Ni (*gyda phwyslais*). WE, US.

nyrs, *eb. ll.* nyrsys. Un sy'n gofalu am blant neu gleifion, mamaeth. NURSE.

nyrsio, *be.* Gwneud gwaith nyrs. TO NURSE.

nyth, *ebg. ll.*-od. Y man lle bydd aderyn yn dodwy ei wyau, lle clyd. NEST.

nythaid, *eb.* Llond nyth. NESTFUL.

Nythaid o gywion. NESTFUL OF CHICKS.

Nythaid o nadredd. NESTFUL OF SNAKES.

nythu, *be.* Gwneud nyth. TO NEST.

O, *ardd.* I. (Ohonof, ohonot, ohono/ohoni, ohonom,
ohonoch, ohonynt). FROM, OF, OUT OF.
O dŷ i dŷ. FROM HOUSE TO HOUSE.
O'r tŷ i'r ardd. OUT OF THE HOUSE INTO THE
GARDEN.
Wedi ei wneud o bren. MADE OF WOOD.
O'r braidd. HARDLY.
O'r bron. ALTOGETHER.
O'r gorau. VERY WELL.
O'r diwedd. AT LAST.
2. *cys.* Os, od. IF.
3. *ebych.* (fel yn) "O !" meddai ef. OH ! O !
4. *rhag.* Ef, fe, fo. HE, HIM, IT.
obaith, *gw.* **gobaith.**
obeithio, *gw.* **gobeithio.**
obeithiol, *gw.* **gobeithiol.**
obennydd, *gw.* **gobennydd.**
oblegid, *cys.* & *ardd.* Oherwydd, am, o achos,
gan. BECAUSE, ON ACCOUNT OF.
o boptu, *adf.* Tua, ynghylch o amgylch, o
gwmpas, oddeutu. ABOUT.
obry, *adf.* Isod, yn y dyfnderoedd, oddi tanodd.
DOWN, BELOW.
ocsiwn, *eb. ll.* ocsiynau. **acsiwn,** *eb. ll.* acsiynau.
Arwethiant, sâl. AUCTION.
och : ach : ych, *ebych.* (Arwydd o ddiflastod). UGH !
Och-y-fi : ach-y-fi : ych-y-fi !
ochain : ochneidio : ocheneidio, *be.* Griddfan.
TO GROAN.
Y gwynt yn ochneidio. THE WIND HOWLING.
ochenaid, *eb. ll.* ocheneidiau. Griddfan. SIGH.
ocheneidio, *gw.* **ochain.**
ochr, *eb. ll.*-au. Ystlys, tu, min, ymyl, glan. SIDE.
ochrgamu, *be.* Camu o un ochr i'r llall (*yn
enwedig mewn rygbi*). TO SIDE-STEP
(*especially in rugby*).
ochri (gyda), *be.* Cymryd ochr, cymryd rhan,
pleidio, bod o du. TO SIDE (WITH).
ôd, *eg.* Eira. SNOW.
od, *a.* I. Hynod, rhyfedd. ODD.
Peth od. STRANGE (THING).
Yn od o dda. REMARKABLY WELL.
2. *cys.* Os, o. IF.
odiaeth, *a.* Rhagorol, anghyffredin, iawn, dros
ben. VERY, EXQUISITE.
odid, *adf.* Prin, braidd. HARDLY.
Ond odid. PROBABLY.
Odid y daw : nid yw'n debyg y daw.
Odid na ddaw : tebyg y daw.
odidog, *gw.* **godidog.**
odidogrwydd, *gw.* **godidogrwydd.**
odl, *eg. ll.*-au. Seiniau tebyg i'w gilydd ar
ddiwedd geiriau arbennig mewn
barddoniaeth. RHYME.
odli, *be.* Cynnwys odlau, llunio odlau (*fel gwyn a
hyn*). TO RHYME.
odre, *gw.* **godre.**
odrif, *eg. ll.*-au. Rhif na ellir ei rannu â dau heb
weddill, *e.e.* 1, 3, 5, 7 ... 29 ... 401 ... 685
... ODD NUMBER.
gw. **eilrif.**

odro, *gw.* **godro.**
odrwydd, *eg. ll.*-au. Y cyflwr o fod yn od,
nodwedd hynod. ODDITY, ECCENTRICITY.
ods : ots, *eg.* Gwahaniaeth. ODDS.
odyn, *eb. ll.*-au. Ffwrn i sychu, lle i losgi carreg
galch i wneud calch. KILN.
oddef, *gw.* **goddef.**
oddefgar, *gw.* **goddefgar.**
oddefol, *gw.* **goddefol.**
oddeutu, *ardd.* & *adf.* O boptu, tua, ynghylch, o
gwmpas, o amgylch, ar fedr, ar fin. ABOUT.
oddi, *ardd.* O. OUT OF, FROM.
Oddi ar. FROM OFF, SINCE.
Oddi yma. FROM HERE.
Oddi wrth. FROM.
Oddi mewn (fewn). WITHIN.
oddieithr, *ardd.* Ond, oni, onis, os na. EXCEPT,
UNLESS.
oddrych, *gw.* **goddrych.**
oed : oedran, *eg. ll.* oedrannau. Oes, henaint. AGE.
Blwydd oed. YEAR OLD.
Hyd yn oed. EVEN.
oed, *eg. ll.*-au. Penodiad, trefniad i gyfarfod,
cyhoeddiad. APPOINTMENT.
oedfa, *eb. ll.*-on, oedfeuon. Cyfarfod, cwrdd,
gwasanaeth crefyddol ymhlith
Ymneilltuwyr. MEETING, RELIGIOUS SERVICE
AMONG NONCONFORMISTS.
oedi, *be.* Gohirio, cadw'n ôl, ymdroi. TO DELAY.
oediad, *eg. ll.*-au. Yr act o oedi. DELAY.
oedolion, *e.ll.* (un. g. oedolyn) Rhai mewn oed
neu yn eu llawn faint. ADULTS.
oedran, *gw.* **oed.**
oedrannus, *a.* Hen. AGED.
oen, *eg. ll.* ŵyn. Bach y ddafad. LAMB.
Oenig. EWE LAMB.
oena, *be.* Wyna, bwrw oen. TO LAMB.
oer, *a.* Heb wres, heb deimlad. COLD.
oeraidd : oerllyd, *a.* Rhynllyd, anwydog. CHILLY.
oerfel, *eg.* Oerni, diffyg gwres. COLD.
oergell, *eb. ll.*-oedd. Lle i gadw bwydydd yn iach
neu oer, rhewgell, cwpwrdd oer, cist oer.
REFRIGERATOR.
oeri, *be.* Mynd yn oer, gwneud yn oer. TO BECOME
COLD.
oerllyd, *gw.* **oeraidd.**
oernad, *eb. ll.*-au. Sgrech, nâd, llef drist, dolef,
cri, udiad, cwynfan. HOWL, WAIL, LAMENTATION.
oernadu, *be.* Sgrechian, nadu, llefain, crio, udo,
cwynfan. TO HOWL.
oerni, *eg.* Oerfel, tywydd oer. COLD, COLD WEATHER.
oes, *eb. ll.*-au, -oedd. Bywyd, adeg, amser,
cyfnod, einioes, dydd. AGE, LIFETIME.
Yn oes oesoedd. FOR EVER AND EVER.
Yr Oesau/Oesoedd Canol. THE MIDDLE AGES.
oes, *bf.* Trydydd person unigol presennol mynegol
bod : mae, sydd, yw, ydyw. IS, THERE IS, ARE,
THERE ARE, IS THERE ... ? ARE THERE ... ?
A oes llyfr yma ? Oes ... Nac oes. Nid oes
llyfr yma.

oesol, *a.* Parhaol, parhaus, bythol. PERPETUAL.
of, *gw.* gof.
ofal, *gw.* gofal.
ofalu, *gw.* gofalu.
ofer, *a.* Segur, gwastraffus, seithug. WASTEFUL, VAIN.
ofera, *be.* Segura, gwastraffu. TO IDLE, TO WASTE.
oferedd, *eg.* Afradlonedd, gwagedd, gwegi. DISSIPATION, FRIVOLITY.
ofergoel, *eb. ll.*-ion. **ofergoeliaeth,** *eb.*
  ofergoeledd, *eg.* Coelgrefydd, ofn yr hyn sy'n anhysbys neu gred wedi ei seilio ar ofn neu hud. SUPERSTITION.
ofergoelus, *a.* Yn credu mewn ofergoelion. SUPERSTITIOUS.
oferwr, *eg. ll.* oferwyr. Diogyn, afradwr. WASTER.
ofn, *eg. ll.*-au. Arswyd, dychryn, braw, llwfrdra. FEAR.
  Y mae ofn arno. HE IS AFRAID.
ofnadwy, *a.* Arswydus, erchyll. DREADFUL.
ofni, *be.* Arswydo, bod ag ofn. TO FEAR.
ofnog : ofnus, *a.* Ag ofn, llwfr, nerfus. TIMID, NERVOUS.
ofydd, *eg. ll.*-ion. Un o urddau'r Orsedd. OVATE.
offeiriad, *eg. ll.* offeiriaid. Clerigwr, gweinidog eglwys. PRIEST, CLERGYMAN.
offeiriadaeth, *eb.* Clerigaeth. CLERGY, PRIESTHOOD.
offeiriadol, *a.* Clerigol. PRIESTLY.
offeiriadu, *be.* Cyflawni swydd offeiriad. TO SERVE AS PRIEST.
offer, *gw.* offeryn.
offeren, *eb. ll.*-nau. Gwasanaeth y Cymun yn Eglwys Rufain. MASS.
offeryn, *eg. ll.* offer, offerynnau. Celficyn, arf, erfyn. INSTRUMENT, TOOL.
  Offer. IMPLEMENT, TOOLS, GEAR.
  Offer gof. BLACKSMITH'S TOOLS.
  Offer saer. CARPENTER'S TOOLS.
  Offerynnau cerdd. MUSICAL INSTRUMENTS.
  Offer chwyth. WIND INSTRUMENTS.
  Offer llinynnol. STRINGED INSTRUMENTS.
  Offerynnau taro. PERCUSSION INSTRUMENTS.
offerynnol, *a.* Yn ymwneud ag offerynnau. INSTRUMENTAL.
offrwm, *eg. ll.* offrymau. Aberth, rhodd, cyfraniad. OFFERING, OBLATION.
offrymu, *be.* Aberthu, rhoddi, cyfrannu. TO SACRIFICE.
offrymwr, *eg. ll.* offrymwyr. Un sy'n offrymu, aberthwr. SACRIFICER.
og, *eb. ll.*-au. **oged,** *eb. ll.*-i, -au. Offeryn i lyfnu cae wedi ei droi. HARROW.
ogedu, *be.* Llyfnu. TO HARROW.
ogfaen, *e.ll.* (*un. b.*-en). Ffrwythau bach coch, egroes. HIPS.
ogof, *eb. ll.*-au, -âu, -eydd. Lle gwag neu dwll dan y ddaear. CAVE.
ogylch, *ardd.* O amgylch, oddi amgylch, amgylch ogylch. ABOUT.
ongl, *eb. ll.*-au. Y man lle daw dwy linell i gyfarfod â'i gilydd, cornel, congl. ANGLE.

onglog, *a.* Ag onglau. ANGULAR.
oherwydd, *cys.* Oblegid, o achos, gan, am. BECAUSE, FOR.
ôl, *eg. ll.* olion. I. Nod, marc. MARK, TRACK.
  Yn ôl ei draed. IN HIS STEPS.
  Olion. REMAINS.
  2. *a.* Dilynol. BEHIND.
  Yn ôl ac ymlaen. BACKWARDS AND FORWARDS.
  Yn ôl. AGO, BACK, ACCORDING TO.
  Ar ôl. AFTER.
  Y tu ôl i : y tu cefn i. BEHIND.
  Blwyddyn yn ôl. A YEAR AGO.
olaf, *a.* Diwethaf. LAST.
ôl-ddodiad, *eg. ll.* ôl-ddodiaid. Terfyniad gair. SUFFIX.
olew, *eg.* Oel, hylif tew seimlyd a geir o blanhigion neu anifeiliaid neu fwynau, &c. OIL.
olewydd, *e.ll.* (*un. b.*-en). Coed bythwyrdd y defnyddir eu ffrwythau i wneud olew ohonynt. OLIVE-TREES.
olrhain, *be.* Dilyn, chwilio am, copïo. TO TRACE.
olwr, *eg. ll.* olwyr. Chwaraewr sy gan amlaf yn amddiffyn y tu ôl i'r blaenwyr, mewn rygbi, &c. BACK (*in rugby, &c.*).
olwyn, *eb. ll.*-ion. Rhod, troell, ffrâm gron yn troi ar echel dan gerbyd, &c. WHEEL.
olyniaeth, *eb.* Dilyniad, peth sy'n dilyn un arall, rhes, cyfres. SUCCESSION.
olynol, *a.* Yn dilyn ei gilydd. CONSECUTIVE.
olynu, *be.* Dilyn mewn swydd, &c. TO SUCCEED.
olynydd : olynwr, *eg. ll.* olynwyr. Un sy'n dilyn un arall mewn swydd, &c. SUCCESSOR.
ôl-ysgrif, *eb. ll.*-au. Peth a ysgrifennir ar ddiwedd llythyr neu lyfr, ôlnodiad. POSTSCRIPT.
oll, *adf.* I gyd. ALL.
  Yn gyntaf oll. FIRST OF ALL.
  Gorau oll. ALL THE BETTER.
ond : onid, *cys.* Eithr, yn unig, unig. BUT, ONLY.
onest, *gw.* gonest.
onestrwydd, *gw.* gonestrwydd.
oni : onid, Geiryn (mewn gofyniad negyddol). NOT ?
  Onid e ? IS IT NOT
  Oni ddaeth ef ? HAS HE NOT COME ?
oni : onid : onis, *cys.* Os na, hyd, nes. UNLESS, UNTIL.
onnen, *eb. ll.* ynn, onn. Pren cyffredin a ddefnyddir i wneud estyll, &c. ASH-TREE.
oracl, *eg. ll.*-au. Man lle yr ymgynghorir â'r duwiau, eu hatebion, person y tybir ei fod yn gallu rhoi arweiniad doeth. ORACLE.
oraclaidd, *a.* Doeth, call. ORACULAR.
ordeiniad, *eg. ll.*-au. Urddiad. ORDINATION.
ordeinio, *be.* Urddo, derbyn i'r weinidogaeth Gristnogol. TO ORDAIN.
ordinhad, *eb. ll.*-au. Yr hyn a ordeiniwyd, y weithred o sefydlu ; ordinhad, trefn, sacrament. ORDINANCE, SACRAMENT.
oren, *egb. ll.*-nau. Afal euraid, ffrwyth melyngoch o faint afal. AN ORANGE.

organ, *eb. ll.*-au. I. Offeryn cerdd a chwythir â megin.
2. Rhan o'r corff, &c. ORGAN.
Organ geg. MOUTH-ORGAN.
organydd, *eg. ll.*-ion. Un sy'n canu organ. ORGANIST.
orgraff, *eb. ll.*-au. Llythyraeth, sillafiaeth geiriau. ORTHOGRAPHY.
oriau, *gw.* **awr.**
oriawr, *eb. ll.* oriorau. Wats, waets, teclyn bach i ddweud yr amser. WATCH.
oriel, *eb. ll.*-au. Llofft dros ran o ystafell, galeri, lle i ddangos gweithiau cain. GALLERY.
orig, *eb.* Ennyd, talm, amser byr. LITTLE WHILE.
Orig fach. ONE SHORT HOUR.
oriog, *a.* Gwamal, di-ddal, anghyson, cyfnewidiol. FICKLE, CHANGEABLE.
orlenwi, *gw.* **gorlenwi.**
orlifo, *gw.* **gorlifo.**
orllewin, *gw.* **gorllewin.**
ormes, *gw.* **gormes.**
ormod, *gw.* **gormod.**

ormodol, *gw.* **gormodol.**
ornest, *eb. ll.*-au. Ymdrechfa, ymryson, cystadleuaeth, ymladdfa. CONTEST.
orsaf, *gw.* **gorsaf.**
orsedd, *gw.* **gorsedd.**
oruchaf, *gw.* **goruchaf.**
orwedd, *gw.* **gorwedd.**
orwel, *gw.* **gorwel.**
orymdaith, *gw.* **gorymdaith.**
os, *cys.* (Gyda'r amser presennol a'r gorffennol). IF.
Os gwelwch yn dda. PLEASE.
Os yw ef yma. IF HE IS HERE.
osgeiddig, *gw.* **gosgeiddig.**
osgo, *eg.* Ymarweddiad, ystum, agwedd. ATTITUDE, BEARING.
Yn urddasol ei osgo.
osgoi, *be.* Gochel, gochelyd, ymgadw rhag. TO AVOID.
oslef, *gw.* **goslef.**
osod, *gw.* **gosod.**
ostwng, *gw.* **gostwng.**
ow, *ebych.* Fel yn ' Ow ! ' meddai. OH !, ALAS !
owns, *eb.* Un rhan ar bymtheg o bwys. OUNCE.

Pa, *a.* Beth, pwy. WHAT, WHICH.
Pa beth ? WHAT THING ?
Pa un ? WHICH ONE ?
Pa fodd ? HOW ?
Pa sawl ? HOW MANY ?
pab, *eg. ll.*-au. Pennaeth Eglwys Rufain. POPE.
pabaeth, *eb.* Swydd y Pab. PAPACY.
pabaidd, *a.* Yn ymwneud â'r Pab. PAPAL.
pabell, *eb. ll.* pebyll. Adeilad y gellir ei godi a'i
symud yn hawdd. TENT, PAVILION.
pabellu, *be.* Codi pebyll a byw ynddynt am beth
amser, gwersyllu. TO ENCAMP.
pabi, *eb. ll.* pabïau. Blodeuyn coch. POPPY.
pabwyr, *e.ll. (un. b.*-en). I. Brwyn, planhigion a
dyf mewn cors. RUSHES.
2. *eg.* Carth, carthyn, llinyn mewn cannwyll
neu lamp olew a lysg wrth ei gynnau. WICK.
Pabydd, *eg. ll.*-ion. Aelod o Eglwys Rufain. PAPIST.
pabyddiaeth, *eb.* Ffurf Eglwys Rufain ar
Gristnogaeth. POPERY.
pabyddol, *a.* Yn perthyn i Eglwys Rufain. PAPIST,
ROMAN CATHOLIC.
pac, *eg. ll.*-au, -iau. Pwn, swp, bwndel, baich.
PACK, BUNDLE.
paced, *eg. ll.*-i. Sypyn, bwndel bach. PACKET,
PACKAGE.
pacio, *be.* Dodi mewn pac, gwneud sypyn neu
fwndel. TO PACK.
padell, *eb. ll.*-i, -au, pedyll. Cawg, basn, llestr.
PAN, BOWL.
padellaid, *eb. ll.* padelleidiau. Llond padell,
cynnwys padell. A PANFUL.
pader, *eg.ll.*-au. Gweddïau, gleiniau. PRAYERS,
BEADS, ROSARY.
Gweddi'r Arglwydd. THE LORD'S PRAYER.
paent, *eg.* Lliw, defnydd lliwio. PAINT.
pafiliwn, *eg.* Adeilad mawr fel pabell. PAVILION.
paffio, *be.* Ymladd â menig ar y dwylo, ymladd â
dyrnau. TO BOX.
paffiwr, *eg. ll.* paffwyr. Un sy'n paffio. BOXER.
pagan, *eg. ll.*-iaid. Un nad yw'n Gristion nac yn
Iddew nac yn Fwslim, cenedl-ddyn, ethnig.
PAGAN.
paganiaeth, *eb.* Credo'r pagan, addoliad gau-
dduwiau. PAGANISM.
pang, *eg. ll.*-au. **pangfa,** *eb. ll.* pangfeydd. Poen
sydyn, haint, ffit, ysfa, chwiw, llewyg,
gwasgfa, gloes. FIT.
paham : pam, *adf.* Am ba reswm, i ba beth ; sut.
WHY, WHEREFORE.
Pam hynny ? WHY IS THAT ?
Pam lai ? WHY NOT ?
Pam y daethost ?
Gofynnodd pam y daeth.
paill, *eg.* I. Blawd, can, peilliaid. FLOUR.
2. Llwch blodeuyn. POLLEN.
pair, *eg. ll.* peiriau. Crochan. CAULDRON.
pais, *eb. ll.* peisiau. Sgyrt isaf, gŵn isaf. PETTICOAT.
Pais a betgwn. SKIRT AND BEDGOWN.

paith, *eg. ll.* peithiau. Gwastatir, gweundir, darn
maith o dir porfa heb ddim coed ynddo. PRAIRIE.
pâl, *eb. ll.* palau. I. Offeryn palu, math o raw a
ddefnyddir yn yr ardd, &. SPADE.
2. *eg. ll.* palod. Aderyn glan y môr,
cornicyll y dŵr. PUFFIN.
paladr, *eg. ll.* pelydr. **pelydryn,** *eg. ll.* pelydrau.
Llewyrch, fflach, llygedyn o olau. RAY, GLEAM.
Pelydrau X. X RAYS.
paladr, *eg. ll.* pelydr. I. Gwaywffon. SPEAR.
2. Dwy linell gyntaf englyn. FIRST TWO
LINES OF AN ENGLYN.
palas, *eg. ll.*-au, -oedd. Tŷ mawr, plas. MANSION,
PALACE.
palau, *gw.* **pâl.**
Palestina, *eb.* Gwlad ym mhen dwyreiniol o'r
Môr Canoldir, o bwysigrwydd i Gristnogion,
Iddewon a Mwslimiaid, sydd â Jerwsalem
yn brifddinas iddi. PALESTINE.
palf, *eb. ll.*-au. Pawen, tor llaw, cledr y llaw.
PALM, PAW.
palfais, *eb. ll.* palfeisiau. Ysgwydd. SHOULDER.
Asgwrn y balfais : asgwrn yr ysgwydd.
SHOULDER BLADE.
palfalu, *be.* Teimlo â'r llaw, ymbalfalu. TO FEEL,
TO GROPE.
palff, *eg.* Un mawr cadarn. WELL-BUILT SPECIMEN.
Palff o ddyn : clamp o ddyn.
pali, *eg.* Sidan a brodwaith arno. SILK BROCADE.
palis, *eg. ll.*-au. Rhaniad, gwal rhwng dwy ystafell,
pared, canolfur, gwahanfur. PARTITION.
palmant, *eg. ll.*-au. Pafin, llwybr cerdded ar ochr
stryd. PAVEMENT.
palmantu, *be.* Gosod palmant. TO PAVE.
palmwydd, *e.ll. (un. b.*-en). Coed sy'n tyfu mewn
gwledydd twym. PALM-TREES.
palu, *be.* Troi tir â phâl. TO DIG.
Palu'r ardd. TO DIG THE GARDEN.
pall, *eg.* Methiant, diffyg, ffaeledd, eisiau. FAILURE.
Heb ball. WITHOUT FAIL.
Nid oes dim pall ar ei siarad ef.
pallu, *be.* Nacáu, gwrthod, gomedd, darfod,
methu, ffaelu. TO REFUSE, TO FAIL.
" A phan ballodd y gwin. "
pamffled, *eg. ll.*-i, -au. **pamffledyn,** *eg.* Ychydig
ddalennau wedi eu gosod ynghyd. PAMPHLET.
pan, *cys.* Pryd (y), pryd bynnag. WHEN.
Af i'r tŷ pan fydd hi'n bwrw glaw.
pandy, *eg. ll.* pandai. Adeilad lle y glanheir ac y
tewychir gwlân. FULLING-MILL.
pannas, *e.ll. (un. b.* panasen). Llysiau Gwyddelig,
gwreiddiau gwynion a dyf mewn gardd.
PARSNIPS.
pannu, *be.* Curo neu wasgu neu lanhau brethyn.
TO FULL (CLOTH).
Yn pannu arni. SLOGGING AT IT.
pannwr, *eg. ll.* panwyr. Un sy'n pannu. FULLER.
pant, *eg. ll.*-au, -iau. Dyffryn, glyn, ceudod ; tolc.
VALLEY, HOLLOW ; DENT.
Mynd i bant : mynd ymaith. GOING AWAY.

pantri, *eg.* Bwtri, ystafell i gadw bwyd a llestri. PANTRY.

papur, *eg. ll.*-au. Defnydd a wneir o gotwm, pren, gwellt, &c., ac a ffurfir yn dudalennau tenau gwastad y gellir ysgrifennu, argraffu, llunio, &c., arnynt, lapio am barseli, addurno waliau, &c. PAPER.
Papur arholiad. EXAMINATION PAPER.
Papur bro. COMMUNITY NEWSPAPER.
Papur decpunt. TEN-POUND NOTE.
Papur doctor/meddyg. MEDICAL CERTIFICATE.
Papur glas. COURT SUMMONS.
Papur llwyd. BROWN PAPER.
Papur menyn/gwrthsaim. GREASEPROOF PAPER.
Papur newydd. NEWSPAPER.
Papur pumpunt. FIVE-POUND NOTE.
Papur sidan. TISSUE PAPER.
Papur sugno. BLOTTING PAPER.
Papur tŷ bach/toiled/lle chwech. TOILET PAPER.
Papur ysgrifennu. WRITING PAPER.

papuro, *be.* Dodi papur ar wal. TO PAPER.

papurwr, *eg. ll.* papurwyr. Un sy'n papuro. PAPER-HANGER.

pâr, *eg. ll.* parau. Set o ddau, deuddyn, cwpl. PAIR.
Pâr o draed. PAIR OF FEET.
Pâr o ddillad. SUIT.
Pâr o esgidiau. PAIR OF SHOES.
Pâr o fenig. PAIR OF GLOVES.
Pâr o geffylau. TEAM OF HORSES.
Pâr o golomennod. BRACE OF PIGEONS.
Pâr o hosanau. PAIR OF STOCKINGS.

para : parhau, *be.* Dal ati, mynd ymlaen. TO CONTINUE.

parabl, *eg.* Llafar, lleferydd, ymadrodd, araith, ymddiddan. SPEECH.

parablu, *be.* Llefaru, siarad, areithio, traethu. TO SPEAK.

paradwys, *eb.* Gwynfa, gwynfyd, nefoedd. PARADISE.

paradwysaidd, *a.* Fel paradwys. PARADISEAN.

paraffin, *eg.* Olew ysgafn fflamadwy a geir drwy ddistyllu petroliwm ac a ddefnyddir fel tanwydd. PARAFFIN.

paragraff, *eg. ll.*-au. Brawddeg neu nifer o frawddegau yn ymwneud â'r un testun. PARAGRAPH.

paratoad, *eg. ll.*-au. Darpariaeth, yr act o baratoi. PREPARATION.

paratoi, *be.* Darparu, arlwyo, darbod, gwneud yn barod. TO PREPARE.

parc, *eg. ll.*-au, -iau. 1. Gardd i'r cyhoedd, cae chwarae, tir o amgylch tŷ mawr, lle i adael cerbydau. A PARK.
2. Maes, cae. FIELD.
Parc ceir. CAR PARK.

parcio, *be.* Gosod cerbyd mewn man arbennig a'i adael dros dro, symud cerbyd i le gwag a'i adael yno dros dro. TO PARK (*a vehicle*).
Maes parcio. CAR PARK.

parch, *eg.* Ystyriaeth, hoffter, serch, anrhydedd. RESPECT.

parchedig, *a. ll.*-ion. Hybarch, anrhydeddus, teitl i weinidog neu offeiriad. REVEREND, REVERENT.
Y Gwir Barchedig (wrth gyfarch esgob). THE RIGHT REVEREND.

parchu, *be.* Dangos parch at, meddwl yn fawr o, gwneud sylw o, anrhydeddu. TO RESPECT.

parchus, *a.* Yn cael neu'n haeddu parch. RESPECTABLE, RESPECTFUL.

parchusrwydd, *eg.* Y cyflwr o fod yn barchus. RESPECTABILITY.

pardwn, *eg. ll.* pardynau. Maddeuant. PARDON.
Rhoi pardwn : maddau. TO PARDON.

parddu, *eg.* Huddygl, defnydd du a geir wrth losgi. SOOT.

pardduo, *be.* Duo, difrïo, difenwi, enllibio, absennu, cablu. TO VILIFY.

pared, *eg. ll.* parwydydd. Palis, gwahanfur, gwal, mur. PARTITION.

parhad, *eg.* Yr act o ddal ati neu fynd ymlaen. CONTINUATION.

parhaus : parhaol, *a.* Di-baid, gwastadol, bythol, tragwyddol. CONTINUAL, PERPETUAL.

Paris, *eb.* Prifddinas Ffrainc lle ceir y Louvre, yr amgueddfa gelfyddyd enwocaf yn y byd. PARIS.

parlwr, *eg. ll.* parlyrau. Ystafell eistedd mewn tŷ. PARLOUR.

parlys, *eg.* Clefyd sy'n achosi colli nerth neu deimlad. PARALYSIS.

parlysu, *be.* Taro â pharlys, cloffi, llesteirio, gwneud yn ddiymadferth. TO PARALYSE.

parod, *a.* Ewyllysgar, bodlon, wedi paratoi. READY.
Yno'n barod. THERE ALREADY.

parodrwydd, *eg.* Ewyllysgarwch, bodlonrwydd. READINESS.

parsel, *eg. ll.*-i. Pecyn, sypyn, swp. PARCEL.

parti, *eg. ll.* partïon. Pobl yn gweithio neu deithio, &c., gyda'i gilydd, mintai, pobl o'r un daliadau gwleidyddol. PARTY.

partïol, *a.* Ymbleidiol, pleidgar, yn pleidio parti. PARTISAN.

parth, *eg. ll.*-au. 1. Lle, rhan o wlad, ardal, rhandir. PART, DISTRICT.
Parth â : tua. TOWARDS.
2. Llawr. FLOOR.
Clwtyn parth : clwtyn llawr.
Brws parth : brws llawr.

parthed, *ardd.* Mewn perthynas â, ynglŷn â, ynghylch, am. CONCERNING.

pas, *eg.* Math o glefyd (ar blant gan amlaf) lle mae pesychu yn amlwg. WHOOPING-COUGH.

Pasg, *eg.* Gŵyl i ddathlu atgyfodiad Crist, y Pasg. EASTER.
Sul y Pasg. EASTER SUNDAY.
Llun y Pasg. EASTER MONDAY.
Gwyliau'r Pasg. EASTER HOLIDAYS.
Wy Pasg. EASTER EGG.

pasgedig, *a.* Wedi ei besgi, tew. FATTED.

pasiant, *eg. ll.* pasiannau. Rhwysg, rhith, arddangosiad neu orymdaith o bobl wedi gwisgo yn nillad y cyfnod y ceisir ei ddarlunio. PAGEANT.

pastai, *eb. ll.* pasteiod. Blasus-fwyd mewn toes wedi ei grasu. PASTY, PIE.

pasteureiddiedig : pasteuraidd, *a.* Yn perthyn i basteureiddio, yn ymwneud â phasteureiddio. PASTEURIZED.

pasteureiddio, *be.* Trin (llaeth, caws, cwrw, &c.), yn ôl dull Pasteur o steryllu yn rhannol drwy wresogi am gyfnod byr. TO PASTEURIZE.

pastwn, *eg. ll.* pastynau. Pren trwchus, ffon. CLUB.

patriarch, *eg. ll.*-iaid. Tad a rheolwr teulu (yn enwedig yn y Beibl), penteulu. PATRIARCH.

patrwm, *eg. ll.* patrymau. **patrwn,** *eg. ll.* patrynau. Cynllun (addurnol), yn enwedig un ailadroddol ar garped, papur wal, &c., model, math. PATTERN.

pathew, *eg. ll.*-od. Cnofil bychan blewog ei gynffon yn debyg i'r llygoden a'r wiwer. DORMOUSE.

patholeg, *eb.* Gwyddor clefydau corfforol ; symptomau clefyd. PATHOLOGY.

patholegol, *a.* Yn perthyn i batholeg. PATHOLOGICAL.

patholegydd, *eg. ll.* patholegwyr. Arbenigwr mewn patholeg. Un sydd drwy archwiliad *post-mortem* yn pennu achos marwolaeth. PATHOLOGIST.

pau, *eb. ll.* peuoedd. Gwlad, tir, tiriogaeth, bro. COUNTRY, LAND, TERRITORY.

paun, *eg. ll.* peunod. (*b.* peunes). Aderyn ac iddo blu godidog o las a gwyrdd a chynffon sy'n ymledu fel ffan. PEACOCK.

pawb, *eg.* Y cwbl, oll (*o bersonau*), pob person. EVERYBODY.

pawen, *eb. ll.*-nau. Troed anifail, palf. PAW.

pe : ped : pes, *cys.* Os (*gyda'r amser amherffaith a'r gorberffaith*). WERE IT THAT.
Pe gwelwn. IF I SAW.
Pes gwelswn. HAD I SEEN IT.

pebyll, *gw.* **pabell**.

pecyn, *eg. ll.*-nau. Parsel, pac, sypyn, paced. PACKET.

pechadur, *eg. ll.*-iaid. (*b.* pechadures). Troseddwr, drwgweithredwr, un sy'n pechu. SINNER.

pechadurus, *a.* Yn pechu, drwg, drygionus, annuwiol. SINFUL.

pechod, *eg. ll.*-au. Trosedd, drygioni, annuwioldeb. SIN.

pechu, *be.* Troseddu, torri cyfraith Dduw. TO SIN.

pedair, *a.* (*g.* pedwar). Tair ac un. FOUR.

pedestraidd, *a.* Yn perthyn i gerdded, ar draed. PEDESTRIAN (*adjective*).

pedestriad, *eg. ll.* pedestriaid. Cerddwr. PEDESTRIAN (*noun*).

pedol, *eb. ll.*-au. Haearn a ddodir dan droed ceffyl neu sawdl esgid. HORSE SHOE.

pedoli, *be.* Dodi pedol ar geffyl. TO SHOE.

pedrain, *eb. ll.* pedreiniau. Crwper, pen ôl. HIND QUARTERS.

pedwar, *a.* (*b.* pedair). Y rhifol ar ôl tri. FOUR. Pedwar ar ddeg. FOURTEEN.

pedwarawd, *eg. ll.*-au. Parti o bedwar. QUARTETTE.

pedwarcarnol, *a.* Â phedwar carn neu bedair troed. FOUR-FOOTED.

pedwarcarnolion, *e.ll.* Anifeiliaid â phedair troed. QUADRUPEDS.

pedwerydd, *a.* (*b.* pedwaredd). Yr olaf o bedwar. FOURTH.
Y pedwerydd dydd. THE FOURTH DAY.
Y bedwaredd nos. THE FOURTH NIGHT.

pefrio, *be.* Serennu, pelydru, disgleirio, tywynnu. TO SPARKLE.

pefriol, *a.* Disglair, llachar. SPARKLING.

peg, *eg. ll.*-au, -iau. Hoelen bren. PEG.

pegor, *eg. ll.*-au. Dieflyn, cenau, corrach. IMP.

pegwn, *eg. ll.* pegynau. Un o ddau ben echel y ddaear (sef pegwn y gogledd neu begwn y de). POLE (*of Planet Earth*).

peidio (â), *be.* Gadael, ymwrthod â, aros, sefyll, atal. TO CEASE, TO STOP.

peilwn, *eg. ll.*-au. Tŵr metel uchel ar gyfer cynnal gwifrau trydan. PYLON.

peilot, *eg. ll.*-iaid. Un sy'n llywio llong neu awyren, llywiwr. PILOT.

peillgod, *eb. ll.*-au. Cod i ddal llwch blodeuyn neu baill. POLLEN SAC.

peilliaid, *eg.* Blawd gwenith, blawd mân. WHEAT FLOUR, FINE FLOUR.

peillio, *be.* Trosglwyddo paill i stigma blodyn. TO POLLINATE.

peint, *eg. ll.*-iau. Hanner chwart. PINT. Peint o gwrw. A PINT OF BEER.

peintio, *be.* Lliwio, darlunio. TO PAINT.

peintiwr, *eg. ll.* peintwyr. Un sy'n peintio â phaent. PAINTER.

peirianneg, *eb.* Gwyddor sy'n ymwneud â pheiriannau. ENGINEERING.

peiriannwr : peiriannydd, *eg. ll.* peirianwyr. Un sy'n gwneud peiriannau neu ofalu amdanynt, &c. ENGINEER.

peiriant, *eg. ll.* peiriannau. Peth wedi ei wneud o fetel i yrru cerbyd, &c., neu i wneud rhyw waith arbennig, injin, injan. ENGINE, MACHINE.

peirianwaith, *eg.* Mecanyddiaeth. MECHANISM.

peiswyn, *eg.* Siaff, us, manus, hedion. CHAFF.

pêl, *eb. ll.* peli, pelau. **pelen,** *eb. ll.*-ni, -nau. Peth crwn. BALL.
Pêl-droed. FOOTBALL, SOCCER.
Pêl-fasged. BASKET-BALL.
Pêl-rwyd. NETBALL.
Mynd â'r bêl. TO WIN THE DAY.

pelawd, *eb. ll.*-au. Cyfres o belau (chwech fel arfer) mewn gêm o griced a fowlir gan fowliwr o un pen i'r llain fatio. OVER (*in cricket*).

pelten, *eb. ll.* pelts. Dyrnod, ergyd, cernod. A BLOW (*with hand or fist*).

pelydr, *eg. ll.* pelydrau. (*bach. g.* pelydryn, *b.* pelydren). Colofn o olau, gwres, &c. RAY, BEAM.

pelydru, *be.* Taflu allan belydrau o olau, gwres, &c., tywynnu, fflachio, disgleirio. TO BEAM, TO GLEAM.
pelydryn, *gw.* **pelydr.**
pell : pellennig, *a.* Anghysbell, hirbell. FAR. Bellach. AT LENGTH, NOW AT LAST.
pellen, *eb. ll.*-ni, -nau. Pêl o edafedd, edau, cordyn, &c. BALL OF YARN, THREAD, STRING, &C.
pellhau, *be.* Mynd ymhellach, symud draw. TO MOVE FARTHER.
pellter, *eg. ll.*-au, -oedd. Y mesur rhwng dau le. DISTANCE.
pen, *eg. ll.*-nau. Y rhan uchaf o'r corff, &c., ; diwedd, copa, blaen, safn, ceg. HEAD, END, TOP, MOUTH.
Pen-blwydd. BIRTHDAY.
Ar ben. ON TOP OF ; ENDED.
Pen y mynydd. THE TOP OF THE MOUNTAIN.
Ar ei ben ei hun. BY HIMSELF.
Ymhen y mis. IN A MONTH'S TIME.
Da dros ben. EXCEEDINGLY GOOD.
pen, *a.* Prif, pennaf. CHIEF, SUPREME.
penadur, *eg. ll.*-iaid. Teyrn, brenin. SOVEREIGN.
penaduriaeth, *eb.* Penarglwyddiaeth, sofraniaeth. SOVEREIGNTY.
penagored, *a.* Ar agor led y pen, amhenderfynol. WIDE OPEN, UNDECIDED.
penarglwyddiaeth, *eb.* Sofraniaeth, penaduriaeth. SOVEREIGNTY.
penbaladr, *a.* Cyfan, holl, i gyd, o un pen i'r llall. GENERAL, UNIVERSAL.
Cymru benbaladr. THE WHOLE OF WALES.
penben, *a.* Yn ymrafael neu ffraeo. AT LOGGERHEADS.
penbleth, *egb.* Amheuaeth, petruster, cyfyng-gyngor. DOUBT, PERPLEXITY.
pen-blwydd, *eg.* Dydd dathlu genedigaeth. BIRTHDAY.
penboeth, *a.* Eithafol ei frwdfrydedd, gwyllt, tanllyd ei ben. FANATICAL, HOT-HEADED.
Penboethyn. FANATIC.
penboethni, *eg.* Y cyflwr o fod yn benboeth. FANATICISM.
penbwl, *eg. ll.* penbyliaid. 1. Llyffant bach ifanc iawn a chynffon iddo. TADPOLE.
2. Dyn twp, hurtyn, un dwl. BLOCKHEAD.
pencadlys, *eg.* Prif swyddfa. HEADQUARTERS.
pencampwr, *eg. ll.* pencampwyr. Y gorau, un sy'n feistr ar ei grefft. CHAMPION.
pencampwriaeth, *eb. ll.*-au. Cystadleuaeth i ddewis pen-campwr. CHAMPIONSHIP.
pencerdd, *eg. ll.* penceirddiaid. Prif gerddor, cerddor da. CHIEF MUSICIAN.
penchwiban, *a.* Syfrdan, pensyfrdan, anwadal, oriog, gwamal, penwan, penysgafn. FLIGHTY, LIGHT-HEADED.
pendant, *a.* penderfynol, terfynol, diamwys. EMPHATIC.
pendantrwydd, *eg.* Yr ansawdd o fod yn bendant. POSITIVENESS.

pendefig, *eg. ll.*-ion. (*b.*-es). Gŵr bonheddig, gŵr mawr, arglwydd. NOBLEMAN.
pendefigaeth, *eb.* Dosbarth o safle uchel mewn cymdeithas. ARISTOCRACY.
pendefigaidd, *a.* Bonheddig, urddasol, haelfrydig, anrhydeddus. ARISTOCRATIC.
penderfyniad, *eg. ll.*-au. Bwriad didroi'n-ôl neu bendant. RESOLUTION, DETERMINATION.
penderfynol, *a.* Di-droi'n-ôl, pendant. DETERMINED.
penderfynu, *be.* Gwneud penderfyniad. TO DECIDE, TO RESOLVE.
pendew, *a.* Penbwl, dwl, twp. STUPID.
pendifaddau, *a.* Arbennig, neilltuol, pennaf oll ; sicr. SPECIAL, PARTICULAR, CHIEF ; CERTAIN. (*Gydag* **yn**) : **yn bendifaddau,** *adf.* Yn arbennig, yn neilltuol, yn bennaf oll ; yn sicr. SPECIALLY, PARTICULARLY, CHIEFLY ; CERTAINLY.
pendil, *eg. ll.*-iau. Pwysau yn siglo'n ôl ac ymlaen i reoli cerddediad cloc. PENDULUM.
pendramwnwgl, *a.* Blith draphlith, bendraphen, wynebwaered. HEADLONG.
pendrist, *a.* Pendrwm, athrist, prudd, trist, alaethus, digalon, blin. SAD.
pendro, *eb.* Pensyfrdandod, madrondod, penddaredd, penfeddwdod, dot. GIDDINESS, VERTIGO.
pendroni, *be.* Gofidio, poeni, anwadalu. TO WORRY, PERPLEX ONESELF.
pendrwm, *a.* Cysglyd, marwaidd, swrth. DROWSY.
pendrymu : pendwmpian, *be.* Hepian, hanner cysgu. TO DOZE, TO NOD.
penelin, *egb. ll.*-oedd. Cymal canol y fraich. ELBOW. Eli penelin. ELBOW GREASE.
penfelyn, *a.* (*b.* penfelen) â phen neu wallt melyn. YELLOW-HEADED.
penfoel, *a.* Heb wallt ar ei ben. BALDHEADED.
pengadarn : pengaled : pengam : pengryf, *a.* Cyndyn, anhyblyg, ystyfnig. STUBBORN, HEAD-STRONG.
pen-glin, *gw.* **pen-lin.**
penglog, *eb. ll.* Asgwrn y pen, y rhan o'r sgerbwd sy'n cyfateb i'r pen. SKULL.
pengrych, *a.* (*b.* pengrech) Un â gwallt cyrliog. CURLY-HAIRED.
penigamp, *a.* Campus, gwych, ysblennydd, ardderchog, rhagorol, godidog. SPLENDID.
peniog, *a.* Medrus, galluog, clyfar. CLEVER.
penisel, *a.* Digalon, prudd, iselysbryd. DOWNCAST.
pen-lin : pen-glin, *eb. ll.* penliniau : pengliniau, pennau-gliniau. Cymal canol y goes, glin. KNEE. *gw.* **glin.**
penlinio, *be.* Pwyso ar y ben-lin, mynd ar y ben-lin. TO KNEEL.
penllâd, *eg.* Y daioni eithaf. SUPREME GOOD.
penllawr, *eg.* Y rhaniad gynt rhwng y tŷ-byw a'r beudy. PASSAGE BETWEEN COWSHED AND DWELLING-HOUSE IN A LONG HOUSE.
penllwyd, *a.* Penwyn. GREY-HAIRED.
penllwydni, *eg.* Penwynder, penwynni. GREYNESS OF HAIR.

pennaeth, *eg. ll.* penaethiaid. (*b.* penaethes). Blaenor, pen, y prif un. CHIEF.

pennaf, *a.* Prif, pen. PRINCIPAL, CHIEF.

pennawd, *eg. ll.* Gair neu eiriau'r crynhoi'r newyddion pwysicaf, fel arfer mewn llythrennau breision trwm, ar dudalen flaen papur newydd. (*Yn y lluosog*) : crynodeb o brif eitemau'r newyddion a geir mewn bwletin newyddion ar y radio neu'r teledu. HEADLINE, HEADING, (*in plural*) : HEADLINES (*of news bulletins*). Penawdau'r newyddion. NEWS HEADLINES.

pennill, *eg. ll.* penillion. Rhan o gân neu emyn, nifer o linellau. STANZA, VERSE.

pennod, *eb. ll.* penodau. Rhan o lyfr. CHAPTER.

pennoeth, *a.* Heb ddim ar y pen. BAREHEADED.

pennog : penwag, *eg. ll.* penwaig. Ysgadenyn, pysgodyn môr bwytadwy. HERRING.

pennu, *be.* Penderfynu, terfynu, sefydlu. TO DETERMINE.

penodi, *be.* Trefnu, nodi, dewis, enwi. TO APPOINT.

penodiad, *eg. ll.*-au. Dewisiad, y weithred o benodi. APPOINTMENT.

penodol, *a.* Wedi ei benodi, neilltuol, arbennig. PARTICULAR, SPECIAL.

penrhydd, *a.* Heb ei ffrwyno, llac, ofer, gwyllt. LOOSE, WILD.

penrhyddid, *eg.* Rhyddid gormodol o ran crefydd, moesoldeb, &c. LICENCE, LICENTIOUSNESS.

penrhyn, *eg. ll.*-au. Pentir, penmaen. PROMONTORY.

pensaer, *eg. ll.* penseiri. Un sy'n cynllunio adeiladau a goruchwylio eu hadeiladu. ARCHITECT.

pensaernïaeth, *eb.* Gwyddor neu waith pensaer, adeiladaeth. ARCHITECTURE.

pensil, *eg. ll.*-iau. **pensel,** *eb.* Peth i ysgrifennu ag ef. PENCIL.

pensiwn, *eg. ll.* pensiynau. Blwydd-dâl, arian a ganiateir i un wedi ymddeol, neu i weithiwr neu filwr wedi'i anafu, &c. PENSION.

pen-swyddog, *eg. ll.*-ion. Prif swyddog. CHIEF OFFICER.

pensyfrdan, *a.* Dryslyd, penwan, penysgafn, wedi ei syfrdanu. BEWILDERED, WEAK-HEARTED, DIZZY, STUPIFIED.

pensyfrdandod, *eg.* Y cyflwr o fod yn bensyfrdan. BEWILDERMENT.

pensyfrdanu, *be.* Mwydro, synnu, hurto. TO DAZE.

pensynnu, *be.* Synfyfyrio, TO BROOD.

pensyth, *a. ll.*-ion. Yn ei sefyll, unionsyth, syth blwm. PERPENDICULAR.

pentan, *eg. ll.*-au. Silff wrth le tân i gadw pethau'n dwym, &c., ; congl hen simnai fawr. CHIMNEY-CORNER.

penteulu, *eg. ll.*-oedd. Pen y teulu, y tad. HEAD OF FAMILY.

pentewyn, *eg. ll.*-ion. Darn o bren o'r tân. FIREBRAND.

pentir, *eg. ll.*-oedd. Penrhyn, talar. HEADLAND.

pentref, *eg. ll.*-i, -ydd. (*bach.* pentrefan). Grŵp o dai, &c., sy'n ffurfio uned lai na thref. VILLAGE (*noun*).

pentrefan, *gw.* **pentref**.

pentrefol, *a.* Yn perthyn i bentref. VILLAGE (*adjective*).

pentrefwr, *eg. ll.* pentrefwyr. Un sy'n byw mewn pentref. VILLAGER.

pentwr, *eg. ll.* pentyrrau. Twr, carnedd, crug, crugyn, twmpath. HEAP, MASS.

penty, *eg. ll.* pentai. bwthyn. COTTAGE.

pentyrru, *be.* Crugio, cruglwytho, cronni, casglu, hel, crynhoi. TO HEAP.

penuchel, *a.* Balch, ffroenuchel, trahaus. HAUGHTY.

penwaig, *gw.* **pennog**.

penwan, *a.* Penchwiban, syfrdan, pensyfrdan, anwadal, penboeth, gwirion. GIDDY, WEAK-HEADED.

penwendid, *eg.* Pensyfrdandod, gwiriondeb. WEAKNESS OF HEAD.

penwisg, *eb. ll.*-oedd. Rhywbeth a wisgir ar y pen. HEAD-DRESS.

penwyn, *a.* (*b.* penwen). Â'r gwallt wedi gwynnu neu lwydo, penllwyd. WHITEHEADED.

penwynni, *eg.* Penllwydni, gwallt gwyn. WHITE HAIR, GREY HAIR.

penwynnu, *be.* Britho, gwynnu. TO TURN GREY.

penyd, *eg. ll.*-iau. Cosb, cosbedigaeth a ddioddefir i ddangos edifeirwch am bechod. PENANCE. Penyd-wasanaeth. PENAL SERVITUDE.

penydfa, *eb. ll.*-oedd, penyddfeydd. Lle i weinyddu cosb, penyddfan. PENITENTIARY.

penysgafn, *a.* Penchwiban, penfeddw. GIDDY.

pêr, *e.ll.* (*un. b.* peren). Ffrwyth yr ellygen, gellyg. PEARS. Pren pêr : gellygen. PEAR TREE.

pêr : peraidd, *a.* Melys, blasus, danteithiol, sawrus. SWEET.

perarogl, *eg. ll.*-au. Arogl pêr, naws, persawredd. PERFUME.

perarogli, *be.* 1. Persawru. TO PERFUME.
2. Trin corff rhag pydru trwy foddion perlysiau. TO EMBALM.

peraroglus, *a.* Persawrus, arogl bêr, pêr, wedi ei berarogli. SWEET SCENTED, FRAGRANT.

perchen : perchennog, *eg. ll.* perchenogion. Un sy'n meddiannu rhywbeth. OWNER.

perchenogaeth, *eb.* Meddiant. OWNERSHIP.

perchenogi, *be.* Meddu, meddiannu, bod â rhywbeth ar ei elw. TO OWN.

perchenogwr, *eg. ll.* perchenogwyr. Perchennog, meddiannwr. OWNER, POSSESSOR.

perchentyaeth, *eg.* Y cyflwr o fod yn berchen tŷ. HOME-OWNERSHIP.

perchentywr, *eg. ll.* perchentywyr. Perchennog tŷ. HOUSEHOLDER.

pereiddio, *be.* Gwneud yn bêr neu'n beraidd, melysu. TO SWEETEN.

pereiddiol, *a.* Melys, melysol. SWEET, SWEETENING.

pereiddlais, *eg.* Hyfrydlais. SWEET VOICE.

peren, *gw.* **pêr**.

pererin, *eg. ll.*-ion. Teithiwr i le cysegredig, crwydryn. PILGRIM.
pererindod, *egb. ll.*-au. Taith pererin. PILGRIMAGE.
pererindota, *be.* Mynd ar bererindod. TO GO ON A PILGRIMAGE.
perfedd : perfeddyn, *eg. ll.* perfeddion. Canol, craidd, coluddion, ymysgaroedd. MIDDLE, ENTRAILS.
Perfedd nos. DEAD OF NIGHT.
perfeddwlad, *eb.* Canol gwlad. HEART OF THE COUNTRY.
perffaith, *a.* Heb fai, di-fai, cyfan, cyflawn. PERFECT.
perffeithio, *be.* Gwneud yn berffaith. TO PERFECT.
perffeithrwydd, *eg.* Y cyflwr o fod yn berffaith. PERFECTION.
perffeithydd, *eg. ll.*-ion. Perffeithiwr, un sy'n perffeithio. PERFECTER.
perfformiad, *eg. ll.*-au. Y weithred o berfformio rhan mewn drama, ffilm, rhaglen deledu, &c. PERFORMANCE.
perfformio, *be.* Chwarae rhan mewn drama, ffilm, rhaglen deledu neu radio, &c., actio. TO PERFORM.
perfformiwr, *eg. ll.* perfformwyr. Un sy'n perfformio ger bron cynulleidfa, chwaraewr, actor. PERFORMER.
peri, *be.* Achosi, achlysuro. TO CAUSE.
periglor, *eg. ll.*-ion, -iaid. Offeiriad. PRIEST.
perl, *eg. ll.*-au. Gem gwyn llyfn a geir mewn wystrys. PEARL.
perlewyg, *eg. ll.*-on. Llewyg, llesmair, stad lle'r ymddengys bod y meddwl wedi ymadael â'r corff. TRANCE.
perlog, *a.* Â pherlau. PEARLY.
perlysiau, *ell.* 1. Llysiau persawrus a ddefnyddir i wneud moddion. HERBS.
2. Llysiau a ddefnyddir i roi blas ar fwydydd. SPICES.
perllan, *eb. ll.*-nau. Darn o dir lle tyfir coed ffrwythau. ORCHARD.
Coch y berllan. BULLFINCH.
peroriaeth, *eb.* Miwsig, cerddoriaeth, melodi, melodeg, erddigan. MUSIC, MELODY.
persain, *a.* Perseiniol, swynol. EUPHONIOUS.
persawr, *eg. ll.*-au. Perarogl. FRAGRANCE.
persawru, *be.* Perarogli, rhoi sawr pêr. TO PERFUME.
persawrus, *a.* Peraidd ei arogl, peraroglus. FRAGRANT.
perseinedd, *eg.* Hyfrydwch sain. EUPHONY.
perseiniol, *a.* Persain, melodaidd, cerddorol. MELODIOUS.
persli, *eg.* Llysieuyn a dyfir am ei ddail cyrliog persawrus i'w defnyddio wrth goginio. PARSLEY.
person, *eg.* 1. *ll.*-au. Dyn, gŵr, unigolyn, rhywun. PERSON.
2. *ll.*-iaid. Offeiriad, clerigwr. PARSON.
Person y plwyf. PARISH PRIEST.
personol, *a.* Priod, preifat, yn perthyn i'r person ei hunan. PERSONAL.

personoli, *be.* Portreadu fel person. TO PERSONIFY.
personoliad, *eg. ll.*-au. Y weithred o bersonoli, personiad, personoliaeth. PERSONIFICATION.
personoliaeth, *eb.* Y nodweddion sy'n gwahaniaethu un dyn oddi wrth y llall. PERSONALITY.
perswâd, *eg.* Y weithred o berswadio. PERSUASION.
perswadio, *be.* Ennill drwy ddadlau, bod yn abl i gael gan un wneud rhywbeth, darbwyllo. TO PERSUADE.
pert, *a.* 1. Tlws, del, hardd, prydferth, glân. PRETTY.
2. Eofn, hy, bywiog. PERT.
pertrwydd, *eg.* Tlysni, tlysineb, harddwch, prydferthwch, glendid. PRETTINESS.
perth, *eb. ll.*-i. Gwrych, llwyn. HEDGE, BUSH.
perthnasedd, *eg. ll.*-au. Y cyflwr o fod yn berthnasol. RELEVANCE, RELATIVITY.
perthnasiad, *eg. ll.*-au. Perthynas, cyswllt. RELATION, AFFINITY.
perthnasol, *a.* Yn perthyn ac yn ymwneud yn union â'r mater mewn llaw. RELEVANT.
perthyn, *be.* Ymwneud â, bod yn eiddo i, bod o'r un teulu. TO BELONG, TO BE RELATED.
perthynas, *eb. ll.* perthnasau. Un o'r teulu, câr, cysylltiad rhwng pobl neu bethau. RELATION.
perthynol, *a.* Yn perthyn i, mewn perthynas â. RELATED, RELATIVE.
Rhagenw perthynol. RELATIVE PRONOUN.
Brawddeg berthynol. RELATIVE SENTENCE.
perwyl, *eg.* Diben, amcan, achlysur, pwrpas. PURPOSE.
I'r perwyl hwn. TO THIS EFFECT.
perygl, *eg. ll.*-on. Enbydrwydd, y stad o fod yn agored i niwed. DANGER.
peryglu, *be.* Gosod mewn perygl, enbydu. TO ENDANGER.
peryglus, *a.* Enbydus, yn agored i niwed. DANGEROUS.
pes, *gw.* **pe.**
pesgi, *be.* Tewhau, tewychu, brasáu, tyfu cnawd. TO FATTEN.
peswch, *eg.* 1. Pesychiad, yr act o besychu. A COUGH.
2. *be.* Pesychu, gyrru anadl o'r ysgyfaint gydag ymdrech a sŵn. TO COUGH.
pesychiad, *eg. ll.*-au. Yr act o besychu, peswch. A COUGH.
pesychlyd, *a.* Â pheswch. TROUBLED WITH COUGH.
pesychu, *be.* Gyrru aer yn sydyn o'r ysgyfaint gydag ymdrech a sŵn. TO COUGH.
petai, *bf.* Pe bai. IF IT WERE.
petris, *e.ll.* (*un. b.*-en). Adar bach o'r un teulu â'r grugieir, corieir. PARTRIDGES.
petrol, *eg.* Hylif fflamadwy iawn a burir o betroliwm i'w ddefnyddio fel tanwydd ceir, &c. PETROL.
petroliwm, *eg.* Olew tywyll trwchus fflamadwy, a thrwy ddistyllu ceir petrol, paraffin, &c., a defnyddiau crai ar gyfer y diwydiant petrocemegol. PETROLEUM.
petrus, *a.* Mewn amheuaeth, amheus, petrusgar, amhenderfynol, yn oedi. DOUBTFUL, HESITATING.

petruso, *be*. Amau, methu penderfynu. TO HESITATE.
petruster, *eg*. Amheuaeth. HESITATION.
petryal, *eg. a*. Â phedair ochr, sgwâr. SQUARE.
peth, *eg. ll*.-au. 1. Unrhyw wrthrych y gellir meddwl amdano, neu ei gyffwrdd, ei arogli, ei glywed, neu ei weled. THING.
Beth ? Pa beth ? WHAT ?
2. Dim, ychydig, rhan. SOME.
Peth yfed. STRONG DRINK.
petheuach, *ell*. Pethau bychain neu ddiwerth, pethau dros ben. ODDS AND ENDS.
peunes, *eb. ll*.-au. Iâr y paun. PEAHEN.
piano, *egb*. Offeryn cerdd mawr. PIANO.
pianydd, *eg. ll*.-ion. Un sy'n canu'r piano. PIANIST.
piau, *bf*. Sydd yn berchen ar. (WHO) OWNS.
Pwy biau'r llyfr ?
pib, *eb. ll*. pibau. **pibell**, *eb. ll*.-au, -i. Piben ; peth i smocio ag ef, cetyn ; offeryn cerdd. PIPE, DUCT.
Pibell wynt. WINDPIPE.
pibellu : pibo, *be*. Sianelu neu ddosbarthu (dŵr, nwy, carthion, &c.), drwy bibell. TO PIPE.
pibonwy, *e. torfol*. Cloch iâ, clöyn iâ. ICICLES.
pibydd, *eg. ll*.-ion. Un yn canu pib. PIPER.
pica, *a*. Pigog, pwyntiog, â blaen main. POINTED, SHARP.
picas, *egb*. Math o gaib ag iddi flaen pigog. PICKAXE.
picell, *eb. ll*.-au. Gwayw, gwaywffon. LANCE, SPEAR.
picellu, *be*. Trywanu â gwaywffon. TO SPEAR.
picfforch, *eb. ll*. picffyrch. **pigfforch**, *eb. ll*. pigffyrch. Fforch fawr i godi gwair, &c. ; fforch wair, picwarch. PITCHFORK.
picil : picl, *eg*. Bwydydd wedi eu cadw mewn finegr neu ddŵr hallt ; anhawster, trafferth. PICKLE.
picio, *be*. Symud yn gyflym, brysio, prysuro, gwibio. TO DART.
pictiwr, *eg. ll*. pictiyrau. Darlun, llun. PICTURE.
picwnen, *eb. ll*. picwn. Cacynen, gwenynen feirch. WASP.
pig, *eb. ll*.-au. 1. Ceg aderyn, gylfin. BEAK.
2. Pen blaenllym, pigyn, peic. POINT, SPIKE, PIKE.
Pig aderyn. BIRD'S BEAK, BILL.
Pig tebot/tegell. SPOUT OF TEAPOT/KETTLE.
Pig ym mhig. BEAK TO BEAK, FACE TO FACE.
Yr un pig (â). THE SPITTING IMAGE (OF).
Ar bigau'r drain. ON TENTERHOOKS.
Rhoi ei big i mewn. TO INTERFERE.
pigan, *be*. Dechrau bwrw glaw. TO BEGIN TO RAIN.
Yn pigan glaw : yn pigo bwrw.
pigdwr, *eg. ll*. pigdyrau. Tŵr main neu bigog. SPIRE.
pigfain, *a*. Â phwynt ar ei flaen, blaenllym. TAPERING.
pigiad, *eg. ll*.-au. Brathiad, gwaniad. STING.
pigion, *e.ll*. Detholiadau, detholion. SELECTIONS.
pigo, *be*. Brathu, colynnu, crynhoi, casglu, dewis, tynnu. TO PRICK, TO PICK.
pigog, *a*. 1. Blaenllym, llym, tostlym, brathog, colynnog. PRICKLY.
2. Llidiog. IRRITABLE.

pigyn, *eg. ll*.-nau. Pig, blaen miniog, draenen ; pigiad ; meindwr, pinagl. POINTED END, SHARP POINT, THORN ; PRICK ; SPIRE, PINNACLE.
pil, *eg*. Pilionyn, crawen, croen, rhisgl. PEEL.
pilcyn, *eg. ll*. pilcod. Pysgodyn bychan sy'n byw mewn dŵr croyw. MINNOW.
pilen, *eb. ll*.-nau. Haenen, croen. FILM, SKIN.
piler, *eg. ll*.-i, -au. Colofn, peth o bren neu fetel neu garreg i ddal peth arall i fyny. PILLAR.
pilio, *be*. Tynnu pil neu groen, dirisglo, rhisglo, digroeni. TO PEEL.
pilion, *ell*. Yr hyn sydd wedi eu pilio. PEELINGS.
pili-pala, *eb. ll*. pili-palod. Iâr fach yr haf, glöyn byw. BUTTERFLY.
pils, *e.ll*. (*un. b*. pilsen). Pelenni bychain meddyginiaethol y gellir eu llyncu'n gyfain. PILLS.
pilyn, *eg. ll*.-nau. Darn o ddillad, dilledyn, gwisg, brat, cerpyn, carp, clwt. GARMENT, RAG.
pìn, *eg. ll*.-nau. 1. Darn byr main o fetel ac iddo flaen llym a phen trwchus. PIN.
2. Offeryn ysgrifennu. PEN.
pin, *e.ll*. (*un. b*. pinwydden). Coed bythwyrdd. PINES.
pin, *eg*. Pinwydden, pren y coed bythwyrdd hyn. PINE-TREE, PINE (-WOOD).
e.ll. Pinwydd. PINE-TREES.
pinacl : pinagl, *eg. ll*.-au. Pwynt neu fan uchaf. tŵr hir cul. PINNACLE.
pinaclog : pinaglog, *a*. Ac iddo binaclau. PINNACLED.
pinafal, *eg. ll*.-au. Ffrwyth mawr suddlon melys o'r trofannau. PINEAPPLE.
pinc, *a*. 1. Lliw coch golau. PINK.
2. *eg. ll*.-od. Aderyn bach, asgell fraith. CHAFFINCH.
pincas, *eg*. Cas i ddal pinnau. PINCUSHION.
pincio, *be*. Trwsio, twtio, ymbincio. TO PINK, TO TITIVATE.
piner, *eg*. Ffedog, brat. PINAFORE.
pinsiad, *eg. ll*.-au. Y weithred o binsio. A PINCH(ING).
pinsio, *be*. Gwasgu â'r bysedd neu rhwng dau beth. TO PINCH.
pinwydd, *e.ll*. (*un. b*. pinwydden). Coed bythwyrdd, pin, pren y coed hyn. PINE-TREES, PINE (-WOOD).
piod, *e.ll*. (*un. b*. pioden). Piogen, pia. Aderyn du a gwyn ac iddo gwt hir. MAGPIE.
Pioden y coed : sgrech y coed. JAY.
piser, *eg. ll*.-i, -au. Cunnog, stên, tun, siwg. PITCHER, CAN.
pistyll, *eg. ll*.-oedd. Ffynnon, dŵr yn llifo o bibell, ffrwd. SPOUT, WELL.
pistyllu : pistyllad : pistyll[i]an : pistyllio, *be*. Ffrydio. TO SPOUT.
Yn pistyllad y glaw.
pisyn, *eg. ll*.-nau. Darn, dryll, rhan, cetyn, clwt, llain. PIECE.
piti, *eg*. Tosturi, trugaredd, trueni, gresyn. PITY.
Piti garw. A GREAT PITY.
pitw, *a*. Bach, bychan, mân. PUNY, MINUTE.

piw, *eg. ll.*-au. Cadair, pwrs buwch ; y rhan o fuwch neu afr, &c., sy'n dal y llaeth. UDDER.

piwis, *a.* Croes, blin, gwenwynllyd, anfoddog. PEEVISH.

piwr, *a.* Da, gonest, caredig. FINE.
Hen fachgen piwr yw ef. HE'S A KIND OLD CHAP.
Llwyth piwr o wair. A GOODSIZED LOAD OF HAY.

Piwritan, *eg. ll.*-iaid. Crefyddwr sy'n rhoi pwys mawr ar foesoldeb. PURITAN.

Piwritanaidd, *a.* Yn ymwneud â Phiwritan. PURITAN.

Piwritaniaeth, *eb.* Credo Piwritan. PURITANISM.

piwter : piwtar, *eg.* Metel sy'n gymysgedd o alcam a phlwm ; llestri a wneir ohono. PEWTER.

pla, *eg. ll.* plâu. Haint. PLAGUE.

pladur, *eb. ll.*-iau. Offeryn llaw i dorri gwair, &c. SCYTHE.

pladuro : pladurio, *be.* Defnyddio pladur. TO USE A SCYTHE.

plaen, *a* 1.. Eglur, amlwg, syml. CLEAR.
2. *a.* Diolwg, diaddurn. PLAIN.
3. *eg. ll.*-au, -iau. Offeryn llyfnhau a ddefnyddir gan saer coed. PLANE.

plaenio, *be.* Defnyddio plaen. TO PLANE.

plagio, *be.* Poeni, blino. TO TORMENT, TO TEASE.

plagus, *a.* Blin, trafferthus, poenus. ANNOYING.

plaid, *eb. ll.* pleidiau. Cymdeithas o bobl o'r un gredo wleidyddol. PARTY.
O blaid. IN FAVOUR.
Plaid Geidwadol. CONSERVATIVE PARTY.
Plaid Cymru. WELSH NATIONALIST PARTY.
Plaid Lafur. LABOUR PARTY.

plan, *eg. ll.*-nau, -iau. Cynllun, amlinelliad, map. PLAN.

plan : planedig, *a.* Wedi ei blannu. PLANTED.

planc, *eg. ll.*-au, -iau. Astell, estyllen, plencyn. PLANK, BOARD.
Bara planc. GRIDDLE CAKE, PLANK BREAD.

planced, *eb. ll.*-i. Gwrthban, pilyn gwely. BLANKET.

planed, *eb. ll.*-au. Unrhyw un o'r naw corff nefol sy'n troi o amgylch yr haul. PLANET.

planedol, *a.* Yn ymwneud â phlaned. PLANETARY.

planhigfa, *eb. ll.* planigfeydd. **planfa,** *eb. ll.* planfeydd. Tir wedi ei blannu â choed neu blanhigion. PLANTATION.

planhigyn, *eg. ll.* planhigion. Llysieuyn, pren. PLANT.

planiad, *eg. ll.*-au. Y weithred o blannu. PLANTING.

plannu, *be.* Dodi coed neu blanhigion yn y ddaear i dyfu. TO PLANT.

plant, *gw.* **plentyn.**

plantach, *e.ll.* Plant bach (drwg). (NAUGHTY) LITTLE CHILDREN.

plantos, *e.ll.* Plant bach (annwyl). (DEAR) LITTLE CHILDREN.

plas, *eg. ll.*-au. Plasty, cartref swyddogol brenin neu archesgob, tŷ mawr. PALACE, MANSION.

plastr, *eg. ll.*-au. Cymysgedd o galch a thywod a dŵr i orchuddio gwal ; peth i ddodi ar glwyf, &c. PLASTER.

plastro, *be.* Dodi plastr ar wal, taenu rhywbeth yn anghymedrol. TO PLASTER.

plastrwr, *eg. ll.* plastrwyr. Un sy'n plastro. PLASTERER.

plasty, *eg. ll.* plastai. Plas, tŷ plas. MANSION.

plât, *eg. ll.* platiau. Llestr crwn bas i ddodi bwyd arno ; rhywbeth gwastad. PLATE.

ple, *eg.* 1. Dadl, ymresymiad, ymbil. PLEA.
2. *rhag. gof.* Pa le ? WHERE ?

pleidio, *be.* Dadlau, rhesymu, profi, eiriol. TO ARGUE, TO PLEAD.
Yn pledio â'i gilydd.
Yn pledio ar ei ran.

pledren, *eb. ll.*-ni, -nau. Pelen i ddal dŵr mewn dyn neu anifail ; y peth sydd y tu fewn i gas pêl-droed. BLADDER.

pleidio, *be.* Cefnogi, cynnal, ategu, ffafrio. TO SUPPORT, TO FAVOUR.

pleidiol, *a.* Ffafriol, o blaid, cefnogol. TO FAVOUR, FAVOURABLE.

pleidiwr, *eg. ll.* pleidwyr. Cefnogwr. SUPPORTER.

pleidlais, *eb. ll.* pleidleisiau. Fôt, llais mewn etholiad, cefnogaeth. VOTE.

pleidleisio, *be.* Fotio, cefnogi mewn etholiad, rhoi pleidlais. TO VOTE.

pleidleisiwr, *eg. ll.* pleidleiswyr. Un sy'n pleidleisio. VOTER.

plencyn, *eg. ll.* planciau. Astell drwchus. PLANK.

plentyn, *eg. ll.* plant. Merch neu fachgen bach. CHILD.

plentyndod, *eg.* Bod yn blentyn, mebyd, maboed. CHILDHOOD.

plentynnaidd, *a.* Fel plentyn, mabaidd, diniwed, diddichell, annichellgar. CHILDISH.

plentynrwydd, *eg.* Y stad o fod fel plentyn, diniweidrwydd. CHILDISHNESS ; CHILDHOOD.

pleser, *eg. ll.*-au. Hyfrydwch, llawenydd, boddhad. PLEASURE.

pleserdaith, *eb. ll.* pleserdeithiau. Trip, gwibdaith. EXCURSION.

pleserus, *a.* Hyfryd, boddhaus, difyrrus, dymunol, diddorol. PLEASANT.

plesio, *be.* Boddhau, rhyngu bodd, difyrru, diddori. TO PLEASE.

plet : pleten, *eb. ll.* pletau, pletiau. Plyg, yr hyn a geir wrth bletio. PLEAT.

pletio, *be.* Plygu defnydd yn ddeublyg neu driphlyg. TO PLEAT.

pleth : plethen, *eb. ll.* plethi, plethau. Brwyd, cydwead, ymylwe, yr hyn a geir wrth blethu. PLAIT.

plethu, *be.* Gwau pethau yn ei gilydd fel â gwallt neu wellt, &c. TO PLAIT.

plicio, *be.* 1. Tynnu (o'r gwraidd). TO PLUCK.
2. Pilio, digroeni, dirisglo. TO PEEL.

plisg, *gw.* **plisgyn.**

plisgo, *be.* Masglu, tynnu plisg, pilio. TO SHELL, TO PEEL.

plisgyn, *eg. ll.* plisg. Masgl, cibyn. SHELL, POD.

plisman : plismon, *eg. ll.* plismyn. (*b.* plismones). Aelod o'r heddlu, heddgeidwad. POLICEMAN.

plith, *eg.* Canol. MIDST.
I blith. INTO THE MIDST OF.
Ymhlith. AMONG.
Yn eu plith. IN THEIR MIDST.
O blith. FROM AMONG.
Blith draphlith. IN CONFUSION.
ploc, *eg. ll.*-au, -iau. **plocyn,** *eg. ll.*-nau. Darn o bren, cyff, boncyff. BLOCK.
ploryn, *eg. ll.*-nod, plorod. Tosyn, codiad ar groen. PIMPLE.
plu, *e.ll. (un. b.* pluen). **pluf,** *ell. (un. g.* plufyn). Gwisg aderyn. FEATHERS.
Plu eira. SNOWFLAKES.
Plu'r gweunydd. COTTON GRASS.
pluo : plufio, *be.* Tynnu plu(f). TO FEATHER.
pluog, *a.* Â phlu. FEATHERED.
Da pluog. POULTRY.
plwc, *eg. ll.* plycau, plyciau. I. Tyniad, tynfa, plyciad. PULL, JERK.
2. Talm, ysbaid, amser. WHILE.
Wedi bwrw'i blwc. HAS DONE HIS BIT.
plwg, *eg. ll.* plygiau. Dyfais a roddir i mewn i soced trydan er mwyn cysylltu set deledu, rhewgell, &c., â'r cyflenwad trydanol ; unpeth a ddefnyddir i gau twll yn enwedig i atal dŵr i redeg. PLUG.
plwm, *eg. ll.* plymiau. I. Metel meddal trwm gwenwynig a ddefnyddir yn aml mewn adeiladwaith toeon. LEAD (*metal*).
2. *a.* O blwm, trwm. LEADEN.
plwyf, *eg. ll.*-i, -ydd. Ardal dan ofal offeiriad, rhan o sir. PARISH.
plwyfo, *be.* Ymgartrefu, ymsefydlu, teimlo'n gartrefol, rhosfeuo. TO SETTLE DOWN.
plwyfol, *a.* Yn perthyn i blwyf, yn gul ei feddwl. PAROCHIAL.
plwyfolion, *ell.* Trigolion plwyf. PARISHIONERS.
plycio, *be.* Rhoi plwc, plicio, tynnu, plwcan. TO PULL.
plyg, *eg. ll.*-ion. I. Tro, yr hyn a geir wrth blygu defnydd. FOLD.
2. Maint (llyfr). SIZE (OF A BOOK).
plygain : pylgain, *eg. b. ll.* plygein(i)au : pylgein(i)au.
I. Math o wasanaeth boreol gyda charolau yn gynnar ar fore Nadolig. MORNING PRAYER WITH CAROLS EARLY ON CHRISTMAS DAY.
2. Gwawr, toriad dydd, caniad y ceiliog. DAWN, COCK-CROW.
plygu, *be.* I. Troi rhan o bapur, defnydd, gwifren, &c., yn ôl ar ei hun, dyblu. TO FOLD.
2. Gwyro, crymu, ymgrymu. TO BEND, TO STOOP, TO BOW.
3. Ymostwng, rhoi i mewn, ymroddi. TO SUBMIT.
plygeiniol, *a.* Bore, cynnar iawn. VERY EARLY.
plygiad, *eg. ll.*-au. Plyg. FOLDING, FOLD.
plygu, *be.* I. Dyblu, troi peth yn ôl ar ei gilydd. TO FOLD.
2. Gwyro, crymu, camu. TO BEND, TO STOOP.
3. Moesymgrymu. TO BOW.
4. Ymostwng, rhoi i mewn, ymroddi. TO SUBMIT.

plymen : plwmen, *eb.* Cordyn a phwysau wrtho i fesur dyfnder neu uniondeb. PLUMMET.
plymio, *be.* I. Mesur dyfnder â phlymen. TO PLUMB.
2. Neidio i mewn wysg y pen. TO DIVE.
plymwr, *eg. ll.* plymwyr. Un sy'n trwsio pibellau dŵr, nwy, carthffosaeth, &c. PLUMBER.
po, *geir.* (Geiryn a ddefnyddir o flaen y radd eithaf mewn gramadeg). PARTICLE USED BEFORE THE SUPERLATIVE FORM OF THE ADJECTIVE.
Po fwyaf. THE GREATER, THE MORE.
Gorau po fwyaf. THE MORE THE BETTER.
pob, *a.* I gyd, pawb o. EACH, EVERY, ALL.
Pob un. EACH ONE.
Bob cam. ALL THE WAY.
Bob yn ail : ar yn ail. EVERY OTHER.
Bob yn ddau. TWO BY TWO.
pob, *a.* Wedi ei bobi neu'i grasu. BAKED.
Tatws pob. ROAST (BAKED) POTATOES.
pobi, *be.* Crasu, digoni, rhostio. TO BAKE, TO ROAST.
pobiad, *eg. ll.*-au. Y weithred o bobi. BAKING.
pobl, *eb. ll.*-oedd. Personau, cenedl, gwerin. PEOPLE.
Y bobl gyffredin, Y werin. ORDINARY FOLK.
poblog, *a.* Yn cynnwys llawer o bobl. POPULOUS.
poblogaeth, *eb. ll.*-au. Rhif y bobl, y trigolion. POPULATION.
poblogaidd, *a.* Mewn ffafr, hoffus. POPULAR.
poblogi, *be.* Llawn â phobl. TO POPULATE.
poblogrwydd, *eg.* Y cyflwr o fod yn boblogaidd. POPULARITY.
pobo : pob un, *a.* (Fel yn) pobo un : un bob un. ONE EACH.
Yn cael pobo afal : pob un yn cael afal.
pobydd, *eg. ll.*-ion. **pobwr,** *eg. ll.* pobwyr. Un sy'n pobi, un sy'n gwneud neu gwerthu bara. BAKER.
pocan, *gw.* **procio.**
poced, *egb. ll.*-i, -au. Bag bach wedi ei wau wrth ddillad, llogell. POCKET.
pocedu, *be.* Gosod mewn poced ; dwyn. TO POCKET.
pocer : procer, *eg. ll.*-i, -au. Darn o fetel hir i bocan (brocio) tân. POKER.
poen, *egb. ll.*-au. I. Dolur, gwayw, gofid, blinder, artaith, gloes. PAIN.
2. Blinder. NUISANCE.
poenedigaeth, *eb. ll.*-au. Gwewyr, poen mawr, dioddefaint dirfawr, ing, gofid. TORMENT, GREAT PAIN, SUFFERING.
poeni, *be.* Dolurio, blino, gofidio, poenydio, tynnu coes. TO PAIN, TO WORRY, TO TEASE.
poenus, *a.* Dolurus, gofidus, mewn poen. PAINFUL.
poenydio, *be.* Arteithio, achosi poen. TO TORTURE, TO TORMENT.
poenydiwr, *eg. ll.* poenydwyr. (*b.* poenydwraig). Arteithiwr, un sy'n poenydio. TORTURER, TORMENTOR.
poer : poeri : poeryn, *eg.* Y gwlybaniaeth (hylif) a ffurfir yn y genau. SALIVA.
poeri, *be.* Taflu poer o'r genau. TO SPIT.
poeth, *a. ll.*-ion. Twym iawn, gwresog, brwd. HOT.
Dail poethion : danadl. NETTLES.

poethder, *eg.* Yr ansawdd o fod yn boeth, gwres. HEAT.

poethi, *be.* Gwneud yn boeth, mynd yn boeth, gwresogi, twymo. TO HEAT, TO BE HEATED.

polyn, *eg. ll.* polion. Darn syth hirfain o bren, metel, plastig, &c., postyn. POLE.
Neidio â pholyn. POLE JUMP.
Polyn lamp. LAMP-POST.

pomgranad, *eg. ll.*-au. Ffrwyth â llawer o hadau ynddo. POMEGRANATE.

pompren, *eb.* Pont o bren, pont fach i gerdded drosti. FOOT-BRIDGE.

ponc, *eb. ll.*-au, -iau. I. Bryn, bryncyn, twmpath. BANK, HILLOCK.
2. Adran o chwarel. GALLERY (*in slate quarry*).

pont, *eb. ll.*-ydd. Ffordd dros afon, &c., neu rywbeth tebyg o ran ffurf. BRIDGE.
Pont yr ysgwydd. COLLAR-BONE.
Pen-y-bont ar Ogwr. BRIDGEND.

pontio, *be.* Gwneud ffordd i groesi dros rywbeth. TO BRIDGE.

popeth, *eg.* Pob peth, y cyfan, y cwbl. EVERYTHING.

poplys, *e.ll.* (*un. b.*-en). Coed tal tenau. POPLARS.

popty, *eg. ll.* poptai. Lle i grasu bara, &c. BAKEHOUSE, OVEN.

porchell, *eg. ll.* perchyll. Mochyn ieuanc. YOUNG PIG.

porfa, *eb. ll.* porfeydd. Glaswellt ; lle pori. GRASS ; PASTURE.

porffor, *eg.* Lliw rhwng rhuddgoch a fioled. PURPLE.

pori, *be.* Bwyta porfa. TO GRAZE.

portread, *eg. ll.*-au. Amlinelliad, darluniad, disgrifiad. PORTRAIT, PORTRAYAL.

portreadu, *be.* Darlunio, amlinellu, tynnu llun, disgrifio. TO PORTRAY.

porth, *eg. ll.* pyrth. I. Drws, dôr, cyntedd. DOOR, PORCH.
2. *eb. ll.* pyrth. Porthladd, harbwr, porthfa. HARBOUR.
3. *eg.* Cynhaliaeth, cefnogaeth, help. SUPPORT, HELP.

porthi, *be.* Bwyda, bwydo, ymborthi. TO FEED.
Porthi'r gwasanaeth. TO RESPOND AT DIVINE SERVICE.

porthiannus, *a.* Wedi ei fwydo'n dda, graenus. WELL-FED.

porthiant, *eg.* Bwyd, ymborth, lluniaeth. FOOD.

porthladd, *eg. ll.*-oedd. Harbwr, porth, hafan. HARBOUR.

porthmon, *eg. ll.* porthmyn. Un sy'n gyrru neu'n delio â da byw, moch, &c. ; masnachwr. DROVER ; MERCHANT.

porthmona, *be.* Prynu a gwerthu anifeiliaid. TO DEAL IN CATTLE, PIGS, &C.

porthor, *eg. ll.*-ion. Gofalwr, ceidwad porth neu adeilad, drysor. PORTER.

pos, *eg. ll.*-au. Problem ddyrys, penbleth, dychymyg. RIDDLE, PUZZLE.
Pos croesair. CROSSWORD PUZZLE.

posibilrwydd, *eg.* Yr hyn sy'n ddichonadwy neu bosibl. POSSIBILITY.

posibl, *a.* Dichonadwy, a all fod. POSSIBLE.
O bosibl. POSSIBLY.

post, *eg. ll.* pyst. (*bach. g.* postyn). I. Polyn. POST.
2. Swyddfa'r Post, y sefydliad sy'n gyfrifol am gasglu a dosbarthu llythyron, parseli, &c. POST OFFICE.
E-bost. E-MAIL.

postio, *be.* Rhoi llythyr yn y post (drwy ei osod mewn blwch llythyron neu ei estyn dros gownter swyddfa'r post). TO POST.

postman : postmon, *eg. ll.* postmyn. Un yng ngwasanaeth Swyddfa'r Post sy'n casglu a dosbarthu'r post. POSTMAN.

postyn, *gw.* **post.**

potel, *eb. ll.*-i. Costrel, llestr ac iddo wddf cul i ddal hylif. BOTTLE.

potelaid, *eb. ll.* poteleidiau. Cynnwys potel, llond potel. BOTTLEFUL.

poten, *eb.* Pwdin, bwyd wedi ei goginio nes bod yn feddal a melys. PUDDING.
Poten reis : pwdin reis.

potes, *eg.* Cawl, bwyd gwlyb a wneir trwy ferwi cig a llysiau, &c. SOUP, BROTH.

potsiar, *eg. ll.*-s. Un sy'n dwyn adar neu anifeiliaid gwylltion neu bysgod heb ganiatâd. POACHER.

pothell, *eb. ll.*-i, -au. Chwysigen, polleth ; chwydd sy'n cynnwys dŵr neu waed dan y croen. BLISTER.

pothellu, *be.* Codi'n bothell. TO BLISTER.

powdr : powdwr, *eg. ll.* powdrau. Sylwedd ar ffurf gronynnau mân, sych, llwch. POWDER.
Powdr golchi. WASHING POWDER.

powdro, *be.* Dodi powdwr ar rywbeth. TO POWDER.
Powdr a phaent. POWDER AND PAINT (*of cosmetics*).

powlen, *eb. ll.*-ni. I. Cawg, ffiol, basn. BOWL.
2. Polyn mawr trwchus. POLE.

powlio, *be.* Treiglo. TO ROLL.
Roedd y dagrau'n powlio dros ei gruddiau. THE TEARS WERE STREAMING DOWN HER CHEEKS.

powltis, *eg.* Moddion llaith o fara neu lysiau a ddodir ar y croen i wella clwyf. POULTICE.

praff, *a. ll.* preiffion. Trwchus, ffyrf, tew. THICK, STOUT.

praffter, *eg.* Trwch, tewder, tewdra. THICKNESS.

praidd, *eg. ll.* preiddiau. Diadell, gyrr, nifer o anifeiliaid o'r un fath gyda'i gilydd. FLOCK.

pram, *eg. ll.*-iau. Cerbyd bychan i gario baban. PRAM, PERAMBULATOR.

pranc, *eg. ll.*-iau. Chwarae, stranc. FROLIC.

prancio, *be.* Campio, llamschu, neidio a dawnsio, chwarae. TO FROLIC.

prawf : praw, *eg. ll.* profion. Treial mewn llys, ffordd o ddangos bod peth yn wir. TRIAL, TEST, PROOF.
Prawf terfynol. FINAL (TRIAL).

pregeth, *eb. ll.*-au. Araith ar destun crefyddol o bulpud. SERMON.

pregethu, *be.* Traddodi pregeth. TO PREACH.

pregethwr, *eg. ll.* pregethwyr. Un sy'n pregethu. PREACHER.

pregethwrol, *a.* Fel pregethwr. PREACHER-LIKE.

preifat, *a.* Cyfrinachol, personol, priod, neilltuol. PRIVATE.

preimin, *eg.* Cystadleuaeth aredig. PLOUGHING MATCH.

pren, *eg. ll.*-nau. Coeden, defnydd a geir o goed. TREE, WOOD.

prentis, *eg. ll.*-iaid. Dechreuwr, un anghyfarwydd, un sy'n dysgu crefft. APPRENTICE.

prentisiaeth, *eb.* Bod yn brentis, y tymor fel prentis. APPRENTICESHIP.

prentisio, *be.* Rhwymo un sy'n dysgu crefft i'w brentisiaeth. TO APPRENTICE.

pres, *eg.* I. Efydd, cymysgedd o gopr a sinc. BRASS. 2. Arian (yn gyffredinol). MONEY.

preseb, *eg. ll.*-au. Mansier, y bocs o flaen anifail lle y dodir ei fwyd. MANGER.

presennol, *a.* Yma, yno, yn bod yn awr, yr amser hwn. PRESENT.

presenoldeb, *eg.* Gŵydd, yr act o fod yn bresennol. PRESENCE.

presenoli, *be.* Bod yn y man a'r lle. TO BE PRESENT.

presgripsiwn, *eg. ll.* presgripsiynau. Ffurflen yn cynnwys cyfarwyddyd ysgrifenedig y meddyg ynglŷn â moddion i'r claf. PRESCRIPTION.

preswyl : preswylfod, *eg.* **preswylfa,** *eb. ll.* preswylfeydd. Annedd, lle i fyw. DWELLING PLACE.

Ysgol breswyl. BOARDING SCHOOL.

Neuadd breswyl. HALL OF RESIDENCE (IN COLLEGE, &C.).

preswylio, *be.* Trigo, byw, cartrefu, aros, cyfanheddu. TO DWELL.

preswyliwr, *eg. ll.* preswylwyr. **preswylydd,** *eg. ll.*-ion. Un sy'n byw yno, un sy'n cartrefu yno. INHABITANT, DWELLER.

priciau, *e.ll. (un. g.* pric). Coed mân, coed tân, cynnud. STICKS, TWIGS (FOR FIRE).

prid, *a.* Drud, costus, drudfawr, gwerthfawr. COSTLY.

pridwerth, *eg.* Arian a delir i ryddhau carcharor. RANSOM.

pridd, *eg.* **priddell,** *eb. ll.*-au. Daear, gweryd, tir. SOIL, EARTH.

priddfaen, *eg. ll.* priddfeini. Bricsen, blocyn o glai llosg a ddefnyddir i adeiladu. BRICK.

priddlech, *eb. ll.*-i, -au. Teilen, teilsen, darn tenau o garreg (neu glai wedi ei grasu) i'w ddodi ar do, &c. TILE.

priddlestr, *eg. ll.*-i. Llestr wedi ei wneud o glai, llestr pridd. EARTHENWARE.

priddlyd, *a.* Yn perthyn i'r ddaear, o'r ddaear. EARTHY.

priddo : priddio, *be.* Gosod yn y pridd, codi pridd o amgylch tatws, &c., i'w gorchuddio. TO EARTH.

prif, *a.* Pen, pennaf, uchaf, mwyaf. CHIEF, MAJOR.

prifair, *eg. ll.* prifeiriau. Gair yn ffurfio pennawd i nodyn (mewn geiriadur, coflyfr, &c.). HEADWORD.

prifardd, *eg. ll.* prifeirdd. Y bardd pennaf neu bwysicaf. CHIEF BARD.

prifathrawes, *eb. ll.*-au. Pennaeth ysgol neu goleg. HEADMISTRESS, PRINCIPAL.

prifathro, *eg. ll.* prifathrawon. Pennaeth ysgol neu goleg. HEADMASTER, PRINCIPAL.

prifddinas, *eb. ll.*-oedd. Y ddinas fwyaf neu bwysicaf mewn gwlad. CAPITAL CITY.

prifiant, *eg.* Twf, tyfiant, cynnydd. GROWTH.

prifio, *be.* Tyfu, cynyddu, ffynnu. TO GROW.

prifodl, *eb. ll.*-au. Odl ar ddiwedd llinell, yr odl. RHYME, END RHYME.

prifysgol, *eb. ll.*-ion. Prifathrofa, sefydliad sy'n rhoi'r addysg uchaf ac yn cyflwyno graddau i'r myfyrwyr. UNIVERSITY.

priffordd, *eb. ll.* priffyrdd. Ffordd fawr, heol fawr. HIGHWAY.

prin, *a. ll.*-ion. I. Anaml, heb ddigon, anfynych, anghyffredin. RARE, SCARCE. 2. *adf.* Braidd. HARDLY.

prinder, *eg.* Diffyg, eisiau, angen. SCARCITY.

prinhau, *be.* Lleihau, diffygio. TO DIMINISH.

printiedig, *a.* Wedi'i argraffu. PRINTED.

printio, *be.* Argraffu. TO PRINT.

printiwr, *eg. ll.* printwyr. Argraffydd. PRINTER.

priod, *a.* I. Priodol, personol, neilltuol, iawn. OWN, PROPER.

Enwau priod. PROPER NOUNS. 2. Wedi priodi. MARRIED.

priod, *egb.* Gŵr neu wraig. HUSBAND, WIFE.

priodas, *eb. ll.*-au. Yr act o briodi. MARRIAGE.

Priodas aur. GOLDEN WEDDING.

Priodas arian. SILVER WEDDING.

Priodas ruddem. RUBY WEDDING.

priodasfab, *gw.* **priodfab.**

priodasferch, *gw.* **priodferch.**

priodasol, *a.* Yn ymwneud â phriodas. MATRIMONIAL.

priodfab, *eg. ll.* priodfeibion. Mab ar fin priodi neu newydd briodi, priodasfab. BRIDEGROOM.

priodferch, *eb. ll.* priodferched. Merch ar fin priodi neu newydd briodi, priodasferch. BRIDE.

priodi, *be.* Ymuno fel gŵr a gwraig. TO MARRY.

priodol, *a.* Addas, cyfaddas, cymwys, iawn, gweddus, ffit. APPROPRIATE.

priodoldeb, *eg.* Gwedduster, addasrwydd, cymhwyster. PROPRIETY.

priodoledd, *eg. ll.*-au. Nodwedd neu rinwedd yn perthyn i. ATTRIBUTE.

priodoli, *be.* Cyfrif i, cyfrif fel yn perthyn i. TO ATTRIBUTE.

prior, *eg. ll.*-iaid. Pennaeth tŷ crefyddol. PRIOR.

priordy, *eg. ll.* priordai. Tŷ crefyddol. PRIORY.

pris, *eg. ll.*-iau. Y gost o brynu rhywbeth. PRICE.

prisiad, *eg. ll.*-au. Amcangyfrif o werth rhywbeth, y pris a osodwyd ar rywbeth. VALUATION.

prisio, *be.* Gosod pris ar, gwerthfawrogi. TO VALUE.

prisiwr, *eg. ll.* priswyr. Person proffesiynol sydd â'i waith i roi pris ar bethau. VALUER.

problem, *eb. ll.*-au. Tasg, dyrysbwnc, cwestiwn neu rywbeth anodd ei ateb. PROBLEM.

procio, *be.* Gwthio, ymwthio, symud neu gyffroi â blaen pren neu fys neu bocer, &c., pocan. TO POKE.

proest, *eg. ll.*-au. Math o odl lle mae'r cytseiniaid ar y diwedd yn unig yn cyfateb. e.e. tân, sôn. (KIND OF RHYME).

profedig, *a.* Wedi ei brofi, sicr, di-ffael, dibynadwy. APPROVED, TRIED.

profedigaeth, *eb. ll.*-au. Trallod, helbul, trwbwl, trafferth, gofid, blinder, cystudd, adfyd. TROUBLE, TRIBULATION.

profi, *be.* Rhoi prawf ar allu (gwaith, blas, profiad, &c.), dangos bod rhywbeth yn wir. TO TEST, TO PROVE.

profiad, *eg. ll.*-au. Ffrwyth profi pethau, rhywbeth sy'n digwydd i berson wrth brofi. EXPERIENCE.

profiadol, *a.* Â phrofiad. EXPERIENCED.

profiannaeth, *eb. ll.*-au. Cynllun i drin troseddwyr dethol heb eu carcharu. PROBATION.

proflen, *eb. ll.*-ni. Copi o ysgrifen wedi ei argraffu. PROOF-SHEET.

profocio : pryfocio, *be.* Cyffroi, cynhyrfu, blino, llidio, cythruddo. TO PROVOKE.

profoclyd : pryfoclyd, *a.* Cythruddol, blin. PROVOKING.

proffes, *eb. ll.*-au. Arddeliad, datganiad, honiad. PROFESSION.

proffesu, *be.* Arddel, datgan, honni, haeru, hawlio. TO PROFESS.

proffid, *eb.* Elw, mantais, budd, lles. PROFIT.

proffidio, *be.* Elwa, manteisio. TO PROFIT.

proffidiol, *a.* Buddiol, manteisiol, yn dwyn proffid. PROFITABLE.

proffwyd, *eg. ll.*-i. (*b.*-es). Un sy'n egluro ewyllys Duw, un sy'n proffwydo, gweledydd. PROPHET.

proffwydo, *be.* Egluro ewyllys Duw, rhagfynegi peth sydd i ddyfod, darogan y dyfodol. TO PROPHESY.

proffwydol, *a.* Yn perthyn i broffwyd ; yn cynnwys proffwydoliaeth. PROPHETIC.

proffwydoliaeth, *eb.* Rhagolwg, yr hyn a broffwydir. PROPHECY.

proses, *eg.b. ll.*-au. Dull, modd o drin bwyd, diod, &c. PROCESS.

prosesu, *be.* Trin pethau yn ôl dull arbennig, modd o weithredu. TO PROCESS.

prosesydd, *eg.* Offer electronig sy'n ymwneud â theipio, argraffu a storio gwaith ysgrifenedig ; offer sy'n trin bwyd drwy chwalu, cymysgu, &c. PROCESSOR.
Prosesydd geiriau. WORD PROCESSOR.
Prosesydd bwyd. FOOD PROCESSOR.

prosiect, *eg. ll.*-au. Cynllun ; cynhyrchiad, yn aml, drwy gydweithrediad â nifer o bobl. PROJECT.

protest, *eb. ll.*-iadau. Gwrthdystiad, gwrthwynebiad. PROTEST.

Protestannaidd, *a.* Yn ymwneud â Phrotestant neu â'i gredo. PROTESTANT.

Protestant, *eg. ll.* Protestaniaid. Aelod o un o'r eglwysi Cristnogol ac sy'n anghydffurfio â'r Eglwys Babyddol. A PROTESTANT.

protestio, *be.* Gwrthdystio, gwrthwynebu. TO PROTEST.

protestiwr, *eg. ll.* protestwyr. Un sy'n gwrthdystio neu wrthwynebu'n groch yr hyn sy wedi ei benderfynu gan eraill. PROTESTOR.

prudd : pruddaidd, *a.* Blin, tost, truenus, dybryd. SAD.

prudd-der, *eg.* Tristwch, tristyd, trymder, digalondid. SADNESS.

pruddglwyf, *eg.* Iselder ysbryd, digalondid. MELANCHOLY.

pruddglwyfus, *a.* Isel ysbryd, digalon, prudd, trist, pendrist. DEPRESSED.

pruddhau, *be.* Tristáu, blino, digalonni. TO SADDEN, TO BECOME SAD.

pryd, *eg. ll.*-iau. 1. Amser, tymor, achlysur, adeg. TIME.
Ar brydiau : ar adegau. AT TIMES.
Pryd ? Pa bryd ? WHAT TIME ?
Ar y pryd. AT THE TIME.
O bryd i bryd. FROM TIME TO TIME.
2. *eg. ll.*-au. Bwyd, amser bwyd. MEAL.
Byrbryd. SNACK.

pryd, *eg.* 1. Gwawr, gwedd, golwg, trem, wyneb. ASPECT.
2. Ffurf, dull, agwedd. FORM.

Prydain, *eb.* Yr ynys oddi ar arfordir gorllewinol Ewrop sy'n cynnwys Cymru, Yr Alban a Lloegr. BRITAIN.

Prydeinig, *a.* Yn perthyn i Brydain. BRITISH.

Prydeiniwr, *eg. ll.* Prydeinwyr. (*b.* Prydeinwraig). Brodor o Brydain. BRITISHER, BRITON.

pryder, *eg. ll.*-on. Gofal, gofid, trafferth, blinder, trallod. ANXIETY.

pryderu, *be.* Gofalu, gofidio, poeni trafferthu, blino. TO BE ANXIOUS.

pryderus, *a.* Awyddus iawn, gofidus, trallodus, trafferthus, blin, blinderus. ANXIOUS.

prydferth, *a.* Hardd, glân, teg, tlws, pert, cain. BEAUTIFUL.

prydferthu, *be.* Harddu, tecáu, gwneud yn bert, &c. TO BEAUTIFY.

prydferthwch, *eg.* Harddwch, tegwch, glendid, ceinder. BEAUTY.

prydles, *eb. ll.*-au, -i, -oedd. Modd o osod tir neu eiddo ar rent am amser penodol. LEASE.

prydlon, *a.* Mewn amser da, mewn pryd, di-oed. PUNCTUAL.

prydlondeb, *eg.* Y stad o fod yn brydlon. PUNCTUALITY.

prydweddol, *a.* Prydferth, hardd, tlws, teg. GOOD-LOOKING.

prydydd, *eg. ll.*-ion. (*b.*-es). Bardd, awenydd. POET.

prydyddiaeth, *eb.* Barddoniaeth, awenyddiaeth. POETRY.

prydyddol, *a.* Barddonol. POETICAL.

prydyddu, *be.* Barddoni, awenyddu, dodi ar gân. TO MAKE POETRY.

pryddest, *eb. ll.*-au. Cân hir yn y mesurau rhyddion. LONG POEM IN FREE METRE.
pryf, *eg. ll.*-ed. 1. Trychfil, lleuen, cynrhonyn, trogen, pryfyn. INSECT, VERMIN.
   2. Abwydyn. WORM.
   3. Anifail (cadno, gwenci, llygoden, gwadd, &c.). ANIMAL.
   Pryf copyn. SPIDER.
   Pryf genwair. EARTHWORM.
pryfedu, *be.* Cynhyrchu neu fagu pryfed. TO BREED WORMS.
prŷn, *a.* Wedi ei brynu. BOUGHT.
prynedigaeth, *eb.g.* Gwaredigaeth, iachawdwriaeth, iechydwriaeth, achubiaeth, adbrynedigaeth. REDEMPTION.
prynhawn, *eg. ll.*-au. Wedi canol dydd, rhwng canol dydd a nos. AFTERNOON.
   Prynhawn da! GOOD AFTERNOON!
prynhawngwaith, *eg.* Un prynhawn, rhyw brynhawn. ONE AFTERNOON.
prynhawnol, *a.* Yn perthyn i'r prynhawn. AFTERNOON, EVENING (*adjective*).
pryniad, *eg. ll.*-au. Yr act o brynu, pwrcas. PURCHASE.
prynu, *be.* Pwrcasu, cael wrth dalu, gwaredu, achub. TO BUY, TO REDEEM.
prynwr, *eg. ll.* prynwyr. 1. Un sy'n prynu. BUYER.
   2. Gwaredwr. REDEEMER.
prysgoed : prysgwydd, *e.ll.* Manwydd, llwyni, coed bach. BRUSHWOOD.
prysur, *a.* Diwyd, gweithgar, llafurus, dyfal. BUSY.
prysurdeb, *eg.* Diwydrwydd, gweithgarwch, dyfalwch. BEING BUSY, DILIGENCE.
prysuro, *be.* Brysio, ffwdanu. TO HURRY.
publican, *eg. ll.*-od. Casglwr trethi (yn oes y Testament Newydd) ; tafarnwr (yn ein hoes ni). PUBLICAN.
pulpud, *eg. ll.*-au. Areithfa, areithle, llwyfan i bregethwr. PULPIT.
pumed, *a.* Yr olaf o bump. FIFTH.
   Y pumed dydd.
pump : pum, *a.* Y rhifol ar ôl pedwar. FIVE.
   Pump + o + lluosog enw (fel yn *pump o bunnoedd*).
   Pum + unigol enw (fel yn *pum punt*).
   Pumawd. QUINTET.
p'un : p'run, *rhag. gof.* Pa un ? Pa ryw un ? WHICH ONE ?
punt, *eb. ll.* punnau, punnoedd. Can ceiniog. POUND, (£1.00).
   Darn punt. A POUND COIN.
   Can punt. A HUNDRED POUNDS.
   Mil o bunnoedd. A THOUSAND POUNDS.
pupur, *eg.* Peth i roi blas ar fwydydd, perlysieuyn poeth. PEPPER.
pur, *a.* 1. Glân, difrycheulyd, diniwed, dieuog. PURE.
   2. *a.* Ffyddlon. FAITHFUL.
   3. *adf.* Lled, go, gweddol, symol, tra. FAIRLY, VERY.
purdan, *eg.* Lle i buro eneidiau, cyflwr o brofi a dioddef. PURGATORY.

purdeb, *eg.* Glendid, diniweidrwydd, bod yn ddifrycheulyd. PURITY.
purfa, *eb. ll.* purfeydd. Lle i buro olew, metel, siwgr, &c. REFINERY.
purion, *adf.* 1. Lled dda, gweddol, symol. ALL RIGHT.
   2. *a.* Iawn. RIGHT.
puro, *be.* Coethi, glanhau, gwneud yn bur, golchi ymaith bechod. TO PURIFY.
purwr, *eg. ll.* purwyr. Un sy'n puro. REFINER.
putain, *eb. ll.* puteiniaid. Gwraig o foesau drwg. PROSTITUTE.
pwd, *eg.* 1. Yr act o bwdu, tymer ddrwg. SULKS.
   2. Clefyd ar ddefaid. FLUKE IN SHEEP.
pwdin, *eg.* Bwyd meddal, poten. PUDDING.
pwdlyd, *a.* Wedi pwdu neu'n dueddol i bwdu, mewn tymer ddrwg. SULKING.
pwdr, *a.* Pydredig, mall, sâl, gwael, yn dadfeilio, llygredig. ROTTEN.
pwdu, *be.* Sorri, 'llyncu mul', bod yn dawel ac mewn tymer ddrwg. TO SULK.
pŵer, *eg. ll.*-au, -oedd. Nerth, gallu, grym, cryfder ; llawer. POWER ; MANY, MUCH.
   Tanwydd a phŵer. FUEL AND POWER.
   Roedd pŵer o bobl yno. MANY WERE THERE.
pwerus, *a.* Grymus, nerthol. POWERFUL.
pwff, *eg. ll.* pyffiau. Chwa o wynt neu awel neu fwg, &c., ; gwth. PUFF.
pwffian, *be.* Gyrru allan yr anadl yn byffiau. TO PUFF.
pwl, *eg. ll.* pyliau. Ffit, gwasgfa. FIT, ATTACK.
   Pwl o beswch.
   Pwl o chwerthin.
pŵl, *a.* 1. Cymylog, heb loywder. DULL.
   Diwrnod pŵl.
   2. Di-fin, heb awch. BLUNT.
pwll, *eg. ll.* pyllau. Pydew, pwllyn, llyn. PIT, POOL.
   Pwll glo. COAL PIT.
   Pwll tro, trobwll. WHIRLPOOL.
   Pwll nofio. SWIMMING POOL.
   Pyllau pêl-droed. FOOTBALL POOLS.
pwllyn, *eg.* Pwll bychan o ddŵr. POOL.
pwmp, *eg. ll.* pympiau. Peiriant i godi dŵr o ffynnon neu i yrru hylif neu awyr i mewn ac allan. PUMP.
pwn, *eg. ll.* pynnau. Llond sach, baich. SACKFUL, BURDEN.
   Pynfarch, march pwn. PACK-HORSE.
   Pwn o wenith.
pwnc, *eg. ll.* pynciau. Testun, mater, pos. SUBJECT, TOPIC, RIDDLE.
pwnio : pwnian, *be.* 1. Dyrnodio, curo, malu, malurio. TO THUMP.
   Pwnio tatws. TO MASH POTATOES.
   2. Gwthio. TO PUSH.
pwrcasu, *be.* Prynu, cael am dâl. TO PURCHASE.
pwrpas, *eg. ll.*-au. Amcan, bwriad, arfaeth. PURPOSE.
pwrpasol, *a.* 1. Bwriadol, gydag amcan, o bwrpas. ON PURPOSE.
   2. Addas, cyfaddas, cymwys. SUITABLE

pwrs, *eg. ll.* pyrsau. Cod, bag bychan i gario arian. PURSE.
Pwrs buwch. UDDER.

pwt, *eg.* I. Rhywbeth byr, darn, tamaid. BIT, STUMP.
2. *a.* Bach, bychan, byr, pitw, bitw. TINY.

pwti, *eg.* Past wedi ei wneud o galch ac olew i sicrhau gwydrau ffenestri, &c. PUTTY.

pwtian : pwtio, *be.* Gwthio â blaen bys neu bren, &c. TO POKE.

pwtyn, *eg.* Rhywbeth byr, pwt, darn, tamaid. BIT, STUMP.

pwy, *rhag. gof.* Pa un ? Pa ddyn ? WHO ?
Pwyn bynnag. WHOSOEVER.

Pwyl, Gwlad, *eb.* Gwlad yn nwyrain Ewrop, rhwng y Môr Baltig yn y gogledd ac Ucheldiroedd Sudety a Mynyddoedd Carpatiau yn y de. Ei phrifddinas yw Warszawa. POLAND.

pwyll, *eg.* Barn, synnwyr, ystyriaeth, dianwadalwch. DISCRETION, STEADINESS.
Cymryd pwyll. TO TAKE TIME.
Mynd gan bwyll. GOING STEADILY.
O'i bwyll. INSANE.

pwyllgor, *eg. ll.*-au. Cwmni o bobl wedi cyfarfod i weithredu ar wahanol faterion. COMMITTEE.
Pwyllgor gwaith. EXECUTIVE COMMITTEE.

pwyllo, *be.* Bod yn bwyllog, ystyried, cymryd pwyll. TO STEADY, CONSIDER.

pwyllog, *a.* Araf, synhwyrol, call, doeth. PRUDENT.

pwynt, *eg. ll.*-iau. Blaen, dot, marc, man, mater, testun, pwnc, pwrpas, amcan, cyfeiriad. POINT, MATTER.

pwyntio, *be.* Cyfeirio â'r bys, &. TO POINT.

pwyo, *be.* Pwnio, ergydio, curo. TO BATTER.

pwys, *eg.* I. *ll.*-i. Un owns ar bymtheg, pownd. POUND (lb.).
2. Pwyslais, acen. STRESS.
3. Pwysigrwydd. IMPORTANCE.
O bwys. IMPORTANT.
Ar bwys : gerllaw : yn agos i.

pwysau, *e.ll. (un. g.* pwys). Trymder, pethau a ddefnyddir i bwyso. WEIGHT(S).
Colli pwysau. TO LOSE WEIGHT.
Codi pwysau. WEIGHT LIFTING.
Pwysau a mesurau. WEIGHTS AND MEASURES.
Yn mynd wrth ei bwysau. GOING ALONG SLOWLY.

pwysedd, *eg. ll.*-au. Gwasgedd, pwysau awyr, maint y pwysau. PRESSURE.

pwysi, *eg. ll.* pwysïau. Tusw o flodau, blodeuglwm. POSY.

pwysig, *a.* O bwys, gwerthfawr, yn haeddu sylw, dylanwadol, rhwysgfawr. IMPORTANT.

pwysigrwydd, *eg.* Pwys, gwerth, dylanwad, arwyddocâd. IMPORTANCE.

pwyslais, *eg. ll.* pwysleisiau. Pwys ar air, &c., ; yn rhoi pwyslais ar y gair iawn. STRESS.

pwysleisio, *be.* Dodi pwyslais. TO STRESS.

pwyso, *be.* I. Tafoli, mantoli. TO WEIGH.
2. Lledorffwys (ar). TO LEAN.
3. Ymddiried. TO TRUST.
Pwyso ei eiriau. TO WEIGH HIS WORDS.

pwyswr, *eg. ll.* pwyswyr. Un sy'n pwyso pethau. WEIGHER.

pwyth, *eg. ll.*-au, -on. I. Pris, gwerth, haeddiant, tâl. PRICE.
Talu'r pwyth : dial. TO RETALIATE.
2. *eg. ll.*-au. Gwnïad, symudiad llawn nodwydd wrth wnïo neu wau, pwythyn, meglyn. STITCH.

pwytho, *be.* Gwnïo. TO STITCH.

pwythwr, *eg. ll.*-wyr. Un sy'n pwytho. STITCHER.

pybyr, *a.* Cywir, eiddgar, gwresog, poeth, selog, brwd, brwdfrydig. STAUNCH.

pydew, *eg. ll.*-au. Pwll, ffynnon. PIT, WELL.

pydredd, *eg.* Dadfeiliad, malltod, llygredd, drwg. ROT, CORRUPTION.

pydru, *be.* Braenu, dadfeilio, mynd yn ddrwg. TO ROT.

pyg, *eg.* Defnydd gludiog wedi ei wneud o dar neu dyrpant. PITCH.

pygddu : pyglyd, *a.* Tywyll, croenddu, mor ddu â phyg. DUSKY, PITCH-BLACK.

pygu, *be.* Gorchuddio â phyg. TO PITCH.

pyngad : pyngu, *be.* Heigio, tyrru, cynhyrchu'n drwm. TO CLUSTER.
Y mae'r pren yn byngad o afalau.

pylgain, *gw.* plygain.

pylni, *eg.* Y cyflwr o fod yn bŵl. DULLNESS, BLUNTNESS.

pylor, *eg.* Powdwr, llwch. POWDER.

pylu, *be.* Cymylu, gwneud yn bŵl, colli awch. TO BECOME DULL, TO BLUNT.

pymtheg : pymtheng, *a.* Pump a deg, un deg pump. FIFTEEN.

pymthegfed, *a.* Yr olaf o bymtheg. FIFTEENTH.

pyncio, *be.* Canu, tiwnio, telori. TO SING.

pys, *e.ll. (un. b.*-en). Had planhigyn yn yr ardd. PEAS.
Pys pêr. SWEET-PEAS.

pysgod : pysg, *e.ll. (un. g.* pysgodyn). Creaduriaid oer eu gwaed sy'n byw yn y dŵr. FISH.
Pysgodfa. FISHERY.

pysgotwr, *eg. ll.* pysgotwyr. Un sy'n pysgota. FISHERMAN.

pysgota, *be.* Dal pysgod. TO FISH.
Llong bysgota. FISHING BOAT.

pystylad, *be.* I. Taro'r traed yn drwm ar lawr. TO STAMP, TO BE RESTIVE.
Y march yn pystylad yn y stabl.
2. *eg.* Curo â'r traed. STAMPING.

pythefnos, *egb. ll.*-au. Dwy wythnos. FORTNIGHT.

Rac, *gw.* **rhac.**
raca, *gw.* **rhaca.**
racanu, *gw.* **rhacanu.**
raced, *egb. ll.*-i. Bat a ddefnyddir i chwarae tenis. RACQUET.
racs, *gw.* **rhacs.**
racsog, *gw.* **rhacsog.**
rad, *gw.* **rhad.**
radio, *eg. ll.*-s. Offer i dderbyn darllediadau o drosglwyddyddion heb ddefnyddio gwifrau i gysylltu'r darlledwr â'r gwrandawr. RADIO. Radio sain. SOUND RADIO.
radlon, *gw.* **rhadlon.**
radlonrwydd, *gw.* **rhadlonrwydd.**
raeadr, *gw.* **rhaeadr.**
raeadru, *gw.* **rhaeadru.**
raff, *gw.* **rhaff.**
raffo, *gw.* **rhaffo.**
ras, *eb. ll.*-ys. Rhedegfa, rhedfa, gyrfa. RACE. Ras-gyfnewid. RELAY RACE.
rasal, *eb. ll.* raselydd. **raser,** *eb. ll.* raserydd. Erfyn eillio, ellyn. RAZOR.
record, *eb. ll.*-iau. Cofnod ; disg gramoffon ; y perfformiad gorau. RECORD.
recordiad, *eg.* Yr act o ddodi ar record. RECORDING.
reiat, *eb.* Stŵr, mwstwr. ROW.
reis, *eg.* Had yn cynnwys starts ac a dyfir ar blanhigyn yn y dwyrain. RICE.
robin goch, *eg.* Aderyn bach brown brongoch Ewropeaidd. ROBIN.
roced, *eb. ll.*-i. Tân gwyllt ar gyfer nos Guto Ffowc ; taflegryn ffrwydrol a saethir yn uchel ac ymhell ; yr hyn a ddefnyddir i yrru llong ofod. ROCKET.

rownd, *a.* I. Crwn, fel cylch. ROUND.
  2. *ardd.* O amgylch, oddi amgylch, o gylch. AROUND.
  3. *eg.* Tro wrth ganu penillion neu mewn cystadleuaeth holi, &c. ROUND.
ruban, *eg. ll.*-au. Llinyn, darn o ddefnydd hir a chul. RIBBON.
rŵan, *adf.* Yn awr, nawr. NOW.
rwbel, *eg.* Cerrig garw neu briddfeini wedi eu chwalu, &c. ; ysbwriel, sothach, carthion. RUBBLE.
rwber, *eg.* Defnydd hydwyth cryf a geir o nodd coeden. RUBBER.
rwdins, *e.ll.* (*un. b.* rwden). Erfin. SWEDES.
Rwseg, *egb.* Iaith swyddogol Rwsia. RUSSIAN (*language*).
Rwsiad, *eg. ll.* Rwsiaid. Brodor o Rwsia. A RUSSIAN.
rydw i, *bf.* Person cyntaf unigol amser presennol modd mynegol y ferf bod. Yr wyf i. I AM.
rydd, *gw.* **rhydd : gw. rhoi.**
ryddid, *gw.* **rhyddid.**
ryfeddol, *gw.* **rhyfeddol.**
ryfel, *gw.* **rhyfel.**
ryngwladol, *gw.* **rhyngwladol.**
ryw, *gw.* **rhyw,** *ebg., a. & adf.*
rywle, *gw.* **rhywle.**
rywsut, *gw.* **rhywsut.**
rywun, *gw.* **rhywun.**

RHac, *eb.* Ffrâm o bren i ddal gwahanol bethau, rhastl. RACK.

rhaca, *egb. ll.*-nau. Cribin gwair, &c. RAKE.

rhacanu, *be.* Crynhoi â rhaca, cribinio. TO RAKE.

rhacs, *e.ll. (un. g.* rhecsyn). Darnau o frethyn, carpiau, bratiau. RAGS.

rhacsog : rhacsiog, *a.* Yn rhacs, yn ddarnau, carpiog, bratiog. RAGGED.

rhad, *a.* I. Rhydd, heb dâl, am dâl bach. FREE, CHEAP. Yn rhad ac am ddim. FREE AND FOR NOTHING. 2. *eg. ll.*-au. Gras, graslonrwydd, bendith. GRACE, BLESSING.
e.e. (ar ôl tisian) : Rhad arnat ti ! BLESS YOU !

rhadlon, *a.* Graslawn, grasol, caredig, hynaws, caruaidd. GRACIOUS, KIND.

rhadlonrwydd : rhadlondeb, *eg.* Caredigrwydd, hynawsedd, graslonrwydd ; y cyflwr o fod yn rhad o ran pris. GRACIOUSNESS ; CHEAPNESS.

rhaeadr, *eb. ll.*-au, rhëydr. Pistyll, sgwd, cwymp dŵr. WATERFALL.

rhaeadru, *be.* Arllwys hylif (dŵr, olew, &c.,) i lawr, pistyllu. TO POUR, TO GUSH.

rhaff, *eb. ll.*-au. Cordyn trwchus. ROPE.

rhaffo : rhaffu, *be.* Clymu â rhaff. TO ROPE. Rhaffo celwyddau. TO LIE GLIBLY.

rhag, *ardd.* (Rhagof, rhagot, rhagddo/rhagddi, rhagom, rhagoch, rhagddynt), rhag ofn, fel na, o flaen, oddi wrth. FROM, BEFORE, LEST. Rhag llaw. HENCEFORTH. Rhag blaen. AT ONCE. Mynd rhagddo. TO PROCEED.

rhag-, *rhagdd.* O flaen (fel yn **rhagymadrodd**). PRE-, FORE-, ANTE-.

rhagair, *eg. ll.* rhageiriau. **rhagarweiniad,** *eg. ll.*-au. Rhagymadrodd, gair yn cyflwyno. PREFACE.

rhagarweiniol, *a.* Yn arwain i mewn, yn cyflwyno. INTRODUCTORY.

rhagbrawf, *eg. ll.* rhagbrofion. Y prawf cyntaf i ddethol i'r prawf terfynol, rihyrsal. PRELIMINARY TEST, REHEARSAL.

rhagdybied : rhagdybio, *be.* Cymryd yn ganiataol. TO PRESUPPOSE.

rhagddodiad, *eg. ll.* rhagddodiaid. *(Gramadeg)* Geiryn a roddir ar ddechrau gair. PREFIX.
e.e. cyn-, gwrth-, is-, rhag-, ôl- . . .

rhagddor, *eb. ll.*-au. Drws allanol. OUTER DOOR.

rhagddywedyd, *gw.* **rhagfynegi.**

rhagenw, *eg. ll.*-au. Rhan ymadrodd sef gair a ddefnyddir yn lle enw. PRONOUN.
e.e. **fi, mi, ti, ef, fe, fo, hi, ni, chwi, hwy, nhw, myfi, tydi, efe, hyhi, minnau, tithau, yntau, hithau . . .**

rhagenwol, *a.* Yn ymwneud â rhagenw. PRONOMINAL.

rhagfarn, *eb. ll.*-au. Barn heb ddigon o wybodaeth a meddwl. PREJUDICE.

rhagfarnllyd, *a.* Â rhagfarn. PREJUDICED.

rhagflaenor, *eg. ll.*-iaid. Rhagredegydd. FORERUNNER.

rhagflaenu, *be.* Blaenori, blaenu, mynd o flaen, achub y blaen. TO PRECEDE.

rhagflaenydd, *eg. ll.*-ion, rhagflaenwyr. Un a fu o flaen rhywun mewn swydd, &c. PREDECESSOR.

rhagflas, *eg. ll.*-au. Blaenbrawf, tamaid i aros pryd. FORETASTE.

rhagflasu, *be.* Blanbrofi, profi rhywbeth o flaen llaw. TO FORETASTE.

rhagfur, *eg. ll.*-iau. Gwrthglawdd, amddiffynfa. BULWARK.

rhagfynegi, *be.* Darogan, proffwydo, rhagddywedyd. TO FORETELL.

Rhagfyr, *eg.* Y mis olaf o'r flwyddyn. DECEMBER.

rhaglaw, *eg. ll.*-iaid. (*b.* rhaglawes). Llywydd, llywodraethwr, llywiawdwr. GOVERNOR, VICEROY.

rhaglen, *eb. ll.*-ni. Rhestr o eitemau, cynllun o'r hyn sydd i ddod. PROGRAMME.

rhagluniaeth, *eb. ll.*-au. Gofal Duw, rhagwelediad, gofal am y dyfodol. PROVIDENCE.

rhagluniaethol, *a.* Yn dangos gofal a rhagweledaiad. PROVIDENTIAL.

rhaglunio, *be.* Rhagarfaethu, penderfynu ymlaen llaw ynglŷn â thynged dyn. TO PREDESTINE.

rhagnant, *eb. ll.* rhagnentydd. Afon neu nant sy'n llifo i afon fwy neu i lyn, isafon, llednant. TRIBUTARY.

rhagod, *be.* Rhwystro, atal, lluddias, llesteirio. TO HINDER, TO WAYLAY.
'Gwell erlid arglwydd na'i ragod.'

rhagolwg, *eg. ll.* rhagolygon. Argoel. OUTLOOK, PROSPECT.
Rhagolygon y tywydd. WEATHER PROSPECTS, FORECAST.

rhagor, *a.* I. Mwy, ychwaneg. MORE. Mae eisiau rhagor o help arnom. Unwaith yn rhagor. ONCE MORE. 2. *eg. ll.*-ion. Gwahaniaeth, rhagoriaeth. DIFFERENCE, SUPERIORITY.

rhagorfraint, *eb. ll.* rhagorfreintiau. Braint arbennig. PRIVILEGE.

rhagori, *be.* Bod yn well na. TO EXCEL.

rhagoriaeth, *eb. ll.*-au. Nodweddion gwell, rhinweddau arbennig, rhagoroldeb, godidowgrwydd. SUPERIORITY, EXCELLENCE.

rhagorol, *a.* Da dros ben, godidog, campus, penigamp, ardderchog. EXCELLENT.

rhagredegydd, *eg. ll.* rhagredegwyr. Un sy'n mynd o flaen arall i baratoi'r ffordd. FORERUNNER.

rhagrith, *eg. ll.*-ion. Bod yn rhagrithio, twyll, hoced, anonestrwydd. HYPOCRISY.

rhagrithio, *be.* Ymddangos yr hyn nad ydyw, twyllo, bod yn anonest. TO PRACTISE HYPOCRISY.

rhagrithiol, *a.* Yn ymwneud â rhagrith. HYPOCRITICAL.

rhagrithiwr, *eg. ll.* rhagrithwyr. Un sy'n euog o ragrith. HYPOCRITE.

rhagrybuddio, *be.* Rhybuddio ymlaen llaw. TO FOREWARN.

rhagweld : rhagweled, *be.* Gweld ymlaen neu i'r dyfodol. TO FORESEE.

rhagwelediad, *eg.* Gwybodaeth ymlaen llaw, rhagwybodaeth. FORESIGHT.

rhagymadrodd, *eg. ll.*-ion. Gair i gyflwyno, rhagair, rhagarweiniad. INTRODUCTION.

rhai, *rhag.* Ychydig, rhywfaint, peth. SOME, (CERTAIN) ONES.
Y rhai hyn : y rhain. THESE.
Y rhai yna : y rheina. THOSE.
Y rhai hynny : y rheini : y rheiny. THOSE.

rhaib, *eb. ll.* rheibiau. I. Gwanc, trachwant anghymedrol, blys. GREED, DESIRE.
2. Swyn, hud. A BEWITCHING.

rhaid, *eg. ll.* rheidiau. Angen, eisiau. NECESSITY.
Rhaid iddo fynd. HE MUST GO.

rhain, *rhag.* Y rhai hyn : y rhain. THESE.

rhamant, *eb. ll.*-au. Stori antur neu serch neu ryfel, stori annhebygol neu un wedi ei gorliwio. ROMANCE.

rhamantus : rhamantaidd, *a.* Yn ymwneud â rhamant, dychmygol, mympwyol, teimladol. ROMANTIC.

rhan, *eb. ll.*-nau. Cyfran, dogn, darn, dryll, peth, siâr. PART.
Rhannau ymadrodd. PARTS OF SPEECH.
O ran. IN PART, AS REGARDS.
O'm rhan i. FOR MY PART.

rhanbarth, *eg. ll.*-au. Ardal, bro, parth, goror, cylch. REGION, DIVISION.

rhandir, *eg. ll.*-oedd. Darn o dir, bro, cylch, parth. ALLOTMENT, REGION, AREA.

rhanedig, *a.* Wedi ei rannu. DIVIDED.

rhaniad, *eg. ll.*-au. Rhan, cyfran, adran, yr act o rannu. DIVISION.

rhannol, *a.* Mewn rhan. IN PART.

rhannu, *be.* Dosbarthu, gwahanu, dogni. TO SHARE, TO DIVIDE.

rhannwr, *eg. ll.* rhanwyr. Un sy'n rhannu. DIVIDER, SHARER.

rhathell, *eb. ll.*-au. Crafwr. RASP.

rhathu, *be.* Crafu. SCRAPE.

rhaw, *eb. ll.*-iau, rhofiau. Pâl lydan â'i hymylon yn codi ychydig. SHOVEL.

rhawd, *eb.* Helynt, hynt, gyrfa. COURSE, CAREER.

rhawg, *adf.* Am amser hir, y rhawg, yrhawg. FOR A LONG TIME TO COME.

rhawio, *gw.* **rhofio**.

rhawn, *eg.* Y blew garw sy'n tyfu ar gwt neu war ceffyl, &c. HORSE HAIR.

rhedeg, *be.* Symud yn gyflym, llifo. TO RUN, TO FLOW.

rhedegfa, *eb. ll.* rhedegfeydd. Ras, gyrfa, cystadleuaeth rhedeg, lle i redeg ras, maes rhedeg. RACE, RACECOURSE.

rhedegog, *a.* Yn rhedeg neu lifo. RUNNING, FLOWING.

rhedegydd, *eg. ll.* rhedegyddion, rhedegwyr. Un sy'n rhedeg, rhedwr. RUNNER.

rhediad, *eg. ll.*-au. Llifiad, cwrs, cyfeiriad. FLOW, DIRECTION.
Rhediad y Ferf. CONJUGATION OF THE VERB.

rhedweli, *eb. ll.* rhedwelïau : **rhydweli**, *eb. ll.* rhydwelïu. Pibell yn y corff sy'n cario gwaed oddi wrth y galon. ARTERY.
gw. **gwythïen**.

rhedwr, *eg. ll.* rhedwyr. Un sy'n rhedeg. RUNNER.

rhedyn, *e.ll. (un. b.*-en). Planhigyn ac iddo ddail tebyg i blu. FERN, BRACKEN.

rheffyn, *eg. ll.*-nau. Cebystr, tennyn, cordyn, rhaff fechan i glymu anifail. SHORT ROPE, HALTER.

rheg, *eb. ll.* rhegfeydd. Melltith, llw, gair anweddaidd. CURSE.

rhegen yr ŷd : rhegen y rhych : rhegen ryg, *eb.* Sgrech yr ŷd. CORNCRAKE.

rhegi, *be.* Melltithio, tyngu, dymuno drwg. TO CURSE.

rheglyd, *a.* Melltithiol. PROFANE.

rheng, *eb. ll.*-oedd, -au. Rhes, rhestr, llinell, gradd. ROW, RANK.

rheibes, *eb. ll.*-au. Dewines, swynwraig. WITCH.

rheibio, *be.* I. Swyno, hudo. TO BEWITCH.
2. Difrodi, anrheithio. TO RAVAGE.

rheibiwr, *eg. ll.* rheibwyr. I. Swynwr, dewin. ENCHANTER.
2. Anrheithiwr. SPOILER.

rheibus, *a.* Ysglyfaethus, gwancus, barus. RAPACIOUS.
Fel bleiddiaid rheibus.

rheidiol, *a.* Anhepgor, angenrheidiol, sy'n rhaid. NECESSARY.

rheidrwydd, *eg.* Angen, anghenraid, rhaid. NECESSITY.

rheidus, *a.* Anghenus, mewn angen ag eisiau. NEEDY.

rheilffordd, *eb. ll.* rheilffyrdd. Ffordd haearn. RAILWAY.

rheiliau, *e.ll. (un. b.* rheilen). Barrau o bren neu haearn. RAILS.

rheini : rheiny, *rhag. ll.* Y rhai hynny. THOSE.

rheithfarn, *eb. ll.*-au. Dyfarniad y rheithgor mewn achos llys. VERDICT.

rheithgor, *eg. ll.*-au. Corff o bobl a ddewiswyd i roi dyfarniad mewn llys. JURY.

rheithiwr, *eg. ll.* rheithwyr. Un aelod o reithgor. JUROR, JURYMAN.

rheithor, *eg. ll.*-ion, -iaid. Offeiriad, clerigwr sydd yn gofalu am blwyf, pennaeth. RECTOR.

rhelyw, *eg.* Gweddill, yr hyn sydd dros ben. REMAINDER.

rhemp, *eb.* I. Gormodaeth, gormodedd. EXCESS.
2. Gwendid, diffyg. DEFECT.

rhent, *eg. ll.*-i. Tâl cyson am ddefnyddio tir neu adeilad neu ystafell, &c. RENT.
Gosod ar rent, talu rhent (am). TO RENT.

rheol, *eb. ll.*-au. Arferiad, cyfarwyddyd, egwyddor. RULE.
Yn ôl y rheol. ACCORDING TO RULE.

rheolaeth, *eb.* Llywodraeth, atalfa, awdurdod. CONTROL.

rheolaidd, *a.* Yn ôl y rheol, cyson, heb ball. REGULAR.

rheoli, *be.* Cyfarwyddo, llywodraethu, cyfeirio, trin, atal, ffrwyno. TO CONTROL.

rheolus, *a.* Trefnus. ORDERLY.

rheolwr, *eg. ll.* rheolwyr. Un sy'n rheoli. MANAGER.

rhes, *eb. ll.*-i, -au. Rhestr, rheng ; llinell. ROW, RANK ; STRIPE.

rhesin, *e.ll. (un. b.*-en). Grawnwin bach sych. RAISINS.

rhestr, *eb. ll.*-i. Rhes, llechres. LIST.

rhestrol, *a.* Yn ôl trefn. ORDINAL.

rhestru, *be.* Gwneud rhes, dodi mewn rhestr. TO LIST.

rheswm, *eg. ll.* rhesymau. I. Achos, eglurhad, esboniad. REASON.
2. Synnwyr. SENSE.

rhesymeg, *eb.* Gwyddor meddwl neu reswm. LOGIC.

rhesymegol, *a.* Yn unol â rhesymeg. LOGICAL.

rhesymiad, *eg. ll.*-au. Y weithred o resymu. REASONING.

rhesymol, *a.* Yn unol â rheswm, synhwyrol, teg, cymedrol. REASONABLE.

rhesymu, *be.* Dadlau yn ôl rheswm neu resymeg. TO REASON.

rhethreg, *eb.* Y gelfyddyd o ddefnyddio geiriau yn effeithiol, iaith chwyddedig. RHETORIC.

rhew, *eg. ll.*-ogydd. Iâ, gwlybaniaeth wedi caledu gan oerfel. FROST, ICE.
Rhewfryn. ICEBERG.
Rhewbwynt. FREEZING-POINT.
Rhewgell. REFRIGERATOR.
Rhewgist. FREEZER.

rhewi, *be.* Troi'n iâ neu rew, rhynnu. TO FREEZE.

rhewllyd, *a.* Yn rhewi, rhynllyd, oer iawn. FROSTY.

rhewynt, *eg. ll.*-oedd. Gwynt oeraf y gaeaf. FREEZING WIND.

rhiain, *eb. ll.* rhianedd. Geneth, merch, morwyn, morwynig, lodes, hogen. MAIDEN.

rhiant, *gw.* rhieni.

rhialtwch, *eg.* Difyrrwch, cellwair, llawenydd, miri, digrifwch. FUN.

rhibidirês, *eb.* Gwag-siarad, lol, cleber diwerth, ffregod. RIGMAROLE.

rhibin, *eg.* Llinell, rhes, llain, rhimyn. STREAK, STRIP. (Siarad yn) un rhibin o eiriau. ONE STRING OF WORDS.

rhidyll, *eg. ll.*-au, -iau. Gogr, gogor, hidl, gwagr. SIEVE.

rhidyllu : rhidyllio, *be.* Gogrwn, hidlo, nithio. TO SIEVE.

rhieingerdd, *eb. ll.*-i. Cân serch. LOVE-POEM.

rhieni, *e.ll. (un. b. & g.* rhiant). Mam a thad. PARENTS. Teulu un rhiant. ONE PARENT FAMILY.

rhif, *eg. ll.*-au. Nifer. NUMBER.

rhifedi, *eg.* Llawer, nifer. NUMBER.

rhifo, *be.* Cyfrif. TO COUNT.

rhifogrwydd, *eg.* Y gallu i gyfrif a defnyddio sgiliau sylfaenol mathemateg. NUMERACY.

rhifol, *eg. ll.*-ion. Rhifnod, gair neu ffigur neu nod i gynrychioli rhif. NUMERAL.

rhifyddeg, *eb.* Yr wyddor o gyfrif trwy ddefnyddio ffigurau. ARITHMETIC.

rhifyddwr, *eg. ll.* rhifyddwyr. Un sy'n hyddysg mewn rhifyddeg. ARITHMETICIAN.

rhifyn, *eg. ll.*-nau. Rhan o gyfnodolyn, &c. NUMBER (OF MAGAZINE).

rhigol, *eb. ll.*-au, -ydd. Rhych, agen. RUT, GROOVE.

rhigwm, *eg. ll.* rhigymau. Cân fer, rhibidirês. RHYME, RIGMAROLE.

rhigymwr, *eg. ll.* rhigymwyr. Un sy'n cyfansoddi rhigymau. RHYMESTER.

rhigymu, *be.* Cyfansoddi rhigymau. TO RHYME.

rhingyll, *eg. ll.*-iaid. I. Swyddog yn y lluoedd arfog neu yn yr heddlu. SERGEANT.
2. Cyhoeddwr. HERALD.

rhimyn, *eg. ll.*-nau. Llain, rhibin, ymyl. STRIP, RIM.

rhin, *eb. ll.*-iau. Rhinwedd, cyfrinach. VIRTUE, SECRET.

rhincian, *be.* Gwneud sŵn gwichlyd. TO CREAK. Rhincian dannedd. TO GNASH THE TEETH.

rhiniog : yr hiniog, *eg. ll.*-au. Carreg y drws, trothwy. THRESHOLD.

rhinwedd, *egb. ll.*-au. Rhin, ansawdd da, daioni moesol. VIRTUE.

rhinweddol, *a.* Daionus, yn meddu ar rinwedd. VIRTUOUS.

rhisgl, *e.ll. (un. g.*-yn). Y tu allan i goeden, pil, croen, crawen. BARK.

rhisglo, *be.* Tynnu'r rhisgl ymaith, pilio. TO STRIP, TO BARK.

rhith, *eg. ll.*-iau. I. Diwyg, dull, ffurf, modd. FORM, GUISE.
Duwiau yn rhith dynion.
2. Ysbryd. PHANTOM.

rhithio, *be.* Ymddangos yr hyn nad yw, llunio. TO APPEAR, TO FORM (*by magic*).

rhithyn, *eg.* Mymryn, gronyn, atom. PARTICLE, ATOM.

rhiw, *eb. ll.*-iau. (G)allt, bryn, gorifyny, rhip, rhipyn, tyle. HILL.

rhiwbob, *eg.* Planhigyn gardd ac iddo goesau trwchus hirion a ddefnyddir i'w bwyta. RHUBARB.

rhoch, *eb.* I. Y sŵn a wneir gan fochyn. GRUNT.
2. Rhwnc, sŵn marwolaeth. DEATH-RATTLE.

rhochian : rhochain, *be.* Gwneud sŵn (gan fochyn). TO GRUNT.

rhod, *eb. ll.* Olwyn, troell ; cylch. WHEEL ; ORBIT.

rhodfa, *eb. ll.* rhodfeydd. Lle i dramwy yn ôl ac ymlaen. PROMENADE, WALK.

rhodianna, *be.* Cerdded yn hamddenol, mynd am dro, crwydro. TO STROLL.

rhodio, *be.* Cerdded, teithio ar draed. TO WALK.

rhodiwr, *eg. ll.* rhodwyr. Un sy'n rhodio, cerddwr. WALKER.

rhodres, *eg.* Ymffrost, balchder, arddangosiad balch, mursendod, rhwysg. OSTENTATION.

rhodresa, *be.* Ymddwyn yn falch ac yn llawn ymffrost. TO BEHAVE PROUDLY.
rhodresgar, *a.* Mursennaidd, annaturiol, rhwysgfawr, balch. POMPOUS.
rhodreswr, *eg. ll.* rhodreswyr. Un sy'n rhodresa. SWAGGERER.
rhodd, *eb. ll.*-ion. Anrheg, gwobr. GIFT.
rhoddi : rhoi, *be.* Trosglwyddo, cynnig fel rhodd, cyflenwi, cynhyrchu. TO GIVE.
   Rhoi ar ddeall. TO GIVE TO UNDERSTAND.
rhofio, *be.* Defnyddio rhaw. TO USE A SHOVEL.
rhoi, *gw.* **rhoddi.**
rholian : rholio, *be.* Troi, treiglo, dirwyn. TO ROLL.
rhôl, *eb.* : **rholyn,** *eg. ll.* rholiau. Rhywbeth wedi ei rolio. A ROLL.
rhonc, *a.* Trwyadl, digymysg, pur, noeth, hollol, diledryw. DOWNRIGHT.
rhoncian, *be.* Siglo, gwegian, simsanu. TO SWAY.
rhos, *eb. ll.*-ydd. Morfa, gwaun, gwastadedd, rhostir. MOOR, PLAIN.
   gw. **rhosyn.**
rhost, *a.* Wedi ei rostio neu ei grasu. ROAST.
rhostio, *be.* Crasu, pobi, digoni. TO ROAST.
rhostir, *gw.* **rhos.**
rhosyn, *eg. ll.*-nau, rhos. Blodyn hardd a pheraroglus. ROSE.
rhu : rhuad, *eg. ll.* rhuadau. Bugunad, sŵn cras ac uchel. ROAR.
rhudd, *a.* Coch, purgoch, fflamgoch, rhuddgoch. RED, CRIMSON.
rhuddin, *eg.* Calon pren. HEART (OF TIMBER).
   Y mae rhuddin da i'r dderwen hon.
rhuddo, *be.* Deifio wyneb dilledyn, troi'n frown. TO SCORCH.
   Y dillad wedi rhuddo wrth y tân.
Rhufain, *eb.* Prif ddinas yr Eidal a chanolfan Yr Ymerodraeth Rhufeinig gynt. ROME.
Rhufeiniad, *gw.* **Rhufeiniwr.**
Rhufeinig, *a.* Yn ymwneud â Rhufain. ROMAN.
Rhufeiniwr, *eg. ll.* Rhufeinwyr. **Rhufeiniad,** *eg. ll.* Rhufeiniaid. Brodor o Rufain. A ROMAN.
rhugl, *a.* Rhwydd, llithrig. FLUENT.
   Yn siarad yr iaith yn rhugl.
rhuglen, *eb. ll.*-ni. Teclyn i greu sŵn wrth ei siglo. RATTLE.
rhuo, *be.* Gwneud sŵn mawr cras, bugunad. TO ROAR.
   Y môr yn rhuo.
rhus, *eg. ll.*-oedd. Braw, dychryn, ofn. FEAR, START.
rhuso, *be.* Tasgu, gwingo, brawychu, tarfu, dychrynu. TO TAKE FRIGHT.
   Wedi rhuso. SCARED.
rhuthr : rhuthrad, *eg. ll.* rhuthradau. Ymosodiad, cyrch. A RUSH.
rhuthro, *be.* Ymosod, cyrchu, dwyn cyrch. TO RUSH.
rhwbian : rhwbio, *be.* Symud un peth yn ôl ac ymlaen yn erbyn peth arall, glanhau, llyfnhau, gloywi, rhwto. TO RUB.

rhwd, *eg.* Haen ruddgoch a ffurfir ar haearn, &c., gan awyr a gwlybaniaeth. RUST.
rhwng, *ardd.* (Rhyngof, rhyngot, rhyngddo/rhyngddi, rhyngom, rhyngoch, rhyngddynt), yn y canol, ymhlith, ymysg. BETWEEN, AMONG.
rhwto, *gw.* **rhwbian.**
rhwth, *a.* Agored, bylchog. WIDE, GAPING.
rhwyd, *eb. ll.*-au, -i. Magl, peth wedi ei wau o gordyn, &c. NET, SNARE.
   Pel-rwyd. NETBALL.
rhwydo, *be.* Dal mewn rhwyd, maglu, gosod mewn rhwyd (pêl-droed). TO ENSNARE, TO NET (FOOTBALL).
rhwydwaith, *eg. ll.* rhwydweithiau. Rhwybeth ar lun rhwyd. NETWORK.
rhwydd, *a.* Hawdd, hwylus, didrafferth, rhugl, cyflym, diymdroi. EASY, FAST, FLUENT.
   Yn rhwydd. WITH EASE.
   Rhwydd hynt. A PROSPEROUS COURSE.
rhwyddhau, *be.* Gwneud yn rhwydd, hwyluso. TO FACILITATE.
rhwyddineb, *eg.* Hwylustod. FACILITY.
   Rhwyddineb ymadrodd. FLUENCY OF SPEECH.
rhwyf, *eb. ll.*-au. Polyn hir a llafn arno i rwyfo neu symud cwch. OAR.
rhwyfo, *be.* 1. Symud cwch â rhwyfau. TO ROW.
   2. Troi a throsi. TO TOSS ABOUT.
rhwyfus, *a.* Aflonydd, diorffwys, anesmwyth. RESTLESS.
rhwyfwr, *eg. ll.* rhwyfwyr. Un sy'n rhwyfo. OARSMAN.
rhwyg : rhwygiad, *eg. ll.*-au. Toriad, ymraniad. A RENT, A SPLIT.
rhwygo, *be.* Dryllio, torri, llarpio, darnio. TO REND, TO TEAR.
rhwygol, *a.* Yn rhwygo neu dorri. RENDING.
rhwyll, *eb. ll.*-au. 1. Twll, twll botwm. HOLE, BUTTONHOLE.
   2. Dellt. LATTICE.
rhwyllog, *a.* Â thyllau neu rwyllau. PERFORATED, LATTICED.
rhwym, *eg. ll.*-au. 1. Cadwyn, rhwymyn. BOND.
   2. Dyled, gorfodaeth. OBLIGATION.
rhwym, *a.* Ynghlwm ; wedi'ch rhwymo. BOUND ; CONSTIPATED.
rhwymedig, *a.* 1. Ynghlwm, rhwym. BOUND.
   2. Yn rhwym o, wedi ei osod dan rwymau, gorfodol. OBLIGED.
rhwymedigaeth, *eb. ll.*-au. Gorfodaeth, dyled, rhwymau. OBLIGATION.
rhwymedd, *eg.* Y cyflwr o fod yn rhwym. CONSTIPATION.
rhwymo, *be.* 1. Clymu, caethiwo, uno. TO BIND, TO TIE.
   2. Methu treulio (bwyd). TO CONSTIPATE.
rhwymyn, *eg. ll.*-nau. Band, peth sy'n clymu neu uno, bandais. BANDAGE.
rhwysg, *eg.* Rhodres, ymffrost, balchder. POMP.
   'Yn ei rwysg a'i rym.'

rhwysgfawr, *a.* Rhodresgar, ymffrostgar, balch. POMPOUS.

rhwystr, *eg. ll.*-au. Llestair, lludd, atalfa. HINDRANCE.

rhwystro, *be.* Atal, llesteirio, lluddias. TO HINDER.

rhy *eg.*, I. Gormod. EXCESS.
    'Nid da rhy o ddim.'
    2. *adf.* Gormod, gor, yn fwy na. TOO (MUCH).
    Mae'r tŷ yn rhy fach.

rhybudd, *eg. ll.*-ion. Siars, cyngor. WARNING.

rhybuddio, *be.* Siarsio, cynghori. TO WARN.

rhych, *egb. ll.*-au. Cwys, rhigol. FURROW, GROOVE.

rhychog, *a.* Â rhychau neu linellau. FURROWED, WRINKLED.

rhychwant, *eg. ll.*-au. Y mesur rhwng bawd a bys bach wrth eu hymestyn i'r eithaf sef naw modfedd (tua 230 mm.). SPAN.

rhychwantu, *be.* Mesur â rhychwantau ; croesi. TO SPAN.

rhyd, *eb. ll.*-au. Man lle mae afon yn fas ac y gellir ei chroesi ar droed. FORD.
    Rhydaman.
    Rhydfelen.
    Rhydwilym.
    Rhyd-y-fro.

rhydio, *be.* Croesi neu feisio afon. TO FORD.

rhydlyd, *a.* A rhwd arno. RUSTY.

rhydu : rhwdu, *be.* Casglu rhwd. TO RUST.

rhydyllu, *be.* Tyllu, trydyllu. TO PERFORATE.
    Y mae ymylon stampiau wedi eu rhydyllu.

rhydd, *a. ll.*-ion. Wedi ei ryddhau, wedi ei ddatod, wedi ei laesu, nid yn gaeth, llac, hael. FREE.

Rhyddfrydiaeth, *eb.* Daliadau'r Blaid Ryddfrydol. LIBERALISM, THE TENETS OF THE LIBERAL PARTY.

rhyddfrydig, *a.* Hael, haelionus, haelfrydig. LIBERAL.

Rhyddfrydol, *a.* Yn ymwneud â Rhyddfrydiaeth. LIBERAL (*in politics*).

Rhyddfrydwr, *eg. ll.* Rhyddfrydwyr. Aelod o'r Blaid Ryddfrydol. A LIBERAL.

rhyddhad, *eg.* Y weithred o ryddhau, gwaredigaeth. LIBERATION.

rhyddhau, *be.* Datod, mysgu, llaesu, llacio, gwneud yn rhydd. TO FREE.

rhyddiaith, *eb.* Iaith gyffredin, nid barddoniaeth. PROSE.

rhyddhawr, *eg. ll.* rhyddhawyr. Un sy'n rhyddhau. LIBERATOR.

rhyddid, *eg.* Y stad o fod yn rhydd. FREEDOM.

rhyddieithol, *a.* Fel rhyddiaith, nid yn farddonol. PROSAIC.

rhyfedd, *a.* Od, hynod. STRANGE.

rhyfeddnod, *eg. ll.*-au. Nod a ddefnyddir ar ôl ebychiad (!). EXCLAMATION MARK.

rhyfeddod, *eg. ll.*-au. Syndod, peth i synnu ato. A MARVEL.

rhyfeddol, *a.* I synnu ato, aruthrol, aruthr, syn. WONDERFUL.

rhyfeddu, *be.* Synnu. TO WONDER.
    Yn dda i'w ryfeddu. WONDERFULLY GOOD.

rhyfel, *egb. ll.*-oedd. Ymladd rhwng gwledydd. WAR.
    Rhyfeloedd y Groes. THE CRUSADES.
    Rhyfel cartref. CIVIL WAR.
    Yr Ail Ryfel Byd. THE SECOND WORLD WAR.

rhyfela, *be.* Ymladd, brwydro. TO WAGE WAR.

rhyfelgan, *eb.* Cân ryfel. WAR-SONG.

rhyfelgar, *a.* Ymladdgar, cwerylgar. WARLIKE.

rhyfelgyrch, *eg. ll.*-oedd. Ymgyrch, un o gyfres o ymosodiadau neu symudiadau mewn rhyfel. CAMPAIGN.

rhyfelwr, *eg. ll.* rhyfelwyr. Ymladdwr, milwr. WARRIOR.

rhyferthwy, *eg.* Cenllif, llifeiriant, tymestl, rhuthr dyfroedd. TORRENT, TEMPEST.

rhyfon, *ell.* Cyrens duon. CURRANTS.

rhyfyg, *eg.* Haerllugrwydd, digywilydd-dra, beiddgarwch. PRESUMPTION.

rhyfygu, *be.* Ymddwyn yn ddigwilydd, bod yn haerllug neu feiddgar. TO PRESUME, TO DARE.

rhyfygus, *a.* Digywilydd, haerllug, beiddgar. PRESUMPTUOUS.

rhyg, *eg.* Grawn a ddefnyddir fel bwyd i anifeiliaid neu i wneud bara tywyll garw. RYE.

rhyglyddu, *be.* Haeddu. TO DESERVE.
    Rhyglyddu bodd. TO PLEASE.

rhygnu, *be.* I. Rhwbio, rhwto, rhathu, crafu, rhincian. TO RUB, TO GRATE.
    Y rhaff yn torri o ormod rhygnu arno.
    2. Dweud yr un peth o hyd. TO HARP.

rhygyngu, *be.* Symud yn hamddenol, (ceffyl) yn symud â'r ddwy goes yr un ochr gyda'i gilydd, prancio, tuthio. TO AMBLE.

rhyngrwyd, *eb.* Dull o gyfathrebu drwy ddefnyddio rhwydwaith cyfrifiadurol. INTERNET.

rhyngu bodd, *be.* Boddhau, boddio. TO PLEASE

rhyngwladol, *a.* Rhwng gwledydd, cydwladol. INTERNATIONAL.
    Chwaraeon rhyngwladol.

rhyndod, *eg.* Y weithred o grynu, cryndod, ias. SHIVERING, CHILL.

rhynllyd, *a.* Oer iawn, rhewllyd. VERY COLD.

rhynnu, *be.* Crynu, rhewi. TO SHIVER.

rhysedd, *eg.* Gormod, gormodaeth. EXCESS.

rhython, *ell.* Cocos. COCKLES.

rhythu, *be.* Llygadrythu, synnu, agor yn llydan. TO GAPE, TO STARE.
    Yn rhythu draw o bell.

rhyw, *egb. ll.*-iau. I. Math, rhywogaeth. SORT, KIND.
    2. *eb.* Y gwahaniaeth sy'n nodweddu gwryw a benyw, cenedl. SEX, GENDER.
    3. *a.* Arbennig, neilltuol. SOME, CERTAIN.
    Rhyw ddyn. Rhywrai. Rhywun.
    4. *adf.* I raddau. SOMEWHAT.

rhywbeth, *eg.* Peth neilltuol neu arbennig. SOMETHING.

rhywfaint, *eg.* Maint arbennig. SOME AMOUNT.

rhywfodd : rhywsut, *adf.* Modd arbennig neu neilltuol. SOMEHOW.

rhywiog, *a.* 1. Tyner, chwaethus, pur, hynaws, rhadlon. DELICATE, KINDLY.
     2. O rywogaeth dda. OF GOOD BREED.

rhywiogrwydd, *eg.* Hynawsedd, rhadlonrwydd. GENIALITY.

rhywiol, *a.* Yn perthyn i ryw. SEXUAL.

rhywle, *adf.* Man arbennig, unrhyw le. SOMEWHERE, ANYWHERE.

rhywogaeth, *eb. ll.*-au. Math, dosbarth o anifeiliaid neu blanhigion yn meddu ar yr un nodweddion. SPECIES, SORT.

rhywsut, *adf.* Rhywfodd, rhywffordd, unrhyw ffordd. SOMEHOW, ANYHOW.

rhywun, *eg. ll.* rhywrai. Un arbennig, unrhyw un. SOMEONE, ANYONE.
Rhywun neu'i gilydd. SOMEONE OR OTHER.
Rhywrai. SOME.

Sabath : Saboth, *eg. ll.*-au. Y seithfed dydd o'r wythnos, dydd gorffwys yr Iddew ; cedwir y dydd cyntaf, sef y Sul, yn ddydd gorffwys y Cristion. SABBATH.
Sabothol, *a.* Yn perthyn i'r Saboth. SUNDAY.
sacrament, *egb. ll.*-au. Ordinhad, sagrafen, seremoni neu ddefod grefyddol. SACRAMENT.
sacramentaidd, *a.* Yn ymwneud â sacrament. SACRAMENTAL.
sach, *eb. ll.*-au. Ffetan, cwd mawr wedi ei wneud o ddefnydd garw. SACK.
sachliain, *eg. ll.* sachlieiniau. **sachlen,** *eb. ll.*-ni. Brethyn o ddefnydd garw. SACKCLOTH.
sad, *a.* 1. Diysgog, disyfl. SOLID, FIRM.
　2. Call, synhwyrol. DISCREET.
sadrwydd, *eg.* 1. Dianwadalwch, diysgogrwydd, cysondeb. STEADINESS.
　2. Callineb, gwastadrwydd, sobrwydd. SOBRIETY.
Sadwrn, *eg. ll.* 1. Sadyrnau. Dydd Sadwrn, y dydd olaf o'r wythnos. SATURDAY.
　Ar y Sadwrn. ON SATURDAY.
　2. *eb.* Enw planed. SATURN.
saer, *eg. ll.* seiri. Un sy'n gwneud pethau o goed neu o gerrig. BUILDER, CARPENTER.
　Saer maen. MASON.
　Saer coed. CARPENTER.
　Saer llongau. SHIP-BUILDER.
saernïaeth, *eb.* Medr, medrusrwydd, celfyddyd, adeiladwaith, crefftwaith. WORKMANSHIP.
saernïo, *be.* Llunio, cynllunio, ffurfio, adeiladu. TO FASHION, TO CONSTRUCT.
Saesneg, *eb.* 1. Iaith y Sais. ENGLISH (LANGUAGE).
　2. *a.* Yn yr iaith Saesneg. ENGLISH (IN LANGUAGE).
Saesnes, *eb. ll.*-au. (*g.* Sais). Gwraig o'r genedl Seisnig. ENGLISHWOMAN.
Saeson, *gw.* **Sais.**
saets, *eg.* Llysieuyn y defnyddir ei ddail i roi blas ar fwydydd. SAGE.
saeth, *eb. ll.*-au. Arf blaenllym a saethir o fwa. ARROW.
saethu, *be.* Gyrru o arf (fel saethu ergyd o ddryll neu fwa). TO SHOOT, TO FIRE.
saethwr, *eg. ll.* saethwyr. Un sy'n saethu. SHOOTER.
saethyddiaeth, *eb.* Y grefft o saethu â bwa. ARCHERY.
safadwy, *a.* Sefydlog, diysgog, sad. STABLE.
safbwynt, *eg. ll.*-iau. Meddwl, barn, tyb, opiniwn, ffordd o edrych ar beth. STANDPOINT.
safiad, *eg.* Yr act o sefyll neu aros, gwrthwynebiad, osgo, ystum. STANDING, STAND, STANCE.
safle, *eg. ll.*-oedd. Sefyllfa, man y sefir arno, agwedd. POSITION.
safn, *eb. ll.*-au. Genau, ceg, pen. MOUTH.
safnrhwth, *a.* Yn dylyfu gên, synedig, â cheg agored. GAPING.
safnrhythu, *be.* Syllu â gên agored. TO GAPE.
safon, *eb. ll.*-au. Y mesur y cymherir peth ag ef, uchafbwynt, mesur prawf, dosbarth. STANDARD, CLASS.

safoni, *be.* Gwneud yn safonol. TO STANDARDISE.
safonol, *a.* Yn perthyn i'r un safon. STANDARD.
saffir, *eg.* Gem. SAPPHIRE.
sagrafen, *eb. ll.*-nau. Sacrament, ordinhad. SACRAMENT.
sang : sangiad, *eb. ll.*-au. Troediad, sathriad. TREAD.
　Dan ei sang : yn llawn i'r ymylon.
　Sang-di-fang : di-drefn.
sangu : sengi, *be.* Sathru, troedio, damsang, damsiel. TO TREAD.
saib, *eb. ll.* seibiau. Seibiant, hamdden, sbel. PAUSE, REST.
saig, *eb. ll.* seigiau. 1. Pryd bwyd. MEAL.
　2. Tamaid i'w fwyta, cwrs. DISH.
sail, *eb. ll.* seiliau. Safle yr adeiledir arno, gwaelod. FOUNDATION.
saim, *eg. ll.* seimiau. Iraid, gwêr, bloneg, peth a geir o fraster anifeiliaid. GREASE.
sain, *eb. ll.* seiniau. Sŵn, tôn, goslef. SOUND, TONE.
Sais, *eg. ll.* Saeson. (*b.* Saesnes). Gŵr o'r genedl Seisnig. ENGLISHMAN.
saith, *a.* Y rhifol ar ôl chwech. SEVEN.
　Saith gant.
　Saith mlwydd oed.
　Saith mlynedd.
sâl, *a.* 1. Gwael, tost, claf, tlawd, afiach ; mên, tynn, diraen. ILL, POOR ; MEAN, SHABBY.
　2. *eb.* Ocsiwn. SALE.
saldra, *eg.* Gwaeledd, tostrwydd, afiechyd, anhwyldeb, salwch. ILLNESS.
salm, *eb. ll.*-au. Cân gysegredig, un o raniadau Llyfr y Salmau. PSALM.
　Salm-dôn. CHANT.
salmydd, *eg. ll.*-ion, salmwyr. Cyfansoddwr salmau. PSALMIST.
salw, *a.* Hyll, diolwg, hagr, gwael. UGLY.
salwch, *gw.* **saldra.**
sampl, *eb.* Enghraifft, cynllun, esiampl, rhan i ddangos beth yw'r gweddill. SAMPLE.
Sanct, *eg.* Y Bod Sanctaidd. THE HOLY ONE.
sanctaidd : santaidd, *a.* Glân, cysegrlân, cysegredig, pur, dwyfol, crefyddol. HOLY.
sancteiddio, *a.* Gwneud yn sanctaidd, cysegru. TO SANCTIFY.
sancteiddrwydd, *eg.* Y cyflwr o fod yn sanctaidd. HOLINESS.
sandal, *eg. ll.*-au. Esgid agored heb sawdl. SANDAL.
sant, *eg. ll.* saint, seintiau. (*b.* santes). Dyn sanctaidd, un o'r rhai gwyn eu byd (yn y nefoedd). SAINT.
sarff, *eb. ll.* seirff. Neidr. SERPENT.
sarhad, *eg. ll.*-au. Sen, anfri, amarch, gwarth, gwaradwydd, cywilydd. INSULT.
sarhau, *be.* Ymddwyn yn amharchus tuag at rywun, difrïo, tramgwyddo, gwarthruddo, gwaradwyddo. TO INSULT.
sarhaus, *a.* Amharchus, yn llawn anfri, gwarthus, gwaradwyddus. INSULTING.

sarn, *eb. ll.*-au. I. Heol, stryd, cerrig i groesi afon. CAUSEWAY.
  2. *eg.* Gwair, gwellt, &c., a ddodir dan anifail i orwedd arno, llaesod[r]. LITTER.

sarnu, *be.* I. Sathru, damsang, mathru. TO TRAMPLE.
  2. Peri anhrefn, chwalu, gwasgaru. TO LITTER.

sarrug, *a.* Pwdlyd, sorllyd, cuchiog, diserch, taeogaidd. SURLY.

sasiwn, *egb. ll.* sasiynau. Cyfarfod chwarterol. ASSOCIATION (of Welsh Presbyterians).

satan, *eg. ll.*-iaid. Diafol, yr un drwg. SATAN.

sathredig, *a.* I. Wedi ei sathru. TRODDEN, FREQUENTED.
  2. Cyffredin, gwerinol. VULGAR.
  Iaith sathredig. COMMON VULGAR SPEECH.

sathru, *be.* Damsang, mathru, sangu, sengi. TO TRAMPLE.

sawdl, *egb. ll.* sodlau. Rhan ôl y droed neu'r esgid. HEEL.
  O'i gorun i'w sawdl. FROM HEAD TO FOOT.

sawl, *rhag. gof. & a.* Pa sawl ? ; llawer. HOW MANY ?, MANY.
  Sawl un oedd yno ? HOW MANY WERE THERE ?
  Yr oedd sawl un yno. MANY WERE THERE.

sawr : sawyr, *eg.* I. Arogl, arogledd, aroglau, gwynt. ODOUR.
  2. Blas, chwaeth. SAVOUR.

sawru : sawrio, *be.* I. Arogli, gwyntio. TO SMELL.
  2. Blasu. TO TASTE.

sawrus, *a.* Peraroglus, melys, blasus, chwaethus. SAVOURY.

saws, *eg. ll.* sawsiau. Enllyn a baratoir o ymenyn, sudd lemwn, gwin, &c., i flasu bwydydd. SAUCE.

Sbaen, *eb.* Gwlad yn Ne-orllewin Ewrop sydd â Madrid yn brifddinas iddi. SPAIN.

sbaner, *eg. ll.*-i. Offeryn i droi nyten ar follt. SPANNER.

sbâr, *a.* Dros ben, ychwaneg, y gellir eu hepgor. SPARE.

sbario, *be.* Gwneud heb, rhoi, hepgor. TO SPARE.

sbectol, *eb.* Gwydrau i'r llygaid. SPECTACLES.

sbeit, *eb.* Teimlad drwg, dymuniad i anafu. SPITE.

sbeitio, *be.* Gwneud o sbeit. TO SPITE.

sbeitlyd, *a.* Â theimlad drwg neu sbeit, hoff o sbeitio. SPITEFUL.

sbel, *eb. ll.*-au. I. Amser, tymor. TIME.
  Roedd hiraeth arni am sbel hir.
  2. Seibiant, hoe. REST.
  Cael sbel fach yn awr ac yn y man.

sbio, *be.* Edrych. TO LOOK.

sbon, *adf.* Hollol, (fel yn) newydd sbon. BRAND-NEW.

sbonc : ysbonc, *eb. ll.*-iau. Naid, llam. LEAP, JERK.

sboncen, *eb.* Gêm i'w chwarae â racedi a phêl fach feddal mewn cwrt caeedig. SQUASH.

sbort, *egb.* Chwarae, camp, digrifwch, miri, sbri, difyrrwch. SPORT.

sbri, *eg.* Sbort, digrifwch, miri, difyrrwch. SPREE, FUN.

sebon, *eg. ll.*-au. Defnydd golchi a wneir o saim a soda. SOAP.

seboni, *be.* I. Rhwbio sebon ar. TO SOAP.
  2. Gwenieithio, truthio, clodfori heb eisiau. TO FLATTER.

sect, *eb. ll.*-au. Cwmni o bobl â'r un daliadau neu gredo, enwad. SECT.

sectyddol, *a.* Yn ymwneud â sect. SECTARIAN.

sedd, *eb. ll.*-au. Peth i eistedd arno, sêt, mainc, stol, eisteddfa, côr. SEAT.

sef, *cys.* Nid amgen, nid llai na, hynny yw. NAMELY.

sefydliad, *eg. ll.*-au. I. Cymdeithas, trefniant. INSTITUTION.
  Sefydliad y Merched. WOMEN'S INSTITUTE.
  2. Cyflwyniad gweinidog, &c. INDUCTION.

sefydlog, *a.* Diogel, cadarn, diysgog, safadwy. SETTLED.

sefydlogrwydd, *eg.* Y cyflwr o fod yn sefydlog, sadrwydd. STABILITY.

sefydlu, *be.* I. Codi, cadarnhau, sicrhau, penderfynu, cartrefu, trigo, preswylio, trigiannu, gwladychu. TO ESTABLISH, TO SETTLE.
  2. Cyflwyno gweinidog newydd. TO INDUCT.

sefyll, *be.* I. Aros ar draed, codi. TO STAND.
  2. Aros. TO STOP.
  3. Trigo, preswylio, trigiannu. TO STAY.

sefyllfa, *eb. ll.*-oedd. Man, lle, safle, cyflwr, helynt. POSITION, CONDITION.

sefyllian, *be.* Loetran, ymdroi, ystelcian. TO LOITER.

segur, *a.* Di-waith, diog, ofer, heb eisiau gwaith. IDLE.

segura, *be.* Diogi, ofera, peidio â gweithio. TO IDLE.

segurdod : seguryd, *eg.* Diogi, diweithdra. IDLENESS.
  Segurdod yw clod y cledd.

seguryn : segurwr, *eg. ll.* segurwyr. Diogyn, dyn diog, dyn sy'n pallu gweithio. IDLER.

sengi, *be. gw.* **sangu.**

sengl, *a.* Unigol, di-briod, gweddw. SINGLE.

seiat : seiet, *eb. ll.* seiadau. Cymdeithas, cyfeillach. FELLOWSHIP MEETING.

seibiant : saib, *eg.* Hoe, sbel, hamdden, gorffwys. LEISURE.

seiciatreg, *eg.* Astudiaeth a thriniaeth o glefyd meddyliol. PSYCHIATRY.

seiciatrydd, *eg. ll.*-ion. Meddyg sy'n arbenigo ym maes seiciatreg. PSYCHIATRIST.

seicoleg, *eb.* Astudiaeth o natur, gweithrediadau a ffenomena y meddwl dynol. PSYCHOLOGY.

seicolegydd, *eg. ll.* seicolegwyr. Un sy'n arbenigo ym maes seicoleg. PSYCHOLOGIST.

seidin, *eg.* Darn o reilffordd ar y naill ochr. SIDINGS.

seiliad, *eg.* Sylfaeniad, sefydliad, sail. FOUNDATION, FOUNDING.

seilio, *be.* Sylfaenu, sefydlu, dechrau, gosod y seiliau i lawr. TO FOUND.

seimio, *be.* Iro, rhwbio â saim. TO GREASE.

seimlyd : seimllyd, *a.* Â natur saim arno. GREASY.

seindorf, *eb. ll.* seindyrf. Cerddorfa. BAND.
  Seindorf bres. BRASS BAND.

seineg, *eb.* Astudiaeth o sain mewn iaith. PHONETICS.

seinfforch, *eb. ll.* seinffyrch. Fforch fach o ddur a rydd nodyn safonol (C ganol, fel arfer), pan darewir. TUNING-FORK.

seinio, *be.* Swnio, cynanu, pyncio, lleisio, traethu, llefaru. TO SOUND.

seintwar, *eb. ll.*-au. Cysegr, lloches, noddfa. SANCTUARY.

seinyddiaeth, *eb.* Gwyddor seiniau iaith. PHONOLOGY.

seinyddol, *a.* Perthynol i sain neu sŵn. PHONETIC.

Seisnig, *a.* Yn perthyn i'r Saeson. ENGLISH.

Seisnigaidd, *a.* Fel Sais, fel Saesneg. ANGLICISED.

Seisnigeiddio : Seisnigo, *be.* Gwneud yn Seisnig. TO ANGLICISE.

seithfed, *a.* Yr olaf o saith. SEVENTH.

seithug, *a.* Ofer, di-les, di-fudd. FUTILE.
Siwrnai seithug. BOOTLESS ERRAND.

sêl, *eb.* I. Aidd, awydd, eiddgarwch, awyddfryd, brwdfrydedd. ZEAL.
2. *eb. ll.* selau, seliau. Insel, argraff ar gŵyr. SEAL.

Seland Newydd, *eb.* Aelod annibynnol o'r Gymanwlad Brydeinig, yn cynnwys, yn bennaf, ddwy ynys hir yn ne'r Môr Tawel. Ei phrifddinas yw Wellington. NEW ZEALAND.

seld, *eb. ll.*-au. Dreser, tresal, ystlysfwrdd. DRESSER.

seler, *eb. ll.*-i, -au, -ydd. Ystafell dan y ddaear. CELLAR.

selio, *be.* Sicrhau, rhoi sêl. TO SEAL.

seini, *eg.* Salwch, tostrwydd. ILLNESS.

selog, *a.* Eiddgar, eiddigeddus, awyddus, gwresog. ZEALOUS.

seml, *gw.* **syml.**

sen, *eb. ll.*-nau. Cerydd, edliwiad, argyhoeddiad. REBUKE, CENSURE, SNUB.

senedd, *eb. ll.*-au. Cynulliad i drafod a gwneud cyfreithiau, Tŷ'r Cyffredin a Thŷ'r Arglwyddi, Y Gyngres (Unol Daleithiau). PARLIAMENT, SENATE.

seneddol, *a.* Yn ymwneud â'r senedd. PARLIAMENTARY.
Aelod Seneddol. MEMBER OF PARLIAMENT.

seneddwr, *eg. ll.* seneddwyr. Aelod o'r senedd. SENATOR.

sêr, *gw.* **seren.**

seraff, *eg. ll.*-iaid. Un o'r graddau uchaf o angylion. SERAPH.

serch, *eg. ll.*-iadau. I. Cariad, hoffter. AFFECTION, LOVE.
2. *cys.* Er, er gwaethaf. ALTHOUGH.
Serch hynny. IN SPITE OF THAT.

serchog : serchus, *a.* Cariadus, caruaidd, siriol, dymunol, cyfeillgar, llawen, llon. AFFECTIONATE, PLEASANT.

serchowgrwydd, *eg.* Y stad o fod yn serchog, sirioldeb. AMIABILITY.

serchu, *be.* Hoffi, caru. TO LIKE, TO LOVE.

serchus, *gw.* **serchog.**

sêr-ddewin, *eg. ll.* sêr-ddewiniaid. Un sy'n honni bod yn hyddysg ynglŷn â sêr-ddewiniaeth. ASTROLOGER.

sêr-ddewiniaeth, *eb.* Ffugwyddor sy'n mynnu bod dylanwad gan y sêr ar faterion dynol. ASTROLOGY.

seremoni, *eb. ll.* seremonïau. Defod, gweithred a wneir yn ôl arferiad. CEREMONY.

seremonïol, *a.* Defodol, yn ôl defod. CEREMONIAL.

seren, *eb. ll.* sêr. Un o'r goleuadau bach yn yr awyr yn y nos. STAR.
Seren wib. COMET, METEOR.
Seren bren. A THING OF NO VALUE.

serennog : serlog : serog, *a.* Â llawer o sêr. STARRY.

serennu, *be.* Disgleirio, pefrio. TO SPARKLE.

serio, *be.* Llosgi'n sych ar yr wyneb. TO SEAR.

serth, *a.* Yn goleddu neu ogwyddo'n fawr (fel dibyn neu glogwyn), llethrog. STEEP.

serthedd, *eg.* I. Serthni, bod yn serth. STEEPNESS.
2. Maswedd, ysgafnder. RIBALDRY, LEVITY.

seryddiaeth, *eb.* Y wyddor sy'n cynnwys astudiaeth o'r sêr. ASTRONOMY.

seryddol, *a.* Yn ymwneud â seryddiaeth. ASTRONOMICAL.

seryddwr, *eg. ll.* seryddwyr. Un sy'n ymwneud â seryddiaeth. ASTRONOMER.

sêt, *eb. ll.* seti. Sedd, côr, stôl, eisteddle. SEAT, PEW.
Sêt fawr : sedd y blaenoriaid/diaconiaid.

set, *eb. ll.*-au, -iau. Peiriant neu offeryn (fel set radio neu set deledu). SET.

sgadan : ysgadan, *e.ll.* (*un. g.* sgadenyn). Penwaig, pysgod y môr a fwyteir. HERRINGS.

sgaldan : sgaldian : sgaldanu : sgaldio, *be.* Llosgi â rhywbeth berw neu ag anwedd, twymo llaeth, &c., bron at y berw. TO SCALD.

sgaprwth, *a.* Cyflym, chwim ; garw, trwsgl, lletchwith, anfedrus. QUICK ; ROUGH, UNCOUTH.

sgarff, *eb. ll.*-iau. Darn o ddefnydd hir (lliwgar) a wisgir am y gwddf. SCARF.

sgaru : ysgaru, *be.* Gwasgaru, chwalu ; gwahanu. TO SCATTER ; TO DIVORCE.
Ysgaredig. DIVORCEE.

sgarmes : ysgarmes, *eb. ll.*-oedd. Cyffro, terfysg, ymladdfa rhwng ychydig. SKIRMISH.

sgerbwd : ysgerbwd, *eg. ll.* sgerbydau. Esgyrn corff marw, celain, corff marw. SKELETON, CARCASS.

sgets, *eb. ll.*-au. Llun, braslun, stori neu ddrama fer. SKETCH.

sgîl, *adf.* Tu ôl, tu cefn, yn gil. BEHIND, PILLION.
Wrth ei sgîl : y tu ôl iddo.
Sgil effeithiau. SIDE EFFECTS.

sgiw, *eb.* Sgrin, setl, mainc freichiau a chefn uchel iddi. SETTLE.
Ar y sgiw : ar gam. ASKEW.

sglefren, *eb. ll.* sglefrau. Llithren neu sleid mewn lle chwarae i blant. SLIDE.

sglefrio, *be.* Llithro ar iâ, symud yn esmwyth ar rywbeth llithrig. TO SKATE, TO SLIDE.

sgôr, *eg.* Cyfrif, cyfrifiad, cyfanrif, nifer pwyntiau mewn gêm. SCORE.

sgrafell, *eb. ll.*-i, -od. Crafwr, offeryn i lanhau ceffyl, ac i dynnu'r blew oddi ar fochyn ar ôl ei ladd. SCRAPER.
Hen sgrafell o fenyw !

sgrech : ysgrech, *eb. ll.*-iadau. Gwich, gwawch. SHRIEK, SCREAM.
Sgrech y coed. JAY.

sgrechian : sgrechain, *be.* Gwneud sgrech. TO SHRIEK.

sgrîn : ysgrîn, *eb. ll.* sgrinau. Llen i ddangos lluniau arni. SCREEN.

sgriw, *eb. ll.*-iau. Hoelen dro. SCREW.

sgrwbio, *be.* Glanhau â brws caled. TO SCRUB.

sguthan : ysguthan, *eb. ll.*-od. Aderyn tebyg i golomen, colomen wyllt. WOOD PIGEON.

sgwâr : ysgwâr, *ebg.* Petryal, peth â phedair ochr a phedwar cornel cyfartal, lle agored mewn tref neu bentref, maes. SQUARE.

sgwd, *eg. ll.* sgydiau. Cwymp dŵr, rhaeadr, pistyll. WATERFALL.

sgwier : ysgwier, *eg. ll.* sgwieriaid. Yswain, gŵr bonheddig. SQUIRE.

sgwlcan, *be.* Llechu, sefyllian, ymdroi, ystelcian. TO SKULK, TO LOAF, TO SNATCH.
Yn sgwlcan fel ci o amgylch y lle.

sgwrio, *be.* Glanhau trwy rwbio, ysgubo. TO SCOUR.

sgwrs, *eb. ll.* sgyrsiau. Siarad, chwedl, ymddiddan, ymgom, traethiad. DISCOURSE, CHAT.

sgwrsio, *be.* Siarad, trafod pwnc, ymgomio. TO TALK, TO CHAT, TO DISCUSS.

sgyrt : sgert, *eb. ll.* sgyrtiau, sgerti. Dilledyn a wisgir gan fenyw, rhan o got o dan y wasg. SKIRT.

si, *eg. ll.* sïon. **su,** *eg. ll.* suon. Murmur, sôn, swn gwenyn, &c., ; swn isel aneglur. MURMUR, RUMOUR, BUZZ.
Roedd si yn y gwynt. THERE WAS A RUMOUR.

siaced, *eb. ll.*-i. Cot fer. JACKET.

siaff, *eg.* Gwair neu lafur wedi ei dorri'n fân. CHAFF.

siafft, *eb. ll.*-au. Braich cert, llorp, pwll. SHAFT.

sialc, *eg. ll.*-au, -iau. Defnydd ysgrifennu yn cynnwys calch. CHALK.

sianel, *eb. ll.*-i, -ydd. Y môr rhwng dau ddarn o dir, culfor, gwely afon. CHANNEL.

siant, *eb. ll.*-au. Côrgan. CHANT.

siarad, *be.* Llefaru, clebran, chwedleua, sgwrsio, parablu. TO SPEAK.
Mân-siarad. SMALL TALK.

siaradus, *a.* Yn dweud llawer, yn llawn cleber, tafodrydd, parablus. TALKATIVE.

siaradwr, *eg. ll.* siaradwyr. Un sy'n siarad. SPEAKER.

siars, *eb.* Rhybudd, gorchymyn. CHARGE.

siarsio, *be.* Rhybuddio, gorchymyn. TO WARN, TO CHARGE.

siart, *eg. ll.*-au, -iau. Map o'r môr, llen neu gynfas yn cynnwys gwybodaeth mewn geiriau a lluniau. CHART.

siasbi, *eg.* Peth i helpu i ddodi esgid ar y droed, siasb, siwrn, siosbin, siesbin. SHOEHORN.

siawns, *eb.* Digwyddiad, cyfle, damwain, hap. CHANCE.

sibols, *e.ll.* (*un. g.* sibolsyn, *un. b.* sibolsen) : sibwns, *e.ll.* (*un. g.* sibwnsyn). SPRING ONIONS.

sibrwd, *be.* I. Sisial, siarad yn ddistaw, siffrwd, murmur. TO WHISPER.
2. *eg. ll.* sibrydion. Murmur, sisial, si, su. A WHISPER.

sicr : siwr : siŵr, *a.* Diau, diamau, heb os, di-os, heb amheuaeth. SURE.

sicrhau, *be.* Gwneud yn sicr, argyhoeddi. TO ASSURE.

sicrwydd : sicrhad, *eg.* Y stad o fod yn sicr, gwybodaeth sicr. CERTAINTY, ASSURANCE.

sidan, *eg. ll.*-au. Edau fain wedi ei gwau gan fath o lindys, y defnydd a wneir o'r edau hon. SILK.
Papur sidan. TISSUE-PAPER.

sidanaidd, *a.* Fel sidan. SILKY.

sied, *eb. ll.*-au. Penty, lle i gadw nwyddau neu anifeiliaid, lle i weithio. SHED.

siesbin, *gw.* siasbi.

siew, *eb. ll.*-au. Arddangosfa, arddangosiad, sioe. SHOW.

sifil, *a.* Gwladol, dinesig, cyffredin, moesgar. CIVIL.
Gwas sifil. CIVIL SERVANT.

siffrwd, *be.* Gwneud swn fel dail yn cael eu chwythu gan y gwynt. TO RUSTLE.

sigâr, *eb.* Dail tybaco wedi eu rholio i'w smygu. CIGAR.

sigarét, *eb. ll.*-s, sigaretau. Tybaco wedi ei rolio mewn papur. CIGARETTE.

sigl : siglad, *eg. ll.* sigladau. Ysgydwad, symudiad yn ôl ac ymlaen. A SHAKING.

sigledig, *a.* Yn ysgwyd, yn siglo, simsan, ansad. SHAKY.

siglen, *eb. ll.*-nydd, -ni. I. Cors, mignen, morfa, tir llaith. BOG, SWAMP.
2. Sedd wedi ei hongian wrth raffau, &c., i siglo arni. A SWING.

siglennog, *a.* Corslyd, corsog. BOGGY, SWAMPY.

sigl-i-gwt, *eg.* Aderyn â chwt hir, sigl-di-gwt, sigwti fach y dŵr. WATER WAGTAIL.

siglo, *be.* Ysgwyd, crynu, gwegian, symud yn ôl ac ymlaen. TO SHAKE.

silff, *eb. ll.*-oedd. Astell wedi ei sicrhau wrth wal, &c., i ddal pethau. SHELF.
Silff-ben-tân : astell-ben-tân. MANTELPIECE.

silwair, *eg.* Porfa neu lysiau glas wedi eu cadw fel bwyd i anifeiliaid erbyn y gaeaf. SILAGE.

sillaf, *eb. ll.*-au. Rhan o air. SYLLABLE.
Unsill : unsillafog. MONOSYLLABIC.
Lluosill : lluosillafog. POLYSYLLABIC.

sillafiaeth, *eb.* Y modd y sillefir gair. SPELLING.

sillafu, *be.* Ysgrifennu neu ddweud y llythrennau mewn gair. TO SPELL.

sillgoll, *eb. ll.*-au. Collnod ('), marc i ddynodi absenoldeb llythyren drwy gywasgiad. APOSTROPHE.

simdde : simnai, *eb. ll.* simneiau. Corn mwg, ffumer, ffordd i fwg ddianc drwyddo. CHIMNEY.

simsan, *a.* Ansad, sigledig, gwan, anghyson, anwastad, nas gellir dibynnu arno. UNSTEADY.

simsanu, *be.* Gwegian, siglo. TO TOTTER.

sinc, *eg.* I. Metel llwydwyn a ddefnyddir fel cot ar ddur, a cheir rhai o'i halwynau mewn paent a moddion. ZINC.
2. Ceubwll, basn ac iddo bibell i gario dŵr ohono. SINK.

sinema, *eb. ll.* sinemâu. Adeilad i ddangos lluniau byw. CINEMA.

sinig, *eg. ll.*-iaid. Un sy'n amcanu'n goeglyd ddiffuantrwydd dynol a theilyngdod. CYNIC.

sinigaidd, *a.* Yn debyg i sinig, heb fedru credu daioni dynol. CYNICAL.

sinsir, *eg.* Planhigyn ac iddo wreiddyn â blas poeth (fe'i defnyddir mewn melysion ac wrth goginio). GINGER.

sïo, *be.* Sibrwd, mwmian, chwyrnellu, canu'n dawel, suo. TO HUM, TO WHIZZ, TO MURMUR.

sioc, *eg.* Ysgytiad, ergyd, cyffro sydyn, clefyd. SHOCK.

sioe, *eb. ll.*-au. Arddangosfa, arddangosiad, siew. SHOW.
Sioe amaethyddol. AGRICULTURAL SHOW.
Sioe geir. MOTOR SHOW.

siôl, *eb. ll.* siolau. Dilledyn sgwâr o wlân a wisgir dros yr ysgwyddau. SHAWL.

siom, *eg. ll.*-au : **siomedigaeth,** *eb. ll.*-au. Methiant i fodloni, rhywbeth gwaeth na'r hyn a ddisgwylid. DISAPPOINTMENT.
Cael siom ar yr ochr orau. TO BE AGREEABLY SURPRISED.

siomedig, *a.* Heb fod cystal â'r disgwyl, wedi ei siomi. DISAPPOINTING, DISAPPOINTED.

siomi, *be.* Peidio â bodloni neu ddiwallu neu ddigoni. TO DISAPPOINT.

sionc, *a.* Bywiog, gwisgi, gweithgar, heini, hoyw. ACTIVE.

sioncrwydd, *eg.* Bywiogrwydd, hoywder. BRISKNESS.

sioncyn y gwair, *eg.* Ceiliog rhedyn, sboncyn y gwair, ceiliog y gwair, Jac y swimper. GRASSHOPPER.

siop, *eb. ll.*-au. Masnachdy, lle i brynu a gwerthu nwyddau. SHOP.

siopwr, *eg. ll.* siopwyr. I. Perchennog siop. SHOPKEEPER.
2. Un sy'n siopa. SHOPPER.

sipian, *be.* Llymeitian, yfed bob yn llymaid, profi blas. TO SIP.

siprys, *eg.* Ceirch a barlys yn gymysg. OATS AND BARLEY MIXED.
Siarad siprys : siarad cymysgedd o Saesneg a Chymraeg.

sipsiwn, *e.ll.* (*un. g.b.* sipsi). Pobl grwydrol bryd tywyll. GIPSIES.

sir, *eb. ll.*-oedd. Rhan o wlad neu dalaith. COUNTY.

siriol, *a.* Llon, llawen. CHEERFUL.

sirioldeb, *eg.* Llawenydd, llonder. CHEERFULNESS.

sirioli, *be.* Llawenhau, llonni. TO CHEER.

sirydd, *eg. ll.*-ion. **siryf,** *eg.* Prif swyddog sir. SHERIFF.
Uchel sirydd. HIGH SHERIFF.

sisial, *be.* Sibrwd, siarad yn dawel, murmur. TO WHISPER.

siswrn, *eg. ll.* sisyrnau. Offeryn â dau lafn i dorri brethyn, &c. SCISSORS.

sitrach, *eg.* Ffradach. MESS.

siw, *eg.* (Fel yn) heb na siw na miw. WITHOUT A SOUND, WITHOUT A TRACE.

siwed, *eg.* Braster caled anifail a ddefnyddir i goginio. SUET.

siwg, *eg.* Jwg, llestr dwfn i ddal dŵr, &c., ac iddo ddolen a phig. JUG.

siwglo, *be.* Hocedu, twyllo, twyllchwarae, hudo. TO JUGGLE.

siwglwr, *eg. ll.* siwglwyr. Hocedwr, twyllwr, hudwr. JUGGLER.

siwgr, *eg.* Peth melys a ddefnyddir i felysu te neu fwydydd, &c. SUGAR.

siwmper, *eb. ll.*-i. Math o flows wlanen a wisgir gan ferch. JUMPER.

siwr : siŵr, *gw.* **sicr.**

siwrnai, *eb. ll.* siwrneiau, siwrneion. I. Taith, tro. JOURNEY.
Siwrnai faith.
2. *adf.* Unwaith. ONCE.

siwt, *eb. ll.*-iau. Gwisg gyfan. SUIT.

sled, *eb.* Car llusg, cerbyd i fynd ar eira. SLEDGE.

slei, *a.* Heb yn wybod i neb arall, ffals, cyfrwys. SLY.

sleisen, *eb.* Sglisen, ysglisen, tafell, golwythen. SLICE.
Sleisen o gig mochyn.

slumyn *gw.* **ystlum.**

slogan, *egb. ll.*-au. Rhyfelgri, gair neu frawddeg afaelgar a ddefnyddir gan gwmni neu fusnes. SLOGAN.

slwt, *eb.* Sopen, slebog, gwraig front anniben. SLUT.

smala : ysmala, *a.* Digrif, cellweirus. DROLL.

smaldod : ysmaldod, *eg.* Digrifwch, cellwair. DROLLERY.

smalio, *be.* Cellwair, gwneud jôc, bod yn ddigrif. TO JOKE.

sment, *eg.* Morter o galchfaen, dŵr a thywod. CEMENT.

smocio : smygu, *be.* Tynnu mwg o sigarét neu bib. TO SMOKE.

smociwr, *eg. ll.* smocwyr : **smygwr,** *eg. ll.* smygwyr. Un sy'n smygu. A SMOKER.

smotyn : ysmotyn, *eg. ll.* smotiau. Brycheuyn, staen, mefl, marc, man, nam, bai. SPOT.

smwddio : ysmwyddio, *be.* Gwneud yn llyfn â haearn, stilo (dillad). TO IRON.

smwt, *eg.* I. Baw, bryntni. SMUT.
2. *a.* Pwt. SNUB.
Trwyn smwt : trwyn bach fflat. SNUB NOSE.

smygu, *gw.* **smocio.**

smygwr, *gw.* **smociwr.**

snisin, *eg.* Trwynlwch, trewlwch. SNUFF.

snwffian, *be.* Gwneud sŵn wrth dynnu anadl drwy'r ffroenau. TO SNIFF.

sobr, *a.* Difrifol, dwys, tawel, synhwyrol, nid yn feddw. SOBER, SERIOUS.
Yn sobr o wael. EXTREMELY BAD.

sobri : sobreiddio, *be.* Dad-feddwi, troi o fod yn feddw, gwneud yn sobr. TO SOBER.

sobrwydd, *eg.* Difrifwch, dwyster, synnwyr, sadrwydd. SOBRIETY.

socasau, *e.ll.* (*un. b.* socas). Gorchudd lledr neu frethyn i'r coesau. LEGGINGS.

sodil : sodlo, *be.* I. Cnoi neu daro'r sodlau. TO BITE OR STRIKE THE HEELS.
2. Gyrru'n ôl â'r sawdl. TO BACKHEEL.

soddi, *be.* Suddo, achosi i fynd dan ddŵr, mynd i lawr yn raddol. TO SINK.

soeg, *eg.* Gweddillion brag ar ôl gwneud cwrw, &c. BREWERS' GRAINS, DRAFF.

soeglyd, *a.* Gwlyb, llaith. SODDEN.

sofl, *e.ll.* (*un. g.*-yn). Bonion gwellt neu ŷd sy'n aros ar ôl medi. STUBBLE.
Sofliar. QUAIL.

sofraniaeth, *eb.* Penarglwyddiaeth. SOVEREIGNTY.

sofren, *eb. ll.*-ni. Darn aur a fu gynt yn rhan o arian cyfredol y wlad. SOVEREIGN (*coin*).

soffa, *eb.* Sedd hir esmwyth a chefn iddi. SOFA.

soffydd, *eg. ll.*-ion. Athronydd Groegaidd, twyllresymwr. SOPHIST.

solas, *eg.* Cysur, diddanwch. SOLACE.

solet, *a.* Ffyrf, cadarn, cryf. SOLID.

sol-ffa, *eg.* Nodiant canu. SOL-FA.

sôn, *egb* I.. Argoel, awgrym, gair, hanes, mânsiarad, chwedl, adroddiad. MENTION, RUMOUR, SIGN.
2. *be.* Crybwyll, dweud, llefaru, taenu chwedl, ymddiddan. TO MENTION.

soned, *eb. ll.*-au. Cân o bedair llinell ar ddeg â phatrwm arbennig o odlau. SONNET.

sonedwr, *eg. ll.* sonedwyr. Un sy'n cyfansoddi sonedau. COMPOSER OF SONNETS.

soniarus, *a.* Melodaidd, perseiniol, hyfryd. MELODIOUS.

sopyn, *eg.* Bwndel (o wair, &c.). BUNDLE (of hay, &c.).

soriant, *eg.* Pwd, llid, sarugrwydd, dicter, gwg. INDIGNATION.

sorllyd, *a.* Dig, llidiog, pwdlyd, sarrug, blwng. ANGRY, SULLEN.

sorod, *ell.* Sothach. DROSS.

sorri, *be.* Pwdu, mulo, llidio, cuchio, gwgu, digio. TO SULK, TO BE DISPLEASED.

sosban, *eb. ll.* sosbenni, sosbannau. Llestr i goginio ac iddo glawr a choes, sgilet. SAUCEPAN.

soser, *eb. ll.*-i. Llestr i'w ddodi dan gwpan. SAUCER.

sosialaeth, *eb.* Trefn wleidyddol i rannu eiddo ac yn ymwneud â pherchenogaeth gan y wladwriaeth, &c. SOCIALISM.

Sosialydd, *eg. ll.* Sosialwyr. Un sy'n ffafrio sosialaeth. SOCIALIST.

sothach, *eg.* Gwehilion, sorod, ffwlbri, ysbwriel. TRASH.

sownd, *a.* Tyn, sicr, diogel, diysgog. FAST.
Wedi ei gau'n sownd.

stabl : ystabl, *eb. ll.*-au. Adeilad lle cedwir ceffylau. STABLE.

stad : ystad, *eb. ll.*-au. Cyflwr, ansawdd, sefyllfa, helynt, eiddo. STATE, ESTATE.

staen, *eg. ll.*-au. Mefl, lliw. STAIN.

staeno : staenio, *be.* Diwyno, dwyno, llychwino, gwaradwyddo, gwarthruddo ; lliwio. TO STAIN.

stâl : ystâl, *eb. ll.* [y]stalau. Rhaniad mewn stabl i un anifail. STALL.

stamp, *eg. ll.*-iau. I. Delw, argraff, ôl. STAMP.
2. Y dernyn papur sgwâr, hirsgwar, &c., a ddodir ar lythyr fel tâl am gludo. POSTAGE STAMP.

stapal, *eb. ll.* staplau. Darn o fetel yn ffurf y llythyren U a ddefnyddir i sicrhau pethau wrth goed, &c. STAPLE.

starts, *eg.* Defnydd a geir mewn tatws neu reis, &c., ac a ddefnyddir i galedu llieiniau. STARCH.

stên : ystên, *eb. ll.* [y]stenau. Siwg fawr, piser. PITCHER.

stesion, *eb.* Gorsaf. STATION.

sticil : sticill, *eb.* Math o risiau i fynd dros wal neu glawdd, camfa. STILE.

stilio, *be.* Holi. TO QUESTION.

stiw, *eg.* Bwyd wedi ei ferwi'n araf. STEW.

stiward, *eg. ll.*-iaid. Un sy'n gofalu am eiddo un arall, gwas, goruchwyliwr, cynorthwywr. STEWARD.

stiwdio, *eb.* Ystafell-waith arlunydd, ystafell ddarlledu. STUDIO.

stoc, *eb. ll.*-au, -iau. Da, nwyddau, stôr, cyflenwad, cyff, ach, hil. STOCK.

stocan, *eb. ll.*-au. Nifer o ysgubau wedi eu dodi ynghyd i sefyll ; stac. STOOK.
Stocanu : gwneud stocanau.

stocio, *be.* Storio, cadw, dodi mewn stôr. TO STOCK.

stôl : ystôl, *eb. ll.* stolion, stolau. Cadair (yn enwedig un heb gefn na breichiau). STOOL.
Stôl deirtroed : stôl a ddefnyddir yn gyffredin i odro.

stondin, *eg. ll.*-au. Stand neu ford i werthu nwyddau mewn marchnad. STALL.

stop, *eg.* Lle i aros (fel i fws), safiad, arhosiad. A STOP.

stôr : ystôr, *eg. ll.* storau. Lle i gadw nwyddau, stordy, nwyddau, cyflenwad. STORE.

stordy : ystordy, *eg. ll.* stordai. Storfa, lle i gadw nwyddau. WAREHOUSE.

stori, *eb. ll.* storïau, storiâu, straeon. Hanes, chwedl, celwydd. STORY.
Stori dditectif. DETECTIVE STORY.
Stori fer. SHORT STORY.
Stori wir. TRUE STORY.
Troi'r stori. TO CHANGE THE SUBJECT.

storïwr, *eg. ll.* storïwyr. Un sy'n adrodd storïau. STORY-TELLER.

storm : ystorm, *eb. ll.*-ydd. Tymestl, terfysg, gwynt cryf, glaw a tharanau. STORM.

stormus : ystormus, *a.* Tymhestlog, gwyntog, garw, gerwin, drycinog. STORMY.

stranc, *eb. ll.*-iau. Tric, pranc, ystryw, cast, twyll, dichell. TRICK.

strapen, *eb. ll.* strap[i]au. Darn hir cul o ledr a ddefnyddir fel rhwymyn. STRAP.

strategaeth, *eb. ll.*-au. Tacteg filwrol i drechu gelyn, celfyddyd ryfel ; cynllun sy'n seiliedig ar weithredu felly. STRATEGY.

strategol, *a.* Yn perthyn i strategaeth. STRATEGIC.

strategydd, *eg. ll.*-ion. Un sy'n gweithredu'n strategol. STRATEGIST.

streic, *eb. ll.*-iau. Yr act o wrthod gweithio oherwydd rhyw anghydfod. A STRIKE.

strôc, *eb.* Math o afiechyd sy'n taro un yn sydyn ; gorchest. STROKE.

strwythur, *eg. ll.*-au. Adeiladwaith, cynllun, saernïaeth. STRUCTURE.

strwythuro, *be.* Adeiladu, llunio, saernïo. TO STRUCTURE.

stryd : ystryd, *eb. ll.*-oedd. Heol mewn dinas, tref neu bentref. STREET.

stumog : ystumog, *eb. ll.*-au. Cylla, bol, y rhan o'r bol sy'n derbyn ac yn treulio'r bwyd. STOMACH.

stwc : ystwc, *eg. ll.* stycau, styciau. Llestr pren i odro, &c., ; twb bach. PAIL.

stŵr : ystŵr, *eg.* Sŵn, twrf, twrw, mwstwr, dadwrdd, trwst. NOISE.

su, *eg. gw.* **si.**

sucan, *eg.* Llymru, blawd ceirch wedi ei ferwi. GRUEL, FLUMMERY.

sudd : sug, *eg. ll.*-ion. Sugn, nodd, yr hylif a ddaw o ffrwyth neu blanhigyn. JUICE, SAP.

suddiad, *eg. ll.*-au. Yr act o suddo. SINKING.

suddo, *be.* Soddi, mynd o dan ddŵr. TO SINK.

sugno, *be.* Yfed o deth, dyfnu, tynnu i'r genau, llyncu. TO SUCK.

Sul, *eg. ll.*-iau. Diwrnod cyntaf yr wythnos, Dydd Sul. SUNDAY.

Ar y Sul. ON SUNDAY.

Sulgwyn, *eg.* Gŵyl y Pentecost, saith wythnos wedi'r Pasg. WHITSUN.

Dydd Llun Sulgwyn : y Llungwyn. WHIT MONDAY.

suo, *gw.* **sïo.**

sur, *a. ll.*-ion. Egr, â blas cas ; mewn tymer ddrwg. SOUR.

surdoes, *eg.* Burum, berman, defnydd i wneud i fara godi. LEAVEN.

surni, *eg.* Y cyflwr o fod yn sur, suredd, blas cas ; tymer ddrwg. SOURNESS.

suro, *be.* Egru, troi'n sur. TO TURN SOUR.

sut : siwd : pa sut, *rhag. gof.* I. Pa fodd, pa ffordd ? HOW ?

Sut rydych chi ?/Siwd ŷch chi ? HOW ARE YOU ?
2. Pa fath ? WHAT SORT ?
Sut dywydd a gawsoch chwi ?

sw, *eg.* Man lle cedwir anifeiliaid gwylltion i'w gweld gan ymwelwyr. ZOO.

swci : swcad, *a.* Dof, llywaeth. TAME, PET.
Oen swci : oen llywaeth. PET LAMB.

swcr : swcwr, *eg.* Cymorth, ymgeledd. SUCCOUR.

swcro, *be.* Cynorthwyo, ymgeleddu. TO SUCCOUR.

swch, *eb. ll.* sychau. Y darn bach blaenllym sydd ar flaen aradr. PLOUGHSHARE.

swil : yswil, *a.* Ofnus, gŵyl, gwylaidd. SHY, BASHFUL.

swildod : yswildod : swilder, *eg.* Cywilydd, gwyleidd-dra. SHYNESS.

Swistir, Y, *eb.* Gwlad yng nghanolbarth Ewrop yn ffinio ar Ffrainc, yr Almaen, Awstria a'r Eidal. SWITZERLAND.

swllt, *eg. ll.* sylltau. Darn o arian gwerth yr ugeinfed ran o bunt cyn dyfodiad arian degol ym 1971. SHILLING.

swm, *eg. ll.* symau, symiau. Y cwbl mewn maint neu rifedi, problem mewn rhifyddeg. SUM.

swmbwl, *eg. ll.* symbylau. Pigyn, symbyliad, rhywbeth i gymell neu annog. GOAD.

swmp, *eg.* Maint, maintioli, pwysau. BULK, SIZE.

swmpo, *be.* Teimlo maint neu bwysau. TO FEEL THE SIZE OR WEIGHT OF.

sŵn, *eg. ll.* synau. Stŵr, mwstwr, trwst, dadwrdd, twrf, twrw. NOISE.

swnio, *be.* Gwneud sŵn, seinio, cynanu. TO MAKE A NOISE, TO PRONOUNCE.

swnllyd, *a.* Â llawer o sŵn, yn peri llawer o dwrw. NOISY.

sŵoleg, *eb.* Gwyddor anifeiliaid. ZOOLOGY.

swp, *eg. ll.* sypiau. Sypyn, clwstwr, twr. BUNDLE, CLUSTER.

swper, *egb. ll.*-au. Hwyrbryd, pryd olaf y dydd. SUPPER.

swpera, *be.* Bwyta swper. TO SUP.

swrn, *eb. ll.* syrnau. I. Egwyd, ffêr, migwrn, y twffyn o flew o'r tu ôl i garn ceffyl. FETLOCK, ANKLE.
2. *eg.* Nifer go dda. A GOOD NUMBER.

swrth, *a.* (*b.* sorth). I. Sarrug, cuchiog, cwta, blwng, diserch. SULLEN.
2. Diynni, diegni, cysglyd. INERT, DROWSY.

sws, *eb. ll.*-us. Cusan, swsan. A KISS.

swta, *a.* Sydyn, disymwth, byr, cwta. ABRUPT, CURT.

swydd, *eb. ll.*-i, -au. I. Gwaith, tasg, gorchwyl. OFFICE, JOB.
Mynd yn unig swydd. TO GO ON THE EXPRESS PURPOSE.
Swyddogaeth. FUNCTION.
2. Sir (y tu allan i Gymru). COUNTY (outside Wales).
Swydd Durham. COUNTY OF DURHAM.

swyddfa, *eb. ll.* swyddfeydd. Ystafell neu dŷ yn perthyn i swyddog. AN OFFICE.

swyddog, *eg. ll.*-ion. Un sy'n dal swydd gyhoeddus. OFFICER.
Swyddog cyswllt. LIAISON OFFICER.
Swyddog o'r Llys. OFFICER OF THE COURT.
Swyddog Profiannaeth. PROBATION OFFICER.
Prif Swyddog. PRINCIPAL OFFICER.

swyddogaeth, *eb. ll.*-au. Swydd, dyletswydd, pwrpas. OFFICE, FUNCTION, DUTY.
swyddogol, *a.* Awdurdodol, wedi ei awdurdodi. OFFICIAL.
swyn, *eg. ll.*-ion. Cyfaredd, hud, hudoliaeth. CHARM, MAGIC.
swyngyfaredd, *eb. ll.*-ion. Dewiniaeth, swyn, hudoliaeth, cyfaredd. SORCERY, ENCHANTMENT.
swyngyfareddwr, *eg. ll.* swyngyfareddwyr. Dewin. SORCEROR.
swyno, *be.* Hudo, rheibio. TO CHARM.
swynol, *a.* Cyfareddol, hudol. CHARMING.
swynwr, *eg. ll.* swynwyr. Un sy'n swyno, dewin, swyngyfareddwr. MAGICIAN.
sy : sydd, *bf.* Trydydd person unigol, ffurf berthynol amser presennol, modd mynegol *bod.* WHO/WHICH, IS/ARE.
syber, *a.* 1. Moesgar, synhwyrol, call, sad, pwyllog. SOBER, MANNERLY.
2. Glân, destlus. CLEAN, TIDY.
syberwyd, *eg.* 1. Balchder. PRIDE.
2. Moesgarwch, cwrteisi. COURTESY.
syblachad, *be.* Anhrefnu, gwneud yn aflêr, trochi, difwyno, baeddu. TO SOIL, TO MAKE UNTIDY.
sycamorwydd, *e.ll.* (*un. b.*-en). Coed mawr ac iddynt ddail llydain. SYCAMORE.
sych : sychlyd, *a.* Cras, hesb, nid yn wlyb, heb law, anniddorol. DRY.
sychder, *eg.* Y stad o fod yn sych, prinder neu absenoldeb dŵr. DRYNESS, DROUGHT.
syched, *eg.* Eisiau dŵr, &c. THIRST.
Mae syched arno. HE IS THIRSTY.
Torri syched. TO QUENCH A THIRST.
sychedig, *a.* Wedi sychedu, ag eisiau diod, dioddef oddi wrth syched. THIRSTY.
sychedu, *be.* Bod ag eisiau peth i'w yfed. TO THIRST.
sychlyd, *gw.* sych.
sychu, *be.* Symud gwlybaniaeth, gwneud yn sych. TO DRY.
sychydd, *eg. ll.*-ion. Peiriant (trydan) a ddefnyddir i sychu dillad. DRYER.
sydyn, *a.* Disymwth, disyfyd, swta. SUDDEN.
sydynrwydd, *eg.* Y cyflwr o fod yn sydyn. SUDDENNESS.
sydd, *gw.* sy.
syfi, *e.ll.* (*un. b.* syfïen). Mefus, ffrwythau cochion oddi ar blanhigyn ymledol. STRAWBERRIES.
Fel syfïen ym mola hwch (am rywbeth bach).
Cennin syfi. CHIVES.
syflyd, *be.* Symud, cyffro, ysgogi. TO STIR, TO MOVE.
syfrdan, *a.* Wedi synnu, wedi ei syfrdanu, yn hurt. DAZED.
syfrdandod, *eg.* Hurtrwydd. STUPOR.
syfrdanol, *a.* Byddarol. STUNNING.
syfrdanu, *be.* Byddaru, hurto, mwydro. TO STUN, TO BEWILDER, TO DAZE.
sylfaen, *egb. ll.* sylfeini. Gwaelod, dechreuad, sail. FOUNDATION.
sylfaenol, *a.* Yn ymwneud â sylfaen. BASIC.

sylfaenu, *be.* Seilio, sefydlu, dechrau, gwneud sylfaen i. TO LAY FOUNDATION, TO FOUND.
sylfaenwr : sylfaenydd, *eg. ll.* sylfaenwyr. Seiliwr, sefydlydd. FOUNDER.
sylw, *eg. ll.*-adau : sylwadaeth, *eb. ll.*-au. Crybwylliad, gair, ystyriaeth. NOTICE, OBSERVATION.
Dal sylw. TO PAY ATTENTION.
Dan sylw. IN QUESTION.
sylwebaeth, *eg. ll.*-au. Sylwadau (ar deledu neu radio) ynglŷn â chyngerdd, digwyddiad arbennig, gêm griced neu rygbi, &c. COMMENTARY.
sylwebydd, *eg. ll.*-ion. Un sy'n rhoi sylwadau (ar deledu neu radio) ynglŷn â digwyddiad neilltuol. COMMENTATOR.
sylwedydd, *eg. ll.*-ion. Un sy'n sylwi. OBSERVER.
sylwedd, *eg. ll.*-au. Defnydd, mater, gwirionedd. SUBSTANCE.
sylweddol, *a.* Diffuant, diledrith, gwir, gwirioneddol. SUBSTANTIAL.
sylweddoli, *be.* Amgyffred, dirnad, deall. TO REALIZE.
sylweddoliad, *eg.* Dealltwriaeth, deall, dirnadaeth. REALIZATION.
sylwi, *be.* Dal sylw, crybwyll. TO OBSERVE, TO NOTICE.
syllu, *be.* Sylwi'n fanwl, edrych yn graff, tremu. TO GAZE.
symbal, *eg. ll.*-au. Offeryn cerdd pres o ffurf basn. CYMBAL.
symbyliad, *eg.* Cefnogaeth, calondid, cymhelliad, swmbwl, anogaeth. STIMULUS, ENCOURAGEMENT.
symbylu, *be.* Cymell, annog, calonogi. TO STIMULATE.
syml, *a.* (*b.* seml). Unplyg, diaddurn, digymysg, unigol, hawdd, rhwydd, gwirion, diniwed, diddichell. SIMPLE.
symledd, *gw.* symlrwydd.
symleiddio, *be.* Gwneud yn haws neu'n rhwyddach neu'n fwy syml. TO SIMPLIFY.
symlrwydd : symledd, *eg.* Unplygrwydd, bod yn syml, diniweidrwydd. SIMPLICITY.
symud, *be.* Cyffro, cyffroi, ysgogi, cynhyrfu, cymell, annog. TO MOVE.
symudiad, *eg. ll.*-au. Yr act o symud. MOVEMENT.
symudol, *a.* Y gellir ei symud. MOVEABLE.
syn, *a.* Mewn rhyfeddod, mewn syndod, rhyfedd, aruthr. AMAZED, AMAZING.
synagog, *eg. ll.*-au. Cynulliad Iddewig neu'r lle o addoliad. SYNAGOGUE.
syndod, *eg.* Aruthredd, rhyfeddod. SURPRISE.
synfyfyrdod, *eg.* Myfyrdod dwys, yr act o synfyfyrio. REVERIE.
synfyfyrio, *be.* Myfyrio'n ddwys, ymgolli mewn myfyrdod, breuddwydio ar ddihun. TO MUSE, TO MEDITATE.
synhwyro, *be.* Synio, canfod, teimlo, clywed, ymglywed â. TO SENSE.

synhwyrol, *a.* Yn meddu ar synnwyr, pwyllog, ystyriol, rhesymol. SENSIBLE.

syniad, *eg. ll.*-au. Opiniwn, barn, meddylddrych, amcan. IDEA, THOUGHT, NOTION.

synied : synio, *be.* Tybio, tybied, meddwl, ystyried, dychmygu. TO IMAGINE, TO THINK.

synnu, *be.* Rhyfeddu. TO WONDER.

synnwyr, *eg. ll.* synhwyrau. Pwyll, ystyriaeth, teimlad, ymdeimlad, ystyr, sens. SENSE. Synnwyr cyffredin. COMMON SENSE. Synnwyr bawd. RULE OF THUMB.

sypyn, *eg. ll.*-nau. Bwndel, crugyn, twr, swp, pecyn, paced. BUNDLE, PACKAGE.

syr, *eg.* Teitl o barch, teitl marchog neu farŵnig. SIR.

syrcas, *eb.* Arddangosfa deithiol o anifeiliaid, &c., ; lle i chwaraeon, canolfan mewn tref. CIRCUS.

syrffed, *eg.* Diflastod, gormod o rywbeth sy'n peri salwch. SURFEIT.

syrffedu, *be.* Alaru, diflasu trwy ormodedd. TO SURFEIT.

syrthiad, *eg. ll.*-au. Cwymp, cwympiad, codwm, disgyniad. A FALL.

syrthiedig, *a.* Wedi cwympo. FALLEN.

syrthio, *be.* Cwympo, disgyn yn sydyn. TO FALL.

syrthni, *eg.* I. Bod yn sarrug neu swrth, sarugrwydd. SULLENNESS.
2. Cysgadrwydd. APATHY.

syth, *a.* (*b.* seth). Union, anystwyth, anhyblyg. STIFF, STRAIGHT.

sythlyd, *a.* Anwydog, oer, rhynllyd, oerllyd, oeraidd. CHILLED.

sythu, *be.* Gwneud yn syth, ymunioni, rhynnu, fferru, rhewi. TO STRAIGHTEN, TO BECOME BENUMBED.
Roedd ef bron â sythu yn yr oerfel.

Tabernacl, *eg. ll.*-au. Pabell ysgafn hawdd i'w symud ; lle i addoli. TABERNACLE.
tabl, *eg. ll.*-au. Rhestr o ffigurau perthnasol. TABLE.
Tablau llanw. TIDE TABLES.
Tabl lluosi. MULTIPLICATION TABLE.
Tabl naw. THE NINE TIMES TABLE.
tablen, *eb.* Cwrw. ALE, BEER.
tabwrdd, *eg. ll.* tabyrddau. Drwm. DRUM, TABOR.
taclau, *e.ll.* (*un. g.* teclyn). Nwyddau, offer, celfi, gêr, cyfarpar. GEAR.
taclo, *be.* Gafael neu dynnu i lawr wrth chwarae rygbi, atal chwaraewr wrth chwarae pêl-droed, ymgodymu â. TO TACKLE.
taclu, *be.* Gwisgo, ymdwtio, tacluso, paratoi, darparu. TO PREPARE.
Yn taclu i fynd i'r dref.
Yn taclu ei arfau.
taclus, *a.* Trwsiadus, dillyn, destlus, twt, del, trefnus, cymen, teidi. TIDY.
tacluso, *be.* Gwneud yn daclus, taclu, cymhennu. TO TRIM, TO TIDY.
tacteg, *eb. ll.*-au. Strategaeth filwrol i drechu gelyn ; cynllun wedi'i lunio er mwyn ennill rhywbeth. TACTIC.
Tachwedd, *eg.* Yr unfed mis ar ddeg, y Mis Du. NOVEMBER.
tad, *eg. ll.*-au. Gwryw a genhedlodd. FATHER.
Tad-yng-nghyfraith. FATHER-IN-LAW.
Tad bedydd. GODFATHER.
tad-cu, *eg.* Tad y tad neu'r fam, taid. GRANDFATHER.
tadmaeth, *eg. ll.*-au, -od. Dyn yn gweithredu fel tad. FOSTER-FATHER.
tadol, *a.* Fel tad, yn ymwneud â thad. FATHERLY, PATERNAL.
taenelliad, *eg.* Y weithred o daenellu. SPRINKLING.
taenellu, *be.* Gwasgaru defnynnau bychain o ddŵr, bedyddio. TO SPRINKLE.
taenu, *be.* Lledu, lledaenu, ymdaenu, gwasgaru, cyhoeddi. TO SPREAD.
Ar daen. SPREAD.
taeog, *eg. ll.*-ion. I. Deiliad caeth i'r tir. VILLEIN.
2. *a.* Taeogaidd, gwasaidd. SERVILE.
taeogaidd, *a.* Afrywiog, cnafaidd, anfad, milain, mileinig ; gwasaidd. CHURLISH ; SERVILE.
taer, *a.* Difrif, difrifol, diwyd, brwd, gwresog, tanbaid, brwdfrydig. EARNEST, IMPORTUNATE, URGENT.
taerineb : taerni, *eg.* Difrifwch, diwydrwydd, brwdfrydedd. EARNESTNESS, IMPORTUNITY.
taeru, *be.* Maentumio, dal yn gryf, haeru, gwirio. TO MAINTAIN, TO INSIST.
tafarn, *eb. g. ll.*-au. : **tafarndy,** *eg. ll.* tafarndai. Tŷ tafarn, gwesty, lle i letya a chael bwyd a diod. INN.
Tafarn datws. FISH AND CHIP SHOP.
tafarnwr, *eg. ll.* tafarnwyr. Perchen neu geidwad tafarn neu dafarndy. INN-KEEPER.
tafell, *eb. ll.*-au, -i, tefyll. Sleisen, ysglisen, yslisen, tamaid fflat tenau wedi ei dorri o dorth, &c. SLICE.

taflegryn, *eg. ll.* taflegrau. Arf rhyfel hunanyrrol a saethir o'r tir (neu o awyren neu long danfor) i ddinistrio'r gelyn. MISSILE.
taflen, *eb. ll.*-ni. Rhestr, llechres, tabl. LIST, LEAFLET.
taflennu, *be.* Rhestru, llechresu, tablu, trefnu mewn rhesi. TO TABULATE.
tafliad, *eg.* Y weithred o daflu, tafl. THROW.
taflod : tawlod, *eb. ll.*-ydd. Llofft, ystafell wair, galeri. LOFT.
Taflod y genau. PALATE.
taflu : tawlu, *be.* Ergydio, bwrw, lluchio. TO THROW.
tafluniad, *eg. ll.*-au. Cynllun o arwynebedd y ddaear wedi ei osod ar wyneb gwastad. PROJECTION.
taflunio, *be.* Taflu llun ar sgrin. TO PROJECT (*image*).
taflunydd, *eg. ll.*-ion. Peiriant taflunio llun. PROJECTOR.
tafod, *eg. ll.*-au. Un o organau'r genau ; peth tebyg i hynny. TONGUE.
Ar dafod (leferydd). SPOKEN.
Blaen y tafod. TIP OF THE TONGUE.
tafodi, *be.* Cymhennu, dwrdio, cadw stŵr â, difenwi, difrïo. TO ABUSE, TO BERATE.
tafodiaith, *eb. ll.* tafodieithoedd. Iaith lafar, iaith gyffredin ardal. DIALECT.
tafodrydd, *a.* Siaradus, gwamal, ysgafn, anystyriol, yn trin pethau difrif yn ddigrif. GARRULOUS, FLIPPANT.
tafol, *eb. ll.*-au, -ion. Offeryn i bwyso ag ef, clorian, mantol. BALANCE, SCALES.
tafoli, *be.* Pwyso, cloriannu, mantoli. TO WEIGH.
tagell, *eb.* I. *ll.*-au, tegyll. Y rhan o'r pen yr anadla pysgodyn drwyddo, y rhan isaf o'r gwddf. GILL, THROAT.
2. *ll.*-au. Magl. SNARE.
tagu, *be.* Llindagu, mogi, mygu. TO CHOKE, TO STRANGLE.
tangnefedd, *egb.* Heddwch, hedd, tawelwch, distawrwydd, rhyddid oddi wrth ryfel. PEACE.
tangnefeddus, *a.* Tawel, llonydd. PEACEFUL.
tangnefeddwr, *eg. ll.* tangnefeddwyr. Heddychwr. PEACEMAKER.
tai, *gw.* tŷ.
taid, *eg. ll.* teidiau. Tad-cu, tad y tad neu'r fam. GRANDFATHER.
tail, *eg.* Tom, baw, gwrtaith, achles. DUNG.
tair, *a.* (*g.* tri). Dwy ac un. THREE.
taith, *eb. ll.* teithiau. Yr act o deithio i rywle, siwrnai. JOURNEY, VOYAGE.
tal, *a.* Uchel, hir, uwch na'r cyffredin. TALL.
Talaf. TALLEST.
tâl, *eg. ll.* taloedd : **taliad,** *eg. ll.* taliadau. Yr hyn a delir am waith neu nwyddau, hur, cyflog. PAY[MENT], RATES.
tâl, *eg. ll.* talau, taloedd. Talcen, blaen. FOREHEAD, FRONT.
talaith, *eb. ll.* taleithiau. Tir, tiriogaeth, rhan o wlad. PROVINCE.
talar, *egb. ll.*-au. Un o ddau ben cae sy'n cael ei droi (aredig), pen tir. HEADLAND.

talcen, *eg. ll.*-ni, -nau. Y rhan o'r wyneb uwchlaw'r llygaid, ael, ysgafell. FOREHEAD.
Talcen tŷ. GABLE-END OF HOUSE.
Talcen glo. COAL-FACE, STALL.

talch, *eg. ll.* teilchion. Darn, dryll. FRAGMENT.

taldra, *eg.* Y cyflwr o fod yn dal, uchder. TALLNESS.

taleb, *eb. ll.*-au. Derbynneb, datganiad wedi ei ysgrifennu i ddangos bod arian, &c., wedi eu derbyn. RECEIPT.

talent, *eb. ll.*-au. Medrusrwydd, gallu, dawn. TALENT.

talentog, *a.* Yn meddu ar allu naturiol, dawnus. GIFTED.

talfyriad, *eg. ll.*-au. Adroddiad, &c., wedi ei dalfyrru ; crynhoad, cywasgiad. ABBREVIATION.

talfyrru, *be.* Byrhau, cwtogi, crynhoi, cywasgu. TO ABBREVIATE.

taliad, *eg. ll.*-au. Tâl, talment. PAYMENT.

talm, *eg. ll.*-au. Cetyn, ysbaid, encyd, cyfran. PORTION, PERIOD.
Er ys talm. LONG AGO.

talment, *eg.* Tâl, taliad. PAYMENT.

talog, *a.* Bywiog, sionc, heini, gwisgi. JAUNTY.

talp : telpyn, *eg. ll.* talpau. Cnepyn, darn. LUMP.

talpiog, *a.* Yn cynnwys talpau. LUMPY.

talu, *be.* Rhoi arian, &c., am waith neu nwyddau. TO PAY.
Nid yw'n talu. IT DOESN'T PAY.
Talu i lawr : talu wrth gael.
Talu'r hen chwech yn ôl : talu'r pwyth. TO RETALIATE.
Talu diolch. TO GIVE THANKS.

talwr, *eg. ll.* talwyr. Un sy'n talu. PAYER.

talwrn, *eg. ll.* talyrnau. Llawr dyrnu ; ymryson beirdd. THRESHING FLOOR ; BARDIC CONTEST.

tamaid, *eg. ll.* tameidiau. Tipyn, gronyn, mymryn, dernyn. PIECE.
Ennill ei damaid. EARNING HIS LIVING.

tan, *ardd.* I. Dan. UNDER.
2. Hyd, nes. TILL, AS FAR.

tân, *eg. ll.* tanau. Llosg, fflam, rhyw beth yn llosgi. FIRE.
Tân gwyllt. WILDFIRE ; FIREWORK.

tanbaid, *a.* Brwd, gwresog, brwdfrydig, taer, eiddgar, poeth. FERVENT.

tanbeidrwydd, *eg.* Poethder, taerineb, brwdfrydedd. FERVOUR.

tanchwa, *eb. ll.*-oedd. Taniad, ffrwydrad, effaith tân ar nwy. EXPLOSION.
Y danchwa yn y pwll.

tanddaearol, *a.* Dan y ddaear. SUBTERRANEAN.

tanforol, *a.* Dan y dŵr. SUBMARINE.

taniad, *eg. ll.*-au. Y weithred o danio ; ffrwydriad. IGNITION, FIRING ; EXPLOSION.

tanio, *be.* Rhoi ar dân, llosgi, cynnau, ergydio, saethu. TO FIRE.
Peiriant tanio-oddi-mewn. INTERNAL COMBUSTION ENGINE.

taniwr : tanwr, *eg. ll.* tanwyr. Un sy'n gofalu am beiriannau. FIREMAN.

tanlinellu, *be.* Torri llinell dan eiriau er mwyn pwysleisio'u hystyr. TO UNDERLINE.

tanlwybr, *eg. ll.*-au. Isffordd ; rheilffordd danddaearol. SUBWAY.

tanlli : tanlliw, *a.* O liw'r tân, disglair. FLAME-COLOURED.
Newydd danlli. BRAND NEW.

tanllwyth, *eg. ll.*-i. Llwyth o dân, tân mawr, ffagl. BLAZING FIRE.

tanllyd, *a.* Fel tân, tanbaid, poeth, eirias, brwd, penboeth. FIERY.

tannu, *be.* Cymhwyso, trefnu, unioni, taenu, lledu. TO ADJUST, TO SPREAD.
Tannu'r gwely. TO MAKE THE BED.

tanodd, *adf.* Danodd, oddi tanodd, islaw, isod. BELOW, BENEATH.

tant, *eg. ll.* tannau. Cord, llinyn offeryn cerdd. CORD, STRING OF INSTRUMENT.
Cerdd dant. INSTRUMENTAL MUSIC.

tanwydd, *eg.* Coed tân, cynnud. FIREWOOD, FUEL.
Tanwydd a phŵer. FUEL AND POWER.

tanysgrifiad, *eg. ll.*-au. Cyfraniad ariannol tuag at ryw achos neu'i gilydd. SUBSCRIPTION.

tanysgrifio, *be.* Cyfrannu arian, talu tanysgrifiad. TO SUBSCRIBE.

tap, *eg. ll.*-au, -iau. Peth i adael neu rwystro rhediad dŵr, &c., wrth ei droi. TAP.

tâp, *eg. ll.*-iau. Rhuban cul tenau o blastig, metel, &c., a ddefnyddir mewn recordydd sain, recordydd fideo, &c., ; rhwymyn archollion, parseli, &c. TAPE.
Tâp fideo. VIDEO TAPE.
Tâp glynu. ADHESIVE TAPE.
Tâp mesur. MEASURING TAPE.
Tâp sain. AUDIO TAPE.
Tâp ynysu. INSULATING TAPE.

taradr, *eg. ll.* terydr. Ebill mawr a ddefnyddir gan saer i dyllu coed. AUGER.
Taradr y coed. WOODPECKER.

taran, *eb. ll.*-au. Twrf, terfysg. (PEAL OF) THUNDER.
Mellt a tharanau : tyrfau a lluched. THUNDER AND LIGHTNING.
Taranfollt. THUNDERBOLT.

taranu, *be.* Tyrfo, gwneud tyrfau neu daranau ; bygwth. TO THUNDER.

tarddell, *eb. ll.*-i. Tarddiant, ffynhonnell. SPRING, SOURCE.

tarddiad, *eg. ll.*-au. **tarddle,** *eg. ll.*-oedd. Dechrau, ffynhonnell, blaen (afon), tarddiant, gwreiddyn, deilliad, tarddell. SOURCE.

tarddiadol, *a.* Yn tarddu o, yn ymwneud â tharddiad. DERIVATIVE.

tarddiant, *eg. ll.* tarddiannau. Tarddiad. SOURCE, DERIVATION.

tarddu, *be.* Deillio, codi, blaguro. TO SPRING, TO SPROUT.

tarfu, *be.* Codi ofn ar, brawychu, dychrynu. TO SCARE.

targed, *eg. ll.*-au. Nod arbennig i anelu ato. TARGET.

tarian, *eb. ll.*-au. Arf o blât i amddiffyn rhag ymosodiad gelyn, ysgwyd. SHIELD.

tario, *be.* Aros, sefyll, oedi. TO TARRY.

taro, *eg.* I. Argyfwng, cyfyngder, anhawster. DIFFICULTY.
Mewn taro. IN AN EMERGENCY.
2. *be.* Curo, ergydio, bwrw. TO STRIKE.
Taro'r hoelen ar ei phen. (*lit. To strike the nail on its head*). TO DO THE APPROPRIATE THING.
3. *be.* Bod yn addas, gwneud y tro. TO SUIT.
Yn taro i'r dim. WELL SUITED.

tarren, *eb. ll.* tarenni, tarennydd. Bryn creigiog, bryncyn, craig. KNOLL, ROCK.

tarten, *eb.* Pastai ffrwythau. TART.

tarth, *eg. ll.*-au, -oedd. Niwl, niwlen, nudden, caddug, tawch. MIST.

tarw, *eg. ll.* teirw. (*b.* buwch). Anifail mawr gwryw. BULL.

tarwden, *eb.* Clefyd sy'n achosi plorynnod fel modrwyau ar y croen. RING-WORM.

tas, *eb. ll.* teisi. Bera, helm, das. RICK, STACK.
Tas wair : bera wair. HAYRICK.

tasg, *eb. ll.*-au. Gorchwyl, gwaith. TASK.

tasgu, *be.* I. Gwasgaru dŵr neu fwd &c. TO SPLASH.
2. Neidio. TO START.

tatws : tato, *e.ll.* (*un. b.* taten, pytaten). Cloron, math o wreiddiau a fwyteir. POTATOES.
Tatws/tato had. SEED POTATOES.
Tatws/tato pob. BAKED POTATOES.
Tatws/tato rhost. ROAST POTATOES.
Tatws/tato trwy'u crwyn. JACKET POTATOES.

tau, *bf.* Trydydd person unigol amser presennol a dyfodol modd mynegol **tewi**. (HE, SHE) IS OR WILL BE SILENT.

taw, *cys.* I. Mai. THAT IT IS.
Dywedodd taw ef oedd y gorau.
2. *eg.* Distawrwydd, gosteg. SILENCE.

tawch, *eg.* Niwl, tarth, niwlen, caddug. MIST, HAZE.

tawchog, *a.* Niwlog, â tharth neu dawch. HAZY.

tawdd, *eg. ll.* toddion. I. Rhywbeth wedi ei doddi, saim. DRIPPING.
2. *a.* Wedi ei doddi. MOLTEN.

tawedog, *a.* Distaw, di-ddweud, dywedwst. SILENT, TACITURN.

tawedogrwydd, *eg.* Yr ansawdd o fod yn dawedog neu'n dawel. TACITURNITY.

tawel, *a.* Llonydd, distaw, digyffro. QUIET.

tawelu, *be.* Gostegu, llonyddu, distewi. TO CALM.

tawelwch, *eg.* Llonyddwch, gosteg, distawrwydd. QUIET.

tawelydd, *eg. ll.*-ion. Dyfais i dawelu sŵn peiriant, dril, dryll, &c. ; cyffur i dawelu'r meddwl. SILENCER ; TRANQUILISER.

tawlbwrdd, *eg. ll.* tawlbyrddau. Bwrdd i chwarae gwyddbwyll, &c. CHESSBOARD, DRAUGHT-BOARD, &c.

te, *eg.* Dail sych planhigyn o'r dwyrain ; peth i'w yfed a wneir ohonynt ; pryd bwyd prynhawnol. TEA.

tebot, *eg. ll.*-au. Pot i wneud te ynddo. TEAPOT.

tebyg, *a.* Cyffelyb, unwedd, cyfryw, fel, megis. LIKE.

tebygolrwydd, *eg.* Yr hyn a ddisgwylir, argoel. LIKELIHOOD.

tebygrwydd, *eg.* Cyffelybrwydd, llun. LIKENESS.

tebygu, *be.* I. Cyffelybu, cymharu. TO LIKEN.
2. Tybio, synio. TO THINK.

tecáu, *be.* Mynd neu wneud yn deg, prydferthu, addurno. TO BECOME FINE[R], TO BEAUTIFY.

teclyn, *eg. ll.* taclau. Offeryn, arf, erfyn, twlsyn. TOOL, INSTRUMENT.
gw. **taclau.**

techneg, *eg.* Celfyddyd, medr mewn celf. TECHNIQUE.

technegol, *a.* Yn ymwneud â chelf a chrefft, celfyddol, celfol, celfyddydol. TECHNICAL.
Coleg Technegol. TECHNICAL COLLEGE.

teg, *a.* Glân, hardd, prydferth, pert, cain, tlws, braf, gwych, coeth, têr. FAIR.
Yn union deg. PRESENTLY.
Chwarae teg. FAIR PLAY.
Yn araf deg. SLOWLY.
Teg neu anrheg. FAIR OR FOUL.

tegan, *eg. ll.*-au. Peth i chwarae ag ef, tlws. TOY, TRINKET.

tegell, *eg. ll.*-au, -i. Llestr o fetel ac iddo big a dolen i ferwi dŵr ynddo, tegil. KETTLE.

tegwch, *eg.* Glendid, tlysni, gwychder, harddwch, prydferthwch, ceinder. BEAUTY.

tei, *egb. ll.*-au. Peth a wisgir am y gwddf gyda choler. TIE.

teiar, *eg. ll.*-s. Cylch o rwber solet neu chwyddedig o amgylch olwyn cerbyd i osgoi ysgytio wrth symud. TYRE.

teigr, *eg. ll.*-od. Anifail mawr ffyrnig ac arno resi tywyll, un o deulu'r cathod mawr. TIGER.

teils, *e.ll.* (*un. b.* teilen, teilsen). Priddlechi ; haenau tenau o garreg, marmor, asbestos ; darnau o glai wedi'u crasu ; defnydd i doi tai, wynebu palmentydd, lloriau, waliau, &c. TILES.

teilchion, *e.ll.* (*un. g.* talch). Darnau, drylliau, gronynnau, yfflon, ysgyrion. FRAGMENTS.

teilfforch, *eb. ll.* teilffyrch. Fforch i drafod tail. DUNG FORK.

teiliwr, *eg. ll.* teilwriaid. (*b.* teilwres). Un sy'n gwneud dillad (yn enwedig i ddynion). TAILOR.

teilo, *be.* Cario tail i gae. TO MANURE.

teilwng, *a.* Haeddiannol, gwiw, yn haeddu, yn ddigon da, clodwiw. WORTHY.

teilwra : teilwrio, *be.* Gwneud gwaith teiliwr. TO TAILOR.

teilwres, *gw.* **teiliwr.**

teilwriaeth, *eb.* Crefft teiliwr. TAILORING.

teilyngdod, *eg.* Y stad o fod yn deilwng, haeddiant, gwiwdeb. MERIT, WORTHINESS.

teilyngu, *be.* Haeddu, bod yn ddigon da. TO DESERVE.

teim, *eg.* Llysieuyn peraroglus a ddefnyddir i roi blas ar fwydydd. THYME.

teimlad, *eg. ll.*-au. Ymdeimlad, cyffyrddiad. FEELING.

teimladol, *a.* Yn ymwneud â'r teimlad, yn llawn teimlad. EMOTIONAL.

teimladrwydd, *eg.* Y gallu i deimlo, sentiment. SENSIBILITY, SENTIMENT.

teimladwy, *a.* Synhwyrus, croendenau, yn hawdd effeithio arno. SENSITIVE.

teimlo, *be.* Profi, clywed, cyffwrdd, trin, trafod. TO FEEL.

teip, *eg. ll.*-iau. Dosbarth, math ; llythrennau a ddefnyddir i deipio neu argraffu. TYPE.

teipiadur, *eg. ll.*-ion. Offeryn i deipio ag ef. TYPEWRITER.

teipio, *be.* Argraffu â theipiadur. TO TYPE.

teipydd, *eg. ll.*-ion. (*b.*-es). Un sy'n argraffu â theipiadur. TYPIST.

teisen, *eb. ll.*-nau, -ni, -nod. Cymysgedd o gan ac wyau, &c., wedi ei grasu ; cacen. CAKE.

teitl, *eg. ll.*-au. Pennawd, enw llyfr, enw yn dangos safle, enw priod, hawl, hawlfraint. TITLE.

teithi, *e.ll.* Nodweddion, rhinweddau. CHARACTERISTICS, TRAITS.

teithio, *be.* Trafaelu, siwrneio, ymdeithio, mynd o le i le. TO TRAVEL.

teithiol, *a.* Yn teithio. TRAVELLING.

teithiwr, *eg. ll.* teithwyr. Un sy'n teithio. TRAVELLER.

teithlyfr, *eg. ll.*-au. Llyfr cyfarwyddyd i deithwyr. GUIDE BOOK.

telathrebu, *be.* Cysylltu dros bellteroedd lawer drwy ffôn, radio, lloeren, &c. TO TELECOMMUNICATE.

teledu, *be.* 1. Trosglwyddo lluniau a seiniau drwy'r radio, ymwneud â'r cyfryw waith. TO TELEVISE.

2. *eg.* Y lluniau, &c., a dderbynnir. TELEVISION.

telerau, *e.ll.* Amodau. CONDITIONS.

teleffon, *eg.* Offeryn i anfon sŵn neu lais i bobl ymhell, ffôn. TELEPHONE.

Mae'r ffôn yn canu. THE TELEPHONE IS RINGING.

Rhif ffôn. TELEPHONE NUMBER.

Sgwrs dros y ffôn. TELEPHONE CONVERSATION.

telegraff, *eg.* Ffordd i anfon negesau drwy gymorth trydan neu arwyddion. TELEGRAPH.

telori, *be.* Cathlu, canu, perori, pyncio, cwafrio. TO WARBLE.

telpyn, *gw.* **talp.**

telyn, *eb. ll.*-au. Offeryn cerdd mawr a thannau iddo. HARP.

telyneg, *eb. ll.*-ion. Cân fer bersonol ar fesur rhydd. LYRIC.

telynor, *eg. ll.*-ion. (*b.*-es). Un sy'n canu'r delyn. HARPIST.

teml, *eb. ll.*-au. Adeilad mawr i addoli (yn bennaf yn y dwyrain), prif synagog. TEMPLE.

temtasiwn, *egb. ll.* temtasiynau. Temtiad, profedigaeth. TEMPTATION.

temtio, *be.* Denu, hudo, llithio, profi. TO TEMPT.

temtiwr, *eg. ll.* temtwyr. Un sy'n temtio. TEMPTER.

tenant, *eg. ll.* tenantiaid. Un sy'n dal tir neu dŷ drwy dalu rhent amdano i'r perchennog. TENANT.

tenau, *a. ll.* teneuon. Main, cul, anaml, prin. THIN, RARE.

tennis, *eg.* Gêm a chwaraeir gan ddau neu bedwar â phêl a raced. TENNIS.

Tennis lawnt. LAWN TENNIS.

Tennis bord/bwrdd. TABLE TENNIS.

Pêl dennis. TENNIS BALL.

teneuo, *be.* Gwneud neu fynd yn denau, meinhau. TO BECOME THIN.

tennyn, *eg. ll.* tenynnau. Rhaff, cortyn. TETHER, LEAD.

têr, *a.* Llachar, disglair, pur, glân. BRIGHT, PURE.

terfyn, *eg. ll.*-au. Pen, diwedd, eithaf, ffin. END, BOUNDARY.

terfyniad, *eg. ll.*-au. Diwedd gair. ENDING.

terfynol, *a.* Olaf, diwethaf. FINAL.

terfynu, *be.* Dibennu, diweddu, cwblhau, gorffen, pennu. TO END.

terfysg, *eg. ll.*-oedd. 1. Cynnwrf, cythrwfl, reiat, dadwrdd, stŵr, cyffro, aflonyddwch. TUMULT. 2. Tyrfau, taranau. THUNDERSTORM.

terfysgaeth, *eg.* Brawychiaeth. TERRORISM.

terfysglyd : terfysgaidd, *a.* Cynhyrfus, cythryblus, aflonydd, cyffrous. RIOTOUS, TURBULENT.

terfysgu, *be.* Cynhyrfu, cythryblu, aflonyddu, cyffroi ; brawychu. TO RIOT ; TO TERRORISE.

terfysgwr, *eg. ll.* terfysgwyr. Un sy'n achosi terfysg ; brawychwr. RIOTER ; TERRORIST.

tes, *eg.* Heulwen, gwres, cynhesrwydd. HEAT, SUNSHINE.

tesog, *a.* Heulog, twym, gwresog, araul. SUNNY.

testament, *eg. ll.*-au. Cyfamod, ewyllys, llythyr cymyn. TESTAMENT.

Y Testament Newydd.

Yr Hen Destament.

testun, *eg. ll.*-au. Pennawd, teitl, pwnc, adnod o'r Beibl i siarad arni. SUBJECT, TEXT.

tetanws, *eg.* Clefyd bacterol, genglo, gengload. TETANUS.

teth, *eb. ll.*-au. Rhan o'r frest neu'r piw (cader) y sugnir llaeth drwyddi. NIPPLE, TEAT.

teulu, *eg. ll.*-oedd. Ach, gwehelyth, tylwyth, llwyth. FAMILY.

teuluaidd, *a.* Yn ymwneud â theulu, cartrefol. FAMILY, DOMESTIC.

tew, *a. ll.*-ion. Blonegog, bras, praff, ffyrf, trwchus, braisg. FAT, THICK.

tewder : tewdra : tewdwr, *eg.* Trwch, praffter, braster. THICKNESS, FATNESS.

tewhau : tewychu, *be.* Mynd neu wneud yn dew, pesgi, brasáu. TO FATTEN.

tewi, *be.* Bod neu fynd yn dawel, distewi. TO BE SILENT.

tewychu, *gw.* **tewhau.**

teyrn, *eg. ll.*-edd, -oedd. Brenin, penadur. MONARCH.

teyrnaidd, *a.* Brenhinol. KINGLY.

teyrnas, *eb. ll.*-oedd. Brenhiniaeth, gwlad o dan lywodraeth brenin. KINGDOM.
Teyrnas Dduw. THE KINGDOM OF GOD.
Y Deyrnas Gyfunol. THE UNITED KINGDOM.

teyrnasiad, *eg. ll.*-au. Y cyfnod pan lywodraetha'r brenin neu'r frenhines. REIGN.

teyrnfradwr, *eg. ll.* teyrnfradwyr. Bradwr sy'n euog o uchel frad. TRAITOR (*guilty of high treason*).

teyrnasu, *be.* Llywodraethu, rheoli teyrnas. TO REIGN.

teyrngar : teyrngarol, *a.* Yn ffyddlon i'w wlad a'i frenin, cywir, ffyddlon. LOYAL.

teyrngarwch, *eg.* Yr act neu'r stad o fod yn deyrngar, ffyddlondeb. LOYALTY.

teyrnged, *eb. ll.*-au. Treth a delir gan un wlad i wlad arall, rhywbeth i ddangos parch neu edmygedd. TRIBUTE.
Rhoi teyrnged. TO PAY TRIBUTE.

teyrnwialen, *eb. ll.* teyrnwiail. Y ffon a gludir gan frenin fel arwydd o frenhiniaeth. SCEPTRE.

ti, *rhag.* Ail berson unigol o'r rhagenw personol, **mi, fi.** THOU, THEE ; YOU (*singular*).

ticed, *eg. ll.*-i. Tocyn. TICKET.

tician : ticio, *be.* Gwneud sŵn gan gloc, tipian. TO TICK.

tid, *eb. ll.*-au. Cadwyn. CHAIN.

tido, *be.* Cadwyno, clymu. TO TETHER.

tila, *a.* Gwan, gwanllyd, egwan, eiddil, llesg, llegach, musgrell, bitw, distadl. FEEBLE, PUNY.

tîm, *eg. ll.* timau. Cwmni o weithwyr neu o chwaraewyr. TEAM.

tin, *eb. ll.*-au. Pen ôl, part ôl. BOTTOM, BUTTOCKS ; RUMP.

tinc, *eg. ll.*-iau. Sŵn (cloch), sain. TINKLE.

tincian : tincial, *be.* Atseinio, gwneud sŵn fel cloch. TO TINKLE.

tincer, *eg.* Un sy'n cyweirio llestri metel, &c. TINKER.

tindroi, *be.* Ymdroi, sefyllian. TO DAWDLE.

tip : tic, *eg. ll.*-iadau. Sŵn cerddediad cloc. TICK (OF CLOCK).

tipian, *gw.* **tician.**

tipyn, *eg. ll.*-nau, tipiau. Ychydig, peth, dernyn, tamaid, gronyn, mymryn. LITTLE, BIT.
Tipyn bach. A LITTLE.
Bob yn dipyn : o dipyn i beth. LITTLE BY LITTLE, GRADUALLY.

tir, *eg. ll.*-oedd. Daear, gwlad, pridd, tiriogaeth. LAND.

tirf, *a.* Newydd, crai, ffres, croyw, gwyrf, ir, bras, toreithiog, ffrwythlon. FRESH, LUXURIANT.

tirfeddiannwr, *eg. ll.* tirfeddianwyr. Perchen tir. LANDOWNER.

tirio, *be.* Glanio, dod i dir. TO LAND.

tiriog, *a.* Yn berchen llawer o dir. LANDED.

tiriogaeth, *eb. ll.*-au. Tir o dan reolwr neu awdurdod. TERRITORY.

tiriogaethol, *a.* Yn ymwneud â thiriogaeth. TERRITORIAL.

tirion, *a.* Mwyn, hynaws, tyner, hyfwyn, addfwyn. KIND, TENDER.

tiriondeb : tironder : tirionwch, *eg.* Mwynder, hynawsedd, addfwynder, tynerwch, caredigrwydd. TENDERNESS.

tisian, *be.* Taro untrew, gwneud sŵn ffrwydrol sydyn trwy'r ffroenau, twsian. TO SNEEZE.

tithau, *rhag.* Ail berson unigol rhagenw personol dyblyg **minnau.** Ti hefyd, ti o ran hynny. THOU ON THY PART ; YOU ALSO.

tiwlip, *eg.* Blodeuyn amryliw y gwanwyn. TULIP.

tiwn, *eb. ll.*-iau. Tôn, cywair, miwsig. TUNE.

tlawd, *a. ll.* tlodion. Truan, gwael, sâl, llwm, anghenus. POOR.

tlodi, *eg.* I. Llymder, llymdra, y stad o fod yn dlawd neu mewn angen. POVERTY.
2. *be.* Llymhau, gwneud yn dlawd. TO IMPOVERISH.

tlos, *gw.* **tlws.**

tloty, *eg. ll.* tlotai. Tŷ i dlodion, wyrcws. POORHOUSE.

tlws, *eg. ll.* tlysau. I. Gem, glain. JEWEL, GEM, BROOCH, MEDAL.
Tlws yr eira. SNOWDROP.
2. *a. ll.* tlysion. (*b.* tlos). Hardd, prydferth, pert, teg. PRETTY.

tlysni, *eg.* Harddwch, pertrwydd, prydferthwch, tegwch. BEAUTY.

to, *eg. ll.* toeau, toeon. I. Nen, cronglwyd, peth sydd dros dop adeilad. ROOF.
2. *egb.* Cenhedlaeth. GENERATION.
To ar ôl to. GENERATION AFTER GENERATION.

toc, *adf.* I. Yn y man, yn fuan. SOON.
2. *eg.* Tocyn, tafell. SLICE.

tocio, *be.* Torri, brigdorri. TO CLIP, TO PRUNE.

tocyn, *eg. ll.*-nau. I. Cerdyn neu bapur i roi hawl, ticed. TICKET.
2. *eg. ll.* tociau. Pentwr, bryncyn ; darn tenau o fara. HEAP, HILLOCK ; SLICE OF BREAD.

tocynnwr, *eg. ll.* tocynwyr. Un a gofal o werthu a chasglu tocynnau. (*Bus*) CONDUCTOR, TICKET COLLECTOR.

toddi, *be.* Ymdoddi, troi'n wlyb neu'n feddal wrth ei dwymo, troi'n ddŵr, diflannu. TO MELT.

toddion, *e.ll.* (*un. g.* toddyn). Saim, braster wedi ei doddi. DRIPPING.

toes, *eg.* Can neu flawd wedi ei gymysgu â dŵr. DOUGH.

toi, *be.* Dodi to ar dŷ, gorchuddio. TO ROOF.

tolach, *be.* Anwylo, anwesu, maldodi. TO FONDLE.

tolc, *eg. ll.*-au, -iau. Plyg mewn het, &c. DENT.

tolcio, *be.* Achosi tolc. TO DENT.

tolio, *be.* Cynilo, arbed. TO SAVE.

toll, *eb. ll.*-au. Treth (yn enwedig am ddefnyddio pont neu heol). TOLL.
Swyddog y Tollau. CUSTOMS OFFICER.

tom, *eb.* Tail, baw, achles. DUNG.

tomen, *eb. ll.*-nydd. Twrryn o dom, man lle dodir tail anifeiliaid. DUNG HEAP.

tomlyd, *a.* Brwnt, bawlyd, budr. SOILED BY DUNG.

tôn, *eb. ll.* tonau. Tiwn, tonyddiaeth, cywair, goslef, cân. TUNE, TONE.
Hanner tôn. SEMITONE.
Tôn gron. A ROUND.
Taro tôn. TO STRIKE A TUNE.

ton, *eb. ll.*-nau. I. Ymchwydd dŵr. WAVE.
2. *eg.* Tir porfa sydd heb ei droi yn ddiweddar, gwndwn, gwyndwn. LAY-LAND.
Troi ton. TO PLOUGH LAY-LAND.

tonc, *eb.* Cân, tinc, sŵn fel cloch fach. TINKLE.

tonfedd, *eb. ll.*-i. Mesuriad ton neu ymchwydd trydanol, y mesur sy'n penderfynu pa raglen a geir ar y radio. WAVELENGTH.

tonnen, *eb.* Croen gwydn cig mochyn ; mignen. SKIN ; SWARD ; BOG.

tonni, *be.* Symud yn donnau, codi fel tonnau. TO WAVE.

tonnog, *a.* Â thonnau, fel tonnau, terfysglyd. WAVY, TURBULENT.

tonyddiaeth, *eb.* Tôn, goslef, codiad a gostyngiad y llais wrth siarad. INTONATION.

top, *eg.* Y pen uchaf, brig, copa. TOP.

tor, *eb. ll.*-rau. I. Y rhan o'r corff sy'n cynnwys y stumog, bol, bola, cest. BELLY.
Tor y llaw. PALM OF THE HAND.
Tor o foch. LITTER OF PIGS.
2. *eg. ll.*-ion. Toriad, rhwyg. BREAK, CUT.
Torllengig. RUPTURE.

torcalonnus, *a.* Trist iawn, gofidus iawn, galarus, truenus. HEART-BREAKING.

torch, *eg. ll.*-au. Amdorch, plethdorch, tusw o flodau neu ddail, &c. WREATH, COIL.

torchi, *be.* Rholio, codi, plygu, troi yn dorch. TO ROLL, TO TUCK.
Torchi llewys. TO ROLL UP THE SLEEVES.

toreithiog, *a.* Aml, helaeth, yn cynhyrchu'n dda. ABUNDANT.

toreth, *eb.* Amlder, helaethrwydd, digonedd. ABUNDANCE.

torf, *eb. ll.*-eydd. Tyrfa, mintai fawr, cynulleidfa fawr. CROWD.

torheulo, *be.* Ymheulo, dinoethi'r corff mewn heulwen. TO SUNBATHE.

Tori, *eg. ll.* Torïaid. Un sy'n perthyn i'r blaid Dorïaidd, Ceidwadwr. TORY.

toriad, *eg. ll.*-au. Rhaniad, tor, bwlch, adwy, archoll, briw, lluniad. BREAK, CUT.

Torïaeth, *eb.* Ceidwadaeth, daliadau'r blaid Dorïaidd. TORYISM.

Torïaidd, *a.* Yn ymwneud â Thorïaeth. TORY, CONSERVATIVE.

torlan, *eb. ll.*-nau, torlennydd. Glan afon (yn enwedig â dŵr yn gweithio dani). RIVER BANK.
Glas y dorlan. KINGFISHER.

torllengig, *eg.* Torgest. RUPTURE.

torllwyth : torraid, *eb.* Llwyth, torf, nifer dda, llond tor neu fol. LOAD, LITTER.
Tor[llwyth] o foch : torraid o foch. LITTER OF PIGS.

torogen, *eb. ll.* torogod. Math o bryf bychan sy'n sugno gwaed ac i'w gael yn aml ar ddefaid, trogen. TICK.

torri, *be.* Mynd yn ddarnau, darnio, rhannu, briwio, archolli ; methu (mewn busnes). TO BREAK, TO CUT ; TO GO BANKRUPT.
Torri enw. TO SIGN.
Torri ar. TO INTERRUPT.
Torri dadl. TO SETTLE A DISPUTE.
Torri i lawr. TO BREAK DOWN.
Torri geiriau. TO UTTER WORDS.
Torri bedd. TO DIG A GRAVE.

torrwr, *eg. ll.* torwyr. Un sy'n torri. BREAKER, CUTTER.

torsythu, *be.* Rhodresa, cerdded neu ymddwyn yn ymffrostgar. TO SWAGGER.

torth, *eb. ll.*-au. Talp o fara fel y craswyd ef. LOAF.

tost, *a.* I. Blin, dolurus, gwael, claf, sâl, afiach. SORE, ILL.
2. *eg.* Bara wedi ei ailgrasu neu ei wneud yn frown wrth dân. TOAST.

tosturi, *eg. ll.*-aethau. Trueni, trugaredd. PITY, MERCY.

tosturio, *be.* Trugarhau, gresynu, teimlo'n flin dros. TO PITY, TO HAVE MERCY.

tosturiol, *a.* Trugarog, yn trugarhau neu'n tosturio. MERCIFUL.

tosyn, *eg. ll.* tosau. Ploryn, chwydd bychan ar y croen. PIMPLE.

töwr, *eg. ll.* towyr. Un sy'n dodi to ar adeilad. TILER.

tra, *adf.* I. Gor-, iawn, pur, eithaf, go, rhy. EXTREMELY, VERY, OVER.
2. *cys.* Cyhyd â, yn ystod yr amser. WHILE.

trachefn, *adf.* Eto, unwaith eto. AGAIN.

trachwant, *eg. ll.*-au. Chwant mawr, gwanc. COVETOUSNESS, GREED.

trachwantu, *be.* Chwennych, chwenychu, dymuno'r hyn sy'n perthyn i arall. TO COVET, TO LUST.

trachwantus, *a.* Yn chwenychu, yn dymuno yr hyn sy'n perthyn i arall. COVETEOUS.

tradwy, *adf.* Ymhen tri diwrnod. IN THREE DAYS' TIME.
Trannoeth a thrennydd a thradwy.

traddodi, *be.* Dweud araith neu bregeth, &c., ; cyflwyno, trosglwyddo. TO DELIVER.

traddodiad, *eg. ll.*-au. Cyflwyniad o wybodaeth ac arferion, &c., o un genhedlaeth i'r llall ; mynegiad. TRADITION, DELIVERY.

traddodiadol, *a.* Yn ôl traddodiad, yn perthyn i draddodiad. TRADITIONAL.

traean, *eg.* Un rhan o dair, y drydedd ran. ONE-THIRD.
Traean gwaith ei ddechrau.

traed, *gw.* **troed.**

traeth, *eg. ll.*-au. Tywyn, glan y môr. BEACH.
Traethell. SANDBANK.

traethawd, *eg. ll.* traethodau. Ysgrif, cyfansoddiad. ESSAY.

traethiad, *eg. ll.*-au. Yr act o draethu ; (*mewn gramadeg*) y rhan o frawddeg sy'n cynnwys yr yn a ddywedir am y goddrych. DELIVERY ; PREDICATE.

traethu, *be.* Adrodd, mynegi, datgan, cyhoeddi. TO RELATE.

trafaelu, *be.* Tramwy, teithio, mynd o le i le, mynd ar siwrnai, trafaelio. TO TRAVEL.

trafaelwr : trafaeliwr, *eg. ll.* trafaelwyr. Un sy'n trafaelu. TRAVELLER.

traflyncu, *be.* Bwyta'n wancus, safnio. TO GULP.

trafnidiaeth, *eb.* Tramwy, masnach, y symud ar hyd ffyrdd, &c., gan bobl a cherbydau, &c. TRAFFIC, COMMERCE.

trafod, *be.* Trin, delio â, teimlo, dadlau. TO HANDLE, TO DISCUSS.

trafodaeth, *eb. ll.*-au. Triniaeth, busnes. TRANSACTION, DISCUSSION.

trafodion, *ell.* Trafodaethau. TRANSACTIONS. Trafodion busnes. BUSINESS TRANSACTIONS.

trafferth, *eg. ll.*-ion. Blinder, trallod, helbul, trwbl. TROUBLE.

trafferthu, *be.* Blino, achosi trallod neu helbul. TO TROUBLE.

trafferthus, *a.* Blinderus, gofidus, trallodus, helbulus. TROUBLESOME, WORRIED.

tragwyddol : tragywydd, *a.* Bythol, heb newid, diddiwedd. ETERNAL, EVERLASTING.

tragwyddoldeb, *eg.* Y stad o fod yn dragwyddol, amser diderfyn. ETERNITY.

traha : trahauster, *eg.* Balchder, haerllugrwydd. ARROGANCE.

trahaus, *a.* Balch, haerllug, sarhaus, ffroenuchel. HAUGHTY, ARROGANT.

trai, *eg.* 1. Y môr yn symud yn ôl, ciliad y llanw. EBB. 2. Lleihad. DECREASE. Trai a llanw. EBB AND FLOW.

trais, *eg.* Gorthrwm, gorthrech, gormes. VIOLENCE.

trallod, *eg. ll.*-ion, -au. Gorthrymder, cystudd, blinder, gofid, helbul, trafferth. TRIBULATION.

trallodi, *be.* Gofidio, cystuddio. TO AFFLICT.

trallodus, *a.* Cystuddiol, blinderus, gofidus, helbulus, trafferthus, blin, cythryblus. TROUBLED, SORROWFUL.

tramgwydd, *eg. ll.*-iadau. Trosedd, camwedd. OFFENCE. Maen tramgwydd. STUMBLING-BLOCK.

tramgwyddo, *be.* Troseddu, pechu, digio. TO OFFEND.

tramor, *a.* Estronol, o wlad arall, dros y môr. FOREIGN.

tramwy : tramwyo, *be.* Teithio, trafaelu, mynd o gwmpas, crwydro, symud yn ôl a blaen. TO GO TO AND FRO, TO PASS.

tramwyfa, *eb.* Mynedfa, lle i dramwy. PASSAGE, THOROUGHFARE.

tranc, *eg.* Marwolaeth, angau, diwedd. END, DEATH.

trancedig, *a.* Wedi marw. DECEASED.

trannoeth, *adf.* Y diwrnod ar ôl hynny. NEXT DAY.

trap, *eg. ll.*-au. Offeryn i ddal creaduriaid, cerbyd i gario pobl. TRAP.

tras, *eb. ll.*-au. Ceraint, perthynas, hil, hiliogaeth, llinach, ach. KINDRED, LINEAGE.

traserch, *eg.* Cariad mawr, gwiriondeb. GREAT LOVE, INFATUATION.

trasiedi, *eg. ll.* trasiedïau. Trychineb, galanas, drama brudd. TRAGEDY.

traul, *eb. ll.* treuliau. Cost, ôl treulio, treuliad. EXPENSE, WEAR. Heb fwrw'r draul : heb gyfrif y gost. Diffyg traul. INDIGESTION.

trawiad, *eg. ll.*-au. Ergyd, curiad. STROKE, BEAT. Ar drawiad (amrant). IN A FLASH.

trawiadol, *a.* Nodedig, hynod. STRIKING.

traws, *a.* Croes, adfydus, blin, gwrthwynebus, gwrthnysig, cyndyn. CROSS, PERVERSE. Ar draws. ACROSS.

trawsblannu, *be.* Plannu mewn lle arall. TO TRANSPLANT.

trawsdoriad, *eg. ll.*-au. Toriad ar draws rhywbeth, trawslun. CROSS-SECTION.

trawsfeddiannu, *be.* Cymryd meddiant trwy drais neu'n anghyfiawn. TO USURP.

trawsfudiad, *eg.* Symudiad yr enaid i gorff arall, mynd o un wlad i fyw i un arall. TRANSMIGRATION.

trawsgyweiriad, *eg.* Newid o un cyweirnod i'r llall mewn cerddoriaeth, trosiad. TRANSPOSITION, MODULATION.

trawslif, *eb.* Llif fawr a ddefnyddir gan ddau. CROSS-SAW.

trawst, *eg. ll.*-iau. Tulath, ceubren, un o'r coed mwyaf sy'n dal ystafell uchaf neu do. BEAM.

trawster, *eg.* Gormes, trais, gorthrech. VIOLENCE.

treblu, *be.* Gwneud yn dair gwaith cymaint. TO TREBLE.

trech, *a.* Cryfach, mwy grymus, cadarnach, galluocach, mwy nerthol. STRONGER, SUPERIOR.

trechu, *be.* Gorchfygu, curo, llethu. TO OVERCOME.

trechwr, *eg. ll.* trechwyr. Gorchfygwr. VICTOR.

tref : tre, *eb. ll.* trefi, trefydd. Casgliad mawr o dai ac yn fwy na phentref ; cartref. TOWN ; HOME. O dre : i ffwrdd. Tua thre : tuag adref. Yn nhre : gartref.

trefedigaeth, *eb. ll.*-au. Gwladfa, gwlad neu dir (dros y môr) ym meddiant gwlad arall. COLONY, SETTLEMENT.

treflan, *eb. ll.*-nau. Tref fechan. SMALL TOWN, TOWNLET.

trefn, *eb. ll.*-au. **trefniad,** *eg. ll.*-au : **trefniant,** *eg.* Rheol, ffordd, modd, method, dull. ORDER, ARRANGEMENT, SYSTEM. Y drefn : trefn y rhod : trefn rhagluniaeth. DIVINE PROVIDENCE. Dweud y drefn. TO SCOLD.

trefniant, *gw.* trefn.

trefnlen, *eb. ll.*-ni. Tabl o fanylion, rhestri, &c., yn aml fel atodiad i brif ddogfen. SCHEDULE.

trefnu, *be.* Dosbarthu, gwneud rheolau. TO ARRANGE, TO ORGANIZE.

trefnus, *a.* Mewn trefn, destlus. ORDERLY.
trefnwr, *eg. ll.* trefnwyr. **trefnydd,** *eg. ll.*-ion. Un sy'n trefnu. ORGANIZER.
trefol, *a.* Yn perthyn i dref. URBAN.
treftadaeth, *eb.* Etifeddiaeth, yr hyn a dderbynnir gan etifedd. INHERITANCE.
trengholiad, *eg. ll.*-au. Ymholiad swyddogol o flaen rheithwyr ynglŷn â marwolaeth, cwest. INQUEST.
trengi, *be.* Marw, darfod. TO DIE.
treiddgar : treiddiol, *a.* Craff, llym, awchus, miniog. PENETRATING.
treiddio, *be.* Mynd i mewn, trywanu. TO PENETRATE.
treiglad : treigliad, *eg. ll.*-au I. Crwydrad, gwibiad ; rholiad. WANDERING ; A ROLLING (OF).
　2. Newid cytseiniol (yn enwedig ar ddechrau gair). MUTATION.
treiglo, *be.* Mynd heibio, rholio, crwydro, tramwy ; newid llythrennau. TO TRICKLE, TO ROLL ; TO MUTATE.
treio, *be.* I. Ceisio, profi, cynnig. TO TRY.
　2. Mynd yn ôl (fel y môr ar ôl y llanw), gwanychu. TO EBB.
treisiad, *eb. ll.* treisiedi. Anner, buwch ieuanc, heffer. HEIFER.
treisigl, *eg. ll.*-au. Cerbyd bach tair olwyn i gario un person. TRICYCLE.
treisio, *be.* Halogi, troseddu ; llethu, gorthrymu, gormesu. TO VIOLATE, TO RAPE ; TO OPPRESS.
treisiwr, *eg. ll.* treiswyr. Un sy'n treisio ; gormeswr. OPPRESSOR.
trem, *eb. ll.*-au, -iau. Golwg, golygiad, edrychiad, ymddangosiad, gwedd, cipolwg. LOOK, SIGHT.
tremio, *be.* Edrych, sylwi. TO OBSERVE.
trên, *eg. ll.* trenau. Cerbydau ar reiliau yn cael eu tynnu gan beiriant. TRAIN.
　Trên tanddaearol. UNDERGROUND TRAIN.
trennydd, *adf.* Y diwrnod ar ôl trannoeth, ymhen dau ddiwrnod. TWO DAYS HENCE, TWO DAYS LATER.
tres, *eb. ll.*-i. I. Cudyn gwallt. TRESS.
　2. Cadwyn neu strapen a sicrheir wrth gerbyd i geffyl ei dynnu. TRACE, CHAIN.
　Torri dros y tresi.
tresbasu : tresmasu, *be.* Troseddu, gwneud camwedd trwy dramwy ar dir rhywun arall heb ganiatâd. TO TRESPASS.
tresl, *eg. ll.*-au. Ffrâm i ddal bord i fyny. TRESTLE.
treth, *eb. ll.*-i. Ardreth, arian a delir i'r llywodraeth ar nwyddau neu gyflog neu eiddo, &c. TAX.
　Treth Gyngor. COUNCIL TAX.
　Treth incwm. INCOME-TAX.
trethdalwr, *eg. ll.* trethdalwyr. Un sy'n talu trethi. RATEPAYER.
trethu, *be.* Gosod treth. TO TAX.
　Yn trethu ei amynedd. TRYING HIS PATIENCE.
treulio, *be.* Gwario, hela, mynd ar ei waeth ar ôl ei ddefnyddio, prosesu (bwyd) yn yr ystumog. TO SPEND, TO WEAR OUT, TO DIGEST.

tri, *a.* (*b.* tair). Y rhifol ar ôl dau. THREE.
　Tri wythfed. THREE EIGHTHS.
triagl, *eg.* Siwgr wedi ei ferwi mewn dŵr, siwgr wedi ei drin. TREACLE.
triawd, *eg. ll.*-au. Cerddoriaeth i dri llais neu i dri offeryn. TRIO.
　gw. **trioedd.**
triban, *ll.*-nau. Mesur arbennig mewn barddoniaeth. TRIPLET (METRE).
tribiwnlys, *eg. ll.*-oedd. Llys i wrthwynebwyr cydwybodol, llys i drafod materion. TRIBUNAL.
tric, *eg. ll.*-iau. Rhywbeth a wneir i dwyllo, gweithred gyfrwys, cast, ystryw. TRICK.
tridiau, *e.ll.* Tri diwrnod. THREE DAYS.
trigain, *a.* Tri ugain, chwe deg. SIXTY.
trigeinfed, *a.* Yr olaf o drigain. SIXTIETH.
trigfa, *eb. ll.* trigfeydd. **trigle,** *eg. ll.*-oedd. **trigfan,** *eb. ll.*-nau. Preswylfan, lle i fyw. ABODE.
trigiannu, *be.* Trigo, aros, byw, preswylio, cartrefu. TO DWELL.
trigiannydd, *eg. ll.* trigianwyr. Preswyliwr. DWELLER.
trigo, *be.* I. Trigiannu, preswylio, byw. TO DWELL.
　2. Marw, trengi, darfod, crino, (am anifeiliaid, coed, &c.). TO DIE (OF ANIMALS, TREES, &C.).
trigolion, *e.ll.* Preswylwyr. INHABITANTS.
trin, *be.* I. Trafod, meithrin, diwyllio, cymhennu, cadw stŵr â, tafodi. TO TREAT, TO CHIDE.
　2. *eb. ll.*-oedd. Brwydr, ymladdfa. BATTLE.
trindod, *eb. ll.*-au. Y Drindod, y tri pherson yn y Duwdod. TRINITY.
　Bwa'r drindod : enfys : bwa'r arch. RAINBOW.
Trindodaidd, *a.* Yn perthyn i'r Drindod. TRINITARIAN.
trinfa, *eb.* Cymhennad, dwrdiad, yr act o drin (tafodi). A SCOLDING.
triniaeth, *eb.* Ymdriniaeth, trafodaeth, meithriniad. TREATMENT.
　Triniaeth lawfeddygol. OPERATION.
trioedd, *e.ll.* (*un. g.* triawd). Rhan o lenyddiaeth yn sôn am bethau bob yn dri. TRIADS.
triongl, *egb.* Ffigur tair-ochrog. TRIANGLE.
trionglog, *a.* Â thair ochr. TRIANGULAR.
trip, *eg.* I. Pleserdaith, siwrnai bleser, taith ddifyr. TRIP.
　2. Cwymp. TRIP, SLIP.
tripio, *be.* Cerdded yn ysgafn a chyflym, hanner cwympo, maglu. TO TRIP.
trist, *a.* Athrist, prudd, digalon, gofidus, galarus, poenus, blin. SAD.
tristáu, *be.* Pruddhau, digalonni, gofidio, galaru, hiraethu. TO BECOME SAD, TO GRIEVE.
tristwch, *eg.* Gofid, galar, hiraeth, prudd-der, digalondid. SADNESS.
triw, *a.* Ffyddlon, cywir, didwyll. TRUE, FAITHFUL.
tro, *eg. ll.* troeon, troeau. I. Cylchdro, troad. TURN.
　2. Cyfnewidiad. CHANGE.
　3. Amser. WHILE.
　4. Digwyddiad. EVENT.

5. Rhodiad, cerddediad. WALK.
6. Tröedigaeth. CONVERSION.
7. Trofa. BEND.
Un tro. ONCE (UPON A TIME).
Ers tro byd : ers amser. A LONG WHILE AGO.
Tro gwael. BAD TURN.
Gwna'r tro. IT WILL DO.
troad, *eg. ll.*-au. Newid cyfeiriad, troead. BEND.
Mae troad yn yr heol.
Gyda throad y post. BY RETURN OF POST.
trobwll, *eg. ll.* trobyllau. Pwll tro mewn afon.
WHIRLPOOL.
trobwynt, *eg. ll.*-iau. Adeg bwysig, y peth sy'n
penderfynu tynged. TURNING POINT.
trochi, *be.* I. Rhoi mewn dŵr, &c., golchi. TO
IMMERSE.
Yn trochi yn y dŵr.
2. Dwyno, baeddu, gwneud yn fudr. TO SOIL.
Yn trochi'r dŵr.
troed, *egb. ll.* traed. Y rhan o'r goes y sefir arni,
gwaelod. FOOT, BASE.
Troed y mynydd. FOOT OF THE MOUNTAIN.
troedfainc, *eb. ll.* troedfeinciau. Stol fach i
orffwys y traed arni. FOOTSTOOL.
troedfedd, *eb. ll.*-i. Deuddeng modfedd, mesur
troed. ONE FOOT.
troedffordd, *eb. ll.* troedffyrdd. Llwybr troed.
FOOT-PATH.
troëdig, *a.* Wedi troi, cadwedig ; wedi newid.
TURNED, CONVERTED ; PERVERSE.
tröedigaeth, *eb. ll.*-au. Tro, newid meddwl neu
farn am fuchedd. CONVERSION.
troedio, *be.* I. Mynd ar draed, cerdded. TO WALK.
2. Ergydio â throed. TO FOOT.
troednodyn, *eg. ll.* troednodiadau. Ychwanegiad
i'r testun a roddir ar waelod y tudalen.
FOOTNOTE.
troednoeth, *a.* Heb ddim ar y traed. BARE-FOOTED.
troell, *eb. ll.*-au. Olwyn nyddu. SPINNING-WHEEL.
troelli, *be.* I. Nyddu gwlân, &c., ar droell ;
cyfrodeddu. TO SPIN.
2. Chwyldroi. TO WHIRL.
troellog, *a.* Trofaus, yn dirwyn. WINDING.
troetffordd, *eb. ll.* troetffyrdd. Llwybr (cul) i
gerddwyr. FOOTPATH.
trofannau, *e.ll.* (*un. b.* trofan). Yr ardaloedd
poethion bob ochr i'r cyhydedd. TROPICS.
trofannol, *a.* Yn perthyn i'r trofannau. TROPICAL.
trofaus, *a.* Gwrthnysig, croes. PERVERSE.
trogen : torogen, *eb. ll.* trogod : torogod. Math o
bryf bychan parasitaidd. TICK (*in cattle &*
sheep).
troi, *be.* I. Symud o amgylch (mynd rownd),
newid sefyllfa neu gyfeiriad. TO TURN.
Di-droi'n-ôl. THAT CANNOT BE ALTERED.
2. Dymchwelyd. TO UPSET.
3. Cyfieithu. TO TRANSLATE.
4. Aredig. TO PLOUGH.

trol, *eb. ll.*-iau. Math o gerbyd, men, cart, cert,
gambo. CART.
Berfa drol. A WHEELBARROW.
Hofel droliau. CARTHOUSE.
trolian : trolio, *be.* Rholio, troi, treiglo. TO ROLL.
trom, *gw.* trwm.
tros, *ardd.* (Trosof, trosot, trosto/trosti, trosom,
trosoch, trostynt), dros, yn lle, ar ran. OVER,
FOR, INSTEAD OF.
trosedd, *eg. ll.*-au. Gweithred ddrwg, camwedd,
tramgwydd, pechod. CRIME.
troseddol, *a.* Yn ymwneud â throsedd, yn perthyn
i drosedd. CRIMINAL.
troseddu, *be.* Gwneud drwg, tramgwyddo, torri'r
gyfraith, pechu. TO TRANSGRESS.
troseddwr, *eg. ll.* troseddwyr. Tramgwyddwr,
pechadur. TRANSGRESSOR.
trosglwyddo, *be.* Cyflwyno. TO HAND OVER.
trosi, *be.* I. Troi, newid sefyllfa. TO TURN.
Troi a throsi. TO TOSS ABOUT.
2. Cyfieithu. TO TRANSLATE.
3. Cicio drosodd (mewn rygbi). TO CONVERT
(a *try*).
Trosgais (rygbi). CONVERTED GOAL.
trosiad, *eg. ll.*-au. I. Cyfieithiad. TRANSLATION.
2. Ffigur llenyddol. METAPHOR.
trosodd, *adf.* Tu draw, i'r ochr draw. OVER, BEYOND.
trosol, *eg. ll.*-ion. Bar haearn mawr a ddefnyddir i
symud pethau. CROWBAR, LEVER.
trot, *eg.* Tuth, y weithred o drotian. TROT.
trotian, *be.* Tuthio, (ceffyl) yn symud ag un droed
flaen yr un pryd â'r droed ôl gyferbyn, mynd
ar drot. TO TROT.
trothwy, *eg. ll.*-au, -on. Rhiniog, hiniog, carreg y
drws. THRESHOLD.
trowsus : trywsus, *eg. ll.*-au. **trwser,** *eg. ll.*-i.
Llodrau, dilledyn am goesau dyn. TROUSERS.
trowynt, *eg. ll.*-oedd. Gwynt sy'n troi.
WHIRLWIND, TORNADO.
truan, *eg. ll.* truain, trueiniaid. I. Un truenus.
WRETCH.
Druan ohono ! POOR FELLOW !
2. *a.* Yn wael, yn druenus. POOR, WRETCHED.
trueni, *eg.* Gresyn, tosturi, annifyrrwch. PITY,
WRETCHEDNESS.
truenus, *a.* Truan, gresynus, gwael, anhapus
iawn, annifyr. WRETCHED.
trugaredd, *eb. ll.*-au. Tosturi, anfodlonrwydd i
gosbi neu i beri poen. MERCY, COMPASSION.
Trwy drugaredd. FORTUNATELY.
trugarhau, *be.* Tosturio, cymryd trugaredd. TO
TAKE PITY, TO HAVE MERCY.
trugarog, *a.* Tosturiol. MERCIFUL.
trum, *eg. ll.*-au, -iau. Cefn, crib, pen, copa. RIDGE,
SUMMIT.
truth, *eg.* Ffregod, rhibidirês, geiriau annoeth
diystyr. RIGMAROLE.
trwb[w]l, *eg.* Blinder, trallod, helbul. TROUBLE.
trwch, *eg. ll.* trychion. I. Tewder, tewdra, praffter.
THICKNESS.
2. *a.* Toredig. BROKEN.

trwchus, *a.* Tew, praff, ffyrf, braisg. THICK.

trwm, *a. ll.* trymion. (*b.* trom). Anodd ei godi, yn pwyso llawer, pwysfawr. HEAVY.

trwsgl, *a.* (*b.* trosgl). Lletchwith, anfedrus, trwstan, llibin. CLUMSY.

trwsiadus, *a.* Teidi, taclus, trefnus, destlus, twt, del. WELL-DRESSED.

trwsio, *be.* Taclu, gwella, cyweirio. TO MEND.
Trwsio'r car. TO REPAIR THE CAR.

trwsiwr, *eg. ll.* trwswyr. Un sy'n atgyweirio. REPAIRER.

trwst, *eg. ll.* trystau. Sŵn, stŵr, mwstwr, twrf, dadwrdd, twrw, taran. NOISE, UPROAR, THUNDER (in the plural).

trwstan, *a.* Trwsgl, lletchwith, anfedrus. AWKWARD.

trwstaneiddiwch, *eg.* Lletchwithdod, anfedrusrwydd. AWKWARDNESS.

trwy : drwy, *ardd.* (Trwof, trwot, trwyddo/trwyddi, trwom, trwoch, trwyddynt), o ben i ben, o ochr i ochr, rhwng, oherwydd, oblegid, gyda help. THROUGH, BY.

trwyadl, *a.* Trylwyr, cyflawn, cyfan, gofalus, cywir. THOROUGH.

trwydded, *eb. ll.*-au. Caniatâd, hawl ysgrifenedig. LICENCE.
Trwydded bysgota. FISHING LICENCE.
Trwydded yrru. DRIVING LICENCE.

trwyddedair, *eg.* Arwyddair, cyswynair, gair cyfrinachol yn rhoi hawl i fynd i rywle. PASSWORD.

trwyddedu, *be.* Caniatáu, rhoi trwydded. TO LICENSE.

trwyn, *eg. ll.*-au. 1. Y ffroenau, y rhan o'r wyneb uwchlaw'r genau. NOSE.
2. Penrhyn, pentir. CAPE, POINT.

trwyno, *be.* Ffroeni, gwynto ; busnesa. TO SMELL ; TO NOSE.

trwynol, *a.* Yn ymwneud â'r trwyn. NASAL.
Treiglad trwynol. NASAL MUTATION.

trwytho, *be.* Mwydo, llanw o wlybaniaeth, nawseiddio, ysbrydoli. TO SATURATE, TO IMBUE.

trybedd, *eb.* Darn o haearn â thair coes (fel rheol) a osodir i ddal pethau ar y tân &c. TRIPOD.

trybestod, *eg.* Ffwdan, cyffro, cynnwrf, terfysg. COMMOTION, FUSS.

trybini, *eg.* Trafferth, helbul, trallod, blinder, trwbwl. TROUBLE.

tryblith, *eg.* Dryswch, penbleth, anhrefn. CHAOS.

trychfil : trychfilyn, *eg. ll.* trychfilod. Pryf. INSECT.

trychiad, *eg. ll.*-au. Toriad. A CUTTING.

trychineb, *egb. ll.*-au. Aflwydd, adfyd, trallod, anffawd. DISASTER.

trychinebus, *a.* Adfydus, trallodus. DISASTROUS.

trychu, *be.* Torri. TO CUT.

trydan, *eg.* Yr egni sy'n rhoi golau, gwres a phŵer. ELECTRICITY.

trydanol, *a.* Yn ymwneud â thrydan, gwefreiddiol, iasol. ELECTRICAL, THRILLING.

trydanu, *be.* Gwefreiddio. TO ELECTRIFY, TO THRILL.

trydanwr, *eg. ll.* trydanwyr. Peiriannydd sy'n ymwneud â thrydan. ELECTRICIAN.

trydar, *be.* 1. Switian, grillian, cogor. TO CHIRP.
2. *eg.* Cri byr aderyn. CHIRP.

trydydd, *a.* (*b.* trydedd). Yr olaf o dri. THIRD.
Y trydydd dydd. THE THIRD DAY.
Y drydedd waith. THE THIRD OCCASION.

tryfer, *eb. ll.*-i. Picell driphen wedi ei chlymu wrth raff i ddal morfil. HARPOON.

tryfesur, *eg.* Mesur ar draws a thrwy ganol rhywbeth. DIAMETER.

tryfrith, *a.* Yn heigio, yn haid, brith. TEEMING.

tryloyw, *a.* Y gellir gweld trwyddo yn hawdd, croyw. TRANSPARENT.

trylwyr, *a.* Trwyadl, cyflawn, cyfan, gofalus, cywir. THOROUGH.

trylwyredd, *eg.* Trwyadledd, gofal, cywirdeb. THOROUGHNESS.

trymaidd : trymllyd, *a.* Clós (am dywydd), mwll, myglyd, mwrn, tesog. HEAVY, CLOSE, SULTRY.

trymder, Tristwch, pwysau, cwsg, cysgadrwydd, syrthni, marweidd-dra. HEAVINESS, SADNESS.

trymhau, *be.* Mynd yn drymach, pwyso mwy. TO GROW HEAVY (HEAVIER).

trysor, *eg. ll.*-au. Golud, cyfoeth, gemau, pethau gwerthfawr. TREASURE.

trysordy, *eg. ll.* trysordai. Lle i gadw trysorau. TREASURE-HOUSE.

trysorfa, *eb. ll.* trysorfeydd. Cronfa, stôr, cyfalaf, arian a gesglir ar ryw bwrpas. FUND.

trysori, *be.* Gwerthfawrogi, prisio, casglu, cadw. TO TREASURE.

trysorlys, *eg.* Swyddfa'r llywodraeth sy'n ymdrin â chyllid neu faterion ariannol. EXCHEQUER.

trysorydd, *eg. ll.*-ion. Un sy'n gofalu am arian cwmni neu achos, &c. TREASURER.

trythyllwch, *eg.* Anlladrwydd, anniweirdeb, trachwant. LUST, LASCIVIOUSNESS.

trywaniad, *eg.* Gwaniad, brathiad ag arf. A STABBING.

trywanu, *be.* Brathu, gwanu. TO STAB.

trywydd, *eg.* Ôl, llwybr, arogl. SCENT, TRAIL.
Mae'r ci ar drywydd yr ysgyfarnog.

trywel, *eg.* Offeryn bychan i daenu morter. TROWEL.

Tseina, *eb.* Un o wledydd mwya'r byd ac yn nwyrain Asia. Beijing yw ei phrifddinas. CHINA.

tu, *egb.* Ochr, ystlys, lle. SIDE.
O du ei dad. ON HIS FATHER'S SIDE.
Tu hwnt. BEYOND.
Tu faes : tu allan. OUTSIDE.
Tu fewn : tu mewn. INSIDE.
Tu yma. THIS SIDE.

tua : tuag, *ardd.* 1. I gyfeiriad. TOWARDS.
Tua thre : adre. HOMEWARDS.
Tuag at. TOWARDS.
2. O gwmpas, ynghylch. ABOUT.
Tua blwyddyn. ABOUT A YEAR.

tuchan, *be.* Grwgnach, griddfan, ochain, ochneidio. TO GRUMBLE.

tuchanwr, *eg. ll.* tuchanwyr. Grwgnachwr. GRUMBLER.

tudalen, *egb. ll.*-nau. Un ochr i ddalen llyfr, &c. PAGE.

tuedd, *eg. ll.*-au. I. Ardal, parth. DISTRICT.
2. *eb. ll.*-iadau. Tueddfryd, gogwydd, tueddiad, chwant. TENDENCY, INCLINATION.

tueddol, *a.* Pleidiol, gogwyddol, yn tueddu. INCLINED.

tueddu, *be.* Gogwyddo, bod â'i fryd ar, gwyro, clywed ar ei galon. TO BE DISPOSED.

tulath, *eb. ll.*-au. Trawst, ceubren. BEAM.

tunnell, *eb. ll.* tunelli. Ugain cant o bwysau. TON.

turio : twrio : twrian, *be.* Cloddio, tyrchu, tyllu. TO BURROW.

turnio, *be.* Ffurfio pethau o goed mewn peiriant troi neu droell. TO TURN (WOOD).

turniwr, *eg. ll.* turnwyr. Un sy'n llunio pethau o goed ar droell. TURNER.

turtur, *eb.* Math o golomen hardd. TURTLE-DOVE.

tusw, *eg. ll.*-au. Swp, sypyn, cwlwm, pwysi. BUNCH, POSY.

tuth, *eg. ll.*-iau. Trot, rhygyng. TROT.

tuthio : tuthian, *be.* Trotian, rhygyngu. TO TROT.

twb : twba : twbyn, *eg. ll.* tybau, tybiau. Bath, llestr pren mawr agored. TUB.

twf : tw, *eg.* Tyfiant, tyfiad, cynnydd. GROWTH.

twffyn, *eg. ll.* twff[i]au. Sypyn o wallt neu wair, &c. ; clwmp, siobyn, cobyn. TUFT.

twlc, *eg. ll.* tylcau, tylciau. Cut, cwt. STY.
Twlc moch : cut moch.

twll, *eg. ll.* tyllau. Lle cau neu wag, ceudod, agoriad. HOLE.

twmpath, *eg. ll.*-au. Twyn, twmp, crug, crugyn, bryncyn, ponc ; dawns dan ofal galwr. TUMP ; FOLK-DANCE.

twndis, *eg. ll.*-au. Twmffat. FUNNEL.

twnnel, *eg. ll.* twnelau. Ceuffordd, ffordd dan y ddaear i gerbydau, &c. TUNNEL.

twp, *a.* Hurt, dwl, pendew. STUPID.
Twpanrwydd : twpdra. STUPIDITY.
Twpsyn. STUPID PERSON.

twpdra, *eg.* Y cyflwr o fod yn dwp. STUPIDITY.

twpsyn, *eg. ll.* twpsod (*b.* twpsen). Un sy'n ymddwyn yn dwp. STUPID PERSON.

twr, *eg. ll.* tyrau. Adeilad neu ran o adeilad uchel sgwâr neu grwn. TOWER.

twr, *eg. ll.* tyrrau. I. Pentwr, crugyn, carnedd, cruglwyth. HEAP.
2. Tyrfa, torf. CROWD, GROUP.

twrci, *eg. ll.* twrcïod. (*b.* twrcen). Aderyn mawr dof. TURKEY.
Ceiliog twrci. TURKEY COCK.

twrch, *eg. ll.* tyrchod. Baedd, mochyn. BOAR, HOG.
Twrch coed : baedd coed. WILD BOAR.
Twrch daear : gwadd. MOLE.

twrf : twrw, *eg. ll.* tyrfau. Terfysg, cynnwrf, rhu, sŵn, dadwrdd, trwst. TUMULT, NOISE.
Tyrfau : taranau. THUNDER.

twrnai, *eg. ll.* twrneiod. Cyfreithiwr, dadleuydd (mewn llys). ATTORNEY, LAWYER.

twsian, *gw.* tisian.

twt, *a.* I. Trefnus, cymen, destlus, teidi, cryno, taclus, del, dillyn. NEAT, TIDY.
2. *ebych.* Twt y baw ! : Twt lol ! TUT ! NONSENSE !

twtio : twtian, *be.* Tacluso, gwneud yn gryno neu'n dwt, trefnu, cymoni, cymhennu. TO TIDY.

twyll, *eg.* Dichell, hoced, hudoliaeth, brad, celwydd, anwiredd. DECEIT.

twyllo, *be.* Siomi, hudo, hocedu, dweud celwydd, camarwain. TO DECEIVE.

twyllodrus, *a.* Dichellgar, bradwrus, ffals, celwyddog, camarweiniol. DECEITFUL.

twyllwr, *eg. ll.* twyllwyr. Un sy'n twyllo. DECEIVER.

twym, *a.* Cynnes, gwresog, brwd. WARM.

twymgalon, *a.* Â chalon gynnes, caredig, calonnog, cynnes. WARM-HEARTED.

twymo, *be.* Cynhesu, gwresogi, ymdwymo. TO WARM.

twymyn, *eb. ll.*-au. Clefyd, gwres. FEVER.
Y dwymyn goch : y clefyd coch. SCARLET FEVER.
Y dwymyn doben. MUMPS.

twyn, *eg. ll.*-i. Twmp, crug, bryn, bryncyn, twmpath, ponc. HILLOCK.

twysged, *eb.* Nifer dda, llawer, lliaws. A LOT.

tŷ, *eg. ll.* tai, teiau. Lle i fyw ynddo, preswylfa. HOUSE.
Tai parod. PREFABRICATED HOUSES.
Tŷ unllawr. BUNGALOW.
Tŷ'r Cyffredin. HOUSE OF COMMONS.

tyb, *egb. ll.*-iau. **tybiaeth,** *eb. ll.*-au. Barn, meddwl, syniad, opiniwn, cred, coel. OPINION, SURMISE.

tybaco : baco, *eg.* Myglys, planhigyn y defnyddir ei ddail i'w smocio. TOBACCO.

tybed, *adf.* Ys gwn i. I WONDER.
Tybed a ddaw ef ? I WONDER WILL HE COME ?

tybied : tybio, *be.* Dychmygu, barnu, meddwl, credu, coelio. TO IMAGINE, TO SUPPOSE.

tycio, *be.* Llesáu, llwyddo, ffynnu. TO AVAIL.
"Nid yw rhybuddion yn tycio iddynt."

tydi, *rhag.* Ail berson unigol rhagenw personol dyblyg, ti, ti dy hunan. THOU THYSELF.

tyddyn, *eg. ll.*-nau, -nod. Ffarm fach, daliad. SMALL-HOLDING, SMALL FARM.
Ty'n cwm. THE SMALL-HOLDING IN THE VALLEY.

tyddynnwr, *eg. ll.* tyddynwyr. Ffarmwr ar raddfa fechan. SMALL-HOLDER.

tyfiant, *eg.* Twf, tyfiad, cynnydd, cynnyrch. GROWTH.

tyfu, *be.* Prifio, cynyddu, cynhyrchu. TO GROW.

tynged, *eb. ll.* tynghedau. Rhan, ffawd, hap, yr hyn a ddigwydd. DESTINY, FATE.

tyngedfennol, *a.* Yn perthyn i dynged. FATEFUL.

tynghedu, *be.* Tyngedfennu, bwriadu, arfaethu, condemnio, penderfynu tynged. TO DESTINE.

tyngu, *be.* Gwneud addewid ddwys, rhwymo wrth addewid, diofrydu, rhegi, melltithio. TO SWEAR.

tyle, *eg. ll.*-au. Bryn, gorifyny, codiad, rhiw, (g)allt. HILL, SLOPE.
Dringo'r tyle at y tŷ.

tylino, *be.* Cymysgu toes, gwlychu toes. TO KNEAD DOUGH.

tylwyth, *eg. ll.*-au. teulu, llwyth, ceraint, hynafiaid. FAMILY, ANCESTRY.
Tylwyth Teg. FAIRIES.

tyllog, *a.* Yn cynnwys llawer o dyllau. HOLEY.

tyllu, *be.* Torri twll neu dyllau, treiddio. TO BORE HOLES.

tylluan, *eb. ll.*-od. Aderyn ysglyfaethus y nos, gwdihŵ. OWL.

tymer, *eb. ll.* tymherau. Naws, tuedd, dicter, llid. TEMPER, TEMPERAMENT.

tymestl, *eb. ll.* tymhestloedd. Storm, drycin, gwynt cryf, glaw a tharanau. STORM, TEMPEST.

tymheredd, *eg.* Mesur gwres neu oerfel, tymer. TEMPERATURE, TEMPERAMENT.

tymherus : tymheraidd, *a.* Cymedrol, temprus, heb fod yn boeth nac yn oer. TEMPERATE.

tymhestlog, *a.* Stormus, gwyntog, garw, gerwin. STORMY.

tymhoraidd, *a.* Amserol, yn ei dymor. SEASONABLE.

tymhorol, *a.* Yn perthyn i'r byd a'r bywyd hwn, daearol, bydol, dros amser. TEMPORAL.

tymor, *eg. ll.* tymhorau. Amser, pryd, adeg, un o'r pedair rhan o'r flwyddyn. SEASON.

tyn, *a. ll.*-ion. Cryno, twt, cadarn, clòs, cyfyng, wedi ei ymestyn, wedi ei dynnu, anhyblyg, anystwyth, cybyddlyd, crintach. TIGHT, MEAN.

tyndra, *a.* Croes-dynnu, tensiwn. TENSION, TIGHTNESS.

tyner, *a.* Tirion, mwyn, meddal, addfwyn. TENDER.

tyneru, *be.* Gostegu, lleddfu, tirioni. TO MODERATE, TO MAKE TENDER.

tynerwch, *eg.* Mwynder, tiriondeb, addfwynder. TENDERNESS.

tynfa, *eb. ll.* tynfeydd. Atyniad, tyniad, yr act o dynnu. A DRAW, ATTRACTION.

tynfad, *eg. ll.*-au. Cwch tynnu, bad tynnu. TUG.

tynfaen, *eg. ll.* tynfeini. Darn o fwyn magnetig. LOADSTONE, MAGNET.

tynhau, *be.* Gwneud yn dynn, tynnu'n dynn. TO TIGHTEN.

tynnu, *be.* Achosi i ddod at, llusgo at, denu. TO PULL.
Yn tynnu ato. SHORTENING.
Tynnu llun. TO PHOTOGRAPH, TO SKETCH.

tyno, *eg.* Gwastadedd, maes. DALE, MEADOW.

tyrchu, *be.* Turio, twrian, tyrchio. TO BURROW.

tyrchwr, *eg. ll.* tyrchwyr. Gwaddotwr. MOLE-CATCHER.

tyrfa, *eb. ll.*-oedd. Torf, llu, nifer fawr. CROWD.

tyrfau, *e.ll. (un. g.* twrf). Y sŵn mawr sy'n dilyn lluched. THUNDER.
Tyrfau a lluched : mellt a tharanau. THUNDER AND LIGHTNING.

tyrfo : tyrfu, *be.* Taranu. TO THUNDER.

tyrpant, *eg.* Olew a wneir o hylif a ddaw o goed fel ffynidwydd a phinwydd. TURPENTINE.

tyrpeg, *eg.* Clwyd neu lidiart ar draws heol i gasglu tollau. TURNPIKE.

tyrru, *be.* 1. Ymgasglu, crynhoi at ei gilydd, heidio. TO CROWD TOGETHER.
2. Pentyrru, crugio. TO HEAP.

tyst, *eg. ll.*-ion. Un sy'n rhoi gwybodaeth o'i brofiad ei hunan (mewn llys barn, &c.). WITNESS.

tysteb, *eb. ll.*-au. Tystlythyr, rhodd i ddangos parch neu ddiolchgarwch, &c. TESTIMONIAL.

tystio : tystiolaethu, *be.* Rhoi tystiolaeth, torri enw fel tyst. TO TESTIFY.

tystiolaeth, *eb. ll.*-au. Yr hyn a ddywed tyst. EVIDENCE, TESTIMONY.

tystlythyr, *eg. ll.*-au, -on. Llythyr cymeradwyaeth. TESTIMONIAL.

tystysgrif, *eb. ll.*-au. Datganiad wedi ei ysgrifennu i ddangos gallu neu gyraeddiadau'r sawl sy'n ei dderbyn. CERTIFICATE.
Tystysgrif Gyffredinol Addysg Uwch (TGAU). GENERAL CERTIFICATE OF SECONDARY EDUCATION (GCSE).
Tystysgrif geni. BIRTH CERTIFICATE.
Tystysgrif marwolaeth. DEATH CERTIFICATE.
Tystysgrif priodas. MARRIAGE CERTIFICATE.
Tystysgrif meddyg/feddygol. MEDICAL CERTIFICATE.

tywallt, *be.* Arllwys, bwrw, tywalltu. TO POUR.

tywalltiad, *eg. ll.*-au. Arllwysiad, arllwysfa. A POURING.

tywarchen, *eb. ll.* tywyrch, tywarch. Tywoden, darn o ddaear ynghyd â'r borfa a dyf arno. TURF.

tywel, *eg. ll.*-ion. Lliain sychu. TOWEL.

tywod, *e.ll. (un. g.*-yn). Gronynnau mân a geir pan fydd creigiau yn chwalu ; swnd. SAND.
Tywod byw. QUICKSANDS.

tywodfaen, *eg.* Craig a ffurfiwyd o dywod. SANDSTONE.

tywodfryn, *eg. ll.*-iau. Bryn wedi ei ffurfio o dywod, twyn. DUNE.

tywodlyd : tywodog, *a.* Â thywod, yn cynnwys tywod. SANDY.

tywydd, *eg.* Hin, cyflwr yr awyrgylch mewn perthynas â glaw a gwynt a thymheredd, &c. WEATHER.
Tywydd garw : tywydd mawr. STORMY WEATHER.

tywyll, *a.* 1. Heb olau, heb fod yn olau, pŵl, aneglur, prudd, digalon. DARK.
2. Dall. BLIND.
Y tywyll. THE DARK.
Gwallt tywyll. DARK HAIR.

tywyllu, *be.* Cymylu, mynd yn dywyll. TO DARKEN.

tywyllwch, *eg.* Nos, y cyflwr o fod yn dywyll, gwyll, pylni, anwybodaeth. DARKNESS.

tywyn, *eg. ll.*-nau. Traeth, glan y môr. SEA-SHORE.

tywyniad, *eg. ll.*-au. Pelydriad, llewyrchiad. SHINING.

tywynnu, *be.* Disgleirio, llewyrchu. TO SHINE.

tywys, *be.* Arwain, blaenori, cyfarwyddo, tywysu. TO LEAD, TO GUIDE.

tywysen, *eb. ll.*-nau, tywys. Pen llafur neu ŷd. EAR OF CORN.

tywysog, *eg. ll.*-ion. (*b.*-es). Pendefig, pennaeth, mab brenin neu frenhines. PRINCE.

tywysogaeth, *eb. ll.*-au. Gwlad y mae tywysog arni. PRINCIPALITY.

tywysogaidd, *a.* Urddasol, pendefigaidd, gwych, ysblennydd. PRINCELY.

tywysoges, *eb. ll.*-au. Pendefiges, merch brenin neu frenhines. PRINCESS.

tywysydd, *eg. ll.*-ion. Blaenor, arweinydd. GUIDE.

Thabernacl, *gw.* **tabernacl.**
thabl, *gw.* **tabl.**
thablen, *gw.* **tablen.**
thabwrdd, *gw.* **tabwrdd.**
thaclau, *gw.* **taclau.**
thaclo, *gw.* **taclo.**
thaclu, *gw.* **taclu.**
thaclus, *gw.* **taclus.**
thacluso, *gw.* **tacluso.**
thacteg, *gw.* **tacteg.**
Thachwedd, *gw.* **Tachwedd.**
thad, *gw.* **tad.**
thad-cu, *gw.* **tad-cu.**
thadmaeth, *gw.* **tadmaeth.**
thadol, *gw.* **tadol.**
theatr, *eb. ll.*-au. Lle arbennig (adeilad neu lecyn yn yr awyr agored) i gynhyrchu dramâu. THEATRE.
thema, *eb. ll.* themâu. Testun. THEME.
theorem, *eb. ll.*-au. Cynigiad nad yw'n hunanamlwg ond sydd i'w brofi drwy resymu. THEOREM.

theori, *eb. ll.* theorïau. Tybiaeth, golwg ddamcaniaethol. THEORY.
therapydd, *eg. ll.*-ion. Un sy'n defnyddio triniaeth feddygol er iacháu. THERAPIST.
thermomedr, *eb. ll.*-au. Offeryn i fesur tymheredd. THERMOMETER.
thus, *eg.* Sylwedd o Arabia a ddefnyddir ynglŷn ag aberthau. FRANKINCENSE.
thuser, *eb. ll.*-au. Llestr llosgi arogldarth. CENSER.
thydi, *gw.* **tydi.**
thyddyn, *gw.* **tyddyn.**
thyfu, *gw.* **tyfu.**
thyngu, *gw.* **tyngu.**
thylwyth, *gw.* **tylwyth.**
thymor, *gw.* **tymor.**
thynnu, *gw.* **tynnu.**
thystysgrif, *gw.* **tystysgrif.**
thywydd, *gw.* **tywydd.**
thywysog, *gw.* **tywysog.**

Ubain, *be.* Ochain, igian, griddfan, crio, llefain yn uchel. TO SOB, TO MOAN.

uchaf, *a.* Gradd eithaf **uchel**, mwyaf uchel, talaf. HIGHEST.

uchafbwynt, *eg. ll.*-iau. Y man uchaf. CLIMAX.

uchafiaeth, *eb.* Goruchafiaeth, awdurdod uchaf, y gallu mwyaf. SUPREMACY.

uchafion, *e.ll.* Y mannau uchaf. HEIGHTS.

uchafrif, *eg.* Y rhif mwyaf. MAXIMUM.

uchder, *eg. ll.*-au. Y mesur o'r gwaelod i'r pen. HEIGHT.

uchel, *a.* (uched : cyfuwch, uwch, uchaf). Ymhell i fyny, o safle neu bwysigrwydd mawr, croch. HIGH, LOUD.
Siarad yn uchel. SPEAKING LOUDLY.
Pris uchel. HIGH PRICE.
Gwynt uchel. HIGH WIND.

uchelder, *eg. ll.*-au. Lle uchel, stad ddyrchafedig. HIGHNESS, HEIGHT.

ucheldir, *eg. ll.*-oedd. Tir uchel. HIGHLAND.

uchelfryd, *a.* Uchelgeisiol. AMBITIOUS.

uchelgais, *egb.* Dymuniad cryf am allu neu enwogrwydd neu anrhydedd. AMBITION.

uchelgeisiol, *a.* Yn dymuno enwogrwydd, dyrchafiad, &c. AMBITIOUS.

uchelseinydd, *eg. ll.*-ion. Teclyn a ddefnyddir i chwyddo sain. LOUDSPEAKER.

uchelwr, *eg. ll.* uchelwyr. Pendefig, bonheddwr, gŵr urddasol. NOBLEMAN.

uchelwydd, *eg.* Planhigyn yn tyfu ar goed eraill ac iddo aeron gwyn. MISTLETOE.

uchgapten, *eg. ll.* uchgapteiniaid. Swyddog uwch na chapten mewn byddin. MAJOR.

uchod, *adf.* Uwchben, fry. ABOVE.

udiad, *eg. ll.*-au. Oernad. HOWL.

udo : udain, *be.* Oernadu, ubain. TO HOWL.
Y ci yn udain yn y stabl.

ufudd, *a.* Yn ufuddhau, yn gwneud fel y gofynnir. OBEDIENT.

ufudd-dod, *eg.* Y stad o fod yn ufudd, parodrwydd i weithredu ar orchymyn. OBEDIENCE.

ufuddhau, *be.* Gwneud yr hyn a ofynnir. TO OBEY.

uffern, *eb. ll.*-au. Trigfa'r eneidiau condemniedig, y trueni. HELL.

uffernol, *a.* Yn perthyn i uffern. HELLISH.

ugain, *a. ll.* ugeiniau. Dau ddeg, sgôr. TWENTY.
Un ar hugain. TWENTY-ONE.
Ugeinfed. TWENTIETH.

ulw, *e. torfol.* 1. Lludw, gronynnau mân. ASHES, CINDERS.
2. (ffigurol). Dros ben, yn ddirfawr. UTTERLY.

un, *eg. ll.*-au. 1. Peth neu berson, &c. ONE.
Hwn yw'r un drwg. THIS IS THE WICKED ONE.
2. *a.* Yr un peth, yr un person, &c., yr unrhyw. SAME.
Gwelais ef yn yr un man ddoe.
3. *a.* (Y rhifol cyntaf). ONE.
Un ar ddeg. ELEVEN.
Un ar bymtheg. SIXTEEN.

unawd, *eg. ll.*-au. Darn o gerddoriaeth i un offeryn neu ganwr. SOLO.

unawdydd, *eg. ll.* unawdwyr. Un sy'n canu unawd. SOLOIST.

unben, *eg. ll.*-iaid. (*b.*-nes). Gormeswr, gorthrymwr, un sydd â'r awdurdod yn hollol yn ei law ei hunan. DICTATOR, DESPOT.

unbennaeth, *eg.* Gormes, tra-arglwyddiaeth, llywodraeth un dyn. DICTATORSHIP.

undeb, *eg. ll.*-au. Cyfundeb, uniad, bod yn un, cynghrair, nifer o weithwyr wedi ymuno i amddiffyn eu buddiannau. UNION.

undebol, *a.* Yn ymwneud ag undeb. UNIONISTIC.

undebwr, *eg. ll.* undebwyr. Aelod o undeb. UNIONIST.

undod, *eg. ll.*-au. Un peth cyfan, cyfanwaith, unoliaeth. UNITY.

Undodaidd, *a.* Yn perthyn i Undodiaeth. UNITARIAN.

Undodiaeth, *eb.* Y gred sy'n gwadu athrawiaeth y Drindod. UNITARIANISM.

Undodwr, *eg. ll.* Un sy'n dal at ddysgeidiaeth Undodiaeth. UNITARIAN.

undonedd, *eg.* Unrhywiaeth, diffyg amrywiaeth. MONOTONY.

undonog, *a.* Ar yr un nodyn, marwaidd, diflas, blinderus. MONOTONOUS.

uned, *eb. ll.*-au. Un, y rhifol un, peth neu berson unigol, dogn swyddogol. UNIT.

unedig, *gw.* **unol.**

unfan, *eg.* Yr un man. SAME PLACE.

unfarn, *a.* O'r un meddwl, cytûn, mewn cytgord perffaith, unfryd, unfrydol. UNANIMOUS.
Yn unfryd unfarn. OF ONE ACCORD.

unfed, *a.* Cyntaf. FIRST.
Yr unfed dydd ar ddeg. THE ELEVENTH DAY.

unfryd : unfrydol : *gw.* **unfarn.**

unfrydedd, *eg.* Cytgord, y stad o fod yn unfryd, cytundeb. UNANIMITY.

unffurf, *a.* Tebyg, cymwys. UNIFORM.

unffurfiaeth, *eb.* Tebygrwydd ymhob dim, cysondeb, rheoleidd-dra. UNIFORMITY.

ungell, *a.* Yn cynnwys un gell, ungellog. MONOCELLULAR.

uniad, *eg.* Undeb, yr act o uno, asiad, cysylltiad, ieuad. A JOINING.

uniaith : unieithog, *a.* Yn medru un iaith yn unig, o'r un iaith. MONOGLOT.

uniawn, *a.* Iawn, cyfiawn, gwir, cywir, cymwys, syth, unionsyth. UPRIGHT.

unig, *a.* 1. Heb un arall. ONLY, SOLE.
Yr unig blentyn.
2. Ar ei ben ei hun, wrtho'i hunan. LONELY.
Dyn unig yw Twm. TWM IS A LONELY MAN.

unigedd, *eg.* Lle unig, unigrwydd. SOLITUDE.

unigol, *a.* 1. Heb un arall. SINGULAR.
2. *eg.* Unigolyn. INDIVIDUAL.
Unigolion. INDIVIDUALS.

unigoliaeth, *eb.* Personoliaeth, nodweddion priod. INDIVIDUALITY.

unigrwydd, *eg.* Y stad o fod yn unig (wrtho'i hun). LONELINESS.

union : unionsyth : uniongyrchol, *a.* Syth, cymwys, di-oed. STRAIGHT, DIRECT. Yn union. PRECISELY, DIRECTLY.

uniondeb, *eg.* Cywirdeb, bod yn uniawn, cyfiawnder, cymhwyster. RIGHTNESS.

uniongred, *a.* Yn credu'r athrawiaeth gydnabyddedig. ORTHODOX.

uniongrededd, *eb.* Yr athrawiaeth gydnabyddedig. ORTHODOXY.

unioni, *be.* Sythu, cymhwyso, gwneud yn union, cywiro. TO STRAIGHTEN.

unionsgwar, *a.* Pensyth, yn blwm, perpendicwlar. PERPENDICULAR.

unionsyth, *gw.* union.

unlliw, *a.* O['r] un lliw. OF ONE OR THE SAME COLOUR.

unllygeidiog, *a.* Ag un llygad, naill lygad. ONE-EYED.

unman, *eg.* Un lle. ANYWHERE.

unnos, *a.* Am un noswaith, dros nos. OF OR FOR ONE NIGHT. Caban unnos.

uno, *be.* Cyfuno, cyduno, cysylltu, ieuo, cydio, gwneud yn un. TO UNITE, TO AMALGAMATE.

unochrog, *a.* Heb gytbwysedd, yn rhagfarnllyd. ONE SIDED, BIASED, PREJUDICED.

unol, *a.* Yn cyduno, cytûn, unfryd, gyda'i gilydd, unedig. UNITED. Yn unol â. IN ACCORDANCE WITH. Unol Daleithiau America. UNITED STATES OF AMERICA.

unoli, *be.* Gwneud yn un, dod at ein gilydd. TO UNIFY.

unoliaeth, *eb.* Undod, bod fel un. UNITY.

unpeth, *eg.* Unrhyw beth. ANYTHING. Am unpeth. FOR ANYTHING.

unplyg, *a.* I. Ag un plyg. FOLIO. 2. Didwyll, diffuant. GENUINE, UPRIGHT.

unplygrwydd, *eg.* Didwylledd, diffuantrwydd. SINCERITY.

unrhyw, *a.* I. Yr un fath, tebyg. SAME. 2. Neb, rhyw (un). ANY. Gwna unrhyw un y tro. ANYONE WILL DO.

unrhywiaeth, *eb.* Tebygrwydd, unffurfiaeth. SAMENESS.

unsain, *a.* O'r un sŵn a sain. UNISON. Yn unsain. IN UNISON.

unsill, *a.* Ag un sillaf. MONOSYLLABIC.

unswydd, *a.* Ag un pwrpas. OF ONE PURPOSE. Yn unswydd. ON THE EXPRESS PURPOSE.

untu, *a.* Unochrog. ONE-SIDED. Cyfrwy untu. SIDE-SADDLE.

unwaith, *adf.* Un tro. ONCE. Ar unwaith. AT ONCE.

unwedd, *a. &. adf.* Tebyg, felly. LIKE, LIKEWISE, IN THE SAME MANNER.

urdd, *eb. ll.*-au. Gradd, safle, cwmni, dosbarth, cymdeithas. ORDER. Urdd Gobaith Cymru. THE WELSH LEAGUE OF YOUTH.

urddas, *eg. ll.*-au. Anrhydedd, mawredd, hawl i barch, safle anrhydeddus, teitl. DIGNITY, HONOUR.

urddasol, *a.* Anrhydeddus, mawreddog, yn hawlio parch. DIGNIFIED.

urddasu, *be.* Mawrhau, anrhydeddu. TO DIGNIFY.

urddiad, *eg. ll.*-au. Y weithred o urddo. ORDINATION.

urddo, *be.* Ordeinio, penodi, cyflwyno gradd, derbyn i'r weinidogaeth. TO ORDAIN.

us, *e.ll.* Mân us, peiswyn, hedion, cibau, plisg grawn llafur (ŷd). CHAFF.

ust, *ebych.* I. Bydd yn dawel ! Taw ! Byddwch yn dawel ! HUSH ! 2. *eg.* Distawrwydd. A HUSH.

ustus, *eg. ll.* utgyrn. Ynad, swyddog gwlad a hawl ganddo i weithredu cyfraith. MAGISTRATE. Ustus heddwch : ynad heddwch. JUSTICE OF THE PEACE.

utgorn, *eg. ll.* utgyrn. Offeryn chwyth cerdd (wedi ei wneud o fetel), corn. TRUMPET.

uwch, *a.* I. Gradd gymharol uchel, yn fwy uchel. HIGHER. 2. *ardd.* Dros, dros ben. OVER, ABOVE. Uwch-ddarlithydd. SENIOR LECTURER. Uwchgapten. MAJOR (*in Army*). *gw.* uchgapten.

uwchben : uwchlaw, *ardd.* Yn uwch na, goruwch, dros, dros ben. ABOVE.

uwchbridd, *eg. ll.*-oedd. Pridd ysgafn ar wyneb tir. TOPSOIL.

uwchgapten, *eg. ll.* uwchgapteiniaid. Swyddog byddin uwch na chapten, uchgapten. MAJOR.

uwchradd : uwchraddol, *a.* O safon uwch, gwell, rhagorach. SUPERIOR. Addysg Uwchradd. SECONDARY EDUCATION. Ysgol Uwchradd. SECONDARY SCHOOL.

uwchsonig, *a.* Yn gynt na chyflymder sain. SUPERSONIC.

uwd, *eg.* Blawd ceirch wedi ei ferwi mewn dŵr neu laeth. PORRIDGE.

Wacáu, *gw.* gwacáu.
wacsaw, *gw.* gwacsaw.
wacter, *gw.* gwacter.
wachul, *gw.* gwachul.
wad, *egb.* Ergyd. SLAP, BLOW, STROKE.
  gw. gwad : gwadiad.
wadn, *gw.* gwadn.
wadnu, *gw.* gwadnu.
wado, *gw.* whado.
wadu, *gw.* gwadu.
wadwr, *gw.* gwadwr.
wadd, *gw.* gwadd, *eb.* ; gwadd, *a.* & *be.*
waddod, *gw.* gwadd, *eb.* ; gwaddod.
waddol, *gw.* gwaddol.
waddoli, *gw.* gwaddoli.
waddota, *gw.* gwaddota.
waddotwr, *gw.* gwaddotwr.
wae, *gw.* gwae.
waed, *gw.* gwaed.
waedlif, *gw.* gwaedlif.
waedlyd, *gw.* gwaedlyd.
waedoliaeth, *gw.* gwaedoliaeth.
waedu, *gw.* gwaed.
waedd, *gw.* gwaedd.
waeddodd, *gw.* gwaeddodd.
wael, *gw.* gwael.
waelder, *gw.* gwaelder.
waeledd, *gw.* gwaeledd.
waelod, *gw.* gwaelod.
waelodi, *gw.* gwaelodi.
waelu, *gw.* gwaelu.
waell : wäell, *gw.* gwaell.
waered, *gw.* gwaered.
waetgi, *gw.* gwaetgi.
waeth, *gw.* gwaeth.
waethaf, *gw.* gwaethaf.
waethygu, *gw.* gwaethygu.
wag, *gw.* gwag.
wagedd, *gw.* gwagedd.
wagen, *gw.* gwagen.
wagio, *gw.* gwagio.
waglaw, *gw.* gwaglaw.
wagle, *gw.* gwagle.
wagu, *gw.* gwagu.
wahadden, *gw.* gwahadden : gwadd, *eb.*
wahân : wahaniaeth, *gw.* gwahân.
wahanglwyf, *gw.* gwahanglwyf.
wahanglwyfus, *gw.* gwahanglwyfus.
wahaniaethu, *gw.* gwahaniaethu.
wahanol :, *gw.* gwahanol.
wahanu, *gw.* gwahanu.
wahardd, *gw.* gwahardd.
waharddiad, *gw.* gwaharddiad.
wahodd, *gw.* gwahodd.
wahoddedigion, *gw.* gwahoddedigion.
wahoddiad, *gw.* gwahoddiad.
wain, *gw.* gwain.
wair, *gw.* gwair.
waith, *gw.* gwaith, *eg.* ; gwaith, *eb.* ; gwaith, *cys.*

wâl, *gw.* gwâl.
wal, *gw.* gwal.
wala, *gw.* gwala.
walch, *gw.* gwalch.
wall, *gw.* gwall.
wallgof, *gw.* gwallgof.
wallgofdy, *gw.* gwallgofdy.
wallgofddyn, *gw.* gwallgofddyn.
wallgofi, *gw.* gwallgofi.
wallgofrwydd, *gw.* gwallgofrwydd.
wallt, *gw.* gwallt.
walltog, *gw.* gwalltog.
wallus, *gw.* gwallus.
wamal, *gw.* gwamal.
wamalrwydd, *gw.* gwamalrwydd.
wamalu, *gw.* gwamalu.
wan, *gw.* gwan.
wanaf, *gw.* gwanaf.
wanc, *gw.* gwanc.
wancu, *gw.* gwancu.
wancus, *gw.* gwancus.
waneg, *gw.* gwaneg.
wan-galon, *gw.* gwan-galon.
wan-galonni, *gw.* gwan-galonni.
wanhau : wanychu, *gw.* gwanhau.
wannaf, *gw.* gwan.
wanllyd : wannaidd, *gw.* gwanllyd.
wanu, *gw.* gwanu.
wanwyn, *gw.* gwanwyn.
wanwynol, *gw.* gwanwynol.
wanychu, *gw.* gwanhau.
wâr, *gw.* gwâr.
war, *gw.* gwar.
waradwydd, *gw.* gwaradwydd.
waradwyddo, *gw.* gwaradwyddo.
waradwyddus, *gw.* gwaradwyddus.
warafun, *gw.* gwarafun.
waraidd, *gw.* gwaraidd.
warant, *gw.* gwarant.
warantu, *gw.* gwarantu.
warantydd, *gw.* gwarantydd.
warchae, *gw.* gwarchae.
warcheidiol, *gw.* gwarcheidiol.
warcheidwad, *gw.* gwarcheidwad.
warchod, *gw.* gwarchod.
warchodlu, *gw.* gwarchodlu.
ward, *gw.* gward.
warden, *gw.* gwarden.
warder, *gw.* gwarder.
wared :, *gw.* gwared, *eg.* ; gwared, *be.*
waredigaeth, *gw.* gwared, *eg.*
waredigion, *gw.* gwaredigion.
waredu, *gw.* gwaredu.
waredwr, *gw.* gwaredwr.
wareiddiad, *gw.* gwareiddiad.
wareiddiedig, *gw.* gwareiddiedig.
wareiddio, *gw.* gwareiddio.
wargaled, *gw.* gwargaled.
wargam, *gw.* gwargam.

wargamu : wargrymu : warro, *gw.* **gwargamu.**
wargrwm, *gw.* **gwargrwm.**
wargrymu, *gw.* **gwargrymu.**
wario, *gw.* **gwario.**
wrogaeth, *gw.* **gwrogaeth.**
warrog, *gw.* **gwarrog.**
warth, *gw.* **gwarth.**
warthaf, *gw.* **gwarthaf.**
warthafl, *gw.* **gwarthafl.**
wartheg, *gw.* **gwartheg.**
warthnod, *gw.* **gwarthnod.**
warthrudd, *gw.* **gwarth.**
warthruddo, *gw.* **gwarthruddo.**
warthus, *gw.* **gwarthus.**
was, *gw.* **gwas.**
wasaidd, *gw.* **gwasaidd.**
wasanaeth, *gw.* **gwasanaeth.**
wasanaethgar, *gw.* **gwasanaethgar.**
wasanaethu, *gw.* **gwasanaethu.**
wasanaethwr, *gw.* **gwasanaethwr.**
wasg, *gw.* **gwasg.**
wasgar : wasgaru, *gw.* **gwasgar.**
wasgaredig, *gw.* **gwasgaredig.**
wasgarwr, *gw.* **gwasgarwr.**
wasgedig, *gw.* **gwasgedig.**
wasgfa, *gw.* **gwasgfa.**
wasgod, *gw.* **gwasgod.**
wasgu, *gw.* **gwasgu.**
wastad, *gw.* **gwastad,** *a.* ; **gwastad,** *eg.*
wastadol, *gw.* **gwastadol.**
wastatáu, *gw.* **gwastatáu.**
wastatir, *gw.* **gwastatir.**
wastraff, *gw.* **gwastraff.**
wastraffu, *gw.* **gwastraffu.**
wastraffus, *gw.* **gwastraffus.**
wastrawd, *gw.* **gwastrawd.**
wats, *eb.* Teclyn bach i ddangos yr amser ac y
    gellir ei gario yn y boced neu ar y fraich,
    oriawr. WATCH.
    Wats arddwrn. WRIST-WATCH.
watwar, *gw.* **gwatwar.**
watwareg, *gw.* **gwatwareg.**
watwariaeth, *gw.* **gwatwariaeth.**
watwarus, *gw.* **gwatwarus.**
wau : weu, *gw.* **gwau.**
waun, *gw.* **gwaun.**
wawch, *gw.* **gwawch.**
wawd : wawdiaeth, *gw.* **gwawd.**
wawdio, *gw.* **gwawdio.**
wawdlyd, *gw.* **gwawdlyd.**
wawl, *gw.* **gwawl.**
wawn, *gw.* **gwawn.**
wawr, *gw.* **gwawr.**
wawrio, *gw.* **gwawrio.**
wayw, *gw.* **gwayw.**
waywffon, *gw.* **gwaywffon.**
wden, *gw.* **gwden.**
wdihŵ, *gw.* **gwdihŵ.**
wddf, *gw.* **gwddf.**

we, *gw.* **gwe.**
wead, *gw.* **gwead.**
wedi, *ardd.* Ar ôl. AFTER.
    Wedi wyth. PAST EIGHT.
wedd, *gw.* **gwedd.**
weddaidd, *gw.* **gweddaidd.**
weddeidd-dra : wedduster : weddustra, *gw.*
    gweddeidd-dra.
wedder, *gw.* **gwedder.**
weddi, *gw.* **gweddi.**
weddigar, *gw.* **gweddigar.**
weddill, *gw.* **gweddill.**
weddïo, *gw.* **gweddïo.**
weddïwr, *gw.* **gweddïwr.**
weddol, *gw.* **gweddol.**
weddu, *gw.* **gweddu.**
weddus : weddaidd, *gw.* **gweddus.**
weddw, *gw.* **gweddw,** *eb.* ; **gweddw,** *a.*
weddwdod, *gw.* **gweddwdod.**
wefl, *gw.* **gwefl.**
weflog, *gw.* **gweflog.**
wefr, *gw.* **gwefr.**
wefreiddio, *gw.* **gwefreiddio.**
wefreiddiol, *gw.* **gwefreiddiol.**
wefus, *gw.* **gwefus.**
wegi, *gw.* **gwegi.**
wegian : wegio, *gw.* **gwegian.**
wegil, *gw.* **gwegil.**
wehelyth, *gw.* **gwehelyth.**
wehilion, *gw.* **gwehilion.**
wehydd : weydd : wŷdd, *gw.* **gwehydd.**
weiddi, *gw.* **gweiddi.**
weilgi, *gw.* **gweilgi.**
weini, *gw.* **gweini.**
weinidog, *gw.* **gweinidog.**
weinidogaeth, *gw.* **gweinidogaeth.**
weinidogaethu, *gw.* **gweinidogaethu.**
weinio, *gw.* **gweinio.**
weinyddes, *gw.* **gweinyddes.**
weinyddiaeth, *gw.* **gweinyddiaeth.**
weinyddu, *gw.* **gweinyddu.**
weinyddwr, *gw.* **gweinyddwr.**
weirglodd, *gw.* **gweirglodd.**
weiryn, *gw.* **gweiryn.**
weithdy, *gw.* **gweithdy.**
weithfaol, *gw.* **gweithfaol.**
weithgar, *gw.* **gweithgar.**
weithgaredd, *gw.* **gweithgaredd.**
wedyn, *adf.* Wedi hynny, ar ôl hynny, yna.
    AFTERWARDS.
weithian : weithion, *adf.* Yn awr, bellach, o'r
    diwedd. NOW, AT LAST.
weithiau, *adf.* Ar brydiau, ambell waith, yn awr
    ac yn y man. SOMETIMES.
weithio, *gw.* **gweithio.**
weithiwr, *gw.* **gweithiwr.**
weithred, *gw.* **gweithred.**
weithrediad, *gw.* **gweithrediad.**
weithredol, *gw.* **gweithredol.**

weithredu, *gw.* gweithredu.
weithredwr, *gw.* gweithredwr.
wel, *ebych.* WELL !
   (*Fel yn,* Wel ynteu, beth sy'n bod ? WELL
   THEN, WHAT IS THE MATTER ?)
weladwy, *gw.* gweladwy.
weld, *gw.* gweled.
wele, *ebych.* Edrych ! Dacw ! Edrychwch ! BEHOLD !
weled, *gw.* gweled.
welediad, *gw.* gwelediad.
weledig, *gw.* gweledig.
weledigaeth, *gw.* gweledigaeth.
weledydd, *gw.* gweledydd.
welw, *gw.* gwelw.
welwder, *gw.* gwelwder.
welwi, *gw.* gwelwi.
wely, *gw.* gwely.
well, *gw.* gwell.
wella : wellhau, *gw.* gwella.
wellau, *gw.* gwellau.
wellhad, *gw.* gwellhad.
welliant, *gw.* gwelliant.
wellt, *gw.* gwellt.
welltglas, *gw.* gwelltglas.
welltog, *gw.* gwelltog.
welltyn, *gw.* gwellt.
wên, *gw.* gwên.
wen, *gw.* gwen.
wenci, *gw.* gwenci.
wendid, *gw.* gwendid.
wenfflam, *gw.* gwenfflam.
weniaith, *gw.* gweniaith.
wenieithio, *gw.* gwenieithio.
wenieithwr, *gw.* gwenieithwr.
wenieithus, *gw.* gwenieithus.
wenith, *gw.* gwenith.
wenithfaen, *gw.* gwenithfaen.
wennol, *gw.* gwennol.
wenu, *gw.* gwenu.
wenwyn, *gw.* gwenwyn.
wenwynig : wenwynol, *gw.* gwenwynig.
wenwynllyd, *gw.* gwenwynllyd.
wenwyno, *gw.* gwenwyno.
wenyn, *gw.* gwenyn.
wep, *gw.* gwep.
wepian : wepio, *gw.* gwepian.
wêr, *gw.* gwêr.
ŵer, *gw.* gŵer.
werin, *gw.* gwerin.
weriniaeth, *gw.* gweriniaeth.
weriniaethol, *gw.* gweriniaethol.
weriniaethwr, *gw.* gweriniaethwr.
werinlywodraeth, *gw.* gwerinlywodraeth.
werinol, *gw.* gwerinol.
werinos, *gw.* gwerinos.
werinwr, *gw.* gwerinwr.
wermod, *eb.* Wermod lwyd, chwerwlys,
   chwermwd, llysieuyn chwerw a ddefnyddir
   mewn moddion. WORMWOOD.

wern, *gw.* gwern.
wers, *gw.* gwers.
werslyfr, *gw.* gwerslyfr.
wersyll, *gw.* gwersyll.
wersyllu, *gw.* gwersyllu.
werth, *gw.* gwerth.
werthadwy, *gw.* gwerthadwy.
werthfawr, *gw.* gwerthfawr.
werthfawrogi, *gw.* gwerthfawrogi.
werthfawrogiad, *gw.* gwerthfawrogiad.
werthiant, *gw.* gwerthiant.
werthu, *gw.* gwerthu.
werthwr, *gw.* gwerthwr.
weryd, *gw.* gweryd.
weryrad : weryriad, *gw.* gweryrad.
weryru, *gw.* gweryru.
Weslead, *eg. ll.* Wesleaid. Un sy'n aelod o'r
   Eglwys Wesleaidd. WESLEYAN.
westai, *gw.* gwestai.
westy, *gw.* gwesty.
westywr, *gw.* gwestywr.
weu, *gw.* gwau.
wewyr, *gw.* gwewyr.
wfft, *ebych.* Ffei ! Fie ! FOR SHAME !
   Wfft iddo ! Rhag ei gywilydd ! FIE ON HIM !
   SHAME ON HIM !
wfftian : wfftio, *be.* Gwawdio, diystyru, gwatwar.
   TO FLOUT.
   Yn wfftian y fath beth.
wg, *gw.* gwg.
wgu, *gw.* gwgu.
wgus, *gw.* gwgus.
whado, *be.* Curo, baeddu, taro, wado. TO THRASH.
   Cafodd ei whado'n dost gan ei dad.
whimbil, *eb.* Gimbill, ebill, offeryn tyllu. GIMLET,
   WIMBLE.
wialen, *gw.* gwialen.
wialenodio, *gw.* gwialenodio.
wib, *gw.* gwib, *eb.* : gwib, *a.*
wibdaith, *gw.* gwibdaith.
wiber, *gw.* gwiber.
wibio, *gw.* gwibio.
wich, *gw.* gwich.
wichian, *gw.* gwichian.
wichlyd, *gw.* gwichlyd.
widw, *gw.* gweddw.
widdon : widdan, *gw.* gwiddon.
Wien, *eb.* Prifddinas Awstria. VIENNA.
wifren, *gw.* gwifren.
wig : wigfa, *gw.* gwig.
wingo, *gw.* gwingo.
win, *gw.* gwin.
winau, *gw.* gwinau.
winc, *eb.* Trawiad llygad, amrantiad, chwinc. WINK.
wincian : wincio, *be.* Cau ac agor llygad fel
   awgrym, amneidio â'r llygad. TO WINK.
winllan, *gw.* gwinllan.
winllannwr, *gw.* gwinllannwr.
winwryf, *gw.* gwinwryf.

winwydd, *gw.* gwinwydd.
wir, *gw.* gwir.
wireb, *gw.* gwireb.
wireddu, *gw.* gwireddu.
wirfodd, *gw.* gwirfodd.
wirfoddol, *gw.* gwirfoddol.
wirfoddolwr, *gw.* gwirfoddolwr.
wirio, *gw.* gwirio.
wirion, *gw.* gwirion.
wiriondeb, *gw.* gwiriondeb.
wirionedd, *gw.* gwirionedd.
wirioneddol, *gw.* gwirioneddol.
wirioni, *gw.* gwirioni.
wirod, *gw.* gwirod.
wisg, *gw.* gwisg.
wisgi, *gw.* gwisgi.
wisgo, *gw.* gwisgo.
wit-wat : chwit-chwat : whit-what, *a.* Di-ddal,
    cyfnewidiol, gwamal, oriog, ansefydlog. FICKLE.
wiw, *gw.* gwiw.
wiwer, *gw.* gwiwer.
wlad, *gw.* gwlad.
wladaidd, *gw.* gwladaidd.
wladfa, *gw.* gwladfa.
wladgarol : wlatgar, *gw.* gwladgarol.
wladgarwch, *gw.* gwladgarwch.
wladgarwr, *gw.* gwladgarwr.
wladol, *gw.* gwladol.
wladweinydd, *gw.* gwladweinydd.
wladwriaeth, *gw.* gwladwriaeth.
wladychu, *gw.* gwladychu.
wlân, *gw.* gwlân.
wlana, *gw.* gwlana.
wlanen, *gw.* gwlanen.
wlanog, *gw.* gwlanog.
wlatgar, *gw.* gwladgarol.
wledig, *gw.* gwledig.
wledd, *gw.* gwledd.
wledda, *gw.* gwledda.
wleidydd, *gw.* gwleidydd.
wleidyddiaeth, *gw.* gwleidyddiaeth.
wleidyddol, *gw.* gwleidyddol.
wlith, *gw.* gwlith.
wlithlaw, *gw.* gwlithlaw.
wlitho, *gw.* gwlitho.
wlithog, *gw.* gwlithog.
wlithyn, *gw.* gwlithyn.
wlyb, *gw.* gwlyb.
wlybyniaeth, *gw.* gwlybyniaeth.
wlybwr, *gw.* gwlybwr.
wlybyrog, *gw.* gwlybyrog.
wlych, *gw.* gwlych.
wlychu, *gw.* gwlychu.
wlydd, *gw.* gwlydd.
wmbredd, *eg.* Amlder, helaethrwydd, digonedd,
    llawer. ABUNDANCE.
    Ymhlith wmbredd o bethau.
wn, *gw.* gwn, *eg.* ; gwn, *bf.*
ŵn, *gw.* gŵn.

wndwn, *gw.* gwyndwn.
wneud : wneuthur, *gw.* gwneud.
wneuthuriad, *gw.* gwneuthuriad.
wneuthurwr, *gw.* gwneuthurwr.
wnïad, *gw.* gwnïad.
wniadur, *gw.* gwniadur.
wniadwaith, *gw.* gwniadwaith.
wniadyddes : wniadwraig, *gw.* gwniadyddes.
wnïo, *gw.* gwnïo.
wniwn, *e.ll.* (*un. g.* wnionyn). wynwyn, *e.ll.* (*un.
    g.* wynwynyn). Gwreiddiau crwn ac iddynt
    arogl a blas cryf ac a ddefnyddir i'w bwyta.
    ONIONS.
wniyddes, *gw.* gwniadyddes.
wobr, *gw.* gwobr.
wobrwyo, *gw.* gwobrwyo.
ŵr, *gw.* gŵr.
wrach, *gw.* gwrach.
wrachïaidd, *gw.* gwrachïaidd.
ẃraidd : wrol, *gw.* gẃraidd.
wraidd, *gw.* gwraidd.
wraig, *gw.* gwraig.
wrandawiad, *gw.* gwrandawiad.
wrandawr, *gw.* gwrandawr.
wrando, *gw.* gwrando.
wraniwm, *eg.* Elfen fetelaidd ymbelydrol a
    ddefnyddir i gynhyrchu ynni niwclear.
    URANIUM.
wrcath, *gw.* gwrcath.
wregys, *gw.* gwregys.
wregysu, *gw.* gwregysu.
wreng, *gw.* gwreng.
wreichion, *gw.* gwreichion.
wreichioni, *gw.* gwreichioni.
wreiddio, *gw.* gwreiddio.
wreiddiol, *gw.* gwreiddiol.
wreiddioldeb, *gw.* gwreiddioldeb.
wreiddyn, *gw.* gwreiddyn.
wreigen, *gw.* gwreigen.
wres, *gw.* gwres.
wresog, *gw.* gwresog.
wresogi, *gw.* gwresogi.
wrhyd : wryd, *gw.* gwrhhyd.
wrhydri, *gw.* gwrhydri.
wrid, *gw.* gwrid.
wrido, *gw.* gwrido.
wridog, *gw.* gwridog.
writgoch, *gw.* gwritgoch.
wrlyn, *eg.* Chŵydd, cnepyn. SWELLING.
wrn, *eg.* Llestr i ddal lludw'r marw, llestr onglog
    neu grwn a throed iddo. URN.
wrogaeth, *gw.* gwrogaeth.
wrol, *gw.* gwrol.
wroldeb, *gw.* gwroldeb.
wron, *gw.* gwron.
wroniaeth, *gw.* gwroniaeth.
wrtaith, *gw.* gwrtaith.
wrteithiad, *gw.* gwrteithiad.
wrteithio, *gw.* gwrteithio.

wrth, *ardd.* (Wrthyf, wrthyt, wrtho/wrthi, wrthym, wrthych, wrthynt), Gerllaw, ger, yn agos at, yn ymyl, trwy. BY, WITH, TO, COMPARED WITH, BECAUSE. Wrth gwrs. OF COURSE.
wrthban, *gw.* **gwrthban.**
wrthblaid, *gw.* **gwrthblaid.**
wrthbrofi, *gw.* **gwrthbrofi.**
wrthdaro, *gw.* **gwrthdaro.**
wrthdrawiad, *gw.* **gwrthdrawiad.**
wrthdroi, *gw.* **gwrthdroi.**
wrthdystiad, *gw.* **gwrthdystiad.**
wrthdystio, *gw.* **gwrthdystio.**
wrthddweud : wrthddywedid, *gw.* **gwrthddweud.**
wrthfiotig, *gw.* **gwrthfiotig.**
wrthgiliad, *gw.* **gwrthgiliad.**
wrthgilio, *gw.* **gwrthgilio.**
wrthglawdd, *gw.* **gwrthglawdd.**
wrthgorffyn, *gw.* **gwrthgorffyn.**
wrthgyferbyniad, *gw.* **gwrthgyferbyniad.**
wrthgyferbynnu, *gw.* **gwrthgyferbynnu.**
wrthnaws, *gw.* **gwrthnaws.**
wrthnysig, *gw.* **gwrthnysig.**
wrthod, *gw.* **gwrthod.**
wrthodedig, *gw.* **gwrthodedig.**
wrthodedigion, *gw.* **gwrthodedigion.**
wrthodiad, *gw.* **gwrthodiad.**
wrthol, *gw.* **gwrthol.**
wrthrych, *gw.* **gwrthrych.**
wrthrychol, *gw.* **gwrthrychol.**
wrthryfel, *gw.* **gwrthryfel.**
wrthryfela, *gw.* **gwrthryfela.**
wrthryfelwr, *gw.* **gwrthryfelwr.**
wrthsafiad, *gw.* **gwrthsafiad.**
wrthsefyll, *gw.* **gwrthsefyll.**
wrthun, *gw.* **gwrthun.**
wrthuni, *gw.* **gwrthuni.**
wrthweithio, *gw.* **gwrthweithio.**
wrthwyneb, *gw.* **gwrthwyneb.**
wrthwynebiad, *gw.* **gwrthwynebiad.**
wrthwynebol : wrthwynebus, *gw.* **gwrthwynebol.**
wrthwynebu, *gw.* **gwrthwynebu.**
wrthwynebwr, *gw.* **gwrthwynebwr.**
wrych, *gw.* **gwrych.**
wryd, *gw.* **gwryd.**
wrym, *gw.* **gwrym.**
wrymiog, *gw.* **gwrymiog.**
wrysg, *gw.* **gwrysg.**
wryw, *gw.* **gwryw,** *eg.* ; **gwryw,** *a.*
wrywaidd : wrywiol : wrywol, *gw.* **gwryw,** *a.*
wrywgydiaeth, *gw.* **gwrywgydiaeth.**
wrywgydiol, *gw.* **gwrywgydiol.**
wrywgydiwr, *gw.* **gwrywgydiwr.**
wsberys, *gw.* **gwsberys.**
wth : wthiad, *gw.* **gwth.**
wthio, *gw.* **gwthio.**
wy, *eg. ll.* wyau. Y peth hirgrwn a ddodwyir gan aderyn i gynhyrchu aderyn bach. EGG.
wybed, *gw.* **gwybed.**

wybeta, *gw.* **gwybeta.**
wybod, *gw.* **gwybod.**
wybodaeth, *gw.* **gwybodaeth.**
wybodus, *gw.* **gwybodus.**
wybr, *eb.* **wybren,** *eb. ll.*-nau. Awyr, ffurfafen, y gwagle uwchlaw'r ddaear. SKY.
wybrennol, *a.* Wybrol, awyrol. CELESTIAL.
wybyddus, *gw.* **gwybyddus.**
wych, *gw.* **gwych.**
wychder, *gw.* **gwychder.**
wydn, *gw.* **gwydn.**
wydnwch, *gw.* **gwydnwch.**
wydr, *gw.* **gwydr.**
wydryn, *gw.* **gwydryn.**
ŵydd, *gw.* **gŵydd,** *eg.* ; **gŵydd,** *eb.* ; **gŵydd,** *a.*
wŷdd, *gw.* **gwŷdd.**
wyddbwyll, *gw.* **gwyddbwyll.**
Wyddel, *gw.* **Gwyddel.**
Wyddeleg, *gw.* **Gwyddeleg.**
Wyddelig, *gw.* **Gwyddelig.**
wyddfid, *gw.* **gwyddfid.**
wyddoniadur, *gw.* **gwyddoniadur.**
wyddoniaeth, *gw.* **gwyddoniaeth.**
wyddonol, *gw.* **gwyddonol.**
wyddonydd, *gw.* **gwyddonydd.**
wyddor, *gw.* **gwyddor.**
wyf, *bf.* Person cyntaf unigol amser presennol modd mynegol **bod** ; Yr wyf, Rydwyf i. I AM.
wyfyn, *gw.* **gwyfyn.**
wygell, *eb. ll.*-oedd. Organ yng nghorff benyw sy'n storio a gollwng wyau. OVARY.
ŵyl, *gw.* **gŵyl.**
wylad, *gw.* **gwylio.**
wylan, *gw.* **gwylan.**
wyleidd-dra, *gw.* **gwyleidd-dra.**
wyliadwriaeth, *gw.* **gwyliadwriaeth.**
wyliadwrus, *gw.* **gwyliadwrus.**
wylied, *gw.* **gwylio.**
wyliedydd, *gw.* **gwyliedydd.**
wylio, *gw.* **gwylio.**
wyliwr, *gw.* **gwyliwr.**
wylmabsant, *gw.* **gwylmabsant.**
wylnos, *gw.* **gwylnos.**
wylo, *be.* Crio, llefain, ubain, griddfan, ochneidio. TO WEEP.
wylofain, 1. *eg.* Cwynfan, ochenaid, griddfan, llef uchel. A WAILING.
2. *be.* Ochneidio, wylo, llefain, crio. TO WAIL.
wylofus, *a.* Dagreuol, yn llawn dagrau. TEARFUL.
wyll, *gw.* **gwyll.**
wylliad, *gw.* **gwylliad.**
wyllt, *gw.* **gwyllt.**
wylltio : wylltu, *gw.* **gwylltio.**
wymon, *gw.* **gwymon.**
wyn, *gw.* **gwyn.**
ŵyn, *gw.* **gwyn.**
wŷn, *gw.* **gwŷn.**
wyna, *be.* Geni oen gan ddafad. TO LAMB.
wynad, *gw.* **gwynad.**

wyndwn, *gw.* **gwyndwn.**

wyneb, *eg. ll.*-au. Wynepryd, arwynebedd, y tu flaen i'r pen. FACE, SURFACE.
Derbyn wyneb. RESPECTING PERSONS.

wyneb-ddalen, *eb. ll.* wyneb-ddalennau. Y dudalen honno ym mlaen y llyfr sy'n cynnwys ei deitl a'i awdur. TITLE-PAGE.

wynebgaled, *a.* Digywilydd, haerllug. BAREFACED.

wynebgaledwch, *eg.* Digywilydd-dra, haerllugrwydd. IMPUDENCE.

wyneblasu, *be.* Gwelwi. TO TURN PALE.

wynebu, *be.* Troi wyneb at, edrych at, gwrthsefyll yn ddewr. TO FACE.

wynegon, *gw.* **gwynegon.**

wynegu : wynio, *gw.* **gwynegu.**

wynepryd, *eg.* Wyneb, y mynegiant ar yr wyneb, pryd a gwedd. FACE, COUNTENANCE.

wynfa, *gw.* **gwynfa.**

wynfyd, *gw.* **gwynfyd.**

wynfydedig, *gw.* **gwynfydedig.**

wyngalch, *gw.* **gwyngalch.**

wyngalchu, *gw.* **gwyngalchu.**

wyniad, *gw.* **gwyniad.**

wynias, *gw.* **gwynias.**

wynnin : wnning, *gw.* **gwynnin.**

wynnu, *gw.* **gwynnu.**

wynnwy, *gw.* **gwynnwy.**

wynt, *gw.* **gwynt.**

wyntio : wynto, *gw.* **gwyntio.**

wyntog, *gw.* **gwyntog.**

wyntell, *gw.* **gwyntell.**

wyntyll, *gw.* **gwyntyll.**

wyntylliad, *gw.* **gwyntylliad.**

ŵyr, *eg. ll.* wyrion. (*b.* wyres). Mab i fab neu ferch. GRANDSON.

ŵyr, *gw.* **gŵyr.**

wŷr, *gw.* **gŵr.**

wyrdroi, *gw.* **gwyrdroi.**

wyrdd, *gw.* **gwyrdd.**

wyrddlas, *gw.* **gwyrddlas.**

wyrddni, *gw.* **gwyrddni.**

wyres, *eb. ll.*-i (*g.* ŵyr). Merch i fab neu ferch. GRAND-DAUGHTER.

wyrgam, *gw.* **gŵyr.**

wyriad, *gw.* **gwyriad.**

wyrni, *gw.* **gwyrni.**

wyro, *gw.* **gwyro.**

wyrth, *gw.* **gwyrth.**

wyrthiol, *gw.* **gwyrthiol.**

wyryf, *gw.* **gwyryf.**

wyryfdod, *gw.* **gwyryfdod.**

wŷs, *gw.* **gwŷs.**

wysg, *eg.* Cyfeiriad. DIRECTION.
Yn wysg ei gefn : llwrw ei gefn : drach ei gefn. BACKWARDS.

wystrys, *e.ll.* Pysgod cregyn o'r môr, llymeirch. OYSTERS.

wysio, *gw.* **gwysio.**

wystl, *gw.* **gwystl.**

wystlo, *gw.* **gwystlo.**

wyth, *a.* Y rhifol ar ôl saith. EIGHT.
Wyth gant/cant.
Wyth mlynedd.

wythawd, *eg. ll.*-au. Cerddoriaeth i wyth llais neu offeryn, wyth llinell olaf soned. OCTET.

wythblyg, *a.* Ag wyth blyg. OCTAVO.

wythfed, *a.* Yr olaf o wyth. EIGHTH.

wythnos, *eb.* Cyfnod o saith niwrnod. A WEEK.

wythïen, *eb. ll.* gwthïen.

wythnosol, *a.* Bob wythnos. WEEKLY.

wythnosolyn, *eg. ll.* wythnosolion. Cylchgrawn wythnosol. WEEKLY MAGAZINE.

wythongl, *eb. ll.*-au. Ffigur ag wyth ochr. OCTAGON.

wythwr, *eg. ll.* wythwyr. Un o'r blaenwyr mewn tîm rygbi. NUMBER EIGHT (*Rugby*).

wyw : wywedig, *gw.* **gwyw.**

wywo, *gw.* **gwywo.**

Y : **yr** : **'r,** Y fannod. THE, (*definite article*).
(**y** o flaen cytsain ; **yr** o flaen llafariad a **h** ;
'r ar ôl llafariad).

y : **yr,** Geiryn perthynol a ddefnyddir ymhob
cyflwr ond yr enwol a'r gwrthrychol.
(*relative particle*).
Y dref y trigaf ynddi. THE TOWN IN WHICH I
LIVE.

y : **yr,** Geiryn a ddefnyddir gyda ffurfiau'r
berfenw **bod**.
Yr oeddwn . . .
Y mae . . .

ych, *eg. ll.*-en. Un o deulu'r fuwch. OX.
Rhydychen. OXFORD.

ychwaith : **chwaith,** *adf.* Hefyd (mewn brawddeg
negyddol), hyd yn oed. EITHER, NEITHER.

ychwaneg : **chwaneg,** *eg.* Mwy, rhagor. MORE.

ychwanegiad : **chwanegiad,** *eg. ll.*-au. Atodiad,
cynnydd, rhywbeth yn rhagor. ADDITION.

ychwanegol, *a.* Yn rhagor, yn fwy. ADDITIONAL.

ychwanegu : **chwanegu,** *be.* Atodi, helaethu,
cynyddu, chwyddo. TO INCREASE, TO ADD.

ychydig, *a.* Tipyn, dim llawer, prin, anaml.
LITTLE, FEW.

ŷd, *eg. ll.* ydau. Llafur (gan gynnwys gwenith,
barlys, ceirch, &c.). CORN.
Ydfran. ROOK.

ydlan, *eb. ll.*-nau, -noedd. Buarth neu iard i gadw
ŷd neu wair. RICK-YARD.

ydwyf, *gw.* **wyf.**

ydyw : **yw,** *bf.* Trydydd person unigol amser
presennol modd mynegol **bod**. IS / ARE.

yddfau, *gw.* **gwddf.**

yddfol, *gw.* **gyddfol.**

yfed, *be.* Llyncu dŵr neu laeth, &c., ; sugno,
llymeitian, diota. TO DRINK.

yfory : **fory,** *adf.* Trannoeth i heddiw. TOMORROW.

yfflon, *e.ll.* (*un. g.* yfflyn). Teilchion, cyrbibion,
darnau, tameidiau neu ronynnau mân.
FRAGMENTS.
Yn yfflon : yn ulw. UTTERLY BROKEN, WRECKED.

yng, *gw.* **yn.**
Yng Ngorseinon. IN GORSEINON.
Yng Nghaerdydd. IN CARDIFF.

yngan : **ynganu,** *be.* Traethu, dywedyd, llefaru,
mynegi, sôn. TO UTTER, TO SPEAK.

ynghanol, *ardd.* Ymysg, ymhlith, rhwng. IN THE
MIDST OF.

ynghyd, *adf.* Gyda'i gilydd. TOGETHER.

ynglŷn (â), *adf.* Mewn cysylltiad, yn ymwneud
(â). IN CONNECTION (WITH).

ylfin, *gw.* **gylfin.**

ylfinir, *gw.* **gylfinir.**

ym, *gw.* **yn.**
Ym 1846 (*ym mil wyth pedwar chwech*) . . .
IN 1846 . . .
Ym Mryste. IN BRISTOL.
Ymhell. FAR.
Ymhen. WITHIN (*time*).

ym-, *rhagdd.* Ystyr atblygol neu gilyddol, fel
rheol. MOSTLY REFLEXIVE OR RECIPROCAL IN
MEANING.

yma, *adf.* Yn y man hwn, yn y fan hon, yn y lle
hwn ; hwn. HERE, IN THIS, PLACE ; THIS.

ymadael : **ymado (â),** *be.* Mynd ymaith, gadael,
cychwyn. TO DEPART.

ymadawedig, *a.* Wedi ymadael, marw. DEPARTED,
DECEASED.

ymadawiad, *eg.* Yr act o ymadael, marwolaeth.
DEPARTURE.

ymadawol, *a.* Yn ymadael. PARTING.
Pregeth ymadawol. FAREWELL SERMON.

ymadrodd, *eg. ll.*-ion. Dywediad, lleferydd,
traethiad. SAYING, SPEECH.
Rhan ymadrodd. PART OF SPEECH.

ymaelodi, *be.* Dod yn aelod. TO BECOME A MEMBER.

ymafael : **ymaflyd,** *be.* Dal gafael, gafaelyd,
cydio yn. TO TAKE HOLD.
Ymaflyd codwm : taflu codwm. TO WRESTLE.

ymagor, *be.* Gwneud yn agored, ymledu, ehangu.
TO OPEN, TO UNFOLD, TO EXPAND.

ymaith, *adf.* I ffwrdd, i bant. AWAY.

ymarfer, *eb. ll.*-ion. **ymarferiad,** *eg. ll.*-au.
1. Arfer, arferiad. PRACTICE, EXERCISE.
2. *be.* Gwneud peth yn aml er mwyn
cyfarwyddo ag ef, arfer. TO PRACTISE.

ymarferol, *a.* Y gellir ei wneud. PRACTICAL.

ymarhous, *a.* Amyneddgar, dioddefgar, araf.
SLOW, PATIENT, LONG SUFFERING.

ymaros, *be.* Dioddef, cyd-ddioddef, bod yn
amyneddgar. TO ENDURE.

ymarweddiad, *eg. ll.*-au. Ymddygiad, ffordd i
ymddwyn. CONDUCT, BEHAVIOUR.

ymatal, *be.* Dal yn ôl, ffrwyno hunan. TO
REFRAIN, TO ABSTAIN.

ymateb, *be.* Ateb, gweithredu mewn ateb i. TO
RESPOND.

ymbalfalu, *be.* Chwilio yn y tywyllwch, teimlo'r
ffordd. TO GROPE.

ymbarél, *egb. ll.*-s, ymbarelau, ymbareli :
ymbrela, *eg. ll.*-s, ymbrelau : **ymbrelo,** *eg.
ll.*-s : **ambarél,** *egb.* -s, ambarelau, ambareli.
Peth i gysgodi dano yn y glaw. UMBRELLA.

ymbelydredd, *eg.* Gollyngiad o egni megis
tonfeydd electromagnetig. RADIATION.
Salwch ymbelydredd. RADIATION SICKNESS.

ymbelydrol, *a.* Yn ymwneud ag ymbelydredd.
RADIOACTIVE.

ymbil : **ymbilio,** *be.* Erfyn, crefu, atolygu, deisyf,
ymbilio. TO IMPLORE, TO BESEECH.

ymbil, *eg. ll.*-iau. Deisyfiad, erfyniad. ENTREATY.

ymboeni (â), *be.* Cymryd gofal, dygnu,
ymdrechu, ymegnïo. TO TAKE PAINS.

ymborth, *eg.* Bwyd, lluniaeth, peth i'w fwyta.
FOOD, SUSTENANCE.

ymborthi (ar), *be.* Bwyta. TO FEED (ON).

ymchwelyd, *gw.* **ymhoelyd.**

ymchwil, *eb.* Chwilio am rywbeth, chwiliad, yn
ceisio rhywbeth. SEARCH, RESEARCH.

ymchwiliad, *eg. ll.*-au. Archwiliad, ymholiad i rywbeth. INVESTIGATION.

ymchwydd, *eg. ll.*-iadau. Tonnau codiad, dygyfor, yr act o ymchwyddo. SURGE.

ymchwyddo, *be.* Dygyfor, chwyddo, codi, symud yn donnau. TO SURGE.

ymdaith, *eb. ll.* ymdeithiau. Taith, siwrnai. JOURNEY, MARCH.

ymdeimlad, *eg.* Ymwybod, ymwybyddiaeth. FEELING, SENSE.

ymdeithgan, *eb.* Cân y gellir ymdeithio iddi. MARCHING SONG, MARCH.

ymdeithio : ymdaith, *be.* Teithio, mynd ar siwrnai, cerdded ynghyd. TO JOURNEY, TO MARCH.

ymdopi, *be.* Gwneud y tro, llwyddo, dod i ben â rhywbeth. TO MANAGE.

ymdrech, *eb. ll.*-ion. Egni mawr, ymegnïad, ymgais. EFFORT, ENDEAVOUR, STRUGGLE.

ymdrechgar, *a.* Egnïol. STRIVING.

ymdrechu, *be.* Ymryson, gwneud ymdrech, treio, ceisio, cynnig, ymegnïo. TO STRIVE, TO ENDEAVOUR.

ymdrin (â), *be.* Trin, trafod, delio â. TO DEAL WITH, TO TREAT.

ymdriniaeth, *eb.* Trafodaeth. DISCUSSION, TREATMENT.

ymdrochi, *be.* Ymolchi'n gyfan gwbl, mynd i mewn i ddŵr. TO BATHE.

ymdroi, *be.* Sefyllian, ystelcian, gwario amser. TO LOITER, TO DAWDLE.

ymdrybaeddu, *be.* Ymdreiglo, rholio mewn dŵr neu fwd, &c. TO WALLOW.

ymdynghedu, *be.* Addunedu, gwneud addewid ddwys. TO VOW.

ymddangos, *be.* Dod i'r golwg, ymrithio, edrych (fel pe bai). TO APPEAR.

ymddangosiad, *eg. ll.*-au. Y weithred o ymddangos, golwg, drych. APPEARANCE.

ymddarostwng, *be.* Ildio, ymostwng, ufuddhau. TO SUBMIT.

ymddatod, *be.* Datod, dadwneud, mynd oddi wrth ei gilydd. TO DISSOLVE.

ymddeol, *be.* Rhoi'r gorau i weithio, ymgilio, ymneilltuo, cilio, mynd. TO RETIRE.

ymddeoliad, *eg. ll.*-au. Ymneilltuad. RESIGNATION. Oed ymddeol. RETIREMENT AGE.

ymddiddan, *eg. ll.*-ion. I. Siarad, sgwrs, ymgom, chwedl. CONVERSATION. 2. *be.* Siarad, chwedleua, sgwrsio, ymgomio. TO TALK.

ymddihatru, *be.* Dadwisgo ei hun. TO DIVEST ONESELF.

ymddiheuriad, *eg. ll.*-au. Yr hyn a fynegir wrth ymddiheuro. APOLOGY.

ymddiheuro, *be.* Ymesgusodi, gwneud esgus drosto'i hunan. TO APOLOGIZE.

ymddiosg, *be.* Dadwisgo. TO UNDRESS.

ymddiried, *eg.* I. Ymddiriedaeth, hyder, ffydd. TRUST, CONFIDENCE. 2. *be.* Hyderu, bod â ffydd yn. TO TRUST.

ymddiriedaeth, *gw.* **ymddiried,** *eg.*

ymddiriedolaeth, *eb. ll.*-au. Cyfundrefn i warchod a gweinyddu buddiannau unigolyn, cwmni, mudiad, &c. TRUST. Ymddiriedolaeth Genedlaethol. NATIONAL TRUST.

ymddiriedolwr, *eg. ll.* ymddiriedolwyr. Un sydd â gofal eiddo un arall. TRUSTEE.

ymddiswyddo, *be.* Rhoi'r gorau i (swydd). TO RESIGN.

ymddwyn, *be.* Gweithredu, actio, ymarweddu, bod yn weddus neu anweddus. TO BEHAVE.

ymddygiad, *eg. ll.*-au. Ffordd i ymddwyn, ymarweddiad. BEHAVIOUR.

ymegnïo, *be.* Gweithredu'n egnïol, gweithio'n galed, ymdrechu. TO STRIVE.

ymennydd, *eg. ll.* ymenyddiau. Deall, y nerfau yn y pen sy'n rhoi'r gallu i feddwl. BRAIN.

ymenyn, *eg.* Y peth a geir o gorddi hufen. BUTTER.

ymerawdwr, *eg. ll.* ymerawdwyr. **ymherodr,** *eg. ll.* ymerodron. (*b.* ymerodres). Rheolwr ymerodraeth. EMPEROR.

ymerodraeth, *eb. ll.*-au. Nifer o wledydd o dan yr un rheolwr. EMPIRE.

ymerodrol, *a.* Yn perthyn i neu'n ymwneud ag ymerodraeth neu ymerawdwr/ymherodr. IMPERIAL.

ymesgusodi, *be.* Ymddiheuro, gwneud esgus drosto'i hunan. TO EXCUSE ONESELF.

ymestyn, *be.* Estyn, ehangu, cyrraedd hyd at, tynnu wrth, gwneud yn hwy. TO STRETCH, TO EXTEND.

ymestyniad, *eg. ll.*-au. Estyniad, helaethiad, ehangiad. EXTENSION.

ymfalchïo (yn), *be.* Balchïo, bod yn falch. TO PRIDE ONESELF.

ymfudiad, *eg. ll.*-au. Symudiad i fyw mewn gwlad arall. EMIGRATION.

ymfudo, *be.* Mudo, mynd i fyw mewn gwlad arall. TO EMIGRATE.

ymfudwr, *eg. ll.* ymfudwyr. Un sy'n ymfudo. EMIGRANT.

ymffrost, *eg.* Bost, brol, ffrwmp. BOAST.

ymffrostio, *be.* Brolio, bostio, siarad mewn ffordd hunanol. TO BOAST.

ymffrostiwr, *eg. ll.* ymffrostwyr. Un sy'n ymffrostio. BOASTER, BRAGGART.

ymgais, *egb.* Ymdrech, cais, cynnig. ATTEMPT.

ymgecru, *be.* Ffraeo, cweryla. TO QUARREL.

ymgeisio, *be.* Ymdrechu, cynnig, ceisio. TO TRY.

ymgeisydd, *eg. ll.* ymgeiswyr. Un sy'n ymgeisio am swydd neu fraint. CANDIDATE, APPLICANT. Ymgeisydd Seneddol. PARLIAMENTARY CANDIDATE.

ymgeledd, *eg.* Gofal, swcr, swcwr, cymorth. CARE.

ymgeleddu, *be.* Gofalu am, swcro, cynorthwyo. TO SUCCOUR.

ymgiprys, *be.* I. Cystadlu, cydymgeisio, ymdrechu, ymgodymu. TO VIE.
2. *eg.* Ysgarmes. CONTEST.
ymgnawdoli, *be.* Dyfod yn gnawd. TO BE INCARNATE.
ymgnawdoliad, *eg. ll.*-au. Ymddangosiad yn y cnawd. INCARNATION.
Ymgnawdoliad Crist. THE INCARNATION OF CHRIST.
ymgodymu, *be.* Ymgiprys, ymdrechu, cydymgeisio, cystadlu, ymaflyd codwm. TO WRESTLE.
ymgom, *eb. ll.*-ion, -iau. Siarad, sgwrs, ymddiddan, chwedl. CONVERSATION.
ymgomio, *be.* Siarad, sgwrsio, ymddiddan, chwedleua. TO CONVERSE.
ymgomiwr, *eg. ll.* ymgomwyr. Ymddiddanwr, sgwrsiwr, siaradwr. CONVERSATIONALIST.
ymgorffori, *be.* Corffori, cynnwys. TO EMBODY.
ymgreinio, *be.* Ymlusgo wrth draed rhywun, gorwedd â'r wyneb i waered, darostwng hunan. TO GROVEL.
ymgroesi, *be.* I. Bendithio neu groesi ei hun. TO CROSS ONESELF.
2. Bod yn ofalus, gochel, gochelyd, gwylio. TO BEWARE.
ymgrymu, *be.* Ymostwng, plygu. TO BOW.
ymguddio, *be.* Cuddio ei hun. TO HIDE ONESELF.
ymgyfarfod (â), *be.* Cyfarfod ynghyd, cwrdd (â). TO ENCOUNTER.
ymgynghori (â), *be.* Gofyn barn, gofyn am gyngor. TO CONSULT, TO CONFER.
ymgymerwr, *eg. ll.* ymgymerwyr. Trefnwr angladdau. UNDERTAKER.
ymgymryd (â), *be.* Cymryd mewn llaw, cymryd at. TO UNDERTAKE.
ymgynnull, *be.* Cynnull ynghyd, ymgasglu. TO ASSEMBLE.
ymgyrch, *egb. ll.*-oedd. Rhyfelgyrch, ymgais i ennill cefnogaeth y cyhoedd. CAMPAIGN.
ymgyrchu, *be.* Arwain ymgyrch (ymosodol neu i ennill cefnogaeth y cyhoedd). TO CAMPAIGN.
ymhél (â) : mhela, *be.* Ymyrraeth, ymyrryd, ymwneud â. TO BE CONCERNED WITH.
ymhelaethu (ar), *be.* Ehangu ar. TO ENLARGE UPON.
ymhell, *adf.* Yn y pellter, pell, pellennig. FAR, AFAR.
ymhellach, *adf.* Pellach, heb law hyn, hefyd. FURTHERMORE, FURTHER.
ymherodr, *gw.* ymerawdwr.
ymhlith, *ardd.* Ymysg, ynghanol, rhwng. AMONG.
ymhlyg, *a.* Yn gynwysiedig, dealledig, heb sôn amdano. IMPLIED.
ymhoelyd : mhoelyd, *be.* Troi rhywbeth drosodd, ymchwelyd, dymchwelyd. TO OVERTURN.
Mae'r ffarmwr yn [y]mhoelyd y gwair. THE FARMER IS TURNING OVER THE HAY.
ymholiad, *eg. ll.*-au. Ymofyniad, holiad, gofyniad, cais am wybodaeth. INQUIRY.
ymhŵedd, *be.* Ymbil, erfyn, crefu, atolygu. TO IMPLORE.
ymhyfrydu, *be.* Difyrru, cael pleser, llawenhau, llawenychu. TO DELIGHT ONESELF.

ymlacio, *be.* Llacio, hamddena, bwrw'ch blinder. TO RELAX.
ymladd, *be.* Rhyfela, cwffio, brwydro. TO FIGHT.
ymladd, *eg. ll.*-au. **ymladdfa,** *eb. ll.* ymladdfeydd. Rhyfel, brwydr, cad. FIGHT, BATTLE.
ymlâdd, *be.* Ymegnïo, blino'n lân, ymflino, ymorchestu. TO WEAR ONESELF OUT.
Wedi llwyr ymlâdd. DEAD TIRED.
ymladdgar, *a.* Hoff o ymladd. PUGNACIOUS.
ymladdwr, *eg. ll.* ymladdwyr. Un sy'n ymladd. FIGHTER.
ymlaen, *adf.* Yn y blaen. ON, ONWARD.
ymlid, *be.* Erlid, erlyn, dilyn, hela. TO PURSUE, TO CHASE.
ymlidiwr, *eg. ll.* ymlidwyr. Dilynwr, erlidiwr. PERSECUTOR, PURSUER.
ymlusgiad, *eg. ll.* ymlusgiaid. Creadur sy'n symud ar ei dor (neidr, &c.). REPTILE.
ymlusgo, *be.* Ymgripian, cropian, symud yn araf iawn. TO CRAWL.
ymlwybro, *be.* Llwybreiddio, gwneud ei ffordd. TO MAKE ONE'S WAY.
ymlyniad, *eg.* Ymgysylltiad, teimlad cynnes, serch. ATTACHMENT.
ymlynu, *be.* Ymgysylltu. TO BE ATTACHED, TO ATTACH.
ymneilltuad, *eg.* Y weithred o ymneilltuo, gorffen gweithio yn wirfoddol, ymddeoliad. RETIREMENT.
Ymneilltuaeth, *eb.* Anghydffurfiaeth. NONCONFORMITY.
ymneilltuo, *be.* Gadael gweithio, gadael swydd, ymddeol, ymddiswyddo. TO RETIRE.
Ymneilltuol, *a.* Anghydffurfiol. NONCONFORMIST.
Ymneilltuwr, *eg. ll.* Ymneilltuwyr. Anghydffurfiwr, un nad yw'n cydymffurfio â'r eglwys sefydledig. A NONCONFORMIST.
ymochel : ymochelyd, *be.* Cysgodi, cadw rhag, ymogel, ymogelyd. TO SHELTER, TO AVOID.
ymod : ymodi, *be.* Symud, syflyd. TO MOVE, TO STIR.
ymofyn, *be.* Ceisio, chwilio am, hercyd, nôl, hôl, cyrchu, dymuno. TO ASK, TO SEEK, TO INQUIRE.
ymofyn, *eg. ll.* ymofynion. Gofyn beth yw hanes rhywun neu rywbeth, ymholiad. INQUIRY.
ymogel : ymogelyd, *gw.* ymochel.
ymolch : ymolchi, *be.* Golchi hunan, ymdrochi. TO WASH ONESELF.
ymollwng, *be.* Gadael ei hun i fynd, syrthio. TO LET ONESELF GO, COLLAPSE.
ymorchestu, *gw.* ymlâdd.
ymorol, *be.* Ceisio, chwilio am, holi. TO SEEK.
ymosod (ar), *be.* Dwyn cyrch, cyrchu, bwrw, taro, rhuthro ar. TO ATTACK.
ymosodiad, *eg. ll.*-au. Cyrch, rhuthr. ATTACK.
ymosodol, *a.* Yn ymosod, yn dwyn cyrch. ATTACKING.
Mudiad Ymosodol. FORWARD MOVEMENT.
ymosodwr, *eg. ll.* ymosodwyr. Un sy'n ymosod. ATTACKER.

ymostwng, *be.* Plygu, ymddarostwng, ufuddhau, ymroddi, crymu. TO SUBMIT.

ymostyngiad, *eg. ll.* Ildiad, darostyngiad, ufuddhau. SUBMISSION.

ympryd, *eg. ll.*-iau. Y weithred o ymwrthod â bwyd am gyfnod. FASTING.

ymprydio, *be.* Byw heb fwyd am dymor. TO FAST.

ymprydiwr, *eg. ll.* ymprydwyr. Un sy'n mynd heb fwyd am gyfnod. FASTER.

ymrafael, *eg. ll.*-ion. Ffrae, cweryl, ymryson. QUARREL.

ymrafael : ymrafaelio, *be.* Cweryla, ymryson, ffraeo, ymgiprys. TO QUARREL.

ymraniad, *eg. ll.*-au. Rhwyg, gwahaniad. DIVISION, SCHISM.

ymrannu, *be.* Rhwygo, gwahanu. TO PART, TO BECOME DISUNITED.

ymreolaeth, *eb.* Hunanlywodraeth, annibyniaeth, ymlywodraeth. SELFGOVERNMENT.

ymrestru, *be.* Ymuno, rhestru, cofrestru. TO ENLIST.

ymresymiad, *eg. ll.*-au. Dadl, yr act o ymresymu. REASONING.

ymresymu, *be.* Dadlau, rhesymu, trafod, trin, meddwl am beth ar ôl cael y ffeithiau. TO REASON, TO ARGUE.

ymrithio, *be.* Ymddangos mewn gwedd (ddieithr). TO ASSUME FORM.

ymroad : ymroddiad, *eg. ll.*-au. Y weithred o ymroi, ymgyflwyniad, ymgysegriad. DEVOTION, APPLICATION.

ymroddi : ymroi, *be.* Ymgyflwyno. TO DEVOTE ONESELF TO, TO APPLY ONESELF.

ymron, *adf.* Bron. ALMOST.

ymrwymiad, *eg. ll.*-au. Cytundeb. AGREEMENT, ENGAGEMENT.

ymrwymo, *be.* Cytuno. TO ENGAGE.

ymryson, *eg. ll.*-au. 1. Dadl, ymrafael, cynnen, terfysg, anghytundeb, anghydfod. CONTENTION. 2. *eg.* Cystadleuaeth. COMPETITION, CONTEST. 3. *be.* Ymrafael, terfysgu. TO CONTEND. 4. *be.* Cystadlu. TO COMPETE.
Ymryson y Beirdd. THE BARDS' CONTEST.

ymserchu (yn), *be.* Coleddu, dotio, ffoli. TO CHERISH, TO DOTE.

ymson, *be.* 1. (Un yn) siarad ag ef ei hun. TO SOLILOQUISE. 2. *eg. ll.*-au. Hunanymddiddan. SOLILOQUY.

ymswyn : ymswyno, *be.* Bod yn ofalus, gochel, ymogelyd, ymgroesi, gofalu, peidio â. TO BEWARE.
Yn ymswyn yn erbyn y fath beth.

ymuno (â), *be.* Ymaelodi, ymrestru, dod yn aelod, cytuno. TO JOIN.

ymwacâd, *eg.* Y weithred o wacáu ei hun, y weithred o ymwadu â'i Dduwdod gan Grist wrth gymryd arno natur dyn. KENOSIS.

ymwadu (â), *be.* Ymwrthod, gwneud heb. TO RENOUNCE.

ymwahanu, *be.* Gwahanu, ymrannu, ymadael (â'ch gilydd), mynd ar wahân. TO PART, TO DIVIDE, TO SEPARATE.

ymwared, *eg.* 1. Gwaredigaeth. DELIVERANCE. 2. *be.* Gwaredu, rhyddhau. TO DELIVER.

ymweled : ymweld (â), *be.* Mynd i weld, aros gyda. TO VISIT.

ymweliad, *eg. ll.*-au. Y weithred o fynd i weld rhywun, &c. VISIT.

ymwelwr : ymwelydd, *eg. ll.* ymwelwyr. Un sy'n ymweld â. VISITOR.

ymwneud : ymwneuthur (â), *be.* Delio, trin, ymdrin, trafod. TO DEAL (WITH).

ymwroli, *be.* Ymgalonni, ymgysuro, bod yn galonnog, llawenhau. TO TAKE HEART, TO BE OF GOOD CHEER.

ymwrthod (â), *be.* Ymatal, ymgadw rhag, cadw rhag. TO ABSTAIN.
Llwyrymwrthodwr. TEETOTALLER.
Llwyrymwrthodiad. TEETOTALISM.

ymwrthodiad, *eg. ll.*-au. Ymataliad rhag rhywbeth. ABSTINENCE.

ymwybodol, *a.* Yn gwybod am, effro, ar ddi-hun, yn sylwi. CONSCIOUS.

ymwybyddiaeth, *eb.* Y stad o wybod neu fod yn effro neu ar ddi-hun. CONSCIOUSNESS.

ymyl, *egb. ll.*-on, -au. Cwr, ffin, ochr, cyffin, terfyn, min, glan (afon). EDGE, BORDER.
Yn ymyl. CLOSE BY.

ymylu, *be.* Bod yn ymyl, ffinio. TO BORDER.

ymylwe, *eb.* Ymylwaith. SELVEDGE.

ymyriad, *eg. ll.*-au. Y weithred o ymyrryd, ymyrraeth. INTERFERENCE.

ymyrraeth : ymyrryd : ymyrru, *be.* Ymhél â busness rhywun arall, busnesa. TO INTERFERE.

ymysg, *ardd.* Ymhlith, rhwng, ynghanol. AMONG.

ymysgaroedd, *e.ll.* Perfedd, coluddion. BOWELS.

ymysgwyd, *be.* Cyffroi, mwstro. TO BESTIR ONESELF.

yn : yng : ym, *ardd.* (Ynof, ynot, ynddo/ynddi, ynom, ynoch, ynddynt). IN, AT.
Yn Abertawe. IN SWANSEA.
Yng nghwr y cae. IN A CORNER OF THE FIELD.
Ym Mangor. IN BANGOR.
Yn 2010 . . . (Yn nwy fil a deg . . .) IN 2010 . . .
Ym 1536 . . . (Ym mil pump tri chwech . . .) IN 1536 . . .

yn, *geir.* (Mewn traethiad &c.). (PARTICLE).
Yn mynd. GOING.
Gwneud yn dda. DOING WELL.

yna, *adf.* Yn y lle yna, acw, ar ôl hynny. THERE, THAT, THEN.

ynad, *eg. ll.*-on. Swyddog mewn llys a hawl ganddo i roi'r gyfraith mewn grym, barnwr, ustus. MAGISTRATE.
Ynad heddwch : ustus heddwch. JUSTICE OF THE PEACE.
Llys yr Ynadon. THE MAGISTRATES' COURT.

ynau, *gw.* **gŵn.**

yn awr : nawr, *adf.* Ar hyn o bryd, 'rŵan, yr awr hon, yr awron. NOW.

ynfyd, *a.* Ffôl, annoeth, anghall, gwallgof, gorffwyll, o'i gof. FOOLISH, MAD.

ynfydrwydd, *eg.* Ffolineb, annoethineb, gorffwylledd, cynddaredd, gwallgofrwydd. FOOLISHNESS, MADNESS.

ynfydu, *be.* Gwallgofi, gorffwyllo, cynddeiriogi. TO BECOME MAD.

ynfytyn, *eg. ll.* ynfydion. Gwallgofddyn, lloerig, un gwirion, ffŵl. SIMPLETON.

ynn, *gw.* onnen.

ynnau, *gw.* gwn.

ynni, *eg.* Egni, bywyd, nwyfiant, grym, nerth. ENERGY.
Ynni niwclear. NUCLEAR ENERGY.
Ynni'r haul. SOLAR POWER.

yno, *adf.* Yn y lle hwnnw, tuag yno. THERE, THITHER.

yntau, *rhag.* Trydydd person unigol gwrywaidd rhagenw personol dyblyg, ef, ef hefyd. HE, HE TOO, HE ON HIS PART.

ynteu : ynte, *cys.* Neu, felly. THEN, OR ELSE.
Beth yw hwn ynteu ? WHAT THEREFORE IS THIS ?
Pa un yw hwn, y cyntaf ynteu'r ail ? WHICH IS THIS, THE FIRST OR THE SECOND ?

Ynyd, *eg.* Dydd Mawrth Ynyd, y diwrnod o flaen Dydd Mercher y Lludw. SHROVE TUESDAY.

ynys, *eb. ll.*-oedd. I. Tir a amgylchynir gan ddŵr. ISLAND.
Ynys Bŷr. CALDEY ISLAND.
Ynysoedd Heledd. THE HEBRIDES.
Yr Ynysoedd Dedwydd. THE CANARY ISLANDS.
2. Dôl ar lan afon. MEADOW.
Ceir enghreifftiau mewn enwau lleoedd : Ynysforgan, Ynysmeudwy.

ynysfor, *eg. ll.*-oedd. Môr â llawer o ynysoedd bach, casgliad o ynysoedd bach. ARCHIPELAGO.

ynysig, *eb. ll.*-au. I. Ynys fach. ISLE, ISLET.
2. *a.* Yn perthyn i ynys ; cul, plwyfol. INSULAR.

ynysol, *a.* Yn ymwneud ag ynys ; cul, plwyfol. INSULAR.

yr, *gw.* gyr ; *gw.* y.

yrfa, *gw.* gyrfa.

yrru, *gw.* gyrru.

yrrwr, *gw.* gyrrwr.

yrŵan : rŵan, *adf.* Y funud hon, nawr, yn awr, yr awr hon, yr awron. NOW.

yrwynt, *gw.* gyrwynt.

yrhawg : rhawg, *adf.* Am amser maith eto. FOR A LONG TIME TO COME.

ys, *bf.* I. Y mae. IT IS.
Ys gwir iddo fod yno. IT IS QUITE TRUE THAT HE WAS THERE.
2. *cys.* Fel y. AS.
Ys dywed ei dad. AS HIS FATHER SAYS.
3. *bf.* (Yn yr ymadrodd) er ys (ers). FOR . . . PAST.
Er ys mis. FOR A MONTH PAST.
4. *bf.* Yr ys : yr ydys. ONE IS.

ysbaid, *egb. ll.* ysbeidiau. Ychydig bach o amser, encyd, ennyd. SPACE OF TIME.

ysbail, *eb. ll.* ysbeiliau. Anrhaith, ysglyfaeth, peth a ladrateir. SPOIL, BOOTY.

ysbardun, *eg. ll.*-au. Offeryn ar sodlau marchog ac iddo bigau llym i yrru'r ceffyl. SPUR.

ysbarduno, *be.* Symbylu, gyrru ymlaen, gyrru arni. TO SPUR.

ysbeidiol, *a.* Weithiau, achlysurol, ar brydiau. OCCASIONAL, INTERMITTENT.

ysbeilio, *be.* Anrheithio, difrodi, dwyn rhywbeth. TO PLUNDER.

ysbeiliwr, *eg. ll.* ysbeilwyr. Anrheithiwr, difrodwr, lleidr. SPOILER, ROBBER.

ysbïenddrych, *eg. ll.*-au. Offeryn i weld pethau pell yn agos ac yn fawr. TELESCOPE, BINOCULARS.

ysbïo, *be.* Mynnu gwybodaeth yn llechwraidd. TO SPY.

ysbïwr, *eg. ll.* ysbïwyr. Un sy'n ysbïo. SPY.

ysblander, *eg.* Gwychder, gloywder, disgleirdeb, gogoniant, mawredd, ardderchowgrwydd, godidowgrwydd. SPLENDOUR.

ysblennydd, *a.* Gwych, campus, rhagorol, disglair. SPLENDID.

ysbonc, *eb. ll.*-iau. Naid, llam. LEAP, JUMP.

ysborion, *e.ll.* Ysgubion, carthion, ysbwriel, gwehilion, sothach, sorod. LEFTOVERS, REMAINS, WASTE REFUSE ; JUMBLE.

ysbryd, *eg. ll.*-ion. Enaid, bwgan. SPIRIT, GHOST.

ysbrydegaeth, *eb.* Y gred fod ysbryd y marw yn gallu anfon negeseuau i'r rhai byw. SPIRITUALISM.

ysbrydegydd : ysbrydegwr, *eg. ll.* ysbrydegwyr, (*b.* ysbrydegwraig). Un sy'n credu mewn ysbrydegaeth. SPIRITUALIST.

ysbrydiaeth, *eb.* Cefnogaeth, anogaeth, calondid. ENCOURAGEMENT, INSPIRATION.

ysbrydol, *a.* Yn ymwneud â'r ysbryd neu â'r enaid, cysegredig, crefyddol. SPIRITUAL.

ysbrydoli, *be.* Dylanwadu (er daioni), symbylu. TO INSPIRE.

ysbrydoliaeth, *eb.* Dylanwad da, symbyliad. INSPIRATION.

ysbrydolrwydd, *eg.* Eiddo eglwysig neu ysbrydol. SPIRITUALITY.

ysbwng, *eg. ll.* ysbyngau. Sbwns, peth a geir o anifail y môr ac a ddefnyddir i lanhau, unrhyw beth tebyg sy'n sugno dŵr. SPONGE.

ysbwriel, *eg.* Ysborion, ysgubion, carthion, gwehilion, sothach, sorod. REFUSE.

ysbyty, *eg. ll.* ysbytai. Lle i drin a gofalu am gleifion. HOSPITAL.

ysfa, *eb. ll.* ysfeydd. Crafu, cosi, enynfa, chwant, blys, dyhead. ITCHING, CRAZE.

ysgadan, *e.ll.* (*un. g.* ysgadenyn). Penwaig. HERRINGS.

ysgafala, *a.* Diofal, esgeulus, rhydd, hamddenol. CARELESS, AT LEISURE.

ysgafell, *eb. ll.*-au. Silff, crib. LEDGE.

ysgafn, *a.* 1. Heb fod yn drwm, o bwysau bach. LIGHT (WEIGHT).
Ysgafndroed. LIGHT-FOOTED.
2. *eb.* Rhan o ysgubor yn llawn o wair neu ŷd. STACK, (OF CORN OR HAY).

ysgafnder, *eg.* Bod yn ysgafn, gwamalrwydd, cellwair heb eisiau. LIGHTNESS, LEVITY.

ysgafnhau : ysgawnhau : ysgafnu, *be.* Gwneud yn ysgafn. TO LIGHTEN (IN WEIGHT).

ysgall, *e.ll. (un. b.*-en ; *un. g.* ysgellyn). Planhigion pigog a geir ar y maes. THISTLES.

ysgariad, *eg. ll.*-au. Gwahaniad, didoliad, tor priodas. SEPARATION, DIVORCE.

ysgar : ysgaru, *be.* Gwahanu, didoli. TO SEPARATE, TO DIVORCE.

ysgatfydd, *adf.* Efallai, hwyrach, dichon. PERHAPS.

ysgaw, *e.ll. (un. b.*-en). Pren ac arno flodau gwynion a grawn duon. ELDER (*trees*).

ysgeler, *a.* Anfad erchyll, echryslon, echrydus, gwaradwyddus, gwarthus. ATROCIOUS.

ysgelerder, *eg. ll.*-au. Dihirwch, anfadwaith, erchyllter, erchylltra, creulondeb, gwaradwydd, gwarth. VILLAINY, INFAMY.

ysgerbwd, *gw.* **sgerbwd.**

ysgithr, *eg. ll.*-edd, -au. Dant hir. TUSK.

ysgithrog, *a.* Clogyrnog, garw, anwastad, creigiog. CRAGGY, RUGGED.
Mynydd ysgithrog.

ysgiw, *eb. ll.*-iau, -ion. Setl. SETTLE.

ysglyfaeth, *eb. ll.*-au. Anrhaith, ysbail, anifail a fwyteir gan un arall. PLUNDER, SPOIL, PREY.

ysglyfaethus, *a.* Anrheithgar, rheibus, gwancus. RAPACIOUS.
Adar ysglyfaethus. BIRDS OF PREY.

ysgog : ysgogi, *be.* Symud, syflyd, cyffro, cyffroi, cynhyrfu, cymell, annog. TO STIR.

ysgogiad, *eg. ll.*-au. Symudiad, cyffroad, cymhelliad. MOVEMENT, INCITEMENT.

ysgol, *eb. ll.*-ion. Peth a ddefnyddir i ddringo ar ei hyd. LADDER.

ysgol, *eb. ll.*-ion. Sefydliad lle rhoddir addysg i blant. SCHOOL.
Ysgol Breswyl. BOARDING SCHOOL.
Ysgol Ddwyieithog. BILINGUAL SCHOOL.
Ysgol Ddyddiol. DAY SCHOOL.
Ysgol Fonedd. PUBLIC SCHOOL.
Ysgol Gyfun. COMPREHENSIVE SCHOOL.
Ysgol Gynradd. PRIMARY SCHOOL.
Ysgol Nos. NIGHT SCHOOL.
Ysgol Ramadeg. GRAMMAR SCHOOL.
Ysgol Sul. SUNDAY SCHOOL.
Ysgol Uwchradd. SECONDARY SCHOOL.

ysgoldy, *eg. ll.* ysgoldai. Lle i gynnal ysgol, tŷ yn perthyn i ysgol. SCHOOL (HOUSE).

ysgolfeistr, *eg. ll.*-i. (*b.*-es). Un sy'n dysgu mewn ysgol. SCHOOLMASTER.

ysgolhaig, *eg. ll.* ysgolheigion. Un dysgedig. LEARNED PERSON.

ysgolheictod, *eg.* Dysg, gwybodaeth. SCHOLARSHIP, LEARNING.

ysgolheigaidd, *a.* Dysgedig, gwybodus. SCHOLARLY.

ysgolor, *eg. ll.*-ion. Disgybl mewn ysgol. SCHOLAR, PUPIL.

ysgoloriaeth, *eb. ll.*-au. Cymorth a roir i ddisgybl ar ôl llwyddo mewn arholiad. SCHOLARSHIP.

ysgrafell, *eb. ll.*-i, -od. Crafwr, offeryn i lanhau ceffyl. SCRAPER.

ysgraff, *eb. ll.*-au. Bad neu gwch mawr, porthfad, bad a gwaelod gwastad iddo. BARGE, FERRY-BOAT.

ysgrech, *eb.* Gwaedd. SCREAM.

ysgrif, *eb. ll.*-au. Erthygl, ysgrifeniad, math arbennig o lenyddiaeth, darn o ryddiaith mewn papur neu gylchgrawn. ARTICLE, ESSAY.

ysgrifen : sgrifen, *eb.* Rhywbeth wedi ei ysgrifennu, llawysgrif. WRITING.

ysgrifennu : sgrifennu, *be.* Dodi llythrennau neu eiriau ar bapur, &c., ; anfon llythyr, cyfansoddi llyfr. TO WRITE.

ysgrifennydd, *eg. ll.* ysgrifenyddion. Un sy'n ysgrifennu llythyrau neu'n cadw cyfrifon &c. SECRETARY.
Ysgrifennydd Eglwys. CHURCH SECRETARY.

ysgrubl, *eg. ll.*-iaid. Anifail. BEAST.

ysgrublyn, *eg.* Darn bach. TINY PIECE.

ysgryd, *eg.* Cryndod, ias, ychryd. SHIVER.
" Aeth ysgryd drwy ei gorff. "

ysgrythur, *eb. ll.*-au. Y Beibl, llyfr sanctaidd. SCRIPTURE.

ysgrythurol, *a.* Yn ymwneud â'r ysgrythur. SCRIPTURAL.

ysgub, *eb. ll.*-au. Casgliad o lafur, &c., wedi ei rwymo. SHEAF.

ysgubell, *eb. ll.*-au. Brws a wneir o frigau coed. BESOM.

ysgubo : sgubo, *be.* Brwsio, dysgub. TO SWEEP.

ysgubor, *eb. ll.*-iau. Lle i gadw cynnyrch y tir (yn enwedig gwair ac ŷd). BARN.

ysgubwr, *eg. ll.* ysgubwyr. Un sy'n ysgubo. SWEEPER.
Ysgubwr simneiau. CHIMNEY SWEEP.

ysgutor, *eg. ll.*-ion. Un a ddewiswyd i weinyddu ewyllys. EXECUTOR.

ysguthan, *eb. ll.*-od. Colomen wyllt. WOOD-PIGEON.

ysgwyd, *be.* Siglo, crynu, symud yn ôl ac ymlaen neu lan a lawr. TO SHAKE.

ysgwydd, *eb. ll.*-au. Palfais, y rhan o'r corff wrth fôn y fraich. SHOULDER.
Pont yr ysgwydd. COLLAR-BONE.
Nerth braich ac ysgwydd. WITH ALL ONE'S MIGHT.

ysgydwad, *eg. ll.*-au. Siglad, symudiad yn ôl ac ymlaen, cryndod, ysgytiad. SHAKE, SHAKING.

ysgyfaint, *e.ll.* Y rhannau o'r corff y tynnir anadl iddynt. LUNGS.

ysgyfarnog, *eb. ll.*-od. Anifail bach cyflym ac iddo glustiau hirion, ceinach, sgwarnog. HARE.

ysgymun, *a.* Melltigedig, atgas, ffiaidd, ysgeler. ACCURSED.
Ysgymunbeth. ACCURSED THING.

ysgymuno, *be.* Gwahardd, gwrthod caniatâd i gymuno. TO EXCOMMUNICATE.

ysgyrion, *e.ll.* (*un. b.* ysgyren). Teilchion, darnau bach pigfain. SPLINTERS, SLIVERS, FRAGMENTS.

ysgyrnygu, *be.* Dangos dannedd, chwyrnu. TO GNASH THE TEETH, TO SNARL.

ysgytiad, *eg. ll.*-au. Ysgydwad chwyrn, aflonyddwch sydyn. SHOCK.

ysgythru : sgathru, *be.* Crafu, cripio, cerfio. TO SCRATCH, TO CARVE.
Ysgythrodd ei goes wrth gwympo.

ysig, *a.* Wedi ysigo, anafus. BRUISED.

ysigo : sigo, *be.* Cleisio, dryllio, anafu, rhwygo. TO SPRAIN, TO BRUISE.

ysmala, *gw.* **smala.**

ysmaldod, *gw.* **smaldod.**

ysmygu, *be.* Tynnu mwg o sigarét, sigâr neu bibell. TO SMOKE.

ysol, *a.* Difaol, difrodol. CONSUMING.

ystad, *gw.* **stad.**

ystadegau, *e.ll.* (*un. g.* ystadegyn). Ffeithiau a ffigurau wedi eu crynhoi a'u trefnu. STATISTICS.

ystadegol, *a.* Yn ymwneud ag ystadegau. STATISTICAL.

ystafell, *eb. ll.*-oedd. Siambr, rhan o dŷ, lle. ROOM.
Ystafell ddosbarth. CLASSROOM.
Ystafell eistedd. SITTING-ROOM.
Ystafell fwyta. DINING-ROOM.
Ystafell groeso. RECEPTION-ROOM.
Ystafell wely. BEDROOM.
Ystafell ymolchi. BATHROOM.

ystelcian, *be.* Llechu yn lladradaidd. TO SKULK.

ystên, *gw.* **stên.**

ystig, *a.* Dyfal, diwyd. DILIGENT.

ystlum, *eg. ll.*-od. Anifail bach sy'n hedfan ac yn debyg i lygoden, slumyn. BAT.

ystlys, *egb. ll.*-au. Ochr y corff, ochr. SIDE, FLANK.
Ystlys mochyn : hanerob. FLITCH.

ystlyswr, *eg. ll.* ystlyswyr. Swyddog sy'n cynorthwyo'r canolwr mewn gêm rygbi, pêl-droed, &c. LINESMAN.

ystod, *eb. ll.*-au. I. Cwrs, gyrfa. COURSE, SPACE OF TIME.
Yn ystod : ynghwrs. DURING.
2. Haen o wair newydd ei ladd, gwanaf. SWATH.

ystof, *egb. ll.*-au. Edafedd hir ar wŷdd. WARP.

ystofi, *be.* Paratoi'r pwythau i wau, gwau, dylifo, cynllunio. TO WARP, TO WEAVE, TO PLAN.

ystorïwr, *eg. ll.* ystorïwyr. Un sy'n adrodd stori. STORYTELLER.

ystrad, *eg. ll.*-au. Llecyn gwastad, bro, gwaelod dyffryn, dyffryn afon. (Cyffredin mewn enwau lleoedd). VALE.

ystrydeb, *eb. ll.*-au. Rhywbeth digyfnewid (megis dywediad), peth ystrydebol. STEREOTYPE, CLICHÉ.

ystrydebol, *a.* Sefydlog, cyfarwydd, hen. STEREOTYPED, HACKNEYED.

ystryw, *eb. ll.*-iau. Tric, pranc, stranc, dichell, twyll, cast. TRICK.

ystrywgar, *a.* Dichellgar, twyllodrus, castiog. CRAFTY.

ystum, *egb. ll.*-iau. I. Agwedd y corff, ffurf. SHAPE, POSTURE.
2. Camedd, plyg. BEND.
Ystumiau. GRIMACES.

ystumio, *be.* I. Sefyll mewn ffordd arbennig, cymryd arno, ymddangos yr hyn nad ydyw, hylldremu. TO POSE.
2. Plygu. TO BEND, TO DISTORT.

Ystwyll, *eg.* Gŵyl er cof am ymweliad y Doethion â'r baban Iesu, y Deuddegfed Dydd wedi'r Nadolig. EPIPHANY.

ystwyrian, *be.* Cyffroi, symud. TO STIR.

ystwyth, *a.* Hyblyg, hawdd ei blygu, hawdd ei drin. FLEXIBLE.

ystwytho, *be.* Gwneud yn ystwyth. TO MAKE FLEXIBLE.

ystyfnig, *a.* Gwrthnysig, anystwyth, anhyblyg, anodd ei drin, cyndyn, cildyn, cildynnus, gwargaled, gwarsyth, penstiff. OBSTINATE.

ystyfnigrwydd, *eg.* Cyndynrwydd, gwargaledwch, cildynrwydd. OBSTINACY.

ystyr, *egb. ll.*-on. Meddwl, arwyddocâd. MEANING.

ystyriaeth, *eb. ll.*-au. Meddwl dwys, meddylgarwch, rheswm, gofal. CONSIDERATION.

ystyried, *be.* Meddwl dros, cyfrif, troi yn y meddwl. TO CONSIDER.

ystyriol, *a.* Gofalus, meddylgar, tosturiol. MINDFUL.

ysu, *be.* Difa, treulio, llosgi, llyncu, dyheu, blysio. TO CONSUME, CRAVE.
Yn ysu am gael mynd. ITCHING TO GO.

yswain, *eg. ll.* ysweiniaid. Sgwier, teitl (Ysw.), gŵr bonheddig o'r wlad. SQUIRE, ESQUIRE.

yswiriant, *eg. ll.* yswiriannau. Trefniant am dâl ar ôl anap neu dân neu farwolaeth, &c., ; y swm a delir gan un sy'n yswirio, y swm a delir i'r sawl oedd wedi yswirio. INSURANCE.
Yswiriant Gwladol. NATIONAL INSURANCE.

yswirio, *be.* Trefnu yswiriant. TO INSURE.

ysywaeth, *adf.* Y sy waeth, gwaetha'r modd. MORE'S THE PITY, ALAS.

yw : ydyw, *bf.* Trydydd person unigol amser presennol modd mynegol **bod.** IS, ARE.

yw, *gw.* **ywen.**

ywen, *eb. ll.* yw. Pren yw, pren bythwyrdd ac iddo ddail tywyll. YEW-TREE.

DICTIONARY

English – Welsh

*   *   *

GEIRIADUR

Saesneg – Cymraeg

Abbreviations – Byrfoddau

a.	. . . .	adjective.
abbr.	. . . .	abbreviation.
ad.	. . . .	adverb.
c.	. . . .	conjunction.
def. art.	. . . .	definite article.
f.	. . . .	feminine.
gram.	. . . .	grammar.
indef. art.	. . . .	indefinite article.
int.	. . . .	interjection.
int. pn.	. . . .	interrogative pronoun.
n.	. . . .	noun.
np.	. . . .	noun plural.
pers.	. . . .	person.
pers. pn.	. . . .	personal pronoun.
pcle.	. . . .	particle.
pl.	. . . .	plural.
pn.	. . . .	pronoun.
poss. pn.	. . . .	possessive pronoun.
prp.	. . . .	preposition.
px.	. . . .	prefix.
rel. pn.	. . . .	relative pronoun.
rad.	. . . .	radical.
v.	. . . .	verb.

A : an, *indef. art.* (Called the *indefinite article,* with no equivalent in Welsh).
aback, *ad.* Yn ôl, yn wysg y cefn.
abandon, *v.* Gadael, rhoi'r gorau i.
abase, *v.* Darostwng, iselhau.
abasement, *n.* Darostyngiad, iselhad.
abash, *v.* Cywilyddio.
abate, *v.* Lleihau ; gostegu.
abatement, *n.* Lleihad ; gosteg.
abbacy, *n.* abadaeth.
abbattoir, *n.* Lladd-dy.
abbess, *n.* Abades.
abbey, *n.* Abaty, mynachlog.
abbot, *n.* Abad.
abbreviate, *v.* Talfyrru, cwtogi, byrhau.
abbreviation, *n.* Byrfodd, talfyriad.
abc, *n.* Yr abiec, yr wyddor.
abdicate, *v.* Ymddiswyddo o frenhiniaeth, ymddeol.
abdomen, *n.* Bol, bola.
abduct, *v.* Dwyn trwy drais, llathruddo, herwgipio.
aberration, *n.* Cyfeiliornad, gwyriad.
abet, *v.* Cefnogi, annog.
abettor, *n.* Cefnogwr, cynorthwywr.
abeyance, *n.* Ataliad, oediad (dros dro).
abhor, *v.* Casáu, ffieiddio.
abhorrence, *n.* Ffieiddiad, atgasedd.
abhorrent, *a.* Ffiaidd, atgas.
abide, *v.* I. Trigo, aros.
    2. Goddef.
abiding, *a.* Arhosol, parhaus.
ability, *n.* Medr, gallu, dawn.
abject, *a.* Gwael, distadl.
abjure, *v.* Gwadu, ymwrthod â.
ablative, *n.& a.* Abladol.
ablaze, *ad.* Yn wenfflam, ar dân.
able, *a.* Galluog, medrus, abl.
ablution, *n.* Ymolchiad ; puredigaeth (drwy ymolchi).
abnegate, *v.* Gwadu, gwrthod.
abnegation, *n.* Gwadiad.
abnormal, *a.* Anghyffredin, annormal.
aboard, *ad.* Ar fwrdd (llong, &c.).
abode, *n.* Cartref, preswylfa, trigfan.
abolish, *v.* Diddymu, dileu.
abominable, *a.* Ffiaidd, atgas.
abominate, *v.* Ffieiddio, casáu.
abomination, *n.* Ffieidd-dra.
aboriginal, *a.* Cyntefig, syml.
aborigines, *np.* Trigolion cyntefig gwlad, brodorion, cyn drigolion.
abortion, *n.* Erthyliad, erthyl.
abortive, *a.* Aflwyddiannus, ofer.
abound, *v.* Bod yn llawn o ; amlhau.
about, *ad. & prp.* O amgylch, oddeutu, o boptu, tua, am.
    ROUND ABOUT. Amgylch ogylch.
above, *ad. & prp.* Uwch, tros, fry, i fyny, uwchlaw.
    FROM ABOVE. Oddi ar.
abreast, *ad.* Ochr yn ochr, yn gyfochrog.
abridge, *v.* Cwtogi, byrhau, talfyrru.

abroad, *ad.* Oddi cartref, ar led, mewn gwlad dramor.
abrogate, *v.* Dileu, diddymu.
abrupt, *a.* I. Cwta.
    2. Sydyn.
    3. Serth.
abscess, *n.* Poethell, cornwyd.
abscond, *v.* Dianc, cilio.
absence, *n.* Absenoldeb, absen.
absent, *a.* Absennol.
    v. Absenoli.
    ABSENT-MINDED. Anghofus.
absenteeism, *n.* Absenoliaeth.
absolute, *a.* Diamod, hollol.
absolutely, *ad.* Yn llwyr, yn gyfan gwbl, yn hollol.
absolution, *n.* Maddeuant pechodau, gollyngdod.
absolve, *v.* Gollwng, rhyddhau, maddau.
absorb, *v.* Sugno, llyncu.
absorbent, *a.* Sy'n sychu, sy'n sugno, amsugnol.
absorption, *n.* Sugnad, amsugnad.
abstain, *v.* Ymatal, ymwrthod.
abstemious, *a.* Cymedrol, sobr, cynnil.
abstinence, *n.* Dirwest.
abstract, *n.* Crynodeb.
    a. I. Ar wahân.
    2. Haniaethol.
    v. Tynnu, gwahanu.
abstruse, *a.* Dyrys, anodd ei ddeall.
absurd, *a.* Afresymol, gwrthun.
abundance, *n.* Digonedd, toreth.
abundant, *a.* Helaeth, digonol.
abuse, *n.* I. Amarch.
    2. Camddefnydd.
    v. I. Difenwi.
    2. Camarfer, cam-drin.
abusive, *a.* Difrïol, dilornus, sarhaus.
abut, *v.* Ymylu ar, ffinio.
abyss, *n.* Dyfnder, gagendor.
academy, *n.* Athrofa, academi.
acçede, *v.* Cytuno, cydsynio.
accelerate, *v.* Cyflymu.
accelerator, *n.* Cyflymydd, sbardun.
accent, *n.* Acen, llediaith, *v.* acennu.
    HE SPEAKS WITH AN ACCENT. Mae llediaith arno.
accentuate, *v.* Acennu, pwysleisio.
accentuation, *n.* Aceniad, pwyslais.
accept, *v.* Derbyn.
acceptable, *a.* Derbyniol, cymeradwy.
acceptance, *n.* Derbyniad.
access, *n.* Mynediad, dyfodiad.
accessary, *n.* Un sy'n cynorthwyo, cynorthwywr, cefnogydd.
accessible, *a.* Hawdd mynd ato.
accession, *n.* Esgyniad (i orsedd, &c.).
accessory, *a.* I. Ychwanegol, atodol.
    2. *n.* Ychwanegiad.
accidence, *n.* Ffurfiant, y rhan o ramadeg sy'n ymdrin â threiglad geiriau.
accident, *n.* Damwain.
accidental, *a.* Damweiniol.

acclaim, v. Cymeradwyo trwy weiddi.
acclamation, n. Cymeradwyaeth.
acclimatize, v. Cynefino â hin, [ym]hinsoddi.
acclivity, n. Rhiw, llechwedd, tyle.
accommodate, v. Cyfaddasu, cymhwyso, lletya.
accommodating, a. Cymwynasgar, parod, cyfaddasol.
accommodation, n. Llety, lle.
accompaniment, n. Cyfeiliant.
accompanist, n. Cyfeilydd, cyfeilyddes.
accompany, v. 1. Mynd gyda.
    2. Cyfeilio.
accomplice, n. Cyd-droseddwr, cynorthwywr mewn trosedd.
accomplish, v. Cyflawni, cwblhau.
accomplished, a. Medrus.
accord, v. Cytuno.
    WITH ONE ACCORD. Yn unfryd.
    OF HIS OWN ACCORD. O'i wirfodd.
accordance, n. Cytuniaeth, cydweddiad.
according to, prp. Yn ôl, megis.
accordingly, ad. Felly, gan hynny.
accost, v. Cyfarch.
account, n. 1. Cyfrif.
    2. Hanes.
    ACCOUNTS. Cyfrifon.
accountable, a. Cyfrifol, atebol.
accountant, n. Cyfrifydd.
accountancy, n. Cyfrifiaeth.
accredit, v. Coelio, credu.
accredited, a. Awdurdodedig.
accretion, n. Cynnydd, tyfiant.
accrue, v. Deillio, tyfu, codi.
accumulate, v. Casglu, cronni.
accumulation, n. Casgliad, crynhoad.
accumulator, n. Cronadur.
accuracy, n. Cywirdeb.
accurate, a. Cywir.
accurately, ad. Yn gywir.
accursed, a. Melltigedig, melltigaid.
accusation, n. Cyhuddiad, cwyn.
accusative, a. 1. Cyhuddol.
    2. Gwrthrychol (gram.).
accuse, v. Cyhuddo, achwyn ar.
accustom, v. Cynefino (â), arfer.
accustomed, a. Arferol, cyfarwydd.
acetic, a. Asetig.
ache, n. 1. Dolur, gwŷn, poen, cur.
    2. v. Dolurio, gwynio, poeni.
achieve, v. Cyflawni.
achievement, n. Camp, gorchest, cyflawniad.
acid, a. sur. n. Asid, suryn.
acidic, a. Asidig.
acidify, v. Asideiddio.
acidity, n. Surni.
acknowledge, v. Cydnabod, cyfaddef.
acknowledgement, n. Cydnabyddiaeth.
acme, n. Uchafbwynt.
acorn, n. Mesen.

acoustic, a. Clybodig, acwstig.
acoustics, np. Clybodeg, acwsteg.
acquaint, v. Hysbysu, ymgydnabod.
acquaintance, n. Cydnabod, cydnabyddiaeth, adnabyddiaeth.
acquiesce, v. Cydsynio, dygymod (â).
acquiescence, n. Cydsyniad.
acquire, v. Ennill, cael.
acquirement, n. Caffaeliad.
acquisition, n. Ennill, caffaeliad.
acquisitive, a. Hoff o feddiannu, caffaelgar.
acquit, v. Rhyddhau, gollwng yn rhydd.
acquittal, n. Rhyddhad.
acre, n. Erw, cyfair, cyfer, acer.
acrid, a. Chwerw.
acrimonious, a. Sarrug, chwerw.
acrimony, n. Chwerwedd, sarugrwydd.
across, prp. 1. Dros, ar draws.
    2. ad. Drosodd.
act, n. 1. Gweithred.
    2. Deddf.
    3. Act (mewn drama, &.).
    v. 1. Gweithredu.
    2. Chwarae, actio.
action, n. 1. Gweithred.
    2. Brwydr.
    3. Cwyn.
    ACTIONS, gweithredoedd.
activator, n. Ysgogydd, bywiogydd.
active, a. 1. Bywiog, prysur.
    2. Gweithredol (gram.).
activities, np. Gweithgareddau.
activity, n. Bywiogrwydd, gweithgarwch, gweithgaredd.
actor, n. Actor, actiwr.
actress, n. Actores.
actual, a. Gwirioneddol, gwir.
actually, ad. Mewn gwirionedd.
actuate, v. Cymell, ysgogi.
acumen, n. Craffter.
acute, a. Llym, craff.
A.D. (Anno Domini), abbr. O.C. (Oed Crist).
adage, n. Dihareb, dywediad.
adamant, n. Adamant, diemwnt.
adapt, v. Cyfaddasu.
adaptation, n. Cyfaddasiad.
add, v. Ychwanegu, atodi, adio.
adder, n. Neidr, gwiber.
addict, v. Ymroddi (i), gorddibynnu.
addicted, a. Chwannog, tueddol.
addiction, n. Ymroddiad, gorddibyniaeth.
addition, n. Ychwanegiad.
additional, Ychwanegol.
addled, a. Gwag, clwc.
address, n. 1. Cyfeiriad.
    2. Anerchiad.
    v. 1. Cyfeirio.
    2. Annerch.
adduce, v. Nodi, dwyn ymlaen (fel prawf).

adept, *n.* I. Campwr, un medrus.
    2. *a.* Cyfarwydd, medrus.
adequate, *a.* Digonol.
adhere, *v.* Ymlynu, glynu wrth.
adherence, *n.* Ymlyniad.
adherent, *n.* Dilynwr, pleidiwr.
adhesion, *n.* Glyniad, adlyniad.
adhesive, *n.* I. Glud, adlyn.
    2. *a.* Glydiog, glynol, adlynol.
adieu, *int.* Bydd wych ! Ffarwél ! Yn iach !
adjacent, *a.* Agos, cyfagos, gerllaw.
adjective, *n.* Ansoddair.
adjectival, *a.* Ansoddeiriol.
adjoin, *v.* Cydio, cysylltu.
adjoining, *a.* Cyfagos, gerllaw.
adjourn, *v.* Gohirio.
adjudge, *v.* Dyfarnu, barnu.
adjudicate, *v.* Beirniadu, dyfarnu.
adjudication, *a.* Beirniadaeth.
adjudicator, *n.* Beirniad.
adjunct, *n.* Atodiad, ychwanegiad.
adjure, *v.* Tynghedu, tyngu.
adjust, *v.* Cymhwyso, trefnu, addasu.
adjustment, *n.* Addasiad.
ad-lib, *a.* I. Byrfyfyr.
    2. *ad.* Faint a fynnir.
administer, *v.* Gweinyddu.
administration, *n.* Gweinyddiaeth, gweinyddiad.
administrative, *a.* Gweinyddol.
admirable, *a.* Rhagorol, campus.
admiral, *n.* Llyngesydd.
admiralty, *n.* Morlys.
admiration, *n.* Edmygedd.
admire, *v.* Edmygu.
admissible, *a.* Derbyniadwy, goddefol.
admission, *n.* I. Addefiad, cyfaddefiad.
    2. Derbyniad.
    3. Mynediad i mewn.
    ADMISSION FREE. Mynediad am ddim.
admit, *v.* I. Cyfaddef.
    2. Derbyn.
admittance, *n.* Caniatâd (i fynd i mewn), mynediad.
    NO ADMITTANCE. Dim mynediad.
admonish, *v.* Ceryddu, rhybuddio.
admonition, *n.* Cerydd, rhybudd.
ado, *n.* Helynt, ffwdan.
adolescence, *n.* Llencyndod.
adolescent, *n.* I. Glaslanc, glaslances.
    2. *a.* Llencynnol, llencynnaidd.
adopt, *v.* Mabwysiadu.
adoption, *n.* Mabwysiad.
adorable, *a.* Addoladwy, moliannus.
adoration, *n.* Addoliad.
adore, *v.* Addoli, caru.
adorn, *v.* Addurno, harddu.
adornment, *n.* Addurn.
adrift, *ad.* (Yn mynd) gyda'r llif, diangor.
adroit, *a.* Deheuig, medrus.
adsorb, *v.* Arsugno.
adsorption, *n.* Arsugniad, arsugno.

adulation, *n.* Gweniaith, truth.
adult, *n.* Un mewn oed, oedolyn.
adulterate, *v.* Llygru.
adulteration, *n.* Llygriad.
adulterer, *n.* Godinebwr.
adulteress, *n.* Godinebwraig.
adultery, Godineb.
advance, *v.* I. Cynyddu, mynd ymlaen.
    2. Rhoi benthyg.
    3. Cynnig.
advancement, *n.* Codiad, dyrchafiad.
advantage, *n.* Mantais, lles.
advantageous, *a.* Manteisiol.
advent, *n.* Dyfodiad ; yr Adfent.
adventure, *n.* Antur, anturiaeth.
adventurer, *n.* Anturiwr.
adventurous, *a.* Anturus, hy, eofn..
adverb, *n.* Adferf.
adversary, *n.* Gwrthwynebydd.
adverse, *a.* Gwrthwynebus, croes.
adversity, *n.* Adfyd.
advertise, *v.* Hysbysebu, hysbysu, cyhoeddi.
advertisement, *n.* Hysbyseb, hysbysebiad.
advice, *n.* Cyngor, cyfarwyddyd.
advisable, *a.* Doeth, buddiol.
advise, *v.* Cynghori, annog.
adviser, *n.* Cynghorwr.
advocate, *n.* I. Amddiffynnwr, bargyfreithiwr, eiriolwr.
    2. *v.* Cefnogi, amddiffyn, eiriol, pleidio.
adze, *n.* Neddyf, math o fwyell.
aerate, *v.* Awyru, rhoi awyr i.
aerial, *a.* I. Awyrol.
    2. *n.* Erial.
aerobic, *a.* Aerobig.
aerodrome, *n.* Maes glanio, maes awyr.
aeroplane, *n.* Awyren.
aesthetic, *a.* Esthetig.
aesthetics, *n.* Estheteg.
afar, *ad.* Ymhell.
    FROM AFAR. O hirbell.
affable, *a.* Hynaws, hoffus.
affair, *n.* Mater, achos, helynt.
affect, *v.* Effeithio, mennu (ar).
affectation, *n.* Rhodres, mursendod, ffug-gwrteisi.
affected, *a.* Mursennaidd.
affection, *n.* Serch, hoffter, affeithiad (*gram.*).
affectionate, *a.* Serchog, serchus.
affiliate, *v.* Mabwysiadu ; uno.
affinity, *n.* Perthynas ; cydweddiad.
affirm, *v.* Cadarnhau, haeru, sicrhau.
affirmative, *a.* Cadarnhaol.
afflict, *v.* Cystuddio.
affliction, *n.* Adfyd, cystudd.
affluence, *n.* Cyfoeth, llawnder, digonedd.
affluent, *a.* Goludog, cyfoethog.
afford, *v.* Fforddio, gallu rhoddi, prynu, &c.
afforestation, *n.* Coedwigaeth.
affray, *n.* Ymryson, ysgarmes.
affront, *n.* I. Sarhad, amarch.
    2. *v.* Sarhau, difrïo.

afield, *ad.* I maes, allan.
    FAR AFIELD. Ymhell, i ffwrdd.
afire, *ad.* Ar dân.
aflame, *ad.* Ar dân, yn fflamau.
afloat, *a.* &. *ad.* Yn nofio, ar y dŵr.
afoot, *ad.* Ar droed, ar waith, ar gerdded.
aforesaid, *a.* Dywededig.
afraid, *a.* Ofnus, ag ofn arno.
afresh, *ad.* O'r newydd, drachefn.
aft, *ad.* Tu ôl, yn y cefn.
after, *prp.* & *c.* I. Wedi, ar ôl.
    AFTER THEM. Ar eu hôl.
    2. *ad.* Wedyn, yna.
aftermath, *n.* I. Adladd.
    2. Canlyniad.
afternoon, *n.* Prynhawn, diwedydd.
afterwards, *ad.* Wedi hynny, wedyn, ar ôl hynny.
again, *ad.* Eilwaith, drachefn, eto.
against, *prp.* Erbyn, yn erbyn.
age, *n.* I. Oes. einioes ; oed, oedran.
    2. *v.* Heneiddio.
    OLD AGE. Henaint.
aged, *a.* Hen, oedrannus.
agency, *n.* Cyfrwng ; asiantaeth.
agenda, *n.* Rhaglen, materion (i'w trafod), agenda.
agent, *n.* Goruchwyliwr, cynrychiolydd, gweithredwr, asiant.
aggravate, *v.* Gwneud yn waeth.
aggregate, *n.* Cyfanrif, crynswth, cyfanswm.
aggression, *n.* Ymosodiad, gormes.
aggressive, *a.* Gormesol, ymosodol.
aghast, *a.* Syn, mewn dychryn.
agile, *a.* Heini, sionc, gwisgi.
agility, *n.* Sioncrwydd, ystwythder.
agitate, *v.* Cynhyrfu, cyffroi.
agitation, *n.* Cyffro, cynnwrf.
agitator, *n.* Cynhyrfwr.
agnostic, *n.* & *a.* Amheuol, agnostig.
ago, *ad.* Yn ôl.
    LONG AGO. Ers llawer dydd, ers talm.
agony, *n.* Poen, ing.
agrarian, *a.* Amaethyddol.
agree, *v.* Cytuno ; dygymod ; cyfateb.
agreeable, *a.* Cytûn ; dymunol.
agreement, *n.* Cytundeb.
agricultural, *a.* Amaethyddol.
agriculture, *n.* Amaethyddiaeth.
agriculturalist, *n.* Amaethwr, ffarmwr.
aground, *ad.* Ar lawr, ar dir.
ague, *n.* Y cryd.
ahead, *ad.* Ymlaen.
ahead of, *prp.* O flaen.
aid, *n.* I. Cymorth, cynhorthwy.
    2. *v.* Cynorthwyo, helpu.
ail, *v.* Clafychu, nychu.
ailment, *n.* Afiechyd.
aim, *n.* I. Nod, amcan.
    2. *v.* Anelu, amcanu.
aimless, *a.* Diamcan.

air, *n.* I. Awyr ; alaw, cainc ; osgo.
    2. *v.* Rhoi awyr i, awyru ; datgan.
aircraft, *n.* Awyren.
airfield, *n.* Maes awyr.
airforce, *n.* Llu awyr, awyrlu.
airport, *n.* Maes awyr, maes glanio.
airstrip, *n.* Llain glanio, glanfa.
airy, *a.* Ysgafn, awyrol.
aisle, *n.* Ystlys eglwys ; eil.
ajar, *ad.* Cilagored.
akin, *a.* Perthynol, perthnasol.
alacrity, *n.* Bywiogrwydd, parodrwydd.
alarm, *n.* I. Dychryn, braw, ofn.
    2. *v.* Dychrynu.
alarm clock, *n.* Cloc larwm.
alas, *int.* Och ! Gwae fi !
album, *n.* Albwm.
alcohol, *n.* Alcohol, diod feddwol.
alcove, *n.* Cilfach, congl-gil, alcof.
alder, *n.* Gwernen.
alderman, *n.* Henadur.
ale, *n.* Cwrw.
alert, *a.* Effro, gwyliadwrus.
alertness, *n.* Bywiogrwydd, craffter.
algebra, *n.* Algebra.
alias, *n.* I. Enw arall, arall enw,
    2. *ad.* Yn amgen, neu, a elwir hefyd.
alien, *n.* I. Estron.
    2. *a.* Estron, dieithr, estronol.
alight, *v.* I. Disgyn, dod i lawr.
    2. *a.* Ar dân.
alike, *a.* I. Tebyg, cyffelyb.
    2. *ad.* Yn debyg, yn gyffelyb.
alive, *a.* I. Byw, bywiog.
    2. *ad.* Yn fyw.
alkali, *n.* Alcali, *pl.* Alcalïau.
alkaline, *a.* Alcalïaidd.
all, *n.* I. Y cwbl, y cyfan, pawb.
    2. *a.* Holl, i gyd.
    3. *ad.* Yn hollol, oll.
allay, *v.* Lliniaru, tawelu.
allege, *v.* Honni, haeru.
alleged, *a.* Honedig.
allegedly, *ad.* Yn honedig.
allegiance, *n.* Teyrngarwch, ffyddlondeb.
allegorical, *a.* Alegorïaidd.
allegory, *n.* Alegori.
allergic, *a.* Alergol, alergaidd.
allergy, *n.* Alergedd.
alleviate, *v.* Lliniaru, esmwytho.
alleviation, *n.* Esmwythâd.
alley, *n.* Heol gul, llwybr, ale, lôn (rhwng tai).
Allhallows, *n.* Calan gaeaf.
alliance, *n.* Cynghrair.
alliteration, *n.* Cytseinedd, cyseinedd, cyflythreniad.
allocate, *v.* Rhannu, dosbarthu.
allot, *v.* Gosod, penodi.
allotment, *n.* I. Cyfran, rhandaliad.
    2. Darn o dir, gardd ar osod.

allow, *v.* Caniatáu, goddef.
allowance, *n.* Caniatâd ; dogn, lwfans.
alloy, *n.* Aloi.
allude, *v.* Cyfeirio (at), crybwyll.
allusion, *n.* Crybwylliad.
allure, *v.* Denu, hudo.
allurement, *n.* Hudoliaeth.
alluring, *a.* Hudolus.
allusion, *n.* Cyfeiriad (at), crybwylliad.
alluvial, *a.* Gwaddodol, yn cynnwys gwaddod o laid.
alluvium, *n.* Llifbridd, dolbridd.
ally, *n.* I. Cynghreiriad.
   2. *v.* Cynghreirio, uno.
almanac, *n.* Almanac, calendr.
almighty, *a.* Hollalluog.
almond, *n.* Almon.
almost, *ad.* Bron, braidd, agos.
alms, *n.* Elusen, cardod.
alms-house, *n.* Elusendy.
aloft, *ad.* I'r lan, i fyny.
alone, *a.* & *ad.* Unig, wrtho'i hun.
along, *ad.* I. Ymlaen.
   2. *prp.* Ar hyd.
   ALL ALONG. O'r cychwyn.
aloof, *ad.* Draw, ar wahân.
aloud, *ad.* Yn uchel, yn groch.
alphabet, *n.* Yr wyddor, abiec.
already, *ad.* Eisoes, yn barod.
also, *ad.* Hefyd, at hynny.
altar, *n.* Allor.
alter, *v.* Newid.
alteration, *n.* Newid.
altercate, *v.* Cweryla, ffraeo.
alternate, *v.* I. Digwydd bob yn ail, eiledu.
   2. *a.* Eiledol, bob yn ail, am yn ail.
   ON ALTERNATE DAYS. Bob yn eilddydd, bob yn ail ddiwrnod.
alternative, *n.* I. Dewis (rhwng dau), neillog.
   2. *a.* Arall.
although, *c.* Er.
altitude, *n.* Uchder.
altogether, *ad.* Oll, yn hollol, yn gyfan gwbl.
altrusim, *n.* Allgarwch, allgaredd.
always, *ad.* Yn wastad, bob amser.
amalgam, *n.* Amalgam.
amalgamate, *v.* Cymysgu, uno.
amalgamation, *n.* Uniad, cyfuniad.
amass, *v.* Casglu, pentyrru, cronni.
amateur, *a.* I. Amhroffesiynol.
   2. *n.* Amatur.
amaze, *v.* Synnu, rhyfeddu.
amazement, *n.* Syndod.
amazing, *a.* Rhyfeddol.
ambassador, *n.* Llysgennad.
amber, *n.* Ambr.
ambidextrous, *a.* Deheuig â'i ddwy law.
ambiguity, *n.* Amwysedd.
ambiguous, *a.* Amwys.
ambition, *n.* Uchelgais.

ambitious, *a.* Uchelgeisiol.
amble, *v.* Rhygyngu.
ambulance, *n.* Ambiwlans.
ambush, *v. n.* Cynllwyn, rhagod.
ameliorate, *v.* Gwella, diwygio.
amenable, *a.* Cyfrifol, hydrin.
amend, *v.* Gwella, cywiro, newid.
amends, *np.* Iawn.
   TO MAKE AMENDS. Gwneud iawn.
amenity, *n.* Cysur, hyfrydwch, mwynder.
   MODERN AMENITIES. Mwynderau modern.
   AMENITIES OF LIFE. Mwynderau bywyd.
America, *n.* America, Yr Amerig.
   LATIN AMERICA. America Ladin.
   NORTH AMERICA. Gogledd America.
   SOUTH AMERICA. De America
   THE UNITED STATES OF AMERICA. Unol Daleithiau'r America.
American, *a.* I. Americanaidd.
   2. *n.* Americanwr (male), Americanes (female) ; Americaneg (language).
amiability, *n.* Hawddgarwch.
amiable, *a.* Hawddgar, serchus.
amicable, *a.* Cyfeillgar.
amidst : amid, *prp.* Ymhlith, ymysg, ynghanol.
amiss, *a.* I. Ar fai, beius.
   2. *ad.* O chwith.
ammonia, *n.* Amonia.
ammunition, *n.* Adnoddau saethu.
amok, *ad.* Yn wyllt, penwyllt.
   TO RUN AMOK. Rhedeg yn wyllt.
among : amongst, *prp.* Ymhlith, ymysg, rhwng.
amorous, *a.* Hoff o garu.
amorphous, *a.* Di-ffurf, amorffus.
amount, *n.* Swm, cyfanswm.
ample, *a.* Aml, helaeth ; digon.
amplify, *v.* Ehangu, helaethu.
amputate, *v.* Torri ymaith (aelod o'r corff), trychu.
amputation, *n.* Toriad, trychiad.
amuck, *see* **amok.**
amuse, *v.* Difyrru, diddanu.
amusement, *n.* Difyrrwch, digrifwch.
amusing, *a.* Difyrrus, doniol.
an, *see* **a.**
anabolic, *a.* Anabolig.
anachronism, *n.* Camamseriad.
anaemia, *n.* Diffyg gwaed, gwaed tenau, anemia.
anaemic, *a.* Di-waed, anemig.
anaesthetic, *n.* Anesthetig.
analogous, *a.* Cydwedd, cyfatebol, tebyg.
analogy, *n.* Cydweddiad, cyfatebiaeth, tebygrwydd.
analyse, *v.* Dadansoddi.
analysis, *n.* Dadansoddiad.
analyst, *n.* Dadansoddwr.
analytic, *a.* Dadansoddol.
anarchist, *n.* Anarchydd, terfysgwr.
anarchy, *n.* Anarchiaeth, anhrefn.
anathema, *n.* Ysgymundod, melltith.
anatomical, *a.* Anatomegol.

anatomy, *a.* Anatomeg.
ancestor, *n.* Hynafiad, cyndad.
anchor, *n.* I. Angor.
   2. *v.* Angori.
anchorage, *n.* Angorfa.
anchorite, *n.* Meudwy, ancr.
ancient, *a.* Hynafol, hen, oesol.
ancillary, *a.* Ategol, cynorthwyol.
and, *c.* A, ac.
anecdote, *n.* Hanesyn, chwedl.
anew, *ad.* O'r newydd.
angel, *n.* Angel.
angelic, *a.* Angylaidd.
anger, *n.* I. Dig, dicter, llid.
   2. *v.* Digio.
angle, *n.* I. Ongl.
   2. *v.* Ongli, gogwyddo ; pysgota, genweirio.
Anglican, *n.* I. Anglicaniad.
   2. *a.* Anglicanaidd.
Anglicize, *v.* Seisnigeiddio.
angling, *v.* Pysgota.
angry, *a.* Dicllon, llidus, o'i gof.
angular, *a.* Onglog.
anhydride, *n.* Anhidrid.
anguish, *n.* Ing, gloes, dirboen.
animal, *n.* I. Anifail, creadur, mil, milyn.
   2. *a.* Anifeilaidd.
animate, *a.* I. Byw, â bywyd ynddo.
   2. *v.* Bywhau, ysgogi.
animosity, *n.* Casineb, gelyniaeth, drwgdeimlad.
ankle, *n.* Migwrn, swrn, ffêr.
annals, *np.* Cofnodion blynyddol.
anneal, *v.* Gwydnu (trwy dân).
annex, *v.* I. Cysylltu, cydio ; meddiannu.
   2. *n.* Ychwanegiad.
annihilate, *v.* Diddymu, difodi.
annihilation, *n.* Difodiant, diddymiant.
anniversary, *n.* Penblwydd, cylchwyl.
annotate, *v.* Ysgrifennu nodiadau.
announce, *v.* Cyhoeddi, hysbysu.
announcement, *n.* Cyhoeddiad, hysbysiad.
announcer, *n.* Cyhoeddwr.
annoy, *v.* Blino, poeni.
annoyance, *n.* Blinder, pla, poendod.
annual, *a.* Blynyddol.
annuity, *n.* Blwydd-dâl.
annul, *v.* Diddymu, dileu.
anoint, *v.* Eneinio, iro.
anomaly, *n.* Peth afreolaidd.
anon, *ad.* Yn union, yn y man.
anonymity, *n.* Cyflwr dienw.
anonymous, *a.* Dienw, anhysbys.
another, *a.* I. Arall.
   2. *pn.* Rhywun arall.
answer, *n. & v.* Ateb.
answerable, *a.* Atebol, cyfrifol.
ant, *n.* Morgrugyn.
antagonism, *n.* Gwrthwynebiaeth.
antagonist, *n.* Gwrthwynebydd.

antagonistic, *a.* Gwrthwynebol, croes.
Antartic, *n.* Antartica.
antartic, *a.* O gylch Pegwn y De.
antecedent, *n.* I. Rhagflaenydd.
   2. *a.* Blaenorol.
antelope, *n.* Gafrewig, antelop.
antennae, *np.* Teimlyddion (gan bryfed).
anthem, *n.* Anthem.
anthology, *n.* Blodeugerdd.
anthracite, *n.* Glo carreg, glo caled.
anthropology, *n.* Anthropoleg.
antibiotic, *n. & a.* Gwrthfiotig.
antichrist, *n.* Anghrist.
anticipate, *v.* Achub y blaen, disgwyl.
antics, *np.* Castau, campau, pranciau.
antidote, *n.* Gwrthwenwyn.
antipathy, *n.* Gelyniaeth.
antiquarian, *a.* Hynafiaethol.
antiquary, *n.* Hynafiaethydd.
antiquated, *a.* Hen-ffasiwn, henaidd.
antique, *n* I. Hen beth.
   2. *a.* Hen-ffasiwn, hynafol.
antiquity, *n.* Hynafiaeth, y cynoesoedd.
anti-Semitism, *n.* Gwrth-Iddewiaeth.
antiseptic, *a.* Gwrth-heintiol, antiseptig.
antithesis, *n.* Gwrthgyferbyniad.
antler, *n.* Rhan o gorn carw.
anvil, *n.* Eingion, einion.
anxiety, *n.* Pryder.
anxious, *a.* Pryderus.
any, *a.* Un, rhy, unrhyw, peth, dim.
   ANYBODY. Rhywun, unrhyw un.
   ANYHOW. Rhywfodd, rhywsut.
   ANYONE. Rhywun.
   ANYTHING. Rhywbeth.
   ANYWHERE. Rhywle, unman.
apace, *ad.* Yn fuan, ar frys, ar garlam.
apart, *ad.* Ar wahân, o'r neilltu.
apartment, *n.* Ystafell, llety, rhandy.
apathetic, *a.* Difater, difraw.
apathy, *n.* Difaterwch, difrawder.
ape, *n.* I. Epa.
   2. *v.* Dynwared.
aperture, *n.* Agoriad, twll, bwlch.
apex, *n.* Blaen, pen, brig, copa.
aphis, *n.* Pryf gwyrdd.
aphorism, *n.* Gwireb.
apiece, *ad.* Un bob un, pobo un.
apocalypse, *n.* Datguddiad.
apologize, *v.* Ymddiheuro.
apology, *n.* Ymddiheuriad.
apoplexy, *n.* Parlys mud, strôc.
apostle, *n.* Apostol.
apostolic, *a.* Apostolaidd.
apostrophe, *n.* Collnod, sillgoll.
apothecary, *n.* Fferyllydd, apothecari.
appal, *v.* Brawychu, arswydo.
appalling, *a.* Ofnadwy, brawychus.
apparatus, *n.* Offer, cyfarpar, aparatws.

apparel, *n.* I. Gwisg, dillad.
2. *v.* Gwisgo, dilladu.
apparent, *a.* Amlwg, eglur.
apparently, *ad.* Mae'n debyg.
apparition, *n.* Drychiolaeth, ysbryd.
appeal, *n.* I. Apêl.
2. *v.* Apelio, erfyn.
appear, *v.* Ymddangos.
appearance, *n.* Ymddangosiad, golwg.
appease, *v.* Llonyddu, tawelu, dofi.
appendix, *n.* Atodiad, ychwanegiad.
appertain, *v.* Perthyn.
appetite, *n.* Archwaeth, chwant, awydd.
applaud, *v.* Cymeradwyo, curo dwylo.
applause, *n.* Cymeradwyaeth.
apple, *n.* Afal.
    APPLE TREE. Afallen, pren afalau.
appliance, *n.* Offeryn, dyfais.
applicant, *n.* Ymgeisydd.
application, *n.* Cais ; cymhwysiad, ymroddiad.
apply, *v.* I. Ymgeisio.
2. Cymhwyso.
3. Ymroi.
4. Dodi ar.
appoint, *v.* Penodi, trefnu.
appointment, *n.* Penodiad, trefniad.
apposite, *a.* Addas, cyfaddas.
appreciation, *n.* Gwerthfawrogiad.
appreciative, *a.* Gwerthfawrogol.
apprehend, *v.* Dirnad ; ofni ; dal.
apprehension, *n.* Dirnadaeth ; ofn.
apprehensive, *a.* Ofnus, pryderus.
apprentice, *n.* I. Prentis, dysgwr.
2. *v.* Prentisio.
apprenticeship, *n.* Prentisiaeth.
approach, *n.* I. Dynesiad, nesâd.
2. *v.* Agosáu, nesu.
approbation, *n.* Cymeradwyaeth.
appropriate, *a.* I. Priodol, addas.
2. *v.* Cymryd meddiant, meddiannu.
approval, *n.* Cymeradwyaeth.
approve, *v.* Cymeradwyo.
approximate, *a.* Agos, brasgywir, lled agos,
    lledgywir, go-gywir.
approximately, *ad.* Oddeutu, tua.
apricot, *n.* Bricyllen.
April, *n.* Ebrill.
apron, *n.* Ffedog, barclod.
apropos, *ad.* Mewn perthynas i.
apt, *a.* Priodol, cymwys ; tueddol.
aptitude, *n.* Cymhwyster, addasrwydd.
aquarium, *n.* Pysgoty, pysgodlyn.
aquatic, *a.* Dyfrol, dyfrllyd.
aqueous, *a.* Dyfrllyd, dyfriol.
aquiline, *a.* Eryraidd, bachog.
arable, *a.* Âr, y gellir ei droi.
    ARABLE LAND. Tir âr, tir llafur.
arbiter, *a.* Barnwr, beirniad, canolwr.
arbitrary, *a.* Mympwyol.

arbitrate, *v.* Cymrodeddu, cyflafareddu.
arbitration, *n.* Cymrodedd, cyflafareddiad.
arbour, *n.* Deildy.
arc, *n.* Arc, bwa.
arch, *n.* I. Bwa, pont.
2. *v.* Pontio.
arch-, *px.* Prif-, arch-, carn-.
archaeological, *a.* Archeolegol.
archaeologist, *n.* Archeolegydd : archeolegwr.
archaeology, *n.* Archeoleg.
archaic, *a.* Hynafol.
archaism, *n.* Ymadrodd hynafol.
archangel, *n.* Archangel.
archbishop, *n.* Archesgob.
archdeacon, *n.* Archddiacon.
archdruid, *n.* Archdderwydd.
archer, *n.* Saethydd, saethwr.
archery, *n.* Saethyddiaeth.
archipelago, *n.* Ynysfor.
architect, *n.* Pensaer.
architecture, *n.* Pensaernïaeth.
archives, *np.* Archifau.
    ARCHIVES' REPOSITORY/RECORDS OFFICE.
    Archifdy.
Arctic, *n.* Yr Arctig.
arctic, *a.* O gylch Pegwn y Gogledd.
ardent, *a.* Tanbaid, eiddgar.
arduous, *a.* Llafurus, caled, blin.
area, *n.* Arwynebedd ; ardal.
argue, *v.* Ymresymu, dadlau.
argument, *n.* Ymresymiad, dadl.
arid, *a.* Sych, cras, gorsych.
arise, *v.* Codi, cyfodi.
aristocrat, *n.* Pendefig.
arithmetic, *n.* Rhifyddeg.
ark, *n.* Arch ; cist.
arm, *n.* Braich ; cainc (o fôr, &.).
    ARMCHAIR. Cadair freichiau.
    ARMPIT. Cesail.
arm, *n.* I. Arf.
    COAT OF ARMS. Pais arfau.
2. *v.* Arfogi.
armament, *n.* Arfogaeth, offer rhyfel.
armed, *a.* Arfog.
armful, *n.* Coflaid, ceseiliaid.
armistice, *n.* Cadoediad.
armlet, *a.* Breichled.
armour, *n.* Arfogaeth, arfwisg.
    COAT OF ARMOUR. Pais ddur.
army, *n.* Byddin.
aroma, *n.* Aroglau, perarogl.
aromatic, *a.* Persawrus, pêr.
around, *ad. & prp.* Am, o amgylch, boptu, o
    gwmpas.
arouse, *v.* Deffro, dihuno ; cyffroi.
arrange, *v.* Trefnu.
arrangement, *n.* Trefniad, trefn, trefniant.
arrant, *a.* Rhonc, dybryd.
array, *n.* I. Trefn ; gwisg.
2. *v.* Trefnu ; gwisgo.

arrears, *np.* Ôl-ddyled.
arrest, *v.* Rhwystro ; dal.
arresting, *a.* Yn tynnu sylw.
arrival, *n.* Dyfodiad, cyrhaeddiad.
arrive, *v.* Cyrraedd, dyfod.
arrogance, *n.* Balchder, traha.
arrogant, *a.* Balch, trahaus.
arrow, *n.* Saeth.
arsenal, *n.* Ystordy neu ffatri arfau.
arson, *n.* Taniad, llosgiad, tanio (trosedd).
art, *n.* Celf, celfyddyd.
artery, *n.* Rhydweli, gwythïen fawr.
artful, *a.* Cyfrwys, dichellgar.
article, *n.* Peth, nwydd ; erthygl ; bannod (*mewn gramadeg*).
articulate, *a.* I. Cymalog ; croyw, eglur.
    2. *v.* Cymalu ; cynanu, ynganu.
artifice, *n.* Dichell, ystryw.
artificer, *n.* Crefftwr, technegwr.
artificial, *a.* Wedi ei wneud, gwneuthuredig, ffug.
    ARTIFICIAL FLOWERS. Blodau ffug.
    ARTIFICIAL TEETH. Dannedd gosod/dodi.
artillery, *n.* Magnelau, gynnau mawr.
artisan, *n.* Crefftwr.
artist, *n.* Arlunydd, celfyddwr.
artistic, *a.* Celfydd, artistig.
as, *c. & ad.* Fel, tra, cyn, mor, â, ag.
ascend, *v.* Esgyn, dringo.
ascendancy, *n.* Goruchafiaeth.
ascension, *n.* Esgyniad, dyrchafael.
    ASCENSION DAY. Y Dyrchafael.
ascent, *n.* Esgynfa, dringfa, rhiw.
ascertain, *v.* Mynnu gwybod.
ascetic, *a.* Asgetig, asgetaidd.
asceticism, *n.* Asgetiaeth, asgetigiaeth.
ascribe, *v.* Priodoli.
aseptic, *n.* Aseptig.
asexual, *a.* Anrhywiol.
ash, *n.* Onnen.
    ASH GROVE. Llwyn onn.
    MOUNTAIN ASH. Cerdinen, cerddinen.
ashamed, *a.* Wedi cywilyddio, â chywilydd.
ash : ashes, *n.* Lludw, ulw, llwch.
    ASH WEDNESDAY. Dydd Mercher y Lludw.
aside, *ad.* O'r neilltu.
ask, *v.* Gofyn, holi, ceisio.
askance, *ad.* Ar gam, â llygad traws.
asleep, *ad.* Yn cysgu, ynghwsg.
asp, *n.* Math o sarff, asb.
aspect, *n.* Agwedd, golwg.
aspen, *n.* Aethnen.
aspersion, *n.* Difrïad, cyhuddiad (ar gam), enllib.
asphyxiate, *v.* Mygu, tagu.
aspirant, *n.* Ymgeisydd.
aspiration, *n.* Dyhead, ymgais (am beth gwell).
aspire, *v.* Dyheu, arofun, ymgeisio.
ass, *n.* Asyn, asen.
assail, *v.* Ymosod (ar), dyfod ar warthaf.
assailant, *n.* Ymosodwr.

assassin, *n.* Llofrudd.
assault, *n.* I. Rhuthr, ymosodiad.
    2. *v.* Rhuthro ar, ymosod, dwyn cyrch.
assemble, *v.* Casglu, ymgynnull.
assembly, *n.* Cynulliad, cyfarfod, cymanfa.
assent, *n.* I. Cydsyniad.
    2. *v.* Cydsynio, cytuno.
assert, *v.* Haeru, honni, taeru.
assertion, *n.* Haeriad, honiad.
assess, *v.* Prisio, asesu.
assessment, *n.* Asesiad.
asset, *n.* Ased.
assets, *np.* Eiddo, meddiannau, asedau, asedion.
assiduous, *a.* Dyfal, diwyd.
assign, *v.* Trosglwyddo ; penodi.
assignment, *n.* Trosglwyddiad ; neilltuad ; gorchwyl, traethawd.
assimilate, *v.* Cymathu, tebygu.
assist, *v.* Cynorthwyo, helpu.
assistance, *n.* Cynhorthwy, cymorth.
assistant, *n.* Cynorthwywr.
assize, *n.* Brawdlys.
associate, *n.* I. Cydymaith.
    2. *v.* Cymdeithasu, cyfeillachu.
association, *n.* Cymdeithas.
assort, *v.* Trefnu, dosbarthu.
assortment, *n.* Amrywiaeth.
assume, *v.* Cymryd (ar), cymryd yn ganiataol.
assumption, *n.* Tyb, tybiaeth ; bwriant.
assurance, *n.* Sicrwydd ; hyder.
assure, *v.* Sicrhau, gwarantu.
asterisk, *n.* Seren (*).
asthma, *n.* Diffyg anadl, y fogfa, mogfa.
astonish, *v.* Synnu.
astonishing, *a.* Syn, rhyfeddol.
astonishment, *n.* Syndod.
astound, *v.* Syfrdanu, synnu.
astray, *ad.* Ar gyfeiliorn, ar grwydr.
astride, *ad.* A'r traed ar led.
astrologer, *n.* Sêr-ddewin, astrolegwr.
astronaut, *n.* Gofodwr.
astronomer, *n.* Seryddwr.
astrology, *n.* Sêr-ddewiniaeth, astroleg.
astronomy, *n.* Seryddiaeth.
astute, *a.* Craff, cyfrwys.
astuteness, *n.* Craffter.
asunder, *ad.* Yn ddarnau, oddi wrth ei gilydd, ar wahân.
asylum, *n.* Noddfa ; gwallgofdy.
asymmetry, *n.* Anghymesuredd.
asymmetric, *a.* Anghymesur.
at, *prp.* Yn, wrth, ger, ar.
atheism, *n.* Annuwiaeth, anffyddiaeth.
atheist, *n.* Anffyddiwr.
Athens, *n.* Athen.
athlete, *n.* Mabolgampwr.
athletics, *np.* Mabolgampau.
Atlantic, (the), *n.* Môr Iwerydd.
atmosphere, *n.* Awyrgylch, naws.

atom, *n.* Atom, mymryn.
atomic, *a.* Atomig.
atone, *v.* Gwneuthur iawn.
atonement, *n.* Iawn, cymod.
atrocious, *a.* Erchyll, anfad.
atrocity, *n.* Erchylltra.
attach, *v.* Cydio (wrth), glynu.
attachment, *n.* Ymlyniad ; hoffter.
attack, *n.* I. Ymosodiad, cyrch.
    2. *v.* Ymosod (ar), dwyn cyrch.
attain, *v.* Cyrraedd, cael, ennill.
attainment, *n.* Cyrhaeddiad.
attempt, *n.* I. Ymgais, cynnig.
    2. *v.* Ymgeisio, cynnig.
attend, *v.* Sylwi ; gweini; bod yn bresennol.
attendance, *n.* Gwasanaeth ; presenoldeb.
attendant, *n.* Gwas, cynorthwywr, gweinydd.
attention, *n.* Sylw, ystyriaeth.
    TO PAY ATTENTION. Dal sylw.
attentive, *a.* Astud, ystyriol.
attenuate, *v.* Teneuo.
attest, *v.* Tystio ; ardystio.
attestation, *n.* Tystiolaeth ; ardystiad.
attested, *a.* Ardyst(iedig).
attic, *n.* Nenlofft, nennawr, atig.
attire, *n.* I. Gwisg, dillad.
    2. *v.* Gwisgo.
attitude, *n.* Ymddygiad, osgo.
attorney, *n.* Twrnai.
attract, *v.* Denu, hudo, tynnu.
attraction, *n.* Atyniad.
attractive, *a.* Atyniadol.
attribute, *n.* I. Priodoledd.
    2. *v.* Priodoli.
auburn, *a.* Gwinau, coch.
auction, *n.* Arwerthiant, ocsiwn.
auctioneer, *n.* Arwerthwr.
audacious, *a.* Hy, eofn, rhyfygus.
audacity, *n.* Ehofndra, hyfdra.
audible, *a.* Hyglyw, clywadwy.
audience, *n.* Cynulleidfa.
audit, *n.* Archwiliad, archwilio cyfrifon.
auditor, *n.* Archwilydd.
auger, *n.* Taradr, ebill.
aught, *n.* Unpeth, dim.
augment, *v.* Ychwanegu.
augur, *v.* Argoeli, darogan.
augury, *n.* Arwydd, argoel.
August, *n.* Awst.
august, *a.* Urddas, mawreddog.
aunt, *n.* Modryb.
aura, *n.* Naws, awyrgylch.
auspices, *np.* Nawdd.
auspicious, *a.* Addawol, ffafriol.
austere, *a.* Gerwin, llym, garw.
austerity, *n.* Llymder, gerwindeb.
Australia, *n.* Awstralia.
Australian, *n.* I. Awstraliad.
    2. *a.* Awstralaidd.

Austria, *n.* Awstria.
Austrian, *n.* I. Awstriad.
    2. *a.* Awstriaidd.
authentic, *a.* Dilys, gwir.
authenticity, *n.* Dilysrwydd.
author, *n.* Awdur, awdures.
authoritative, *a.* Awdurdodol.
authority, *n.* Awdurdod, gallu.
authorize, *v.* Awdurdodi.
autobiography, *n.* Hunangofiant.
autocracy, *n.* Unbennaeth.
autocrat, *n.* Unben.
autograph, *n.* Llofnod.
automatic, *a.* Yn symud ohono'i hunan, otomatig, awtomatig.
automaton, *n.* Awtomaton.
autonomy, *n.* Ymreolaeth.
autumn, *n.* Hydref.
auxiliary, *a.* I. Cynorthwyol.
    2. *n.* Cynorthwywr.
avail, *n.* I. Lles, budd.
    2. *v.* Tycio, bod o les, llesáu.
    AVAIL OF. Manteisio ar.
available, *a.* Ar gael.
avarice, *n.* Trachwant, cybydd-dod.
avaricious, *a.* Cybyddlyd.
avenge, *v.* Dial cam.
average, *n.* I. Cyfartaledd, canol.
    2. *a.* Cyffredin, cymedrol, canolig.
    ON AVERAGE. Ar gyfartaledd.
averse, *a.* Gwrthwynebol.
avert, *v.* Gochel, troi heibio.
aviary, *n.* Tŷ adar, adardy.
aviation, *n.* Hedfan mewn awyrennau.
aviator, *n.* Awyrennwr.
avid, *a.* Awchus, gwancus.
avidity, *n.* Awydd, gwanc, dyhead.
avoid, *v.* Gochel, osgoi, arbed.
avoidance, *n.* Gocheliad, osgoad.
avow, *v.* Cydnabod, addef.
avowal, *n.* Addefiad, cyffesiad.
await, *y.* Disgwyl, aros.
awake, *a.* I. Effro, ar ddi-hun.
    2. *v.* Deffro, dihuno.
award, *n.* I. Dyfarniad.
    2. *v.* Dyfarnu, rhoddi.
aware, *a.* Hysbys, ymwybodol.
awareness, *n.* Ymwybyddiaeth.
away, *ad.* I ffwrdd, ymaith, i bant.
    AWAY FROM ME. Oddi wrthyf.
    AWAY FROM YOU. Oddi wrthyt.
    AWAY FROM HIM/HER. Oddi wrtho/wrthi.
awe, *n.* Arswyd, parchedig ofn.
    v. Dychryn.
awful, *a.* Ofnadwy, arswydus.
awhile, *ad.* Am ychydig (amser), am dipyn (o amser).
awkward, *a.* Trwsgl, lletchwith.
awl, *n.* Mynawyd.

awning, *n.* Cysgodlen, adlen.
awry, *ad.* O chwith, ar gam.
axe, *n.* Bwyell.
axiom, *n.* Gwireb.
axis : axle, *n.* Echel.

ay, *int.* Ie.
aye, *ad.* Am byth, bob amser.
Azores, the, *np.* Yr Asores.
azure, *n. & a.* Asur, glas.

Babble, *n.* Baldordd.
   v. Baldorddi.
babe : baby, *n.* Baban, babi.
babyhood, *n.* Babandod.
bachelor, *n.* Dyn dibriod, hen lanc ; baglor (prifysgol).
baccillus, *n.* Basilws.
back, I. *n.* Cefn, tu ôl ; cefnwr ; cymorth, cynhaliaeth.
   2. *v.* Cefnogi, cilio'n ôl.
   3. *ad.* Yn ôl, yn wysg y cefn.
   4. *a.* Cefn, ôl.
backbone, *n.* Asgwrn cefn.
background, *n.* Cefndir.
backsliding, *n.* Gwrthgiliad.
backward, *ad.* Yn ôl, ar ôl, hwyrfrydig.
   BACKWARDS. Tuag yn ôl, llwrw eich cefn.
bacon, *n.* Cig moch, bacwn.
bacteriology, *n.* Bacterioleg.
bacterium, *n.* Bacteriwm.
bad, *a.* Drwg; gwael, sâl.
   AS BAD. Cynddrwg.
badge, *n.* Bathodyn.
badger, I. *n.* Mochyn daear, broch.
   2. *v.* Poeni, blino.
baffle, *v.* Drysu, rhwystro, trechu.
bag, *n.* Cwd, cwdyn, cod.
baggage, *n.* Pac, taclau, celfi.
bail : bale, *v.* Gwacáu (o ddŵr).
bail, I. *n.* Mechnïaeth, meichiau.
   2. *v.* Mechnïo, mynd yn feichiau.
bailiff, *n.* Beili.
bait, I. *n.* Llith, abwyd.
   2. *v.* Abwydo.
bake, *v.* Pobi, crasu.
baker, *n.* Pobydd.
bakehouse : bakery, *n.* Popty.
bakestone, n. Gradell.
balance, I. *n.* Clorian, tafol, mantol ; cydbwysedd ; gweddill.
   2. Mantoli ; cydbwyso.
balcony, *n.* Balcon, oriel.
bald, *a.* Moel.
baldness, *n.* Moelni.
bale, I. *n.* Swp, bwndel.
   2. *v.* Sypynnu, bwndelu.
baler, *n.* Byrnwr.
ball, *n.* Pêl, pelen; dawns.
ballroom, *n.* Neuadd ddawnsio.
ballad, *n.* Baled.
ballet, *n.* Bale.
balloon, *n.* Balŵn.
ballot, *n.* Pleidlais ddirgel, balot, tugel.
balm, *n.* Balm.
balmy, *a.* Balmaidd.
ban, I. *n.* Gwaharddiad.
   2. *v.* Gwahardd, ysgymuno.
banana, *n.* Banana.
band, I. *n.* Rhwymyn ; mintai ; seindorf.
   2. *v.* Rhwymo.

bandage, I. *n.* Rhwymyn.
   2. *v.* Rhwymo.
bandit, *n.* Ysbeiliwr, lleidr.
baneful, *a.* Gwenwynig, dinistriol, niweidiol.
bang, *n.* Ergyd.
   v. Curo, bwrw.
bangle, *n.* Breichled.
banish, *v.* Alltudio.
banishment, *n.* Alltudiaeth.
bank, *n.* Glan, traethell ; rhes ; banc, ariandy.
   RIVER'S BANK. Glan yr afon.
   BANK OF SEATS. Rhesi o seddi.
   BANK ACCOUNT. Cyfrif banc.
banker, *n.* Bancwr.
bankrupt, *n.* Methdalwr.
bankruptcy, *n.* Methdaliad.
banner, *n.* Baner, lluman.
banns, *np.* Gostegion (priodas).
banquet, *n.* Gwledd.
   v. Gwledda.
banter, *n.* Cellwair, smaldod.
   v. Cellwair, smalio.
baptism, *n.* Bedydd.
Baptist, *n.* Bedyddiwr.
baptize, *v.* Bedyddio.
bar, I. *n.* Bollt, bar, trosol ; rhwystr ; twmpath tywod ; traethell.
   2. *v.* Atal, rhwystro.
barbarian, *n.* Anwariad, barbariad.
barbaric, *a.* Barbaraidd, anwar.
barbarism, *n.* Barbariaeth.
barbarity, *n.* Creulondeb, barbareiddiwch.
barbarous, *a.* Anwar, barbaraidd.
barbed, *a.* Pigog, bachog.
   BARBED WIRE. Gwifren bigog.
barber, *n.* Barbwr, eilliwr.
bard, *n.* Bardd, prydydd.
bardic, *a.* Barddol.
bare, I. *a.* Noeth, moel, llwm.
   2. *v.* Noethi, diosg.
   BAREFACED. Digywilydd.
   BAREFOOTED. Troednoeth.
barely, *ad.* Prin, o'r braidd.
bareness, *n.* Moelni, noethni.
bargain, *n.* Bargen, cytundeb.
   v. Bargeinio, bargenna.
barge, *n.* Bad camlas, cwch camlas.
bark, I. *n.* Cyfarthiad ; rhisgl.
   2. *v.* Cyfarth ; rhisglo.
barley, *n.* Haidd, barlys.
barm, *n.* Burum, berem, berman.
barn, *n.* Ysgubor.
barometer, *n.* Baromedr.
baron, *n.* Barwn.
baronet, *n.* Barwnig.
barracks, *n.* Gwersyll milwrol.
barrage, *n.* Argae, clawdd.
barrel, *n.* Baril ; casgen.
barren, *a.* Diffrwyth, hesb, llwm.
barrier, *n.* Atalfa, rhwystr, terfyn, ffin.

barrister, *n.* Bargyfreithiwr.
barrow, I. *n.* Berfa, whilber.
   2. Crug claddu.
barter, *v.* Cyfnewid, ffeirio.
base, I. *a.* Isel, gwael, distadl.
   2. *n.* Sylfaen, bôn.
   3. *v.* Seilio, sylfaenu.
baseless, *a.* Di-sail.
bashful, *a.* Swil, gwylaidd.
bashfulness, *n.* Swildod, gwyleidd-dra.
basic, *a.* Sylfaenol, syml.
basin, *n.* Basn, cawg.
basis, *n.* Sail, sylfaen.
bask, *v.* Torheulo, dinoethi i'r haul.
basket, *a.* Basged, cawell.
   BASKETFUL. Basgedaid.
bass, *n.* Bas ; isalaw ; draenog y môr.
bassoon, *n.* Basŵn.
bat, I. *n.* Ystlum ; bat (criced).
   2. *v.* Bato, batio.
bath, *n.* Baddon, ymdrochle, ymolchfa.
bathe, *v.* Ymdrochi; golchi, ymolchi.
bathos, *n.* Affwysedd, bathos.
bathroom, *n.* Ystafell ymolchi.
battalion, *n.* Bataliwn.
battery, *n.* Batri.
battle, *n.* Brywdr, cad.
   BATTLEFIELD. Maes y gad.
   BATTLESHIP. Llong ryfel.
bawl, *v.* Gweiddi, bloeddio.
bay, I. *n.* Bae ; cyfarthiad, cricŵn ; llawryf.
   2. *a.* Gwinau.
   3. *v.* Cyfarth, udo.
   SWANSEA BAY. Bae Abertawe.
bayonet, *n.* Bidog.
be, *v.* Bod.
   HE HAS BEEN. Mae ef wedi bod.
beach, *n.* Traeth, glan y môr, traethell.
beacon, *n.* Coelcerth, gwylfa, arwydd.
bead, *n.* Glain.
   BEADS. Gleiniau ; paderau.
beak, *n.* Pig, gylfin.
beaker, *n.* Cwpan, bicer.
beam, I. *n.* Trawst, paladr ; pelydryn.
   2. *v.* Pelydru.
bean, *n.* Ffäen, ffeuen.
bear, I. *n.* Arth, arthes.
   2. *v.* Cludo; goddef ; geni.
beard, *n.* Barf; col ŷd.
bearded, *a.* Barfog.
bearer, *n.* Cludwr.
bearing, *n.* Ymddygiad, ymarweddiad.
beast, *n.* Bwystfil.
beastly, *a.* Bwystfilaidd.
beat, *n.* Curiad.
   v. Curo, gorchfygu.
beatitude, *n.* Gwynfyd.
beautiful, *a.* Prydferth, teg, hardd.
beauty, *n.* Prydferthwch, tegwch, harddwch.

beaver, *n.* Afanc, llostlydan.
because, *c.* Oherwydd, oblegid, o achos, gan, am.
beck, *n.* Amniad.
beckon, *v.* Amneidio.
become, *n.* Mynd yn ; dod yn ; gweddu i.
becoming, *a.* Gweddus.
bed, *n.* Gwely ; pâm.
   BEDSIT. Ystafell fyw a chysgu.
bedding, *n.* Dillad gwely.
bedridden, *a.* Gorweiddiog, yn cadw gwely.
bedroom, *n.* Ystafell wely.
bee, *n.* Gwenynen.
beech, *n.* Ffawydden.
beef, *n.* Cig eidion.
beehive, *n.* Cwch gwenyn.
beer, *n.* Cwrw.
beeswax, *n.* Cwyr gwenyn.
beet, *n.* Betysen, betys.
beetle, *n.* Chwilen.
befall, *v.* Digwydd.
befit, *v.* Gweddu i.
before, I. *prp.* Cyn, o flaen, ger bron.
   AS BEFORE. Fel o'r blaen.
   2. *ad.* Cynt, o'r blaen.
beforehand, *ad.* Ymlaen llaw.
beg, *v.* Erfyn, ymbil, deisyf ; cardota.
beget, *v.* Cenhedlu, cynhyrchu.
beggar, *n.* Cardotyn.
begin, *v.* Dechrau.
beginner, *n.* Dechreuwr.
beginning, *n.* Dechreuad.
beguile, I. *v.* Twyllo ; hudo, swyno.
   2. Difyrru.
behalf, *n.* Plaid, tu.
   ON BEHALF OF. Ar ran.
behave, *v.* Ymddwyn.
behaviour, *n.* Ymddygiad.
behead, *v.* Torri pen.
behest, *n.* Arch, gorchymyn, cais.
behind, I. *prp.* Y tu ôl, y tu cefn.
   2. *ad.* Ar ôl, y tu ôl, y tu cefn, yn y cefn.
   TO BE BEHIND. Bod ar ôl.
   TO REMAIN BEHIND. Aros ar ôl.
behold, *v.* Edrych ar, gweled.
being, *v.* Bod.
belated, *a.* Diweddar, hwyr.
belch, *n.* Bytheiriad.
   v. Bytheirio.
belfry, *n.* Clochdy.
Belgium, *n.* Gwlad Belg.
belie, *v.* Anwireddu, anwirio.
belief, *n.* Cred, crediniaeth, coel.
believable, *a.* Credadwy.
believe, *v.* Credu, coelio.
believer, *n.* Credwr, credadun, crediniwr.
belittle, *v.* Bychanu.
bell, *n.* Cloch.
bellicose, *a.* Cwerylgar, rhyfelgar.
belligerent, *a.* Rhyfelgar, cwerylgar, ymladdgar.

bellow, *v.* Rhuo, bugunad.
bellows, *np.* Megin.
belly, *n.* Bol, bola, tor.
belong, *v.* Perthyn.
belongings, *np.* Eiddo, meddiannau.
beloved, I. *a.* Annwyl, cu, hoff.
 2. *n.* Anwylyd, cariad.
below, I. *prp.* Tan, dan, oddi tan.
 2. *ad.* Tanodd, danodd, oddi tanodd, islaw,
 isod, obry.
belt, *n.* Gwregys.
bemoan, *v.* Galaru am.
bench, *n.* Mainc.
bend, I. *n.* Tro, plyg.
 2. *v.* Plygu.
beneath, I. *prp.* Tan, dan, oddi tan, islaw.
 2. *ad.* Oddi tanodd, islaw, isod.
 FROM BENEATH. Oddi tan.
benediction, *n.* Bendith.
benefaction, *n.* Cymwynas.
benefactor, *n.* Cymwynaswr, noddwr.
benefice, *n.* Bywoliaeth eglwysig.
beneficial, *a.* Buddiol, llesol.
benefit, *n.* Lles, budd, elw.
 v. Manteisio, elwa.
benevolence, *n.* Caredigrwydd, ewyllys da.
benevolent, *a.* Daionus, haelionus, caredig.
benign, *a.* Mwyn, rhadlon ; diniwed.
bent, *n.* Tuedd, gogwydd.
benzene, *n.* Bensen.
bequeath, *v.* Cymynnu.
bequest, *n.* Cymynrodd.
bereave, *v.* Amddifadu, colli.
bereavement, *n.* Colled.
berry, *n.* Aeronen, mwyaren.
 BERRIES. Aeron, grawn.
berth, I. *n.* Lle i long ; gwely ar long neu dren ;
 swydd, safle.
 2. *v.* Sicrhau llong yn ei lle.
beseech, *v.* Deisyf, erfyn, crefu, atolygu.
beside, *prp.* Gerllaw, yn ymyl, wrth.
besides, *ad.* Heblaw.
 prp. Gyda.
besiege, *v.* Gwarchae (ar).
besmirch, *v.* Pardduo, llychwino.
besom, *n.* Ysgubell.
best, *a., n. & ad.* Gorau.
bestial, *a.* Bwystfilaidd.
bestow, *v.* Anrhegu, cyflwyno.
bet, *n.* Bet.
 v. Betio, dal am.
betray, *v.* Bradychu.
betrayal, *n.* Brad, bradychiad.
betrayer, *n.* Bradwr.
betroth, *v.* Dyweddïo.
betrothal, *n.* Dyweddïad.
better, *a., n. & ad.* Gwell, rhagorach.
 ALL THE BETTER. Gorau i gyd.
 ad. Yn well.
 NIA IS BETTER. Mae Nia yn well.

between, *prp., ad. & n.* Rhwng.
 TO READ BETWEEN THE LINES. Darllen rhwng
 y llinellau.
beverage, *n.* Diod.
beware, *v.* Gochel.
bewilder, *v.* Drysu.
bewilderment, *n.* Dryswch, penbleth.
bewitch, *v.* Rheibio, hudo.
beyond, *prp., ad. & n.* Dros, tu draw i, tu hwnt.
bias, *n.* Tuedd, rhagfarn.
biased, *a.* Rhagfarnllyd, tueddol.
Bible, *n.* Beibl.
Biblical, *a.* Beiblaidd.
bibliography, *n.* Llyfryddiaeth.
bicarbonate, *n.* Bicarbonad.
bicentenary, *n.* Daucanmlwyddiant.
bicker, *v.* Ymgecru, ffraeo.
bickering, *n.* Cynnen.
bicycle, *n.* Beisigl, beic.
bid, I. *v.* Gwahodd, gorchymyn, erchi, cynnig.
 2. *n.* Cynnig.
 TO BID FAREWELL. Canu'n iach.
biennial, *a.* Bob dwy flynedd, dwyflynyddol.
 BIENNIAL FLOWER. Blodyn eilflwydd.
bier, *n.* Elor.
big, *a.* Mawr.
 BIGGER. Mwy.
 BIGGEST. Mwyaf.
bigot, *n.* Penboethyn.
bilateral, *a.* Dwyochrog.
bilberries, *np.* Llus, llusi duon bach.
bile, *n.* Bustl.
bilingual, *a.* Dwyieithog.
bilingualism, *n.* Dwyieithrwydd, dwyieithedd,
 dwyieitheg.
bilious, *a.* Cyfoglyd.
biliousness, *n.* Cyfog, chwydfa.
bill, *n.* Pig, gylfin ; bil ; mesur seneddol ; hysbyslen.
billet, *n.* Llety (milwr).
billhook, *n.* Bilwg.
billion, *n.* Biliwn.
billow, I. *n.* Ton, gwaneg, moryn.
 2. *v.* Tonni, dygyfor.
billowy, *a.* Tonnog.
billy-goat, *n.* Bwch gafr.
bind, *v.* Rhwymo ; caethiwo.
binding, *n.* Rhwymiad.
biographer, *n.* Cofiannydd, bywgraffydd.
biographical, *a.* Bywgraffyddol.
biography, *n.* Cofiant, bywgraffiad.
biologist, *n.* Biolegwr, biolegydd, bywydegydd.
biological, *a.* Biolegol.
biology, *n.* Bywydeg, bioleg.
biotic, *a.* Biotig.
biotica, *n.* Bioteg.
birch, *n.* Bedwen.
 v. Curo â gwialen fedw.
bird, *n.* Aderyn, edn.
 BIRDS OF PREY. Adar ysglyfaethus.

birth, *n.* Genedigaeth.
birthday, *n.* Dydd pen-blwydd.
BIRTHDAY CARD. Cerdyn pen-blwydd.
birth-right, *n.* Genedigaeth-fraint.
biscuit, *n.* Bisgeden, bisgïen.
bishop, *n.* Esgob.
bishopric, *n.* Esgobaeth.
bit, *n.* Tamaid, darn ; genfa, bit.
A GOOD BIT. Cryn dipyn.
A LITTLE BIT. Gronyn bach.
bitch, *n.* Gast.
bite, I. *n.* Cnoad, brath ; tamaid.
2. *v.* Cnoi, brathu ; pigo.
bitter, *a.* Chwerw, tost.
bittern, *n.* Aderyn y bwn.
bitterness, *n.* Chwerwedd, chwerwder.
black, *a.* Du.
black-beetle, *n.* Chwilen ddu.
balckberry, *n.* Mwyaren.
blackbird, *n.* Aderyn du ; mwyalchen.
blackboard, *n.* Bwrdd du.
blacken, *v.* Duo, pardduo.
blackguard, *n.* Dihiryn.
blackmail, *n.* Arian bygwth.
v. Mynnu (arian) drwy fygwth.
blackness, *n.* Duwch.
blacksmith, *n.* Gof.
blackthorn, *n.* Draenen ddu.
bladder, *n.* Pledren, chwysigen.
blade, *n.* Llafn.
blame, I. *n.* Bai.
2. *v.* Beio.
HE WAS TO BLAME. Roedd ef ar fai.
blameless, *a.* Difai, dieuog.
blank, *a.* Gwag.
BLANK VERSE. Mesur di-odl.
BLANK CHEQUE. Siec Wag.
blanket, *n.* Blanced, gwrthban.
blare, *v.* Rhuo, seinio fel utgorn.
blaspheme, *v.* Cablu, difenwi.
blasphemy, *n.* Cabl, cabledd.
blast, I. *n.* Chwa ; ffrwydrad ; deifiad.
2. *v.* Deifio ; ffrwydro.
blatant, *a.* Stwrllyd, digywilydd, haerllug.
blaze, I. *n.* Fflam, ffagl.
2. *v.* Fflamio, ffaglu.
bleach, *v.* Cannu, gwynnu.
bleak, *a.* Oer, noeth, llwm, noethlwm.
bleat, I. *n.* Bref.
2. *v.* Brefu.
bleed, *v.* Gwaedu, gollwng gwaed.
blemish, I. *n.* Anaf, bai, nam.
2. *v.* Difwyno, amharu.
blend, I. *n.* Cymysgedd, cyfuniad.
2. *v.* Cymysgu, toddi (i'w gilydd), cytuno.
bless, *v.* Bendithio.
blessed, *a.* Bendigedig, gwynfydedig.
blessedness, *n.* Gwynfyd, gwynfydedd.
blessing, *n.* Bendith.

blight, I. *n.* Malltod, deifiad.
2. *v.* Deifio.
blind, I. *a.* Dall, tywyll.
2. *n.* Llen ffenestr.
3. *v.* Dallu.
blindness, *n.* Dallineb.
blinkers, *np.* Ffrwyn ddall.
bliss, *n.* Dedwyddwch, gwynfyd.
blissful, *a.* Dedwydd.
blister, *n.* Pothell, chwysigen.
blithe, *a.* Llawen, llon, hoenus.
blizzard, *n.* Storm o wynt ac eira.
block, I. *n.* Boncyff, plocyn ; rhwystr.
2. *v.* Cau, rhwystro.
blockade, *n.* Gwarchae.
blockhead, *n.* Penbwl, hurtyn.
blood, *n.* Gwaed.
BLOOD PRESSURE. Pwysedd gwaed.
BLOOD TRANFUSION. Trallwysiad gwaed.
bloodshed, *n.* Tywallt gwaed.
blood-vessel, *n.* Gwythïen.
bloody, *a.* Gwaedlyd.
bloom : blossom, I. *n.* Blodeuyn ; gwrid.
2. *v.* Blodeuo.
blot, *n.* Smotyn du, nam.
blow, I. *n.* Ergyd, dyrnod.
2. *v.* Chwythu.
TO BLOW A HORN. Canu corn.
blowpipe, *n.* Chwythbib.
blue, *a.* Glas.
bluebells, *n.p.* Clychau'r gog, croeso haf.
blueness, *n.* Glesni.
blunder, I. *n.* Camgymeriad, ffolineb.
2. *v.* Gweithredu'n ffôl, bwnglera.
blunt, I. *a.* Pŵl, di-fin, plaen.
2. *v.* Pylu.
blush, I. *n.* Gwrid.
2. *v.* Gwrido, cochi.
blushing, *a.* Gwridog.
boar, *n.* Baedd.
board, I. *n.* Bord ; astell ; bwyd.
2. *v.* Mynd ar long, awyren neu ar drên ; lletya.
boarder, *n.* Lletywr.
boarding-school, *n.* Ysgol breswyl.
boast, I. *n.* Ymffrost, bost.
2. *v.* Ymffrostio, bostio.
boaster, *n.* Ymffrostiwr.
boastful, *a.* Ymffrostgar.
boat, *n.* Bad, cwch.
boatman, *n.* Badwr, cychwr.
bodily, *a. & adv.* Corfforol.
body, *n.* Corff, person.
bog, *n.* Cors, siglen, mignen.
bogey, *n.* Bwci, bwgan.
boggy, *a.* Corsog, siglennog, corslyd.
bogus, *a.* Ffug, gau.
boil, I. *n.* Cornwyd.
2. *v.* Berwi.
boiler, *n.* Crochan, pair.

boisterous, *a.* Tymhestlog.
bold, *a.* Hy, eofn, beiddgar.
boldness, *a.* Hyfdra, ehofndra.
bolster, *n.* Gobennydd, clustog.
bolt, I. *n.* Bollt, bar.
    2. *v.* Bolltio, cloi.
bomb, *n.* Bom.
bombastic, *a.* Chwyddedig.
bond, *n.* Amod ; rhwymyn, cadwyn.
bondage, *n.* Caethiwed.
bondman, *n.* Caethwas.
bondsman, *n.* Mach, mechnïwr.
bone, *n.* Asgwrn.
bonfire, *n.* Coelcerth.
bonny, *a.* Braf.
bony, *a.* Esgyrnog.
book, *n.* Llyfr.
bookbinder, *n.* Rhwymwr llyfrau.
bookcase, *n.* Cwpwrdd llyfrau.
book-keeper, *n.* Ceidwad cyfrifon.
book-keeping, *n.* Cadw cyfrifon.
booklet, *n.* Llyfryn.
bookseller, *n.* Llyfrwerthwr.
bookworm, *n.* Llyfrbryf.
boon, *n.* Bendith, caffaeliad.
boor, *n.* Taeog.
boorish, *a.* Taeogaidd.
boot, *n.* Esgid, botasen.
booth, *n.* Bwth, lluest, caban.
booty, *n.* Ysbail, ysglyfaeth.
border, *n.* Terfyn, ffin, goror, ymyl.
bore, I. *n.* Twll, tryfesur ; blinwr, diflaswr ; ton lanw.
    2. *v.* Tyllu ; blino, diflasu.
bored, *a.* Wedi diflasu, wedi alaru, wedi surffedu.
boredom, *n.* Diflastod, blinder, syrffed.
boring, *a.* Diflas, anniddorol, syrffedus.
born, *a.* Wedi ei eni, genedigol.
borough, *n.* Bwrdeistref.
borrow, *v.* Benthyca.
bosom, *n.* Mynwes, côl.
    BOSOM FRIEND. Cyfaill mynwesol.
botanical, *a.* Llysieuol.
botanist, *n.* Llysieuydd.
botany, *n.* Llysieueg.
both, *a. pn. & ad.* Y ddau, y ddwy, ill dau, ill dwy, y naill a'r llall.
    BOTH OF YOU. Chwi eich dau.
    BOTH OF THEM. Hwy ill dau.
bother, I. *n.* Helynt, trafferth.
    2. *v.* Trafferthu, poeni.
bottle, I. *n.* Potel, costrel.
    2. *v.* Potelu, costrelu.
bottom, *n.* Gwaelod, godre.
bottomless, *a.* Diwaelod.
bough, *n.* Cangen, cainc.
boulder, *n.* Carreg fawr, maen mawr, clogfaen.
    BOULDER CLAY. Clai clogfaen.
bounce, I. *n.* Adlam, naid.
    2. *v.* Neidio, adlamu.
bound, I. *n.* Terfyn, ffin.
    2. *v.* Ffinio ; llamu, neidio.

boundary, *n.* Ffin, terfyn.
boundless, *a.* Diderfyn.
bounteous : bountiful, *a.* Hael.
bounty, *n.* Haelioni.
bouquet, *n.* Blodeuglwm, pwysi.
bout, *n.* Gornest, tro, sbel, pwl.
bow, I. *n.* Bwa ; blaen (llong) ; ymgrymiad.
    2. *v.* Ymgrymgu.
    BOW AND ARROW. Bwa a saeth.
    v. Ymgrymu.
    TO BOW TO CIRCUMSTANCES. Bodloni i'r drefn.
bowels, *np.* Perfedd, ymysgaroedd.
bower, *n.* Deildy.
bowl, *n.* Basn, cawg ; pelen.
bowman, *n.* Saethydd.
box, I. *n.* Blwch, bocs ; cernod.
    2. *v.* Cernodio, paffio.
boxer, *n.* Paffiwr.
boy, I. *n.* Bachgen, hogyn, mab, gwas.
boyhood, *n.* Bachgendod.
boyish, *a.* Bachgennaidd.
brace, I. *n.* Rhwymyn ; pâr.
    2. *v.* Tynhau, cryfhau.
bracelet, *n.* Breichled.
braces, *n.* Bresys, brasys.
bracken, *n.* Rhedyn ungoes.
bracket, *n.* Cromfach ; bach silff, braced.
bract, *n.* Blodeulen, bract.
brag, I. *n.* Ymffrost, brol, bost.
    2. *v.* Ymffrostio, bostio.
brain, *n.* Ymennydd.
brake, I. *n.* Dryslwyn, drysni ; brêc.
    2. *v.* Brecio.
    HAND BRAKE. Brêc llaw.
    FOOT BRAKE. Brêc troed.
bramble, *n.* Miaren.
bran, *n.* Bran, rhuddion.
branch, I. *n.* Cangen, cainc.
    2. *v.* Canghennu.
brand, I. *n.* Pentewyn ; gwarthnod ; math (o nwyddau, &c.).
    2. *v.* Nodi.
brandish, *v.* Chwifio, ysgwyd.
brand-new, *a.* Newydd sbon.
brass, *n.* Pres, efydd.
brave, I. *a.* Dewr, gwrol, glew.
    2. *v.* Herio.
bravery, *n.* Dewrder, gwroldeb.
brawl, I. *n.* Ffrae, cynnen, terfysg.
    2. *v.* Ffraeo, terfysgu.
brawny, *a.* Cyhyrog.
bray, I. *n.* Nâd, bref, brefiad, gweryriad.
    2. *v.* Nadu, brefu, gweryru.
brazen, *a.* Haerllug, hy.
breach, I. *n.* Adwy, bwlch ; trosedd.
    2. *v.* Torri, bylchu.
bread, *n.* Bara.
    CURRANT BREAD. Bara brith.
    BREAD AND BUTTER. Bara 'menyn.
    BREAD-KNIFE. Cyllell fara.

breadth, *n.* Lled.
break, *v.* Torri, dryllio.
   n. Toriad.
   A BREAK IN THE WEATHER. Newid tywydd.
   TO BREAK IN PIECES. Torri'n yfflon.
breakfast, *n.* Brecwast, boreufwyd.
breakwater, *n.* Morglawdd.
breast, *n.* Bron, dwyfron, mynwes.
breath, *n.* Anadl, gwynt ; awel.
breathe, *v.* Anadlu, chwythu.
breathing, *n.* Anadliad, anadl.
breathless, *a.* Dianadl.
breeches, *np.* Llodrau, clos (pen-glin).
breed, I. *n.* Rhywogaeth, brid.
   2. *v.* Epilio, magu, bridio.
breeze, *n.* Awel, chwa.
breezy, *a.* Gwyntog, awelog.
brevity, *n.* Byrder, byrdra.
brew, *v.* Bragu, macsu.
brewer, *n.* Bragwr, macswr.
brewery, *n.* Bragdy.
briar, *n.* Miaren, drysïen, draenen.
bribe, *n.* Llwgrwobrwy, llwgrwobr.
   v. Llwgrwobrwyo, iro llaw.
brick, *n.* Priddfaen, bricsen.
bride, *n.* Priodferch, priodasferch.
bridegroom, *n.* Priodfab.
bridesmaid, *n.* Morwyn briodas.
bridge, I. *n.* Pont.
   2. *v.* Pontio.
bridle, I. *n.* Ffrwyn.
   2. *v.* Ffrwyno.
brief, *a.* Byr, cwta.
   BRIEFLY. Yn fyr, mewn gair, ar fyr.
brig, *n.* Brig, llong ddeufast.
brigade, *n.* Brigâd, mintai.
brigadier, *n.* Brigadydd.
brigand, *n.* Herwr, carnleidr, ysbeiliwr.
bright, *a.* Disglair, clear, gloyw.
brighten, *v.* Disgleirio, gloywi.
brightness, *n.* Disgleirdeb.
brilliance, *n.* Disgleirdeb.
brilliant, *a.* Disglair, llachar.
brim, *n.* Ymyl, min, cantel.
brimful, *a.* Llawn i'r ymyl.
brimstone, *n.* Brwmstan.
brindled, *a.* Brych, brith.
brine, *n.* Heli, dŵr hallt.
bring, *v.* Dwyn, dyfod â, dod â.
brink, *n.* Ymyl, min, glan.
brisk, *a.* Bywiog, heini, sionc.
bristle, I. *n.* Gwrychyn.
   2. *v.* Codi gwrych.
British, *a.* Prydeinig.
Briton, *n.* Prydeiniwr.
brittle, *a.* Brau, bregus.
brittleness, *n.* Breuder.
broad, *a.* Llydan.
broadcast, I. *a. & ad.* Ar led, ar wasgar.
   2. *n.* Darllediad.
   3. *v.* Gwasgaru, darlledu.

broaden, *n.* Lledu, ehangu.
broccoli, *n.* Blodfresych.
bronze, *n.* Pres, efydd.
brooch, *n.* Tlws.
brood, I. *n.* Hil, hiliogaeth, epil ; nythaid.
   2. *v.* Eistedd, deor ; pendroni.
brook, *n.* Nant, cornant, ffrwd.
broom, *n.* Banadl; ysgubell, brws.
broth, *n.* Cawl, potes.
brothel, *n.* Puteindy.
brother, *n.* Brawd.
brotherly, *a.* Brawdol.
   BROTHERLY LOVE. Brawdgarwch.
brow, *n.* Ael ; crib.
brown, *a.* Gwinau, cochddu, brown.
bruise, I. *n.* Clais.
   2. *v.* Cleisio, ysigo.
brush, I. *n.* Brws.
   2. *v.* Brwsio, ysgubo.
brushwood, *n.* Prysgwydd.
Brussel sprouts, *np.* Ysgewyll Brwsel.
brutal, *a.* Creulon, ciaidd.
brutality, *n.* Creulondeb.
brute, *n.* Bwystfil, dyn creulon.
bubble, *n.* Bwrlwm, swigen.
   v. Byrlymu.
bubbling, *a.* Byrlymol.
buccaneer, *n.* Môr-leidr.
bucket, *n.* Bwced.
bud, I. *n.* Blaguryn, eginyn.
   2. *v.* Blaguro, egino.
budge, *v.* Symud, syflyd.
budget, *n.* Cyllideb.
buffer, *n.* Byffer.
bugbear, *n.* Bwgan.
bugle, *n.* Corn, utgorn.
build, I. *n.* Adeiladwaith, saernïaeth ; corffolaeth.
   2. *v.* Adeiladu, codi.
building, *n.* Adeilad.
bulb, *n.* Bwlb, bŷlb.
bulge, I. *n.* Chwydd.
   2. *v.* Chwyddo.
bulk, *n.* Maint, swm, crynswth.
bull, *n.* Tarw.
   BULLDOZER. Tarw dur.
bullet, *n.* Bwled.
bulletin, *n.* Bwletin.
bullock, *n.* Bustach, ych.
bully, I. *n.* Bwli.
   2. *v.* Bwlio.
bulrushes, *np.* Lladrwyn, brwyn.
bump, I. *n.* Chwydd ; hergwd.
   2. *v.* Taro yn erbyn.
bun, *n.* Teisen fach, byn[s]en.
bunch, *n.* Clwstwr, pwysi, tusw.
bundle, I. *n.* Sypyn, bwndel.
   2. *v.* Bwndelu ; gyrru ymaith.
bungalow, *n.* Tŷ unllawr, byngalo.
buoy, I. *n.* Bwi.
   2. *v.* Cynnal.

buoyancy, *n.* Hynofiant, ysgafnder.
buoyant, *a.* Hynawf, ysgafn.
burden, I. *n.* Baich, pwn ; byrdwn.
   2. *v.* Beichio.
   THE BURDEN OF TAXATION. Baich y dreth.
burdensome, *a.* Beichus.
burette, *n.* Biwred.
burgess, *n.* Bwrdais, trefwr.
burglar, *n.* Lleidr.
burial, *n.* Angladd, claddedigaeth.
burn, I. *n.* Llosg.
   2. *v.* Llosgi.
burnish, *v.* Caboli, gloywi.
burrow, I. *n.* Twll ; gwâl ; daear.
   2. *v.* Turio, twrio, tyllu, tyrchu.
burst, *v.* Ymrwygo, torri, ffrwydro.
bury, *v.* Claddu.
bus, *n.* Bws.
   BUS-STOP. Arhosfan bysus.
bush, *n.* Llwyn, perth.
business, *n.* Busnes, masnach, gwaith.
bustle, I. *n.* Ffwdan.
   2. *v.* Ffwdanu.
busy, *a.* Prysur, diwyd.
busybody, *n.* Busneswr/busneswraig.
but, *c.* Ond, eithr.
butcher, *n.* Cigydd.

butt, *n.* Nod, targed ; casgen.
butter, I. *n.* Ymenyn.
   2. *v.* Dodi ymenyn ar.
   BREAD AND BUTTER. Bara 'menyn.
buttercup, *n.* Blodyn 'menyn, crafanc y frân.
butterfat, *n.* Saim 'menyn.
butterfly, *n.* Iâr fach yr haf, glöyn byw, pili-pala.
buttermilk, *n.* Llaeth enwyn.
button, *n.* Botwn, bwtwn, botwm.
   v. Botymu, bytyno, cau.
buttress, I. *n.* Bwtres.
   2. *v.* Cryfhau, cynorthwyo, ategu.
buy, *v.* Prynu.
buyer, *n.* Prynwr.
buzz, I. *n.* Su.
   2. *v.* Suo, mwmian.
   BUZZ OFF ! Bachai hi oddi yma !
buzzard, *n.* Boda, bwncath.
by, I. *prp. & ad.* Wrth, trwy, gan, ger.
   2. *ad.* Gerllaw, heibio.
by-election, *n.* Is-etholiad.
by-law, *n.* Deddf leol.
by-pass, *n.* Ffordd osgoi.
bystander, *n.* Un yn sefyll o amgylch.
byway, *n.* Cilffordd.
byre, *n.* Beudy.
by-word, *n.* Dihareb.

Cab, *n.* Cab, caban.
cabbage, *n.* Bresychen, bresych.
cabin, *n.* Caban.
cabinet, *n.* Cell, cist ; cabinet.
cable, I. *n.* Rhaff, rhaff angor, cebl.
   2. *v.* Ceblo.
   CABLE TELEVISION. teledu cebl.
cackle, *v.* Clochdar.
cad, *n.* Cnaf, pydryn.
cadence, *n.* Goslef, tôn, diweddeb.
   AMEN CADENCE. Diweddeb eglwysig.
cadet, *n.* Mab iau ; cadét, cadlanc.
café, *n.* Tŷ bwyta, caffe.
cage, *n.* Cawell, caets.
cairn, *n.* Carn, carnedd, crug.
cake, *n.* Teisen, cacen.
calamitous, *a.* Trychinebus.
calamity, *n.* Trallod, trychineb.
calcium, *n.* Calsiwm.
calculate, *v.* Cyfrif.
calculator, *n.* Cyfrifiannell.
calculation, *n.* Cyfrif, cyfrifiad.
calendar, *n.* Calendr, almanac.
calf, *n.* Llo ; lledr (croen llo) ; croth (coes), bola (coes).
call, I. *n.* Galwad ; ymweliad.
   2. *v.* Galw, ymweld (â).
   TELEPHONE CALL. Galwad ffôn, caniad.
calling, *n.* Galwedigaeth.
callous, *a.* Caled, dideimlad.
calm, I. *n.* Tawelwch.
   2. *a.* Tawel, digyffro.
   3. *v.* Tawelu, gostegu.
calorie, *n.* Calori.
calumny, *n.* Enllib, anair.
calve, *v.* Bwrw llo, dod â llo.
camel, *n.* Camel.
camera, *n.* Camera.
   IN CAMERA. Yn ddirgel.
camp, I. *n.* Gwersyll, lluest.
   2. *v.* Gwersyllu, pabellu.
campaign, *n.* Ymgyrch, rhyfelgyrch.
can, I. *n.* Tun, stên, can.
   2. *v.* Gallu, medru ; tunio, canio.
canal, *n.* Camlas ; pibell.
cancel, *v.* Dileu, diddymu.
cancer, *n.* Canser, cancr.
candid, *a.* Agored, didwyll, plaen
candidate, *n.* Ymgeisydd.
candidature, *n.* Ymgeisiaeth.
candle, *n.* Cannwyll.
candlestick, *n.* Canhwyllbren, canhwyllarn.
candour, *n.* Didwylledd, gonestrwydd.
cane, I. *n.* Corsen ; gwialen, ffon.
   2. *v.* Curo â gwialen.
canine, *a.* Perthynol i gi.
canker, *n.* Cancr.
cannon, *n.* Magnel.
canoe, *n.* Canŵ, ceufad.

canon, *n.* Canon ; rheol.
cantankerous, *a.* Cynhennus, cwerylgar.
cantata, *n.* Cantawd.
canter, *n.* Rhygyng.
   v. Rhygyngu.
canvas, *n.* Cynfas.
canvass, *v.* Trafod, gwyntyllu ; gofyn, erfyn ; canfasio.
cap, *n.* Cap, capan.
capability, *n.* Gallu, medr.
capable, *a.* Galluog, medrus.
capacious, *a.* Helaeth, eang.
capaciousness, *n.* Helaethrwydd.
capacity, *n.* Maint, cynhwyster ; cynnwys.
cape, *n.* Penrhyn, pentir, trwyn ; mantell.
caper, *n. pl.* Ystumiau, ystranciau, clemau.
   v. Prancio, llamsachu.
capillary, I. *n.* Capilary ; mân-wythïen.
   2. *a.* Capilaraidd.
   CAPILLARY TUBE. Meindiwb.
capital, *n.* Prifddinas ; priflythyren ; cyfalaf.
   2. *a.* Prif, pen.
capitalism, *n.* Cyfalafiaeth.
capitalist, *n.* Cyfalafwr.
capitalize, *v.* Cyfalafu.
capitulate, *v.* Ymostwng, ildio.
capitulation, *n.* Ymostyngiad, ildiad.
caprice, *n.* Mympwy.
capricious, *a.* Mympwyol, gwamal.
capsize, *v.* Dymchwel, troi (cwch, &c.), drosodd.
captain, *n.* Capten.
caption, *n.* Pennawd, teitl.
captivate, *v.* Swyno, hudo.
captive, I. *n.* Carcharor.
   2. *a.* Caeth.
captivity, *n.* Caethiwed, caethglud.
capture, I. *n.* Daliad.
   2. *v.* Dal.
car, *n.* Car, cerbyd.
   CAR FERRY. Fferi geir.
   CAR LICENCE. Trwydded car.
   CAR PARK. Maes parcio.
   CAR WASH. Golchfa geir.
caravan, *n.* Men (sipsiwn), carafán.
carbohydrate, *n.* Carbohydrad.
carbon, *n.* Carbon.
carbonate, *n.* Carbonad.
carbuncie, *n.* Carbwncl.
carcass, *n.* Celain, ysgerbwd.
card, *n.* Carden, cerdyn.
   v. Cribo (gwlân).
cardiac, *a.* Perthynol i'r galon.
   CARDIAC ARREST. Ataliad ar y galon.
Cardiff, *n.* Caerdydd.
care, *n.* Gofal, pryder.
   v. Gofalu, pryderu.
career, *n.* Gyrfa, hynt.
   v. Rhuthro.
careful, *a.* Gofalus, gwyliadwrus.

careless, *a.* Diofal, esgeulus.
carelessness, *n.* Diofalwch, esgeulustod.
caress, I. *n.* Anwes, anwesiad.
   2. *v.* Anwesu, anwylo.
caretaker, *n.* Gofalwr, gofalwraig.
cargo, *n.* Cargo, llwyth (llong).
caricature, *n.* Digriflun, gwawdlun.
carnivorous, *a.* Cigysol, yn bwyta cig.
carol, I. *n.* Carol.
   2. *v.* Canu carolau.
carotene, *n.* Carotin.
carousal, *n.* Cyfeddach, gloddest.
carouse, *v.* Cyfeddach, gloddesta.
carpenter, *n.* Saer, saer coed.
carpet, *n.* Carped.
carriage, *n.* Cerbyd ; cludiad ; osgo.
   CARRIAGE PAID. Cludiad wedi ei dalu.
carrion, *n.* Burgun, ysgerbwd.
   CARRION CROW. Brân dyddyn (syddyn).
carrot, *n.* Moronen.
carry, *v.* Cario, cludo, cywain.
cart, *n.* Cert, cart, trol.
cartilage, *n.* Madruddyn.
cartoon, *n.* Cartŵn.
cartridge, *n.* Cetrisen.
carve, *v.* Cerfio, naddu, torri, ysgythru.
carver, *n.* Cerfiwr, torrwr, ysgythrwr.
cascade, *n.* Rhaeadr.
case, *n.* Amgylchiad ; cyflwr ; achos (mewn llys) ;
   dadl ; cas, cist.
cash, I. *n.* Arian, arian parod, arian sychion.
   2. *v.* newid.
   CASH BOOK. Llyfr cownt.
   CASH IS SHORT. Mae'r arian yn brin.
   HARD CASH. Arian sychion.
   TO CASH A CHEQUE. Newid siec.
cashier, *n.* Trysorydd, ariannwr.
cask, *n.* Casgen, baril, twba.
cassock, *n.* Casog.
cast, *v.* Bwrw, taflu.
   CAST IRON. Haearn bwrw.
caste, *n.* Dosbarth, cast.
casting-vote, *n.* Pleidlais y cadeirydd.
castle, *n.* Castell.
   v. Castellu.
casual, *a.* Damweiniol, achlysurol.
casualty, *n.* Damwain ; anafus.
casualties, *np.* Colledigion, cwympedigion,
   lladdedigion.
cat, *n.* Cath.
catalogue, *n.* Catalog,
catalyst, *n.* Catalydd.
catalytic, *a.* Catalytig.
cataract, *n.* Rhaeadr, sgwd ; pilen (ar lygad).
catastrophe, *n.* Trychineb.
catch, I. *n.* Dalfa ; clicied, bachyn ; magl.
   2. *v.* Dal, dala ; maglu.
   A CATCH OF FISH. Dalfa bysgod.
catching, *a.* Heintus.

catchment area, *n.* Dalgylch.
catechise, *v.* Holi.
catechism, *n.* Holwyddoreg.
categorical, *a.* Pendant.
category, *n.* Dosbarth.
cater, *v.* Arlwyo, paratoi (bwyd).
caterpillar, *n.* Lindys.
cathedral, *n.* Eglwys gadeiriol.
cathode, *n.* Cathôd.
catholic, I. *a.* Catholig, pabyddol ; cyffredinol,
   byd-eang.
   2. *n.* Pabydd, pabyddes.
Catholicism, *n.* Pabyddiaeth, Catholigiaeth.
catkins, *np.* Cenawon cyll, cywion gwyddau,
   cynffonnau ŵyn bach.
cattle, *np.* Gwartheg, da.
cauldron, *n.* Crochan, pair.
cauliflower, *n.* Blodfresychen.
causality, *n.* Achosiaeth.
causation, *n.* Achosiant.
cause, I. *n.* Achos.
   2. *v.* Achosi, peri.
causeway, *n.* Sarn.
caustic, *a.* Costig, ysol ; deifiol.
cauterize, *v.* Serio.
caution, I. *n.* Pwyll, gwyliadwriaeth ; rhybudd.
   2. *v.* Rhybuddio.
cautious, *a.* Gofalus, gwyliadwrus, pwyllog.
cavalier, I. *n.* Marchog.
   2. *a.* Dihidio, diofal, diseremoni.
   CAVALIERS AND ROUNDHEADS. Brenhinwyr a
   Phengryniaid.
cavalry, *np.* Gwŷr meirch.
cave, *n.* Ogof.
cavity, *n.* Ceudod, gwagle.
caw, *v.* Crawcian.
cease, *v.* Peidio, darfod, gorffen.
ceaseless, *a.* Dibaid.
cedar, *n.* Cedrwydden.
cede, *v.* Rhoi i fyny, trosglwyddo.
ceiling, *n.* Nen, nenfwd.
celebrate, *v.* Dathlu.
celebrated, *a.* Enwog, clodfawr.
celebration, *n.* Dathliad.
celebrity, *n.* Enwogrwydd ; un enwog.
celestial, *a.* Nefol, nefolaidd.
celibate, I. *a.* Di-briod.
   2. *n.* Dyn di-briod, merch ddi-briod.
cell, *n.* Cell.
cellar, *n.* Seler.
cellular, *a.* Cellog.
cellulose, *n.* Seliwlos.
cement, *n.* Sment.
cemetery, *n.* Mynwent, claddfa.
censer, *n.* Thuser.
censure, I. *n.* Cerydd, sen.
   2. *v.* Ceryddu.
census, *n.* Cyfrif, cyfrifiad.
centenarian, *n.* Gŵr canmlwydd oed, gwraig
   ganmlwydd oed.

centenary, *n.* Canmlwyddiant.
centipede, *n.* Neidr gantroed.
central, *a.* Canolog, canol.
centre, *n.* Canol, canolbwynt, canolfan.
   v. Canoli, canolbwyntio.
centre-forward, *n.* Canolwr blaen, blaenwr canol.
centre-threequarter, *n.* Canolwr.
centrifugal, *a.* Allgyrchol.
centripetal, *a.* Mewngyrchol.
centurion, *n.* Canwriad.
cereal, *n.* Grawn, ŷd.
ceremonial, *a.* Defodol, seremonïol.
ceremony, *n.* Defod, seremoni.
certain, *a.* Sicr, siwr, neilltuol ; rhyw, rhai.
certainly, *ad.* Yn sicr, yn siwr.
certainty, *n.* Sicrwydd.
certificate, *n.* Tystysgrif.
certify, *v.* Tystio.
cesspool, *n.* Carthbwll.
chafe, I. *v.* Rhwbio, llidio.
   2. *n.* Rhwbiad.
chaff, *n.* Us, manus, mân us.
chaffinch, *n.* Asgell fraith, ji-binc.
chain, I. *n.* Cadwyn.
   2. *v.* Cadwyno.
   CHAIN BRIDGE. Pont gadwyni.
   CHAIN-SAW. Llif gadwyn.
   CHAIN-STORE. Siop gadwyn.
   CHAIN REACTION. Adwaith gadwynol.
chair, I. *n.* Cadair.
   2. *v.* Cadeirio.
chairman, *n.* Cadeirydd.
chalet, *n.* Hafoty, caban haf.
chalice, *n.* Cwpan cymun.
chalk, *n.* Sialc, calch.
challenge, I. *n.* Her, sialens.
   2. *v.* Herio.
chamber, *n.* Ystafell, siambr.
champion, I. *n.* Pencampwr ; pleidiwr.
   2 *v.* Pleidio achos.
   WE ARE THE CHAMPIONS ! Ni ydy'r gorau !
   CHAMPION SOLO. Her unawd.
championship, *n.* Pencampwriaeth, campwriaeth.
chance, I. *n.* Cyfle, digwyddiad, hap, damwain,
   siawns.
   2. *v.* Digwydd, mentro.
chancel, *n.* Cangell.
chancellor, *n.* Canghellor.
change, I. Newid, cyfnewidiad.
   2. *v.* Newid, cyfnewid.
   TO CHANGE THE SUBJECT. Troi'r ddadl.
changeable, *a.* Cyfnewidiol.
channel, I. *n.* Culfor, rhigol, gwely.
   2. *v.* Sianelu ; rhychu, agor ffosydd.
   BRISTOL CHANNEL. Môr Hafren.
chant, I. *n.* Corgan, siant.
   2. *v.* Corganu, siantio.
chaos, *n.* Anhrefn, tryblith.
chaotic, *a.* Anhrefnus, di-drefn.

chapel, *n.* Capel, tŷ cwrdd.
chaplain, *n.* Caplan.
chapter, *n.* Pennod.
character, *n.* Cymeriad.
characteristic, I. *n.* Nodwedd.
   2. *a.* Nodweddiadol.
charcoal, *n.* Golosg, siarcol, sercol.
charge, I. *n.* Siars ; cyhuddiad ; rhuthr ; gofal ;
   pris ; ergyd.
   2. *v.* Siarsio ; cyhuddo ; rhuthro ; codi ;
   llwytho ; trydanu.
chariot, *n.* Cerbyd.
charity, *n.* Elusen, cardod.
charlatan, *n.* Cwac.
charlatanism, *n.* Cwacyddiaeth.
charm, I. *n.* Swyn, cyfaredd.
   2. *v.* Swyno, hudo.
charming, *a.* Swynol, cyfarwyddol.
chart, *n.* Siart.
charter, I. *n.* Breinlen, siarter.
   2. *v.* Breinio, llogi.
chase, I. *n.* Helfa, erlid.
   2. *v.* Hela, ymlid, erlid.
chasm, *n.* Hafn, agendor, ceunant.
chaste, *a.* Diwair, pur, dillyn.
chastise, *v.* Ceryddu, cosbi, cystwyo.
chastisement, *n.* Cerydd.
chastity, *n.* Diweirdeb, purdeb.
chat, *n.* Sgwrs, ymgom.
   v. Sgwrsio, ymgomio.
chatter, I. *n.* Cleber.
   2. *v.* Clebran ; trydar.
chatterbox, *n.* Clebryn, clebren.
cheap, *a.* Rhad.
   TO MAKE CHEAPER. Gostwng pris.
cheat, I. *n.* Twyllwr ; twyll.
   2. *v.* Twyllo.
check, I. *n.* Atalfa ; archwiliad ; patrwm sgwarog.
   2. *v.* Atal ; arafu ; archwilio ; rhwystro.
cheek, *n.* Grudd, boch ; haerllugrwydd.
cheeky, *a.* Haerllug, eofn, eg[e]r.
cheer, *v.* Llonni, sirioli.
cheerful, *a.* Siriol, llon.
cheerfulness, *n.* Sirioldeb.
cheese, *n.* Caws, cosyn.
chemical, I. *a.* Cemegol.
   2. *v.* Cemegyn.
   CHEMICAL EQUATIONS. Hafaliadau cemegol.
chemist, *n.* Cemegwr, fferyllydd.
chemistry, *n.* Cemeg.
chemotherapy, *n.* Cemotherapi.
cheque, *n.* Archeb (ar fanc), siec.
   CHEQUE BOOK. Llyfr sieciau.
   CHEQUE CARD. Cerdyn siec.
cherish, *v.* Coleddu, meithrin.
cherry, *n.* Ceiriosen.
cherub, *n.* Cerub, ceriwb.
chest, *n.* Cist, coffr ; dwyfron, brest, mynwes.
chestnut, *n.* Castan.
   HORSE CHESTNUT TREE. Castanwydden y meirch.
   SWEET CHESTNUT TREE. Castanwydden bêr.

chew, *v.* Cnoi.
   TO CHEW THE CUD. Cnoi cil.
chiasma, *n.* Croestoriad.
chick : chicken, *n.* Cyw (iâr).
   CHICKEN-POX. Brech yr ieir.
chide, *v.* Ceryddu, cymhennu, dwrdio.
chief, I. *n.* Pennaeth, pen.
   2. *a.* Prif, pennaf.
chilblain, *n.* Llosg eira, malaith.
child, *n.* Plentyn.
childhood, *n.* Plentyndod, mebyd.
childish, *a.* Plentynnaidd.
chill, I. *n.* Annwyd, rhyndod.
   2. *a.* Oer.
   3. *v.* Oeri, rhynnu.
chimney, *n.* Simnai, corn mwg.
chin, *n.* Gên.
China, *n.* Tsieina, China.
china, *a.* Tsieni, llestri te.
chink, *n.* Agen, hollt.
chip, *n.* Asglodyn.
   v. Asglodi.
   FISH AND CHIP SHOP. Siop bysgod a sglodion,
   CHIP SHOP. Siop tsips, tafarn datws.
chirp, *v.* Trydar, yswitian.
chisel, *n.* Cŷn, gaing.
chivalry, *n.* Urddas marchog, sifalri, cwrteisi.
chlorate, *n.* Clorad.
chloride, *n.* Clorid.
chlorine, *n.* Clorin.
chlorophyll, *n.* Cloroffyl.
chocolate, *n.* Siocled.
choice, I. *n.* Dewis, dewisiad.
   2. *a.* Dewisol, dethol.
choir, *n.* Côr.
choke, *v.* Tagu, llindagu.
choose, *v.* Dewis, dethol, ethol.
chop, I. *n.* Ergyd (bwyell) ; golwyth.
   2. *v.* Torri.
choral, *a.* Corawl.
chorale, *n.* Corâl.
chord, *n.* Tant ; cord.
chorus, *n.* Côr ; cytgan ; corws.
Christ, *n.* Crist.
   JESUS CHRIST. Iesu Grist.
Christendom, *n.* Gwledydd Cred.
Christian, I. *n.* Cristion.
   2. *a.* Cristionogol, Cristnogol.
   A NON-CHRISTIAN COUNTRY. Gwlad anghred.
Christianity, *n.* Cristionogaeth, Cristnogaeth.
Christmas, *n.* Nadolig.
Christmassy, *a.* Nadoligaidd.
chromosome, *n.* Cromosom.
chronic, *a.* Parhaol, hir ei barhad.
chronicle, I. *n.* Cronicl.
   2. *v.* Croniclo.
chronicler, *n.* Croniclwr.
chronological, *a.* Cronolegol, amseryddol.
chronology, *n.* Amseryddiaeth.

chrysanthemum, *n.* Ffarwel haf.
church, I. *n.* Eglwys, llan.
   2. *a.* Eglwysig.
churchman, *n.* Eglwyswr.
churchyard, *n.* Mynwent.
churl, *n.* Taeog, costog.
churlish, *a.* Taeogaidd.
churn, I. *n.* Buddai.
   2. *v.* Corddi.
churning, *n.* Corddiad.
cigarette, *n.* Sigarét.
cinder, *n.* Marworyn, colsyn.
cinema, *n.* Sinema.
circle, *n.* Cylch.
cipher, I. *n.* Sero, dim ; ysgrifen ddirgel.
   2. *v.* Rhifo.
circle, *n.* Cylch.
circuit, *n.* Cylchdaith ; cylched (trydan).
circular, I. *n.* Cylchlythyr.
   2. *a.* Crwn.
circulate, *v.* Cylchredeg, lledaenu.
circulating, *a.* Cylchynol, teithiol.
circulation, *n.* Cylchrediad.
circumference, *n.* Amgylchedd, cylchedd.
circumstance, *n.* Amgylchiad.
   STRAIGHTENED CIRCUMSTANCES.
   Amgylchiadau cyfyng.
circumstantial, *a.* Amgylchiadol.
circus, *n.* Syrcas.
cite, *v.* Gwysio ; dyfynnu.
citizen, *n.* Dinesydd, preswylydd.
city, *n.* Dinas.
civic, *a.* Dinesig.
civil, *a.* Gwladol, dinesig ; sifil ; moesgar.
civilian, *n.* Dinesydd ; dinesydd preifat.
civility, *n.* Moesgarwch, cwrteisi.
civilization, *n.* Gwareiddiad.
civilize, *v.* Gwareiddio.
civilized, *a.* Gwareiddiedig.
claim, I. *n.* Hawl, cais.
   2. *v.* Hawlio.
claimant, *n.* Hawliwr.
clamour, I. *n.* Dadwrdd, twrw, mwstwr.
   v. Gweiddi'n groch am.
clamp, *n.* Clamp ; cladd.
   v. Clampio ; claddu (tatws, &c.).
clan, *n.* Llwyth, tylwyth.
clap, I. *n.* Twrw, trwst.
   2. *v.* Curo dwylo, clepian.
clash, I. *n.* Gwrthdrawiad, sŵn metelaidd.
   2. *v.* Gwrthdaro.
clasp, I. *n.* Gwäeg, bach, clesbyn.
   2. *v.* Cau ; gafael yn dynn, cofleidio.
class, I. *n.* Dosbarth.
   2. *v.* Dosbarthu.
classic, *n.* Clasur.
classical, *a.* Clasurol.
classicism, *n.* Clasuriaeth.
classics, *np.* Clasuron.

classification, *n*. Dosbarthiad.
classify, *v*. Dosbarthu.
classroom, *n*. Ystafell ddosbarth.
clause, *n*. Cymal, adran.
claw, *n*. Crafanc, ewin.
    v. Crafu, crafangu.
clay, *n*. Clai.
clayey, *a*. Cleiog.
clean, I. *a*. Glân.
    2. *ad*. Yn lân, yn llwyr.
    3. *v*. Glanhau.
cleaner, *n*. Glanhäwr.
cleanliness, *n*. Glendid, glanweithdra.
cleanse, *v*. Glanhau, carthu.
clear, I. *a*. Clir, eglur ; gloyw ; croyw ; rhydd.
    2. *v*. Clirio ; glanhau ; rhyddhau.
    TO CLEAR ONE'S THROAT. Carthu'r gwddf.
clearance, *n*. Gwaredigaeth.
clearly, *ad*. Yn glir.
clearness, *n*. Eglurdeb, clirdeb.
cleavage, *n*. Hollt, ymraniad.
cleave, *v*. Glynu (wrth) ; hollti.
cleft, *n*. Hollt, agen.
clemency, *n*. Trugaredd ; tynerwch, hynawsedd.
clergy, *n*. Offeiriaid.
clerical, *a*. Clerigol ; clercaidd.
clerk, *n*. Clerc.
clever, *a*. Medrus, deheuig, dawnus.
cleverness, *n*. Medr, deheurwydd, clyfrwch.
client, *n*. Cwsmer, cleient.
cliff, *n*. Clogwyn, allt.
climate, *n*. Hin, hinsawdd.
climatic, *a*. Hinsoddol.
climax, *n*. Uchafbwynt.
climb, *v*. Dringo, esgyn.
climbing, I. *a*. Dringol.
    2. *v*. Dringo.
cling, *v*. Glynu, cydio.
clip, *v*. Cneifio, tocio.
clique, *n*. Clymblaid, cwmni, clic.
cloak, *n*. Clog, clogyn, mantell.
    CLOAKROOM. Ystafell ddillad.
clock, *n*. Cloc.
clod, *n*. Tywarchen.
clog, *n*. Clocsen.
    v. Rhwystro, tagu.
cloister, *n*. Clwysty, clas.
close, I. *n*. Diwedd, terfyn.
    2. *v*. Cau, terfynu.
    3. *ad*. Caeëdig.
close, *n*. Buarth, clos.
    a. Mwll, clòs, trymaidd ; agos.
clot, *n*. Tolchen.
    v. Ceulo ; tolchi, tolchennu.
cloth, *n*. Brethyn, lliain.
    TABLE-CLOTH. Lliain bwrdd.
    HOMESPUN CLOTH. Brethyn cartref.
clothe, *v*. Dilladu, gwisgo.
clothes, *np*. Dillad, gwisgoedd.
    CLOTHES PEG. Peg dillad.

clothier, *n*. Dilledydd.
clothing, *n*. Dillad.
cloud, I. *n*. Cwmwl.
    2. *v*. Cymylu.
cloudy, *a*. Cymylog.
clout, I. *n*. Clwt, cadach ; cernod.
    2. *v*. Cernodio, taro.
clover, *n*. Meillion.
clown, *n*. Digrifwas, clown.
club, *n*. I. Cymdeithas, clwb.
    2. Pastwn.
    v. Pastynu, curo â phastwn.
clue, *n*. Pen llinyn, arwydd, cliw.
clumsy, *a*. Trwsgl, lletchwith.
cluster, *n*. Sypyn, clwstwr.
clutch, *n*. Gafael, crafanc.
    pl. Hafflau, crafangau.
    v. Crafangu, gafaelyd.
coach, I. *n*. Cerbyd ; hyfforddwr.
    2. *v*. Hyfforddi, dysgu.
coachman, *n*. Cerbydwr.
coagulate, *v*. Ceulo.
coal, *n*. Glo.
    ANTHRACITE. Glo carreg, glo caled.
coalition, *n*. Clymblaid, cynghrair.
coal-mine, *n*. Gwaith/pwll glo.
coarse, *a*. Garw, cwrs ; aflednais.
coast, *n*. Arfordir, glan.
    COASTLINE. Morlin, glannau.
coat, *n*. Cot, côt.
    COAT OF ARMS. Arfbais.
coax, *v*. Perswadio, hudo, denu (trwy eiriau teg).
cobbler, *n*. Crydd, cobler.
cobweb, *n*. Gwe cor, gwe pryf copyn.
cock, *n*. Ceiliog ; mwdwl.
cockerel, *n*. Ceiliog ifanc.
cockles, *np*. Cocos, rhython.
cockroach, *n*. Chwilen ddu.
cocoa, *n*. Coco.
coconut, *n*. Cneuen goco.
coefficient, *n*. Cyfernod.
coerce, *v*. Gorfodi.
coffee, *n*. Coffi.
coffer, *n*. Coffr, coffor, cist.
coffin, *n*. Arch.
cog, *n*. Dant olwyn, cog.
cohere, *v*. Cydlynu.
coherence, *n*. Cydlyniad, cysondeb.
coherent, *a*. Cydlynol, cyson.
coil, I. *n*. Torch.
    2. *v*. Torchi.
coin, I. *n*. Arian bath.
    2. *v*. Bathu.
coincide, *v*. Cyd-ddigwydd.
coincidence, *n*. Cyd-ddigwyddiad.
coiner, *n*. Bathwr.
coke, *n*. Golosg, côc.
cold, I. *n*. Oerfel, oerni ; annwyd.
    2. *a*. Oer, oerllyd.
collaborate, *v*. Cydweithio.

collapse, I. *n.* Cwymp, methiant.
2. *v.* Cwympo.
collar, I. *n.* Coler.
2. *v.* Coleru.
colleague, *n.* Cydweithiwr.
collect, I. *n.* Colect, gweddi fer.
2. *v.* Crynhoi, ymgasglu.
collection, *n.* Casgliad.
collective, *a.* Cynlluniadol ; casgliadol ; torfol.
collector, *n.* Casglwr.
college, *n.* Coleg.
collier, *n.* I. Glöwr.
2. Llong lo.
colliery, *n.* Gwaith glo, pwll glo.
collision, *n.* Gwrthdrawiad.
colloquial, *a.* Llafar, tafodieithol.
colonel, *n.* Cyrnol.
colonial, *a.* Trefedigaethol.
colony, *n.* I. Trefedigaeth, gwladfa.
2. Nythfa.
colossal, *a.* Anferth.
colour, I. *a.* Lliw.
2. *v.* Lliwio.
COLOURFUL. Lliwgar.
colourless, *a.* Di-liw, gwelw.
colt, *n.* Ebol.
column, *n.* Colofn, piler.
columnist, *n.* Newyddiadurwr.
comb, *n.* Crib.
v. Cribo.
combat, I. *n.* Ymladdfa, brwydr.
2. *v.* Ymladd, brwydro.
combination, *n.* Cyfuniad.
combine, *v.* Cyfuno.
COMBINE HARVESTER. Cynaeafydd, combein.
combustible, *a.* Llosgadwy, hylosg.
combustion, *n.* Llosgiad, ymlosgiad.
come, *v.* Dyfod, dod.
comedian, *n.* Comedïwr, digrifwr.
comedy, *n.* Comedi.
comet, *n.* Seren wib, seren gynffon.
comfort, I. *n.* Cysur.
2. *v.* Cysuro.
comfortable, *a.* Cysurus, cyffyrddus.
comic, *a.* Digrif, smala.
command, I. *n.* Gorchymyn ; awdurdod ; meistrolaeth.
2. *v.* Gorchymyn.
commander, *n.* Cadlywydd, arweinydd.
commandment, *n.* Gorchymyn.
commando, *n.* Corfflu, cyrchlu.
commemorate, *v.* Coffáu, dathlu.
commemoration, *n.* Coffâd, dathliad.
commence, *v.* Dechrau.
commencement, *n.* Dechreuad, dechrau.
commend, *v.* Cymeradwyo, canmol.
commendation, *n.* Cymeradwyaeth.
commensurate, *a.* Cymesur.
comment, *n.* Sylw, esboniad.
v. Sylwi, esbonio.

commentary, *n.* Sylwebaeth, esboniad.
commentator, *n.* Sylwebydd, esboniwr.
commerce, *n.* Masnach.
commercial, *a.* Masnachol.
commiserate, *v.* Dangos tosturi, cyd-dosturio (â).
commission, *n.* Dirprwyaeth, comisiwn.
commissioner, *n.* Comisiynydd.
commit, *v.* Cyflawni ; cyflwyno ; ymrwymo ; traddodi.
commitment, *n.* Ymrwymiad ; ymroddiad.
committal, *n.* Trosglwyddiad ; claddedigaeth.
committee, *n.* Pwyllgor.
commodious, *a.* Helaeth, eang.
commodity, *n.* Nwydd.
common, I. *n.* Cytir, tir cyd, comin.
2. *a.* Cyffredin, ar y cyd.
THE COMMON MARKET. Y Farchnad Gyffredin.
commoner, *n.* Dyn cyffredin, gwerinwr.
commons, *np.* Pobl gyffredin, gwerin.
HOUSE OF COMMONS. Tŷ'r Cyffredin.
common sense, *n.* Synnwyr cyffredin.
commonwealth, *n.* Cymanwlad.
commotion, *n.* Cynnwrf, terfysg.
communion, *n.* Cymun, cymundeb.
communism, *v.* Comiwnyddiaeth.
communist, *n.* Comiwnydd.
community, *n.* Cymdeithas, cymuned.
COMMUNITY COUNCIL. Cyngor cymuned, cyngor bro.
commute, *v.* Cymudo.
commuter, *n.* Cymudwr, cymudwraig.
compact, *n.* Cytundeb.
a. Cryno, taclus.
COMPACT DISC. Cryno ddisg.
companion, *n.* Cydymaith.
company, *n.* Cwmni, cymdeithas, mintai.
comparable, *a.* Tebyg, cyffelyb.
comparative, *a.* Cymharol.
compare, *v.* Cymharu, cyffelybu.
comparison, *n.* Cymhariaeth.
compartment, *n.* Adran, rhaniad.
compass, I. *n.* Cwmpawd, cwmpas ; amgylchedd.
2. *v.* Amgylchu, cwmpasu.
compassion, *n.* Tosturi.
compassionate, *a.* Tosturiol.
compatible, *a.* Cyson, cydnaws, cydwedd, cymharus.
compatriot, *n.* Cydwladwr.
compel, *v.* Gorfodi, cymell.
compensate, *v.* Digolledu, talu iawn.
compensation, *n.* Iawn, iawndal.
compete, *v.* Cystadlu.
competence, *n.* Cymhwyster.
competent, *a.* Cymwys.
competition, *n.* Cystadleuaeth.
competitive, *a.* Cystadleuol.
competitor, *n.* Cystadleuydd.
compile, *v.* Casglu.
complacency, *n.* Hunanfoddhad.
complacent, *a.* Hunanfodlon, hunanfoddhaus.

complain, *v.* Cwyno, achwyn.
complaint, *n.* Cwyn ; anhwyldeb.
complement, *n.* Cyflawnder, cyflenwad.
complete, I. *a.* Cyflawn.
    2. *v.* Cyflawni, cwblhau.
completely, *ad.* Yn llwyr.
completion, *n.* Cwblhad.
complex, *a.* Cymhleth, dyrys.
complexion, *n.* Pryd, gwedd.
complicate, *v.* Drysu, cymhlethu.
complicated, *a.* Cymhleth, dyrys.
complication, *a.* Cymhlethdod.
complicity, *n.* Rhan, cydran (mewn trosedd).
compliment, *n.* Canmoliaeth ; cyfarchiad.
complimentary, *a.* Canmoliaethus, rhad.
    COMPLIMENTARY TICKETS. Tocynnau rhad.
comply, *v.* Cydsynio, ufuddhau.
component, *n.* Cydran, cyfansoddyn.
compose, *v.* Cyfansoddi.
composed, *a.* Tawel, hunanfeddiannol.
composer, *n.* Cyfansoddwr.
composition, *n.* Cyfansoddiad ; traethawd.
compost, *n.* Compost, gwrtaith.
compound, I. *a.* Cyfansawdd.
    2. *n.* Cyfansoddyn.
    COMPOUND WORD. Cyfansoddair.
    COMPOUND INTEREST. Llog cyfansawdd, adlog.
comprehend, *v.* Deall, amgyffred.
comprehension, *n.* Amgyffred, dirnadaeth.
comprehensive, *a.* Cynhwysfawr.
    COMPREHENSIVE SCHOOL. Ysgol Gyfun.
compress, I. *v.* Gwasgu, cywasgu ; crynhoi.
    2. *n.* Clwtyn gwasgu.
compression, *n.* Cywasgiad, gwasgiad.
compromise, I. *n.* Cymrodedd, cyfaddawd.
    2. *v.* Cymrodeddu, cytuno, cyfaddawdu.
compulsion, *n.* Gorfodaeth, gorfod.
compulsory, *a.* Gorfodol.
computer, *n.* Cyfrifiadur.
    COMPUTER OPERATOR. Cyfrifiadurwr.
    COMPUTER OUTPUT. Allbwn cyfrifiadur.
    COMPUTER PROGRAMMING. Rhaglennu
    cyfrifiaduron.
    COMPUTER SCIENCE. Cyfrifiadureg.
    COMPUTER STUDIES. Astudiaethau cyfrifiadurol.
comrade, *n.* Cydymaith.
concave, *a.* Ceugrwm.
concavity, *n.* Ceugrymedd, ceudod.
conceal, *v.* Cuddio, celu.
concede, *v.* Caniatáu, addef.
conceit, *n.* Hunan-dyb, hunanoldeb, cysêt,
    balchder.
conceited, *a.* Hunandybus, hunanfodlon.
conceive, *v.* Deall, dychmygu ; dirnad ; beichiogi.
concentrate, I. *v.* Canolbwyntio, crynodi.
    2. *v.* Crynodiad ; dwysfwyd (anifeiliaid).
concentrated, *a.* Crynodedig (cemeg) ; wedi ei
    ganolbwyntio ar.
concentrates, *n.* Dwysfwyd (anifeiliaid).
conception, *n.* Syniad ; beichiogiad.

concern, I. *n.* Achos, busnes, gofal, pryder, consýrn.
    2. *v.* Perthyn, ymwneud (â), gofalu (am).
concerning, *prp.* Am, ynghylch, ynglŷn â.
concert, *n.* Cyngerdd.
    v. Cyd-drefnu.
conciliate, *v.* Cymodi.
conciliation, *n.* Cymod.
conciliatory, *a.* Cymodol.
concise, *a.* Cryno, byr.
conclude, *v.* Gorffen, diweddu ; casglu, barnu.
conclusion, *n.* Diwedd ; casgliad.
concoction, *n.* Cymysgedd.
concord, *n.* Cytgord, undeb.
concordance, *n.* Cytgord ; mynegai, mynegair.
concourse, *n.* Tyrfa, torf.
concrete, I. *n.* Concrid, concrit.
    2. *a.* Diriaethol ; pendant.
concur, *v.* Cytuno ; cydredeg.
concurrently, *ad.* Yn gyfredol.
concussion, *n.* Ysgytwad, ysgytiad.
condemn, *v.* Condemnio, collfarnu.
condense, *v.* Cywasgu ; tewychu ; cyddwyso,
    troi'n ddŵr.
condenser, *n.* Cyddwysydd.
condescend, *v.* Ymostwng.
condition, I. *n.* Cyflwr, ansawdd ; amod.
    2. *v.* Cyflyru : amodi.
conditional, *a.* Amodol.
condole, *v.* Cydymdeimlo.
condolence, *n.* Cydymdeimlad.
condone, *v.* Maddau, esgusodi, gwyngalchu.
conduct, I. *n.* Ymddygiad ; rheolaeth ; arweiniad.
    2. *v.* Arwain ; rheoli ; ymddwyn.
conduction, *n.* Cludiad, trawsgludiad.
conductor, *n.* Arweinydd ; tocynnwr.
cone, *n.* Pigwrn, pigwn, côn.
confer, *v.* Ymgynghori.
conference, *n.* Cynhadledd.
confess, *v.* Cyffesu, cyfaddef.
confession, *n.* Cyffes, cyfaddefiad.
confessor, *n.* Cyffeswr.
confide, *v.* Ymddiried.
confidence, *n.* Ymddiried, ymddiriedaeth, hyder.
    SELF-CONFIDENCE. Hunanhyder.
confident, *a.* Hyderus, ffyddiog.
confidential, *a.* Cyfrinachol.
confine, *v.* Cyfyngu, caethiwo.
confinement, *n.* Caethiwed ; cyfnod geni.
confirm, *v.* Cadarnhau ; gweinyddu bedydd
    esgob, conffirmio.
confirmation, *n.* Cadarnhad ; bedydd esgob,
    conffirmasiwn.
confiscate, *v.* Cymryd gafael ar, atafaelu.
conflagration, *n.* Goddaith, tanllwyth.
conflict, I. *n.* Ymryson, gwrthdrawiad.
    2. *v.* Anghytuno, gwrthdaro.
confluence, *n.* Aber, cymer, cyflifiad.
conform, *v.* Cydymffurfio, cydffurfio.
conformity, *n.* Cydymffurfiad.

confound, *v.* Cymysgu, drysu.
confront, *v.* Wynebu.
confrontation, I. *n.* Cyfwynebiad.
   2. *v.* Cyfwynebu, gwrthdaro.
confuse, *v.* Cymysgu, drysu.
confusion, *n.* Anhrefn, terfysg.
   IN CONFUSION. Blith draphlith.
confute, *v.* Gwrthbrofi.
congeal, *v.* Rhewi, fferru, ceulo, tewychu.
congenial, *a.* Cydnaws, hynaws.
congest, *v.* Gorlanw, cronni.
congestion, *n.* Gorlenwad, crynhoad.
congratulate, *v.* Llongyfarch.
congratulations, *np.* Llongyfarchiadau.
congregate, *v.* Ymgynnull.
congregation, *n.* Cynulleidfa.
Congregational, *a.* Cynulleidfaol.
Congregationalism, *n.* Cynulleidfaoliaeth.
congress, *n.* Cynulliad ; cymanfa ; cyngres.
conjectural, *a.* Ar amcan.
conjecture, I. *n.* Amcan, tyb.
   2. *v.* Amcanu, tybio.
conjugate, *v.* Rhedeg (berf).
conjugation, *n.* Rhediad (berf).
conjunction, *n.* Cysylltiad, cyfuniad ; cysylltair (*gram.*).
conjunctivitis, *n.* Llid yr amrannau.
conjure, *v.* Consurio.
conjurer, *n.* Consuriwr.
connect, *v.* Cysylltu, cydio.
connected, *a.* Cysylltiedig.
connection, *n.* Cysylltiad, cyswllt, perthynas.
connotation, *n.* Arwyddocâd ; cynodiad.
conquer, *v.* Gorchfygu, trechu.
conqueror, *n.* Gorchfygwr, concwerwr.
   WILLIAM THE CONQUEROR. Gwilym Goncwerwr.
conquest, *n.* Buddugoliaeth.
conscience, *n.* Cydwybod.
conscientious, *a.* Cydwybodol.
conscientiousness, *n.* Cydwybodolrwydd.
conscious, *a.* Ymwybodol.
consciousness, *n.* Ymwybyddiaeth.
conscript, *n.* Milwr gorfodol.
conscription, *n.* Gorfodaeth filwrol.
consecrate, *v.* Cysegru.
consecration, *n.* Cysegriad.
consecutive, *a.* Olynol.
consent, I. *n.* Caniatâd, cydsyniad.
   2. *v.* Caniatáu.
consequence, *n.* Canlyniad, effaith.
conservation, *n.* Cadwraeth, gwarchodaeth.
Conservatism, *n.* Ceidwadaeth.
conservative, I. *a.* Ceidwadol.
   2. *n.* Ceidwadwr.
conserve, *v.* Cadw, diogelu.
consider, *v.* Ystyried.
considerable, *a.* Cryn.
   A CONSIDERABLE TIME. Cryn amser.
considerate, *a.* Ystyriol, ystyrgar.

consideration, *n.* Ystyriaeth ; tâl.
consign, *v.* Trosglwyddo, traddodi.
consist, *v.* Cynnwys.
consistency, *n.* Cysondeb.
consistent, *a.* Cyson.
consolation, *n.* Cysur, diddanwch.
console, *v.* Cysuro, diddanu.
consonant, I. *n.* Cytsain.
   2. *a.* Cyson.
consonantal, *a.* Cytseiniol.
consort, I. *n.* Cymar.
   PRINCE CONSORT. Tywysog cydweddog.
   2. *v.* Cyfeillachu.
conspicuous, *a.* Amlwg.
conspicuousness, *n.* Amlygrwydd.
conspiracy, *n.* Cynllwyn.
conspire, *v.* Cynllwyn.
constable, *n.* Heddgeidwad, heddwas, cwnstabl.
constant, *a.* Cyson, ffyddlon.
constantly, *ad.* Yn gyson.
constellation, *n.* Cytser, twr o sêr.
consternation, *n.* Syndod, syfrdandod.
constipate, *v.* Rhwymo.
constipation, *n.* Rhwymedd.
constituency, *n.* Etholaeth.
constituent, I. *n.* Etholwr ; defnydd, cyfansoddyn.
   2. *a.* Cyfansoddol.
constitute, *v.* Cyfansoddi.
constitution, *n.* Cyfansoddiad.
constrain, *v.* Gorfodi, cymell.
constriction, *n.* Meinfan, tyndra.
construct, *v.* Adeiladu, llunio.
construction, *n.* Adeiladaeth ; cystrawen (*gram.*).
constructive, *a.* Ymarferol, adeiladol.
consult, *v.* Ymgynghori.
consultant, *n.* Ymgynghorwr.
consultation, *n.* Ymgynghoriad.
consultative, *a.* Ymgynghorol.
consume, *v.* Difa, dinistrio, ysu ; bwyta, defnyddio.
consumer, *n.* Defnyddiwr, prynwr.
consummate, I. *a.* Perffaith, cyflawn, llwyr.
   2. *v.* Cyflawni, cwpláu, cwblhau, perffeithio.
consumption, *n.* Traul, defnydd ; darfodedigaeth.
contact, *n.* Cyffyrddiad, cyswllt.
   CONTACT LENSES. Lensys cyffwrdd.
contagion, *n.* Haint, pla, lledaeniad clefyd.
contagious, *a.* Heintus.
contain, *v.* Cynnwys, dal ; ymatal ; atal.
contaminate, *v.* Halogi, llygru.
contemplate, *v.* Myfyrio ; bwriadu.
contemplation, *n.* Myfyrdod, cynhemlad.
contemporary, I. *a.* Cyfoeswr.
   2. *a.* Cyfoesol, cyfoes.
contempt, *n.* Dirmyg, diystyrwch.
contemptuous, *a.* Dirmygus.
contend, *v.* Ymdrechu, milwrio ; haeru, dadlau.
content, I. *a.* Bodlon.
   2. *v.* Bodloni.
   CONTENTED. Wrth ei fodd.

contention, *n.* Cynnen ; dadl.
contentious, *a.* Cynhennus, cwerylgar.
contentment, *n.* Bodlonrwydd.
contents, *np.* Cynnwys.
contest, I. *n.* Cystadleuaeth, ymryson.
   2. *v.* Ymryson ; amau.
contestant, *n.* Cystadleuydd.
context, *n.* Cyd-destun.
contiguity, *n.* Cyfagosrwydd.
contiguous, *a.* Cyfagos.
continence, *n.* Ymgadw, ymatal.
continent, I. *n.* Cyfandir.
   2. *a.* Diwair, cymedrol.
continental, *a.* Cyfandirol.
continual, *a.* Parhaus, gwastadol.
continually, *ad.* Yn wastad.
continuance, *n.* Parhad.
continue, *v.* Parhau.
continuous, *a.* Parhaol, di-dor.
contour, *n.* Amlinell, amlin ; cyfuchlin.
contraception, *n.* Atal cenhedlu.
contraceptive, I. *n.* Gwrthgenhedlyn.
   2. *a.* Gwrthgenhedlol.
contract, I. *n.* Cytundeb, cyfamod.
   2. *v.* Cytuno ; crebachu, tynnu ato ; cyfamodi.
contraction, *n.* Cwtogiad, cywasgiad, cyfangiad.
contradict, *v.* Gwrth-ddweud, gwadu.
contradiction, *n.* Gwrthddywediad, gwadiad.
contradictory, *a.* Croes (i'w gilydd).
contrary, *a.* Gwrthwyneb, croes.
contrast, I. *n.* Cyferbyniad, gwrthgyferbyniad.
   2. *v.* Cyferbynnu, gwrthgyferbynnu.
contribute, *v.* Cyfrannu.
contribution, *n.* Cyfraniad.
contributor, *n.* Cyfrannwr.
contrivance, *n.* Dyfais.
contrive, *v.* Dyfeisio, llwyddo.
control, I. *n.* Rheolaeth, awdurdod.
   2. *v.* Rheoli, llywodraethu.
controversial, *a.* Dadleuol.
controversy, *n.* Dadl.
convalesce, *v.* Gwella (o afiechyd), ymadfer.
convection, *n.* Dargludiad.
convector, *n.* Darfudydd, dargludydd.
   CONVECTOR HEATER. Gwresogydd darfudol.
convene, *v.* Galw, cynnull.
convenience, *n.* Cyfleustra.
convenient, *a.* Cyfleus, hwylus.
convent, *n.* Lleiandy, cwfaint.
convention, *n.* Cymanfa, cynulliad ; cytundeb, defod, confensiwn.
conventional, *a.* Confensiynol.
converge, *v.* Cydgyfeirio, cydgyfarfod.
convergent, *a.* Cydgyfeiriol.
conversant, *a.* Cyfarwydd, cynefin.
conversation, *n.* Ymddiddan, siarad.
converse, I. *v.* Ymddiddan, siarad.
   2. *n.* Gwrthwyneb.
   3. *a.* Cyferbyniol.

conversion, *n.* Tröedigaeth, troad, tro.
convert, I. *v.* Troi, newid, trosi.
   2. *n.* Person wedi ei droi.
   CONVERTED GOAL. Trosgais.
convex, *a.* Amgrwm.
convexity, *n.* Amgrymedd.
convey, *v.* Cludo ; cyfleu ; trosglwyddo (eiddo).
conveyance, *n.* Cludiad, cerbyd ; trosglwyddiad, trawsludiad.
conveyancer, *n.* Trosglwyddydd eiddo, trawsgludydd.
convict, I. *n.* Troseddwr.
   v. Barnu'r euog.
conviction, *n.* Euogfarn, dedfryd o euogrwydd ; argyhoeddiad.
convince, *v.* Argyhoeddi.
convoy, *n.* Llynges osgordd.
cook, I. *n.* Cogydd, cogyddes.
   2. *v.* Coginio.
cooker, *n.* Cwcer, ffwrn/popty.
   ELECTRIC COOKER. Ffwrn drydan.
   GAS COOKER. Ffwrn nwy.
   PRESSURE COOKER. Sosban frys.
cookery, *n.* Coginiaeth.
cool, I. *a.* Oerllyd, lled oer, oeraidd ; tawel, hunanfeddiannol.
   2. *v.* Oeri.
coolness, *n.* Oerni ; hunanfeddiant ; anghynhesrwydd.
coop, *n.* Cut ieir, sied ieir.
cooper, *n.* Cowper, gwneuthurwr casgenni.
co-operate, *v.* Cydweithredu.
co-operation, *n.* Cydweithrediad.
co-operative, I. *a.* Cydweithredol.
   2. *n.* Cydweithfa.
co-opt, *v.* Cyfethol.
co-ordinate, I. *a.* Cydradd.
   2. *n.* Cyfesuryn.
   3. *v.* Cyd-drefnu, cydgysylltu.
co-ordination, *n.* Cyd-drefniant, cydsymudiad.
copious, *a.* Helaeth, dibrin.
copper, *n.* Copr.
coppice : copse, *n.* Prysglwyn, gwigfa lwyni.
copula, *n.* Cyplad.
copy, *n.* Copi.
   v. Copïo, efelychu.
copyright, *n.* Hawlfraint.
copyist, *n.* Copïwr.
coracle, *n.* Cwrwgl.
coral, *n.* Cwrel.
cord, *n.* Cordyn, cortyn.
cordial, I. *a.* Calonnog, gwresog.
   2. *n.* Cordial.
cordiality, *n.* Rhadlonrwydd, serchowgrwydd.
corduroy, *n.* Melfaréd, rib.
core, *n.* Bywyn, calon ; craidd.
   CORE STUDIES. Astudiaethau craidd.
cork, *n.* Corcyn, corc.
cormorant, *n.* Mulfran, morfran.
corn, *n.* Ŷd, llafur, grawn ; tyfiant (ar droed, &c.), corn.

corner, I. *n.* Cornel, congl, cwr.
   2. *v.* Cornelu.
   CORNER OF THE EYE. Cil y llygad.
cornflakes, *np.* Creision ŷd.
corollary, I. *n.* Canlyneb.
   2. *a.* Canlynebol.
coronation, *n.* Coroniad.
coroner, *n.* Crwner.
coronet, *n.* Coronig.
corporal, *a.* Corfforol ; corpral.
corporation, *n.* Corfforaeth.
corps, *n.* Rhan o fyddin, corfflu.
corpse, *n.* Celain, corff (marw).
corpulence, *n.* Tewdra, corffolaeth.
corpulent, *a.* Tew, corfol, boliog.
corpuscle, *n.* Corffilyn.
corpuscular, *a.* Corffilaidd, gronynnol.
correct, I. *a.* Cywir, priodol.
   2. *v.* Cywiro ; ceryddu.
correction, *n.* Cywiriad ; cerydd.
correctness, *n.* Cywirdeb ; gwedduster.
correlate, I. *v.* Cyfateb ; cyfatebu, cydberthnasu, cymathu.
   2. *a.* Cydberthnasol.
   3. *n.* Cydberthynas.
correlation, *n.* Cydberthynas, cydberthyniad.
correspond, *v.* Cyfateb ; gohebu.
correspondence, *n.* Cyfatebiaeth ; gohebiaeth.
correspondent, *n.* Gohebydd.
corroborate, *v.* Cadarnhau, ategu.
corroborative, *a.* Cadarnhaol, ategol.
corrode, *v.* Cyrydu, ysu, rhydu.
corrosion, *n.* Cyrydiad, ysiad.
corrosive, *a.* Cyrydol, difaol.
corrugated, *a.* Crychlyd, rhychog, gwrymiog.
corrugation, *n.* Rhychni, crychni.
corrupt, I. *a.* Llygredig.
   2. *v.* Llygru.
corruptible, *a.* Llygradwy.
corruption, *a.* Llygredigaeth, llygredd.
cosiness, *n.* Clydwch, cysur.
cost, I. *n.* Traul, cost, prid.
   2. *v.* Costio, costi.
costly, *a.* Prid, drud.
costume, *n.* Gwisg, costiwm.
cosy, *a.* Cysurus, clyd.
cottage, *n.* Bwthyn.
cottager, *n.* Bythynnwr, tyddynnwr.
cotton, *n.* Cotwm ; edau.
couch, *n.* Glwth, soffa.
cough, I. *n.* Peswch.
   2. *v.* Pesychu, peswch.
council, *n.* Cyngor.
councillor, *n.* Cynghorwr, cynghorydd.
counsel, I. *n.* Cyngor ; bargyfreithiwr.
   2. *v.* Cynghori.
counsellor, *n.* Cynghorwr, cynghorydd.
count, I. *n.* Cyfrif ; iarll.
   2. *v.* Cyfrif, rhifo.

countenance, *n.* Wyneb, wynepryd, gwedd.
counter, I. *n.* Cownter, rhifydd.
   2. *v.* Gwrthwynebu, gwrthsefyll.
   COUNTER CLOCKWISE. Gwrthglocwedd.
counteract, *v.* Gwrthweithio.
counterbalance, *v.* Gwrthbwyso.
counterfeit, I. *n.* Ffug, twyll.
   2. *a.* Gau, ffugiol.
   3. *v.* Ffugio.
counterpane, *n.* Cwrlid, cwilt.
counterpoint, *n.* Gwrthbwynt.
counterpoise, *n.* Gwrthbwys.
countess, *n.* Iarlles.
countless, *a.* Aneirif, di-rif.
country, I. *n.* Gwlad, bro.
   2. *a.* Gwladaidd, gwledig.
   COUNTRY MUSIC. Canu gwlad.
countryman, *n.* Gwladwr.
countryside, *n.* Cefn gwlad, ardal wledig.
county, *n.* Sir, swydd.
   a. Sirol.
couple, I. *n.* Cwpl, pâr, dau.
   2. *v.* Cyplysu.
couplet, *n.* Cwpled.
courage, *n.* Gwroldeb, dewrder.
courageous, *a.* Gwrol, dewr.
course, *n.* Cwrs, hynt.
   OF COURSE. Wrth gwrs, siŵr iawn.
   CRASH COURSE. Cwrs carlam.
   THE BEST COURSE. Y dewis iawn.
court, I. *n.* Llys ; plas ; cwrt ; cyntedd.
   2. *v.* Caru.
courteous, *a.* Moesgar, cwrtais.
courtesy, *n.* Moesgarwch, cwrteisi, cwrteisrwydd.
courtier, *n.* Llyswr, gŵr llys.
courtship, *n.* Carwriaeth.
cousin, *n.* Cefnder ; cyfnither.
   SECOND COUSIN. Cyfyrder.
cove, *n.* Cilfach, bae.
covenant, I. *n.* Cyfamod, cytundeb.
   2. *v.* Cyfamodi, cytuno.
cover, I. *n.* Clawr, caead, gorchudd.
   2. *v.* Gorchuddio ; amddiffyn.
   BOOK COVER. Clawr llyfr.
coverlet, *n.* Cwrlid.
covet, *v.* Chwennych.
coveted, *a.* Chwenychedig.
covetous, *a.* Trachwantus.
covetousness, *n.* Trachwant, blys.
cow, *n.* Buwch.
coward, *n.* Llwfrddyn, llwfrgi, anwr.
cowardice, *n.* Llwfrdra, llyfrder.
cowardly, *a.* Llwfr.
cowboy, *n.* Cowboi.
cower, *v.* Cyrcydu, swatio.
cowhouse, *n.* Beudy.
cowl, *n.* Cwcwll, cwfl.
cowman, *n.* Cowmon.
cowslip, *n.* Briallu Mair.

coxswain, *n.* Llywiwr cwch.
coy, *a.* Swil, gwylaidd.
crab, *n.* Cranc ; afal sur.
crabbed, *a.* Sarrug, crablyd.
crack, I. *n.* Agen, crac, hollt ; clec.
   2. *v.* Hollti.
crackle, *v.* Clindarddach, clecian.
cradle, *n.* Crud, cawell.
craft, *n.* Crefft ; dichell ; llong.
craftsman, *n.* Crefftwr.
crafty, *a.* Cyfrwys, dichellgar.
crag, *n.* Craig, clogwyn.
craggy, *a.* Ysgithrog.
cram, *v.* Gorlenwi.
cramp, I. *n.* Cwlwm gwythi, cramp.
   2. *v.* Gwasgu, caethiwo.
crane, *n.* Garan, crychydd ; craen.
crash, I. *n.* Gwrthdrawiad, cwymp.
   2. *v.* Cwympo.
cravat, *n.* Cadach gwddf, crafat.
crave, *v.* Crefu, deisyf, dyheu.
craving, *n.* Blys, gwanc, chwant.
crawl, *v.* Ymlysgo, cropian, cripian.
crayfish, *n.* Cimwch coch.
craze, *n.* Chwant, awydd, ysfa.
crazy, *a.* Penwan, gorffwyll, o'i gof.
creak, *v.* Gwichian.
creaky, *a.* Gwichlyd.
cream, *n.* Hufen.
creamery, *n.* Hufenfa.
creamy, *a.* Hufennog.
crease, I. *n.* Plyg, ôl plygiad.
   2. *v.* Plygu, crychu.
create, *v.* Creu.
creation, *n.* Cread, creadigaeth.
creator, *n.* Creawdwr, crëwr.
creature, *n.* Creadur.
crèche, *n.* Meithrinfa.
credence, *n.* Coel, cred.
credentials, *np.* Credlythyrau, tystlythyrau.
credible, *a.* Credadwy, hygoel.
credit, I. *n.* Coel, cred ; clod, credyd.
   2. *v.* Credu, coelio.
creditable, *a.* Cymeradwy, anrhydeddus.
creditor, *n.* Credydwr.
creed, *n.* Credo.
creek, *n.* Cilfach.
creep, *v.* Ymlusgo, cropian, cripian.
creeping, *a.* Ymgripiol ; ymlusgol.
cremate, *v.* Amlosgi.
cremation, *n.* Amlosgiad.
crematorium, *n.* Amlosgfa.
crescent, *n.* Lleuad newydd, cilgant.
cress, *n.* Berwr.
crest, *n.* Crib, mwng, copa ; arwydd ar arfbais.
crested, *a.* Cribog ; ewynnog.
crevice, *n.* Agen, hollt.
crew, *n.* Criw, gwerin llong.
crib, *n.* Preseb ; gwely un bach.

cricket, *n.* Cricedyn, cricsyn ; criced.
crime, *n.* Trosedd, anghyfraith.
criminal, I. *n.* Troseddwr.
   2. *a.* Troseddol.
crimson, *a. n.* Coch, rhuddgoch.
cringe, *v.* Cynffonna, ymgreinio.
cripple, I. *n.* Efrydd, cloff.
   2. *v.* Cloffi, efryddu.
crisis, *n.* Argyfwng.
crisp, *a.* Cras, crych.
crisps, *np.* Creision tatws.
criterion, *n.* Maen prawf, safon.
critic, *n.* Beirniad.
critical, *a.* Beirniadol ; peryglus, difrifol.
criticism, *n.* Beirniadaeth.
criticize, *v.* Beirniadu.
croak, I. *n.* Crawc.
   2. *v.* Crawcian.
crochet, *v.* Crosio.
crock, *n.* Llestr pridd.
crockery, *n.* Llestri.
crocus, *n.* Saffrwn.
croft, *n.* Crofft, tyddyn.
crofter, *n.* Tyddynnwr.
crook, *n.* Ffon fugail, bagl ; bachyn ; troseddwr.
crooked, *a.* Cam, crwca.
croon, *v.* Grwnan, suo ganu.
crop, I. *n.* Cnwd ; crombil.
   2. *v.* Cnydio ; tocio, cneifio.
cross, I. *n.* Croes.
   2. *v.* Croesi.
cross-bar, *n.* Trawsbren.
cross-examine, *v.* Croesholi.
crossing, *n.* Croesiad, croesfan.
cross-road, *n.* Croesffordd.
cross-section, *n.* Trawsdoriad.
crossword, *n.* Croesair.
crotchet, *n.* Crosied.
crouch, *v.* Cyrcydu, crymu.
croup, *n.* Pedrain, crwper ; crŵp.
crow, I. *n.* Brân ; cân ceiliog.
   2. *v.* Canu, ymffrostio.
   COCK CROWING. Caniad y ceiliog.
crow-bar, *n.* Trosol.
crowd, I. *n.* Torf, tyrfa, haid.
   2. *v.* Tyrru, heidio.
crown, I. *n.* Coron ; corun.
   2. *v.* Coroni.
crowned, *a.* Coronog.
crucial, *a.* Hanfodol, terfynol.
crucifixion, *n.* Croeshoeliad.
crucify, *v.* Croeshoelio.
crude, *a.* Anaeddfed, amrwd, di-chwaeth.
cruel, *a.* Creulon.
cruelty, *n.* Creulondeb.
cruise, I. *n.* Mordaith.
   2. *v.* Morio.
crumb, *n.* Briwsionyn.
crumble, *v.* Briwsioni, malurio.

crumple, *v.* Gwasgu, crychu.
crusade, *n.* Croesgad, Rhyfel y Groes.
crusader, *n.* Croesgadwr, milwr y groes.
crush, *v.* Gwasgu, mathru.
crust, *n.* Crofen, crystyn.
crustacea, *np.* Cramenogion.
crutch, *n.* Bagl, ffon fagl.
cry, I. *n.* Cri, gwaedd, bloedd, llef.
    2. *v.* Wylo, llefain, gweiddi, crio.
cryptic, *a.* Dirgel, cyfrin.
crystal, *a. n.* Grisial.
crystalline, *a.* Grisialaidd, tryloyw.
crystallisation, *n.* Crisialiad.
crystallise, *v.* Grisialu, ymgrisialu.
crystalography, *n.* Grisialeg.
cub, *n.* Cenau, cenawes.
cube, I. *n.* Ciwb.
    2. *v.* Ciwbio.
cubic : cubical, *n.* Ciwbig.
cubicle, *n.* Cuddygl, ciwbicl.
cubit, *n.* Cufydd.
cuckoo, *n.* Cog, cwcw.
cud, *n.* Cil.
    TO CHEW THE CUD. Cnoi cil.
cuddle, *v.* Cofleidio, anwesu, tolach.
cudgel, *n.* Pastwn, ffon.
cue, *n.* Ciw, awgrym.
cuff, I. *n.* Torch llawes ; dyrnod, cernod.
    2. *v.* Cernodio.
cul-de-sac, *n.* Ffordd bengaead.
culinary, *a.* Coginiol.
culminate, *v.* Cyrraedd ei anterth, diweddu.
culmination, *n.* Anterth, diweddglo.
culpable, *a.* Beius, camweddus.
culprit, *n.* Troseddwr.
cult, *n.* Addoliad, cwlt.
cultivate, *v.* Diwyllio, trin, meithrin.
cultivation, *n.* Diwylliant ; triniaeth, amaethu.
cultural, *a.* Diwylliannol, diwylliadol.
culture, *n.* Diwylliant ; amaethu.
cultured, *a.* Diwylliedig, coeth.
cumbersome, *a.* Beichus, afrosgo, trwsgl, lletchwith.
cunning, *n.* Cyfrwystra, dichell.
    a. Cyfrwys, dichellgar.
cup, *n.* Cwpan.
    CUP-TIE. Gornest gwpan.
    CUP FINAL. Gornest derfynol y cwpan.
cupboard, *n.* Cwpwrdd.
cupful, *a.* Cwpanaid.
cur, *n.* Mwngrel ; cnaf, cythraul.
curacy, *n.* Curadiaeth.
curate, *n.* Curad.
curator, *n.* Ceidwad, curadur.
curb, I. *n.* Genffrwyn ; atalfa ; ymyl pafin.
    2. *v.* Ffrwyno, atal.
curd, *n.* Caul, llaeth sur.
curdle, *v.* Ceulo, tewychu, cawsu.
cure, I. *n.* Iachâd, gwellhad ; meddyginiaeth ; gofal.
    2. *v.* Iacháu, gwella ; halltu.

curfew, *n.* Hwyrgloch.
curio, *n.* Cywreinbeth, crair.
curiosity, *n.* Chwilfrydedd ; cywreinbeth.
curious, *a.* Chwilfrydig ; hynod.
curl, I. *n.* Cudyn, cudyn crych, cwrlen.
    2. *v.* Crychu, cyrlio.
curlew, *n.* Gylfinir, cwrlip.
curly, *a.* Crych, modrwyog, cyrliog.
currants, *np.* Cyrens, cwrens, rhyfon, grawn Corinth.
    CURRANT BREAD. Bara brith, torth gyrens.
currency, *n.* Arian cyfredol, arian breiniol.
current, I. *n.* Llif.
    2. *a.* Rhedegol.
curriculum, *n.* Cwrs addysg, maes llafur, cwricwlwm.
    NATIONAL CURRICULUM. Cwricwlwm Cenedlaethol.
curse, I. *n.* Melltith, rheg.
    2. *v.* Melltithio, rhegi.
cursed, *a.* Melltigedig.
curt, *n.* Cwta, byr, swta.
curtail, *v.* Cwtogi, talfyrru.
curtain, *n.* Llen.
curvature, *n.* Crymedd, crymder.
curve, I. *n.* Tro ; cromlin.
    2. *v.* Camu, crymu, plygu, troi.
cushion, *n.* Clustog.
custodian, *n.* Ceidwad.
custody, *n.* Dalfa ; gwarchodaeth.
custom, *n.* Arfer, defod ; toll, treth ; cwsmeriaeth.
    CUSTOMS. Tollau.
    CUSTOMS AND EXCISE. Tollau ac Ecséis.
customary, *a.* Arferol.
customer, *n.* Cwsmer.
custom-house, *n.* Tollfa.
cut, I. *n.* Toriad, briw.
    2. *v.* Torri, archolli.
cuticle, *n.* Croen, pilen.
cutlery, *n.* Cyllyll a ffyrc, cytleri.
cutlet, *n.* Golwyth, cytled.
cutting, *n.* Toriad, bwlch, hafn.
cycle, I. *n.* Cylch, cyfres ; beic.
    2. *v.* Seiclo, beicio.
cyclic, *a.* Cylchol.
cyclist, *n.* Seiclwr, beiciwr.
cyclone, *n.* Cylchwynt.
cylinder, *n.* Silindr.
cylindrical, *a.* Silindrig, silindraidd.
cymbal, *n.* Symbal.
cynic, *n.* Sinic.
cynical, *a.* Sinicaidd.
cynicism, *n.* Siniciaeth.
cypress, *n.* Cypreswydden.
cystic, *a.* Systig.
    CYSTIC FIBROSIS. Ffibrosis systig.
cystitis, *n.* Llid y bladren, systitis.
cytology, *n.* Celleg, seitoleg.
Czech, I. *a.* Tsiecaidd.
    2. *n.* Tsieciad (*person*) ; Tsieceg (*iaith*).
Czech Republic, *n.* Y Weriniaeth Tsiec.

Dab, *v.* I. Taro'n ysgafn, dabio.
    2. *n.* Dab ; lleden, pysgodyn fflat.
dabble, *v.* Tolach (â), dablo, hanner gwneud.
daffodil, *n.* Cenhinen Bedr.
daft, *a.* Hurt, gwirion.
dagger, *n.* Dagr.
daily, *a.* Dyddiol, beunyddiol.
    ad. Beunydd, bob dydd.
dainty, *a. n.* Danteithiol, amheuthun, cain, tlws, del.
dairy, *n.* Llaethdy.
daisy, *n.* Llygad y dydd.
dale, *n.* Glyn, cwm, bro.
dally, *v.* Ymdroi, gwastraffu amser.
dam, *n.* I. Argae.
    2. *v.* Cronni.
dam, *n.* Mam (anifail), mamog.
damage, *n.* I. Newid, difrod.
    2. *v.* Niweidio.
    DAMAGES. Iawn.
damn, *v.* Melltithio, rhegi.
damnation, *n.* Damnedigaeth.
damp, *n.* I. Lleithder.
    2. *a.* Llaith.
    3. *v.* Lleithio.
damsel, *n.* Llances, geneth, merch.
dance, *n.* I. Dawns.
    2. *v.* Dawnsio.
    FOLK DANCING. Dawnsio gwerin.
dancer, *n.* Dawnsiwr, dawnswraig.
dandelion, *n.* Dant y llew.
dandruff, *n.* Marwdon, cen.
dandy, *n.* Coegyn, dandi.
danger, *n.* Perygl, enbydrwydd.
dangerous, *a.* Peryglus.
dare, *v.* Beiddio, meiddio, mentro.
daring, *n.* I. Beiddgarwch.
    2. *a.* Beiddgar, mentrus.
dark, *n.* I. Tywyllwch, nos.
    2. *a.* Tywyll.
darken, *v.* Tywyllu.
darkness, *n.* Tywyllwch.
darn, *n.* I. Trwsiad, cyweiriad.
    2. *v.* Trwsio, cyweirio.
dart, *n.* Picell, dart.
dash, *n.* I. Rhuthr ; llinell fer (-).
    2. *v.* Rhuthro, hyrddio.
data, *np.* Manylion, data.
date, *n.* I. Dyddiad, amseriad.
    2. *v.* Dyddio, amseru.
dative, *a.* Derbyniol.
daughter, *n.* Merch.
    DAUGHTER-IN-LAW. Merch-yng-nghyfraith.
daunt, *v.* Digalonni, llwfrhau.
dauntless, *a.* Di-ofn, dygn, glew.
dawn, *n.* I. Gwawr, cyfddydd.
    2. *v.* Gwawrio, dyddio.
day, *n.* Diwrnod, dydd.
    THE DAY BEFORE YESTERDAY. Echdoe.

YESTERDAY. Ddoe, doe.
TODAY. Heddiw.
TOMORROW. Yfory.
NEXT DAY. Trannoeth.
BY DAY. Liw dydd.
day-book, *n.* Dyddlyfr.
day-break, *n.* Toriad dydd, gwawr.
daylight, *n.* Golau dydd.
day-time, *n.* Y dydd.
daze, *v.* Synnu, syfrdanu.
dazzle, *v.* Disgleirio, dallu.
dazzling, *a.* Llachar, disglair.
deacon, *n.* Diacon, blaenor.
    DEACONS' PEW. Sêt fawr.
dead, *n. & a.* Marw.
    THE DEAD. Y meirw.
deaden, *v.* Lleddfu, pylu, lleihau, marweiddio.
deadly, *a.* Marwol, angheuol.
deaf, *n. a.* Byddar.
deafen, *v.* Byddaru.
deafening, *a.* Byddarol.
deafness, *n.* Byddardod.
deaf-mute, *n.* Mudan.
deafness, *n.* Byddardod.
deal, *n.* I. Trafodaeth, bargen.
    2. *v.* Delio, masnachu, trin.
    A GREAT DEAL. Llawer iawn.
    A GOOD DEAL. Cryn dipyn, cryn swm.
dealer, *n.* Masnachwr.
dean, *n.* Deon.
dear, *n.* I. Anwylyd, cariad.
    2. *a.* Annwyl, cu ; drud, prid.
    DEAREST NIA. Anwylaf Nia.
dearness, *n.* Anwyldeb, drudaniaeth.
dearth, *n.* Prinder.
death, *n.* Angau, marwolaeth.
deathless, *a.* Anfarwol, di-dranc.
debase, *v.* Iselhau, darostwng.
debate, *n.* I. Dadl.
    2. *v.* Dadlau, ymryson.
debility, *n.* Gwendid, llesgedd, nychdod.
debt, *n.* Dyled.
debtor, *n.* Dyledwr.
decade, *n.* Degawd.
decadence, *n.* Dirywiad, dadfeiliad.
decadent, *a.* Dirywedig.
decamp, *v.* Cilio, ffoi, dianc.
decant, *v.* Tywallt, arllwys.
decapitate, *v.* Torri pen.
decay, *n.* I. Dirywiad ; nychdod ; pydredd.
    2. *v.* Dirywio ; nychu ; pydru.
decease, *n.* I. Angau, marwolaeth.
    2. *v.* Marw, trengi.
deceased, *n.* Ymadawedig, diweddar, trancedig.
deceit, *n.* Twyll, hoced, dichell.
deceitful, *a.* Twyllodrus.
deceive, *v.* Twyllo.
December, *n.* Rhagfyr.
decency, *n.* Gwedeidd-dra ; cwrteisi.

decent, *a.* Gweddaidd, gweddus.
decentralize, *v.* Datganoli.
deceptive, *a.* Twyllodrus, camarweiniol.
decide, *v.* Penderfynu.
deciduous, *a.* Deilgoll, collddail.
decimal, *a.* Degol.
   DECIMAL POINT. Pwynt degol.
decimate, *v.* Degymu ; difrodi.
decipher, *v.* Dehongli, datrys.
decision, *n.* Penderfyniad.
decisive, *a.* Terfynol ; pendant, penderfynol.
decisiveness, *n.* Amhetruster, pendantrwydd.
deck, *n.* I. Bwrdd llong, dec.
   2. *v.* Addurno, ymbincio.
declaration, *n.* Datganiad.
declare, *v.* Datgan, cyhoeddi.
declension, *n.* Gogwyddiad.
decline, *n.* I. Dirywiad ; darfodedigaeth.
   2. *v.* Dadfeilio, nychu ; gwrthod ;
      gogwyddo ; rhedeg ; darfod.
decompose, *v.* Pydru, braenu, dadelfennu.
decomposition, *n.* Pydriad, pydredd.
decongestant, *n.* I. Moddion llacio.
   2. *v.* Cliriol, llaciol.
decorate, *v.* Addurno, gwisgo.
decoration, *n.* Addurniad, addurn, tlws.
decorative, *a.* Addurnol.
decorator, *n.* Addurnwr ; peintiwr a phapurwr.
decorous, *a.* Gweddus.
decorum, *n.* Gwedduster, gweddeidd-dra.
decoy, *v* I. Hudo, denu, llithio.
   2. *n.* Peth i hudo, llith.
decrease, *n.* I. Lleihad, gostyngiad.
   2. *v.* Lleihau, gostwng.
decree, *n.* I. Gorchymyn, dyfarniad.
   2. *v.* Gorchymyn, dyfarnu.
decrepit, *a.* Llesg, musgrell.
decrepitate, *v.* Crinellu.
decrepitation, *n.* Crinelliad.
decrepitude, *n.* Llesgedd, musgrellni.
dedicate, *v.* Cyflwyno, cysegru.
dedication, *n.* Cyflwyniad, cysegriad.
deduce, *v.* Casglu, olrhain.
deduction, *n.* Casgliad, diddwythiad.
deed, *n.* Gweithred.
deem, *v.* Tybied, meddwl, barnu, ystyried.
deep, *n.* I. Dyfnder, dwfn.
   2. *a.* Dwfn ; dwys.
deepen, *v.* Dyfnhau ; dwysáu.
deer, *n.* Carw, hydd.
deface, *v.* Difwyno, hagru.
defamation, *n.* Difenwad.
defame, *v.* Difenwi.
default, *n.* I. Diffyg, meth.
   2. *v.* Methu, peidio.
defaulter, *n.* Methdalwr, methdalwraig.
defeat, *n.* I. Gorchfygiad.
   2. *v.* Gorchfygu, trechu.
defect, *n.* Diffyg, gwendid, nam.

defective, *a.* Diffygiol.
defence, *n.* Amddiffyniad.
defenceless, *a.* Diamddiffyn.
defend, *v.* Amddiffyn.
defendant, *n.* Diffynnydd.
defensive, *a.* Amddiffynnol.
defer, *v.* Gohirio.
deferment, *n.* Gohiriad.
defiance, *n.* Her, herfeiddiad.
defiant, *a.* Herfeiddiol.
deficiency, *n.* Diffyg, prinder.
deficient, *a.* Diffygiol, prin.
defile, *n.* I. Culffordd, ceunant.
   2. *v.* Halogi, difwyno.
defilement, *n.* Halogiad.
define, *v.* Diffinio.
definite, *a.* Penodol, pendant.
definitely, *ad.* Yn bendant, yn sicr.
definition, *n.* Diffiniad.
deflagration, *n.* Ffaglad, ffagliad.
deflate, *v.* Dadchwyddo.
deform, *v.* Anffurfio, amharu.
deformed, *a.* Afluniaidd, anffurfiedig.
deformity, *n.* Anffurfiad.
defraud, *v.* Twyllo.
defray, *v.* Talu traul.
defrost, *v.* Dadrewi.
defroster, *n.* Dadrewydd.
deft, *a.* Medrus, deheuig.
defunct, *a.* Marw.
defy, *v.* Herio, beiddio.
degenerate, *a.* I. Dirywiedig.
   2. *v.* Dirywio.
degeneration, *n.* Dirywiad.
degradation, *n.* Diraddiad.
degrade, *v.* Diraddio, iselhau.
degree, *n.* Gradd.
   BY DEGREES. Yn raddol, yn araf deg, gan bwyll.
dehydrate, *v.* Dihydradu, dadhydradu.
dehydration, *n.* Dihydrad, dadhydrad.
deify, *v.* Dwyfoli.
deism, *n.* Dëistiaeth.
deity, *n.* Duwdod, duw.
   THE DEITY. Duw ; y Duwdod.
dejected, *a.* Digalon, trist.
dejection, *n.* Digalondid.
delay, *n.* I. Oediad.
   2. *v.* Oedi, gohirio.
delectable, *a.* Hyfryd, amheuthun ; danteithiol.
delegate, *n.* I. Cynrychiolydd, dirprwy.
   2. *v.* Dirprwyo.
delete, *v.* Dileu.
deletion, *n.* Dilead.
deliberate, *a.* I. Bwriadol, pwyllog.
   2. *v.* Ymgynghori, trafod, trin.
deliberately, *ad.* Yn fwriadol, yn bwrpasol, yn
      bwyllog, gan bwyll.
deliberation, *n.* Ystyriaeth, pwyll, ystyried.
delicacy, *n.* I. Amheuthun, danteithfwyd.
   2. Tynerwch.
   DELICACIES. Danteithion.

delicate, *a.* Brau ; cain ; eiddil ; tyner.
delicious, *a.* Danteithiol, blasus.
delight, *n.* I. Hyfrydwch.
    2. *v.* Difyrru, ymbleseru.
delightful, *a.* Hyfryd.
delinquency, *n.* Trosedd, camwedd.
delinquent, *n.* I. Troseddwr, troseddwraig.
    2. *a.* Troseddol.
delirious, *a.* Wedi drysu, dryslyd, gorffwyll.
delirium, *n.* Dryswch meddwl, deliriwm.
deliver, *v.* Gwaredu, rhyddhau ; traddodi ;
    trosglwyddo ; danfon, hela.
deliverance, *n.* Gwaredigaeth, ymwared.
deliverer, *n.* Gwaredwr, traddodwr ; danfonwr.
delivery, *n.* Dosbarthiad ; traddodiad ;
    trosglwyddiad ; esgoriad.
dell, *n.* Glyn, pant, cwm.
delude, *v.* Twyllo, hudo.
deluge, *n.* Dilyw, llifeiriant.
delusion, *n.* Twyll, lledrith.
demand, *n.* I. Galwad ; hawliad ; gorchymyn.
    2. *v.* Hawlio ; gofyn ; mynnu.
demeanour, *n.* Ymddygiad, ymarweddiad.
democracy, *n.* Democratiaeth, gweriniaeth.
democrat, *n.* Democrat.
    LIBERAL DEMOCRAT. Democrat Rhyddfrydol.
democratic, *a.* Democrataidd, gwerinol, gwerinaidd.
demolish, *v.* Distrywio, dymchwelyd.
demolition, *n.* Dinistriad, dymchweliad.
demon, *n.* Ellyll, cythraul.
demonstrate, *v.* Egluro ; profi ; arddangos ;
    gwrthdystio.
demonstration, *n.* Eglurhad ; prawf ;
    arddangosiad ; gwrthdystiad.
demonstration, *a.* Dangosol, arddangosol ;
    eglurhaol.
demonstrator, *n.* Arddangoswr ; gwrthdystiwr.
demoralize, *v.* Digalonni, gwangalonni.
demure, *a.* Gwylaidd, swil.
den, *n.* Ffau, gwâl, lloches.
denationalize, *v.* Dadwladoli.
denial, *n.* Gwadiad ; gwrthodiad ; nacâd; negyddiad.
    SELF DENIAL. Hunanymwadiad.
denomination, *n.* Enwad ; dosbarth.
denominational, *a.* Enwadol.
denote, *v.* Arwyddo, dynodi.
denounce, *v.* Achwyn, cyhuddo, lladd ar.
dense, *a.* Tew, dwys.
density, *n.* Dwysedd, trwch.
dent, *n.* I. Tolc.
    2. *v.* Tolcio.
dental, *a.* Deintiol, deintyddol.
dentist, *n.* Deintydd.
dentistry, *n.* Deintyddiaeth.
dentures, *np.* Dannedd gosod.
deny, *v.* Gwadu ; nacáu ; gomedd.
depart, *v.* Ymadael, mynd, cychwyn.
departed, *a.* Ymadawedig.
department, *n.* Adran, dosbarth.

departmental, *a.* Adrannol.
    DEPARTMENTAL LIBRARY. Llyfrgell adran.
    DEPARTMENTAL STORE. Siop adrannol.
departure, *n.* Ymadawiad, cychwyniad.
depend, *v.* Dibynnu.
dependable, *a.* Dibynadwy.
dependant, *n.* I. Dibynnydd.
    2. *a.* Dibynnol.
dependence, *n.* Dibyniad, dibyniaeth.
dependent, I. *a.* Dibynnol.
    2. *n.* Dubynnydd.
depict, *v.* Darlunio, disgrifio, portreadu.
deplorable, *a.* Gresynus, truenus.
deplore, *v.* Gresynu, gofidio.
depopulate, *v.* Diboblogi.
deportation, *n.* Alltudiaeth.
deportment, *n.* Ymarweddiad, ymddygiad.
depose, *v.* Diswyddo ; diorseddu ; tystio.
deposit, *n.* I. Blaendal, ernes ; gwaddod ; adnau.
    2. *v.* Dodi i lawr, blaendalu ; gwaddodi ;
    adneuo.
    DEPOSIT ACCOUNT. Cyfrif cadw.
depress, *v.* Gostwng ; gwasgu ; digalonni.
depressed, *a.* Digalon.
depression, *n.* Pant ; digalondid, iselder ysbryd ;
    dirwasgiad ; pwysedd isel.
deprivation, *n.* Amddifadiad ; difreiniad ; colled.
deprive, *v.* Difeddiannu, amddifadu.
depth, *n.* Dyfnder.
deputation, *n.* Dirprwyaeth.
deputise, *v.* Dirprwyo.
deputy, *n.* Dirprwy.
derange, *v.* Drysu ; anhrefnu.
deride, *v.* Gwatwar, gwawdio.
derision, *n.* Gwatwar, dirmyg.
derisive, *a.* Gwatwarus, dirmygus.
derivation, *n.* Tarddiad, deilliad.
derivative, *n.* I. Tarddair, deilliad.
    2. *a.* Tarddiadol, deilliadol.
derive, *v.* Tarddu, deillio ; cael.
descend, *v.* Disgyn.
descendant, *n.* Disgynnydd.
descent, *n.* Disgyniad ; hil, ach, llinach.
describe, *v.* Disgrifio, darlunio.
description, *n.* Disgrifiad, darluniad ; math.
descriptive, *a.* Disgrifiadol, darluniadol.
desecrate, *v.* Halogi.
desecration, *n.* Halogiad.
desert, *n.* Haeddiant.
desert, *n.* I. Anialwch, diffeithwch.
    2. *a.* Anial, diffaith.
    3. *v.* Ffoi, encilio, cefnu.
deserter, *n.* Ffoadur, enciliwr.
desertion, *n.* Gadawiad, enciliad.
deserve, *v.* Haeddu, teilyngu.
deserving, *a.* Teilwng, haeddiannol.
desiccate, *v.* Dysychu, sychu.
desiccator, *n.* Sychiadur, dysychydd.
design, *n.* I. Amcan ; bwriad ; arfaeth ; cynllun ;
    patrwm.
    2. *v.* Amcanu ; arfaethu ; cynllunio ; bwriadu.

designer 253 die

desig**designer, *n.* Cynllunydd, dylunydd.
**desirable, *a.* Dymunol.
**desire, *n.* I. Dymuniad, awydd, chwenychiad, dyhead.
 2. *v.* Dymuno, chwennych.
**desirous, *a.* Awyddus, chwannog.
**desk, *n.* Desg.
**desolate, *a.* diffaith, anghyfannedd.
**desolation, *n.* Anghyfanedd-dra.
**despair, *n.* I. Anobaith.
 2. *v.* Anobeithio.
**desperate, *a.* I. Anobeithiol.
 2. Gorffwyll, gwyllt.
**despicable, *a.* Dirmygedig, ffiaidd.
**despise, *v.* Dirmygu, diystyru.
**despite, *prp.* Er gwaethaf.
**despoil, *v.* Anrheithio, ysbeilio.
**despondency, *n.* Anobaith, digalondid.
**despondent, *a.* Anobeithiol, digalon.
**despot, *n.* Gormeswr, gorthrymwr, unben.
**despotism, *n.* Gormes, gorthrwm.
**dessert, *n.* Melysfwyd, pwdin.
**destination, *n.* Nod, cyrchfan.
**destiny, *n.* Tynged, tynghedfen, ffawd.
**destitute, *a.* Anghenus, amddifad.
**destitution, *n.* Angen, tlodi.
**destroy, *v.* Dinistrio, difetha.
**destroyer, *n.* Dinistriwr, distrywiwr ; llong ddistryw, distrywlong.
**destruction, *n.* Distryw, dinistr.
**destructive, *a.* Distrywiol, dinistriol.
**detach, *v.* Datod, gwahanu.
**detached, *a.* Ar wahân, didoledig.
 DETACHED HOUSE. Tŷ ar wahân.
**detachment, *n.* Didoliad, datodiad ; neilltuad, mintai.
**detail, *n.* I. Manylyn
 2. *v.* Manylu ; neilltuo.
**details, *np.* Manylion.
**detain, *v.* Cadw, atal ; caethiwo, carcharu.
**detect, *v.* Canfod, darganfod, datgelu.
**detection, *n.* Darganfyddiad, datgeliad.
**detective, *n.* Ditectif.
**detention, *n.* Carchariad, ataliad.
**deter, *v.* Rhwystro, atal, cadw.
**deteriorate, *v.* Dirywio, gwaethygu.
**deterioration, *n.* Dirywiad.
**determination, *n.* Penderfyniad.
**determine, *v.* Penderfynu, pennu.
**determined, *a.* Penderfynol.
**deterrent, *a.* I. Ataliadol, ataliol.
 2. *n.* Arf ataliol, atalfa, ataliad.
**detest, *v.* Casáu, ffieiddio.
**detestable, *a.* Atgas, ffiaidd.
**detestation, *n.* Cas, ffieiddiad.
**dethrone, *v.* Diorseddu.
**dethronement, *n.* Diorseddiad.
**detour, *n.* Gwyriad, dargyfeiriad.
**detoxication, *n.* Dadwenwyniad.
**detract, *v.* Tynnu (oddi wrth), bychanu.

**detriment, *n.* Newid, colled.
**detrimental, *a.* Niweidiol, colledus, anfanteisiol.
**devastate, *v.* Difrodi.
**devastation, *n.* Difrod, llanastr.
**develop, *v.* Datblygu.
**development, *n.* Datblygiad.
**deviate, *v.* Gwyro, troi i'r naill ochr, cyfeiliorni.
**deviation, *n.* Gwyriad, cyfeiliornad.
**device, *n.* Dyfais.
**devil, *n.* Diafol, diawl, cythraul.
**devilish, *a.* Dieflig, diawledig.
**devilment : devilry, *n.* Drygioni, diawlineb.
**devious, *a.* Cyfeiliornus ; cyfrwys, dichellgar.
**devise, *v.* Dyfeisio ; cymynroddi.
**devoid, *a.* Amddifad.
**devote, *v.* Cysegru, cyflwyno, ymroddi.
**devoted, *a.* Ffyddlon, ymroddgar.
**devotion, *n.* Ymroddiad, defosiwn.
**devotional, *a.* Defosiynol.
**devour, *v.* Difa, ysu ; traflyncu.
**devout, *a.* Duwiol, crefyddol, defosiynol.
**dew, *n.* I. Gwlith.
 2. *v.* Gwlitho.
 DEWPOINT. Gwlithbwynt.
**dewdrop, *n.* Defnyn o wlith, gwlithyn.
**dewy, *a.* Gwlithog.
**dexterity, *n.* Deheurwydd, medrusrwydd.
**dexterous, *a.* Deheuig, llawdde.
**diabetic, *n.* I. Diabetig.
 2. *a.* Diabetig, â'r clefyd siwgr arno.
**diadem, *n.* Coron ; talaith.
**diaeresis, *n.* Didolnod.
**diagnosis, *n.* Barn feddygol, diagnosis.
**diagram, *n.* Diagram.
**dial, *n.* I. Wyneb, deial.
 2. *v.* Deialu, deialo.
 TO DIAL 999. Galw 999.
 DIALLING TONE. Sain ddeialu.
**dialect, *n.* Tafodiaith.
**dialogue, *n.* Ymddiddan, deialog.
**dialyse, *v.* Dialysu.
**dialysis, *n.* Dialysis.
**diameter, *n.* Tryfesur.
**diamond, *n.* Diemwnt.
**diaphragm, *n.* Llengig, diaffram.
**diarist, *n.* Dyddiadurwr.
**diarrhoea, *n.* Dolur rhydd, rhyddni.
**diary, *n.* Dyddiadur, dyddlyfr.
**dice, *np.* Disiau.
**dichotomy, *n.* Deuoliaeth.
**dictate, *n.* I. Gorchymyn, arch, archiad.
 2. *v.* Arddweud, arddywedyd.
**dictation, *n.* Arddywediad.
**dictator, *n.* Unben.
**dictatorship, *n.* Unbennaeth.
**diction, *n.* Ieithwedd.
**dictionary, *n.* Geiriadur.
**diddle, *v.* Twyllo.
**die, *v.* I. Marw, trengi, darfod ; trigo (am anifail).
 2. *n.* Deis, dis.

diet, *n.* Ymborth, deiet ; cynhadledd.
dietician, *n.* Deietegydd.
differ, *v.* Gwahaniaethu ; anghytuno.
difference, *n.* Gwahaniaeth, anghytundeb, anghydfod.
different, *a.* Gwahanol.
differential, *a.* Gwahaniaethol ; differol.
DIFFERENTIAL CALCULUS. Calcwlws differol.
DIFFERENTIAL EQUATION. Hafaliad differol.
differentiate, *v.* Gwahaniaethu ; differu.
differentiation, *n.* Gwahaniaethiad, gwahanoliad ; differiad.
difficult, *a.* Anodd, caled.
difficulty, *a.* Anhawster.
diffuse, *v.* Gwasgaru ; tryledu.
diffuser, *n.* Gwasgarwr ; tryledwr (*goleuni*).
diffusion, *n.* Gwasgariad ; trylediad.
dig, *v.* Cloddio, palu ; torri (bedd) ; codi (tatws).
digest, *n.* I. Crynhoad.
2. *v.* Treulio, cymathu.
digestible, *a.* Treuliadwy.
digestion, *n.* Treuliad, traul.
digit, *n.* Digid, bys.
digital, *a.* Digidol.
dignified, *a.* Urddasol.
dignify, *v.* Urddasoli, anrhydeddu.
dignity, *n.* Urddas.
digress, *v.* Crwydro.
dihybrid, *a.* Deuhybrid.
dike : dyke, *n.* Clawdd, arglawdd, ffos.
dilapidate, *v.* Adfeilio, dadfeilio, malurio.
dilapidated, *a.* Adfeiliedig, dadfeiliedig.
dilapidation, *n.* Adfeiliad, dadfeiliad.
dilate, *v.* Lledu ; ymledu.
dilatory, *a.* Hwyrfrydig, araf.
dilemma, *n.* Penbleth, cyfyng-gyngor, dilema.
diligence, *n.* Diwydrwydd, dyfalwch.
diligent, *a.* Diwyd, dyfal.
dilute, *v.* Teneuo, gwanhau (â dŵr, &c.), glastwreiddio.
dilution, *n.* Teneuad, gwanhad.
dim, *a.* I. Tywyll, pŵl, aneglur.
2. *v.* Tywyllu, pylu, cymylu.
dimension, *n.* Maintioli, mesur.
diminish, *v.* Lleihau.
diminution, *n.* Lleihad.
diminutive, *n.* I. Bachigyn.
2. *a.* Bychan, bachigol.
dimness, *n.* Pylni, lled-dywyllwch.
dimple, *n.* I. Pannwl, pant (yn y foch, &c.).
2. *v.* Panylu, crychu.
din, *n.* Twrf, mwstwr, dadwrdd.
dine, *v.* Ciniawa.
diner, *n.* Ciniäwr.
dinghy, *n.* Dingi.
dingle, *n.* Cwm, glyn, pant.
dingy, *a.* Tywyll ; di-raen, pŷg ; brwnt, budr.
dining-room, *n.* Ystafell fwyta.
dinner, *n.* Cinio.

diocesan, *a.* Esgobaethol.
diocese, *n.* Esgobaeth.
dioxide, *n.* Deuocsid.
dip, *n.* I. Trochfa, trochiad ; gostyngiad.
2. *v.* Trochi ; golchi (defaid) ; gostwng.
diphthong, *n.* Deusain, dipton.
diploma, *n.* Diploma, tystysgrif.
diplomacy, *n.* Diplomyddiaeth.
diplomat, *n.* Diplomydd.
dire, *a.* Dygn, gresynus, arswydus.
direct, *a.* I. Union, uniongyrchol.
2. *v.* Cyfeirio ; cyfarwyddo.
direction, *n.* Cyfarwyddyd ; cyfeiriad.
directly, *ad.* Yn union, yn ddi-oed.
directness, *n.* Uniongyrchedd.
director, *n.* Cyfarwyddwr.
directory, *n.* Cyfarwyddiadur.
dirge, *n.* Marwnad, galarnad, galargan.
dirk, *n.* Dagr.
dirt, *n.* Baw, llaid, llaca.
dirtiness, *n.* Bryntni, budreddi.
dirty, *a.* I. Brwnt, budr, aflan.
2. *v.* Trochi, difwyno.
disability, *n.* Anabledd, anallu.
DISABILITY PENSION. Pensiwn anabledd.
disable, *v.* Anablu, analluogi.
disabled, *a.* Anabl, analluog, methedig.
DISABLED DRIVER. Gyrrwr anabl.
disadvantage, *n.* Anfantais.
disagree, *v.* Anghytuno.
disagreeable, *a.* Annymunol.
disagreement, *n.* Anghytundeb.
disallow, *v.* Gwrthod, gwahardd.
disappear, *v.* Diflannu.
disappearance, *n.* Diflaniad.
disappoint, *v.* Siomi.
disappointed, *a.* Siomedig.
disappointment, *n.* Siom, siomedigaeth.
disapproval, *n.* Anghymeradwyaeth.
disapprove, *v.* Anghymeradwyo.
disarm, *v.* Diarfogi.
disarmament, *n.* Diarfogiad.
disarrange, *v.* Anhrefnu.
disaster, *n.* Trychineb.
disastrous, *a.* Trychinebus.
disavow, *v.* Gwadu (gwybodaeth neu gyfrifoldeb).
disband, *v.* Chwalu, gwasgaru ; dadfyddino.
disbelief, *n.* Anghrediniaeth.
disbelieve, *v.* Anghredu.
disc, *n.* Disg.
discard, *v.* Rhoi heibio, diosg.
discern, *v.* Canfod, dirnad.
discerning, *a.* Deallus, craff, o farn.
discernment, *n.* Dirnadaeth, craffter.
discharge, *v.* I. Dadlwytho ; rhyddhau ; talu (dyled) ; saethu.
2. *n.* Dadlwythiad ; saethu ; gollyngiad ; rhyddhad.
CONDITIONAL DISCHARGE. Rhyddhad amodol.

disciple, *n.* Disgybl.
disciplinarian, *n.* Disgyblwr.
discipline, *n.* I. Disgyblaeth.
　　2. *v.* Disgyblu.
disclaim, *v.* Gwadu, diarddel.
disclaimer, *n.* Ymwadiad.
disclose, *v.* Datguddio, dadlennu.
disclosure, *n.* Datguddiad, dadleniad.
discomfort, *n.* Anghysur.
disconnect, *v.* Datgysylltu, datod.
disconnected, *a.* Digyswllt.
discontent, *n.* Anfodlonrwydd.
discontented, *a.* Anfodlon.
discontinuance, *n.* Ataliad, terfyn, diwedd.
discontinue, *v.* Peidio, terfynu, atal.
discord, *n.* Anghytgord, anghydfod.
discourage, *v.* Digalonni.
discouraging, *a.* Digalon.
discourse, *n.* I. Anerchiad, araith ; traethawd ; sgwrs.
　　2. *v.* Traethu, siarad, sgwrsio.
discourteous, *a.* Anghwrtais.
discover, *v.* Darganfod, canfod.
discoverer, *n.* Darganfyddwr.
discovery, *n.* Darganfyddiad.
discredit, *n.* I. Anfri, amarch, anghlod ; amheuaeth.
　　2. *v.* Amau ; difrïo ; taflu amheuaeth ar.
discreet, *a.* Pwyllog, synhwyrol.
discrepancy, *n.* Anghysondeb.
discretion, *n.* Pwyll ; synnwyr, hawl i farnu.
discriminate, *v.* Gwahaniaethu.
discrimination, *n.* Gwahaniaethiad ; anffafriaeth.
　　RACIAL DISCRIMINATION. Anffafriaeth hiliol.
discuss, *v.* Trafod, trin.
discussion, *n.* Trafodaeth.
disdain, *n.* I. Diystyrwch, traha, dirmyg.
　　2. *v.* Diystyru, dirmygu, dibrisio.
disdainful, *a.* Diystyrllyd.
disease, *n.* Clefyd, afiechyd, haint.
diseased, *a.* Claf, afiach.
disembark, *v.* Glanio.
disentangle, *v.* Datod, datrys.
disestablish, *v.* Datgysylltu.
disestablishment, *n.* Datgysylltiad.
disfavour, *n.* Anfri.
disfigure, *v.* Anharddu, anffurfio, andwyo.
disfranchise, *v.* Difreinio.
disgrace, *n.* I. Gwarth, gwaradwydd, cywilydd.
　　2. *v.* Gwaradwyddo, cywilyddio.
disgraceful, *a.* Cywilyddus, gwarthus, gwaradwyddus.
disguise, *n.* I. Rhith ; cuddwisg.
　　2. *v.* Ffugio, dieithrio ; cuddwisgo, celu.
disgust, *n.* I. Diflastod.
　　2. *v.* Diflasu.
disgusting, *a.* Atgas, ffiaidd.
dish, *n.* Dysgl.
dishcloth, *n.* Clwtyn llestri.
dishearten, *v.* Digalonni.
dishevelled, *a.* Anhrefnus, anniben, aflêr.

dishonest, *a.* Anonest, twyllodrus.
dishonesty, *n.* Anonestrwydd, twyll.
dishonour, *n.* I. Amarch, gwarth, cywilydd.
　　2. *v.* Gwaradwyddo, amharchu.
dishwasher, *n.* Golchwr llestri.
disinherit, *v.* Dietifeddu, diarddel.
disintegrate, *v.* Malurio, chwalu, ymddatod.
disjoin, *v.* Datgysylltu, datod.
disjunctive, *a.* Anghysylltiol.
dislike, *n.* I. Casineb, atgasedd.
　　2. *v.* Casáu.
dislodge, *v.* Symud, syflyd.
disloyal, *a.* Anffyddlon.
dismal, *n.* Digalon, prudd, tywyll.
dismay, *n.* I. Siom, braw, digalondid, gofid.
　　2. *v.* Siomi, brawychu.
dismiss, *v.* Gollwng (ymaith), rhyddhau ; diswyddo ; troi o'r neilltu.
dismount, *v.* Disgyn.
disobedience, *n.* Anufudd-dod.
disobedient, *a.* Anufudd.
disobey, *v.* Anufuddhau.
disorder, *n.* I. Anhrefn ; annibendod ; anhwyldeb.
　　2. *v.* Anhrefnu, annibennu.
disorderly, *a.* Afreolaidd, afreolus, anniben, anhrefnus, di-drefn.
disorganize, *v.* Anhrefnu.
disown, *v.* Diarddel, gwadu, gwrthod.
disparage, *v.* Bychanu, difrïo, meddwl yn fach o.
disparagement, *n.* Anfri, difrïaeth, gwawd.
disparaging, *a.* Difrïol, dilornus ; amharchus.
disparity, *n.* Anghyfartaledd, gwahaniaeth.
dispatch : despatch, *n.* I. Anfoniad ; neges, cenadwri ; cyflymder.
　　2. *v.* Anfon ; cwblhau ; lladd.
dispel, *v.* Chwalu, gwasgaru.
dispensable, *a.* Hepgorol.
dispensary, *n.* Fferyllfa.
dispensation, *n.* Goruchwyliaeth ; dosbarthiad, rhaniad.
dispense, *v.* Gweinyddu ; dosbarthu.
　　DISPENSE WITH. Hepgor.
disperse, *v.* Chwalu, gwasgaru.
　　DISPERSED. Ar wasgar.
dispersion, *n.* Gwasgariad, chwalfa.
dispirited, *a.* Digalon.
displace, *v.* Disodli, symud o'i le.
display, *n.* I. Arddangosfa, arddangosiad.
　　2. *v.* Arddangos, dangos.
displease, *v.* Anfodloni, digio.
displeasure, *n.* Anfodlonrwydd, dicter, dig.
dispose, *v.* Trefnu ; tueddu ; gwaredu ; gwerthu.
disposition, *n.* Tymer, anian, tuedd.
dispossess, *v.* Difeddiannu.
disproportion, *n.* Anghyfartaledd.
disprove, *v.* Gwrthbrofi.
disputable, *a.* Amheus ; dadleuol.
dispute, *n.* I. Dadl, ymryson.
　　2. *v.* Dadlau, ymryson, trafod.

disregard, *n.* I. Diystyrwch, diofalwch.
2. *v.* Diystyru, anwybyddu.
disreputable, *a.* Gwarthus, gwaradwyddus, amharchus.
disrepute, *n.* Gwarth, gwaradwydd, anfri.
disrespect, *n.* I. Amarch.
2. *v.* Amharchu.
disrespectful, *a.* Amharchus.
dissatisfaction, *n.* Anfodlonrwydd.
dissatisfy, *v.* Anfodloni.
dissect, *v.* Dadelfennu, dadansoddi, difynio, dyrannu, dadrannu.
disseminate, *v.* Taenu, lledaenu, hau.
dissension, *n.* Anghytundeb ; anghydfod.
dissent, *n.* Anghytundeb.
Dissent, *n.* Anghydffurfiaeth, Ymneilltuaeth.
dissenter, *n.* Anghytunwr.
Dissenter, *n.* Anghydffurfiwr, Ymneilltuwr, Sentar.
dissenting, *a.* Anghytûn ; anghydffurfiol, ymneilltuol.
dissertation, *a.* Traethawd.
dissimilar, *a.* Gwahanol, annhebyg.
dissipate, *v.* Afradloni, gwastraffu, ofera, bradu ; gwasgaru.
dissipate, *a.* Ofer, afradlon ; gwasgaredig.
dissipation, *n.* Afradlonedd, oferedd ; gwasgariad.
dissociate, *v.* Daduno, diarddel, diaelodi, datgysylltu.
dissociation, *n.* Daduniad, diarddeliad, datgysylltiad.
dissolute, *a.* Diffaith, ofer.
dissolve, *v.* Toddi ; diddymu, terfynu ; ymddatod.
distance, *a.* Pellter.
distant, *a.* Pell, anghysbell ; oeraidd.
distaste, *n.* Diflastod, cas.
distasteful, *a.* Di-chwaeth, annymunol, cas.
distemper, *n.* Afiechyd ; clefyd y cŵn ; paent.
distend, *v.* Chwyddo, lledu.
distension, *n.* Chwydd, tyndra.
distil, *v.* Distyllu, dihidlo.
distinct, *a.* Gwahanol ; eglur, amlwg.
distinction, *n.* Gwahaniaeth ; rhagoriaeth ; anrhydedd, bri.
distinctive, *a.* Gwahaniaethol, arbennig.
distinguish, *v.* Gwahaniaethu ; enwogi, hynodi.
distinguished, *a.* Enwog, o fri.
distort, *v.* Ystumio, gwyrdroi, anffurfio.
distortion, *n.* Anffurfiad.
distract, *v.* Tynnu sylw (oddi wrth) ; drysu.
distracted, *a.* Dryslyd, wedi drysu.
distraction, *n.* Dryswch.
distress, *n.* I. Trallod, helbul.
2. *v.* Trallodi, blino.
distressing, *a.* Trallodus, blin.
distribute, *v.* Dosbarthu, rhannu.
distribution, *n.* Dosbarthiad, rhaniad.
distributor, *n.* Dosbarthwr, rhannwr.
district, *n.* Ardal, rhanbarth.
distrust, *n.* I. Amheuaeth, drwgdybiaeth.
2. *v.* Amau, drwgdybio.
distrustful, *a.* Drwgdybus, amheus.

disturb, *v.* Aflonyddu, cyffroi, cynhyrfu.
disturbance, *n.* Aflonyddwch, cyffro.
disturbed, *a.* Afreolaidd, aflonydd, cynhyrfus.
disuse, *n.* I. Anarfer.
2. *v.* Peidio ag arfer.
ditch, *n.* I. Ffos, cwter, clais.
2. *v.* Torri ffos (cwter).
ditto, *ad.* Eto, fel uchod, felly eto.
dive, *v.* Ymsuddo, plymio.
diverge, *v.* Ymwahanu ; dargyfeirio.
divergence, *n.* Gwahaniaeth ; dargyfeiriad.
divergent, *a.* Ymwahanol, croes i'w gilydd.
diverse, *a.* Gwahanol, amrywiol.
diversify, *v.* Amrywio.
diversion, *n.* Dargyfeiriad, gwyriad ; adloniant, difyrrwch.
diversity, *n.* Amrywiaeth.
divert, *v.* Troi cyfeiriad ; dargyfeirio ; difyrru.
divest, *v.* Diosg, dihatru, tynnu (oddi am).
divide, *v.* Rhannu, gwahanu, dosbarthu.
divided, *a.* Rhanedig.
dividend, *n.* Rhandal.
divider, *n.* Rhannwr, dosbarthwr ; cwmpas.
divine, *n.* I. Diwinydd.
2. *v.* Rhagfynegi, proffwydo.
3. *a.* Dwyfol.
diviner, *n.* Dewin, dyn hysbys.
WATER DIVINER. Dewin dŵr.
divinity, *n.* Duwdod ; diwinyddiaeth.
THE DIVINITY. Y Duwdod.
divisible, *a.* Rhanadwy.
division, *n.* Rhan ; rhaniad ; adran.
divisor, *n.* Rhannydd.
divorce, *n.* I. Ysgariad.
2. *v.* Ysgaru.
divorced, *a.* Wedi ysgaru.
divorcee, *n.* Ysgaredig, gŵr ysgaredig, gwraig ysgaredig.
divulge, *v.* Datguddio, dadlennu.
dizziness, *n.* Penysgafnder, pendro.
dizzy, *a.* Penysgafn, pensyfrdan.
do, *v.* Gwneuthur, gwneud.
IT WILL DO. Gwna'r tro.
docile, *a.* Dof, hydrin.
dock, *n.* I. Doc, porthladd ; brawdle ; deilen dafol.
2. *v.* Docio, glanio ; tocio, cwtogi.
doctor, *n.* Meddyg, doctor ; doethor, doethur.
doctrinal, *a.* Athrawiaethol.
doctrine, *a.* Athrawiaeth.
document, *n.* Dogfen, gweithred.
documentary, *a.* Dogfennol.
DOCUMENTARY PROGRAMME. Rhaglen ddogfen.
dodge, *n.* I. Ystryw, dyfais ; osgoad.
2. *v.* Osgoi, camu i'r ochr.
doe, *n.* Ewig, ysgyfarnog fenyw, cwningen fenyw.
doff, *v.* Diosg, tynnu (oddi am).
dog, *n.* I. Ci.
2. *v.* Dilyn, canlyn.
dogged, *a.* Cyndyn, ystyfnig, penderfynol.

doggedness, *n.* Cyndynrwydd, ystyfnigrwydd, penderfynolrwydd.
doggerel, *n.* Rhigwm.
dogmatic, *a.* Athrawiaethol, dogmatig.
dole, *n.* I. Dôl, tâl diweithdra.
2. *v.* Rhannu, dosbarthu.
doleful, *a.* Trist, prudd, galarus.
dolefulness, *n.* Tristwch, prudd-der.
doll, *n.* Dol, doli.
dollar, *n.* Doler.
dolorous, *a.* Alaethus, galarus ; poenus.
dome, *n.* Cromen, cryndo.
domestic, *a.* Cartrefol, teuluol ; dof.
dominant, *a.* Llywodraethol, trechaf.
dominate, *v.* Tra-arglwyddiaethu.
domineer, *v.* Gormesu ; arglwyddiaethu.
domineering, *a.* Gormesol.
dominion, *n.* Rheolaeth ; tiriogaeth. dominiwn.
donation, *n.* Rhodd, anrheg.
donkey, *n.* Asyn, asen.
donor, *n.* Rhoddwr.
doom, *n.* Tynged, barn.
doomsday, *n.* Dydd Barn, Dydd y Farn.
door, *n.* Drws, dôr, porth.
DOOR-KEEPER. Porthor.
DOORSTEP. Carreg drws, rhiniog, trothwy.
DOORBELL. Cloch drws.
IN THE DOORWAY. Yn y drws.
dormant, *a.* Ynghwsg, cwsg.
dormitory, *n.* Ystafell gysgu, hundy.
dormouse, *n.* Pathew.
dorsal, *a.* Cefnol, yn ymwneud â'r cefn.
dose, *n.* I. Dogn.
2. *v.* Dogni, rhoi cyffur i.
dote, *v.* Ffoli, gwirioni, dotio, dwlu.
double, *a.* I. Dwbl, dyblyg.
2. *v.* Dyblu, plygu'n ddau.
DOUBLE BED. Gwely dwbl.
DOUBLE BILL. Rhaglen ddwbl.
DOUBLE-DEALING. Twyll.
DOUBLE GLAZING. Gwydro dwbl, ffenestri dwbl.
DOUBLE-WIDTH. Deuled.
double-bass, *n.* Basgrwth, bas dwbl.
doubt, *n.* I. Amheuaeth.
2. *v.* Amau.
THERE IS NO DOUBT ABOUT IT. Does dim dwywaith amdani.
doubtful, *a.* Amheus.
doubtless, *ad.* Diau, yn ddiamau.
dough, *n.* Toes.
dove, *n.* Colomen.
dove-cot, *n.* Colomendy.
down, *n.* I. Mynydd-dir, rhos, gwaun ; manblu.
2. *ad.* I lawr, i waered.
downfall, *n.* Cwymp, dymchweliad.
downpour, *n.* Cawod drom o law.
downtown, *n.* Canol y dref.
downwards, *ad.* I lawr, i waered.
dowry, *n.* Gwaddol.

doze, *v.* Hepian.
dozen, *n.* Dwsin.
drab, *a.* Llwydaidd, salw.
draft, *n.* I. Drafft ; braslun.
2. *v.* Drafftio ; braslunio.
DRAFT PLAN. Bras-gynllun.
DRAFT DOCUMENT. Drafft-ddogfen.
drag, *v.* Llusgo, tynnu.
dragon, *n.* Draig.
dragonfly, *n.* Gwas y neidr.
drain, *n.* I. Carthffos, ceuffos, draen.
2. *v.* Cwteru, sychu, draenio.
drake, *n.* Meilart, ceiliog hwyad.
drama, *n.* Drama.
dramatic, *a.* Dramatig.
dramatise, *v.* Dramateiddio.
dramatist, *n.* Dramodydd.
draper, *n.* Dilledydd.
drapery, *n.* Dillad ; masnach dilledydd.
drastic, *a.* Llym, cryf, eithafol.
draught, *n.* Llymaid, dracht ; bras gynllun ; awel, drafft.
draughtsman, *n.* Dyluniwr, drafftsmon.
draughty, *a.* Gwyntog, drafftog.
draw, *v.* I. Tynnu, llusgo ; llunio.
2. *n.* Tynfa ; atyniad.
drawer, *n.* Drâr, drôr.
drawing, *n.* Llun, darlun, lluniad.
dread, *n.* I. Ofn, braw, arswyd.
2. *v.* Ofni, arswydo.
3. *a.* Brawychus, ofnadwy.
dreadful, *a.* Ofnadwy, dychrynllyd.
dream, *n.* I. Breuddwyd.
2. *v.* Breuddwydio.
dreamer, *n.* Breuddwydiwr, breuddwyd o ddyn.
dreamy, *a.* Breuddwydiol.
dreary, *a.* Digysur, diflas, marwaidd.
dredge, *v.* Glanhau (afon, &c.).
dredger, *n.* Carthlong.
dregs, *np.* Gwaddod, gwehilion, gwaelodion.
dress, *n.* I. Gwisg, dillad.
2. *v.* Gwisgo, dilladu.
WELL-DRESSED. Trwsiadus, wedi gwisgo'n dda.
dresser, *n.* Seld, dreser ; gwisgwr.
dressmaker, *n.* Gwniadyddes, gwniyddes, teilwres.
dribble, *v.* Diferu, defnynnu ; glafoerio ; driflan, dreflu.
drift, *n.* I. Tuedd, cyfeiriad ; lluwch (eira) ; drifft, mariandir.
2. *v.* Drifftio, mynd gyda'r llif ; lluwchio.
drill, *n.* I. Tyllwr, dril.
2. *v.* Tyllu, drilio.
drink, *n.* I. Diod, llymaid.
2. *v.* Yfed.
FOOD AND DRINK. Bwyd a diod.
drinker, *n.* Yfwr, diotwr, llymeitiwr.
drip, *n.* I. Diferiad, diferyn, defnyn.
2. *v.* Diferu.
dripping, *n.* I. Saim, toddion.
2. *a.* Diferol.

drive, *v.* I. Gyrru, dreifo, dreifio.
    2. *n.* Dreif ; gyriant, ymgyrch, gyrfa, tro.
    WHIST DRIVE. Gyrfa chwist.
    FRONT-WHEEL DRIVE. Gyriant blaen.
    A DRIVE IN THE CAR. Tro yn y car.
drivel, *n.* I. Glafoerion.
    2. *v.* Glafoerio, driflan, dreflu.
driver, *n.* Gyrrwr.
drizzle, *n.* Glaw mân, gwlithlaw.
droll, *a.* Digrif, ysmala.
drone, *n.* I. Gwenynen ormes ; sŵn ; diogyn.
    2. *v.* Suo, grwnan.
droop, *v.* Gwyro, hongian, llaesu.
drop, *n.* I. Diferyn, dafn, defnyn ; cwymp,
    cwympiad.
    2. *v.* Diferu ; disgyn, cwympo.
dross, *n.* Sorod, sothach.
drought, *n.* Sychder, sychdwr.
drove, *n.* Gyr, diadell, cenfaint.
drover, *n.* Porthmon, gyrrwr.
drown, *v.* Boddi.
drowsiness, *n.* Syrthni.
drowsy, *a.* Cysglyd, swrth, pendrwm.
drudgery, *n.* Slafdod, caledwaith.
drug, *n.* Cyffur.
druid, *n.* Derwydd.
druidic, *a.* Derwyddol.
drum, *n.* I. Tabwrddu, drwm.
    2. *v.* Tabyrddu, drymio, drymian.
    BASS DRUM. Drwm bas.
    DRUM BEAT. Curiad drwm.
    DRUM MAJOR. Arweinydd band.
    DRUM ROLL. Dadwrdd drwm.
    SIDE DRUM. Drwm bach.
drunk, *a.* Meddw, brwysg.
drunkard, *n.* Meddwyn.
drunkenness, *n.* Meddwdod.
dry, *a.* I. Sych, sychedig, crin, cras, hysb.
    2. *v.* Sychu, crasu.
    DRY ROT. Sych bydredd.
dryness, *n.* Sychder, crasder.
dual, *a.* Deuol, dwbl, dyblyg.
    DUAL CARRIAGEWAY. Ffordd ddeuol.
    DUAL CONTROL. Rheolaeth ddyblyg.
dualism, *n.* Deuoliaeth.
dubious, *a.* Amheus.
dubiousness, *n.* Amheuaeth.
duchess, *n.* Duges.
duck, *n.* Hwyad, hwyaden.
due, *n.* I. Haeddiant, dyled ; toll, treth.
    2. *a.* Dyledus, dyladwy.
duel, *n.* Gornest, ymryson.
duet, *n.* Deuawd.
duke, *n.* Dug.
dull, *a.* Hurt, dwl ; cymylog, pŵl ; difywyd,
    diflas, digalon.

dullness, *n.* Hurtrwydd, dylni ; pylni.
dumb, *a.* Mud.
dumbfound, *v.* Syfrdanu.
dumbness, *n.* Mudandod.
dunce, *n.* Hurtyn, penbwl.
dune, *n.* Tywodfryn, tywyn, twyn.
dung, *n.* Tail, tom.
dungeon, *n.* Daeardy, daeargell.
dunghill, *n.* Tomen dail.
duplicate, *n.* I. Copi.
    2. *v.* Dyblygu.
    3. *a.* Dyblyg.
    DUPLICATE COPI. Copi dyblyg.
    DUPLICATING PAPER. Papur dyblygu.
duplicated, *a.* Dyblygedig.
duplicator, *n.* Dyblygydd, lluosogydd.
duplicity, *n.* Dichell, twyll.
    TO PRACTICE DUPLICITY. Chwarae'r ffon
    ddwybig.
durable, *a.* Parhaus, parhaol.
duration, *n.* Parhad.
during, *prp.* Yn ystod.
dusk, *n.* Cyfnos, gwyll.
dusky, *a.* Tywyll, croenddu.
dust, *n.* I. Llwch, lluwch, dwst.
    2. *v.* Tynnu lluwch, sychu llwch.
    SAWDUST. Blawd llif.
dustbin, *n.* Bin sbwriel.
duster, *n.* Clwtyn, dwster, cadach.
dustman, *n.* Dyn y biniau, dyn lludw.
dusty, *a.* Llychlyd, lluwchog.
Dutch, *n.* I. Iseldireg (*iaith*).
    2. *a.* Iseldiraidd, Iseldirol.
Dutchman, *n.* Iseldirwr.
Dutchwoman, *n.* Iseldirwraig.
duty, *n.* I. Dyletswydd.
    2. Toll, treth.
duvet, *n.* Carthen.
dwarf, *n.* Cor, corrach.
dwarfish, *a.* Corachaidd.
dwell, *v.* Trigo, preswylio, aros.
dweller, *n.* Preswylydd.
dwelling, *n.* Tŷ, preswylfod, annedd.
dwindle, *v.* Darfod, lleihau.
dye, *n.* I. Lliw, lliwur.
    2. *v.* Lliwio, llifo.
dyer, *n.* Lliwiwr, lliwydd.
dyke, *n.* see dike.
dynamic, *a.* deinamig, dynamig.
dynamics, *n.* Deinameg, dynameg.
dynamite, *n.* Deinameit, dynamit.
dynamo, *n.* Deinamo, dynamo.
dynasty, *n.* Llinach frenhinol, brenhinlin.
dysentery, *n.* Dysentri.
dyspepsia, *n.* Diffyg traul.

Each, *a. & pn.* Pob, pob un.
    EACH OTHER. Y naill y llall, ei gilydd.
eager, *a.* Awyddus, awchus.
eagerness, *n.* Awydd, awch.
eagle, *n.* Eryr.
    EAGLET. Cyw eryr.
ear, *n.* Clust.
    EAR-RING. Clustdlws.
ear (of corn), *n.* Tywysen.
earl, *n.* Iarll.
early, *a.* I. Bore, boreol, cynnar.
    2. *ad.* Yn fore.
earmark, *n.* I. Clustnod, nod clust.
    2. *v.* Clustnodi ; neilltuo.
earn, *v.* Ennill.
earnest, n. I. Ernes, gwystl.
    2. *a.* Difrif, difrifol.
    IN EARNEST. Bod o ddifrif (calon).
earnestness, *n.* Difrifwch, difrifoldeb.
earnings, *np.* Enillion.
earth, *n.* I. Daear, tir, pridd, y llawr ; y byd.
    2. *v.* Priddo, claddu ; daearu.
earthen, *a.* Pridd, o bridd.
earthenware, *n.* Llestri pridd.
earthly, *a.* Daearol.
earthquake, *n.* Daeargryn.
earthworm, *n.* Abwydyn, mwydyn, pryf genwair.
earwig, *n.* Chwilen glust, pryf clust.
ease, *n.* I. Rhwyddineb, esmwythyd.
    2. *v.* Esmwytho, lliniaru.
    WITH EASE. Yn rhwydd.
easel, *n.* Îsl.
easily, *ad.* Yn hawdd.
east, *n.* Dwyrain.
Easter, *n.* Y Pasg.
easterly *a.,* I. Dwyreiniol.
    2. *ad.* Tua'r dwyrain.
eastern, *a.* Dwyreiniol.
easy, *a.* Hawdd, rhwydd.
easy-chair, *n.* Cadair esmwyth, cadair freichiau.
eat, *v.* Bwyta.
eatable, *a.* Bwytadwy.
eaves, *np.* Bargod, bondo.
ebb, *n.* I. Trai.
    2. *v.* Treio.
ebony, *n.* Eboni.
eccentric, *a.* I. Od, hynod.
    2. *n.* Un hynod.
eccentricity, *n.* Odrwydd, hynodrwydd.
ecclesiastic, *n.* I. Eglwyswr, clerigwr.
    2. *a.* Eglwysig, clerigol.
ecclesiastical, *a.* Eglwysig.
echo, *n.* I. Atsain, adlais, carreg ateb.
    2. *v.* Atseinio.
eclipse, *n.* I. Diffyg (ar yr haul, ar y lleuad).
    2. *v.* Cuddio, taflu cysgod ar ; rhagori ar.
ecology, *n.* Ecoleg.
economic, *a.* Economaidd.
economical, *a.* Cynnil, diwastraff, darbodus.

economics, *n.* Economeg.
economize, *v.* Cynilo.
economy, *n.* Cynildeb, darbodaeth.
ecstasy, *n.* Gorfoledd, gorawen, hwyl.
eddy, *n.* I. Trolif, chwyrliad.
    2. *v.* Troi, troelli, chwyrlïo.
edge, *n.* Ymyl ; min, awch.
edged, *a.* Miniog, â min.
edible, *a.* Bwytadwy.
edification, *n.* Adeiladaeth.
edifice, *n.* Adeilad, adeiladwaith.
edify, *v.* Addysgu, dyrchafu, gwella'n foesol.
Edinburgh, *n.* Caeredin.
edit, *v.* Golygu.
edition, *n.* Argraffiad.
editor, *n.* Golygydd.
editorial, *a.* Golygyddol.
educate, *v.* Addysgu.
education, *n.* Addysg.
educational, *a.* Addysgol.
educator, *n.* Addysgydd.
eel, *n.* Llysywen.
eerie, *a.* Annaearol, iasol.
effect, *n.* I. Effaith, canlyniad.
    2. *v.* Achosi, peri, cyflawni.
    OF NO EFFECT. Aneffeithiol.
    SIDE EFFECT. Sgîl effaith.
    TO THE SAME EFFECT. I'r un perwyl.
effective, *a.* Effeithiol.
effectiveness, *n.* Effeithiolrwydd.
effeminate, *a.* Merchetaidd.
effervesce, *v.* Eferwi, ewynnu.
effervescence, *n.* Eferwad, ewynnedd.
efficacy, *n.* Effeithiolrwydd.
efficiency, *n.* Effeithlonrwydd.
efficient, *a.* Effeithiol, effeithlon.
efficiently, *ad.* Yn effeithlon.
effigy, *n.* Delw.
efflorescence, *n.* Ewlychiad (*cemeg*).
efflorescent, *a.* Ewlychol (*cemeg*).
effluent, *n.* I. Carthffrwd.
    2. *a.* Carthffrydiol.
effort, *n.* Ymdrech, ymgais.
effortless, *a.* Diymdrech.
egg, *n.* I. Wy.
    2. *v.* Annog, annos, cymell.
    EGG-CUP. Cwpan wy.
eggshell, *n.* Masgl wy, plisgyn wy.
ego, *n.* Yr hunan.
egoism, *n.* Myfïaeth, egoistiaeth.
egoist, *n.* Hunanydd, myfiwr.
egoistic, *a.* Myfïol, egoistig, egoistaidd.
eight, *a.* Wyth.
eighteen, *a.* Deunaw, un deg wyth.
eighteenth, *a.* Deunawfed.
eighth, *a.* Wythfed.
eightieth, *a.* Pedwar ugeinfed, wyth degfed.
eighty, *a.* Pedwar ugain, wyth deg.
Eire, *n.* Gweriniaeth Iwerddon.

either, *a.* 1. Y naill a'r llall, un o'r ddau, un o'r ddwy.
   2. *cys. & ad.* Naill ai ... neu, un ai ... neu, na ... ychwaith.
ejaculation, *n.* Ebychiad, ffrydiad.
eject, *v.* Bwrw allan, taflu i maes, diarddel.
elaborate, *a.* 1. Llafurfawr, manwl.
   2. *v.* Manylu.
elapse, *v.* Mynd heibio, treiglo.
elastic, *n.* 1. Elastig.
   2. *a.* Ystwyth.
elbow, *n.* Penelin.
elder, *n.* Ysgawen (*pren*).
   ELDER-FLOWER WINE. Gwin blodau ysgawen.
elder, *n.* 1. Henuriad, hynafgwr ; blaenor, diacon, henadur.
   2. *a.* Hŷn.
elderly, *a.* Oedrannus.
   THE ELDERLY. Yr oedrannus, yr hen, yr henoed.
eldest, *a.* Hynaf.
elect, *v.* Ethol, dewis.
election, *n.* Etholiad.
elector, *n.* Etholwr.
electoral, *a.* Etholiadol.
electorate, *n.* Etholaeth.
electric, *a.* Trydanol.
electricity, *n.* Trydan.
electrician, *n.* Trydanydd.
electrify, *v.* Trydanu ; gwefreiddio.
electronic, *a.* Electronig.
electrode, *n.* Electrod.
electrolysis, *n.* Electrolysis.
electrolyte, *n.* Electrolyt.
elegance, *n.* Ceinder, coethder.
elegant, *a.* Cain, coeth, dillyn.
elegy, *n.* Galarnad, marwnad.
element, *n.* Elfen.
elementary, *a.* Elfennol.
elephant, *n.* Eliffant.
elephantine, *a.* Eliffantaidd.
elevate, *v.* Dyrchafu.
elevated, *a.* Dyrchafedig.
elevating, *a.* Dyrchafol.
elevation, *n.* Uchder ; dyrchafiad ; gweddlun.
eleven, *a.* Un ar ddeg, un deg un.
eleventh, *a.* Unfed ar ddeg.
elf, *n.* Ellyll, coblyn.
eligibility, *n.* Cymhwyster.
eligible, *a.* Cymwys (i'w ethol).
eliminate, *v.* Dileu, deol, bwrw allan.
elimination, *n.* Dilead.
elision, *n.* Seingoll.
ellipse, *n.* Hirgylch.
elliptical, *a.* Hirgrwn, hirgron.
elm, *n.* Llwyfen, llwyfanen.
eloquence, *n.* Huodledd.
eloquent, *a.* Huawdl.
else, *ad.* Arall, amgen, pe amgen.
elsewhere, *ad.* Mewn lle arall.
elucidate, *v.* Egluro.

elude, *v.* Osgoi.
elusion, *n.* Osgoad.
elusive, *a.* Anodd eich dal, annaliadwy, di-ddal.
emaciate, *v.* Teneuo, nychu.
emaciated, *a.* Tenau, di-gnawd, nychlyd.
e-mail, *n.* e-bost.
emanate, *v.* Deillio, tarddu, llifo.
emancipate, *v.* Rhyddhau, rhyddfreinio.
emancipation, *n.* Rhyddhad, rhyddfreiniad.
embankment, *n.* Clawdd, arglawdd, còb.
embargo, *n.* Gwaharddiad.
embark, *v.* Mynd ar long, hwylio ; dechrau ar rywbeth.
embarkation, *n.* Hwyliad ; dechreuad.
embarrass, *v.* Annifyrru ; drysu ; rhwystro.
embarrassment, *n.* Annifyrrwch, teimlad annifyr.
embassy, *n.* Llysgenhadaeth.
embers, *np.* Marwor, marwydos.
embezzle, *v.* Darnguddio, dwyn, lladrata.
emblem, *n.* Arwyddlun.
embodiment, *n.* Corfforiad.
embody, *v.* Corffori, ymgorffori.
embrace, *n.* 1. Cofleidiad, anwesiad.
   2. *v.* Cofleidio, anwesu ; cynnwys.
embroider, *v.* Brodio.
embroidery, *n.* Brodwaith.
embryo, *n.* Embryo.
emend, *v.* Cywiro, diwygio.
emendation, *n.* Cywiriad.
emerald, *n.* Emrallt.
emerge, *v.* Dyfod allan, ymddangos.
emergence, *n.* Ymddangosiad.
emergency, *n.* Argyfwng, cyfyngder.
emigrant, *n.* Ymfudwr.
emigrate, *v.* Ymfudo.
emigration, *n.* Ymfudiad.
eminence, *n.* Codiad tir, bryn ; enwogrwydd.
eminent, *a.* Amlwg, enwog.
emissary, *n.* Cennad.
emit, *v.* Bwrw allan, anfon i maes.
emotion, *n.* Emosiwn, ysmudiad, teimlad, cyffro.
emotional, *a.* Emosiynol, ysmudiadol, teimladwy, cyffrous.
emperor, *n.* Ymherodr, ymerawdwr.
emphasis, *n.* Pwys, pwyslais.
emphasize, *v.* Pwysleisio.
emphatic, *a.* Pendant, grymus.
empire, *n.* Ymerodraeth.
empirical, *a.* Empiraidd, empirig.
empiricism, *n.* Empiriaeth.
employ, *v.* Cyflogi ; defnyddio.
employed, *a.* Cyflogedig.
employee, *n.* Gŵr cyflog, gweithiwr.
employer, *n.* Cyflogwr.
employment, *n.* Gwaith, cyflogaeth.
emptiness, *n.* Gwacter.
empty, *a.* 1. Gwag.
   2. *v.* Gwacáu, gwagio.
empty-handed, *a.* Gwaglaw.
emulate, *v.* Efelychu.

emulsion, *n.* Emylsiwn.
enable, *v.* Galluogi.
enact, *v.* Deddfu ; ordeinio ; cyflawni.
encamp, *v.* Gwersyllu.
encampment, *n.* Gwersyll, lluest.
enchant, *v.* Swyno, hudo.
enchanter, *n.* Swynwr, dewin.
enchantment, *n.* Swyn, cyfaredd ; dewiniaeth, hudoliaeth.
enchantress, *n.* Dewines, hudoles.
encircle, *v.* Amgylchynu.
enclose, *v.* Cau i mewn ; amgáu.
enclosure, *n.* Lle caeëdig.
encore, *n.* Eto, unwaith eto, encôr.
encounter, *n.* 1. Cyfarfod ; ymgyfarfod ; gornest.
    2. *v.* Cyfarfod ; taro ar, cwrdd â.
encourage, *v.* Calonogi, annog.
encouragement, *n.* Calondid, anogaeth.
encouraging, *a.* Calonogol, gobeithiol.
encumber, *v.* Llesteirio, llwytho.
encumbrance, *n.* Rhwystr, baich.
encyclopaedia, *n.* Gwyddoniadur.
end, *n.* 1. Diwedd, terfyn, pen.
    2. *v.* Dibennu, gorffen, darfod.
    FROM END TO END. O ben bwy gilydd.
    BACK END. Pen ôl.
    FAR END. Pen pellaf.
    FRONT END. Pen blaen.
endanger, *v.* Peryglu.
endear, *v.* Anwylo.
endeavour, *n.* 1. Ymdrech.
    2. *v.* Ymdrechu.
endemic, *a.* Endemig.
endless, *a.* Diddiwedd, diderfyn.
endorse, *v.* Arnodi ; cefn-nodi, cymeradwyo ; ategu.
endow, *v.* Gwaddoli, cynysgaeddu.
endowment, *n.* Gwaddol, cynhysgaeth.
endurable, *a.* Goddefol.
endurance, *n.* Gallu (i barhau neu oddef), ymddál.
endure, *v.* Parhau ; goddef, dioddef.
enemy, *n.* Gelyn.
energetic, *a.* Egnïol, grymus.
energy, *n.* Ynni, egni, grym.
enforce, *v.* Gorfodi.
enforcement, *n.* Gorfodaeth.
engage, *v.* Cyflogi ; llogi, hurio ; ymrwymo ; dyweddïo.
engaged, *a.* Wedi dyweddïo, dyweddïedig ; prysur.
    TO GET ENGAGED. Dyweddïo.
    THE LINE IS ENGAGED. Mae'r llinell yn brysur.
engagement, *n.* Ymrwymiad, dyweddïad ; brwydr.
engine, *n.* Peiriant.
engineer, *n.* Peiriannydd.
engineering, *n.* Peirianyddiaeth, peirianneg.
English, *a.* 1. Saesneg (o ran iaith), Seisnig Seisnigaidd.
    2. *n.* Saesneg (*language*) ; Saeson, *np.* (*people*).
    ENGLISH LANGUAGE. Saesneg.
Englishman, *n.* Sais ; *np.* Saeson.

Englishwoman, *n.* Saesnes ; *np.* Saesnesau.
engrave, *v.* Ysgythru.
engraving, *n.* Ysgythriad.
engulf, *v.* Llyncu.
enjoin, *v.* Gorchymyn, cyfarwyddo.
enjoy, *v.* Mwynhau.
enjoyment, *n.* Mwynhad, mwyniant, pleser.
enlarge, *v.* Helaethu, ymhelaethu, ehangu, lledu.
enlargement, *n.* Helaethiad, ehangiad.
enlighten, *v.* Goleuo, hysbysu.
enlightenment, *n.* Goleuni, eglurhad.
enlist, *v.* Ymrestru, listio.
enlistment, *n.* Ymrestriad.
enliven, *v.* Bywiogi, sirioli.
enmity, *n.* Gelyniaeth.
ennoble, *v.* Urddasoli.
enormous, *a.* Enfawr, dirfawr, anferth.
enough, *n.* 1. Digon, digonedd, gwala.
    2. *a. & ad.* Digon.
    GOOD ENOUGH. Digon da.
    FAIR ENOUGH. Digon teg.
enrich, *v.* Cyfoethogi.
enrol, *v.* Cofrestru.
enrolment, *n.* Cofrestriad.
ensign, *n.* Lluman, baner.
enslave, *v.* Caethiwo.
enslavement, *n.* Caethiwed.
ensnare, *v.* Maglu, rhwydo.
ensue, *v.* Dilyn, canlyn.
ensuing, *a.* Dilynol, canlynol.
ensure, *v.* Sicrhau, diogelu.
entangle, *v.* Drysu, maglu.
entanglement, *n.* Dryswch.
enter, *v.* Mynd i mewn, treiddio ; cofnodi.
enterprise, *n.* Anturiaeth, menter.
enterprising, *a.* Anturiaethus, mentrus.
entertain, *v.* Difyrru, diddanu ; croesawu.
entertainer, *n.* Diddanwr ; gwesteiwr.
entertaining, *a.* Difyrrus, diddan.
entertainment, *n.* Adloniant, difyrrwch ; croeso.
enthrone, *v.* Gorseddu.
enthusiasm, *n.* Brwdfrydedd.
enthusiastic, *a.* Brwdfrydig, eiddgar.
entice, *v.* Hudo, denu.
entire, *a.* Cyfan, cyflawn ; llwyr, hollol.
entirety, *n.* Cyfanrwydd, crynswth.
entity, *n.* Hanfod, endid.
entrails, *np.* Perfedd, ymysgaroedd.
entrance, *n.* Mynediad, mynedfa.
    MAIN ENTRANCE. Prif fynedfa.
    ENTRANCE FEE. Tâl mynediad.
entrance, *v.* Swyno, cyfareddu, hudo.
entrancing, *a.* Swynol, hyfryd.
entrant, *n.* Un sy'n dod i mewn ; ymgeisydd ; dechreuwr.
entreat, *v.* Ymbil, deisyf, eiriol, erfyn.
entry, *n.* Mynediad ; cofnod.
    NO ENTRY. Dim mynediad.
    RIGHT OF ENTRY. Hawl mynediad.
    DOUBLE ENTRY. Cofnod dwbl.
    ENTRY FORM. Ffurflen gais.

enunciation, *n.* Datganiad, cynaniad, ynganiad.
envelop, *v.* Amgau, gorchuddio.
envelope, *n.* Amlen.
environment, *n.* Amgylchedd, amgylchfyd.
environs, *np.* Amgylchoedd, cyffiniau.
envoy, *n.* Llysgennad, cennad, negesydd.
envy, *n.* I. Eiddigedd, cenfigen.
    2. *v.* Eiddigeddu, cenfigennu.
enzyme, *n.* Ensym.
epic, *n.* I. Arwrgerdd, epig.
    2. *a.* Arwrol, epig.
epidemic, *n.* I. Haint.
    2. *a.* Heintus.
epiglottis, *n.* Epiglotis.
epigram, *n.* Epigram.
epigrammatic, *a.* Epigramaidd.
epilogue, *n.* Diweddglo, epilog.
Epiphany, *n.* Yr Ystwyll.
episcopacy, *n.* Esgobyddiaeth.
episcopal, *n.* Esgobol.
episode, *n.* Pennod, rhan, episôd ; gogyfran.
epistle, *n.* Epistol, llythyr.
epitaph, *n.* Beddargraff.
epoch, *n.* Cyfnod.
equal, *a.* I. Cydradd, cyfartal.
    2. *n.* Cydradd.
    3. *v.* Bod cystal (â).
equality, *n.* Cydraddoldeb, cyfartalwch.
equalize, *v.* Cydraddoli, cyfartalu.
equanimity, *n.* Tawelwch meddwl, anghyffro.
equation, *n.* Hafaliad.
    QUADRATIC EQUATION. Hafaliad cwadratig.
    SIMULTANEOUS EQUATIONS. Hafaliadau cydamserol.
    SIMPLE EQUATION. Hafaliad syml.
equator, *n.* Y cyhydedd.
equatorial, *a.* Cyhydeddol.
equestrian, *n.* I. Marchog.
    2. *a.* Marchogol.
equilateral, *a.* Hafalochrog, cyfochrol.
equilibrium, *n.* Cydbwysedd, cyfantoledd.
equinox, *n.* Cyhydnos.
equip, *v.* Cyfarparu, cymhwyso, cyflenwi, paratoi.
equipment, *n.* Cyfarpar, offer.
equivalent, *a.* Cyfwerth, cywerth, cyfartal.
era, *n.* Cyfnod, oes.
    BEFORE THE CHRISTIAN ERA. Cyn cred.
eradicate, *v.* Diwreiddio ; cael gwared (â), dileu.
eradication, *n.* Diwreiddiad ; dilead.
erase, *v.* Dileu, rhwbio allan.
erect, *a.* I. Talsyth, syth, unionsyth, yn sefyll.
    2. *v.* Codi, gosod ar ei draed.
erection, *n.* Adeilad ; codiad.
ermine, *n.* Carlwm, ffwr carlwm.
erode, *v.* Ysu, treulio, erydu.
erosion, *n.* Ysiad, treuliad, erydiad.
erosive, *a.* Ysol, erydol.
erotic, *a.* Erotig.
err, *v.* Cyfeiliorni, crwydro ; pechu.

errand, *n.* Neges, cenadwri.
errant, *a.* Ar grwydr, crwydrol.
erratic, *a.* Ansicr, ansefydlog, afreolus, annibynadwy.
erroneous, *a.* Cyfeiliornus, gwallus.
error, *n.* Camgymeriad, gwall.
erupt, *v.* Ffrwydro, torri allan.
eruption, *n.* Ffrwydrad, toriad allan.
eruptive, *a.* Ffrwydrol.
escalator, *n.* Esgaladur.
escape, *n.* I. Dihangfa.
    2. *v.* Dianc, ffoi.
    FIRE ESCAPE. Dihangfa dân.
escort, *n.* I. Gosgordd.
    2. *v.* Hebrwng.
especial, *a.* Arbennig, neilltuol.
especially, *ad.* Yn arbennig, yn enwedig.
esquire, *n.* Yswain (ysw.).
essay, *n.* I. Traethawd, ysgrif ; ymgais.
    2. Cynnig, ceisio.
essayist, *n.* Awdur ysgrifau.
essence, *n.* Hanfod ; rhinflas ; perarogl.
essential, *n.* I. Anghenraid.
    2. *a.* Hanfodol, anhepgor.
essentials, *np.* Anhepgorion, hanfodion.
establish, *v.* Sefydlu.
established, *a.* Sefydledig.
establishment, *n.* Sefydliad.
estate, *n.* Ystad, etifeddiaeth.
esteem, *n.* I. Parch, bri.
    2. *v.* Parchu, edmygu.
estimate, *n.* I. Amcan, amcangyfrif.
    2. *v.* Cyfrif, amcangyfrif.
estimation, *n.* Barn, syniad, tyb ; parch.
estrange, *v.* Dieithrio.
estrangement, *n.* Dieithrwch.
estuary, *n.* Aber.
eternal, *a.* Tragwyddol, bythol.
eternally, *ad.* Byth bythoedd, yn dragywydd.
eternity, *n.* Tragwyddoldeb.
ethereal, *a.* I. Ysgafn, awyrol.
    2. Nefol.
ethic : ethical, *a.* Moesegol.
ethics, *np.* Moeseg.
eucharist, *n.* Cymun, cymundeb.
eucharistic, *a.* Ewcharistig.
eulogy, *n.* Molawd, moliant.
Europe, *n.* Ewrop.
European, *n.* I. Ewropead.
    2. *a.* Ewropeaidd.
evacuate, *v.* Ymgilio, ymadael â, mudo ; gwacáu.
evacuation, *n.* Ymgiliad, gwacâd.
evacuee, *n.* Plentyn noddedig, faciwî.
evade, *v.* Osgoi, gochel.
evaluate, *v.* Prisio.
evangelical, *a.* Efengylaidd.
evangelist, *n.* Efengylydd, efengylwr.
evangelize, *v.* Efengylu.
evaporate, *v.* Ageru, anweddu.
evaporated milk, *n.* Llaeth anwedd, llaeth anweddog.

evaporation, *n.* Anweddiad.
evasion, *n.* Osgoad, gocheliad.
eve, *n.* Noswyl, gwylnos ; min nos.
CHRISTMAS EVE. Noswyl Nadolig.
NEW YEAR'S EVE. Nos Galan.
even, *a.* I. Gwastad, llyfn ; cyfartal.
    2. *ad.* Hyd yn oed.
evening, *n.* Min nos, yr hwyr, noswaith, nos, hwyrnos, cyfnos.
THE EVENING BEFORE LAST. Echnos.
THE PREVIOUS EVENING. Y noson gynt.
TOMORROW EVENING. Nos yfory.
YESTERDAY EVENING. Neithiwr.
evenness, *n.* Gwastadrwydd, llyfndra.
evensong, *n.* Hwyrol weddi, gosber.
event, *n.* Digwyddiad.
eventually, *ad.* O'r diwedd.
ever, *ad.* Bob amser, yn wastad, byth, yn dragywydd, erioed.
EVER AND ANON. Byth a hefyd.
evergreen, *a.* Bythwyrdd.
everlasting, *a.* Tragwyddol, bythol.
evermore, *ad.* Byth, byth bythoedd, yn oes oesoedd.
every, *a.* Pob.
everybody, *pn.* Pawb.
everyday, *a.* Bob dydd, beunyddiol.
everyone, *pn.* Pob un, pawb.
everything, *pn.* Popeth.
everywhere, *ad.* Ym mhobman.
evict, *v.* Gyrru allan.
evidence, *n.* Tystiolaeth, prawf.
evident, *a.* Amlwg, eglur.
evil, *n.* I. Drwg, drygioni.
    2. *a.* Drwg, anfad, drygionus.
evocation, *n.* Galwad, gwŷs.
evoke, *v.* Galw ar, gwysio.
evolution, *n.* Datblygiad, esblygiad.
evolve, *v.* Datblygu, esblygu.
ewe, *n.* Mamog, dafad.
exact, *a.* I. Cywir, manwl, union.
    2. *v.* Mynnu, hawlio.
EXACTLY. I'r dim.
exactness, *n.* Cywirdeb, manyldeb.
exaggerate, *v.* Gorliwio, gor-ddweud.
exaggeration, *n.* Gormodiaith, gor-liwiad.
exalt, *v.* Dyrchafu, mawrygu.
exaltation, *n.* Dyrchafiad.
exalted, *a.* Dyrchafedig.
examination, *n.* Arholiad, archwiliad.
examine, *v.* Chwilio, archwilio, holi.
examiner, *n.* Arholwr, archwiliwr.
example, *n.* Enghraifft.
exasperate, *v.* Cythruddo, llidio.
exasperation, *n.* Cythrudd, dicter.
excavate, *v.* Cloddio.
excavation, *n.* Cloddiad.
exceed, *v.* Mynd dros ben ; dod yn fwy na.
exceedingly, *ad.* Tros ben, tu hwnt.
excel, *v.* Rhagori.
excellence, *n.* Rhagoriaeth, godidowgrwydd.

excellent, *a.* Rhagorol, campus, ardderchog.
except, *prp.* I. Oddieithr, ond, ac eithrio.
    2. *v.* Eithrio.
exception, *n.* Eithriad.
exceptional, *a.* Eithriadol.
excerpt, *n.* Dyfyniad, detholiad.
excess, *n.* Gormod, gormodedd.
excessive, *a.* Gormodol, eithafol.
exchange, *n.* I. Cyfnewidfa.
    2. *v.* Cyfnewid, ffeirio.
exchequer, *n.* Trysorlys.
excise, *n.* Toll.
excitable, *a.* Cynhyrfus, cyffrous.
excite, *v.* Cynhyrfu, cyffroi.
excitement, *n.* Cynnwrf, cyffro.
exciting, *a.* Cyffrous.
exclaim, *v.* Llefain, gweiddi.
exclamation, *n.* Llef, gwaedd.
EXCLAMATION MARK. Ebychnod.
exclude, *v.* Cau allan, cadw maes.
exclusion, *n.* Gwrthodiad, gwaharddiad.
exclusive, *a.* Cyfyngedig.
excommunicate, *v.* Ysgymuno.
excommunication, *n.* Ysgymundod.
excrete, *v.* Ysgarthu, tomi, bawa.
excretion, *n.* Ysgarthiad.
excursion, *n.* Gwibdaith, pleserdaith.
excusable, *a.* Esgusodol.
excuse, *v.* I. Esgusodi.
    2. *n.* Esgus.
execrable, *a.* Gwarthus, atgas.
execute, *v.* Cyflawni ; gweithredu ; dienyddio.
execution, *n.* Cyflawniad ; dienyddiad.
executive, *a.* I. Gweithredol, gweithiol.
    2. *n.* Gweithredwr.
EXECUTIVE COMMITTEE. Pwyllgor gwaith.
executor, *n.* Ysgutor.
exempt, *a.* I. Rhydd.
    2. *v.* Rhyddhau, esgusodi, eithrio.
exemption, *n.* Esgusodiad, rhyddhad.
exercise, *n. & v.* Arfer, ymarfer.
exert, *v.* Ymdrechu, ymegnïo.
exertion, *n.* Ymdrech, ymroddiad.
exhaust, *v.* Gwacáu, dihysbyddu.
exhausted, *a.* Wedi diffygio, lluddedig.
exhaustion, *n.* Lludded, blinder.
exhaustive, *a.* Trwyadl.
exhibit, *v.* Dangos, arddangos.
exhibition, *n.* Arddangosfa, arddangosiad.
exhort, *v.* Annog, cymell.
exhortation, *n.* Anogaeth.
exile, *n.* I. Alltud ; alltudiaeth
    2. *v.* Alltudio.
exist, *v.* Bod, bodoli.
existence, *n.* Bodolaeth.
IN EXISTENCE. Ar glawr, mewn bod.
existential, *a.* Dirfodol.
existentialism, *n.* Dirfodaeth.
exit, *n.* Mynediad allan, allanfa.
exonerate, *v.* Rhyddhau o fai, esgusodi.

exoneration, *n.* Rhyddhad o fai.
exorbitant, *a.* Eithafol, gormodol.
exotic, *a.* Estron, ecsotig.
expand, *v.* Ehangu, datblygu, ymledu.
expanse, *n.* Ehangder.
expansion, *n.* Ymlediad, ehangiad.
expatriate, *n. & a.* I. Alltud.
   2. v. Alltudio.
expect, *v.* Disgwyl.
expectation, *n.* Disgwyliad.
expediency, *n.* Hwylustod.
expedient, *n.* I. Dyfais, ystryw.
   2. a. Cyfleus, buddiol.
expedite, *v.* Brysio, hyrwyddo.
expedition, *n.* Ymgyrch, alltaith.
expeditious, *a.* Brysiog, hwylus.
expel, *v.* Bwrw allan, diarddel.
expend, *v.* Treulio, gwario.
expenditure, *n.* Traul, gwariant.
expensive, *a.* Drud, costus.
experience, *n.* I. Profiad.
   2. v. Profi.
experienced, *a.* Profiadol.
experiment, *n.* I. Arbrawf.
   2. v. Arbrofi.
expert, *n.* I. Arbenigwr, awdurdod.
   2. a. Arbenigol, cyfarwydd.
expiate, *v.* Gwneuthur iawn, dioddef cosb.
expiation, *n.* Iawn.
expire, *v.* Anadlu allan ; darfod ; marw.
expiry, *n.* Diwedd, terfyn.
explain, *v.* Egluro, esbonio.
explanation, *n.* Eglurhad, esboniad.
explanatory, *a.* Eglurhaol, esboniadol.
explicit, *a.* Eglur, clir, esblyg.
explode, *v.* Ffrwydro.
exploit, *n.* I. Camp, gorchest.
   2. v. Datblygu ; camddefnyddio, elwa,
     ymelwa (ar).
exploitation, *n.* Ymelwad, ymelwa.
exploration, *n.* Taith ymchwil.
explore, *v.* Chwilio, archwilio.
explosion, *n.* Ffrwydrad, tanchwa.
explosive, *a.* I. Ffrwydrol.
   2. n. Ffrwydryn.
export, *v.* I. Allforio.
   2. n. Allforyn.
exporter, *n.* Allforwr.
exports, *np.* Allforion.
expose, *v.* Dinoethi, datguddio.
exposition, *n.* Esboniad, eglurhad, dangosiad.
expound, *v.* Esbonio.

express, *a.* I. Cyflym, clir.
   2. v. Mynegi, datgan ; gwasgu allan.
   3. n. Trên cyflym.
expression, *n.* Mynegiant.
expulsion, *n.* Diarddeliad, gyriad.
exquisite, *a.* Rhagorol, odiaeth.
extend, *v.* Estyn, ymestyn.
extension, *n.* Estyniad, helaethiad.
extensive, *a.* Eang, helaeth.
extent, *n.* Maint, ehangder.
exterior, *n.* I. Tu allan, tu faes.
   2. a. Allanol, tu faes.
exterminate, *v.* Difodi, dileu.
extermination, *n.* Difodiad, difodiant.
external, *a.* Allanol, tu faes.
extinct, *a.* Diflanedig, wedi marw.
extinction, *n.* Marwolaeth, difodiant ; diffoddiad.
extinguish, *v.* Diffodd ; diddymu.
extol, *v.* Mawrygu, canmol, moli.
extort, *v.* Cribddeilio, mynnu trwy rym neu
    fygythion.
extortion, *n.* Cribddeiliaeth.
extortioner, *n.* Cribddeiliwr.
extra, *n.* I. Ychwanegiad.
   2. a. Ychwanegol, yn ychwaneg.
   3. ad. Tu allan i, tu hwnt i.
extract, *n.* I. Detholiad, darn, dyfyniad.
   2. v. Dethol, dewis ; tynnu maes ; gwasgu.
extraction, *n.* Tyniad allan ; tras, cyff.
extraordinary, *a.* Anghyffredin, anarferol, hynod.
extravagance, *n.* Gwastraff, afradlonedd,
    gormodedd.
extravagant, *a.* Gwastraffus, afradlon, gormodol.
extreme, *n.* I. Eithaf.
   2. a. Eithaf, pellaf.
extremely, *ad.* Dros ben.
extremity, *n.* Eithaf, pen draw.
exuberance, *n.* Afiaith, hwyl ; toreth, llawnder.
exuberant, *a.* Afieithus, hwyliog ; toreithiog.
exudation, *n.* Archwys, chwysiant.
exult, *v.* Gorfoleddu, llawenychu.
exultant, *a.* Gorfoleddus, llon.
exultation, *n.* Gorfoledd, llawenydd.
eye, *n.* I. Llygad ; crau (nodwydd).
   2. v. Llygadu, sylwi ar, gwylio.
   PUPIL OF THE EYE. Cannwyll y llygad.
eyebrow, *n.* Ael.
eyelashes, *np.* Blew llygad.
eyelid, *n.* Amrant.
eyesight, *n.* Golwg.
eyewitness, *n.* Llygad-dyst.
eyrie, *n.* Nyth eryr.

Fable, *n.* Chwedl.
fabric, *n.* Defnydd, deunydd ; adeiladwaith.
fabricate, *v.* Gwneud, llunio ; ffugio.
fabrication, *n.* Gwneuthuriad ; ffug, anwiredd.
fabulous, *a.* Chwedlonol.
face, *n.* I. Wyneb, wynepryd.
    2. *v.* Wynebu.
facetious, *a.* Cellweirus, ffraeth.
facial, *a.* Wynebol.
facilitate, *v.* Hwyluso, hyrwyddo.
facility, *n.* Hwylustod, cyfleustra, rhwyddineb.
fact, *n.* Ffaith.
faction, *n.* Plaid, clymblaid.
factor, *n.* Ffactor, elfen, nodwedd.
    PRIME FACTOR. Ffactor cysefin.
    SPECIFIC FACTOR. Ffactor penodol.
factory, *n.* Ffatri.
faculty, *n.* Cynneddf ; cyfadran (addysg).
fad, *n.* Mympwy, chwilen.
fade, *v.* Gwywo, edwino ; colli lliw ; distewi.
faggot, *n.* I. Clwm o danwydd.
    2. Ffagod, ffagotsen.
fail, *v.* Methu, ffaelu, pallu.
failing, *n.* Diffyg, bai, ffaeledd, methiant.
failure, *n.* Methiant, pall, aflwyddiant.
faint, *n.* I. Llewyg, llesmair.
    2. *a.* Egwan, llesg, llesmeiriol.
    3. *v.* Llesmeirio, llewygu.
faintness, *n.* Gwendid, llesgedd.
fair, *n.* I. Ffair.
    2. *a.* Teg, glân ; golau ; gweddol.
fairly, *ad.* Yn deg, yn lân, yn weddol.
fairy, *n.* Un o'r tylwyth teg.
    FAIRY-TALE. Stori dylwyth teg.
faith, *n.* Ffydd, hyder, ymddiried.
faithful, *a.* Ffyddlon, cywir.
faithfully, *ad.* Yn ffyddlon, yn gywir.
    YOURS FAITHFULLY. Yr eiddoch yn gywir.
faithfulness, *n.* Ffyddlondeb ; cywirdeb.
faithless, *a.* Anffyddlon ; di-ffydd.
fake, *n.* I. Ffug.
    2. *v.* Ffugio.
falcon, *n.* Hebog, cudyll.
falconer, *n.* Hebogydd.
fall, *n.* I. Cwymp, codwm.
    2. *v.* Cwympo, syrthio.
fallacious, *a.* Cyfeiliornus, camarweiniol.
fallacy, *a.* Cyfeiliornad, gwall, cam-dyb.
fallible, *a.* Ffaeledig.
fallow, *n.* I. Braenar.
    2. *v.* Braenaru.
false, *a.* Gau, ffug, celwyddog, ffals.
falsehood, *n.* Anwiredd, celwydd.
falter, *v.* Petruso, methu, pallu.
fame, *n.* Bri, clod, enwogrwydd.
famed, *a.* Enwog.
familiar, *a.* Cynefin, cyfarwydd.
familiarity, *n.* Cynefindra, agosrwydd.
familiarize, *v.* Cynefino, cyfarwyddo.

family, *n.* Teulu, tylwyth.
famine, *n.* Newyn.
famish, *v.* Newynu, llwgu.
famous, *a.* Enwog.
fan, *n.* I. Gwyntyll.
    2. *v.* Gwyntyllu.
fanatic, *n.* Penboethyn, eithafol.
fanatical, *a.* Penboeth, eithafol.
fanaticism, *n.* Penboethni, ffanatigiaeth.
fanciful, *a.* Dychmygol, ffansïol.
fancy, *n.* I. Dychymyg, ffansi, darfelydd.
    2. *a.* Addurnedig, ffansi.
    3. *v.* Ffansïo, dychmygu, tybio.
fantasy, *n.* Mympwy, dychymyg, ffantasi.
far, *a.* I. Pell, anghysbell.
    2. *ad.* Ymhell, yn bell.
farce, *n.* Ffars.
farcical, *a.* Chwerthinllyd, ffarsaidd.
fare, *n.* I. Cost, pris (cludo) ; lluniaeth, bwyd.
    2. *v.* Teithio ; gwneud yn dda, dod ymlaen.
farewell, *n.* I. Ffarwél, ffárwel.
    TO BID FAREWELL. Canu'n iach.
    int. Yn iach ! Ffarwél ! Ffárwel !
farm, *n.* I. Ffarm, fferm.
    2. *v.* Ffarmo, ffarmio, amaethu.
farmer, *n.* Ffarmwr, ffermwr, amaethwr.
farmhouse, *n.* Tŷ ffarm, ffermdy.
farmyard, *n.* Buarth, clos.
farther, *a.* I. Pellach.
    2. *ad.* Ymhellach.
farthest, *a.* Pellaf.
farthing, *n.* Ffyrling.
fascinate, *v.* Hudo, swyno.
fascinating, *a.* Hudol, swynol.
fascination, *n.* Hudoliaeth, swyn.
fashion, *n.* I. Arfer, dull, ffasiwn.
    2. *v.* Llunio.
fashionable, *a.* Ffasiynol.
fast, *n.* I. Ympryd.
    2. *v.* Ymprydio.
fast, *a.* Sicr, tyn ; clau, cyflym, buan.
fasten, *v.* Sicrhau, clymu, cau.
fastidious, *a.* Cysetlyd, anodd ei blesio.
fastness, *n.* Cyflymder ; cadarnle.
fat, *n.* I. Braster, bloneg, saim.
    2. *a.* Bras, tew, blonegog.
fatal, *a.* Marwol, angheuol, tyngedfennol.
fatalism, *n.* Tynghediaeth.
fatality, *n.* Trychineb, marwolaeth.
fate, *n.* I. Tynged, ffawd.
    2. *v.* Tynghedu.
fateful, *a.* Tyngedfennol.
father, *n.* Tad.
father-in-law, *n.* Tad-yng-nghyfraith.
fatherly, *a.* Tadol.
fathom, *n.* I. Gwryd, gwrhyd.
    2. *v.* Plymio ; amgyffred.
fatigue, *n.* I. Blinder, lludded.
    2. *v.* Blino.

fatten, *v.* Tewhau, tewychu, pesgi.
fault, *n.* Bai, diffyg, nam.
   AT FAULT. Ar fai.
faultless, *a.* Di-fai, perffaith.
faulty, *a.* Beius, diffygiol, gwallus.
favour, *n.* I. Cymwynas, ffafr, ffafor.
   2. *v.* Ffafrio.
   IN FAVOUR OF. O blaid.
favourable, *a.* Ffafriol.
favourite, *n.* I. Ffefryn.
   2. *a.* Hoff.
fawn, *n.* I. Elain.
   2. *a.* Melynllwyd.
   3. *v.* Cynffonna.
fear, *n.* I. Ofn, dychryn, braw, arswyd.
   2. *v.* Ofni, arswydo.
fearful, *a.* Ofnus, dychrynllyd, brawychus.
fearless, *a.* Di-ofn, di-fraw.
feasible, *a.* Dichonadwy, posibl.
feast, *n.* I. Gwledd, gŵyl.
   2. *v.* Gwledda.
   WEDDING FEAST. Neithior.
feat, *n.* Camp, gorchest.
feather, *n.* I. Pluen, plufyn.
   2. *v.* Pluo, plufio.
feathered, *a.* Pluog.
feature, *n.* I. Prydwedd ; nodwedd, arwedd.
   2. *v.* Dangos, portreadu.
February, *n.* Chwefror, Mis Bach.
federal, *a.* Cynghreiriol, ffederal.
federate, *v.* Cyfuno, cynghreirio, ffedereiddio.
federation, *n.* Cynghrair, cyfundeb, ffederasiwn.
fee, *n.* Tâl, cyflog, ffi.
feeble, *a.* Gwan, eiddil.
feebleness, *n.* Gwendid, llesgedd.
feed, *v.* I. Bwydo, porthi ; bwyta.
   2. *n.* Porthiant, lluniaeth, bwyd, ffid.
feedback, *n.* Adborth, ymateb.
feel, *v.* Teimlo, clywed.
feeling, *n.* Teimlad, synhwyriad.
feign, *v.* Cymryd ar, ffugio.
felicitate, *v.* Llongyfarch.
felicitations, *np.* Llongyfarchiadau, llongyfarchion.
felicity, *n.* Dedwyddwch, hapusrwydd.
fell, *n.* I. Croen ; ffridd, rhostir.
   2. *a.* Cas, creulon.
   3. *v.* Cwympo, torri lawr, cymynu.
fellow, *n.* Cymar, cyfaill ; cymrawd ; cyd.
fellowship, *n.* Cymdeithas, cyfeillach ; cymrodoriaeth.
felon, *n.* Troseddwr.
felonious, *a.* Ysgeler, troseddol.
felony, *n.* Ysgelerder, trosedd.
female, *n.* I. Benyw, gwraig.
   2. *a.* Benywol, benywaidd.
feminine, *a.* Benywaidd.
feminism, *n.* Ffeministiaeth.
feminist, *n.* Ffeminydd.

fen, *n.* Cors.
fence, *n.* I. Ffens, clawdd.
   2. *v.* Cau, amgau.
fencing, *n.* I. Cleddyfaeth ; ffensys, sietyn.
   2. *v.* Cleddyfa.
ferment, *n.* I. Cynnwrf ; eples, lefain, burum.
   2. *v.* Cynhyrfu ; eplesu.
fermentation, *n.* Eplesiad.
fern, *n.* Rhedynen, rhedyn.
ferocious, *a.* Ffyrnig, gwyllt.
ferocity, *n.* Ffyrnigrwydd.
ferret, *n.* I. Ffured.
   2. *v.* Ffuredu, ffureta.
ferric, *a.* Fferrig.
ferrous, *a.* Fferrus.
ferry, *n.* I. Fferi, porth.
   2. *v.* Rhwyfo dros, cludo dros.
fertile, *a.* Ffrwythlon, toreithiog.
fertilization, *n.* Ffrwythloniad.
fertility, *n.* Ffrwythlondeb.
fertilize, *v.* Ffrwythloni, gwrteithio.
fertilizer, *n.* Gwrtaith.
fervent, *a.* Gwresog, brwd.
fervour, *n.* Brwdfrydedd, sêl.
fester, *v.* Crawni, gori, crynhoi.
festival, *n.* Gŵyl, dydd gŵyl.
festivity, *n.* Miri, rhialtwch.
fetch, *v.* Cyrchu, hôl, nôl, ymofyn.
fetid, *a.* Drewllyd.
fetlock, *n.* Egwyd, bacsen.
fetter, *n.* I. Llyffethair, gefyn.
   2. *v.* Llyffetheirio, gefynnu.
feud, *n.* Cynnen.
feudal, *a.* Ffiwdal.
feudalism, *n.* Ffiwdaliaeth.
fever, *n.* Twymyn, gwres.
feverish, *a.* Â gwres ynddo ; cynhyrfus.
few, *a.* Ychydig, prin.
fewness, *n.* Prinder, anamlder.
fiancé, *n.* Dyweddi, darpar ŵr.
fiancée, *n.* Dyweddi, darpar wraig.
fiction, *n.* Ffuglen.
fictitious, *a.* Ffug, ffugiol.
fiddle, *n.* I. Ffidil, crwth.
   2. *v.* Canu'r ffidil ; ffidlan.
fiddler, *n.* Canwr ffidil, ffidler ; twyllwr.
fiddling, *a.* Dibwys, diwerth.
fidelity, *n.* Ffyddlondeb.
field, *n.* Cae, maes.
fiend, *n.* Ellyll, cythraul.
fierce, *a.* Ffyrnig, milain.
fiery, *a.* Tanllyd, tanbaid.
fifteen, *a.* Pymtheg.
fifteenth, *a.* Pymthegfed.
fifth, *a.* Pumed.
fifthly, *ad.* Yn bumed.
fiftieth, *a.* Hanner canfed, pum degfed.
fifty, *a.* Hanner cant, pum deg.
fig, *n.* Ffigysen.

fig-tree, *n.* Ffigysbren.
fight, *n.* I. Ymladd, brwydr.
    2. *v.* Ymladd, brwydro.
fighter, *n.* Ymladdwr.
figurative, *a.* Ffigurol.
figure, *n.* I. Llun, ffurf ; rhif, ffigur.
    2. *v.* Ffurfio, llunio ; cyfrif, rhifo ; ymddangos.
    FIGURE OF SPEECH. Ffigur ymadrodd.
filament, *n.* Edefyn, ffilament.
file, *n.* I. Rhathell, ffeil ; rhestr.
    2. *v.* Rhathu, ffeilo ; ffeilio.
fill, *n.* I. Llond, digon, gwala.
    2. *v.* Llenwi, llanw.
filly, *n.* Eboles.
film, *n.* I. Haenen, caenen, pilen ; ffilm.
    2. *v.* Ffilmio.
filter, *n.* I. Hidl, hidlwr, hidlydd.
    2. *v.* Hidlo.
    AIR FILTER. Hidlydd aer.
    OIL FILTER. Hidlydd olew.
filth, *n.* Baw, bryntni, budreddi.
filthy, *a.* Brwnt, aflan, budr.
filtrate, *v.* I. Hidlo.
    2. *n.* Hidlif.
filtration, *n.* Hidliad, hidlad.
fin, *n.* Asgell, adain.
final, *a.* Terfynol, olaf.
finance, *n.* I. Cyllid.
    2. *v.* Cyllido.
    FINANCE COMMITTEE. Pwyllgor Cyllid.
financial, *a.* Cyllidol, ariannol.
find, *n.* I. Darganfyddiad.
    2. *v.* Darganfod, dod o hyd i.
finder, *n.* Darganfyddwr.
fine, *a.* Teg, hardd, gwych, braf ; main.
    FINE LINEN. Lliain main.
fine, *n.* I. Dirwy.
    2. *v.* Dirwyo.
finery, *n.* Gwychder.
finger, *n.* I. Bys.
    2. *v.* Bodio, bysio.
    FIRST/INDEX FINGER. Bys blaen.
    MIDDLE FINGER. Bys canol.
    THIRD FINGER. Bys modrwy.
    LITTLE FINGER. Bys bach.
fingernail, *n.* Ewin.
fingerprint, *n.* Ôl bys.
fingertip, *n.* Blaen bys.
finger-post, n. Mynegbost.
finish, *n.* I. Diwedd, terfyn, gorffeniad.
    2. *v.* Diweddu, gorffen, dibennu.
    I HAVE FINISHED. Rwyf wedi dibennu.
finite, *a.* Meidrol.
Finland, *n.* Y Ffindir.
fir, *n.* Ffynidwydden.
fire, *n.* I. Tân.
    2. *v.* Tanio, ennyn.
    WILDFIRE. Tân gwyllt.
fire-brand, *n.* Pentewyn.

firewood, *n.* Coed tân, tanwydd, cynnud.
fireworks, *np.* Tân gwyllt.
firm, *n.* I. Cwmni, busnes, ffyrm.
    2. *a.* Cadarn, ffyrf, cryf.
firmament, *n.* Ffurfafen.
firmness, *n.* Cadernid, cryfder.
first, *a.* I. Cyntaf, blaenaf, pennaf.
    2. *ad.* Yn gyntaf.
    FIRST AID. Cymorth cyntaf.
    FIRST CLASS. Ardderchog ; dosbarth cyntaf.
    FIRST FLOOR. Llawr cyntaf.
    FIRST NAME. Enw bedydd.
    FIRST-RATE. Campus, ardderchog.
    FROM FIRST TO LAST. O'r dechrau i'r diwedd.
    IN THE FIRST PLACE. Yn y lle cyntaf.
    THE FIRST TIME. Y tro cyntaf.
first-born, *a.* Cyntafanedig.
first-fruits, *np.* Blaenffrwyth.
fish, *n.* I. Pysgodyn.
    2. *v.* Pysgota.
fisherman, *n.* Pysgotwr.
fishing-rod, *n.* Gwialen bysgota, genwair.
fishpond, *n.* Pysgodlyn.
fission, *n.* Holltiad.
fissure, *n.* Hollt, agen.
fist, *n.* Dwrn.
fit, *n.* I. Llewyg, haint ; ffit ; mesur.
    2. *a.* Addas, cymwys, gweddus ; mewn cyflwr da, heini.
    3. *v.* Ateb, gweddu, ffitio.
fitful, *a.* Gwamal, anwadal, oriog.
fitting, *a.* Priodol, gweddus.
five, *a. & n.* Pump, pum.
fix, *n.* I. Cyfyng-gyngor, trafferth.
    2. *v.* Sicrhau, sefydlu ; gosod ; cyweirio.
fixed, *a.* Sefydlog.
fizz, *v.* Sïo.
flabby, *a.* Llipa, meddal, llac.
flag, *n.* I. Llech, fflagen, lluman, baner.
    2. *v.* Llaesu, llesgáu.
flagon, *n.* Costrel.
flagrant, *a.* Dybryd, amlwg, gwarthus.
flail, *n.* Ffust.
flake, *n.* Caenen ; pluen (eira).
flame, *n.* I. Fflam.
    2. *v.* Fflamio, ffaglu.
flank, *n.* I. Ystlys, ochr.
    2. *v.* Ymylu, ystlysu.
flannel, *n.* Gwlanen.
flannelette, *n.* Gwlanenêd, fflaneléd.
flap, *n.* I. Llabed, fflap.
    2. *v.* Fflapio.
flare, *n.* I. Fflach, fflêr.
    2. *v.* Fflachio, fflerio.
flash, *n.* I. Fflach, fflachiad.
flask, *n.* Costrel, fflasg.
flat, *n.* I. Gwastad ; fflat ; meddalnod.
    2. *a.* Gwastad, llyfn ; diflas, lleddf ; fflat (canu).

flatten, *v.* Gwastatáu.
flatter, *v.* Gwenieithio.
flatterer, *n.* Gwenieithiwr.
flattery, *n.* Gweniaith.
flavour, *n.* I. Blas, sawr, cyflas.
   2. *v.* Cyflasu, rhoi blas.
flavouring, *n.* Cyflasyn.
flaw, *n.* I. Hollt, rhwyg.
   2. Diffyg, bai, nam.
flawless, *a.* Dinam, perffaith.
flax, *n.* Llin.
flay, *v.* Blingo.
flea, *n.* Chwannen.
flee, *v.* Ffoi, cilio, dianc.
fleece, *n.* I. Cnu.
   2. *v.* Cneifio ; ysbeilio.
fleet, *n.* I. Llynges.
   2. *a.* Cyflym, buan.
fleeting, *a.* Diflanedig.
fleetness, *n.* Cyflymder, buander.
flesh, *n.* Cnawd, cig.
fleshy, *a.* Cigog, tew, cnodiog.
flexibility, *n.* Ystwythder, hyblygrwydd.
flexible, *a.* Ystwyth, hyblyg.
flight, *n.* Hediad, ehediad ; ffo, fföedigaeth.
flimsy, *a.* Gwannaidd, bregus, gwacsaw.
flinch, *v.* Gwingo, cilio'n ôl.
fling, *v.* Taflu, bwrw, lluchio.
flint, *n.* Callestr, carreg dân.
flirt, *v.* I. Cellwair caru, fflyrtian.
   2. *n.* Fflyrten ; fflyrtiwr.
flitch, *n.* Ystlys mochyn, hanerob.
float, *v.* I. Nofio, arnofio.
   2. *n.* Arnofyn, fflôt ; trol, cart ; trywel llyfnu.
flock, *n.* I. Praidd, diadell.
   2. *v.* Heidio, tyrru.
flog, *v.* Fflangellu, chwipio, whado.
flogging, *n.* Fflangelliad, cosfa, curfa.
flood, *n.* I. Llif, gorlif, dilyw.
   2. *v.* Llifo, gorlifo.
   FLOODGATES. Llifddorau.
floodlight, *n.* Llifolau.
flood-tide, *n.* Gorlanw, gorllanw.
floor, *n.* I. Llawr.
   2. *v.* Llorio.
   LOWER FLOOR. Islawr.
   GROUND FLOOR. Daearlawr.
   FIRST FLOOR. Llawr cyntaf.
floral, *a.* Blodeuol, blodeuog.
floret, *n.* Blodigyn.
florist, *n.* Gwerthwr blodau.
   FLORIST'S SHOP. Siop flodau.
flotsam, *n.* Broc môr.
flounder, *v.* I. Ymdrybaeddu, bustachu (mewn dŵr neu fwd).
   2. *n.* Lleden.
flour, *n.* Blawd, can.
flourish, *n.* I. Rhwysg, rhodres.
   2. *v.* Blodeuo, llwyddo, ffynnu ; chwifio.

flourishing, *a.* Llewyrchus, llwyddiannus.
flout, *v.* Gwawdio, diystyru, wfftio.
flow, *n.* I. Llif, llanw, dylif.
   2. *v.* Llifo, llifeirio.
flower, *n.* I. Blodeuyn, fflur.
   2. *v.* Blodeuo.
flowery, *a.* Blodeuog.
flowing, *a.* Llifeiriol ; llaes.
flu, *n.* Ffliw.
fluctuating, *a.* Ansefydlog.
flue, *n.* Corn simnai, ffordd i'r aer a'r mwg drwy simnai.
fluency, *n.* Rhwyddineb ymadrodd, llithrigrwydd.
fluent, *a.* Rhugl, llithrig.
fluid, *n.* I. Hylif, gwlybwr.
   2. *a.* Hylifol.
fluorescence, *n.* Fflworoleuedd.
flurried, *a.* Ffwdanus, ffwndrus.
flush, *n.* I. Gwrid, cochni.
   2. *v.* Cochi, gwrido.
flute, *n.* Ffliwt.
flutter, *n.* I. Cyffro.
   2. *v.* Siffrwd ; dychlamu ; curo (adenydd).
fly, *n.* I. Cleren, pryf, gwybedyn.
   2. *v.* Ehedeg, hedfan ; ffoi.
flying, *a.* Hedegog ; cyflym.
flyover, *n.* Trosffordd.
foal, *n.* Ebol, eboles.
foam, *n.* I. Ewyn.
   2. *v.* Ewynnu.
foamy, *a.* Ewynnog.
focal, *a.* Canolbwyntiol.
focus, *n.* I. Canolbwynt, ffocws.
   2. *v.* Canolbwyntio.
fodder, *n.* Porthiant, ebran.
foe, *n.* Gelyn, gwrthwynebydd.
fog, *n.* Niwl, tarth.
foggy, *a.* Niwlog.
foil, *v.* Rhwystro, atal.
fold, *n.* I. Plyg ; corlan, ffald.
   2. *v.* Plygu ; plethu (dwylo) ; corlannu.
foliage, *n.* Dail.
folio, *n.* Dalen unplyg.
folk, *n.* Pobl, dynion, gwerin.
folklore, *n.* Llên gwerin.
folk song, *n.* Cân werin.
follow, *v.* Dilyn, canlyn.
follower, *n.* Dilynwr, canlynwr.
following, *a.* Canlynol, dilynol.
folly, *n.* Ynfydrwydd, ffolineb.
fomentation, *n.* Powltis.
fond, *a.* Hoff, annwyl.
fondle, *v.* Anwylo, anwesu.
fondness, *n.* Hoffter.
font, *n.* Bedyddfaen, bedyddfan.
food, *n.* Bwyd, ymborth, lluniaeth.
fool, *n.* I. Ynfytyn, ffŵl.
   2. *v.* Twyllo.
foolery, *n.* Ffwlbri, ffolineb.

foolhardy, *a.* Rhyfygus.
foolish, *a.* Ynfyd, ffôl, angall.
foolishness, *n.* Ynfydrwydd, ffolineb.
foot, *n.* I. Troed ; troedfedd.
   2. *v.* Troedio.
football, *n.* Pêl-droed.
footballer, *n.* Pêl-droediwr.
footing, *n.* Troedle ; sylfaen, safle.
footlights, *np.* Golau godre.
footnote, *n.* Troednodyn.
footpath, *n.* Llwybr troed.
footprint, *n.* Ôl troed.
footstep, *n.* Cam ; sŵn troed.
footstool, *n.* Troedfainc, stôl droed.
footwear, *n.* Esgidiau.
fop, *n.* Coegyn ; ysgogyn.
for, *prp.* I. I, am, tros, er.
   2. *c.* Canys, oblegid, oherwydd, gan, achos.
forbear, *v.* I. Ymatal, peidio.
   2. *n.* Hynafiad.
forbearance, *n.* Goddefgarwch, amynedd ;
   ymwrthod.
forbears, *np.* Hynafiaid.
forbid, *v.* Gwahardd, gwarafun.
   GOD FORBID. Na ato Duw.
forbidden, *a.* Gwaharddedig.
force, *n.* I. Grym, nerth, ynni, trais, gorfodaeth.
   2. *v.* Gorfodi.
forceful, *a.* Grymus, egnïol.
forceps, *n.* Gefel fain.
ford, *n.* I. Rhyd.
   2. *v.* Rhydio, croesi.
fore, *a.* Blaen.
forebode, *v.* Darogan, rhagfynegi.
foreboding, *n.* Rhagargoel.
forecast, *n.* I. Darogan, rhagfynegiad.
   2. *v.* Darogan, rhagfynegi.
forefather, *n.* Cyndad, hynafiad.
forefinger, *n.* Mynegfys, bys blaen.
forego, *v.* Hepgor.
foreground, *n.* Blaendir.
forehead, *n.* Talcen.
foreign, *a.* Tramor, estron.
   FOREIGN AFFAIRS. Materion tramor.
foreigner, *n.* Estron.
foreland, *n.* Penrhyn, pentir.
foremost, *a.* Blaenaf.
forerunner, *n.* Rhagredegydd.
foresee, *v.* Rhagweld, rhagwybod.
foresight, *n.* Rhagwelediad.
forest, *n.* Coedwig, fforest.
forestall, *v.* Achub y blaen.
forester, *n.* Coedwigwr.
forestry, *n.* Coedwigaeth.
   FORESTRY COMMISSION. Comisiwn
   Coedwigaeth.
foretaste, *n.* I. Rhagflas.
   2. *v.* Rhagflasu.
foretell, *v.* Darogan, rhagfynegi.
forethought, *n.* Rhagfeddwl ; rhagfwriad.

forever, *ad.* Am byth, yn dragywydd.
foreword, *n.* Rhagair, rhagymadrodd.
forfeit, *n.* I. Fforffed, dirwy.
   2. *v.* Fforffedu.
forge, *n.* I. Gefail.
   2. *v.* Ffurfio ; ffugio.
   TO FORGE AHEAD. Gyrru ymlaen.
forgery, *n.* Ffug, ffugiad ; ffugysgrifen.
forget, *v.* Anghofio, gadael yn angof, gadael dros gof.
forgetful, *a.* Anghofus.
forgetfulness, *n.* Angof, anghofrwydd.
forgive, *v.* Maddau.
forgiveness, *n.* Maddeuant.
forgiving, *n.* Maddeugar.
fork, *n.* Fforch, fforc.
forked, *a.* Fforchog.
forlorn, *a.* Amddifad ; gwrthodedig.
form, *n.* I. Ffurf, mainc, ffwrwm ; dosbarth (ysgol).
   2. *v.* Ffurfio, llunio.
formal, *a.* Ffurfiol.
formality, *n.* Ffurfioldeb.
formation, *n.* Ffurfiad, trefniant.
former, *a.* Blaenorol, cynharach.
formerly, *ad.* Gynt, yn flaenorol.
formula, *n.* Fformwla.
forsake, *v.* Gwrthod, gadael, cefnu ar.
fort, *n.* Caer, amddiffynfa, castell.
forth, *ad.* Ymlaen.
   AND SO FORTH. Ac felly yn y blaen.
   BACK AND FORTH. Yn ôl ac ymlaen.
forthcoming, *a.* Gerllaw, ar ddod.
forthright, *a.* Union, plaen.
forthwith, *ad.* Ar unwaith, yn ddi-oed, rhag
   blaen, ar y gair.
fortieth, *a.* Deugeinfed.
fortification, *n.* Amddiffynfa.
fortify, *v.* Cadarnhau, cryfhau.
fortnight, *n.* Pythefnos.
fortress, *n.* Caer, castell, cadarnle, amddiffynfa.
fortunate, *a.* Ffodus, ffortunus.
fortunately, *ad.* Yn ffodus, yn lwcus.
fortune, *n.* Ffawd, ffortun, ffortiwn.
forty, *a.* Deugain, pedwar deg.
forward, *n.* I. Blaenwr.
   2. *a.* Eofn ; hy ; blaen ; ymlaen ; cynnar.
   3. *ad.* Ymlaen.
   4. *v.* Anfon ymlaen ; hwyluso.
fossil, *n.* Ffosil.
foster, *v.* Magu, meithrin, coleddu.
foster-brother, *n.* Brawdmaeth.
foster-care, *n.* Gofal maeth.
foster-child, *n.* Plentyn maeth.
foster-father, *n.* Tadmaeth.
foster-home, *n.* Cartref maeth.
foster-mother, *n.* Mamfaeth.
foster-parent, *n.* Rhiant maeth.
foster-sister, *n.* Chwaerfaeth.
foul, *a.* I. Brwnt, aflan ; annheg.
   2. *v.* Baeddu, maeddu.
   FOUL PLAY. Chwarae brwnt.

found, *v.* Sylfaenu, sefydlu. (*gw.* **find**).
foundation, *n.* Sylfaen, sail.
founder, *n.* I. Sylfaenydd, sefydlydd.
   2. *v.* Suddo, ymddryllio, torri i lawr.
fount : fountain, *n.* Ffynnon, ffynhonnell.
fountain-head, *n.* Llygad y ffynnon.
four, *a.* Pedwar (*f.* pedair).
fourteen, *a.* Pedwar (pedair) ar ddeg, un deg
   pedwar (pedair).
fourteenth, *a.* Pedwerydd ar ddeg, pedwaredd ar
   ddeg.
fourth, *a.* Pedwerydd (*f.* pedwaredd) ; chwarter.
fowl, *n.* I. Aderyn, edn, ffowlyn, iâr, dofednod.
   2. *v.* Saethu adar.
fowler, *n.* Adarwr.
fox, *n.* Cadno, llwynog.
foxglove, *n.* Bysedd y cŵn.
fraction, *n.* Rhan ; ffracsiwn.
fracture, *n.* I. Toriad.
   2. *v.* Torri.
fragile, *a.* Brau, bregus.
fragility, *n.* Breuder.
fragment, *n.* Dryll, darn, tamaid.
fragrance, *n.* Perarogl, persawr.
fragrant, *a.* Peraroglus, persawrus.
frail, *a.* Brau, bregus, eiddil.
frailty, *n.* Eiddilwch ; gwendid.
frame, *n.* I. Ffrâm.
   2. *v.* Ffurfio ; llunio.
framework, *n.* Fframwaith.
franchise, *n.* Etholfraint ; braint, rhyddfraint.
frank, *a.* Didwyll, rhydd, agored.
frankincense, *n.* Thus.
frankness, *n.* Didwylledd.
fraternal, *a.* Brawdol.
fraternity, *n.* Brawdoliaeth.
fraud, *n.* Twyll, hoced.
fraudulent, *a.* Twyllodrus.
fraught, *a.* Llwythog, llawn.
fray, *n.* Ymryson, ffrae.
freckle, *n.* I. Brych, brychni.
free, *n.* I. Rhydd ; hael ; di-dâl ; rhad.
   2. *v.* Rhyddhau, gollwng yn rhydd.
freedom, *n.* Rhyddid, rhyddfraint, dinasfraint.
freehold, *n.* I. Rhyddfraint.
   2. *a.* Rhydd-ddaliadol.
   FREEHOLD PROPERTY. Eiddo rhyddfraint.
freeholder, *n.* Rhydd-ddeiliad.
freely, *ad.* Yn rhydd, o'ch gwirfodd, yn hael.
freeman, *n.* Gŵr rhydd ; dinesydd breiniol,
   rhyddfreiniwr.
free verse, *n.* Canu rhydd, mesur rhydd.
free will, *n.* Ewyllys rhydd.
   FREE-WILL. *ad.* Gwirfoddol, o'ch gwirfodd.
freeze, *v.* Rhewi, fferru.
freeze-dried, *a.* Rhewsych.
freeze-dry, *v.* Sychrewi, rhewsychu.
French, *n.* I. Ffrangeg (*iaith*).
   2. *a.* Ffrengig, Ffrangeg.

Frenchman, *n.* Ffrancwr.
Frenchwoman, *n.* Ffrances.
frenzy, *n.* Gwallgofrwydd, gorffwylltra.
frequency, *n.* Amlder, mynychder.
frequent, *a.* I. Aml, mynych.
   2. *v.* Mynychu.
frequently, *ad.* Yn aml, yn fynych.
fresh, *a.* Newydd, diweddar, crai, ffres, ir.
freshness, *n.* Irder, ffresni, newydd-deb.
fret, *v.* Poeni, sorri.
friable, *a.* Hyfriw, briwadwy.
friar, *n.* Brawd.
   GREY FRIAR. Brawd llwyd.
friction, *n.* Ffrithiant, rhathiad, rhwbiad ;
   anghytundeb.
Friday, *n.* Dydd Gwener.
   GOOD FRIDAY. Dydd Gwener y Groglith.
friend, *n.* Cyfaill (*b.* cyfeilles).
   BOSOM FRIEND. Cyfaill mynwesol.
friendliness, *n.* Cyfeillgarwch.
friendly, *a.* Cyfeillgar.
friendship, *n.* Cyfeillgarwch.
fright, *n.* Dychryn, ofn, braw.
frighten, *v.* Dychrynu, tarfu.
frightful, *a.* Dychrynllyd, brawychus.
frigid, *a.* Oer, oeraidd, oerllyd.
fringe, *n.* I. Ymyl, ymylwe.
   2. *v.* Ymylu.
frisky, *a.* Chwareus, nwyfus.
frivolity, *n.* Gwamalrwydd, ysgafnder.
frivolous, *a.* Gwamal, ofer.
frizz : frizzle, *v.* Crychu, modrwyo.
fro, *ad.* Yn ôl.
   TO AND FRO. Yn ôl ac ymlaen.
frock, *n.* Ffrog.
frog, *n.* Broga, ffroga, llyffant melyn ; bywyn
   carn ceffyl.
frolic, *n.* I. Pranc.
   2. *v.* Prancio.
frolicsome, *a.* Nwyfus, chwareus.
from, *prp.* O, oddi wrth, gan.
frond, *n.* Deilen (rhedyn).
front, *n.* I. Talcen, wyneb, blaen, ffrynt.
   2. *v.* Wynebu.
   3. *a.* Blaen
   FRONT TO FRONT. Wyneb yn wyneb.
   FRONT DOOR. Drws ffrynt.
frontier, *n.* Terfyn, ffin, goror.
frontispiece, *n.* Wynebddarlun, wynebddalen.
frost, *n.* Rhew.
   HOAR FROST : GROUND FROST. Llwydrew,
   barrug.
frostbite, *n.* Ewinrhew.
frosty, *a.* Rhewllyd.
froth, *n.* I. Ewyn.
   2. *v.* Ewynnu.
frown, *n.* I. Gwg, cuwch.
   2. *v.* Gwgu, cuchio.
frowning, *a.* Gwgus, cuchiog.

frugal, *a.* Cynnil, darbodus.
frugality, *n.* Cynildeb.
fruit, *n.* Ffrwyth, cynnyrch.
fruitful, *a.* Ffrwythlon, cynhyrchiol.
fruitfulness, *n.* Ffrwythlondeb.
fruitless, *a.* Diffrwyth ; ofer, seithug.
frustrate, *v.* Rhwystro.
fry, *v.* Ffrio.
frying-pan, *n.* Padell ffrio.
fuel, *n.* Tanwydd.
fugitive, *n.* I. Ffoadur.
    2. *a.* Ar ffo, ffoëdig.
fugue, *n.* Ffiwg.
fulcrum, *n.* Ffwlcrwm, pwysbwynt.
fulfil, *v.* Cyflawni, cwblhau, cwpláu.
fulfilment, *n.* Cyflawniad.
full, *a.* I. Llawn.
    2. *v.* Pannu.
fuller, *n.* Pannwr.
fullness, *n.* Llawnder, cyflawnder.
fumble, *v.* Ymbalfalu, bwnglera.
fume, *n.* I. Mwg ; llid, dicter.
    2. *v.* Berwi, corddi.
fun, *n.* Hwyl, sbort, difyrrwch.
function, *n.* Swydd, swyddogaeth ; gweithrediad ;
    ffwythiant.
functional, *a.* Swyddogaethol ; gweithredol ;
    ffwythiannol.
fund, *n.* Cronfa.
fundamental, *a.* Sylfaenol.
funeral, *n.* Angladd, claddedigaeth, cynhebrwng.
funereal, *a.* Angladdol, trist.
fungicide, *n.* Ffyngladdwr.

fungus, *n.* Caws llyffant, bwyd y boda, ffwng
    (*ll.* ffyngau, ffyngoedd).
funnel, *n.* Corn, ffumer ; twndis, twmffat.
funny, *a.* Digrif, doniol, ysmala.
fur, *n.* Ffwr, ffyr, manflew ; cen.
furious, *a.* Cynddeiriog, ffyrnig.
furlong, *n.* Ystaden.
furnace, *n.* Ffwrnais, ffwrn.
furnish, *v.* Dodrefnu ; darparu.
furniture, *n.* Dodrefn, celfi.
furrow, *n.* I. Cwys ; rhych.
    2. *v.* Aredig ; rhychu.
further, *a.* I. Pellach.
    2. *ad.* Ymhellach.
    3. *v.* Hyrwyddo.
    FURTHER EDUCATION. Addysg bellach.
    FURTHER ON. Yn nes ymlaen.
furtive, *a.* Lladradaidd.
fury, *n.* Cynddaredd, ffyrnigrwydd.
furze, *n.* Eithin.
fuse, *v.* I. Ymdoddi, toddi ; ffiwsio.
    2. *n.* Toddyn, ffiws.
    FUSE WIRE. Gwifren ffiws.
fusible, *a.* Ymdoddadwy, toddadwy.
fuss, *n.* I. Ffwdan, helynt.
    2. *v.* Ffwdanu.
fussy, *a.* Ffwdanus, trafferthus.
futile, *a.* Ofer, di-les, di-fudd.
futility, *n.* Oferedd.
future, *n.* I. Dyfydol.
    2. *a.* Dyfodol, a ddaw, i ddod.
    MY FUTURE WIFE. Fy narpar wraig.
    HER FUTURE HUSBAND. Ei darpar ŵr.

Gab, *n.* Siarad, cleber.
gabble, *n.* I. Cleber, baldordd.
　2. *v.* Clebran.
gable-end, *n.* Talcen tŷ.
gad, *v.* Crwydro, rhodianna.
gadfly, *n.* Cleren lwyd, robin y gyrrwr.
Gaelic, *n.* I. Gaeleg.
　2. *a.* Gaelaidd.
gaff, *n.* Tryfer, bach pysgota.
gaiety, *n.* Llonder, difyrrwch, miri.
gaily, *ad.* Yn llawen.
gain, *n.* I. Elw, budd, ennill.
　2. *v.* Elwa, ennill.
gainsay, *v.* Gwadu, gwrthddweud.
gait, *n.* Cerddediad, osgo.
gale, *n.* Tymestl, gwynt cryf.
gall, *n.* I. Bustl ; chwerwder ; chwydd ; ' afal ' (ar dderwen).
　2. *v.* Dolurio, blino.
　GALL BLADDER. Coden fustl.
　GALL STONES. Cerrig bustl.
gallant, *a.* Gwrol, dewr.
gallantry, *n.* Dewrder.
gallery, *n.* Oriel, llofft, galeri.
galling, *a.* Blin, poenus.
gallon, *n.* Galwyn.
gallop, *n.* I. Carlam.
　2. *v.* Carlamu.
gallows, *n.* Crocbren.
galore, *n. & ad.* Digonedd.
galvanize, *v.* Galfaneiddio ; gwefreiddio, ysgogi.
gamble, *v.* I. Hapchwarae, gamblo.
　2. *n.* Gambl.
gambler, *n.* Hapchwaraewr, gamblwr.
gambol, *v.* Prancio.
game, *n.* I. Gêm, chwarae ; helwriaeth, adar hela.
　2. *a.* Calonnog, dewr, glew.
game-keeper, *n.* Cipar.
gammon, *n.* Coes mochyn, gamwn.
gander, *n.* Ceiliagwydd, clacwydd.
gang, *n.* Mintai, torf, haid, gang.
gaol, *n.* I. Carchar.
　2. *v.* Carcharu.
gaoler, *n.* Ceidwad carchar.
gap, *n.* Bwlch, adwy.
gape, *v.* Rhythu, syllu.
garage, *n.* Modurdy, garej.
garb, *n.* Gwisg, diwyg, trwsiad, pilyn.
garbage, *n.* Ysgarthion, ysbwriel.
garden, *n.* I. Gardd.
　2. *v.* Garddio.
　VEGETABLE GARDEN. Gardd lysiau.
gardener, *n.* Garddwr.
gardening, *n.* Garddwriaeth.
garland, *n.* Coronbleth, torch.
garlic, *n.* Garlleg, craf y gerddi.
garment, *n.* Gwisg, dilledyn, pilyn.
garret, *n.* Nenlofft, garet.
garrison, *n.* Gwarchodlu, garsiwn.

garrulous, *a.* Siaradus.
garter, *n.* Gardas, gardys.
gas, *n.* Nwy.
　GAS MASK. Mwgwd nwy.
gaseous, *a.* Nwyol.
gash, *n.* I. Archoll, cwt, hollt.
　2. *v.* Archolli.
gate, *n.* Clwyd, llidiart, gât, iet.
gate-keeper, *n.* Porthor.
gather, *v.* Casglu, crynhoi, hel, ymgynnull ; crawni, gori.
gathering, *n.* Casgliad, cynulliad.
gaudy, *a.* Gorliwgar.
gay, *a.* Llon, hoyw.
gaze, *n.* I. Trem, golwg.
　2. *v.* Syllu, edrych.
gear, *n.* Taclau, offer, gêr.
gel, *n.* Gel.
gelatine, *n.* Gelatin.
gem, *n.* Gem, tlws.
gender, *n.* Cenedl.
gene, *n.* Genyn.
genealogical, *a.* Achyddol.
genealogist, *n.* Achydd, achyddes.
genealogy, *n.* Achau, achyddiaeth.
general, *n.* I. Cadfridog.
　2. *a.* Cyffredin, cyffredinol.
generalization, *n.* Cyffredinoliad.
generalize, *v.* Cyffredinoli.
generally, *ad.* Yn gyffredinol.
generate, *v.* Cynhyrchu ; cenhedlu.
generation, *n.* Cenhedliad ; cenhedlaeth.
generator, *n.* Cychwynnwr ; cynhyrchydd.
generic, *a.* Tylwythol, rhywogaethol.
generosity, *n.* Haelioni.
generous, *a.* Hael, haelionus.
genetic, *a.* Genetig.
genetics, *n.* Geneteg.
genial, *a.* Hynaws, siriol.
geniality, *n.* Hynawsedd, sirioldeb.
genital, *a.* Cenhedlol.
　GENITALS. Organau cenhedlu. Organau rhywiol.
genitive, *a.* I. Genidol.
　2. Y (cyflwr) genidol.
genius, *n.* Athrylith, awen, anian, teithi.
gentile, *n.* Cenedl-ddyn.
gentility, *n.* Boneddigeiddrwydd.
gentle, *a.* Tyner, mwyn, gwâr, boneddigaidd.
gentleman, *n.* Gŵr bonheddig.
gentlemanliness, *n.* Boneddigeiddrwydd.
gentleness, *n.* Addfwynder, tynerwch, tiriondeb.
gently, *ad.* Yn dyner, yn dirion ; gan bwyll, yn araf.
gentry, *np.* Boneddigion.
genuine, *a.* Dilys, diffuant, pur.
genuineness, *n.* Dilysrwydd.
genus, *n.* Math, rhywogaeth, tylwyth.
geographer, *n.* Daearyddwr.
geographical, *a.* Daearyddol.

geography, *n.* Daearyddiaeth.
geological, *a.* Daearegol.
geologist, *n.* Daearegwr.
geology, *n.* Daeareg.
geometrical, *a.* Geometregol.
geometry, *n.* Geometreg.
geophysics, *n.* Geoffiseg.
geriatrics, *n.* Geriatreg.
germ, *n.* Hedyn, eginyn, germ.
German, *n.* I. Almaenwr ; Almaeneg.
   2. *a.* Almaenaidd, Almaenig.
Germany, *n.* Yr Almaen.
germicide, *n.* Germladdwr.
germinate, *v.* Egino, tyfu.
germination, *n.* Eginiad, eginhad.
gesticulate, *v.* Ystumio, gwneud cleme.
gesticulation, *n.* Ystumiad, cleme.
gesture, *n.* Arwydd, ystum, osgo.
get, *v.* Cael, caffael, ennill.
ghastly, *a.* Erchyll, hyll, gwelw.
ghost, *n.* Ysbryd, drychiolaeth.
giant, *n.* I. Cawr.
   2. *a.* Cawraidd, anferth.
giantess, *n.* Cawres.
gibber, *v.* Clebran, baldorddi.
gibe, *n.* I. Gwawd.
   2. *v.* Gwawdio, gwatwar.
giddiness, *n.* Pendro, madrondod.
giddy, *a.* Penysgafn, penfeddw, hurt, penchwiban.
gift, *n.* Rhodd, anrheg ; dawn.
gifted, *a.* Dawnus.
gigantic, *a.* Anferth, cawraidd.
gild, *v.* Euro, goreuro.
gimlet, *n.* Ebill, gimbill, whimbil.
gin, *n.* Magl, trap ; jin.
ginger, *n.* Sinsir.
gipsy, *n.* Sipsi.
giraffe, *n.* Siráff, jiráff.
girl, *n.* Merch, geneth, hogen, lodes, llances.
   AN ENGLISH GIRL. Saesnes ifanc.
   AN IRISH GIRL. Gwyddeles ifanc.
   A SCOTS GIRL. Albanes ifanc.
   A WELSH GIRL. Cymraes ifanc.
   GIRL-FRIEND. Cariadferch.
   HUW'S GIRL-FRIEND. Cariad Huw.
   HIS GIRL-FRIEND. Ei gariad.
gist, *n.* Hanfod, swm a sylwedd.
give, *v.* Rhoi, rhoddi.
   TO GIVE UP. Rhoi'r gorau i.
giver, *n.* Rhoddwr.
gizzard, *n.* Crombil, glasog.
glacial, *a.* Rhewlifol, rhewlif.
glacier, *n.* Iäen, rhewlif, afon iâ.
glad, *a.* Llawn, llon, balch.
   I AM GLAD. Mae'n dda gennyf.
gladden, *v.* Llonni.
glade, *n.* Llannerch.
gladly, *ad.* Yn llawen, â phleser.
gladness, *n.* Llawenydd, gorfoledd.

gladsome, *a.* Llon, llawen.
Glamorgan, *n.* Morgannwg.
glamour, *n.* Cyfaredd, hudoliaeth, swyn.
glance, *n.* I. Cipolwg, trem, cip.
   2. *v.* Ciledrych, bwrw cipolwg.
gland, *n.* Chwarren, cilchwyrnen, gland.
glandular, *a.* Chwarennol.
   GLANDULAR FEVER. Chwarenglwyf.
glare, *n.* I. Tanbeidrwydd.
   2. *v.* Tanbeidio, rhythu'n ddig ar.
glaring, *a.* Llachar amlwg ; amlwg ; dybryd.
glass, *n.* Gwydr ; gwydryn ; gwydraid.
   GLASSES. Sbectol.
   DARK GLASSES. Sbectol dywyll.
glassy, *a.* Gloyw, disglair ; pŵl, difywyd.
glaucous, *a.* Llwydwyrdd, llwydlas.
glaze, *n.* I. Sglein.
   2. *v.* Gwydro, sgleinio.
glazier, *n.* Gwydrwr.
gleam, *n.* I. Llygedyn, pelydryn.
   2. *v.* Tywynnu, pelydru, llewyrchu.
glean, *v.* Lloffa.
gleaner, *n.* Lloffwr.
gleanings, *np.* Lloffion.
glee, *n.* Llonder, llawenydd, hoen.
glen, *a.* Glyn, cwm, dyffryn.
glib, *a.* Llyfn, llithrig, rhugl, ffraeth.
glide, *n.* I. Llithrad.
   2. *v.* Llithro, llifo.
glimpse, *n.* Cipolwg, trem.
glisten, *v.* Disgleirio, serennu.
glitter, *v.* I. Tywynnu, pelydru.
   2. *n.* Disgleirdeb, pelydriad.
gloaming, *n.* Cyfnos.
global, *a.* Byd-eang ; hollgynhwysol.
globe, *n.* Cronnen, cronnell, pêl, pelen.
globular, *a.* Crwn.
globule, *n.* Dafn crwn, diferyn, globwl.
gloom, *n.* Gwyll, tywyllwch ; prudd-der.
gloomy, *a.* Tywyll ; prudd, digalon.
glorify, *v.* Gogoneddu.
glorious, *a.* Gogoneddus.
glory, *n.* I. Gogoniant.
   2. *v.* Gorfoleddu, ymffrostio.
gloss, *n.* I. Disgleirdeb arwynebol, sglein, gloywder ; esboniad, glòs.
   2. *v.* Egluro, esbonio, glosio ; rhoi lliw ar y ffeithiau.
glossary, *n.* Geirfa.
glossy, *a.* Gloyw, sgleiniog, llathraidd.
glove, *n.* Maneg.
glow, *n.* I. Gwres, gwrid.
   2. *v.* Cochi, twymo, gwrido.
glower, *v.* Rhythu, cuchio, gwgu.
glow-worm, *n.* Pryf tân, magïen.
glucose, *n.* Glucos.
glue, *n.* I. Glud.
   2. *v.* Gludio.
glum, *a.* Prudd, digalon.

glut, *n.* I. Gormodedd, gorlawnder.
    2. *v.* Gorlenwi.
gluten, *n.* Gludyn.
glutton, *n.* Glwth.
gluttonous, *a.* Glwth, bolrwth.
gluttony, *n.* Glythineb, glythni.
gnarled, *a.* Ceinciog, cygnog.
gnash, *v.* Rhincian.
gnat, *n.* Gwybedyn, cylionen.
gnaw, *v.* Cnoi, deintio.
gnome, *n.* I. Gwireb, dihareb.
    2. Ysbryd, coblyn, dynan.
go, *v.* Mynd ; cerddu, rhodio.
goad, *n.* I. Swmbwl.
    2. *v.* Symbylu.
goal, *n.* Nod ; gôl.
goalkeeper, *n.* Golwr, gôl-geidwad.
goat, *n.* Gafr.
goblet, *n.* Ffiol, cwpan.
goblin, *n.* Ellyll, bwgan, coblyn.
god, *n.* Duw.
    GOD. Duw.
godchild, *n.* Mab bedydd, merch fedydd.
goddess, *n.* Duwies.
godfather, *n.* Tad bedydd.
godless, *a.* Di-dduw, annuwiol.
godliness, *n.* Duwioldeb.
godly, *a.* Duwiol.
godmother, *n.* Mam fedydd.
godson, *n.* Mab bedydd.
gold, *n.* Aur.
golden, *a.* Euraid, euraidd.
goldfish, *n.* Eurbysg.
goldsmith, *a.* Eurof, eurych, gof aur.
golf, *n.* Golff.
golfer, *n.* Golffwr.
good, *a.* I. Da, daionus, llesol ; cyfiawn.
    2. *n.* Daioni, da, lles.
    GOOD AFTERNOON ! Prynhawn da !
    GOODBYE ! Da bo chi ! Ffarwel ! Hwyl !
    GOOD DAY ! Dydd da !
    GOOD EVENING ! Noswaith dda !
    GOOD ENOUGH. Digon da.
    GOOD GRACIOUS ! I esgyrn Dafydd ! Nefoedd !
    GOOD-LOOKING. Golygus.
    GOOD MORNING ! Bore da !
    GOOD NATURED. Hynaws, rhadlon.
    GOOD NIGHT ! Nos da !
goodness, *n.* Daioni.
goods, *np.* Eiddo ; nwyddau.
goodwill, *n.* Ewyllys da.
goose, *n.* Gŵydd.
gooseberry, *n.* Gwsberen, eirinen Fair.
gore, *n.* I. Gwaed.
    2. *v.* Cornio.
gorge, *n.* I. Hafn, ceunant.
    2. *v.* Traflyncu.
gorgeous, *a.* Gwych.
gorgeousness, *n.* Gwychder.

gorse, *n.* Eithin.
gospel, *n.* Efengyl.
gossamer, *n.* Gwawn
gossip, *n.* I. Mân siarad, clec, cleber, clonc.
    2. *v.* Clebran, hel straeon.
gouge, *n.* I. Gaing gau.
    2. *v.* Cafnu.
govern, *v.* Llywodraethu, rheoli.
governing, *a.* Llywodraethol.
government, *n.* Llywodraeth.
governor, *n.* Llywodraethwr.
gown, *n.* Gŵn.
grab, *n.* I. Crafangiad, cip.
    2. *v.* Crafangu, cipio.
grace, *n.* Gras ; gosgeiddrwydd, swyn.
    MEANS OF GRACE. Moddion gras.
graceful, *a.* Graslon ; lluniaidd.
gracious, *a.* Grasol, graslon, rhadlon.
grade, *n.* I. Gradd.
    2. *v.* Graddio.
gradual, *a.* Graddol.
graduate, *n.* I. Gŵr gradd, graddedig.
    2. *v.* Graddio.
graduation, *n.* Graddedigaeth.
graft, *n.* I. Imp, impyn.
    2. *v.* Impio.
grail, *n.* Greal.
    THE HOLY GRAIL. Y Greal Sanctaidd.
grain, *n.* Gronyn, grawn ; mymryn.
grammar, *n.* Gramadeg.
    GRAMMAR SCHOOL. Ysgol Ramadeg.
grammatical, *a.* Gramadegol.
granary, *n.* Ysgubor, tŷ grawn, granari.
grand, *a.* Ardderchog, mawreddog.
grandchild, *n.* Ŵyr, wyres.
grand-daughter, *n.* Wyres.
grandeur, *n.* Mawredd, gwychder.
grandfather, *n.* Tad-cu, taid.
grandmother, *n.* Mam-gu, nain.
grandson, *n.* Ŵyr.
granite, *n.* Gwenithfaen.
grant, *n.* I. Rhodd, grant, cymhorthdal.
    2. *v.* Rhoi ; addef ; caniatáu.
    TO TAKE FOR GRANTED. Cymryd yn ganiataol.
granular, *a.* Gronynnog.
granulate, *v.* Gronynnu.
granule, *n.* Gronyn.
grapefruit, *n.* Grawnffrwyth.
grapes, *np.* Grawnwin.
graph, *n.* Graff.
graphic, *a.* Byw, graffig.
grapple, *n.* I. Gafaelfach.
    2. *v.* Bachu, gafaelyd.
grasp, *n.* I. Gafael ; amgyffrediad
    2. *v.* Gafael ; amgyffred.
grasping, *a.* Cybyddlyd.
grass, *n.* Glaswellt, porfa ; gwair.
grasshopper, *n.* Ceiliog y rhedyn, sioncyn y gwair.
grassy, *a.* Glaswelltog.

grate, *n.* I. Gradell ; grat.
   2. *v.* Rhygnu ; merwino ; gratio, crafellu.
grateful, *a.* Diolchgar ; derbyniol.
gratefulness, *n.* Diolchgarwch.
grater, *n.* Grater, crafell.
gratification, *n.* Boddhad.
gratify, *v.* Boddhau, boddio.
gratitude, *n.* Diolchgarwch.
gratuity, *n.* Cildwrn, rhodd.
grave, *n.* I. Bedd, beddrod.
   2. *a.* Difrifol, dwys.
   GRAVE-DIGGER. Torrwr beddau.
gravel, *n.* Graean, gro.
gravestone, *n.* Carreg fedd, beddfaen.
graveyard, *n.* Mynwent, claddfa.
gravitate, *v.* Disgyrchu.
gravity, *n.* Disgyrchiant.
   CENTRE OF GRAVITY. Craidd disgyrchiant.
   FORCE OF GRAVITY. Grym disgyrchiant.
gravy, *n.* Gwlych, grefi.
graze, *v.* Pori ; crafu, rhwbio, ysgythru.
grease, *n.* I. Saim.
   2. *v.* Iro, seimio.
greaseproof, *a.* Gwrthsaim.
   GREASEPROOF PAPER. Papur menyn.
greasy, *a.* Seimlyd, seimllyd.
great, *a.* Mawr, pwysig.
   GREAT BIG MAN. Clamp o ddyn.
   GREAT BRITAIN. Prydain Fawr.
   GREAT-GRAND-DAUGHTER. Gorwyres.
   GREAT-GRANDFATHER. Hen dad-cu, hen daid.
   GREAT-GRANDMOTHER. Hen fam-gu, hen nain.
   GREAT-GRANDSON. Gorwyr.
   LLYWELYN THE GREAT. Llywelyn Fawr.
greatly, *ad.* Yn fawr.
greatness, *n.* Mawredd.
Grecian, *a.* Groegaidd.
Greece, *n.* Groeg.
greed, *n.* Trachwant, gwanc.
greedy, *a.* Trachwantus, gwancus, barus.
Greek, *n.* Groeg (iaith) ; Groegwr.
green, *a.* I. Gwyrdd, glas, ir.
   2. *v.* Glasu.
greenery, *n.* Gwyrddlesni, glesni.
greengage, *n.* Eirinen werdd.
greenhouse, *n.* Tŷ gwydr.
   GREENHOUSE EFFECT. Effaith tŷ gwydr.
greenness, *n.* Gwyrddni, glesni.
greet, *v.* Cyfarch, annerch.
greeting, *n.* Cyfarchiad, annerch.
grey, *a.* Llwyd, llwydwyn, glas.
   GREY MARE. Caseg las.
greyhound, *n.* Milgi.
greyish, *a.* Llwydaidd.
grid, *n.* Rhwyll, grid.
   CATTLE GRID. Grid gwartheg.
   GRID REFERENCE. Cyfeirnod grid.
griddle, *n.* Gradell, maen.
griddle-cake, *n.* Bara'r radell, bara planc.

grief, *n.* Gofid, galar, tristwch.
grievance, *n.* Cwyn, achwyniad.
grieve, *v.* Gofidio, galaru.
grievous, *a.* Gofidus, blin, alaethus, difrifol.
grim, *a.* Sarrug, llym, erch, difrifol.
grimace, *n.* I. Ystum, clemau.
   2. *v.* Tynnu wynebau, gwneud clemau,
      ystumio.
grime, *n.* Parddu.
grimy, *a.* Brwnt, budr.
grin, *n.* I. Gwên ; crechwen.
   2. *v.* Gwenu.
grind, *v.* Malu, malurio ; llifanu.
grindstone, *n.* Maen llifanu, carreg hogi.
grip, *n.* & *v.* Gafael.
grit, *n.* Graean, grud, grut ; pybyrwch.
groan, *v.* Ochenaid, griddfan.
grocer, *n.* Groser.
groin, *n.* Cesail morddwyd.
groom, *n.* I. Priodfab ; gwastrawd.
   2. *v.* Trim ; tacluso.
groove, *n.* I. Rhych, rhigol.
   2. *v.* Rhychu, rhigoli.
grope, *v.* Palfalu, ymbalfalu.
gross, *n.* I. Gros, crynswth ; deuddeg dwsin.
   2. *a.* Bras, tew, mawr, aflednais.
ground, *n.* I. Llawr, daear, tir ; sail.
   2. *v.* Seilio, sylfaenu, daearu, llorio.
groundless, *a.* Di-sail.
groundsel, *n.* Creulys, grownsil.
groundwork, *n.* Llawrwaith, sail, cynsail, sylfaen.
group, *n.* I. Twr, bagad, cylch, grŵp.
   2. *v.* Gosod, grwpio.
grouse, *n.* I. Grugiar ; cwyn.
   2. *v.* Grwgnach, cwyno.
grove, *n.* Celli, llwyn.
grow, *v.* Tyfu, codi, cynyddu, prifio.
   TO GROW OLD. Heneiddio.
   GROWING. Ar ei brifiant, yn prifio.
grower, *n.* Tyfwr.
growing, *a.* Cynyddol.
growl, *v.* Chwyrnu.
growth, *n.* Twf, cynnydd.
grub, *n.* I. Pryf, cynrhonyn.
   2. *v.* Diwreiddio.
grubby, *a.* Brwnt, budr.
grudge, *n.* I. Cenfigen, cas.
   2. *v.* Gwarafun, grwgnach.
gruesome, *a.* Erchyll, hyll.
gruff, *a.* Sarrug, garw, swta.
grumble, *n.* I. Grwgnach, cwyn.
   2. *v.* Grwgnach, cwyno, conan.
grunt, *n.* I. Rhoch.
   2. *v.* Rhochian.
guarantee, *n.* I. Gwarant ; ernes.
   2. *v.* Gwarantu ; mechnïo.
guard, *n.* I. Gwarchodydd, gwarchodlu ; gard ; sgrin.
   2. *v.* Gwarchod.
guardian, *n.* Ceidwad, gwarcheidwad.

guess, *v.* Bwrw amcan, dyfalu, dyfeisio.
guesswork, *n.* Dyfaliad.
guest, *n.* Gwestai.
    GUEST OF HONOUR. Gŵr gwadd/Gwraig wadd.
guidance, *n.* Arweiniad, cyfarwyddyd.
guide, *n.* 1. Arweinydd, tywysydd.
    2. *v.* Arwain, tywys.
    GUIDE-LINES. Canllawiau.
guild, *n.* Cymdeithas, urdd.
guile, *n.* Twyll, dichell.
guileless, *a.* Didwyll.
guilt, *n.* Euogrwydd.
guilty, *a.* Euog.
guinea pig, *n.* Mochyn cwta.
guise, *n.* Dull, rhith ; diwyg.
guitar, *n.* Gitâr.
gulf, *n.* Gwlff.
gull, *n.* 1. Gwylan ; gwirionyn.
    2. *v.* Twyllo.
gullible, *a.* Hygoelus, gwirion.
gulp, *v.* 1. Traflyncu.
    2. *n.* Traflwnc.

gum, *n.* 1. Glud ; cig y dannedd.
    2. *v.* Gludio, glynu.
gun, *n.* Gwn, dryll.
gunpowder, *n.* Powdr gwn.
gunshot, *n.* Ergyd gwn.
gurgle, *v.* Byrlymu.
gush, *v.* 1. Ffrydio, llifeirio.
    2. *n.* Ffrwd.
gust, *n.* 1. Awel, chwa, chwythwm.
    2. *v.* Hyrddio.
    GUST OF WIND. Awel o wynt.
gusty, *a.* Gwyntog, awelog.
gut, *n.* 1. Perfeddyn, coluddyn.
    2. *v.* Diberfeddu ; difrodi.
    GUTS. Perfedd, coluddion.
gutter, *n.* Ffos, cwter.
guttural, *a.* Gyddfol.
gymnasium, *n.* Campfa.
gymnast, *n.* Mabolgampwr.
gymnastic, *a.* Mabolgampol.
gypsy, *n.* Sipsi.

Habit, *n.* Arfer, arferiad ; gwisg.
habitable, *a.* Cyfanheddol, cyfannedd.
habitat, *n.* Cynefin, cartref.
habitation, *n.* Cartref, annedd.
habitual, *a.* Arferol, gwastadol, cyson.
hack, *v.* Torri, cymynu.
hackneyed, *a.* Ystrydebol, cyffredin.
hades, *n.* Annwfn, yr isfyd.
haddock, *n.* Corbenfras, hadog.
haemorrhage, *n.* Gwaedlif.
haft, *n.* Carn (cyllell, &c.).
hag, *n.* Gwrach, gwiddon.
haggard, *a.* Gwyllt ; blinderog.
haggle, *v.* Bargeinio.
hail, *n.* I. Cesair, cenllysg.
   2. *v.* Bwrw cesair.
hail, *int.* I. Henffych well !
   2. *v.* Cyfarch, annerch.
hair, *n.* Gwallt, blew, rhawn.
   HAIR'S BREADTH. Trwch y blewyn.
hairbrush, *n.* Brws gwallt.
haircut, *n.* Toriad gwallt.
   TO GET A HAIRCUT. Cael torri'ch gwallt.
hairdresser, *n.* Triniwr gwallt.
   HAIRDRESSER'S. Siop trin gwallt.
hair dryer, *n.* Sychwr gwallt.
hairpin, *n.* Pin gwallt.
hairy, *a.* Blewog.
hake, *n.* Cegddu.
hale, *a.* Iach, hoenus.
half, *n.* Hanner.
half-back, *n.* Hanerwr.
hall, *n.* Neuadd.
hallow, *v.* Cysegru, sancteiddio.
hallowed, *a.* Cysegredig, sanctaidd.
Halloween, *n.* Nos Galangaea.
hallucination, *n.* Rithweledigaeth, geuddrych,
   lledrith.
halo, *n.* Lleugylch ; eurgylch ; corongylch.
halt, *n.* I. Arhosiad, safiad ; gorsaf.
   2. *v.* Aros, sefyll.
   HALT ! Arhoswch !
halter, *n.* Tennyn, penffrwyn, cebystr.
halve, *v.* Haneru.
hamlet, *n.* Pentref bach.
hammer, *n.* I. Morthwyl, mwrthwl.
   2. *v.* Morthwylio.
hand, *n.* I. Llaw ; (*of clock*) bys.
   2. *v.* Estyn ; trosglwyddo.
   AT HAND. Gerllaw, wrth law.
   HAND IN HAND. Law yn llaw.
   IN HAND. Ar waith.
   TO BE ON HAND. Bod wrth law.
handbag, *n.* Bag llaw.
handbook, *n.* Llawlyfr.
handbrake, *n.* Brec llaw.
handclap, *n.* Curo dwylo, cymeradwyaeth.
handcuff, *n.* Gefyn llaw.
handful, *n.* Llond llaw, dyrnaid.

handicap, *n.* I. Rhwystr, anfantais.
   2. *v.* Llesteirio ; rhoi blaen i.
handkerchief, *n.* Cadach poced, hances, macyn,
   neisied.
handle, *n.* I. Carn ; coes ; dolen.
   2. *v.* Trin, trafod.
handrail, *n.* Canllaw.
handsome, *a.* Hardd, teg, golygus.
handwriting, *n.* Llawysgrifen.
handy, *a.* Deheuig, dechau ; cyfleus, hwylus.
hang, *v.* Crogi, hongian.
hanging, *a.* Crog.
   HANGING BRIDGE. Pont grog.
hangman, *n.* Crogwr.
hap, *n.* Damwain, hap.
happen, *v.* Digwydd.
happening, *n.* Digwyddiad.
happiness, *n.* Dedwyddwch, hapusrwydd.
happy, *a.* Dedwydd, hapus, wrth ei fodd.
harass, *v.* Blino, poeni.
harbour, *n.* I. Porthladd.
   2. *v.* Llochesu, noddi.
hard, *a.* Caled ; anodd.
harden, *v.* Caledu.
hardly, *ad.* Prin, braidd, o'r braidd.
hardness, *n.* Caledwch.
hardship, *n.* Caledi.
hardy, *a.* Caled, cadarn, gwydn.
hare, *n.* Ysgyfarnog, ceinach.
harebell, *n.* Cloch yr eos.
hark, *int.* Gwrando ! Clyw ! Clywch !
harlot, *n.* Putain.
harm, *n.* I. Drwg, niwed, cam.
   2. *v.* Niweidio.
harmful, *a.* Niweidiol.
harmless, *a.* Diniwed.
harmlessness, *n.* Diniweidrwydd.
harmony, *n.* Cytgord.
harness, *n.* I. Celfi, harnais, gêr (*np.*).
   2. *v.* Gwisgo, harneisio.
harp, *n.* Telyn.
   TO HARP UPON. Rhygnu ar.
harpist, *n.* Telynor (*b.* telynores).
harpoon, *n* I. Tryfer.
   2. *v.* Tryferu.
harrow, *n.* I. Og, oged.
   2. *v.* Llyfnu, ogedu.
harsh, *a.* Garw, llym, cras, aflafar.
harshness, *n.* Gerwindeb, craster.
hart, *n.* Hydd, carw.
harvest, *n.* I. Cynhaeaf.
   2. *v.* Cynaeafu.
harvester, *n.* Cynaeafwr.
haste, *n.* I. Brys, ffrwst.
   2. *v.* Brysio, prysuro.
   IN HASTE. Ar frys.
hasten, *v.* Brysio, prysuro.
hasty, *a.* Brysiog.
hat, *n.* Het.

hatch, *n.* 1. Deoriad.
   2. *v.* Deor, gori ; cynllwynio.
hatchery, *n.* Deorfa.
hatchet, *n.* Bwyell fach.
hate, *n.* 1. Cas, casineb.
   2. *v.* Casáu.
   I HATE. Cas gennyf.
hateful, *a.* Cas, atgas.
hatred, *n.* Cas, casineb.
haughtiness, *n.* Balchder, traha.
haughty, *a.* Balch, ffroenuchel.
haul, *n.* 1. Dalfa ; haliad.
   2. *v.* Tynnu, llusgo, halio.
haulage, *n.* Cludiad, cludiant.
haulier, *n.* Haliwr, halier.
haunt, *n.* 1. Cyrchfan, cynefin.
   2. *v.* Cyniwair, mynychu ; aflonyddu.
have, *v.* Cael, meddu.
   I HAVE. Mae gennyf.
haven, *n.* Hafan, porthladd.
havoc, *n.* Difrod, hafog.
Hawarden, *n.* Penarlâg.
hawk, *n.* 1. Hebog, gwalch, curyll, cudyll.
   2. *v.* Heboga ; pedlera.
hawker, *n.* Pedler.
hawthorn, *n.* Draenen wen.
hay, *n.* Gwair.
haycock, *n.* Mwdwl gwair.
hayrick, *n.* Tas wair.
hazard, *n.* 1. Perygl, enbydrwydd.
   2. *v.* Anturio.
hazardous, *a.* Peryglus, enbydus.
haze, *n.* Niwl, tarth ; tes (haf).
hazel, *n.* Collen.
hazy, *a.* Niwlog, aneglur.
he, *pn.* Ef, fe, e, efe, efô, o, yntau.
head, *n.* 1. Pen, copa ; pennaeth.
   2. *a.* Prif, blaen.
   3. *v.* Blaenori, arwain.
headache, *n.* Pen tost, cur yn y pen.
heading, *n.* Pennawd.
headland, *n.* Pentir, talar.
headlong, *ad.* 1. Yn bendramwnwgl.
   2. *a.* Byrbwyll.
headstrong, *a.* Cyndyn, ystyfnig.
headword, *n.* Prifair.
heal, *v.* Iacháu, gwella.
healing, *n.* 1. Iachâd.
   2. *a.* Iachaol, iachusol.
health, *n.* Iechyd.
   GOOD HEALTH ! Iechyd da !
   IN GOOD HEALTH. Mewn iechyd da.
   HEALTH SERVICE. Gwasanaeth Iechyd.
healthy, *a.* Iach, iachus.
heap, *n.* 1. Twr, pentwr, crugyn.
   2. *v.* Pentyrru.
hear, *v.* Clywed.
   HEAR ! HEAR ! Clywch ! Clywch !
hearing, *n.* Clyw ; gwrandawiad.
hearsay, *n.* 1. Sôn, siarad.
   2. *a.* O ben i ben.

hearse, *n.* Hers, elorgerbyd.
heart, *n.* Calon ; canol.
hearten, *v.* Calonogi, sirioli.
hearth, *n.* Aelwyd.
heartland, *n.* Perfeddwlad.
   THE WELSH HEARTLAND. Y fro Gymraeg.
heartless, *a.* Dideimlad, annynol.
heartrending, *a.* Torcalonnus.
heat, *n.* 1. Gwres, poethder ; rhagras (*Sport*).
   2. *v.* Twymo, cynhesu.
heater, *n.* Gwresogydd.
heath, *n.* Rhos, rhostir, gwaun ; grug.
heathen, *n.* 1. Pagan.
   2. *a.* Paganaidd.
heather, *n.* grug.
heave, *v.* 1. Codi ; taflu ; chwyddo ; cyfogi.
   2. *n.* Hwb ; cyfog.
heaven, *n.* Nef, nefoedd.
heavenly, *a.* Nefol, nefolaidd.
heaviness, *n.* Trymder ; tristwch.
heavy, *a.* Trwm.
   HEAVY-HANDED. Llawdrwm.
   HEAVY SLEEP. Trwmgwsg.
   TOP-HEAVY. Pendrwm.
Hebrew, *n.* 1. Hebrëwr ; Hebraeg (iaith).
   2. *a.* Hebraeg ; Hebreig.
hedge, *n.* 1. Perth, gwrych.
   2. *v.* Cau sietin ; cloddio ; plygu perth.
hedgehog, *n.* Draenog.
heed, *n.* 1. Sylw, ystyriaeth.
   2. *v.* Talu sylw, ystyried.
heedful, *a.* Ystyriol, gofalus.
heedless, *a.* Diofal, esgeulus.
heel, *n.* 1. Sawdl.
   2. *v.* Sodli, dodi sawdl ar.
heifer, *n.* Anner, treisiad, heffer.
height, *n.* Uchder, uchelder, taldra.
heinous, *a.* Anfad, ysgeler, dybryd.
heir, *n.* Etifedd, aer.
heiress, *n.* Etifeddes, aeres.
helicopter, *n.* Hofrennydd.
hell, *n.* Uffern.
helm, *n.* Llyw.
helmet, *n.* Helm, helmed.
help, *n.* 1. Cymorth, cynhorthwy.
   2. *v.* Cynorthwyo, helpu.
helper, *n.* Cynorthwywr.
helpless, *a.* Digymorth, diymadferth.
helter-skelter, *ad.* Blith draphlith.
hem, *n.* 1. Ymyl, hem.
   2. *v.* Hemio ; cau am.
hemp, *n.* Cywarch.
hen, *n.* Iâr.
hence, *ad.* 1. Oddi yma ; gan hynny ; o hyn ymlaen.
   2. *int.* Ymaith !
henceforth, *ad.* Mwyach, o hyn ymlaen.
her, *pn.* Ei, 'i, 'w, hi, hithau.
   HERS. Eiddi.
herald, *n.* 1. Cyhoeddwr, herodr, herald.
   2. *v.* Cyhoeddi ; rhagflaenu.

herb, *n.* Llysieuyn.
herbal, *a.* Llysieuol.
herbalist, *n.* Llysieuydd.
herbicide, *n.* Chwynladdwr.
herd, *n.* I. Gyr, cenfaint.
   2. *v.* Bugeilio, heidio, tyrru.
herdsman, *n.* Bugail.
here, *ad.* Yma, yn y fan hon ; dyma.
hereafter, *n.* I. Y byd a ddaw.
   2. *ad.* Wedi hyn, o hyn ymlaen.
hereditary, *a.* Etifeddol.
heredity, *n.* Etifeddeg, etifeddiaeth.
heresy, *n.* Heresi, gau athrawiaeth.
heretic, *n.* Heretic, camgredwr.
heretical, *a.* Cyfeiliornus.
heritage, *n.* Etifeddiaeth, treftadaeth.
hermaphrodite, *a.* Deurywiog.
hermit, *n.* Meudwy, ancr.
hernia, *n.* Torllengig, torgest.
hero, *n.* Arwr, gwron.
heroic, *a.* Arwrol.
heroine, *n.* Arwres.
heroism, *n.* Arwriaeth, dewrder.
heron, *n.* Crychydd, crëyr.
herring, *n.* Ysgadenyn, pennog.
hers, *poss. pn.* Ei hun hi, ei rhai hi, yr eiddi hi, ei hun hithau, ei rhai hithau, yr eiddi hithau.
herself, *pers. pn.* Hi ei hun, hi ei hunan.
hesitant, *a.* Petrusgar.
hesitate, *v.* Petruso.
hesitation, *n.* Petruster.
heterogeneous, *a.* Afryw, heterogenus.
heterosexual, *a.* I. Gwahanrywiol.
   2. *n.* Un gwahanrywiol.
hew, *v.* Torri, cymynu, naddu.
heyday, *n.* Anterth.
hibernate, *v.* Gaeafu.
hibernation, *n.* Gaeafgwsg.
hiccup, *n.* I. Yr ig.
   2. *v.* Igian.
hide, *n.* I. Croen.
   2. *v.* Cuddio, celu, ymguddio.
hide-and-seek, *n.* Chwarae chwiw, rhedeg i gwato, chwarae mig.
hideous, *a.* Hyll, erchyll.
hiding, *n.* Cosfa, curfa, cweir.
hiding-place, *n.* Cuddfan, lloches.
high, *a.* Uchel.
   HIGHROAD. Priffordd.
   HIGH TIME. Hen bryd, llawn bryd.
   HIGH WATER. Penllanw.
highbrow, *a.* Uchel-ael.
highland, *n.* Ucheldir.
highly, *ad.* Yn fawr, yn uchel.
highness, *n.* Uchelder.
high-priest, *n.* Arch-offeiriad.
highwayman, *n.* Lleidr pen ffordd.
hijack, *n.* I. Herwgipiad.
   2. *v.* Herwgipio.

hike, *n.* I. Heic, tro, crwydr.
   2. *v.* Heicio, mynd ar droed, crwydro.
hilarious, *a.* Doniol iawn, digrif dros ben.
hill, *n.* Bryn, allt, rhiw.
hillock, *n.* Bryncyn, twmpath, twyn.
hilly, *a.* Bryniog, mynyddig.
hilt, *n.* Carn cleddyf.
   TO THE HILT. I'r carn.
him, *pers. pn.* Ef, efe, fe, e, efô, fo, o, yntau.
himself, *pers. pn.* Ef ei hun, ef ei hunan.
hind, *n* I. Ewig.
   2. *a.* Ôl.
hinder, *v.* Rhwystro, lluddias, llesteirio.
hindrance, *n.* Rhwystr, llestair.
hindmost, *a.* Olaf, diwethaf.
hinge, *n.* I. Bach, colyn drws.
   2. *v.* Troi, dibynnu.
hint, *n.* I. Awgrym
   2. *v.* Awgrymu.
hip, *n.* Clun, pen uchaf y glun ; egroesen.
hippopotamus, *n.* Hipopotamws, afonfarch.
hire, *n.* I. Hur, cyflog.
   2. *v.* Hurio, cyflogi.
hireling, *n.* Gwas cyflog.
his, *poss. pn.* Ei, 'i, 'w, ei un ef, ei rai ef, yr eiddo ef, ei un yntau, ei rai yntau, yr eiddo yntau.
hiss, *n.* I. Si.
   2. *v.* Sïo, chwythu, hysio, hisian.
historian, *n.* Hanesydd.
historical, *a.* Hanesyddol.
history, *n.* Hanes.
hit, *n.* I. Trawiad, ergyd.
   2. *v.* Taro, ergydio, bwrw.
hitch, *n.* I. Bach, cwlwm ; rhwystr.
   2. *v.* Bachu, clymu, plycio.
hitchhike, *v.* Bodio ('ch ffordd), ei bodio hi.
hitchhiker, *n.* Bodiwr, bodwraig.
hither, *ad.* Yma, hyd yma, tuag yma.
hitherto, *ad.* Hyd yn hyn, hyd yma.
hive, *n.* I. Cwch gwenyn.
   2. *v.* Cychu, dodi mewn cwch.
hoar, *a.* Llwyd, penllwyd ; barrug, llwydrew.
hoard, *n.* I. Casgliad, cronfa.
   2. *v.* Casglu, cronni.
hoarder, *n.* Casglwr, cybydd.
hoar-frost, *n.* Llwydrew, barrug.
hoarse, *a.* Cryg, cryglyd.
hoarseness, *n.* Crygni, crygi.
hoary, *a.* Llwyd, penllwyd, gwyn, penwyn.
hoax, *n.* I. Cast, twyll, tric, pranc.
   2. *v.* Twyllo, chwarae cast.
hob, *n.* Pentan.
hobble, *n.* I. Herc.
   2. *v.* Hercian, clunhercian, climercan.
hobby, *n.* Hobi.
hobgoblin, *n.* Bwci, bwgan.
hoe, *n.* I. Hof, hewer, chwynnogl.
   2. *v.* Hofio, chwynnu.
hog, *n.* Mochyn.

hoist, *v.* Codi, dyrchafu.
hold, *n.* I. Gafael ; howld (llong).
    2. *v.* Dal, cydio yn ; cynnal.
holding, *n.* Daliad, deiliadaeth ; tyddyn.
hole, *n.* I. Twll, ffau.
    2. *v.* Tyllu ; dodi mewn twll.
holiday, *n.* Gŵyl, dygwyl.
holiness, *n.* Sancteiddrwydd.
Holland, *n.* Yr Iseldiroedd.
hollow, *n.* I. Pant ; ceudod ; cafn.
    2. *a.* Cau, gwag, coeg.
    3. *v.* Cafnio, tyllu.
holly, *n.* Celyn, celynnen.
holy, *a.* Santaidd, sanctaidd, glân.
    HOLY SPIRIT. Ysbryd Glân.
holocaust, *n.* Lladdfa.
homage, *n.* Gwrogaeth, parch.
home, *n.* Cartref.
    ad. Adref, tua thre.
    AT HOME. Gartref, yn y tŷ.
homely, *a.* Cartrefol.
home-rule, *n.* Ymreolaeth, hunanlywodraeth.
home-sick, *a.* Hiraethus.
home-sickness, *n.* Hiraeth.
home-spun, *n.* Brethyn cartref.
homestead, *n.* Tyddyn.
homeward, *ad.* Adref, tua thre, tuag adref.
homework, *n.* Gwaith cartref.
homicide, *n.* Llofrudd ; dynleiddiad ;
    llofruddiaeth, dynladdiad.
homily, *n.* Pregeth, homili.
homogeneous, *a.* Cydryw, homogenaidd, o'r un
    natur.
homogeneity, *n.* Cydrywiaeth, homogenedd.
homosexual, *n.* Gwrywgydiwr.
homosexuality, *n.* Gwrywgydiaeth.
hone, *n.* I. Hogfaen, carreg hogi.
    2. *v.* Hogi.
honest, *a.* Onest, gonest, didwyll.
honesty, *n.* Onestrwydd, gonestrwydd, didwylledd.
honey, *n.* Mêl.
honey-bee, *n.* Gwenynen.
honey-comb, *n.* I. Dil mêl, crwybr gwenyn.
    2. *v.* Tyllu, rhidyllu.
honeymoon, *n.* Mis mêl.
honeysuckle, *n.* Gwyddfid, llaeth y gaseg.
honorary, *a.* Anrhydeddus, mygedol.
honour, *n.* I. Anrhydedd, bri, parch.
    2. *v.* Anrhydeddu, parchu.
honourable, *a.* Anrhydeddus.
hood, *n.* Cwfl, cwcwll.
hooded, *a.* Cwflog, cycyllog.
hoof, *n.* Carn (anifail).
hoofed, *a.* Carnol, carnog.
hook, *n.* I. Bach, bachyn.
    2. *v.* Bachu.
    HOOK AND EYE. Bach a dolen.
hooker, *n.* Bachwr.
hooligan, *n.* Hwligan.

hoop, *n.* I. Cylch, cant.
    2. *v.* Cylchu.
hoot, *n.* I. Hŵt.
    2. *v.* Hwtio, hwtian.
hop, *n.* I. Herc, hec, llam, hwb.
    2. *v.* Hercian.
hope, *n.* I. Gobaith.
    2. *v.* Gobeithio.
hopeful, *a.* Gobeithiol.
hopeless, *a.* Anobeithiol, diobaith.
hops, *np.* Hopys.
horde, *n.* Haid, torf.
horizon, *n.* Gorwel.
horizontal, *a.* Gwastad, gorweddol, llorweddol.
hormone, *n.* Hormon.
    pl. Hormonau.
horn, *n.* I. Corn.
    2. *v.* Cornio, twlcio.
horned, *a.* Corniog.
hornet, *n.* Gwenynen feirch.
hornless, *a.* Moel, di-gorn.
horrible, *a.* Ofnadwy, dychrynllyd.
horrid, *a.* Erchyll, echrydus.
horrify, *v.* Brawychu.
horror, *n.* Dychryn, arswyd.
horse, *n.* Ceffyl, march.
    HORSEPLAY. Direidi.
    HORSEHAIR. Rhawn, blew ceffyl.
horseman, *n.* Marchog.
horsemanship, *n.* Marchogwriaeth.
horseshoe, *n.* Pedol (ceffyl).
horticulture, *n.* Garddwriaeth.
hose, *n.* Hosan ; pibell ddŵr.
hospitable, *a.* Lletygar, croesawus.
hospital, *n.* Ysbyty.
hospitality, *n.* Lletygarwch, croeso.
host, *n.* Llu, byddin ; gwesteiwr, lletywr.
hostage, *n.* Gwystl.
hostel, *n.* Llety efrydwyr, neuadd breswyl, hostel.
    YOUTH HOSTELS. Hosteli Ieuenctid.
hostess, *n.* Croesawferch, lletywraig, gwesteiwraig.
hostile, *a.* Gelyniaethus.
hostility, *n.* Gelyniaeth.
    HOSTILITIES. Rhyfela, ymladd.
hot, *a.* Poeth, brwd, twym.
hotel, *n.* Gwesty.
hotelier, *n.* Gwestywr.
hound, *n.* I. Bytheiad, helgi.
    2. *v.* Erlid, hela, annog.
    HOUNDS. Cŵn hela.
hour, *n.* Awr.
    ONE SHORT HOUR. Orig fach.
hourly, *ad.* Bob awr.
house, *n.* I. Tŷ, annedd.
    2. *v.* Lletya.
    HOUSE OF COMMONS. Tŷ'r Cyffredin.
    HOUSE-DOG. Ci gwarchod.
    PUBLIC HOUSE. Tŷ tafarn.
household, *n.* Teulu, tylwyth.

housewife, *n.* Gwraig tŷ.
hovel, *n.* Penty, hofel.
hover, *v.* Hofran.
hovercraft, *n.* Hofranlong.
how, *ad.* Pa fodd ? Pa sut ? Sut ?
   HOW MANY ? Pa sawl ? Pa faint ?
howbeit, *ad.* Er hynny, er gwaethaf hynny.
however, *ad.* Pa fodd bynnag, sut bynnag, serch
   hynny.
howl, *n.* I. Udiad, nâd, oernad.
   2. *v.* Udo, oernadu.
hub, *n.* Both olwyn ; canolbwynt.
huddle, *n.* I. Cymysgfa, anhrefn.
   2. *v.* Tyrru, pentyrru, gwthio.
hue, *n.* Gwawr ; gwaedd.
hug, *n.* I. Cofleidiad.
   2. *v.* Cofleidio, gwasgu.
huge, *a.* Anferth, enfawr.
hulk, *n.* Corff llong, hwlc.
hull, *n.* Plisgyn, cibyn ; corff llong.
hum, *n.* I. Si, su, murmur.
   2. *v.* Mwmian, mwmial.
human, *a.* Dynol.
humane, *a.* Dyngarol, trugarog, tirion.
humanely, *ad.* Yn drugarog.
humanism, *n.* Dyneiddiaeth.
humanist, *n.* Dyneiddiwr.
humanitarian, *n.* I. Dyngarwr.
   2. *a.* Dyngarol.
humanity, *n.* Dynoliaeth, dynolryw.
humble, *a.* I. Gostyngedig, diymhongar, difalch.
   2. *v.* Darostwng, iselu.
humdrum, *a.* Diflas, blin, blinderus.
humid, *a.* Llaith, gwlyb.
humidity, *n.* Lleithder, gwlybaniaeth.
humiliate, *v.* Darostwng ; gwaradwyddo, iselu,
   bychanu, sarhau.
humiliation, *n.* Darostyngiad, cywilydd.
humility, *n.* Gostyngeiddrwydd.
humorist, *n.* Digrifwr.
humorous, *a.* Doniol, digrif.
humour, *n.* I. Anian ; tymer ; ffraethineb,
   digrifwch, hiwmor, doniolwch.
   2. *v.* Ceisio plesio rhywun.
hump, *n.* I. Crwmach, crwmp, crwb.
   2. *v.* Crymu.
   HUMPBACKED. Gwargrwm, cefngrwm.
humus, *n.* Deilbridd, hwmws.
hundred, *n.* I. Cant ; cantref.
   2. *a.* Can, cant.
   HUNDRED-PERCENT. Cant y cant.
hundredth, *a.* Canfed.
hundredweight, *n.* Canpwys, cant.
Hungary, *n.* Hwngari, Hwngaria.
hunger, *a.* I. Newyn, chwant bwyd.
   2. *v.* Newynu.
hungry, *a.* Newynog.
hunt, *n.* I. Hela, helwriaeth.
   2. *v.* Hela, ymlid, erlid.

hunter, *n.* Heliwr ; ceffyl hela.
huntsman, *n.* Heliwr, cynydd.
hurdle, *n.* Clwyd.
hurl, *v.* Hyrddio, taflu, lluchio.
hurricane, *n.* Corwynt.
hurried, *a.* Brysiog.
hurry, *n.* I. Brys.
   2. *v.* Brysio.
   HURRY UP ! Brysia ! Brysiwch !
   IN A HURRY. Ar frys, mewn hast.
   WITHOUT HURRY. Wrth ei bwysau, heb frys.
hurt, *n.* I. Niwed, anaf, dolur.
   2. *v.* Niweidio, anafu, dolurio.
hurtful, *a.* Niweidiol.
husband, *n.* Gŵr, priod.
husbandman, *n.* Amaethwr, hwsmon.
husbandry, *n.* Amaethyddiaeth, hwsmonaeth.
hush, *n.* I. Distawrwydd, gosteg.
   2. *v.* Distewi, tewi.
   3. *int.* Ust ! taw !
husk, *n.* I. Plisgyn, cibyn, coden.
   2. *v.* Plisgo, masglu.
huskiness, *n.* Crygni, bloesgni.
hut, *n.* Caban, cwt, bwth.
hyacinth, *n.* Croeso haf, clychau'r gog.
hybrid, *a.* Cymysgryw, croesryw.
hydrate, *n.* I. Hydrad.
   2. *v.* Hydradu.
hydraulic, *a.* Hydrolig.
hydraulics, *n.* Hydroleg.
hydrogen, *n.* Hydrogen.
hydrolysis, *n.* Hydrolysis.
hydrous, *a.* Hydrus.
hygiene, *n.* Glanweithdra, iechydaeth, gwyddor
   glanweithdra.
hygienic, *a.* Iechydol, iach, glanwaith.
hygroscopic, *a.* Hygrosgobig.
hymn, *n.* Emyn.
hymnal, *n.* I. Llyfr emynau.
   2. *a.* Emynol.
hymnist, *n.* Emynydd.
hymnology, *n.* Emynyddiaeth.
hyperbole, *n.* Gormodiaith.
hypermarket, *n.* Goruwchfarchnad.
hyphen, *n.* Cyplysnod, cysylltnod.
hypnotist, *n.* Hypnotydd.
hypnotism, *n.* Hypnotiaeth, swyngwsg.
hypnotize, *v.* Hypnoteiddio.
hypocrisy, *n.* Rhagrith.
hypocrite, *n.* Rhagrithiwr.
hypocritical, *a.* Rhagrithiol.
hypothesis, *n.* Damcaniaeth, tybiaeth.
hypothesize, *v.* Damcaniaethu.
hypothetical, *a.* Damcaniaethol, tybiedig.
hyssop, *n.* Isop.
hysterical, *a.* Hysterig ; gwyllt, afreolus.

I, *pn.* Mi, myfi, i, minnau, innau.
ice, *n.* I. Rhew, iâ.
    2. *v.* Rhewi
    TO ICE A CAKE. Rhoi eisin ar deisen.
    TO ICE UP. Rhewi drosto.
iceberg, *n.* Mynydd iâ, mynydd rhew.
ice-cream, *n.* Hufen iâ.
Iceland, *n.* Gwlad yr Iâ.
icicle, *n.* Pibonwy, pibonwyen, cloch iâ.
icing, *n.* Eising.
icy, *a.* Rhewllyd, llithrig.
idea, *n.* Syniad.
ideal, *n.* I. Delfryd.
    2. *a.* Delfrydol.
idealism, *n.* Delfrydiaeth, idealaeth.
idealist, *n.* Delfrydwr.
idealistic, *a.* Delfrydol, idealistig.
idealize, *v.* Delfrydu, delfrydoli.
identical, *a.* Yr un, yr un peth yn union.
identify, *v.* Adnabod, enwi, dweud enw, pledio
    uniaethu.
identity, *v.* Union debygrwydd, unrhywiaeth,
    hunaniaeth.
idiom, *n.* Priod-ddull, idiom.
idiosyncrasy, *n.* Anian, mympwy, hynodrwydd.
idiot, *n.* Ynfytyn, ynfyd, hurtyn.
idiotic, *a.* Ynfyd, hurt, gwirion.
idle, *a.* I. Segur, ofer, diog.
    2. *v.* Segura, ofera, diogi.
idleness, *n.* Segurdod, diogi.
idler, *n.* Segurwr, seguryn, diogyn.
idol, *n.* Eilun, delw.
idolater, *n.* Eilunaddolwr.
idolatry, *n.* Eilunaddoliaeth.
idolize, *v.* Addoli, gwirioni.
if, *e.* Os, pe.
igneous, *a.* Tanllyd.
ignite, *v.* Cynnau, ennyn, tanio.
ignition, *n.* Taniad.
ignoble, *a.* Isel, gwael ; anenwog.
ignominious, *a.* Gwarthus, cywilyddus.
ignominy, *n.* Gwarth.
ignorance, *n.* Anwybodaeth.
ignorant, *a.* Anwybodus.
ignore, *v.* Anwybyddu, diystyru.
ill, *n.* I. Drwg, niwed ; adfyd.
    2. *a.* Drwg, niweidiol ; claf, afiach, gwael.
    3. *ad.* Yn ddrwg, yn wael, yn chwithig.
ill-advised, *a.* Ffôl, annoeth.
illegal, *a.* Anghyfreithlon.
illegible, *a.* Annarllenadwy, aneglur.
illegitimate, *a.* Anghyfreithlon.
illicit, *a.* Anghyfreithlon, gwaharddedig.
illiterate, *a.* Anllythrennog.
illness, *n.* Afiechyd, clefyd, salwch.
illogical, *a.* Afresymol.
ill-treat, *a.* Camdrin.
illuminate, *v.* Goleuo, llewyrchu.
illumination, *n.* Goleuad.

illumine, *v.* Goleuo.
illusion, *n.* Rhith, lledrith.
illusive : illusory, *a.* Rhithiol, gau, camarweiniol.
illustrate, *v.* Darlunio, egluro.
illustrated, *a.* Darluniadol.
illustration, *n.* Darlun, eglurhad, eglureb, enghraifft.
illustrative, *a.* Eglurhaol, eglurebol, enghreifftiol.
illustrious, *a.* Enwog, hyglod.
ill-will, *n.* Casineb, gelyniaeth.
image, *n.* Delw, eilun, llun ; delwedd.
imaginary, *a.* Dychmygol.
imagination, *n.* Dychymyg, darfelydd.
imaginative, *a.* Dychmygus, creadigol.
imagine, *v.* Dychmygu, tybio, dyfalu.
imbecile, *n.* I. Un gwan ei feddwl.
    2. *a.* Gwan, penwan.
imbecility, *n.* Penwendid.
imbue, *v.* Trwytho.
imitate, *v.* Dynwared, efelychu.
imitation, *n.* Dynwarediad, efelychiad.
imitator, *n.* Efelychwr.
immaculate, *a.* Difrycheulyd, perffaith, pur.
immanent, *a.* Mewnfodol.
immaterial, *a.* Anfaterol, ansylweddol ; dibwys.
immature, *a.* Anaeddfed.
immaturity, *n.* Anaeddfedrwydd.
immeasurable, *a.* Difesur.
immediate, *a.* Di-oed, uniongyrchol, syth,
    diymdroi ; enbyd, dybryd ; agos.
immediately, *ad.* Ar unwaith, yn union, yn ebrwydd.
immemorial, *a.* Er cyn cof.
immense, *a.* Eang, anferth.
immensely, *ad.* Yn ddirfawr, yn anghyffredin.
immensity, *n.* Ehangder.
immerse, *v.* Trochi, suddo.
immersion, *n.* Trochiad, suddiad.
immigrant, *n.* Mewnfudwr.
immigrate, *v.* Mewnfudo.
imminence, *n.* Agosrwydd.
imminent, *a.* Gerllaw, ar ddigwydd.
immobile, *a.* Disymud, diymod.
immoral, *a.* Anfoesol.
immorality, *n.* Anfoesoldeb.
immorally, *ad.* Yn anfoesol.
immortal, *a.* Anfarwol.
immortality, *n.* Anfarwoldeb.
immortalize, *v.* Anfarwoli.
immovable, *a.* Diysgog, safadwy, disymud,
    ansymudol.
immune, *a.* Rhydd rhag, diogel rhag, heintrydd.
immunity, *n.* Rhyddid (rhag gwasanaethu, &c.),
    imiwnedd, heintryddid.
immunize, *v.* Imiwneiddio, gwrth-heintio,
    brechu rhag.
immutable, *a.* Digyfnewid.
impact, *n.* Gwrthdrawiad.
impair, *v.* Amharu, niweidio.
impairment, *n.* Amhariad.
impart, *v.* Cyfrannu, rhoi.

impartial, *a.* Diduedd, amhleidiol, teg.
impassioned, *a.* Brwd, cyffrous.
impassive, *a.* Digyffro, didaro.
impatience, *n.* Diffyg amynedd.
impatient, *a.* Diamynedd.
impeccable, *a.* Dibechod, di-fai, perffaith.
impede, *v.* Atal, llesteirio, rhwystro.
impediment, *n.* Rhwystr, atalfa, nam, diffyg.
impending, *a.* Agos, gerllaw.
impenitent, *a.* Diedifar, anedifeiriol.
imperative, *n.* I. Gorchymyn.
　　2. *a.* Gorchmynnol, awdurdodol, gorfodol.
imperfect, *a.* Amherffaith.
imperfection, *n.* Amherffeithrwydd, nam.
imperial, *a.* Ymerodrol.
imperialistic, *a.* Ymerodraethol.
imperil, *v.* Peryglu.
impersonal, *a.* Amhersonol.
impertinence, *n.* Digywilydd-dra.
impertinent, *a.* Digywilydd, haerllug.
imperturbable, *a.* Digyffro, tawel.
impetuous, *a.* Byrbwyll.
impetus, *n.* Symbyliad, cymhelliad, ysgogiad,
　　hwb ymlaen.
impiety, *n.* Annuwioldeb.
impish, *a.* Dieflig, direidus.
implant, *n.* Plannu, impio, mewn blannu.
implement, *n.* I. Offeryn, arf.
　　2. *v.* Gweithredu.
implicate, *v.* Cynnwys, gwneuthur yn gyfrannog,
　　ymhlygu.
implication, *n.* Ymhlygiad, goblygiad.
implicit, *a.* Ymhlyg, dealledig, goblygedig.
implore, *v.* Erfyn, ymbil, crefu, atolygu.
imply, *v.* Awgrymu, golygu.
impolite, *a.* Anfoesgar.
import, *n.* I. Arwyddocâd, ystyr ; mewnforyn.
　　2. *v.* Mewnforio ; golygu.
　　IMPORTS. Mewnforion.
importance, *n.* Pwys, pwysigrwydd.
important, *a.* Pwysig.
importunate, *a.* Taer.
importune, *v.* Erfyn yn daer.
impose, *v.* Camarwain ; trethu, gosod.
impossibility, *n.* Amhosibilrwydd.
impossible, *a.* Amhosibl.
impostor, *n.* Twyllwr, hocedwr.
imposture, *n.* Twyll, hoced.
impotence, *n.* Anallu, analluedd.
impotent, *a.* Analluog, di-rym.
impoverish, *v.* Tlodi, llymhau.
impracticable, *a.* Anymarferol.
impregnable, *a.* Cadarn, disyfl.
impress, *v.* Argraffu, dylanwadu.
impression, *n.* Argraff ; argraffiad.
imprint, *v.* Argraffu.
imprison, *v.* Carcharu.
imprisonment, *n.* Carchariad.
improbable, *a.* Annhebygol, annhebyg.

impromptu, *a.* Byrfyrfyr, heb baratoi.
improper, *a.* Amhriodol ; anweddus.
impropriety, *n.* Amhriodoldeb ; anwedduster.
improve, *v.* Gwella.
improvement, *n.* Gwelliant.
improvise, *v.* Dyfeisio yn fyrfyfyr.
imprudence, *n.* Annoethineb.
imprudent, *a.* Annoeth.
impudence, *n.* Digywilydd-dra.
impudent, *a.* Digywilydd, haerllug.
impulse, *n.* Cymhelliad, cyffro, ysgogiad, gwth.
impulsive, *a.* Cymhellol ; byrbwyll.
impure, *a.* Amhur, aflan.
impurity, *n.* Amhuredd, aflendid.
in, *prp.* I. Yn, mewn.
　　2. *ad.* I mewn, o fewn.
inability, *n.* Anallu.
inaccessible, *a.* Anhygyrch, anodd mynd ato.
inaccurate, *a.* Anghywir.
inadequate, *a.* Annigonol.
inadvertence, *n.* Amryfusedd, esgeulustod.
inane, *a.* Gwag, ofer.
inanimate, *a.* Difywyd.
inarticulate, *a.* Bloesg, aneglur ; digymal.
inaugurate, *v.* Urddo ; agor, dechrau.
inauguration, *n.* Urddiad, sefydlu ; dechreuad.
inborn, *a.* Cynhenid, greddfol.
incandescence, *n.* Eiriasedd, gwyniasedd.
incandescent, *a.* Gwynias.
incapability, *n.* Anallu.
incapable, *a.* Analluog.
incapacitate, *v.* Analluogi.
incarnate, *a.* I. Ymgnawdoledig.
　　2. *v.* Ymgnawdoli.
incarnation, *n.* Ymgnawdoliad.
incendiary, *a.* Cyneuol, llosg.
　　INCENDIARY BOMB. Bom llosgi.
incense, *n.* Arogldarth.
incense, *v.* Digio, cythruddo.
incentive, *n.* Cymhelliad.
inception, *n.* Dechreuad.
incessant, *a.* Di-dor, di-baid, diddiwedd.
incest, *n.* Llosgach.
inch, *n.* Modfedd.
incident, *n.* I. Digwyddiad, tro.
　　2. *a.* Ynghlwm wrth, ynglŷn â.
incise, *v.* Torri.
incision, *n.* Toriad.
incisive, *a.* Llym, miniog.
incisor, *n.* Blaenddant, dant blaen.
incite, *v.* Cyffroi, annog, cynhyrfu.
incitement, *n.* Cynhyrfiad, annog.
inclement, *a.* Garw, gerwin.
inclination, *n.* Tuedd, gogwydd.
incline, *n.* I. Llethr, llechwedd, gwyriad.
　　2. *v.* Tueddu, gogwyddo.
inclined, *a.* Tueddol ; ar oleddf, ar ei ogwydd.
include, *v.* Cynnwys.
inclusion, *n.* Cynhwysiad, cynnwys.

inclusive, *a.* Cynwysedig, cynhwysol.
incoherence, *n.* Anghydlyniad, anghysylltiad.
incoherent, *a.* Digyswllt, digysylltiad, anghysylltus, anghydlynol.
incombustible, *a.* Anllosgadwy.
income, *n.* Incwm.
income-tax, *n.* Treth incwm.
incomparable, *a.* Digyffelyb, digymar.
incompatible, *a.* Anghydnaws, anghytûn.
incompetence, *a.* Anghymhwyster, anallu.
incompetent, *a.* Anghymwys, analluog.
incomplete, *a.* Anghyflawn.
incompleteness, *n.* Anghyflawnder.
incomprehensible, *a.* Annealladwy, ni ellir ei ddeall.
inconceivable, *a.* Annirnadwy, y tu hwnt i amgyffred.
inconclusive, *a.* Amhendant.
incongruity, *n.* Anghysondeb, anghydweddiad, anaddasrwydd.
incongruous, *a.* Anghydweddol, anaddas.
inconsiderable, *a.* Dibwys.
inconsiderate, *a.* Anystyriol, byrbwyll.
inconsistency, *n.* Anghysondeb.
inconsistent, *a.* Anghyson.
inconspicuous, *a.* Anamlwg, disylw.
inconstancy, *n.* Anwadalwch.
inconstant, *a.* Anwadal, ansefydlog.
incontestable, *a.* Diamheuol, di-ddadl.
inconvenience, *n.* Anghyfleustra, anhwylustod.
inconvenient, *a.* Anghyfleus, anhwylus.
incorporate, *v.* Corffori, ymgorffori.
incorporation, *n.* Corfforiad, ymgorfforiad.
incorrect, *a.* Anghywir, gwallus.
incorrectness, *n.* Anghywirdeb.
incorrigible, *a.* Anwelladwy, na ellir ei ddiwygio.
incorrupt, *a.* Anllygredig.
incorruptibility, *n.* Anllygredigaeth.
increase, *n.* I. Cynnydd, ychwanegiad.
      2. *v.* Cynyddu, ychwanegu.
increasingly, *ad.* Fwy-fwy.
incredible, *a.* Anghredadwy, anhygoel.
incredulity, *n.* Anghrediniaeth.
incredulous, *a.* Anghrediniol.
increment, *n.* Ychwanegiad, cynnydd.
incriminate, *v.* Cyhuddo, taflu bai ar, euogi.
incubate, *v.* Deor, gori.
incubator, *n.* Deorydd.
incubation, *n.* Deoriad.
inculcate, *v.* Argymell, argraffu ar.
inculcation, *n.* Argymhelliad.
incumbent, *n.* I. Periglor.
      2. *a.* Dyledus, dyladwy.
incur, *v.* Mynd i rywbeth, tynnu rhywbeth arnoch.
      TO INCUR A DEBT. Mynd i ddyled.
incurable, *a.* Anwelladwy, na ellir ei wella.
indebted, *a.* Dyledus, mewn dyled.
indebtedness, *n.* Dyled.
indecency, *n.* Anwedduster.
indecent, *a.* Anweddus, anweddaidd.

indecision, *n.* Amhenderfyniad, petruster.
indecisive, *a.* Amhendant, amhenderfynol.
indeclinable, *a.* Anhreigladwy, dirediad.
indecorous, *a.* Anweddus, anweddaidd.
indeed, *ad.* Yn wir, yn ddiau, iawn, dros ben.
indefatigable, *a.* Dyfal, diflin.
indefensible, *a.* Na ellir ei amddiffyn, diesgus, anniffynadwy.
indefinable, *a.* Anniffiniol, anniffiniadwy.
indefinite, *a.* Amhenodol, amhendant.
indelible, *a.* Annileadwy, na ellir ei ddileu.
indelicacy, *n.* Afledneisrwydd.
indelicate, *a.* Aflednais, anweddus.
indemnify, *v.* Digolledu.
indemnity, *n.* Iawn.
independence, *n.* Annibyniaeth.
independent, *n.* I. Annibynnwr.
      2. *a.* Annibynnol.
indescribable, *a.* Annisgrifiadwy.
indeterminate, *a.* Amhenodol, pen agored.
index, *n.* Mynegai ; mynegfys.
Indian, *n.* I. Indiad.
      2. *a.* Indiaidd.
indicate, *v.* Dangos, arwyddo, mynegi, cyfeirio.
indication, *n.* Arwydd, mynegiad.
indicative, *a.* Arwyddol ; mynegol.
indicator, *n.* Cyfeirydd, dangosydd.
indict, *v.* Cyhuddo.
indictable, *a.* Cyhuddadwy.
indictment, *n.* Cyhuddiad.
indifference, *n.* Difaterwch, difrawder.
indifferent, *a.* I. Difater, didaro.
      2. Diddrwg-didda ; dihidio.
indigenous, *a.* Cynhenid, brodorol.
indigent, *a.* Anghenus, tlawd.
indigestible, *a.* Anhydraul, na ellir ei dreulio.
indigestion, *n.* Diffyg traul, camdreuliad.
indignant, *a.* Dig, digofus, dicllon.
indignation, *n.* Dig, dicter, llid.
indignity, *n.* Amarch, anfri, sarhad.
indirect, *a.* Anuniongyrchol.
indirectness, *n.* Anuniongyrchedd.
indiscreet, *a.* Annoeth.
indiscretion, *n.* Annoethineb, diffyg pwyll.
indiscriminate, *a.* Diwahaniaeth.
indiscrimination, *n.* Anwahaniaeth.
indispensable, *a.* Anhepgorol, angenrheidiol.
indisposed, *a.* Anhwylus.
indisposition, *n.* Anhwyldeb ; amharodrwydd ; diffyg awydd.
indisputable, *a.* Di-ddadl, diamheuol.
indistinct, *a.* Aneglur, anhyglyw.
indistinctness, *n.* Aneglurder, bloesgni.
indite, *v.* Cyfansoddi, ysgrifennu.
individual, *n.* I. Unigolyn, un.
      2. *a.* Unigol.
individualism, *n.* Unigoliaeth, unigolyddiaeth.
individuality, *n.* Unigoliaeth, unigolrwydd, hunaniaeth.

indivisible, *a.* Anrhanadwy, na ellir ei rannu.
indolence, *n.* Diogi, syrthni.
indolent, *a.* Dioglyd, diog, swrth.
indomitable, *a.* Anorchfygol, di-ildio.
indoors, *ad.* I mewn, yn y tŷ, dan do.
indubitable, *a.* Diamheuol, di-ddadl.
induce, *v.* Darbwyllo, cymell, peri, annog.
inducement, *n.* Cymhelliad, anogaeth.
induct, *v.* Sefydlu ; anwytho.
induction, *n.* Sefydliad ; anwythiad.
inductor, *n.* Sefydlwr ; anwythwr.
indulge, *v.* Boddio ; maldodi, anwesu.
indulgence, *n.* Ymfoddhad ; maldod ; maddeueb.
indulgent, *a.* Maldodus, tyner.
industrial, *a.* Diwydiannol, gweithfaol.
industrious, *a.* Diwyd, dyfal, gweithgar.
industry, *n.* Diwydrwydd, diwydiant.
ineffable, *a.* Anhraethol, anhraethadwy, tu hwnt i eiriau.
ineffective, *a.* Aneffeithiol.
inefficiency, *a.* Aneffeithlonrwydd.
inefficient, *a.* Aneffeithlon, aneffeithiol.
inelastic, *a.* Anystwyth.
inequality, *n.* Anghydraddoldeb, anghyfartaledd, anghysondeb.
inequitable, *a.* Anghyfiawn, annheg.
inert, *a.* Diegni, diynni, swrth.
inertia, *n.* Syrthni, diffyg egni, anegni, trymedd.
inestimable, *a.* Amhrisiadwy, difesur, anfesuradwy.
inevitable, *a.* Anochel, anorfod.
inexact, *a.* Anghywir, anfanwl.
inexcusable, *a.* Anesgusodol, diesgus.
inexorable, *a.* Diwrthdro, didostur, anhyblyg.
inexpensive, *a.* Rhad.
inexperience, *a.* Dibrofiad, amhrofiadol.
inexplicable, *a.* Anesboniadwy.
inexplicit, *a.* Aneglur, amhendant, amhenodol.
inexpressible, *a.* Anhraethadwy, anhraethol.
infallibility, *n.* Anffaeledigrwydd.
infallible, *a.* Anffaeledig.
infamous, *a.* Gwarthus, cywilyddus.
infamy, *n.* Gwarth, cywilydd.
infancy, *n.* Mebyd, mabandod.
infant, *n.* Baban, maban, plentyn.
infantile, *a.* Plentynnaidd.
infantry, *n.* Milwyr traed.
infatuate, *v.* Ffoli, gwirioni, dwli.
infatuated, *a.* Wedi ffoli, wedi gwirioni, wedi dwli.
infatuation, *n.* Gwiriondeb, ynfydrwydd, cariad ffôl.
infect, *v.* Heintio.
infection, *n.* Haint, heintiad.
infectious, *a.* Heintus.
infer, *v.* Casglu, rhesymu.
inference, *n.* Casgliad, rhesymiad.
inferential, *a.* Casgliadol.
inferior, *n.* I. Isradd.
    2. *a.* Is, israddol, gwaelach.
inferiority, *n.* Israddoldeb.
infernal, *a.* Uffernol.

inferno, *n.* Uffern.
infertile, *a.* Anffrwythlon, diffrwyth.
infertility, *n.* Anffrwythlondeb.
infest, *v.* Heigio, bod yn bla ar.
infidel, *n.* I. Anghredadun.
    2. *a.* Anghrediniol, di-gred, didduw.
infidelity, *n.* Anghrediniaeth ; anffyddlondeb.
infiltrate, *v.* Ymdreiddio ; slefio.
infinite, *a.* Diderfyn, anfeidrol, annherfynol.
infinitesimal, *a.* Anfeidrol fach, bach iawn.
infinity, *n.* Anfeidroldeb.
infirm, *a.* Gwan, eiddil, llesg.
infirmary, *n.* Ysbyty.
infirmity, *n.* Gwendid, llesgedd.
inflame, *v.* Ennyn ; llidio, cyffroi.
inflamed, *a.* Llidus.
inflammable, *a.* Fflamadwy, hylosg.
inflammation, *n.* Llid, enynfa, enyniad.
inflate, *v.* Chwyddo.
inflation, *n.* Chwyddiad ; chwyddiant.
inflexible, *a.* Anhyblyg.
inflexion : inflection, *n.* Ffurfdro, gwyriad.
inflict, *v.* Dodi, peri, gweinyddu.
influence, *n.* I. Dylanwad.
    2. *v.* Dylanwadu.
influential, *a.* Dylanwadol.
influenza, *n.* Anwydwst, ffliw.
influx, *n.* Dylifiad.
inform, *v.* Hysbysu.
informal, *a.* Anffurfiol ; afreolaidd.
informant, *n.* Hysbysydd.
information, *n.* Hysbysrwydd, gwybodaeth.
informer, *n.* Hysbysydd.
infra-red, *a.* Is-goch.
infrequent, *a.* Anaml, anfynych.
infringe, *v.* Torri (cyfraith), troseddu.
infringements, *n.* Toriad, trosedd.
infuriate, *v.* Cynddeiriogi, ffyrnigo.
infuse, *v.* Arllwys, tywallt ; trwytho.
infusion, *n.* Trwyth, hydreiddiad.
ingenious, *a.* Dyfeisgar, cywrain, celfydd.
ingenuity, *n.* Dyfeisgarwch.
ingenuous, *a.* Didwyll, diniwed, diffuant.
ingenuousness, *n.* Didwylledd, diniweidrwydd.
ingratitude, *n.* Anniolchgarwch.
ingredient, *n.* Defnydd, elfen, cynhwysyn.
inhabit, *v.* Trigo, byw, preswylio.
inhabitable, *a.* Cyfannedd, trigiadwy.
inhabitant, *n.* Preswylydd, preswyliwr.
    INHABITANTS. Trigolion.
inhale, *v.* Tynnu anadl, anadlu.
inherent, *a.* Cynhenid, greddfol.
inherit, *v.* Etifeddu.
inheritance, *n.* Etifeddiaeth, treftadaeth.
inheritor, *n.* Etifedd, etifeddwr.
inhospitable, *a.* Digroeso.
inhuman, *a.* Annynol, creulon.
inhumanity, *n.* Creulondeb.
inimical, *a.* Gelynol.

iniquity, *n.* Drygioni, camwedd.
initial, *n.* I. Llythyren gyntaf gair.
   2. *a.* Blaen, cyntaf, cychwynnol.
initiate, *v.* Dechrau ; derbyn.
initiation, *n.* Dechreuad ; derbyniad.
initiative, *n.* Arweiniad, gweithrediad.
initiator, *n.* Dechreuwr, cychwynnwr.
inject, *v.* Chwistrellu.
injection, *n.* Chwistrelliad, pigiad.
injure, *v.* Niweidio, anafu.
injurious, *a.* Niweidiol.
injury, *n.* Niwed, anaf, cam.
injustice, *n.* Anghyfiawnder, cam.
ink, *n.* Inc.
inkling, *n.* Awgrym.
inland, *n.* I. Canoldir,
   2. *a.* Canoldirol.
   INLAND REVENUE. Y Cyllid Gwladol.
inlet, *n.* Cilfach, bae.
inmost, *a.* Nesaf i mewn, dyfnaf.
inmate, *n.* Lletywr, preswylydd, trigiannydd.
inn, *n.* Tafarn, tŷ tafarn, gwesty.
innate, *a.* Cynhenid, greddfol, naturiol.
inner, *a.* Mewnol, tu mewn.
innings, *n.* Batiad.
innkeeper, *n.* Tafarnwr.
innocence, *n.* Diniweidrwydd.
innocent, *a.* Diniwed, dieuog, di-fai.
innovate, *v.* Newid, arloesi.
innovation, *n.* Cyfnewidiad, newyddbeth, dyfais
   newydd.
innovator, *n.* Newidiwr, dyfeisiwr.
innumerable, *a.* Aneirif, di-rif.
inoculate, *v.* Rhoi'r frech i, brechu.
inoculation, *n.* Brechiad.
inoffensive, *a.* Diniwed, diddrwg.
inopportune, *a.* Anamserol, anghyfleus.
inquest, *n.* Ymholiad, cwêst.
   CORONER'S INQUEST. Trengholiad, cwêst.
inquire, *v.* Holi, gofyn, ymholi.
inquiry, *n.* Ymholiad, holiad ; ymchwiliad.
inquisition, *n.* Ymchwiliad ; chwil-lys.
inquisitive, *a.* Busneslyd, holgar.
insane, *a.* Gwallgof, gorffwyll.
insanitary, *a.* Afiach, brwnt, budr.
insanity, *n.* Gwallgofrwydd, gorffwylltra.
insatiable, *a.* Anniwall, na ellir ei ddiwallu.
inscribe, *v.* Arysgrifennu.
inscription, *n.* Arysgrifen.
insect, *n.* Pryf.
insecticide, *n.* Gwenwyn pryfed.
insecure, *a.* Anniogel, peryglus.
insecurity, *n.* Perygl, anniogelwch.
inseparable, *a.* Anwahanadwy.
insert, *v.* I. Gosod, dodi, rhoi (rhywbeth yn . . .),
   mewnosod.
   2. *n.* Mewnosodiad.
insertion, *n.* Mewnosodiad.
inset, *n.* Mewnosodiad.

inside, *n.* I. Tu mewn, perfedd.
   2. *a.* Mewnol.
   3. *prp.* Yn, tu mewn i.
   4. *adv.* I mewn, o fewn, yn fewnol, oddi
   mewn.
inside-half, *n.* Mewnwr.
inside-left, *n.* Mewnwr chwith.
inside-right, *n.* Mewnwr de.
insidious, *a.* Llechwraidd.
insight, *n.* Dirnadaeth, dealltwriaeth, mewnwelediad.
insignificance, *n.* Dinodedd, distadledd.
insignificant, *a.* Dinod, distadl, dibwys.
insincere, *a.* Annidwyll, ffuantus, ffals.
insincerity, *n.* Rhagrith, ffuantrwydd.
insinuate, *v.* Ensynio, awgrymu.
insipid, *a.* Di-flas, diflas, merfaidd.
insist, *v.* Mynnu, haeru.
insistence, *n.* Taerineb.
insistent, *a.* Taer, penderfynol.
insolence, *n.* Haerllugrwydd, digywilydd-dra.
insolent, *a.* Haerllug, digywilydd.
insoluble, *a.* Na ellir ei doddi, annhoddadwy ; na
   ellir ei ddatrys, annatrys.
insolvency, *n.* Methdaliad.
insolvent, *a.* Wedi methu, wedi torri.
insomnia, *n.* Anhunedd, diffyg cwsg.
inspect, *v.* Arolygu, archwilio.
inspection, *n.* Arolygiad, archwiliad.
inspector, *n.* Arolygwr.
inspiration, *n.* Ysbrydoliaeth ; anadliad.
inspire, *v.* Ysbrydoli ; anadlu.
inspired, *a.* Ysbrydoledig.
instability, *n.* Ansefydlogrwydd.
install, *v.* Sefydlu, gosod.
installation, *n.* Sefydliad, gorseddu.
instalment, *n.* Rhandal, cyfran.
instance, *n.* I. Enghraifft, esiampl.
   2. *v.* Nodi, rhoi enghraifft.
instant, *n.* I. Eiliad, amrantiad.
   2. *a.* Taer ; ebrwydd.
   INSTANT COFFEE. Coffi parod.
instantaneous, *a.* Disymwth, disyfyd.
instantly, *ad.* Yn ddi-oed, yn y fan, ar y gair, 'nawr.
instead, *ad.* Yn lle.
instep, *n.* Cefn y droed, mwnwgl troed.
instigate, *v.* Annog, cynhyrfu, cymell.
instigation, *n.* Anogaeth, cynhyrfiad, cymhelliad.
instil, *v.* Argymell, trwytho.
instinct, *n.* Greddf.
instinctive, *a.* Greddfol.
institute, *v.* I. Athrofa, sefydliad.
   2. *v.* Sefydlu, cychwyn.
institution, *n.* Sefydliad.
instruct, *v.* Dysgu, hyfforddi, cyfarwyddo.
instruction, *n.* Cyfarwyddyd, hyfforddiant.
instructive, *a.* Addysgiadol.
instructor, *n.* Hyfforddwr, cyfarwyddwr.
instrument, *n.* Offeryn, cyfrwng, arf.
   MUSICAL INSTRUMENTS. Offer cerdd.

instrumental, *a.* Offerynnol ; cyfryngol, yn gyfrwng.
instrumentalist, *n.* Offerynnwr, offerynnydd.
insubordinate, *a.* Anufudd, gwrthryfelgar.
insubordination, *n.* Anufudd-dod, gwrthryfelgarwch.
insufferable, *a.* Annioddefol.
insufficiency, *n.* Annigonedd.
insufficient, *a.* Annigonol.
insular, *a.* Ynysol, ynysig ; cul.
insulate, *v.* Ynysu ; inswleiddio.
insulated, *a.* Ynysedig ; inswleiddiedig.
insulation, *n.* Ynysiad ; ynysydd, inswleiddiwr.
insulator, *n.* Ynysydd ; inswleiddiwr.
insult, *n.* I. Sarhad, amarch, sen.
   2. *v.* Sarhau, amharchu.
insulting, *a.* Sarhaus.
insuperable, *a.* Anorchfygol.
insurance, *n.* Yswiriant.
insure, *v.* Yswirio.
insurrection, *n.* Terfysg, gwrthryfel.
intact, *a.* Cyfan, dianaf.
intangible, *a.* Anghyffwrdd, anodd ei amgyffred.
integral, *a.* I. Cyfan, cyflawn ; cyfannol ; integrol.
   2. *n.* Integryn.
integrate, *v.* Cyfannu ; cyfuno ; integreiddio.
integrity, *n.* Cywirdeb, gonestrwydd ; cyfanrwydd.
intellect, *n.* Deall.
intellectual, *a.* I. Deallus, deallusol.
   2. *n.* Deallusyn.
intelligence, *n.* Deall, deallgarwch, deallusrwydd. Prawf deallusrwydd. INTELLIGENCE TEST. INTELLIGENCE QUOTIENT (I.Q.). Cyniferydd Deallusrwydd (C.D.).
intelligent, *a.* Deallus, deallgar.
intelligible, *a.* Dealladwy.
intemperate, *a.* Anghymedrol, eithafol.
intend, *v.* Meddwl, bwriadu, amcanu.
   INTENDED WIFE. Darpar wraig.
intense, *a.* Angerddol, dwys.
intensify, *v.* Dwysáu.
intensity, *n.* Angerdd, dwyster.
intensive, *a.* Trwyadl, trylwyr, dyfal, dwys.
   INTENSIVE CARE. Gofal dwys.
intent, *n.* I. Bwriad, amcan.
   2. *a.* Dyfal, diwyd, astud.
intention, *n.* Bwriad, amcan, bryd, diben.
intentional, *a.* Bwriadol.
inter, *v.* Claddu, daearu.
interaction, *n.* Ymadwaith, rhyngweithiad.
intercede, *v.* Eiriol.
intercept, *v.* Rhwystro, rhagod, rhyng-gipio, rhyngdorri.
interception, *n.* Rhyngdoriad.
intercession, *n.* Eiriolaeth.
intercessor, *n.* Eiriolwr.
interchange, *n. v.* Cyfnewid.
intercourse, *n.* Cyfathrach.
interdict, *n.* I. Gwaharddiad.
   2. *v.* Gwahardd.

interest, *n.* I. Budd, lles ; diddordeb ; llog.
   2. *v.* Diddori.
interesting, *a.* Diddorol.
interests, *np.* Diddordebau.
interfere, *v.* Ymyrryd, ymyrraeth.
interference, *n.* Ymyrraeth, ymyriad.
interim, *n.* I. Cyfamser.
   2. *a.* Dros dro.
   3. *ad.* Yn y cyfamser.
   INTERIM REPORT. Adroddiad dros dro. Adroddiad cyfamser.
interior, *n.* I. Tu mewn, canol.
   2. *a.* Y tu mewn, mewnol.
interject, *v.* Ebychu.
interjection, *n.* Ebychiad, ebychair.
interlock, *v.* Cloi ynghyd, cyd-gloi.
interlude, *n.* Egwyl ; anterliwt.
intermarriage, *n.* Cydbriodas, rhyngbriodas.
intermarry, *v.* Cydbriodi, rhyngbriodi.
intermediary, *n.* Cyfryngwr, canolwr.
intermediate, *a.* Canol ; canolraddol.
interment, *n.* Claddedigaeth, angladd.
interminable, *a.* Diderfyn, diddiwedd.
intermittent, *a.* Ysbeidiol.
intermix, *v.* Cymysgu, cydgymysgu.
intern, *v.* Carcharu, caethiwo.
internal, *a.* Mewnol.
international, *a.* Rhyngwladol, cydwladol.
internet, *n.* Rhyngrwyd.
interpret, *v.* Cyfieithu ; dehongli.
interpretation, *n.* Dehongliad ; cyfieithiad.
interpreter, *n.* Cyfieithydd, lladmerydd.
interrelated, *a.* Cydberthnasol.
interrelations, *np.* Cydberthnasau.
interrogate, *v.* Holi.
interrogation, *n.* Holiad.
interrogative, *a.* Gofynnol.
interrogator, *n.* Holwr.
interrupt, *v.* Torri ar draws, ymyrryd â.
interruption, *n.* Toriad, rhwystr, ymyrraeth.
interval, *n.* Egwyl, ysbaid, seibiant ; cyfwng (cerddoriaeth).
intervene, *v.* Ymyrryd ; gwahanu.
intervention, *n.* Ymyriad.
interview, *n.* I. Cyfweliad.
   2. *v.* Cyfweld.
intestate, *a.* Diewyllys.
intestinal, *a.* Perfeddol.
intestine, *n.* Perfeddyn.
intimacy, *n.* Cynefindra, agosrwydd, cyfeillach, cyfathrach.
intimate, *n.* I. Cyfaill mynwesol.
   2. *a.* Cyfarwydd, agos.
   3. *v.* Crybwyll, mynegi.
intimation, *n.* Hysbysiad.
intimidate, *v.* Dychrynu, brawychu.
intimidation, *n.* Brawychiad, bygythiad.
into, *prp.* I, i mewn i, yn.
intolerable, *a.* Annioddefol.
intolerance, *n.* Anoddefiad, anoddefgarwch.

intolerant, *a.* Anoddefgar.
intonation, *n.* Tonyddiaeth, tôn, goslef.
intoxicant, *n.* Diod feddwol.
intoxicate, *v.* Meddwi.
intoxicating, *a.* Meddwol.
intoxication, *n.* Meddwdod.
intractable, *a.* Anhywaith, anhydrin.
intransitive, *a.* Cyflawn.
intrepid, *a.* Di-ofn, gwrol, eofn.
intricacy, *n.* Cymhlethdod, dryswch.
intricate, *a.* Cymhleth, dyrys, astrus.
intrigue, *n. v.* Cynllwyn.
intrinsic, *a.* Priodol, cynhenid, hanfodol.
introduce, *v.* Cyflwyno, rhagarwain.
introduction, *n.* Cyflwyniad ; rhagymadrodd, rhagair.
introductory, *a.* Rhagarweiniol, cyflwyniadol, agoriadol.
introvert, *a.* Mewnblyg.
intrude, *v.* Ymyrryd, ymyrraeth.
intrusion, *n.* Ymyrraeth, ymwthiad.
intrusive, *a.* Ymwthiol.
intuition, *n.* Greddf, sythwelediad.
intuitive, *a.* Greddfol, sythweledol.
inundate, *v.* Gorlifo, boddi.
inundation, *n.* Gorlifiad, llifeiriant.
invade, *v.* Goresgyn, meddiannu.
invalid, *a.* Di-rym, diwerth.
invalid, *n.* Un afiach neu fethedig, claf.
invalidate, *v.* Dirymu.
invaluable, *a.* Amhrisiadwy.
invariable, *a.* Digyfnewid, sefydlog.
invariably, *ad.* Yn ddieithriad.
invasion, *n.* Goresgyniad.
invent, *v.* Dyfeisio.
invention, *n.* Dyfais.
inventive, *a.* Dyfeisgar.
inventor, *n.* Dyfeisiwr.
inversion, *n.* Gwrthdro.
invert, *v.* Troi wyneb i waered, gwrthdroi.
invertebrate, *a.* Di-asgwrn-cefn.
inverted, *a.* Wyneb i waered, gwrthdroëdig.
INVERTED COMMAS. Dyfynodau.
invest, *v.* Arwisgo, urddo ; buddsoddi.
investigate, *v.* Ymchwilio.
investigation, *n.* Ymchwiliad.
investigator, *n.* Ymchwilydd.
investiture, *v.* Arwisgiad, urddiad.
investment, *n.* Buddsoddiad.
investor, *n.* Buddsoddwr.
invigilator, *n.* Gwyliwr, goruchwyliwr.
invincible, *a.* Anorchfygol.
inviolable, *a.* Dihalog, cysegredig.
inviolate, *a.* Dihalog, dianaf.
invisible, *a.* Anweledig, anweladwy.
invitation, *n.* Gwahoddiad.
invite, *v.* Gwahodd.
invoice, *n.* Anfoneb.
invocation, *n.* Ymbil, gweddi, galwad (ar Dduw).

invoke, *v.* Galw ar.
involuntary, *a.* Anfwriadol, o anfodd.
involve, *v.* Drysu ; golygu ; cynnwys.
involvement, *n.* Cysylltiad, ymglymiad, ymrwymiad.
inward, *a.* Mewnol.
inwards, *ad.* Tuag i mewn.
iodine, *n.* Ïodin.
ion, *n.* Ïon.
ionization, *n.* Ïoneiddiad.
iota, *n.* Mymryn, iod.
irate, *a.* Dig, dicllon, llidiog.
ire, *n.* Dig, dicter, llid.
Ireland, *n.* Iwerddon, yr Ynys Werdd.
 NORTHERN IRELAND. Gogledd Iwerddon.
Irish, *n.* Gwyddeleg ; Gwyddelod.
 a. Gwyddeleg, Gwyddelig.
Irishman, *n.* Gwyddel.
Irishwoman, *n.* Gwyddeles.
irksome, *a.* Blin, blinderus, trafferthus.
iron, *n.* 1. Haearn.
 2. *a.* Haearn, haearnaidd.
 3. *v.* Smwddio, llyfnhau.
 CAST IRON. Haearn bwrw.
 IRONING BOARD. Bwrdd smwddio.
ironical, *a.* Eironig, gwatwarus.
irony, *n.* Eironi, gwatwareg.
irradiate, *v.* Pelydru, goleuo ; arbelydru.
irradiation, *n.* Llewyrch, disgleirdeb ; arbelydriad.
irrational, *a.* Direswm, afresymol.
irreconcilable, *a.* Digymod, yn anghytuno â, anghymodlon.
irrecoverable, *a.* Anadferadwy.
irrefutable, *a.* Anwadadwy, anatebadwy.
irregular, *a.* Afreolaidd.
irregularity, *n.* Afreoleidd-dra.
irrelevance, *n.* Amherthnasedd.
irrelevant, *a.* Amherthnasol.
irreligious, *a.* Digrefydd, anghrefyddol.
irremovable, *a.* Diysgog, ansymudadwy.
irreparable, *a.* Anadferadwy.
irresistible, *a.* Anorchfygol.
irretrievable, *a.* Anadferadwy.
irreverence, *n.* Amarch.
irreverent, *a.* Amharchus.
irrevocable, *a.* Di-alw-yn-ôl.
irrigate, *v.* Dyfrhau, dwrhau.
irrigation, *n.* Dyfrhad.
irritable, *a.* Pigog, croendenau, llidiog, anynad.
irritate, *v.* Poeni, blino, cythruddo.
irritating, *a.* Llidus, blin, poenus.
irritation, *n.* Llid, poen, enynfa ; dicter, cythrudd.
is, *v.* Y mae, sydd, yw, ydyw, oes.
island : isle, *n.* Ynys.
 BARDSEY ISLAND. Ynys Enlli.
 CALDY ISLAND. Ynys Bŷr.
islander, *n.* Ynyswr.
islet, *n.* Ynysig.
isobar, *n.* Isobar.
 pl. Isobarrau.

isolate, *v.* Neilltuo, gwahanu.
isolation, *n.* Arwahanrwydd, neilltuaeth, unigrwydd.
isotope, *n.* Isotôp.
Israel, *n.* Israel.
Israeli, *n.* I. Israeliad.
   2. *a.* Israelaidd.
issue, *n.* I. Cyhoeddiad ; canlyniad, pwnc dadl ; tarddiad, llif ; hiliogaeth, plant.
   2. *v.* Tarddu ; cyhoeddi ; rhoi allan.
isthmus, *n.* Culdir.
it, *pn.* Ef, efe, fe, e, efo, fo, o ; hi.
Italian, *n.* I. Eidalwr, Eidales ; Eidaleg (iaith).
   2. *a.* Eidalaidd.
italicize, *v.* Italeiddio.
italics, *np.* Llythrennau italaidd.
Italy, *n.* Yr Eidal.

itch, *n.* I. Crafu, ysfa.
   2. *v.* Crafu, ysu, cosi.
item, *n.* Eitem, peth, darn.
iterate, *v.* Ailadrodd.
itinerant, *a.* Teithiol, crwydrol.
itinerary, *n.* Teithlyfr ; taith.
its, *pn.* Ei.
it's = it is, Mae (ef), mae (hi).
   IT'S HERE. Mae (ef) yma.
   IT'S GONE. Mae (ef) wedi mynd.
   IT'S READY. Mae'n barod.
   IT'S COLD. Mae'n oer.
itself, *pn.* Ei hun, ei hunan.
ivory, *n.* Ifori.
ivy, *n.* Eiddew, iorwg.

Jab, *n.* I. Prociad ; pigiad.
　　2. *v.* Procio ; pigo.
jabber, *n.* I. Clebran, clebar.
　　2. *v.* Clebran.
jack, *n.* Jac.
jackass, *n.* Asyn gwryw ; hurtyn, mwlsyn.
jackdaw, *n.* Corfran, jac-y-do.
jacket, *n.* Siaced.
jagged, *a.* Danheddog, garw.
jail, *n.* Carchar.
jam, *n.* Cyffaith, jam ; tagfa.
　　TRAFFIC JAM. Tagfa drafnidiaeth.
janitor, *n.* Porthor.
January, *n.* Ionawr.
Japan, *n.* Japán, Siapán.
Japanese, *n.* I. Japanead ; Japanaeg (*lang.*).
　　2. *a.* Japaneaidd.
jar, *n.* I. Jar ; ysgydwad.
　　2. *v.* Rhygnu ; ysgwyd.
jaundice, *n.* Y clefyd melyn.
jaunt, *n.* I. Gwibdaith.
　　2. *v.* Gwibdeithio, rhodio.
jaunty, *a.* Sionc, bywiog.
jaw, *n.* Gên, cern, safn.
　　JAWS. Safn, genau.
jay, *n.* Sgrech y coed.
jazz, *n.* Jas.
jealous, *a.* Cenfigennus, eiddigeddus.
jealousy, *n.* Cenfigen, eiddigedd.
jeer, *n.* I. Gwawd, gwatwar.
　　2. *v.* Gwawdio, gwatwar.
jelly, *n.* Jeli.
jellyfish, *n.* Slefren fôr.
jeopardize, *v.* Peryglu.
jeopardy, *n.* Perygl, enbydrwydd.
jerk, *n.* I. Plwc sydyn, ysgytiad.
　　2. *v.* Plycio, ysgytio.
jersey, *n.* Siersi.
Jerusalem, *n.* Jerwsalem, Caersalem.
jest, *n.* I. Cellwair, smaldod.
　　2. *v.* Cellwair, smalio.
jester, *n.* Cellweiriwr, digrifwas.
Jesus, *n.* Iesu.
jet, *n.* Ffrwd, jet ; muchudd.
jetsam, *n.* Broc môr.
jetty, *n.* Glanfa.
Jew, *n.* Iddew.
jewel, *n.* Gem, tlws.
jeweller, *n.* Gemydd.
jewellery, *n.* Gemwaith.
Jewess, *n.* Iddewes.
Jewish, *a.* Iddewig.
jig, *n.* Dawns fywiog.
jingle, *v.* I. Tincial.
　　2. *n.* Rhigwm.
jinks, *n.* Miri.
job, *n.* Tasg, gorchwyl, gwaith.
　　JOB CENTRE. Canolfan Gwaith.
jobber, *n.* Un sy'n prynu a gwerthu.
jobless, *a.* Diwaith.
jockey, *n.* Joci.
jocose, *a.* Direidus, cellweirus.

jocular, *a.* Ffraeth, digrif.
jocund, *a.* Llon, hoyw.
jog, *v.* Loncian ; gwthio.
jogger, *n.* Lonciwr.
join, *v.* Cydio, cysylltu, uno, asio.
joiner, *n.* Saer.
joinery, *n.* Gwaith saer.
joint, *n.* I. Cyswllt ; cymal.
　　2. *a.* Cyd-.
joist, *n.* Dist, trawst, tulath.
joke, *n.* I. Stori ddoniol, ffraetheb, jôc.
　　2. *v.* Cellwair, jocan.
jollity, *n.* Miri, difyrrwch, sbri.
jolly, *a.* Llawen, difyr, braf.
jot, *n.* I. Mymryn, tipyn, iod.
　　2. *v.* Nodi.
jotting, *n.* Nodiad.
journal, *n.* Newyddiadur, dyddlyfr.
journalism, *n.* Newyddiaduriaeth.
journalist, *n.* Newyddiadurwr.
journey, *n.* I. Taith, siwrnai.
　　2. *v.* Teithio.
jovial, *a.* Llawen, siriol, llon.
jowl, *n.* Gên, cern.
joy, *n.* Llawenydd, gorfoledd.
joyous, *a.* Llawen, gorfoleddus.
jubilant, *a.* Gorfoleddus.
jubilation, *n.* Gorfoledd.
jubilee, *n.* Jiwbili, dathliad.
Judaism, *n.* Iddewiaeth.
judge, *n.* I. Barnwr ; beirniad.
　　2. *v.* Barnu ; beirniadu.
judgement, *n.* Barn ; dedfryd, dyfarniad.
judicial, *a.* Barnwrol, cyfreithiol.
judicious, *a.* Call, doeth, synhwyrol.
jug, *n.* Jwg.
juggle, *v.* Siwglo.
juggler, *n.* Siwglwr.
juice, *n.* Sudd, nodd.
July, *n.* Gorffennaf.
jumble, *v.* Cymysgu.
　　JUMBLE SALE. Ffair Sborion.
jump, *n.* I. Naid, llam.
　　2. *v.* Neidio, llamu.
jumper, *n.* Neidiwr ; siwmper.
junction, *n.* Cyffordd ; cydiad ; cymer.
June, *n.* Mehefin.
jungle, *n.* Jyngl.
junior, *a.* Iau, ieuengach.
jurisdiction, *n.* Awdurdod.
jurisprudence, *n.* Deddfeg, cyfreitheg.
jury, *n.* Rheithgor.
just, *a.* I. Iawn, cyfiawn, teg.
　　2. *ad.* Yn union, prin, braidd.
justice, *n.* Cyfiawnder ; ynad, ustus.
justifiable, *a.* Teg, cyfiawn, haeddiannol.
justify, *v.* Cyfiawnhau.
jut, *v.* Ymwthio allan.
juvenile, *n.* I. Bachgen, merch.
　　2. *a.* Ieuanc.
juxtaposition, *n.* Cyfosodiad.

Kale, *n.* Bresych deiliog, cêl.
kangaroo, *n.* Cangarŵ.
keel, *n.* Gwaelod llong, cilbren, trumbren.
keen, *a.* Craff, llym, awyddus, brwd.
keenness, *n.* Craffter, llymder, awydd.
keen-eyed, *a.* Craff, llygatgraff, llygadog.
keep, *n.* I. Tŵr ; cadw.
    2. *v.* Cadw ; cynnal.
keeper, *n.* Ceidwad, cipar.
keeping, *n.* Cadwraeth, gofal.
keepsake, *n.* Cofrodd.
kennel, *n.* Cwb ci, gwâl ci, cwtsh ci ; haid o gŵn
    hela.
kenosis, *n.* Ymwacâd.
kerchief, *n.* Cadach, neisied.
kernel, *n.* Cnewyllyn.
kestrel, *n.* Cudyll, curyll.
kettle, *n.* Tegell.
key, *n.* Allwedd, agoriad ; cywair.
keyboard, *n.* Allweddell.
keyhole, *n.* Twll y clo.
keynote, *n.* Cyweirnod.
keystone, *n.* Maen clo.
kick, *n.* I. Cic.
    2. *v.* Cicio ; gwingo.
    DROP-KICK. Cic adlam.
    PENALTY-KICK. Cic gosb.
    CORNER-KICK. Cic gornel.
    FREE KICK. Cic rydd.
    KICK AHEAD. Cic ymlaen.
kid, *n.* I. Myn ; plentyn.
    2. *v.* Twyllo.
kidnap, *v.* Herwgipio.
kidney, *n.* Aren.
    KIDNEY-BEANS. Ffa Ffrengig.
kill, *n.* I. Diwedd.
    2. *v.* Lladd.
killer, *n.* Lladdwr, lleiddiad.
kiln, *n.* Odyn.
kin, *n.* Perthnasau, teulu, tylwyth.
kind, *n.* I. Rhyw, rhywogaeth, math.
    2. *a.* Caredig, hynaws.
kindergarten, *n.* Ysgol feithrin.
kindle, *v.* Ennyn, cynnau.
kindness, *n.* Caredigrwydd.
    ACT OF KINDNESS. Cymwynas.
kindred, *n.* I. Perthynas, ceraint.
    2. *a.* Perthynol.
kine, *np.* Da, buchod, gwartheg.

kinetic, *a.* Cinetig, symudol.
king, *n.* Brenin.
kingdom, *n.* Teyrnas, brenhiniaeth.
kingfisher, *n.* Glas y dorlan.
kingly, *a.* Brenhinol.
kingship, *n.* Brenhiniaeth.
kink, *n.* Tro, cinc ; mympwy, chwilen.
kinsman, *n.* Câr, perthynas.
kiss, *n.* I. Cusan, sws.
    2. *v.* Cusanu.
kit, *n.* Pac, taclau.
kitchen, *n.* Cegin.
kitchen-garden, *n.* Gardd lysiau.
kite, *n.* Barcut, barcud ; ceit.
kith, *n.* Cydnabod.
    KITH AND KIN. Cyfeillion a pherthnasau.
kitten, *n.* Cath fach.
knack, *n.* Medr, dawn.
knave, *n.* Cnaf, dihiryn.
knavery, *n.* Cyfrwystra, cnafeidd-dra.
knavish, *a.* Cnafaidd, cyfrwys.
knead, *v.* Tylino.
knee, *n.* Glin, pen-lin, pen-glin.
kneel, *v.* Penlinio, penglinio.
knell, *n.* Cnul, clul.
knickerbocker, *n.* Clos pen-glin.
knife, *n.* Cyllell.
knight, *n.* Marchog.
knighthood, *n.* Urdd marchog.
knit, *v.* Gwau, cysylltu, asio, clymu.
knitting, *n.* Gwau, gweu.
knob, *n.* Nobyn, dwrn, cnwb, bwlyn, cnap ;
    cnepyn, twlpyn.
knock, *n.* I. Cnoc, ergyd, dyrnod.
    2. *v.* Cnocio, curo, taro, bwrw.
knoll, *n.* Bryn, bryncyn, cnwc, ponc.
knot, *n.* I. Cwlwm, clwm ; cymal, cainc ; milltir fôr.
    2. *v.* Clymu.
knotted, *a.* Clymog ; cymalog.
know, *v.* Gwybod ; adnabod.
    IN THE KNOW. Yn gwybod.
    HOW DO I KNOW ? Sut y gwn i ?
    YOU KNOW BEST. Ti a ŵyr orau.
knowing, *a.* Gwybodus, deallus, ffel.
knowingly, *a.* Yn ymwybodol, yn fwriadol.
knowledge, *n.* Gwybodaeth.
knuckle, *n.* Cymal, cwgn, cogwrn, migwrn.
kow-tow, *v.* Ymgreinio, moesymgrymiad.

Label, *n.* I. Label.
  2. *v.* Dodi label ar, labelu, enwi.
labial, *a.* Gwefusol.
laboratory, *n.* Labordy.
laborious, *a.* Llafurus.
labour, *n.* I. Llafur.
  2. *v.* Llafurio, ymegnïo.
  LABOUR PAINS. Gwewyr esgor.
  A WOMAN IN LABOUR. Gwraig ar esgor.
  LABOUR OF LOVE. Llafur cariad.
  THE LABOUR PARTY. Y Blaid Lafur.
  A LABOUR COUNCILLOR. Cynghorydd Llafur.
labourer, *n.* Llafurwr, labrwr, gweithiwr.
labyrinth, *n.* Drysfa.
lace, *n.* I. Carrai, las, les.
  2. *v.* Clymu â charrai, cau ; addurno â las.
lacerate, *v.* Rhwygo, llarpio, darnio.
lack, *n.* I. Diffyg, eisiau.
  2. *v.* Bod ag angen neu eisiau.
laconic, *a.* Cwta, byreiriog.
lactation, *n.* Cyfnod llaetha, llaethiad.
lad, *n.* Crwt, llanc, hogyn.
ladder, *n.* Ysgol ; rhediad, rhwyg (mewn hosan).
ladies, *np.* Nifer o foneddigesau.
  LADIES. Toiledau menywod.
  LADIES AND GENTLEMEN. Foneddigion a boneddigesau.
ladle, *n.* Lletwad, llwy fawr.
lady, *n.* Arglwyddes, bonesig, merch fonheddig.
  LADYBIRD. Buwch goch gota.
lag, *v.* Ymdroi, llusgo ar ôl.
lagging, *n.* Ynysydd.
  LAGGING JACKET. Siaced lapio.
lair, *n.* Gwâl, lloches, ffau.
laity, *n.* Gwŷr lleyg, lleygwyr.
lake, *n.* Llyn.
lamb, *n.* I. Oen.
  2. *v.* Bwrw ŵyn, wyna.
  PET LAMB. Oen swci (llywaeth).
  THE PASCHAL LAMB. Oen y Pasg.
lambkin, *n.* Oen bach, oenig.
lame, *a.* I. Cloff.
  2. *v.* Cloffi.
lameness, *n.* Cloffni, cloffi.
lament, *n.* I. Cwynfan, galarnad.
  2. *v.* Cwynfan, galaru.
lamentable, *a.* Gofidus, truenus, galarus.
lamentation, *n.* Cwynfan, galar, galarnad.
laminate, *a.* I. Haenog, tafellog, laminedig.
  2. *v.* Haenellu, lamineiddio.
lamp, *n.* Lamp, llusern.
  LAMPLIGHT. Golau lamp.
  LAMP-POST. Polyn lamp.
  LAMPSHADE. Lamplen.
lampoon, *n.* I. Dychangerdd.
  2. *v.* Dychanu.
lance, *n.* I. Gwaywffon, picell.
  2. *v.* Agor clwyf, ffleimio.
lance-corporal, *n.* Is-gorpral.

lancet, *n.* Fflaim, cyllell meddyg.
land, *n.* I. Daear, tir ; gwlad.
  2. *v.* Tirio, glanio ; dadlwytho.
landed, *a.* Tirfeddiannol, tiriog.
landing, *n.* Glaniad ; glanfa ; pen grisiau.
landlady, *n.* Perchnoges, lletywraig, gwraig tŷ tafarn.
landlord, *n.* Meistr tir, perchennog, lletywr, gŵr tŷ tafarn.
landmark, *n.* I. Nod tir.
  2. Digwyddiad cofiadwy.
landscape, *n.* Tirlun, golygfa.
lane, *n.* Lôn, beidr, wtra.
language, *n.* Iaith.
languid, *a.* Llesg, egwan.
languish, *v.* Llesgáu, nychu.
languor, *n.* Llesgedd, nychdod.
lantern, *n.* Llusern.
lap, *n.* I. Arffed, glin ; cylch ; plyg.
  2. *v.* Plygu, lapio ; llepian.
lapel, *n.* Llabed.
lapse, *n.* I. Llithrad, cwymp ; gwall.
  2. *v.* Llithro, cwympo, colli.
larceny, *n.* Lladrad.
larch, *n.* Llarwydden.
lard, *n.* I. Bloneg, lard.
  2. *v.* Iro, blonegu.
larder, *n.* Pantri, bwtri.
large, *a.* Mawr, helaeth, eang.
largeness, *n.* Maint.
lark, *n.* I. Ehedydd ; difyrrwch, sbort.
  2. *v.* Cellwair, prancio.
laryngitis, *n.* Gwddf tost, dolur gwddf.
larynx, *n.* Corn gwddf, afalfreuant.
lash, *n.* I. Llach ; fflangell.
  2. *v.* Llachio, fflangellu ; rhwymo.
lass, *n.* Geneth, llances, lodes.
lassitude, *n.* Llesgedd, gwendid.
last, *n.* I. Pren troed, lest.
  2. *a.* Olaf, diwethaf.
  3. *v.* Parhau, para, dal.
  AT LAST. O'r diwedd.
  LAST NIGHT. Neithiwr.
  LAST WEEK. Yr wythnos diwethaf.
  LAST MONTH. Mis diwethaf.
  LAST YEAR. Y llynedd.
  THE LAST WORD. Y gair olaf.
lasting, *a.* Parhaus, parhaol.
lastly, *ad.* Yn olaf, yn ddiwethaf.
latch, *n.* Clicied.
late, *a.* Hwyr, diweddar.
lately, *ad.* Yn ddiweddar.
lateness, *n.* Diweddarwch, hwyrdra.
latent, *a.* Cuddiedig, cudd.
later, *a.* I. Diweddarach.
  2. *ad.* Yn ddiweddarach, wedyn.
lateral, *n.* I. Ochr, ystlys, cangen.
  2. *a.* Ochrol, ystlysol.
latest, *a.* Diweddaraf.

lath, *n.* 1. Eisen, dellten, latsen.
　　2. *v.* Delltu.
lathe, *n.* Turn.
lather, *n.* 1. Trochion sebon.
　　2. *v.* Seboni, golchi.
Latin, *n.* 1. Lladin.
　　2. *a.* Lladin, Lladinaidd.
Latin America, *n.* America Ladin.
latitude, *n.* Lledred ; penrhyddid.
latter, *a.* Diwethaf.
latterly, *ad.* Yn ddiweddar.
lattice, *n.* Dellt, rhwyllwaith.
laud, *n.* 1. Clod, mawl.
　　2. *v.* Clodfori, moli, canmol.
laudable, *a.* Canmoladwy.
laugh, *n.* 1. Chwerthiniad, chwarddiad.
　　2. *v.* Chwerthin.
laughable, *a.* Chwerthinllyd.
laughing-stock, *n.* Cyff gwawd.
laughter, *n.* Chwerthin.
launch, *v.* Lansio ; gwthio i'r môr.
launderette, *n.* Golchdy.
laundry, *n.* Golchdy ; dillad golch.
laureate, *a.* Llawryfog.
　　POET LAUREATE. Bardd llawryfog.
laurel, *n.* Llawryf.
lava, *n.* Lafa.
lavatory, *n.* Tŷ bach, geudy, toiled, lle chwech, jeriw ; ymolchfa, ystafell ymolchi.
lavender, *n.* Lafant.
laver, *n.* Lafwr, lawr.
　　LAVER BREAD. Bara lafwr (lawr).
lavish, *a.* 1. Hael, afradlon.
　　2. *v.* Afradu, gwastraffu.
law, *n.* Cyfraith, deddf.
　　LAW AND ORDER. Cyfraith a threfn.
lawful, *a.* Cyfreithlon.
lawless, *a.* Digyfraith, di-ddeddf.
lawn, *n.* Lawnt.
　　LAWNMOWER. Peiriant torri lawnt.
lawyer, *n.* Cyfreithiwr, twrnai.
lax, *a.* Llac, esgeulus, diofal.
laxative, *n.* Carthydd, carthlyn.
laxity, *n.* Llacrwydd, diofalwch.
lay, *a.* 1. Lleyg.
　　2. *v.* Gosod, dodi ; dodwy.
　　TO LAY HANDS ON. Dal.
layer, *n.* 1. Haen, trwch.
　　2. *v.* Haenu, taenu.
laze, *v.* Diogi, segura.
laziness, *n.* Diogi.
lazy, *a.* Diog, dioglyd.
lea, *n.* Doldir, dôl.
lead, *n.* Plwm.
lead, *n.* 1. Arweiniad.
　　2. *v.* Arwain, tywys.
leaden, *a.* Plwm, o blwm.
leader, *n.* Arweinydd ; erthygl flaen.
leading, *a.* Arweiniol, blaenllaw.

leaf, *n.* Deilen, dalen.
leaflet, *n.* Deilen fechan ; taflen.
leafy, *a.* Deiliog.
league, *n.* Cynghrair.
leak, *n.* 1. Agen, hollt.
　　2. *v.* Gollwng, diferu, colli.
leaky, *a.* Yn gollwng, yn colli.
lean, *n.* 1. Cig coch.
　　2. *a.* Tenau.
　　3. *v.* Pwyso ; gogwyddo, goleddu.
leanness, *n.* Teneuwch, teneudra.
leap, *n.* 1. Llam, naid.
　　2. *v.* Llamu, neidio.
　　LEAP-YEAR. Blwyddyn naid.
learn, *v.* Dysgu.
learned, *a.* Dysgedig, hyddysg.
learning, *n.* Dysg, dysgeidiaeth.
lease, *n.* 1. Prydles, les.
　　2. *v.* Prydlesu.
leasehold, *n.* Meddiant drwy brydles.
leash, *n.* 1. Tennyn, cynllyfan.
　　2. *v.* Cynllyfanu.
least, *a.* Lleiaf.
　　AT LEAST. O leiaf.
leather, *n.* Lledr.
leathery, *a.* Fel lledr, lledraidd.
leave, *n.* 1. Cennad, caniatâd.
　　2. *v.* Gadael, ymadael.
　　TO LEAVE IT ALONE. Gadael iddo.
leaven, *n.* 1. Lefain, surdoes.
　　2. *v.* Lefeinio.
lectern, *n.* Darllenfa.
lecture, *n.* 1. Darlith.
　　2. *v.* Darlithio.
lecturer, *n.* Darlithydd, darlithiwr.
ledge, *n.* Silff, ysgafell.
ledger, *n.* Llyfr cyfrifon.
lee, *n.* Ochr gysgodol, cysgod gwynt.
leech, *n.* Gelen.
leek, *n.* Cenhinen.
　　LEEK SOUP. Cawl cennin.
leer, *n.* 1. Cilwen.
　　2. *v.* Cilwenu.
lees, *np.* Gwaddod, gwaelodion.
left, *a.* Aswy, chwith.
　　LEFT-HANDED. Llawchwith.
leg, *n.* Coes, esgair.
legacy, *n.* Cymynrodd, etifeddiaeth.
legal, *a.* Cyfreithlon.
legality, *n.* Cyfreithlondeb.
legalize, *v.* Cyfreithloni.
legate, *n.* Llysgennad y Pab, cennad.
legatee, *n.* Derbyniwr cymynrodd.
legation, *n.* Llysgenhadaeth.
legend, *n.* Chwedl, traddodiad.
legible, *a.* Darllenadwy, eglur.
legion, *n.* Lleng.
legislate, *v.* Deddfu.
legislation, *n.* Deddfwriaeth.

legitimacy, *n.* Cyfreithlondeb.
legitimate, *a.* Cyfreithlon.
leisure, *n.* Hamdden.
leisured, *a.* Hamddenol, segur.
leisurely, *a.* Hamddenol, araf.
lemon, *n.* Lemon, lemwn.
lemonade, *n.* Diod lemon.
lend, *v.* Rhoi benthyg, benthyca.
length, *n.* Hyd.
lengthen, *v.* Estyn, hwyhau.
lengthwise, *ad.* Yn ei hyd.
lengthy, *a.* Hir, maith.
leniency, *n.* Tynerwch, tiriondeb.
lenient, *a.* Trugarog.
Lent, *n.* Y Grawys, y Garawys.
lentils, *np.* Ffacbys, corbys.
leopard, *n.* Llewpard.
leper, *n.* Un gwahanglwyfus.
leprosy, *n.* Gwahanglwyf.
leprous, *a.* Gwahanglwyfus.
lesion, *n.* Anaf.
less, *n.* I. Llai.
   2. *a.* Llai.
   3. *ad.* Yn llai.
lessen, *v.* Mynd yn llai, lleihau.
lesson, *n.* Gwers, llith.
lest, *c.* Rhag, rhag i, fel na, rhag ofn.
let, *v.* Gadael, caniatáu ; gosod ; gollwng.
lethal, *a.* Marwol, angheuol.
lethargy, *n.* Cysgadrwydd, syrthni.
letter, *n.* I. Llythyren ; llythyr.
   2. *v.* Llythrennu.
   CAPITAL LETTER. Priflythyren.
   LETTER-BOX. Bocs llythyron.
lettered, *a.* Llythrennog ; wedi ei lythrennu.
lettering, *n.* Llythreniad.
letters, *np.* Llên, llenyddiaeth.
lettuce, *n.* Letysen.
level, *n.* I. Lefel, gwastad.
   2. *a.* Gwastad.
   3. *v.* Gwastatáu, lefelu.
   SPIRIT LEVEL. Lefelydd.
lever, *n.* Trosol.
leveret, *n.* Ysgyfarnog ifanc, lefren.
Levite, *n.* Lefiad.
levity, *n.* Ysgafnder.
levy, *n.* I. Treth, toll.
   2. *v.* Trethu, tolli, codi.
lewd, *a.* Anllad, trythyll, anweddus.
lewdness, *n.* Anlladrwydd, trythyllwch
lexical, *a.* Geiriadurol.
lexicographer, *n.* Geiriadurwr.
lexicography, *n.* Geiriaduraeth.
lexicon, *n.* Geiriadur.
liability, *n.* Cyfrifoldeb, rhwymedigaeth.
   LIABILITIES. Dyledion.
liable, *a.* Rhwymedig, atebol ; agored i.
liar, *n.* Celwyddgi, celwyddwr.
libel, *n.* I. Athrod, enllib.
   2. *v.* Athrodi, enllibio.

libeller, *n.* Enllibiwr.
libellous, *a.* Enllibus.
liberal, *n.* I. Rhyddfrydwr.
   2. *a.* Hael, rhyddfrydig ; rhyddfrydol.
   THE LIBERAL DEMOCRATS. Y Democratiaid Rhyddfrydol.
liberalism, *n.* Rhyddfrydiaeth.
liberality, *n.* Haelioni.
liberate, *v.* Rhyddhau.
liberation, *n.* Rhyddhad.
liberty, *n.* Rhyddid.
librarian, *n.* Llyfrgellydd.
library, *n.* Llyfrgell.
licence, *n.* Trwydded, caniatâd.
   DRIVING LICENCE. Trwydded yrru.
   FISHING LICENCE. Trwydded bysgota.
   TELEVISION LICENCE. Trwydded deledu.
   TO TAKE OUT A LICENCE. Codi trwydded.
license, *v.* Trwyddedu.
licensed, *a.* Trwyddedig.
licentiate, *a.* Trwyddedog.
licentious, *a.* Penrhydd, anllad, chwantus.
lichen, *n.* Cen y cerrig.
lick, *n.* I. Llyfiad.
   2. *v.* Llyfu, llyo, llio ; curo.
licking, *n.* Cosfa, curfa ; llyfiad.
lid, *n.* Clawr, caead.
lie, *n.* I. Celwydd, anwiredd.
   2. *v.* Dywedyd celwydd ; gorwedd.
lieutenant, *n.* Is-gapten.
life, *n.* Bywyd, oes, einioes, hoedl, buchedd.
   THE LIFE OF ST DAVID. Buchedd Dewi.
lifebelt, *n.* Gwregys achub.
lifeboat, *n.* Bad achub.
lifebuoy, *n.* Bwi achub.
lifeless, *a.* Difywyd, marw, marwaidd.
lifetime, *n.* Oes, hoedl, einioes.
lift, *n.* I. Codiad, dyrchafiad ; lifft.
   2. *v.* Codi, dyrchafu.
ligament, *n.* Gewyn, giewyn.
light, *n.* I. Golau, goleuni, gwawl.
   2. *a.* Golau, disglair ; ysgafn.
   3. *v.* Goleuo ; cynnau.
lighten, *v.* Ysgafnhau ; sirioli ; goleuo.
lighthouse, *n.* Goleudy.
lightness, *n.* Ysgafnder.
like, *a.* I. Tebyg, cyffelyb, cyfryw.
   2. *prp.* Fel, megis.
   3. *v.* Caru, hoffi.
likelihood, *n.* Tebygolrwydd.
likely, *a.* Tebygol, tebyg.
liken, *v.* Cymharu, cyffelybu.
likeness, *n.* Tebygrwydd, llun.
likewise, *ad.* Yn gyffelyb, yr un modd.
liking, *n.* Hoffter, chwaeth.
lilac, *n.* Lelog.
lily, *n.* Lili ; alaw.
   LILY OF THE VALLEY. Lili'r dyffrynnoedd.
   WATER LILY. Lili'r dŵr.

limb, *n.* Aelod ; cainc.
lime, *n.* I. Calch.
    2. *v.* Calchu, calcho.
limelight, *n.* Amlygrwydd ; golau calch.
limestone, *n.* Carreg galch.
limit, *n.* I. Terfyn, ffin.
    2. *v.* Cyfyngu.
limitation, *n.* Cyfyngiad.
limp, *n.* I. Cloffni, cloffi.
    2. *a.* Llipa, llibin.
    3. *v.* Cloffi, clunhercian.
limpid, *a.* Gloyw, grisialaidd.
limpness, *n.* Meddalwch, llacrwydd.
line, *n.* I. Llinyn, tennyn ; llinell ; lein, rhes, rhestr.
    2. *v.* Llinellu, rhesu.
    LINE-OUT. Lein, llinell.
lineage, *n.* Ach, llinach.
linear, *a.* Llinellol, llinellog.
    LINEAR EQUATION. Hafaliad unradd :
    Hafaliad llinellol.
linen, *n.* Lliain.
    FINE LINEN. Lliain main.
linesman, *n.* Llinellwr.
linger, *v.* Oedi, ymdroi.
linguist, *n.* Ieithydd.
linguistic, *a.* Ieithyddol.
linguistics, *n.* Ieithyddiaeth.
link, *n.* I. Dolen, dolen gyswllt.
    2. *v.* Cysylltu, cydio.
linkage, *n.* Cysylltiad, doleniad.
liniment, *n.* Ennaint, eli.
linnet, *n.* Llinos.
linseed, *n.* Had llin.
lintel, *n.* Capan drws.
lion, *n.* Llew.
lioness, *n.* Llewes.
lip, *n.* Gwefus, min, gwefl.
lipstick, *n.* Minlliw.
liquefy, *v.* Hylifo, toddi.
liquid, *n.* I. Gwlybwr, hylif.
    2. *a.* Gwlyb.
liquidate, *v.* Talu dyled, clirio dyled ; lladd,
    llofruddio.
liquor, *n.* Gwirod, diod.
lisp, *n.* I. Bloesgni, diffyg siarad.
    2. *v.* Siarad yn floesg.
lissom, *a.* Ystwyth, heini.
list, *n.* I. Rhestr ; gogwydd.
    2. *v.* Rhestru ; gogwyddo.
listen, *v.* Gwrando, clustfeinio.
listener, *n.* Gwrandawr.
listless, *a.* Llesg, diynni.
listlessness, *n.* Llesgedd.
litany, *n.* Litani.
literacy, n. Llythrennedd.
literal, *a.* Llythrennol.
literary, *a.* Llenyddol.
literate, *a.* Llythrennog.
literature, *n.* Llenyddiaeth, llên.

lithe, *a.* Ystwyth.
litigate, *v.* Cyfreithio.
litigation, *n.* Ymgyfreithiad, cyfreithiad.
litre, *n.* Litr.
litter, *n.* Torllwyth, tor ; llanastr, ysbwriel ; elor.
    LITTER OF PIGS. Tor o foch.
littérateur, *n.* Llenor.
little, *n.* I. Ychydig.
    2. *a.* Bach, bychan, mân.
littleness, *n.* Bychander.
liturgical, *a.* Litwrgaidd.
liturgy, *n.* Ffurfwasanaeth ; Llyfr Gweddi ;
    gwasanaeth.
live, *a.* Byw, bywiol, bywiog.
live, *v.* Byw.
livelihood, *n.* Bywoliaeth, cynhaliaeth.
liveliness, *n.* Bywiogrwydd, hoen.
livelong, *a.* Maith, cyfan, ar ei hyd.
lively, *a.* Bywiog, hoenus.
liven, *v.* Bywiogi, sirioli.
liver, *n.* Afu, iau.
livery, *n.* Lifrai.
livid, *a.* Dulas.
living, *n.* I. Bywoliaeth.
    2. *a.* Bywiol, yn fyw, byw.
lizard, *n.* Madfall, genau-goeg, budrchwilen.
lo, *int.* Wele !
load, *n.* I. Llwyth, baich.
    2. *v.* Llwytho.
loaf, *n.* I. Torth.
    2. *v.* Sefyllian, diogi.
loam, *n.* Priddglai.
loan, *n.* Benthyg.
loath : loth, *a.* Anfodlon.
loathe, *v.* Casáu, ffieiddio.
loathsome, *n.* Atgas, ffiaidd.
lobby, *n.* Porth, cyntedd.
lobster, *n.* Cimwch.
local, *a.* Lleol.
    LOCAL PREACHER. Pregethwr cynorthwyol.
    LOCAL GOVERNMENT. Llywodraeth leol.
locality, *n.* Lle, cymdogaeth, ardal.
localization, *n.* Lleoliad.
localize, *v.* Lleoli.
locate, *v.* Darganfod, lleoli, gosod.
location, *n.* Safle, lleoliad.
loch, *n.* Llyn, llwch.
lock, *n.* I. Clo ; llifddor ; cudyn (o wallt).
    2. *v.* Cloi, cau.
locked, *a.* Ar glo, dan glo, ynghlo, cloëdig.
locomotion, *n.* Ymsymudiad.
locomotive, *n.* I. Locomotif.
    2. *a.* Ymsymudol.
locust, *n.* Locust.
lodestone, *n.* Tynfaen.
lodge, *n.* Llety ; cyfrinfa undeb, &c.
lodger, *n.* Lletywr.
lodgings, *np.* Llety.
    LODGING HOUSE. Llety.

loft, *n.* Taflod ; llofft.
lofty, *a.* Uchel.
log, *n.* Boncyff, cyff.
   LOG-BOOK. Llyfr cofnodion (lòg).
logan-stone, *n.* Maen llog.
logic, *n.* Rhesymeg.
logical, *a.* Rhesymegol.
loin, *n.* Llwyn, lwyn.
loiter, *v.* Ymdroi, sefyllian, loetran.
London, *n.* Llundain.
loneliness, *n.* Unigrwydd.
lonely, *a.* Unig.
long, *a.* I. Hir, Maith, llaes.
   2. *v.* Hiraethu, dyheu.
   ALL DAY LONG. Trwy gydol y dydd.
   AS LONG AS. Cyhyd â, tra.
   LONG SINCE. Ers amser.
   A LONG TIME AGO. Amser maith yn ôl. Ers
     llawer dydd. Ers talwm iawn.
   IN THE LONG RUN. Yn y pen draw.
longer, *a.* I. Hirach, hwy.
   2. *ad.* Yn hirach, yn hwy.
longest, *a.* Hiraf, hwyaf.
longevity, *n.* Hiroes, hirhoedledd.
longing, *n.* Hiraeth.
longitude, *n.* Hydred.
longitudinal, *a.* Hydredol.
long-suffering, *n.* I. Hirymaros.
   2. *a.* Hirymarhous, amyneddgar.
long-winded, *a.* Hirwyntog.
longways : longwise, *ad.* Ar ei hyd, yn ei hyd.
look, *n.* I. Golwg, trem ; edrychiad ; gwedd.
   2. *v.* Edrych, syllu, ymddangos.
   TO LOOK FOR. Chwilio am.
looking-glass, *n.* Drych.
look-out, *n.* Gwyliwr ; disgwyliad ; disgwylfa.
loom, *n.* I. Gwŷdd.
   2. *v.* Ymrithio, ymddangos.
loop, *n.* I. Dolen.
   2. *v.* Dolennu.
loop-hole, *n.* Clerdwll, bwlch, dihangfa.
loose, *a.* I. Rhydd, llaes, llac.
   2. *v.* Gollwng.
loosen, *v.* Rhyddhau, datod.
looseness, *n.* Llacrwydd.
loot, *n.* I. Anrhaith, ysbail.
   2. *v.* Anrheithio, ysbeilio.
lop, *v.* Torri, tocio, brigdocio.
loquacious, *a.* Siaradus, tafodrydd.
lord, *n.* I. Arglwydd.
   2. *v.* Arglwyddiaethu.
   THE LORD. Yr Arglwydd.
   LORD MAYOR. Arglwydd faer.
lordly, *a.* Arglwyddaidd.
lordship, *n.* Arglwyddiaeth.
lorry, *n.* Lori, lorri.
lose, *v.* Colli.
loser, *n.* Colledwr, collwr.
loss, *n.* Colled.

lost, *a.* Colledig, ar goll, ar ddisberod.
lot, *n.* Rhan, cyfran ; tynged ; coelbren.
   A LOT. Llawer.
   TO CAST LOTS. Bwrw coelbren.
lotion, *n.* Golchdrwyth, hylif i'r croen.
lottery, *n.* Lotri.
loud, *a.* Uchel, croch.
   HIS LOUDEST. Nerth ei geg.
lounge, *n.* I. Lolfa.
   2. *v.* Segura, gorweddian.
louse, *n.* Lleuen.
lousy, *a.* Lleuog.
lout, *n.* Llabwst, delff.
lovable, *a.* Hawddgar, serchus.
love, *n.* I. Cariad, serch, hoffter.
   2. *v.* Caru, serchu.
loveliness, *n.* Hawddgarwch, prydferthwch.
lovely, *a.* Prydferth, hyfryd, braf.
lover, *n.* Cariad, carwr.
loving, *a.* Cariadus, serchog.
low, *n.* I. Bref.
   2. *a.* Isel.
   3. *v.* Brefu.
lower, *a.* I. Is.
   2. *v.* Gostwng, gollwng ; gwgu.
lowland, *n.* Iseldir, gwastadedd.
lowliness, *n.* Gostyngeiddrwydd.
lowly, *a.* Gostyngedig.
lowness, *n.* Iselder.
low-water, *n.* Distyll, trai.
loyal, *a.* Teyrngar, ffyddlon.
loyalty, *n.* Teyrngarwch, ffyddlondeb.
lubricant, *n.* Iraid ; olew.
lubricate, *v.* Iro, seimio ; trin ag olew.
lubrication, *n.* Iriad, triniaeth ag olew.
lucid, *a.* Clir, eglur.
lucidity, *n.* Eglurder.
luck, *n.* Lwc, ffawd, ffortiwn.
   WORSE LUCK. Gwaetha'r modd.
luckily, *ad.* Yn ffodus, drwy drugaredd, diolch
   byth, wrth lwc.
lucky, *a.* Lwcus, ffodus.
lucre, *n.* Elw, budrelw.
ludicrous, *a.* Digrif, chwerthinllyd, ysmala.
luggage, *n.* Bagiau, paciau.
lukewarm, *a.* Claear, llugoer.
lull, *n.* I. Gosteg, tawelwch.
   2. *v.* Suo, gostegu.
lullaby, *n.* Hwiangerdd.
lumbago, *n.* Cryd y llwynau, llwynwst.
luminosity, *n.* Llewyrchiant.
luminous, *a.* Golau, llachar, llewyrchol.
lump, *n.* Cnepyn, telpyn, talp, cwlff.
lumpy, *a.* Talpiog, cnapiog.
lunacy, *n.* Gwallgofrwydd, lloerigrwydd.
lunatic, *n.* I. Lloerig, gwallgofddyn.
   2. *a.* Lloerig, gwallgof.
lunch, *n.* I. Cinio ; byrbryd (canol dydd).
   2. *v.* Ciniawa.

lung, *n.* Ysgyfaint.
lunge, *n.* Hyrddiad, gwth.
lupin, *n.* Bysedd y blaidd.
lurch, *n.* I. Cyfyngder, trybini.
   2. *v.* Gwegian, siglo.
lure, *n.* I. Hud.
   2. *v.* Hudo, denu.
lurid, *a.* Gwelw, erchyll, ofnadwy ; tanbaid.
lurk, *v.* Llercian, llechu.
luscious, *a.* Melys, pêr.
lush, *a.* Toreithiog, ffrwythlon.
lust, *n.* I. Trachwant, chwant.
   2. *v.* Trachwantu, chwenychu.
lustful, *a.* Chwantus, anniwair.

lustre, *n.* Gloywder, disgleirdeb, llewyrch.
lustrous, *a.* Gloyw, llachar, disglair.
lusty, *a.* Cryf, nerthol, cyhyrog.
lute, *n.* Liwt.
luxuriance, *n.* Ffrwythlondeb, toreth.
luxuriant, *a.* Toreithiog, ffrwythlon.
luxurious, *a.* Moethus.
luxury, *n.* Moeth, moethusrwydd.
lying, *a.* Celwyddog ; gorweddol.
lymph, *n.* Lymff.
lyre, *n.* Telyn (hen).
lyric, *n.* Telyneg.
lyrical, *a.* Telynegol.

Macerate, *v.* Mwydo, mysgu, difa, teneuo.
machinate, *v.* Cynllwyno.
machination, *n.* Cynllwyn, dichell.
machine, *n.* Peiriant.
mackerel, *n.* Macrell.
mackintosh, *n.* Cot law.
mad, *a.* Gwallgof, o'i gof, cynddeiriog.
madden, *v.* Gwallgofi, cynddeiriogi.
madman, *n.* Gwallgofddyn, ynfytyn.
madness, *n.* Gwallgofrwydd, gorffwylledd.
madrigal, *n.* Madrigal.
magazine, *n.* Arfdy, ystorfa, storgell ; cylchgrawn.
maggot, *n.* Cynrhonyn.
magic, *n.* Hud, dewiniaeth, cyfaredd.
magical, *a.* Cyfareddol.
magician, *n.* Dewin, swynwr.
magistrate, *n.* Ynad.
magnanimity, *n.* Mawrfrydedd, mawrfrydigrwydd.
magnanimous, *a.* Mawrfrydig.
magnet, *n.* Magned.
magnetic, *a.* Magnetig.
magnificence, *n.* Gwychder, godidowgrwydd.
magnificent, *a.* Gwych, godidog.
magnify, *v.* Mawrygu, mawrhau.
magnitude, *n.* Maint.
magpie, *n.* Pioden, piogen.
maid : maiden, *n.* I. Merch, gwyryf, morwyn.
   2. *a.* Morwynol.
   MAIDEN NAME. Enw morwynol.
maidenhood, *n.* Morwyndod, gwyryfdod.
maidenly, *a.* Morwynaidd, mwyn.
mail, *n.* Y post ; arfwisg.
maim, *v.* Anafu.
main, *n.* I. Y cefnor ; prifbibell, prif gebl.
   2. *a.* Prif, pennaf.
   MAIN ROAD. Priffordd, ffordd fawr.
   WITH MIGHT AND MAIN. Â'r holl egni.
mainland, *n.* Y tir mawr.
mainly, *ad.* Yn bennaf.
mainstay, *n.* Prif gynhaliaeth.
maintain, *v.* Cynnal, cadw ; dal ; maentumio.
maintenance, *n.* Cynhaliaeth ; cynnal a chadw.
majestic, *a.* Mawreddog, urddasol.
majesty, *n.* Mawrhydi, mawredd.
major, *n.* I. Uchgapten, uwchgapten ; oedolyn.
   2. *a.* Prif, pennaf.
majority, *n.* Mwyafrif, y rhan fwyaf.
   TO ATTAIN ONE'S MAJORITY. Dod i oed, dod i lawn oed.
make, *n.* I. Gwneuthuriad ; gwaith.
   2. *v.* Gwneuthur ; llunio ; peri ; ennill.
   TO MAKE A NOISE. Cadw stŵr.
   TO MAKE-BELIEVE. Ffugio.
   TO MAKE FOR. Cyrchu at, cyfeirio at.
   TO MAKE OFF. Cilio, ffoi.
make-believe, *n.* I. Rhith, lledrith, dychymyg.
   2. *v.* Dychmygu, ffugio.
maker, *n.* Gwneuthurwr, creawdwr.
make-up, *n.* Colur.

making, *n.* Gwneuthuriad, ffurfiad.
malady, *n.* Clefyd, dolur, anhwyldeb.
male, *n. & a.* Gwryw.
malefactor, *n.* Drwgweithredwr.
malevolent, *a.* Drygnaws, maleisus.
malice, *n.* Malais.
malicious, *a.* Maleisus.
malign, *a.* I. Niweidiol, milain.
   2. *v.* Enllibio, difrïo, pardduo.
malignant, *a.* Llidiog, adwythig, gwyllt, malaen.
malignancy, *n.* Llidiogrwydd, malaenedd.
malleable, *a.* Gorddadwy.
mallet, *n.* Gordd bren.
malnutrition, *n.* Cam-faeth, diffyg maeth.
malt, *n.* I. Brag.
   2. *v.* Bragu.
maltreat, *v.* Cam-drin.
maltreatment, *n.* Camdriniaeth.
mammal, *n.* Mamal, mamolyn.
mammoth, *n.* I. Mamoth.
   2. *a.* Anferth.
man, *n.* I. Dyn, gŵr.
   2. *v.* Cyflenwi â dynion.
manage, *v.* Rheoli, llywodraethu, ymdaro, llwyddo.
management, *n.* Rheolaeth, goruchwyliaeth.
manager, *n.* Rheolwr, goruchwyliwr.
mandate, *n.* Awdurdod, gorchymyn, arch.
mane, *n.* Mwng.
manganese, *n.* Manganîs.
mange, *n.* Clafr.
manger, *n.* Preseb.
mangle, *n.* I. Mangl.
   2. *v.* Manglo ; darnio, llurgunio.
mania, *n.* Gwallgofrwydd, gorffwylledd.
maniac, *n.* Gwallgofddyn.
manifest, *a.* I. Eglur, amlwg.
   2. *v.* Amlygu, dangos.
manifold, *a.* Amrywiol, amryfal.
manipulate, *v.* Trin, trafod.
manipulation, *n.* Triniaeth.
mankind, *n.* Dynolryw.
manly, *a.* Gwrol ; gwrywaidd.
manner, *n.* Modd, dull ; arfer.
mannerism, *n.* Ystum, dullwedd.
mannerly, *a.* Moesgar, cwrtais.
manners, *np.* Moesau.
manoeuvre, *n.* I. Symudiad (byddin), ystryw, dichelltro.
   2. *v.* Cad-drefnu, byddino.
manor, *n.* Maenor, maenol.
manse, *n.* Tŷ gweinidog, mans.
manservant, *n.* Gwas.
mansion, *n.* Plas, plasty.
manslaughter, *n.* Dynladdiad.
mantelpiece, *n.* Silff ben tân.
mantle, *n.* Mantell.
manual, *n.* I. Llawlyfr.
   2. *a.* Perthynol i'r llaw.
manufacture, *n.* I. Gwaith, gwneuthuriad.
   2. *v.* Gwneuthur, gwneud.

manufacturer, *n.* Gwneuthurwr.
manure, *n.* I. Gwrtaith, achles, tail.
    2. *v.* Gwrteithio, achlesu, teilo.
    MANURE HEAP. Tomen dail.
manuscript, *n.* Llawysgrif.
Manx, *n.* I. Manaweg.
    2. *a.* Manawaidd.
many, *n.* I. Llawer.
    2. *a.* Llawer, aml, sawl, cynifer, cymaint.
    AS MANY. Cymaint, cynifer.
    MANY A TIME. Llawer tro.
map, *n.* I. Map.
    2. *v.* Mapio, gwneud map.
maple, *n.* Masarnen.
mar, *v.* Difetha, andwyo.
maraud, *v.* Ysbeilio, anrheithio.
marauder, *n.* Ysbeiliwr, anrheithiwr.
marble, *n.* Marmor, mynor ; marblen.
March, *n.* Mawrth.
march, *n.* I. Ymdaith ; ymdeithgan.
    2. *v.* Ymdeithio.
    MARCHES. Gororau.
marchioness, *n.* Ardalyddes.
mare, *n.* Caseg.
margarine, *n.* Margarîn.
margin, *n.* Ymyl, cwr.
marigold, *n.* Gold Mair, melyn Main, blodyn y
    gwenyn.
marine, *a.* Morol, morwrol.
    MARINES. Morlu.
mariner, *n.* Morwr, llongwr.
marionette, *n.* Pyped, marionét.
marital, *a.* Priodasol.
maritime, *a.* Arforol, morol.
mark, *n.* I. Nod, marc, ôl.
    2. *v.* Nodi, marcio.
marked, *a.* Nodedig, amlwg.
marker, *n.* Nodwr.
market, *n.* I. Marchnad.
    2. *v.* Marchnata.
marketable, *a.* Gwerthadwy.
marquee, *n.* Pabell fawr.
marquis, *n.* Ardalydd.
marriage, *n.* Priodas.
married, *a.* Priod.
marrow, *n.* Mêr ; pwmpen.
marry, *v.* Priodi.
Mars, *n.* Mawrth.
marsh, *n.* Cors, gwern, mignen.
marshal, *n.* I. Cadlywydd.
    2. *v.* Trefnu, rhestru.
marshy, *n.* Corsog, corslyd.
mart, *n.* Marchnad.
martial, *a.* Milwrol, milwraidd.
martyr, *n.* I. Merthyr.
    2. *v.* Merthyru.
martyrdom, *n.* Merthyrdod.
marvel, *n.* I. Rhyfeddod, syndod.
    2. *v.* Rhyfeddu, synnu.

marvellous, *a.* Rhyfeddol, gwych.
marxism, *n.* Marcsiaeth.
marxist, *a.* Marcsaidd.
masculine, *a.* Gwrywaidd, gwryw.
mash, *n.* I. Cymysgfa, mash, stwmp.
    2. *v.* Cymysgu.
mask, *n.* I. Mwgwd.
    2. *v.* Mygydu ; cuddio.
mason, *n.* Saer maen, meiswn, maswn.
masonry, *n.* Gwaith cerrig, gwaith maen.
mass, *n.* I. Talp, pentwr, crynswth ; offeren.
    2. *v.* Tyrru, pentyrru.
massacre, *n.* I. Cyflafan, galanastra.
    2. *v.* Lladd.
massive, *a.* Anferth, enfawr.
mast, *n.* Hwylbren, mast.
master, *n.* I. Meistr, athro, capten.
    2. *v.* Meistroli, trechu.
masterful, *a.* Meistrolgar.
master-hand, *n.* Pen campwr.
masterly, *a.* Meistrolgar, campus.
masterpiece, *n.* Campwaith, gorchest.
mastery, *n.* Meistrolaeth.
mastiff, *n.* Gafaelgi, costowci.
mat, *n.* Mat.
match, *n.* I. Matsen ; cymar ; ymrysonfa, gêm.
    2. *v.* Cymharu, cyfateb.
matchless, *a.* Digymar, digyffelyb.
mate, *n.* I. Cymar, cydymaith ; mêt.
    2. *v.* Cymharu.
material, *n.* I. Defnydd, deunydd.
    2. *a.* Materol.
    MATERIALS. Defnyddiau.
materialism, *n.* Materoliaeth.
materialist, *n.* Materolwr.
materially, *ad.* Yn hanfodol, yn sylweddol.
maternal, *a.* Mamol ; o ochr y fam.
maternity, *n.* Mamolaeth.
mathematical, *a.* Mathemategol.
mathematician, *n.* Mathemategwr.
mathematics, *np.* Mathemateg.
matins, *np.* Boreol weddi, plygain.
matriculate, *v.* Ymaelodi mewn prifysgol,
    matricwleiddio.
matrimonial, *a.* Priodasol.
matrimony, *n.* Priodas.
matron, *n.* Gwraig briod, meistres, metron, un â
    gofal ysbyty, &c.
matter, *n.* Mater, defnydd, sylwedd ; pwnc ; crawn.
mattock, *n.* Caib, matog.
mature, *a.* I. Aeddfed.
    2. *v.* Aeddfedu.
maturity, *n.* Aeddfedrwydd, llawn oed.
maul, *n.* I. Gordd bren ; ysgarmes.
    2. *v.* Cam-drin ; llarpio.
maw, *n.* Crombil, cylla.
maxim, *n.* Gwireb, dihareb, gwerseb.
maximum, *n.* Uchafrif, uchafswm.
May, *n.* Mai.

may, *n.* I. Blodau'r drain gwynion.
2. *v.* Gallu.
MAYBE. Efallai, hwyrach, dichon.
mayor, *n.* Maer.
mayoralty, *n.* Swydd maer.
mayoress, *n.* Maeres.
maze, *n.* Drysni, dryswch.
me, *pn.* Mi, fi, i, myfi ; minnau.
mead, *n.* Medd.
meadow, *n.* Gwaun, dôl, gweirglodd.
meagre, *a.* Prin, truan, tlawd.
meal, *n.* Blawd ; pryd o fwyd, pryd.
MEALY-MOUTHED. Gwenieithus.
mean, *a.* I. Gwael, cybyddlyd, crintachlyd.
2. *v.* Bwriadu, amcanu, meddwl.
3. *n.* Canol, cymedr ; cyfrwng, modd.
BY ALL MEANS. Wrth gwrs.
BY ANY MEANS. Mewn un modd.
MEANS OF GRACE. Moddion gras.
PRIVATE MEANS. Incwm preifat.
MEANS. Cyfrwng, modd, moddion.
meander, *n.* I. Ymddoleniad.
2. *v.* Ymddolennu, ymdroelli.
meandering, *a.* Ymdroellog.
meaning, *n.* Ystyr, meddwl.
meanness, *n.* Cybydd-dod.
meanwhile, *ad.* Yn y cyfamser.
measles, *np.* Y frech goch.
measurable, *a.* Mesuradwy.
measure, *n.* Mesur, mesuriad.
measurement, *n.* Mesur, mesuriad.
meat, *n.* Cig ; bwyd, ymborth.
FAT MEAT. Cig bras.
LEAN MEAT. Cig coch.
MEAT AND DRINK. Bwyd a diod.
mechanic, *n.* Peiriannydd.
mechanical, *a.* Peiriannol, mecanyddol.
mechanics, *np.* Peiriannaeth, mecaneg.
mechanism, *n.* Peirianwaith, mecanyddiaeth.
medal, *n.* Medal, bathodyn.
meddle, *v.* Ymyrryd, ymyrraeth.
meddler, *n.* Ymyrrwr.
meddlesome, *a.* Ymyrgar, busneslyd.
media, *np.* Cyfryngau.
MASS MEDIA. Cyfryngau torfol.
mediaeval, *a.* Canoloesol.
mediate, *v.* Cyfryngu, canoli.
mediator, *n.* Cyfryngwr.
medical, *a.* Meddygol.
medicinal, *a.* Meddyginiaethol.
medicine, *n.* Meddyginiaeth ; moddion, ffisig.
mediocre, *a.* Cyffredin, canolig.
mediocrity, *n.* Cyffredinedd.
meditate, *v.* Myfyrio.
meditation, *n.* Myfyrdod.
meditative, *a.* Myfyriol, meddylgar.
Mediterranean Sea, The, *n.* Y Môr Canoldir.
medium, *n.* I. Cyfrwng ; canol.
2. *a.* Canol, canolig.

medley, *n.* Cymysgedd ; cadwyn o alawon.
meek, *a.* Addfwyn, llariaidd.
meekness, *n.* Addfwynder, llarieidd-dra.
meet, *n.* I. Cyfarfod, cwrdd.
2. *a.* Addas, gweddus.
meeting, *n.* Cyfarfod, cyfarfyddiad.
megaspore, *n.* Megaspôr.
meiosis, *n.* Lleihad, meiosis.
melancholy, *n.* I. Pruddglwyf, iselder ysbryd.
2. *a.* Pruddglwyfus, prudd.
melée, *n.* Ysgarmes.
mellow, *a.* I. Aeddfed, meddal.
2. *v.* Aeddfedu.
mellowness, *n.* Aeddfedrwydd.
melodious, *a.* Melodaidd, hyfrydlais, persain.
melody, *n.* Melodi, peroriaeth.
melt, *v.* Toddi ; tyneru ; diflannu.
member, *n.* Aelod.
MEMBER OF PARLIAMENT. Aelod seneddol.
membership, *n.* Aelodaeth.
membrane, *n.* Pilen, croenyn.
memento, *n.* Cofarwydd.
memoir, *n.* Cofiant.
memorable, *a.* Cofiadwy, bythgofiadwy.
memorandum, *n.* Cofnod, cofnodiad.
memorial, *n.* I. Cofeb, cofadail ; coffa, coffadwriaeth.
2. *a.* Coffa, coffadwriaethol.
memorize, *v.* Dysgu ar gof.
memory, *n.* Cof, coffadwriaeth.
menace, *n.* I. Bygythiad.
2. *v.* Bygwth.
menagerie, *n.* Siew (sioe) anifeiliaid, milodfa.
mend, *v.* Gwella, trwsio, cyweirio.
mendacity, *n.* Anwiredd, celwydd.
mendicant, *n.* I. Cardotyn.
2. *a.* Cardotlyd.
menial, *a.* Gwasaidd, isel.
meningitis, *n.* Llid yr ymennydd.
menstrual, *a.* Misglwyfol.
menstruation, *n.* Misglwyf.
mensuration, *n.* Mesuriaeth ; mesureg.
mental, *a.* Meddyliol.
mentality, *n.* Meddylfryd.
mention, *n.* I. Crybwylliad, sôn.
2. *v.* Crybwyll, sôn.
menu, *n.* Bwydlen.
mercantile, *a.* Masnachol, marchnadol.
mercenary, *n.* I. Milwr cyflog.
2. *a.* Ariangar, er tâl.
merchandise, *n.* Marsiandïaeth.
merchant, *n.* Marsiandïwr, masnachwr.
merciful, *a.* Trugarog, tosturiol.
mercifully, *ad.* Drwy drugaredd, mewn trugaredd.
merciless, *a.* Didrugaredd.
mercuric, *a.* Mercwrig.
mercury, *n.* Arian byw, mercwri.
mercy, *n.* Trugaredd, tosturi.
mere, *n.* I. Llyn, pwll, pwllyn.
2. *a.* Unig, syml, pur, dim ond . . . , . . . yn unig.

merge, v. Cyfuno, corffori ; ymgolli, suddo, toddi.
meridian, n. Cyhydedd, nawnlin ; anterth.
merit, n. I. Haeddiant, teilyngdod.
   2. v. Haeddu, teilyngu.
merited, a. Haeddiannol, teilwng.
meritocracy, n. Meritocratiaeth.
meritocratic, a. Meritocrataidd.
meritorious, a. Haeddiannol, teilwng, clodwiw.
mermaid, n. Môr-forwyn.
merriment, n. Difyrrwch, hwyl.
merry, a. Llawen, llon.
mess, n. I. Saig ; annibendod, llanastr ; lle bwyta.
   2. v. Baeddu, trochi ; potsian.
message, n. Neges, cenadwri.
messenger, n. Negesydd, cennad.
Messiah, n. Meseia, Eneiniog.
Messianic, a. Meseianaidd.
Messers, np. (y) Meistri, (y) Mri.
messy, a. Budr, brwnt, afler, anniben.
metabolism, n. Metaboleg.
metal, n. I. Metel.
   2. a. Metelaidd.
metallic, a. Metelaidd.
metallurgist, n. Metelydd.
metamorphic, a. Metamorffig, traws ffurfiadol.
metamorphism, n. Metamorffedd, trawsffurfedd.
metamorphosis, n. Metamorffosis, trawsffurfiad.
metaphor, n. Trosiad.
metaphorical, a. Trosiadol.
meteor, n. Seren wib.
meteorology, n. Meteoroleg.
meter, n. Mesurydd (nwy, trydan, dŵr, &c.).
method, n. Dull, modd, trefn.
meticulous, a. Gorfanwl.
metonymy, n. Trawsenwad.
metre, n. Mesur, mydr ; metr.
metric, a. Metrig.
metrical, a. Mydryddol.
metropolis, n. Prifddinas.
metropolitan, a. Prifddinasol, prifddinesig.
mew, n. I. Mewiad.
   2. v. Mewian.
Michaelmas, n. Gŵyl Fihangel.
microbe, n. Meicrob.
microbiology, n. Meicrobioleg.
micro-chip, n. Meicro-sglodyn.
microphone, n. Meicroffon, meic.
microscope, n. Meicrosgob.
midday, n. Canol dydd, canolddydd, hanner dydd.
middle, n. I. Canol, craidd.
   2. a. Canol.
   MIDDLE-AGED. Canol oed.
middling, a. Canolig, gweddol, cymedrol, go lew.
midge, n. Gwybedyn.
midget, n. Corrach.
midland, n. I. Canolbarth.
   2. a. Canolbarthol.
   THE MIDLANDS. Canolbarth Lloegr.
midnight, n. Canol nos, hanner nos.

midriff, n. Llengig, bola.
midst, n. Canol, mysg, plith.
midsummer, n. Canol haf.
   MIDSUMMER DAY. Gŵyl Ifan.
midway, n. Hanner ffordd.
midwife, n. Bydwraig.
midwifery, n. Bydwreigiaeth.
midwinter, n. Canol gaeaf, cefn gaeaf.
mien, n. Pryd, gwedd.
might, a. Gallu, nerth, grym.
   WITH ALL HIS MIGHT. Â'i holl nerth (egni).
mighty, a. Galluog, nerthol, cadarn.
migrate, v. Mudo, ymfudo.
migration, n. Mudiad, ymfudiad.
migratory, a. Mudol, ymfudol.
milch, a. Blith, llaethog.
   MILCH COWS. Gwartheg blithion.
mild, a. Mwyn, tyner, tirion.
mildew, n. I. Llwydni, llwydi.
   2. v. Llwydo.
mildness, n. Mwynder, tynerwch, tiriondeb.
mile, n. Milltir.
mileage, n. Milltiredd.
milestone, n. Carreg filltir.
militant, a. Milwriaethus.
military, a. Milwrol.
militia, n. Milisia.
milk, n. I. Llaeth, llefrith.
   2. v. Godro.
   MILK AND WATER. Glastwr.
milking machine, n. Peiriant godro.
milkman, n. Dyn llaeth.
milky, a. Llaethog.
   THE MILKY WAY. Y Llwybr Llaethog.
mill, n. I. Melin.
   2. v. Malu.
millennial, a. Milflynyddol.
millennium, n. Mil blynyddoedd, milflwyddiant, mileniwm.
millipede, n. Neidr filtroed.
miller, n. Melinydd.
million, n. Miliwn.
millionaire, n. Miliynydd.
millstone, n. Maen melin.
mime, n. I. Meim.
   2. v. Meimio.
mimic, n. I. Dynwaredwr, gwatwarwr.
   2. v. Dynwared, gwatwar.
mimicry, n. Dynwarediad.
mince, n. I. Briwgig, briwfwyd.
   2. v. Manfriwio, malu.
mincemeat, n. Briwgig, briwfwyd.
mind, n. I. Meddwl, bryd ; tyb, barn ; cof.
   2. v. Gwylio, gofalu ; hidio, ystyried.
mindful, a. Gofalus, cofus, ystyriol, carcus.
mine, n. I. Mwynglawdd, pwll glo ; ffrwydryn.
   2. v. Mwyngloddio, cloddio am lo.
   3. pn. Fy un i, f'un i, yr eiddof i.
miner, n. Mwynwr, glöwr, colier.

mineral, *n.* Mwyn.
mineralogy, *n.* Mwynyddiaeth.
mingle, *v.* Cymysgu, britho.
miniature, *n.* I. Mân ddarlun.
   2. *a.* Bychan, bechan.
minim, *n.* Minim.
minimize, *v.* Lleihau.
minimum, *n.* Isafrif, lleiafswm.
mining, *n.* Mwyngloddiaeth.
   OPEN-CAST MINING. Mwyngloddio brig.
minister, *n.* I. Gweinidog.
   2. *v.* Gweini, gweinidogaethu.
ministry, *n.* Gweinidogaeth ; gwasanaeth.
minor, *a.* I. Llai, lleiaf ; lleddf.
   2. *n.* Plentyn dan oed.
minority, *n.* Maboed, mebyd ; lleiafrif.
minster, *n.* Eglwys gadeiriol ; eglwys mynachlog.
minstrel, *n.* Clerwr, cerddor.
mint, *n.* I. Bathdy ; mintys.
   2. *v.* Bathu.
minuet, *n.* Miniwét.
minus, *prp.* I. Namyn, heb, llai.
   2. *a.* Minws, negyddol.
minute, *a.* Bach, mân, manwl.
minute, *n.* Munud ; cofnod.
   MINUTE-BOOK. Llyfr cofnodion.
miracle, *n.* Gwyrth.
miraculous, *a.* Gwyrthiol.
mire, *n.* Llaid, baw, llaca.
mirror, *n.* Drych.
mirth, *n.* Digrifwch, llawenydd.
mirthful, *a.* Llawen, llon.
misadventure, *n.* Anffawd, anap.
misanthropy, *n.* Dyngasedd.
misapply, *n.* Camddefnyddio, camgymhwyso.
misapprehension, *n.* Camddealltwriaeth.
misbehave, *v.* Camymddwyn.
misbehaviour, *n.* Camymddygiad.
miscarriage, *n.* Erthyliad naturiol, camesgoriad ;
   camgludiad ; camwedd.
miscellaneous, *a.* Amrywiol.
mischance, *n.* Anffawd, aflwydd.
mischief, *n.* Drygioni, direidi, niwed.
mischievous, *a.* Drygionus, direidus, niweidiol.
misconception, *n.* Camsyniad, camdybiaeth.
misconduct, *n.* Camymddygiad, camweiniddiad.
misdirect, *v.* Camgyfeirio
miser, *n.* Cybydd.
miserable, *a.* Truenus, gresynus, anhapus.
miserliness, *n.* Cybydd-dod, crintachrwydd.
miserly, *a.* Cybyddlyd, crintachlyd.
misery, *n.* Trueni, adfyd.
misfortune, *n.* Anffawd, aflwydd.
misgiving, *n.* Amheuaeth, petruster.
misguide, *v.* Camarwain.
mishap, *n.* Anap, damwain.
misinterpret, *v.* Camesbonio.
misjudge, *v.* Camfarnu.
mislay, *v.* Colli, camosod.

mismanage, *v.* Camdrefnu.
misplace, *v.* Camleoli, camosod.
misprint, *n.* I. Cam-brint.
   2. *v.* Camargraffu.
miss, *n.* I. Meth, methiant, pall.
   2. *v.* Methu, pallu, colli.
missel-thrush, *n.* Tresglen, bronfraith fawr.
misshapen, *a.* Afluniaidd.
missile, *n.* Taflegryn.
missing, *a.* Coll, ar goll, yn eisiau, yngholl.
mission, *n.* Cenhadaeth.
missionary, *n.* I. Cenhadwr.
   2. *a.* Cenhadol.
misspell, *v.* Camsillafu.
mist, *n.* Niwl, caddug, nudden, tarth.
mistake, *n.* I. Camgymeriad, camsyniad.
   2. *v.* Camgymryd, cyfeiliorni.
mistaken, *a.* Camgymryd, cyfeiliornus.
mister, *n.* Meistr, Mr.
mistletoe, *n.* Uchelwydd.
mistress, *n.* Meistres, athrawes, Mrs.
mistrust, *n.* Drwgdybio, amau.
misty, *a.* Niwlog.
misunderstand, *v.* Camddeall.
misunderstanding, *n.* Camddealltwriaeth.
misuse, *n.* I. Camddefnydd.
   2. *v.* Camddefnyddio, cam-drin.
mite, *n.* Hatling ; mymryn, tamaid, peth bach.
mites, *np.* Gwiddon (caws, &c.).
mitigate, *v.* Lliniaru, lleddfu.
mix, *v.* Cymysgu.
mixture, *n.* Cymysgedd, cymysgfa.
moan, *n.* I. Cwynfan, griddfan.
   2. *v.* Cwyno, griddfan, ochain.
moat, *n.* Ffos (castell).
mob, *n.* Tyrfa, torf, haid.
mobile, *a.* Symudol.
   MOBILE PHONE. Ffôn symudol.
mobility, *n.* Gallu symudol.
mobilize, *v.* Cynnull, mwstro.
mock, *v.* I. Gwatwar, gwawdio.
   2. *a.* Gau, ffug.
mockery, *n.* Gwatwar, gwawd ; rhith.
mocking, *a.* Gwatwarus.
mode, *n.* Modd, dull.
model, *n.* I. Patrwm, model.
   2. *v.* Llunio, ffurfio.
moderate, *a.* I. Cymedrol, rhesymol.
   2. *v.* Cymedroli, tawelu.
moderation, *n.* Cymedroldeb.
moderator, *n.* Cymedrolwr ; llywydd.
modern, *a.* Modern, diweddar.
modernize, *v.* Moderneiddio, diweddaru.
modest, *a.* Gwylaidd, diymhongar.
modesty, *n.* Gwyleidd-dra, lledneisrwydd.
modification, *n.* Newidiad, addasiad.
modify, *v.* Newid, goleddfu.
modulate, *v.* Cyweirio (llais).
modulation, *n.* Trawsgyweiriad, trosiad, goslefiad.

modulator, *n.* Trosiadur.
moist, *a.* Gwlyb, llaith.
moisten, *v.* Gwlychu, lleithio.
moisture, *n.* Gwlybaniaeth, lleithder, gwlybwr.
moisturizer, *n.* Lleithydd, hufen lleithio.
molar, *n.* Cilddant.
molasses, *n.* Triagl.
mole, *n.* Man geni ; gwadd ; morglawdd.
   MOLE-CATCHER. Gwaddotwr, tyrchwr.
molecule, *n.* Molecwl.
molecular, *a.* Molecwlaidd.
molehill, *n.* Pridd y wadd.
molest, *v.* Aflonyddu, blino, molestu.
molestation, *n.* Aflonyddiad, blinder, molestiad.
mollycoddle, *v.* Maldodi.
molten, *a.* Tawdd, toddedig.
moment, *n.* Eiliad ; pwys, pwysigrwydd.
momentous, *a.* Pwysig.
momentum, *n.* Momentwm.
monarch, *n.* Brenin, teyrn.
monarchy, *n.* Brenhiniaeth.
monastery, *n.* Mynachlog.
monastic, *a.* Mynachaidd.
Monday, *n.* Dydd Llun.
monetary, *a.* Ariannol.
money, *n.* Arian, pres.
   MONEY-BELT. Gwregys arian.
   MONEY-BOX. Cadw-mi-gei.
   EXACT MONEY. Yr arian cywir.
   PAPER MONEY. Arian papur.
   SILVER MONEY. Arian gleision.
moneyed, *a.* Ariannog, cefnog.
mongrel, *n.* Ci cymysgryw, mwngrel.
monk, *n.* Mynach.
monkey, *n.* Mwnci.
monochrome, *a.* Unlliw.
monogamy, *n.* Unwreigiaeth.
monoglot, *a.* Uniaith, person uniaith.
monopolize, *v.* Llwyrfeddiannu.
monopoly, *n.* Monopoli, meddiant, neu reolaeth neilltuedig.
monosyllable, *n.* Gair unsill.
monotone, *n.* Undon, un-dôn.
monotonous, *a.* Undonog.
monotony, *n.* Undonedd.
monoxide, *n.* Monocsid.
monsoon, *n.* Monswn.
monster, *n.* Anghenfil ; clobyn, clamp.
monstrous, *a.* Anferth, anferthol ; angenfilaidd, gwarthus.
month, *n.* Mis.
monthly, *n.* I. Misolyn.
   2. *a.* Misol.
monument, *n.* Cofadail, cofgolofn.
monumental, *a.* Coffadwriaethol, coffaol.
mood, *n.* Tymer, hwyl ; modd (*gram.*).
moody, *a.* Pwdlyd, cyfnewidiol, oriog.
moon, *n.* Lleuad, lloer.
   HONEYMOON. Mis mêl.
   HARVEST MOON. Lleuad fedi.
   CRESCENT MOON. Lleuad ar ei chynnydd.

moonlight, *n.* Golau leuad, lloergan.
moonshine, *n.* Lol, gwagedd.
moor, *n.* I. Rhos, gwaun.
   2. *v.* Angori, sicrhau.
moorings, *np.* Angorfa.
moorland, *n.* Rhostir, gweundir.
mop, *n.* I. Mop.
   2. *v.* Sychu, mopio.
mope, *v.* Delwi, pendrymu.
moping, *a.* Penisel, pendrwm.
moraine, *n.* Marian.
moral, *n.* I. Moeswers.
   2. *a.* Moesol.
morale, *n.* Hyder, ysbryd.
moralist, *n.* Moesolwr.
morality, *n.* Moesoldeb.
moralize, *v.* Moesoli.
morals, *np.* Moesau.
morass, *n.* Cors, siglen.
morbid, *a.* Afiach, afiachus.
more, *n.* I. Mwy, rhagor, ychwaneg.
   2. *a.* Mwy, rhagor, ychwaneg.
   3. *ad.* Mwy, mwyfwy.
   MORE AND MORE. Mwy na mwy, mwyfwy.
   MORE OR LESS. Mwy neu lai.
   MORE THAN LIKELY. Mwy na thebyg.
   ONCE MORE. Unwaith eto.
moreover, *ad.* Hefyd, ymhellach.
morning, *n.* I. Bore.
   2. *a.* Boreol, bore.
morose, *a.* Sarrug, sorllyd.
morrow, *n.* Trannoeth.
morsel, *n.* Tamaid.
mortal, *n.* I. Meidrolyn, marwolyn.
   2. *a.* Meidrol, marwol, angheuol.
   MORTALS. Marwolion.
mortality, *n.* Marwoldeb.
mortar, *n.* Morter.
mortgage, *n.* I. Morgais, arwystl.
   2. *v.* Morgeisio, arwystlo.
   TO RAISE A MORTGAGE. Codi morgais.
mortification, *n.* Marweiddiad ; siom.
mortify, *v.* Marweiddio ; siomi, blino.
mortise, *n.* I. Mortais.
   2. *v.* Morteisio.
mortuary, *n.* Marwdy.
mosaic, *n.* I. Brithwaith.
   2. *a.* Brith, amryliw.
mosque, *n.* Mosg, addoldy Islamaidd.
mosquito, *n.* Mosgito.
moss, *n.* Mwsogl, mwswgl, mwsog, mwswm.
mossy, *a.* Mwsoglyd.
most, *a.* I. Mwyaf ; amlaf.
   2. *ad.* Yn bennaf, yn fwyaf.
mostly, *ad.* Gan mwyaf, gan amlaf.
mote, *n.* Brycheuyn.
moth, *n.* Gwyfyn.
mother, *n.* Mam.
   GODMOTHER. Mam fedydd.
   ANGLESEY-MOTHER OF WALES. Môn Mam Cymru.

motherhood, *n.* Mamolaeth.
mother-in-law, *n.* Mam-yng-nghyfraith.
motherless, *a.* Amddifad, di-fam.
motherly, *a.* Mamaidd, mamol.
mother-tongue, *n.* Mamiaith.
motion, *n.* I. Symudiad ; cynigiad ; ysgarthiad.
   2. *v.* Gwneud arwydd, amneidio.
motionless, *a.* Digyffro, llonydd.
motive, *n.* Cymhelliad, amcan, motif.
motor, *n.* Modur.
   MOTOR CAR. Car, car modur.
   MOTOR-CYCLE. Beic modur.
   MOTOR SHOW. Sioe foduron.
motorist, *n.* Modurwr.
motorway, *n.* Traffordd.
mottle, *v.* Britho, brychu.
mottled, *a.* Brith, brych.
motto, *n.* Arwyddair.
mould, *n.* I. Pridd ; mold ; delw ; llwydni.
   2. *v.* Llunio, moldio.
mouldy, *a.* Wedi llwydo.
moult, *v.* Colli plu[f], bwrw plu.
mound, *n.* Twmpath, crug.
mount, *n.* I. Mynydd, bryn.
   2. *v.* Esgyn, dringo ; gosod (mewn ffrâm).
mountain, *n.* Mynydd.
mountaineer, *n.* Mynyddwr.
mountainous, *a.* Mynyddig.
mourn, *v.* Galaru.
mourner, *n.* Galarwr.
mournful, *a.* Galarus, trist.
mourning, *n.* Galar ; galarwisg.
mouse, *n.* Llygoden (fach).
moustache, *n.* Mwstas.
mouth, *n.* Ceg, genau, safn, pen.
mouthful, *n.* Cegaid, llond pen.
mouthy, *a.* Cegog, swnllyd.
movable, *a.* Symudol.
move, *v.* I. Symud, cyffroi, ysgogi ; cynnig.
   2. *n.* Symudiad.
movement, *n.* Symudiad, ysgogiad.
moving, *a.* Symudol ; cyffrous.
mow, *v.* Lladd (gwair), torri.
mower, *n.* Pladurwr ; peiriant lladd gwair.
much, *n.* I. Llawer, llaweroedd.
   2. *a.* Llawer, cryn dipyn.
   3. *ad.* Yn llawer, o lawer, yn fawr.
   HOW MUCH ? Pa faint ?
   MUCH BETTER. Llawer gwell, gwell o lawer.
   AS MUCH. Cymaint.
   TOO MUCH. Gormod.
muck, *n.* I. Tail, tom, baw, mochyndra.
   2. *v.* Maeddu, baeddu, sarnu.
   TO MUCK OUT. Carthu.
mucus, *n.* Llysnafedd, mwcws.
mud, *n.* Llaid, baw, mwd, llaca, llacs.
muddle, *n.* I. Dryswch, penbleth.
   2. *v.* Drysu.
muddled, *a.* Dryslyd.

muddy, *a.* Lleidiog, mwdlyd.
mug, *n.* Cwpan.
muggy, *a.* Trymaidd, clós, mwll.
mule, *n.* Mul, bastard mul.
mulish, *a.* Mulaidd, ystyfnig, penstiff.
multilateral, *a.* Amlochrog.
multiple, *n.* I. Lluosrif.
   2. *a.* Lluosog, amryfal.
   MULTIPLE SCLEROSIS. Sglerosis ymledol.
   MULTIPLE PROPORTIONS. Cyfraneddau lluosog.
multiplication, *n.* Lluosiad.
multiplicity, *n.* Lluosowgrwydd.
multiply, *v.* Lluosi, lluosogi, amlhau.
multi-storey, *a.* Aml-lawr.
multitude, *n.* Tyrfa, torf, lliaws.
mumble, *v.* Mwmian.
mumps, *n.* Clwy'r pen, y dwymyn doben.
munch, *v.* Cnoi.
municipal, *a.* Bwrdeistrefol, dinesig.
municipality, *n.* Bwrdeisdref, bwrdeistref.
munificence, *n.* Haelioni.
munitions, *np.* Arfau rhyfel.
murder, *n.* I. Llofruddiaeth.
   2. *v.* Llofruddio.
murderous, *a.* Llofruddiog.
murderer, *n.* Llofrudd, llofruddiwr.
murmur, *n.* I. Murmur, su, suad.
   2. *v.* Murmur, sibrwd, suo.
muscle, *n.* Cyhyr, cyhyryn.
muscular, *a.* Cyhyrog.
muse, *n.* I. Awen.
   2. *v.* Myfyrio, synfyfyrio.
museum, *n.* Amgueddfa.
mushroom, *n.* Madarch.
music, *n.* Cerddoriaeth.
musical, *a.* Cerddorol.
musician, *n.* Cerddor.
musk, *n.* Mwsg.
Muslim, *n.* Mwslim.
muslin, *n.* Mwslin.
must, *v.* Rhaid.
   I MUST NOT. Rhaid imi beidio â, ni wiw imi.
mustard, *n.* Mwstard.
muster, *v.* Cynnull, casglu.
musty, *a.* Wedi llwydo, hendrwm, mws.
mutable, *a.* Cyfnewidiol, newidiol ; treigladwy.
mutant, *n.* Cellwyriad, mwtant.
mutate, *v.* Newid ; treiglo (*gram.*).
mutation, *n.* Cyfnewidiad, treiglad.
mute, *n.* I. Mud, mudan ; mudydd (cerddoriaeth).
   2. *a.* Mud.
   3. *v.* Distewi, tawelu.
muteness, *n.* Mudandod.
mutilate, *v.* Llurgunio, anffurfio, darnio.
mutilation, *n.* Llurguniad, anffurfiad.
mutineer, *n.* Gwrthryfelwr.
mutinous, *a.* Gwrthryfelgar.
mutiny, *n.* I. Gwrthryfel, terfysg.
   2. *v.* Gwrthryfela, terfysgu.

mutter, *v.* Mwmian, myngial.
mutton, *n.* Cig gwedder, cig mollt.
mutual, *a.* Cilyddol, cyd-rhwng y naill a'r llall, o'r ddwy ochr ; yn gyffredin.
my, *pn.* Fy, 'm.
myriad, *n.* Myrdd.
myrrh, *n.* Myrr.
myrtle, *n.* Myrtwydden.
myself, *pn.* Myfi fy hunan, myfi fy hun, fi fy hunan, fi fy hun, fi'n hunan, fi'n hun.
ALL BY MYSELF. Ar fy mhen fy hun.

mysterious, *a.* Rhyfedd, dirgel, dirgelaidd.
mystery, *n.* Rhyfeddod, dirgelwch.
mystic, *n.* I. Cyfriniwr, cyfrinydd.
2. *a.* Cyfriniol, dirgel.
mystical, *a.* Cyfriniol.
mysticism, *n.* Cyfriniaeth.
mystify, *v.* Synnu, syfrdanu.
myth, *n.* Chwedl, myth.
mythical, *a.* Mytholegol, chwedlonol.
mythology, *n.* Mytholeg, chwedloniaeth.

Nab, *v.* Dal, dala.
nadir, *n.* Isafbwynt.
nag, *v.* Cecru, ffraeo, swnian.
nagging, *a.* Anynad, cwerylgar.
nail, *n.* I. Hoel, hoelen ; ewin.
    2. *v.* Hoelio.
naïve, *a.* Diniwed, gwirion.
naked, *a.* Noeth, llwm.
    STARK NAKED. Noeth lymun.
nakedness, *n.* Noethni.
name, *n.* I. Enw.
    2. *v.* Enwi, galw.
    CHRISTIAN NAME. Enw bedydd.
    SURNAME. Cyfenw.
    NICKNAME. Llysenw.
    NOM DE PLUME. Ffugenw.
nameless, *a.* Dienw.
namely, *ad.* Sef, hynny yw, nid amgen.
nap, *n.* Cyntun, cwsg bach.
nape, *n.* Gwar, gwegil.
napkin, *n.* Cadach, cewyn.
narrate, *v.* Adrodd, traethu.
narration, *n.* Adroddiad.
narrative, *n.* I. Hanes, chwedl, adroddiad.
    2. *a.* Hanesiol.
narrator, *n.* Adroddwr.
narrow, *a.* I. Cul, cyfyng.
    2. *v.* Culhau, cyfyngu.
narrowly, *ad.* Prin, o'r braidd.
narrow-minded, *a.* Cul.
narrowness, *n.* Culni.
nasal, *a.* Trwynol.
nasally, *ad.* Yn drwynol.
nastily, *ad.* Yn annymunol.
nastiness, *n.* Ffieidd-dra, bryntni ; atgasedd.
nasty, *a.* Cas, brwnt, ffiaidd.
natal, *a.* Genedigol.
nation, *n.* Cenedl.
national, *a.* Cenedlaethol.
nationalism, *n.* Cenedlaetholdeb.
nationalist, *n.* Cenedlaetholwr.
nationality, *n.* Cenedl, cenedligrwydd.
nationalization, *n.* Gwladoliad.
nationalize, *v.* Gwladoli.
native, *n.* I. Brodor.
    2. *a.* Brodorol ; genedigol ; cynhenid.
nativity, *n.* Genedigaeth.
natural, *a.* Naturiol.
    NATURAL CHILDBIRTH. Genedigaeth naturiol.
    NATURAL SELECTION. Detholiad naturiol.
naturalist, *n.* Naturiaethwr.
naturalize, *n.* Naturioli, breinio, cynefino, brodori.
nature, *n.* Natur, anian ; anianawd.
naught, *n.* Dim.
naughtiness, *n.* Drygioni, direidi.
naughty, *a.* Drwg, direidus, drygionus.
nausea, *n.* Cyfog, salwch, anhwyldeb ; ffieidd-dra.
nauseate, *v.* Diflasu, codi cyfog ar.
nauseous, *a.* Diflas, cyfoglyd ; ffiaidd.

nautical, *a.* Morwrol.
naval, *a.* Llyngesol.
nave, *n.* Corff eglwys.
navel, *n.* Bogail.
navigable, *a.* Mordwyol.
navigate, *v.* Morio, mordwyo, llywio.
navigation, *n.* Morwriaeth, llongwriaeth.
navigator, *n.* Morlywiwr ; llywiwr ; cyfeiriwr.
navy, *n.* Llynges.
nay, *ad.* Na, nage, naddo, nid felly.
near, *a.* I. Agos, cyfagos.
    2. *ad.* Yn agos, gerllaw, yn ymyl.
    3. *prp.* Ger, yn agos at.
    4. *v.* Agosáu, nesáu.
nearly, *ad.* Bron, ymron.
nearness, *n.* Agosrwydd.
neat, *a.* Del, destlus, twt, trefnus.
neatness, *n.* Destlusrwydd, trefn, taclusrwydd.
nebulous, *a.* Niwlog.
necessarily, *ad.* O angenrheidrwydd.
necessary, *a.* Angenrheidiol, anhepgorol.
necessitate, *v.* Gwneud yn angenrhaid, gorfodi.
necessity, *n.* Angenrheidrwydd, angen, anghenraid, rhaid, rheidrwydd.
neck, *n.* Gwddf, mwnwgl, gwar.
neckerchief, *n.* Cadach gwddf.
necklace, *n.* Mwclis.
necktie, *n.* Tei.
nectar, *n.* Neithdar.
nectarine, *n.* Nectarîn.
need, *n.* I. Angen, eisiau, rhaid.
    2. *v.* Bod mewn angen.
needful, *a.* Angenrheidiol.
needle, *n.* Nodwydd.
    KNITTING-NEEDLE. Gwaell.
needless, *a.* Dianghenraid, diachos.
needlework, *n.* Gwniadwaith, gwaith edau a nodwydd.
needs, *np.* Anghenion, rheidiau.
needy, *a.* Anghenus, rheidus.
negation, *n.* Nacâd, negyddiad.
negative, *n.* I. Negydd, nacâd.
    2. *a.* Nacaol, negyddol.
neglect, *n.* I. Esgeulustra.
    2. *v.* Esgeuluso.
neglectful, *a.* Esgeulus.
negligence, *n.* Esgeulustod.
negligent, *a.* Esgeulus.
negotiable, *a.* Trosglwyddadwy, cyfnewidiadwy.
negotiate, *v.* Trafod ; trefnu ; goresgyn.
negotiation, *n.* Trafodaeth, ymdriniaeth, llwyddiant i ddod dros rywbeth.
negro, *n.* Dyn du, negro.
neigh, *n.* I. Gweryriad.
    2. *v.* Gweryru.
neighbour, *n.* Cymydog.
neighbourhood, *n.* Cymdogaeth.
neighbouring, *a.* Cyfagos.
neighbourly, *a.* Cymdogol.

neither, *c.* I. Na, nac, ychwaith.
    2. *pn.* Nid yr un o'r ddau, nid y naill na'r llall.
nephew, *n.* Nai.
nerve, *n.* Giewyn, gewyn, nerf.
nervous, *a.* Ofnus, nerfus.
nervousness, *n.* Ofnusrwydd, nerfusrwydd.
nest, *n.* I. Nyth.
    2. *v.* Nythu.
nestful, *n.* Nythaid.
nestle, *v.* Nythu, cysgodi.
net, *n.* I. Rhwyd.
    2. *a.* Union, net, gwir.
    3. *v.* Rhwydo.
    INTERNET. Rhyngrwyd.
netball, Pêl rwyd.
nether, *a.* Isaf.
Netherlands, The, *np.* Yr Iseldiroedd.
nettle, *n.* Danadl, dynad.
network, *n.* Rhwydwaith.
neuralgia, *n.* Gwayw (pen), gieuwst, niwralgia.
neurosis, *n.* Niwrosis.
neurotic, *a.* Niwrotig.
neuter, *a.* Diryw.
neutral, *a.* Amhleidiol, di-duedd, amhartïol, niwtral.
neutrality, *n.* Amhleidiaeth, niwtraliaeth.
neutralization, *n.* Niwtraleiddiad.
neutralize, *v.* Niwtraleiddio.
never, *ad.* Byth, erioed.
nevertheless, *ad.* Er hynny.
new, *a.* Newydd.
    HAPPY NEW YEAR ! Blwyddyn Newydd Dda !
    NEW QUAY. Cei Newydd.
    NEW YEAR'S DAY. Dydd Calan.
    NEW YEAR'S EVE. Nos Galan.
    NEW YORK. Efrog Newydd.
    NEW ZEALAND. Seland Newydd.
newly, *ad.* Newydd, yn ddiweddar.
newness, *n.* Newydd-deb.
news, *np.* Newydd, newyddion.
newsagent, *n.* Gwerthwr papurau newydd.
newt (common), *n.* Madfall y dŵr.
next, *a. & ad.* I. Nesaf.
    2. *prp.* Nesaf at.
    NEXT MORNING. Trannoeth.
nib, *n.* Blaen, nib.
nibble, *v.* Cnoi, deintio.
nice, *a.* Braf, hyfryd, neis, llednais, manwl.
nicety, *n.* Manylwch, manylrwydd.
nickname, *n.* I. Llysenw.
    2. *v.* Llysenwi.
niece, *n.* Nith.
niggard, *n.* Cybydd.
niggardly, *a.* Cybyddlyd, crintach.
night, *n.* Nos, noson, noswaith.
    BY NIGHT. Liw nos.
    DEAD OF NIGHT. Cefn nos.
    LAST NIGHT. Neithiwr.
    NIGHT BEFORE LAST. Echnos.
    TONIGHT : TO-NIGHT. Heno.
    TOMORROW NIGHT. Nos yfory.

nightdress, *n.* Gŵn nos.
nightfall, *n.* Cyfnos, yr hwyr.
nightingale, *n.* Eos.
nightly, *a.* I. Nosol, nosweithiol.
    2. *ad.* Bob nos, beunos.
nightmare, *n.* Hunllef.
nil, *n.* Dim.
nimble, *a.* Sionc, gwisgi, heini.
nimbleness, *n.* Sioncrwydd.
nine, *a.* Naw.
nineteen, *a.* Pedwar (pedair) ar bymtheg, un deg naw.
nineteenth, *a.* Pedwerydd (pedwaredd) ar bymtheg.
ninetieth, *a.* Degfed a phedwar ugain, naw degfed.
ninety, *a.* Deg a phedwar ugain, naw deg.
    NINETY DOGS. Deg ci a phedwar ugain, naw deg o gŵn, Deg a phedwar ugain o gŵn.
ninth, *a.* Nawfed.
nitrate, *n.* Nitrad.
nitrogen, *n.* Nitrogen.
nitrous, *a.* Nitraidd.
no, *n.* I. Na, Nacâd.
    2. *a.* Ni, nid, neb, dim.
    3. *ad.* Ni, nid, na, nad, nac, nac oes, nac oedd, nac ydy, naddo, nage.
nobility, *n.* Bonedd, urddas, pendefigaeth.
noble, *a.* Urddasol, pendefigaidd, ardderchog, braf, nobl.
nobleman, *n.* Pendefig.
nobody, *n.* Neb.
nocturnal, *a.* Nosol, gyda'r nos.
nocturne, *n.* Hwyrgan.
nod, *n.* I. Nod, amnaid.
    2. *v.* Nodio, amneidio ; pendwmpian, pendrymu.
nodule, *n.* Cnepyn.
noise, *n.* Sŵn, trwst, twrw.
noiseless, *a.* Distaw, tawel, di-sŵn.
noisy, *a.* Swynllyd, stwrllyd.
nomad, *n.* I. Crwydryn.
    2. *a.* Crwydrol.
nomadic, *a.* Crwydrol, crwydr.
nom de plume, *n.* Ffugenw.
nominal, *a.* Mewn enw.
nominate, *v.* Enwi, enwebu.
nominative, *a.* Enwol.
nonagenarian, *n.* Un yn ei nawdegau, un dros ei ddeg a phedwar ugain.
nonchalant, *a.* Didaro, digyffro.
nonconformist, *n.* I. Anghydffurfiwr, ymneilltuwr.
    2. *a.* Anghydffurfiol, ymneilltuol.
nonconformity, *n.* Anghydffurfiaeth, ymneilltuaeth.
none, *pn.* Neb, dim.
nonsense, *n.* Lol, dwli, nonsens.
nonsensical, *a.* Disynnwyr, gwirion, diystyr.
non-violent, *a.* Di-drais.
nook, *n.* Cilfach, cornel.
noon, *n.* Nawn, canol dydd, hanner dydd.
noose, *n.* Dolen redeg, cwlwm rhedeg.

nor, *c.* Na, nac.
norm, *n.* Norm.
normal, *a.* Rheolaidd, normal, safonol.
normality, *n.* Normalrwydd.
Norman, *n.* I. Norman, Normanes.
   2. *a.* Normanaidd.
north, *n.* I. Gogledd.
   2. *a.* Gogleddol.
   NORTH AMERICA. Gogledd America.
   NORTH POLE. Pegwn y Gogledd.
   NORTH SEA. Môr y Gogledd.
   NORTH WALES. Gogledd Cymru.
northern, *a.* Gogleddol.
   NORTHERN IRELAND. Gogledd Iwerddon.
northward, *ad.* Tua'r gogledd.
Norway, *n.* Norwy.
nose, *n.* I. Trwyn.
   2. *v.* Trwyno, ffroeni.
   SNUB-NOSE. Trwyn pwt.
nostalgia, *n.* Hiraeth.
nostril, *n.* Ffroen.
   THE NOSTRILS. Y ddwyffroen.
not, *ad.* Na, nac, ni, nid, nad.
   I HAVE NOT. Nid oes gennyf.
nota bene (N.B.), *v.* Dalier sylw (D.S.).
notable, *a.* Hynod, nodedig, enwog.
notation, *n.* Nodiant.
notch, *n.* I. Rhic, bwlch.
   2. *v.* Rhicio, bylchu.
note, *n.* I. Nod, arwydd, nodiad, llythyr, nodyn ;
   enwogrwydd, bri.
   2. *v.* Nodi, sylwi, cofnodi.
   CREDIT NOTE. Nodyn credyd.
   TEN POUND NOTE. Papur decpunt, papur deg
   punt.
notebook, *n.* Llyfr nodiadau.
noted, *a.* Nodedig, hynod, enwog.
notepaper, *n.* Papur ysgrifennu.
nothing, *n.* Dim.
notice, *n.* I. Sylw, rhybudd, hysbysiad.
   2. *v.* Sylwi.
noticeboard, *n.* Hysbysfwrdd.
noticeable, *a.* Amlwg.
notification, *n.* Hysbysiad.
notify, *v.* Hysbysu, rhoi gwybod.
notion, *n.* Tyb, syniad, clem, amcan.
notoriety, *n.* Drwg-enwogrwydd.
notorious, *a.* Drwg-enwog, ag enw drwg.
notwithstanding, *prp.* I. Er, er gwaethaf.
   2. *ad.* Er hynny, serch hynny.
nought, *n.* Dim, gwagnod.
noun, *n.* Enw.
nourish, *v.* Meithrin, maethu, bwydo.
nourishing, *a.* Maethlon.
nourishment, *n.* Maeth, lluniaeth, bwyd.
novel, *n.* I. Nofel.
   2. *a.* Newydd.

novelette, *n.* Nofelig.
novelist, *n.* Nofelydd.
novelty, *n.* Newydd-deb ; newyddbeth.
November, *n.* Tachwedd, y Mis Du.
novice, *n.* Dechreuwr, nofis, newyddian.
now, *ad. c. & n.* Yn awr, nawr, rwan, y pryd hwn,
   yr awron ; bellach, weithian.
   NOW AND THEN. Ambell waith, yn awr ac yn
   y man, yn awr ac eilwaith.
nowadays, *ad.* Ar hyn o bryd, y dyddiau hyn.
nowhere, *ad.* Ddim yn unlle, ddim yn unrhyw fan.
noxious, *a.* Niweidiol, andwyol.
nozzle, *n.* Trwyn, ffroenell.
nuclear, *a.* Niwclear.
   NUCLEAR ENERGY. Egni niwclear.
   NUCLEAR WASTE. Gwastraff niwclear.
   NUCLEAR FAMILY. Teulu cnewyllol.
nucleus, *n.* Cnewyllyn, bywyn.
nude, *n. & a.* Noeth.
nudge, *v.* Pwnio, penelino, gwthio.
nudity, *n.* Noethni.
nuisance, *n.* Pla, poendod.
nullify, *v.* Diddymu, dirymu.
numb, *a.* I. Dideimlad, diffrwyth, wedi fferru.
   wedi merwino.
   2. *v.* Fferru, merwino.
number, *n.* I. Nifer, rhif, ffigur ; rhifyn.
   2. *v.* Rhifo, cyfrif.
numberless, *a.* Dirifedi, di-rif, aneirif, rhif y gwlith.
numbness, *n.* Diffrwyth, fferdod.
numeracy, *n.* Rhifogrwydd.
numeral, *n.* Rhifol, rhifnod.
numerator, *n.* Rhifiadur.
numerical, *a.* Rhifiadol.
numerous, *a.* Niferus, lluosog, aml.
nun, *n.* Lleian, mynaches.
nunnery, *n.* Lleiandy.
nuptial, *a.* Priodasol.
nurse, *n.* I. Nyrs, gweinyddes.
   2. *v.* Magu, nyrsio.
nursery, *n.* Meithrinfa, magwrfa.
   NURSERY CLASS. Dosbarth meithrin.
   NURSERY NURSE. Gweinyddes feithrin.
   NURSERY PROVISION. Darpariaeth feithrin.
   NURSERY RHYME. Hwiangerdd.
   NURSERY SCHOOL. Ysgol Feithrin.
nurture, *n.* I. Maeth, magwraeth.
   2. *v.* Maethu, meithrin.
nut, *n.* Cneuen.
nutrient, *n.* I. Maetholyn.
   2. *a.* Maethol.
nutriment, *n.* Maeth.
nutritious, *a.* Maethlon.
nutshell, *n.* Masgl (plisgyn) cneuen.
nutty, *a.* Llawn cnau, cneuog.
nylon, *n.* Neilon.
   NYLONS. Hosanau neilon.

Oaf, *n.* Llabwst, awff, delff, hurtyn, twpsyn.
oak, *n.* Derwen, derw.
oaken, *a.* Derw, deri.
oar, *n.* Rhwyf.
oarsman, *n.* Rhwyfwr.
oat, *n.* Ceirchen.
(*pl.* Ceirch).
oatcake, *n.* Bara ceirch, teisen geirch.
oath, *n.* Llw, rheg.
oatmeal, *n.* Blawd ceirch.
obdurate, *a.* Ystyfnig, cyndyn, di-droi.
obedience, *n.* Ufudd-dod.
obedient, *a.* Ufudd.
obey, *v.* Ufuddhau.
obituary, *n.* Ysgrif goffa ; rhestr goffa.
OBITUARY COLUMN. Colofn y marwolaethau.
object, *n.* I. Gwrthrych ; nod, amcan.
2. *v.* Gwrthwynebu.
objection, *n.* Gwrthwynebiad.
objectionable, *a.* Atgas, annymunol, cas ;
annerbyniol.
objective, *n.* I. Nod, amcan.
2. *a.* Gwrthrychol.
objector, *n.* Gwrthwynebwr.
obligation, *n.* Dyled, rhwymedigaeth.
obligatory, *a.* Gorfodol, rhwymedig.
obligate, *v.* Rhwymo, gorfodi.
oblige, *v.* Boddio ; gorfodi ; rhwymo.
obliging, *a.* Caredig, cymwynasgar.
oblique, *a.* Lletraws, ar osgo.
OBLIQUE SECTION. Toriad lletraws.
obliquely, *ad.* Ar letraws, ar osgo.
obliterate, *v.* Dileu.
obliteration, *n.* Dilead.
oblivion, *n.* Angof, ebargofiant.
oblivious, *a.* Anghofus, anymwybodol.
oblong, *a.* Hirsgwar, hirgul.
obnoxious, *a.* Atgas, ffiaidd, cas.
oboe, *n.* Obo.
obscene, *a.* Brwnt, aflan, anllad.
obscenity, *n.* Bryntni, anlladrwydd.
obscure, *a.* I. Tywyll, aneglur ; anhysbys, di-nod.
2. *v.* Cymylu, tywyllu, cuddio.
obscurity, *n.* Aneglurder ; dinodedd.
observance, *n.* Cadwraeth, arfer.
observant, *a.* Sylwgar, craff.
observation, *n.* Sylw ; sylwadaeth.
observe, *v.* Sylwi, syllu, arsyllu ; cadw.
observer, *n.* Sylwedydd, gwyliwr.
obsolete, *a.* Darfodedig, anarfaredig.
obstacle, *n.* Rhwystr ; atalfa.
obstinacy, *n.* Ystyfnigrwydd, cyndynrwydd.
obstinate, *a.* Ystyfnig, cyndyn.
obstruct, *v.* Cau, tagu ; atal, rhwystro.
obstruction, *n.* Rhwystr ; tagfa ; atalfa.
obtain, *v.* Cael, ennill.
obtrusion, *n.* Ymwthiad.
obviate, *v.* Osgoi, arbed, gwaredu.
obvious, *a.* Amlwg, eglur.

occasion, *n.* I. Achlysur, adeg ; achos.
2. *v.* Peri, achosi.
occasional, *a.* Achlysurol.
occasionally, *ad.* Ambell waith.
occult, *a.* Cudd, dirgel.
occupant, *n.* Deiliad, preswylydd.
occupation, *n.* Gwaith, galwedigaeth ; meddiant.
occupy, *v.* Meddu, meddiannu ; trigo, preswylio ;
cymryd.
occur, *v.* Digwydd, dod, bod.
occurrence, *n.* Digwyddiad.
ocean, *n.* Môr, cefnfor, eigion.
octagon, *n.* Wythongl.
octagonal, *a.* Wythonglog.
octave, *n.* Wythfed, wythawd.
octavo, *n.* I. Llyfr wythblyg.
2. *a.* Wythblyg.
octet, *n.* Wythawd.
October, *n.* Hydref.
octogenarian, *n.* Un dros ei bedwar ugain oed.
odd, *a.* Od, rhyfedd, hynod.
oddity, *n.* Odrwydd, hynodrwydd ; dyn neu beth od.
odds, *np.* Gwahaniaeth, ods, ots.
ode, *n.* Awdl.
odious, *a.* Atgas, cas, ffiaidd.
odour, *n.* Aroglau, gwynt, sawr.
of, *prp.* O, gan, am, ynghylch.
OF COURSE. Wrth gwrs.
off, *ad.* Ymaith, i ffwrdd, bant.
prp. Oddi ar, oddi wrth, oddi am.
offence, *n.* Trosedd, camwedd.
offend, *v.* Troseddu, tramgwyddo.
offender, *n.* Troseddwr.
offensive, *a.* Atgas, cas, ffiaidd ; ymosodol.
offer, *n.* I. Cynnig.
2. *v.* Cynnig ; offrymu.
offering, *n.* Offrwm, cyfraniad ; aberth.
BURNT OFFERING. Poeth offrwm.
office, *n.* Swydd ; swyddfa.
officer, *n.* Swyddog.
official, *n.* I. Swyddog.
2. *a.* Swyddogol.
officiate, *v.* Gweinyddu.
officious, *a.* Ymyrgar, busneslyd.
offside, *a.* Ochr draw, tu hwnt ; ar y llaw dde, ar
yr ochr allan.
TO BE OFFSIDE. Camochri.
offspring, *n.* Epil, hil, hiliogaeth, plant.
often, *ad.* Yn aml, yn fynych, llawer gwaith.
oil, *n.* I. Olew, oel.
2. *v.* Iro, oelio.
OIL FIELD. Maes olew.
OIL RIG. Llwyfan olew.
oily, *a.* Seimlyd seimllyd ; oeliog.
ointment, *n.* Eli, ennaint.
old, *a.* Hen, oedrannus ; oed.
OLD AGE. Henaint, henoed.
old-fashioned, *a.* Henffasiwn.
oleaginous, *a.* Olewaidd.

olive, *n.* Olewydden.
Olympic, *a.* Olympaidd.
   OLYMPIC GAMES. Chwaraeon Olympaidd.
omen, *n.* Argoel, arwydd.
ominous, *a.* Bygythiol, argoelus.
omission, *n.* Amryfusedd, gwall.
omit, *v.* Gadael allan, esgeuluso.
omnipotent, *a.* Hollalluog.
omnipresent, *a.* Hollbresennol.
omniscient, *a.* Hollwybodus.
on, *prp.* I. Ar, ar warthaf.
   2. *ad.* Ymlaen.
once, *ad.* Unwaith, un tro ; gynt.
one, *n.* I. Un, rhywun, rhyw un, unig un.
   2. *a.* Naill, un, unig.
oneness, *n.* Undod, unoliaeth.
onion, *n.* Nionyn, winwnsyn, winionyn.
only, *a.* I. Unig.
   2. *ad.* Yn unig, dim ond, ond.
onslaught, *n.* Ymosodiad, cyrch.
onus, *n.* Baich, cyfrifoldeb.
onwards, *ad.* Ymlaen, yn eich blaen.
opaque, *a.* Afloyw.
open, *n.* I. Lle agored.
   2. *a.* Agored ; didwyll.
   3. *v.* Agor ; dechrau.
   WIDE OPEN. Lled y pen.
opening, *n.* I. Agoriad, agorfa, bwlch.
   2. *a.* Agoriadol.
openly, *ad.* Yn agored, ar goedd.
opera, *n.* Opera.
operate, *v.* Gweithio, gweithredu.
operation, *n.* Gweithred, gweithrediad ; triniaeth lawfeddygol.
operative, *a.* Gweithredol.
operator, *n.* Gweithredydd, trafodwr.
opinion, *n.* Tyb, tybiaeth, barn, meddwl.
opponent, *n.* Gwrthwynebydd.
opportune, *a.* Amserol, hwylus, cyfleus.
opportunity, *n.* Cyfle, amser cyfaddas.
oppose, *v.* Gwrthwynebu, cyferbynnu.
opposite, *a.* Cyferbyn ; croes.
opposition, *n.* Gwrthwynebiad ; gwrthblaid.
oppress, *v.* Gormesu, gorthrymu.
oppression, *n.* Gormes, gorthrwm.
oppressive, *a.* Gormesol, gorthrymus, trymaidd.
oppressor, *n.* Gormeswr, gorthrymydd.
optician, *n.* Optegydd.
optics, *n.* Opteg.
optimism, *n.* Optimistiaeth, gobaith.
optimist, *n.* Optimist, un sy'n llawn hyder.
option, *n.* Dewis, dewisiad.
opulence, *n.* Cyfoeth, digonedd, golud.
opulent, *a.* Cyfoethog, goludog.
opus, *n.* Gwaith ; opws.
or, *c.* Neu, ai, ynteu, naill ai.
oracle, *n.* Oracl.
oracular, *a.* Oraclaidd.
oracy, *n.* Llafaredd.

oral, *a.* Llafar.
orally, *ad.* Ar lafar.
orange, *n.* Oren, oraens.
oration, *n.* Araith, anerchiad.
orator, *n.* Areithiwr.
oratorio, *n.* Oratorio.
orb, *n.* Pêl, pelen, pellen, cronnell, globyn.
orbit, *n.* Cylchdro, rhod ; twll llygad, crau llygad.
orchard, *n.* Perllan.
orchestra, *n.* Cerddorfa.
orchestration, *n.* Offeryniaeth.
ordain, *v.* Trefnu ; ordeinio, urddo.
ordeal, *n.* Prawf llym.
order, *n.* I. Trefn ; gorchymyn, archeb ; urdd, dosbarth.
   2. *v.* Trefnu ; gorchymyn, erchi ; archebu.
orderliness, *n.* Trefnusrwydd.
orderly, *n.* I. Gwas milwr.
   2. *a.* Trefnus, gweddaidd.
ordinal, *n. & a.* Trefnol.
ordinance, *n.* Ordinhad, gorchymyn.
ordinary, *a.* Cyffredin.
ordination, *n.* Ordeiniad, urddiad.
ore, *n.* Mwyn.
organ, *n.* Organ.
organist, *n.* Organydd.
organization, *n.* Trefn, trefniant, cymdeithas, cyfundrefn, trefniadaeth.
organize, *v.* Trefnu.
   ORGANIZED BY. Trefnwyd gan.
organizer, *n.* Trefnydd.
orgy, *n.* Gloddest, cyfeddach.
orient, *n.* I. Dwyrain.
   2. *a.* Dwyreiniol.
oriental, *n.* I. Dwyreiniwr.
   2. *a.* Dwyreiniol.
origin, *n.* Dechrau, dechreuad, tarddiad.
original, *n.* I. Gwreiddiol.
   2. *a.* Gwreiddiol, cyntefig.
originality, *n.* Gwreiddioldeb.
originate, *v.* Dechrau, cychwyn, tarddu.
ornament, *n.* I. Addurn.
   2. *v.* Addurno.
ornamental, *a.* Addurnol.
ornithology, *n.* Adareg.
orphan, *n. & a.* Amddifad.
orthodox, *a.* Uniongred ; arferol.
orthodoxy, *n.* Uniongrededd.
orthography, *n.* Orgraff.
orthopaedic, *a.* Orthopedig.
oscillate, *v.* Siglo, ymsiglo.
ostensible, *a.* Ymddangosiadol.
ostentation, *n.* Rhodres.
ostentatious, *a.* Rhodresgar.
ostrich, *n.* Estrys.
other, *a.* I. Arall, eraill, amgen.
   2. *pn.* Arall, y llall, y lleill, y naill.
   3. *ad.* Dim llai na.
otherwise, *ad.* Fel arall, yn wahanol, amgen, pe amgen.

otter, *n.* Dwrgi, dyfrgi.
ought, *v.* Dylwn, dylet, dylai ; dylem, dylech, dylent ; dylid ; dylsid . . .
ounce, *n.* Owns.
our, *pn.* Ein, 'n.
ours, *pn.* Ein hun ni, ein rhai ni, yr eiddom ni.
ourselves, *pn.* Ein hunain, ni, nyni.
out, *ad.* Allan, i maes.
outcast, *n.* Alltud, gwrthodedig, di-gartref, heb gyfaill.
outcome, *n.* Canlyniad.
outcrop, *a.* I. Brig.
    2. *n.* Brigiad, cripell.
    3. *v.* Brigo.
outdo, *v.* Rhagori ar, maeddu, trechu.
outdoor, *a.* Yn yr awyr agored.
outer, *a.* Allanol.
outermost, *a.* Nesaf allan ; pellaf.
outing, *n.* Gwibdaith.
outlaw, *n.* Herwr.
outlay, *n.* Traul, cost, gwariant.
outline, *n.* I. Amlinelliad, braslun.
    2. *v.* Amlinellu.
outlive, *v.* Goroesi.
outlook, *n.* Rhagolwg, argoelion ; golygfa.
output, *n.* Cynnyrch.
outrage, *n.* I. Trais, ysgelerder.
    2. *v.* Treisio.
outrageous, *a.* Anfad, ysgeler ; gwarthus, cywilyddus.
outright, *ad.* Yn llwyr, yn gwbl.
outset, *n.* Dechrau, dechreuad.
outside, *n.* I. Tu allan, tu faes.
    2. & 3. *a. & ad.* Allan, tu allan, allanol, oddi allan.
    4. *prp.* Tu allan i, tu faes i, oddi allan.
outside-half, *n.* Maeswr.
outside-left, *n.* Asgellwr chwith.
outside-right, *n.* Asgellwr de.
outskirts, *np.* Cyrrau, ymylon.
outspoken, *a.* Plaen, di-flewyn-ar-dafod.
outstanding, *a.* Amlwg ; dyledus.
outward, *a.* Allanol.
outwardly, *ad.* Yn allanol.
outwards, *ad.* Tuag allan.
outweigh, *v.* Gorbwyso.
oval, *a.* Hirgrwn.
ovary, *n.* Wygell, wyfa.
ovate, *n.* Ofydd.
ovation, *n.* Cymeradwyaeth.

oven, *n.* Ffwrn, popty.
over, *prp.* I. Tros, dros, uwch, uwchben, ar draws.
    2. *ad.* Drosodd, dros ben.
over-, *px.* Gor-, tra-, rhy-.
overbearing, *a.* Gormesol.
overcast, *a.* I. Cymylog, tywyll.
    2. *v.* Cymylu.
overcharge, *n.* I. Gorbris, crocbris.
    2. *v.* Gorlwytho, gorlenwi ; gorbrisio, codi gormod.
overcoat, *n.* Cot fawr, cot uchaf.
overcome, *v.* Gorchfygu, trechu.
over-eager, *a.* Gorawyddus.
overflow, *n.* I. Gorlif, gorlifiad.
    2. *v.* Gorlifo.
overflowing, *a.* Helaeth, llifeiriol.
overgrow, *v.* Gordyfu.
overgrowth, *n.* Gor-dwf.
overlap, *v.* Darnguddio, gorgyffwrdd.
overlook, *v.* Esgeuluso, anghofio ; edrych heibio, anwybyddu ; peidio â gweld ; maddau.
overnight, *ad.* Dros nos.
overpower, *v.* Trechu, maeddu.
overpowering, *a.* Llethol.
overrun, *v.* Goresgyn.
overseas, *ad.* Tramor, dros y môr.
overseer, *n.* Arolygwr, goruchwyliwr.
overtake, *v.* Goddiweddyd, dal.
overthrow, *n.* I. Dymchweliad.
    2. *v.* Dymchwelyd.
overture, *n.* Cynnig ; agorawd (i opera).
overturn, *v.* Dymchwelyd.
overwhelm, *v.* Llethu, gorlethu.
overwhelming, *a.* Llethol.
ovoid, *a.* Wyffurf.
owe, *v.* Bod mewn dyled.
owing, *a.* Dyledus.
owl, *n.* Tylluan, gwdihŵ.
own, *a.* I. Eiddo dyn ei hun.
    2. *v.* Meddu ; arddel ; cyfaddef.
owner, *n.* Perchen, perchennog.
ox, *n.* Bustach, ych, eidion.
oxidation, *n.* Ocsidiad.
oxide, *n.* Ocsid.
oxidise, *v.* Ocsidio, ocsidyddio.
    OXIDISING AGENT. Ocsidydd.
oxygen, *n.* Ocsigen.
oyster, *n.* Llymarch, wystrysen.
ozone, *n.* Osôn.

Pace, *n.* I. Cam, camre, cerddediad.
2. *v.* Camu, cerdded.
pacific, *a.* Tawel, heddychol.
PACIFIC OCEAN. Y Môr Tawel.
pacifism, *n.* Heddychiaeth.
pacifist, *n.* Heddychwr.
pacify, *v.* Heddychu, tawelu.
pack, *n.* I. Pecyn, pwn, sypyn, bwndel ; cnud.
2. *v.* Pacio, sypynnu.
PACK-HORSE. Pynfarch.
packet, *n.* Paced.
pact, *n.* Cytundeb.
paddle, *n.* I. Rhodl, padl, rhwyf.
2. *v.* Rhodli, padlo.
paddock, *n.* Marchgae, cae bach, coetgae.
padlock, *n.* Clo clap, clo clwt, clo clec.
pagan, *n.* I. Pagan.
2. *a.* Paganaidd.
page, *n.* Gwas bach ; tudalen.
pageant, *n.* Pasiant.
pageantry, *n.* Pasiantri.
pail, *n.* Ystwc, bwced.
pain, *n.* Poen, gwayw, cur, dolur.
TO TAKE PAINS. Cymryd trafferth.
painful, *a.* Poenus, dolurus.
painless, *a.* Di-boen.
painstaking, *a.* Gofalus, trylwyr.
paint, *n.* I. Paent.
2. *v.* Peintio.
painter, *n.* Peintiwr.
painting, *n.* Peintiad ; darlun, llun.
pair, *n.* I. Pâr, dau, cwpl.
2. *v.* Paru.
pairing, *n.* Cymheirio.
palace, *n.* Plas, palas.
palatability, *n.* Blasusrwydd.
palatable, *a.* Blasus.
palate, *n.* Taflod y genau ; blas, archwaeth.
palatial, *a.* Palasaidd, gwych.
pale, *a.* I. Gwelw, llwyd, gwelwlas.
2. *v.* Gwelwi.
paleness, *n.* Gwelwedd.
Palestine, *n.* Palestina.
pall, *v.* Diflasu, alaru.
palliative, *n.* I. Lleddfwr poen.
2. *a.* Lleddfol, lliniarol.
pallid, *a.* Gwelw, llwyd.
palm, *n.* Cledr llaw, palf ; palmwydden.
PALM SUNDAY. Sul y Blodau.
palmist, *n.* Llawddewin.
palmistry, *n.* Llawddewiniaeth.
palpitate, *v.* Curo, dychlamu.
palpitation, *n.* Curiad, dychlamiad.
palsy, *n.* I. Parlys.
2. *v.* Parlysu.
paltriness, *n.* Distadledd.
paltry, *a.* Distadl, gwael, diwerth.
pampas, *n.* Paith.
pamper, *v.* Maldodi, mwytho.

pamphlet, *n.* Pamffled, llyfryn.
pamphleteer, *n.* Pamffledwr.
pan, *n.* Padell.
pancake, *n.* Cramwythen, crempog, ffroesen, ffreisen.
pandemonium, *n.* Terfysg, tryblith, mwstwr, halibalŵ.
pane, *n.* Cwarel, paen.
panel, *n.* Panel.
pang, *n.* Gwayw, gloes, brath.
panic, *n.* Dychryn, braw, arswyd.
pansy, *n.* Trilliw, llysiau'r Drindod ; pansi.
pant, *v.* Dyheu.
pantomime, *n.* Pantomeim.
pantheism, *n.* Pantheistiaeth.
pantry, *n.* Pantri.
papacy, *n.* Pabaeth.
papal, *a.* Pabaidd.
paper, *n.* I. Papur.
2. *v.* Papuro.
BROWN PAPER. Papur llwyd.
EXAMINATION PAPER. Papur arholiad.
GREASE-PROOF PAPER. Papur gwrthsaim.
NEWSPAPER. Papur newydd.
WALLPAPER. Papur wal.
paperback, *n.* Llyfr clawr papur.
paper clip, *n.* Clip papurau.
paperer, *n.* Papurwr.
papist, *n.* Pabydd.
papyrus, *n.* Brwynbapur.
par, *n.* Cyfartaledd, cyfwerth.
ON A PAR. Yn gyfartal, yn gyfwerth.
parable, *n.* Dameg.
parachute, *n.* Parasiwt.
parade, *n.* I. Rhodfa ; ymddangosfa ; gorymdaith.
2. *v.* Gorymdeithio ; arddangos.
paradise, *n.* Paradwys, gwynfyd, gwynfa.
paradox, *n.* Paradocs, gwrthddywediad.
paradoxical, *a.* Paradocsaidd.
paraffin, *n.* Paraffîn, paraffin.
paragraph, *n.* Paragraff.
parallel, *a.* Cyfochrog, cyflin.
parallelism, *n.* Cyfochredd.
paralyse, *v.* Parlysu, diffrwytho.
paralysis, *n.* Parlys.
paramount, *a.* Pennaf, prif, mwyaf.
paraphrase, *n.* I. Aralleiriad.
2. *v.* Aralleirio.
parasite, *n.* Paraseit, arfilyn ; cynffonnwr.
parcel, *n.* Parsel, sypyn, swp.
parch, *v.* Deifio, crasu.
parched, *a.* Cras, crasbeth, sych.
parchment, *n.* Memrwn.
pardon, *n.* I. Maddeuant, pardwn.
2. *v.* Maddau.
PARDON ME! Esgusodwch fi ! Mae'n ddrwg gen i !
pare, *v.* Pilio, digroeni ; naddu.
parent, *n.* Tad neu fam, rhiant.
PARENTS. Rhieni.

parenthesis, *n.* Sangiad ; cromfach.
parings, *np.* Pilion, creifion, crafion.
Paris, *n.* Paris.
parish, *n.* Plwyf.
parishioners, *np.* Plwyfolion.
parity, *n.* Cydraddoldeb.
park, *n.* I. Parc, cae.
    2. *v.* Parcio.
parking meter, *n.* Mesurydd parcio.
parliament, *n.* Senedd.
parliamentary, *a.* Seneddol.
parlour, *n.* Parlwr.
parochial, *a.* Plwyfol.
parody, *n.* I. Parodi
    2. *v.* Gwawdio, gwatwar.
parrot, *n.* Parot.
parry, *v.* Osgoi, troi (peth) naill ochr.
parse, *v.* Dosbarthu.
parsimony, *n.* Gorgynildeb, crintachrwydd.
parsley, *n.* Persli.
parsnip, *n.* Panasen.
parson, *n.* Offeiriad, person.
part, *n.* I. Rhan, cyfran, darn, parth.
    2. *v.* Rhannu, gwahanu, ymadael.
    IN PART. O ran.
partake, *v.* Cyfranogi.
partial, *a.* Rhannol ; pleidiol, tueddol.
participate, *v.* Cyfranogi.
participle, *n.* Rhangymeriad (*gram.*).
particle, *n.* Mymryn, gronyn ; geiryn.
particular, *n.* Neilltuol, arbennig, manwl.
particulars, *np.* Manylion.
parting, *n.* I. Rhaniad ; ymadawiad.
    2. *a.* Rhaniadol ; ymadawol.
partisan, *n.* I. Pleidiwr.
    2. *a.* Pleidgar, pleidiol.
partition, *n.* I. Rhaniad ; pared, canolfur.
    2. *v.* Rhannu.
partly, *ad.* O ran, mewn rhan, yn rhannol.
partner, *n.* Cydymaith, cymar, partner.
partnership, *n.* Partneriaeth.
partridge, *n.* Petrisen.
part-time, *n.* Rhan-amser.
party, *n.* Plaid, parti, grŵp.
pass, *n.* I. Cyflwr ; bwlch ; trwydded ; caniatâd ;
    llwyddiant.
    2. *v.* Myned heibio ; estyn ; caniatáu ;
    bwrw, treulio ; llwyddo, mynd trwy.
passage, *n.* Mynedfa, tramwyfa ; mordaith, taith ;
    mynediad ; rhan o gyfansoddiad, darn.
passenger, *n.* Teithiwr.
passing, *n.* I. Ymadawiad.
    2. *a.* Yn mynd heibio, diflannol.
passion, *n.* Nwyd, serch, angerdd, gwylltineb ;
    dioddefaint.
    THE PASSION. Y Dioddefaint.
    THE PASSIONS. Y nwydau.
passionate, *a.* Angerddol, nwydwyllt.
passive, *a.* Goddefol.
Passover, *n.* Y Pasg.

passport, *n.* Trwydded deithio, pasport.
password, *n.* Cyfrinair.
past, *n.* I. Gorffennol.
    2. *a.* Gorffennol, wedi mynd heibio.
    3. *prp.* Wedi.
    4. *ad.* Heibio.
paste, *n.* I. Past.
    2. *v.* Pastio, glydio.
    TOOTHPASTE. Past dannedd.
pasteurize, *v.* Pasteureiddio.
pasteurized, *a.* Wedi'i basteureiddio.
    PASTEURIZED MILK. Llaeth wedi'i basteureiddio.
pastime, *n.* Adloniant, difyrrwch.
pastor, *n.* Bugail eglwys, gweinidog.
pastoral, *n.* I. Bugeilgerdd.
    2. *a.* Bugeiliol.
pastry, *n.* Pasteiod, pasteiaeth, tarten, crwst, &c.
pasture, *n.* I. Porfa ; cae, dôl.
    2. *v.* Pori.
pasty, *n.* Pastai.
patch, *n.* I. Clwt, darn ; llain ; smotyn.
    2. *v.* Clytio, cyweirio.
    PATCHWORK. Clytwaith.
patent, *n.* I. Breintlythyr, breinlythyr.
    2. *a.* Amlwg, agored, eglur.
paternal, *a.* Tadol.
path, *n.* Llwybr.
pathetic, *a.* Truenus, gresynus.
pathological, *a.* Patholegol.
pathology, *n.* Patholeg.
pathos, *n.* Dwyster, pathos.
patience, *n.* Amynedd.
patient, *n.* I. Claf, person claf.
    2. *a.* Amyneddgar, dioddefus.
patriarch, *n.* Patriarch.
patrimony, *n.* Treftadaeth, etifeddiaeth.
patriot, *n.* Gwladgarwr.
patriotic, *a.* Gwladgarol, gwlatgar.
patriotism, *n.* Gwladgarwch.
patrol, *n.* Patrôl, cylchrawd.
patron, *n.* Noddwr, cefnogwr.
patronage, *n.* Nawdd, nawddogaeth.
patronize, *v.* Noddi, nawddogi ; trin yn nawddoglyd.
patronizing, *a.* Nawddogol.
pattern, *n.* Patrwm, cynllun.
paucity, *n.* Prinder.
pauper, *n.* Tlotyn, un tlawd, anghenog.
pause, *n.* I. Saib, seibiant, hoe
    2. *v.* Gorffwys, aros.
pave, *v.* Palmantu.
pavement, *n.* Palmant, pafin.
pavilion, *n.* Pafiliwn, pabell.
paw, *n.* I. Pawen, palf.
    2. *v.* Pawennu.
pawn, *n.* I. Gwystl ; gwerinwr (*gwyddbwyll*).
    2. *v.* Gwystlo.
pawn-broker, *n.* Gwystlwr.
pay, *n.* I. Tâl, cyflog, hur.
    2. *v.* Talu.
    TO PAY DEARLY. Talu'n hallt.

payable, *a.* Dyledus, taladwy.
payment, *n.* Tâl, taliad.
pea, *n.* Pysen.
peace, *n.* Heddwch, hedd, tangnefedd.
peaceful, *a.* Heddychol, tangnefeddus.
peach, *n.* Eirinen wlanog.
peacock, *n.* Paun.
peahen, *n.* Peunes.
peak, *n.* Pig ; crib ; copa ; uchafbwynt.
peal, *n.* I. Sain clychau, twrw, (taran).
   2. *v.* Canu (clychau).
pear, *n.* Gellygen, peren.
pearl, *n.* Perl.
peanut, *n.* Cneuen ddaear, cneuen fwnci.
peasant, *n.* Gwerinwr, gwladwr.
peasantry, *n.* Gwerin.
peat, *n.* Mawn.
pebbles, *np.* Gro.
peck, *n.* I. Pec, pecaid ; pigiad.
   2. *v.* Pigo.
peculiar, *a.* Neilltuol, arbennig ; rhyfedd, od, hynod.
peculiarity, *n.* Arbenigrwydd, hynodrwydd.
pecuniary, *a.* Ariannol.
pedal, *n.* I. Pedal, troedlath.
   2. *v.* Pedlo, pedalu.
pedestrian, *n.* Cerddwr, ar draed.
   PEDESTRIAN CROSSING. Croesfan.
   PEDESTRIAN PRECINCT. Man cerddwyr.
pedigree, *n.* Ach, bonedd, llinach.
pedlar, *n.* Pedler.
peel, *n.* I. Croen, pil, rhisgl.
   2. *v.* Pilio, rhisglo.
peep, *n.* I. Cipolwg, cip.
   2. *v.* Sbio, llygadu.
peer, *n.* I. Cyfoed, cymar, eich tebyg, rhywun cydradd ; pendefig.
   2. *v.* Syllu, llygadu, craffu.
peerless, *a.* Digymar, digyffelyb.
peevish, *a.* Croes, anfoddog, piwis.
peevishness, *n.* Piwisrwydd.
peg, *n.* I. Peg.
   2. *v.* Pegio.
   CLOTHES PEG. Peg dillad.
pellet, *n.* Pelen, haelsen, pilsen.
pelt, *n.* I. Croen anifail.
   2. *v.* Taflu, lluchio.
pen, *n.* I. Pin, pin ysgrifennu, ysgrifbin ; lloc, ffald.
   2. *v.* Ysgrifennu ; llocio, corlannu.
penal, *a.* Penydiol.
penalize, *v.* Cosbi.
penalty, *n.* Cosb, cosbedigaeth, penyd.
   PENALTY-KICK. Cic gosb.
penance, *n.* Penyd.
pence, *np.* Ceiniogau, pres.
pencil, *n.* Pensil, pensel.
   PENCIL SHARPENER. Miniwr pensiliau, naddwr pensiliau.
pendulum, *n.* Pendil.
penetrate, *v.* Treiddio.

penetrating, *a.* Treiddgar, treiddiol.
penetration, *n.* Treiddiad.
peninsula, *n.* Penrhyn, gorynys.
peninsular, *a.* Gorynysol.
penis, *n.* Pidyn, cala.
penitence, *n.* Edifeirwch.
penitent, *n.* I. Person edifeiriol.
   2. *a.* Edifar, edifeiriol.
penitentiary, *n.* Penydfa, carchar.
penknife, *n.* Cyllell boced.
penniless, *a.* Heb geiniog.
penny, *n.* Ceiniog.
pension, *n.* Pensiwn, blwydd-dâl.
pensive, *a.* Meddylgar, synfyfyriol.
pentagon, *n.* Pumongl, pumochr.
penultimate, *a.* I. Olaf ond un, cynderfynol, gobennol.
   2. *n.* Goben.
penury, *n.* Tlodi, cyni.
people, *n.* I. Pobl.
   2. *v.* Poblogi.
   ENGLISH PEOPLE. Saeson, pobl Lloegr.
   IRISH PEOPLE. Gwyddelod, pobl Iwerddon.
   SCOTTISH PEOPLE. Albanwyr, pobl yr Alban.
   WELSH PEOPLE. Cymry, pobl Cymru.
pepper, *n.* Pupur.
perceive, *v.* Canfod, deall, dirnad.
percentage, *n.* Canran.
perceptible, *a.* Canfyddadwy.
perception, *n.* Canfyddiad, canfod.
perceptive, *a.* Craff, treiddgar, sylwgar.
perch, *n.* I. Clwyd ; draenogyn (*pysgodyn*) ; perc (*pum llath a hanner*).
   2. *v.* Clwydo.
percolate, *v.* Hidlo, diferu.
percussion, *n.* Trawiad.
   PERCUSSION BAND. Band taro.
perdition, *n.* Distryw, colledigaeth.
perennial, *a.* Bythol, gwastadol.
perfect, *a.* I. Perffaith, cyflawn.
   2. *v.* Perffeithio.
perfection, *n.* Perffeithrwydd.
perfectionism, *n.* Perffeithiaeth.
perfectly, *ad.* Yn berffaith, yn hollol.
perfector, *n.* Perffeithydd.
perfidy, *n.* Brad, dichell, twyll.
perforate, *a.* Tyllu.
perforated, *a.* Tyllog.
perforation, *v.* Twll.
perform, *v.* Cyflawni ; chwarae, perfformio.
performance, *n.* Cyflawniad ; perfformiad.
performer, *n.* Perfformiwr, chwaraewr, actor.
perfume, *n.* I. Peraroglau, aroglau, persawr.
   2. *v.* Perarogli, persawru.
perhaps, *ad.* Efallai, hwyrach, dichon, ond odid.
peril, *n.* Perygl, enbydrwydd.
perilous, *a.* Peryglus, enbydus.
perimeter, *n.* Perimedr, amfesur, cylchfesur.
period, *n.* Cyfnod ; cyfadran (*cerddoriaeth*) ; misglwyf.

periodic, *a.* Cyfnodol.
periodical, *n.* I. Cyfnodolyn.
    2. *a.* Cyfnodol.
peripatetic, *a.* Cylchynol, peripatetig, crwydrol.
periphery, *n.* Cylchfesur ; ymylon, cyrion.
periphrastic, *a.* Cwmpasog.
perish, *v.* Marw, trengi, darfod.
periwinkle, *n.* Gwichiad.
perjury, *n.* Anudon, anudoniaeth.
perks, *np.* Mân fanteision.
permanence, *n.* Parhad, sefydlogrwydd.
permanent, *a.* Parhaol, arhosol, sefydlog.
permeability, *n.* Hydreiddedd.
permeable, *a.* Hydraidd.
permeate, *v.* Treiddio, trwytho.
permeation, *n.* Treiddiad, trwythiad, hydreiddiad.
permission, *n.* Caniatâd, cennad.
permissive, *a.* Goddefol, goddefgar.
    THE PERMISSIVE SOCIETY. Y gymdeithas oddefol.
permit, *n.* I. Trwydded.
    2. *v.* Caniatáu.
permutation, *n.* Cyfrdroad, cyfnewidiad, trynewidiad ; pỳrm.
permutate, *v.* Cyfnewid, trynewid, cydgyfnewid.
pernicious, *a.* Dinistriol, niweidiol.
peroration, *n.* Diweddglo araith.
peroxide, *n.* Perocsid.
perpendicular, *a.* Pensyth, unionsyth.
perpetrate, *v.* Cyflawni (trosedd, &c.).
perpetration, *n.* Cyflawniad.
perpetual, *a.* Bythol, tragwyddol, gwastadol.
perpetually, *a.* Yn barhaus, yn fythol.
perpetuate, *v.* Parhau, bytholi, anfarwoli.
perplex, *v.* Drysu.
perplexity, *n.* Dryswch, cyfyng-gyngor, penbleth.
persecute, *v.* Erlid.
persecution, *n.* Erledigaeth.
persecutor, *n.* Erlidiwr.
perseverance, *n.* Dyfalbarhad.
persevere, *v.* Dyfalbarhau, dal ati.
persevering, *a.* Dyfal, diwyd.
persist, *v.* Parhau, dyfalbarhau, dal ati.
persistence, *n.* Dyfalwch.
persistent, *a.* Dyfal, taer.
person, *n.* Person, dyn, merch, gwraig.
personable, *a.* Golygus, hardd, dymunol.
personal, *a.* Personol.
    PERSONAL ASSISTANT. Cynorthwy-ydd personol.
personality, *n.* Personoliaeth.
personally, *ad.* Yn bersonol.
personification, *n.* Personoliad.
personify, *v.* Personoli.
perspective, *n.* Persbectif, safbwynt.
perspiration, *n.* Chwys.
perspire, *v.* Chwysu.
persuade, *v.* Darbwyllo, cymell, perswadio.
persuasion, *n.* Darbwylliad, perswâd.
pert, *a.* Eofn, beiddgar, hyf.

pertain, *v.* Perthyn.
pertinacious, *a.* Dygn, ystyfnig ; dyfal, taer.
pertinent, *a.* Cymwys, perthnasol.
pertness, *n.* Ehofndra, hyfdra.
perturb, *v.* Aflonyddu, anesmwytho, cyffroi.
peruse, *v.* Darllen, chwilio.
pervade, *v.* Treiddio, trwytho.
pervasive, *a.* Treiddiol.
perverse, *a.* Gwrthnysig, croes.
pervert, *n.* I. Cyfeiliornwr, llygrwr, gwyrdroëdig.
    2. *v.* Gwyrdroi, camdroi, llygru.
pessimism, *n.* Pesimistiaeth.
pessimist, *n.* Pesimist.
pessimistic, *a.* Pesimistaidd.
pest, *n.* Pla, haint, poendod.
pester, *v.* Blino, poeni.
pestilence, *n.* Pla, haint.
pestilential, *a.* Heintus.
pet, *n.* I. Ffefryn, anwylyn ; anifail anwes.
    2. *a.* Llywaeth, swci, hoff.
    3. *v.* Anwesu, maldodi.
petal, *n.* Petal.
petite, *a. f.* Bechan.
petition, *n.* I. Deiseb ; deisyfiad.
    2. *v.* Deisebu ; deisyf.
petitioner, *n.* Deisebwr ; deisyfwr.
petrified, *a.* Caregaidd, parlysiedig.
petroleum, *n.* Petroliwm.
    PETROL PUMP. Pwmp petrol.
    PETROL STATION. Gorsaf betrol.
petticoat, *n.* Pais.
pettiness, *n.* Bychander, gwaeledd.
petty, *a.* Dibwys, bach, gwael.
pew, *n.* Sêt, sedd, côr, eisteddle.
phantom, *n.* Rhith, drychiolaeth.
Pharisee, *n.* Pharisead.
pharmacist, *n.* Fferyllydd.
pharmacy, *n.* Fferylliaeth ; fferyllfa.
pharynx, *n.* Y ffaryncs, sefnig.
phase, *n.* Agwedd, gwedd, cyfnod, golwg.
pheasant, *n.* Ffesant, coediar.
phenomenon, *n.* Ffenomen, rhyfeddod.
philanthropist, *n.* Dyngarwr.
philanthropy, *n.* Dyngarwch.
philological, *a.* Ieithegol.
philologist, *n.* Ieithegwr.
philology, *n.* Ieitheg.
philosopher, *n.* Athronydd.
philosophical, *a.* Athronyddol.
philosophize, *v.* Athronyddu.
philosophy, *n.* Athroniaeth.
phone, *n.* I. Ffôn, teleffon.
    2. *v.* Ffonio.
    MOBILE PHONE. Ffôn symudol.
phonetics, *n.* Seineg.
phosphate, *n.* Ffosffad.
phosphorescence, *n.* Mordan, ffosfforedd.
phosphorous, *n.* Ffosfforws.
photograph, *n.* I. Llun, ffotograff.
    2. *v.* Tynnu llun.

photography, *n.* Ffotograffiaeth.
phrase, *n.* I. Cymal ; ymadrodd.
    2. *v.* Mynegi, geirio.
phraseology, *n.* Geiriad.
physical, *a.* Materol, corfforol, ffisegol.
physician, *n.* Meddyg.
physicist, *n.* Ffisegwr.
physics, *n.* Ffiseg.
physiology, *n.* Ffisioleg.
physique, *n.* Corffolaeth, corff.
piano, *n.* Piano.
pick, *n.* I. Dewis, y gorau ; caib.
    2. *v.* Dewis, pigo ; ceibio.
pickaxe, *n.* Picas, caib.
pickle, *n.* I. Picl.
    2. *v.* Piclo.
pickpocket, *n.* Lleidr pocedi.
picnic, *n.* Picnic.
pictorial, *n.* I. Papur darluniau.
    2. *a.* Darluniadol.
picture, n. I. Darlun, llun.
    2. *v.* Darlunio ; dychmygu.
picturesque, *a.* Fel darlun.
pie, *n.* Pastai.
piebald, *a.* Brith.
piece, *n.* Darn, tamaid, rhan, cetyn, pishyn.
    PIECE-WORK. Gwaith tâl.
pied, *a.* Brith, braith, amryliw.
pier, *n.* Pier, piler, glanfa.
pierce, *v.* Gwanu, tyllu, treiddio.
piercing, *a.* Treiddiol, llym.
piety, *n.* Duwioldeb.
pig, *n.* Mochyn.
pigeon, *n.* Colomen.
pigeon-house, *n.* Colomendy.
pigment, *n.* Paent, lliw.
pigsty, *n.* Twlc, cwt mochyn.
pike, *n.* Gwaywffon ; penhwyad.
pile, *n.* I. Twr, pentwr, crugyn ; polyn ; ceden
    (*carpedi, &c.*).
    2. *v.* Pentyrru, llwytho.
pilgrim, *n.* Pererin.
pilgrimage, *n.* Pererindod.
pill, *n.* Pilsen, pelen.
pillage, *n.* I. Ysbail, anrhaith.
    2. *v.* Ysbeilio, anrheithio.
pillager, *n.* Ysbeiliwr, anrheithiwr.
pillar, *n.* Colofn, piler.
    PILLAR-BOX. Bocs llythyrau.
pillion, *n.* Piliwn.
pillory, *n.* Rhigod.
pillow, *n.* Clustog, gobennydd.
pilot, *n.* Peilot.
pimple, *n.* Tosyn, ploryn.
pin, *n.* I. Pin.
    2. *v.* Pinio, hoelio.
pinafore, *n.* Brat, piner.
pincers, *np.* Gefel, pinsiwrn.
pinch, *n.* I. Pinsiad, gwasgfa.
    2. *v.* Pinsio, gwasgu.

pincushion, *n.* Pincas.
pine, *n.* I. Pinwydden.
    2. *v.* Nychu, dihoeni.
pine-end (gable-end), *n.* Talcen tŷ.
pink, *a.* Pinc.
pinnacle, *n.* Pinacl.
pint, *n.* Peint.
pioneer, *n.* Arloeswr.
pious, *a.* Duwiol, crefyddol.
pip, *n.* Carreg (afal, &c.), hadyn.
pipe, *n.* I. Pib, pibell, cetyn.
    2. *v.* Canu pib.
piper, *n.* Pibydd.
pipette, *n.* Piped.
piquant, *a.* Pigog, llym.
piracy, *n.* Morladrad.
pirate, *n.* Môr-leidr.
pistol, *n.* Llawddryll, pistol.
pit, *n.* I. Pwll, pydew ; rhan o theatr.
    2. *v.* Pyllu ; gosod i ymladd.
pitch, *n.* I. Pyg ; traw ; goleddf.
    2. *v.* Pygu ; taflu ; gosod ; taro (tôn).
pitcher, *n.* Piser, stên.
pitchfork, *n.* Picfforch.
piteous, *a.* Truenus, gresynus.
pitfall, *n.* Magl, perygl.
pith, *n.* Bywyn, mwydyn, craidd, hanfod.
pithy, *a.* Cryno, cynhwysfawr.
pitiable, *a.* Truenus, gresynus.
pitiful, *a.* Tosturiol, truenus.
pitiless, *a.* Didostur, didrugaredd, creulon.
pittance, *n.* Cyflog bychan.
pity, *n.* I. Tosturi, trugaredd, gresyn, trueni.
    2. *v.* Tosturio, trugarhau.
    MORE'S THE PITY. Gwaetha'r modd.
pivot, *n.* Colyn, pegwn.
placate, *v.* Heddychu, cymodi.
place, *n.* I. Lle, man, mangre ; swydd.
    2. *v.* Dodi, gosod, rhoi.
placid, *a.* Llonydd, diddig, hynaws.
plague, *n.* I. Pla, haint.
    2. *v.* Poeni, blino.
plaice, *n.* Lleden.
plaid, *n.* Plod, plad.
plain, *n.* I. Gwastad, gwastadedd.
    2. *a.* Eglur, amlwg, clir ; diolwg.
plainsong, *n.* Plaengan.
plaintiff, *n.* Achwynwr.
plait, *n.* I. Pleth.
    2. *v.* Plethu.
plan, *n.* I. Cynllun, plan.
    2. *v.* Cynllunio, trefnu.
plane, *n.* I. Gwastad, plân ; plaen ; awyren ;
    planwydden.
    2. *a.* Gwastad, lefel, fflat.
    3. *v.* Llyfnhau, plaenio.
planet, *n.* Planed.
planetary, *a.* Planedol.
plank, *n.* Astell, estyllen, planc.

planner, *n.* Cynlluniwr.
planning, *n.* Cynllunio.
   PLANNING PERMISSION. Caniatâd cynllunio.
plant, *n.* I. Planhigyn ; offer, peiriannau.
   2. *v.* Plannu.
plantation, *n.* Planhigfa.
plaster, *n.* I. Plastr.
   2. *v.* Plastro.
plasterer, *n.* Plastrwr.
plastic, *a.* Plastig.
plasticity, *n.* Plastigrwydd.
plate, *n.* Plât ; llestri aur neu arian.
plateau, *n.* Gwastatir uchel.
platform, *n.* Llwyfan, platfform.
platitude, *n.* Ystrydeb, cyffredineb.
platoon, *n.* Platŵn.
plausible, *a.* Tebygol, credadwy ; gwên-deg, ffals.
play, *n.* I. Chwarae.
   2. *v.* Chwarae ; canu (*offeryn*).
player, *n.* Chwaraewr, actor.
playful, *a.* Chwareus.
playground, *n.* Chwaraele.
playgroup, *n.* Grŵp chwarae.
playhouse, *n.* Chwaraedy, theatr.
playwright, *n.* Dramodydd.
plea, *n.* Ple, dadl ; esgus ; apêl, deisyfiad.
plead, *v.* Dadlau, pleidio, eiriol.
pleader, *n.* Dadleuwr.
pleasant, *a.* Dymunol, hyfryd, llon, siriol.
please, *v.* Boddhau, bodloni, rhyngu bodd.
   IF YOU PLEASE. Os gwelwch yn dda.
pleasing, *a.* Boddhaol, dymunol.
pleasure, *n.* Pleser, hyfrydwch.
pleat, *n.* Plet, pleten.
plebiscite, *n.* Gwerinbleidlais, pleidlais gwlad, refferendwm.
pledge, *n.* I. Gwystl, ernes.
   2. *v.* Gwystlo, addo.
plenary, *a.* Cyflawn, llawn, llwyr.
   PLENARY POWER. Awdurdod cyflawn.
plentiful, *a.* Toreithiog, aml, helaeth.
plenty, *n.* Digonedd, helaethrwydd.
pliability, *n.* Ystwythder, hyblygedd.
pliable, *a.* Ystwyth, hyblyg.
pliers, *np.* Gefel.
plight, *n.* Cyflwr, drych.
plod, *v.* Llafurio, pannu ymlaen.
plot, *n.* I. Cynllun ; cynllwyn ; darn o dir.
   2. *v.* Cynllunio ; cynllwyn.
plough, *n.* I. Aradr, gwŷdd.
   2. *v.* Aredig, troi.
ploughland, *n.* Tir âr.
ploughman, *n.* Aradrwr, arddwr.
ploughshare, *n.* Swch aradr.
pluck, *n.* I. Gwroldeb ; plwc.
   2. *v.* Tynnu ; pluo, plufio.
plucky, *a.* Dewr, glew, gwrol.
plug, *n.* I. Plwg.
   2. *v.* Cau, plwgio.

plum, *n.* Eirinen.
plumage, *n.* Plu, pluf.
plumb, *n.* I. Plymen.
   2. *a.* Plwm, unionsyth.
   3. *v.* Plymio.
   PLUMB-LINE. Llinyn plwm.
plumber, *n.* Plwmwr.
plump, *a.* Tew, graenus, llyfndew.
plunder, *n.* I. Ysbail, anrhaith.
   2. *v.* Ysbeilio, anrheithio.
plunderer, *n.* Ysbeiliwr.
plunge, *n.* I. Trochiad.
   2. *v.* Trochi, suddo.
pluperfect, *a.* Gorberffaith.
plural, *a.* Lluosog.
pluralism, *n.* Lluosogaeth, plwraliaeth.
plurality, *n.* Lluosogrwydd.
plus, *n.* I. Plws.
   2. *prp.* A, gyda, at.
poach, *v.* Herwhela ; berwi (wy heb y plisg).
poacher, *n.* Herwheliwr, potsiar.
pocket, *n.* I. Poced, llogell.
   2. *v.* Pocedu.
   POCKET-BOOK. Llyfr poced.
   POCKET-KNIFE. Cyllell boced.
   POCKET-MONEY. Arian poced.
pod, *n.* Coden, plisgyn, masgl.
poem, *n.* Cân, cerdd.
poet, *n.* Bardd, prydydd.
poetical, *a.* Barddonol, prydyddol.
poetry, *n.* Barddoniaeth, prydyddiaeth.
point, *n.* I. Pwynt ; man ; blaen ; pwnc ; cyfeiriad.
   2. *v.* Dangos, nodi, cyfeirio ; miniogi ; anelu.
pointed, *a.* Pigog, llym, miniog, pigfain.
pointless, *a.* Dibwynt.
poise, *n.* I. Cydbwysedd, ystum, osgo.
   2. *v.* Cydbwyso, hofran.
poison, *n.* I. Gwenwyn.
   2. *v.* Gwenwyno.
poisonous, *a.* Gwenwynig.
poke, *n.* I. Cwd, sach.
   2. *v.* Gwthio, pwtian, procio.
poker, *n.* Pocer, procer.
Poland, *n.* Gwlad Pwyl.
polar, *a.* Pegynol.
   POLAR BEAR. Arth y Gogledd, arth wen.
Polaris, *n.* Seren y Pegwn.
pole, *n.* Polyn, pawl, postyn ; pegwn.
Pole, *n.* Pwyliad, Pwyles.
polecat, *n.* Ffwlbart.
police, *n.* I. Heddlu.
   2. *v.* Plismona.
policeman, *n.* Heddwas, plisman, heddgeidwad.
policy, *n.* Polisi.
polish, *n.* I. Sglein ; cwyr.
   2. *v.* Caboli, gloywi ; cwyro.
Polish, *a.* I. Pwylaidd.
   2. *n.* Pwyleg (*language*) ; Pwyliaid (*people*).
polished, *a.* Caboledig.

polite, *a.* Boneddigaidd, moesgar.
politic, *a.* Call, doeth ; cyfleus ; cyfrwys.
   THE BODY POLITIC. Y wladwriaeth.
political, *a.* Gwleidyddol.
politician, *n.* Gwleidyddwr.
politics, *n.* Gwleidyddiaeth.
poll, *n.* I. Pen ; pôl.
   2. *v.* Pleidleisio ; torri, tocio.
   POLL TAX. Treth y pen, treth gymunedol.
pollen, *n.* Paill.
   POLLEN COUNT. Cyfrifiad paill.
pollinate, *v.* Peillio, ffrwythloni (blodau).
pollination, *n.* Peilliad.
polling-booth, *n.* Bwth pleidleisio.
polling day, *n.* Diwrnod pleidleisio.
polling-station, *n.* Gorsaf bleidleisio.
pollutant, *a.* I. Llygrol, difwynol.
   2. *n.* Llygrwr, difwynydd.
pollute, *v.* Halogi, llygru, difwyno.
pollution, *n.* Llygredd, llygriad, halogiad, budreddi.
polyandry, *n.* Aml-wriaeth.
polyanthus, *n.* Briallu'r gerddi.
polygamy, *n.* Aml-wreiciaeth ; (*ambell waith*) aml-wriaeth.
polyglot, *a.* I. Amlieithog.
   2. *n.* Amlieithydd.
polygon, *n.* Polygon, amlochron.
pomegranate, *n.* Pomgranad.
pomp, *n.* Rhwysg, gwychter, rhodres.
pompous, *a.* Rhwysgfawr.
pond, *n.* Llyn, pwll, pwllyn.
ponder, *v.* Ystyried, myfyrio, pwyso.
ponderous, *a.* Trwm, pwysfawr.
pontiff, *n.* Pab, archesgob, archoffeiriad.
pontifical, *a.* Archesgobol, archoffeiriadol.
pony, *n.* Merlyn, merlen.
pool, *n.* I. Pwll, pwllyn ; cronfa, trysorfa.
   2. *v.* Cydgasglu, rhannu.
poor, *a.* Tlawd, truenus, gwael, sâl.
poorly, *a.* Gwael, sâl.
pope, *n.* Pab.
popery, *n.* Pabyddiaeth.
poplar, *n.* Poplysen.
poppy, *n.* Pabi (coch).
populace, *n.* Gwerin.
popular, *a.* Poblogaidd.
popularity, *n.* Poblogrwydd.
popularize, *v.* Poblogeiddio.
populate, *v.* Poblogi.
population, *n.* Poblogaeth.
populous, *a.* Poblog.
porch, *n.* Porth, cyntedd.
pore, *n.* I. Croendwll, mandwll.
   2. *v.* Astudio, myfyrio.
pork, *n.* Cig moch, porc.
porosity, *n.* Mandylledd.
porous, *a.* Mandyllog.
porpoise, *n.* Llamhidydd, morhwch.
porridge, *n.* Uwd.

port, *n.* Porthladd ; porth, drws ; ochr aswy (llong) ; gwin Oporto.
portable, *a.* Cludadwy.
portal, *n.* Porth, cyntedd.
portend, *v.* Argoeli, darogan, rhybuddio, rhagarwyddo.
portent, *n.* Argoel, rhybydd, darogan.
portentous, *a.* Argoelus, difrifol ; rhyfeddol, gwyrthiol.
porter, *n.* Porthor.
portion, *n.* I. Rhan, cyfran, gwaddol.
   2. *v.* Rhannu, cyfrannu.
portly, *a.* Tew, corffog.
portrait, *n.* Llun, darlun.
portray, *v.* Darlunio, portreadu.
portrayal, *n.* Portread.
pose, *n.* I. Ystum, agwedd ; rhodres, ymhoniad.
   2. *v.* Sefyll mewn ystum arbennig ; cymryd arno, ymhonni.
position, *n.* Safle, swydd.
positive, *a.* Cadarnhaol, pendant, posidiol.
positiveness, *n.* Pendantrwydd.
possess, *v.* Meddu, meddiannu.
possession, *n.* Meddiant.
possessive, *a.* Meddiannol.
possessor, *n.* Perchen, perchennog.
possibility, *n.* Posibilrwydd.
possible, *a.* Posibl, dichonadwy.
possibly, *ad.* Efallai, dichon.
post, *n* I. Post, postyn ; post, Swyddfa'r Post ; safle, swydd.
   2. *v.* Cyhoeddi ; postio.
postage, *n.* Cludiad (llythyr, &c.).
postage stamp, *n.* Stamp post.
postal, *a.* Post.
   POSTAL ORDER. Archeb bost.
postbox, *n.* Bocs postio.
postcard, *n.* Cerdyn post, carden bost.
post-code, *n.* Côd post.
poster, *n.* Hysbyslen, poster.
posterity, *n.* Disgynyddion ; y dyfodol.
postman, *n.* Postman, postmon.
postmaster, *n.* Postfeistr.
post office, *n.* Swyddfa'r Post, llythyrdy.
postpone, *v.* Gohirio.
postponement, *n.* Gohiriad.
postscript, *n.* Ôl-nodyn.
posture, *n.* Ystum, agwedd, osgo.
postulate, *n.* I. Gosodiad.
   2. *v.* Rhagdybied ; hawlio, mynnu.
post-war, Wedi rhyfel.
posy, *n.* Blodeuglwm, pwysi.
pot, *n.* I. Llestr, pot, crochan, pair.
   2. *v.* Potio.
potash, *n.* Potas.
potassium, *n.* Potasiwm.
potato, *n.* Taten, pytaten.
potency, *n.* Nerth, grym.
potential, *a.* I. Dichonadwy, dichonol.
   2. *n.* Potensial.

potentiality, *n.* Dichonolrwydd.
potion, *n.* Llymaid, dogn, diod.
pottage, *n.* Cawl, potes.
potter, *n.* Crochenydd.
pottery, *n.* Crochenwaith ; crochendy.
pouch, *n.* Cod, cwd.
poultice, *n.* I. Powltis.
   2. *v.* Powltisio.
poultry, *n.* Dofednod, ffowls.
pounce, *v.* Syrthio ar, neidio ar.
pound, *n.* I. Pwys, pownd ; punt ; ffald, lloc.
   2. *v.* Ffaldio, llocio ; pwyo, pwnio.
pour, *v.* Arllwys, tywallt.
pout, *n.* I. Pwd, soriant.
   2. *v.* Pwdu, sorri.
poverty, *n.* Tlodi.
powder, *n.* I. Powdr, powdwr, llwch.
   2. *v.* Powdro.
power, *n.* Gallu, nerth, grym, awdurdod ; pŵer.
powerful, *a.* Nerthol, grymus.
powerless, *a.* Dirym, di-nerth, analluog.
power station, *n.* Pŵerdy.
practical, *a.* Ymarferol.
practice, *n.* Ymarfer, ymarferiad, arfer.
practise, *v.* Ymarfer, arfer, gweithredu.
praise, *n.* I. Canmoliaeth, mawl, moliant, clod.
   2. *v.* Canmol, moli, clodfori.
prance, *v.* Prancio.
prank, *n.* Cast, pranc.
prairie, *n.* Paith, peithdir.
pray, *v.* Gweddïo, atolygu, eiriol, ymbil.
   I PRAY THEE. Atolwg.
prayer, *n.* Gweddi.
   FAMILY PRAYERS. Dyletswydd deuluaidd.
   MORNING PRAYER. Boreol Weddi.
   EVENING PRAYER. Hwyrol Weddi.
   THE LORD'S PRAYER. Gweddi'r Arglwydd.
prayer-book, *n.* Llyfr gweddi.
preach, *v.* Pregethu.
preacher, *n.* Pregethwr.
preamble, *n.* Rhagymadrodd.
precarious, *a.* Ansicr, sigledig, peryglus.
precariousness, *n.* Ansicrwydd, enbydrwydd, ansefydlogrwydd.
precaution, *n.* Rhagofal.
precede, *v.* Blaenori, rhagflaenu.
precedence, *n.* Blaenoriaeth.
precedent, *a.* I. Blaenorol, cynt.
   2. *n.* Cynsail.
preceding, *a.* Blaenorol, cynt.
precentor, *n.* Codwr canu, arweinydd y gân.
precept, *n.* Rheol, gwireb, cyngor.
precinct, *n.* Man caeëdig, rhodfa.
   PEDESTRIAN PRECINCT. Man cerddwyr.
   SHOPPING PRECINCT. Canolfan siopa.
precious, *a.* Gwerthfawr, prid, drud.
precipice, *n.* Dibyn, clogwyn.
precipitate, *n.* I. Gwaddod.
   2. *v.* Gwaelodi ; cyflymu ; ysgogi, peri ; bwrw, hyrddio.
   3. *a.* Brysiog ; byrbwyll, difeddwl, anystyriol.

precipitation, *n.* Hyrddiad ; gwaelodiad ; byrbwylltra.
precipitous, *a.* Serth.
précis, *n.* Crynodeb.
precise, *a.* Manwl, cywir.
   PRECISELY. Yn union.
precision, *n.* Manylrwydd, cywirdeb.
preclude, *v.* Cau allan, atal.
precocious, *a.* Henaidd, henffel.
precognition, *n.* Rhagwybodaeth.
precursor, *n.* Rhagflaenydd, rhagredegydd.
predatory, *a.* Rheibus ; ysglafaethus.
predecessor, *n.* Rhagflaenydd.
predestinate, *v.* Rhagarfaethu, rhaglunio.
predicament, *n.* Trafferth, helynt, trybini.
predicate, *n.* Traethiad (*gram.*).
predicative, *a.* Traethiadol (*gram.*).
predict, *v.* Rhagfynegi, proffwydo.
prediction, *n.* Proffwydoliaeth, darogan.
predominant, *a.* Pennaf, prif.
predominate, *v.* Llywodraethu, rhagori.
pre-eminence, *n.* Goruchafiaeth, uchafiaeth.
pre-eminent, *a.* Digymar, dihafal, ar y blaen, rhagorol.
preen, *v.* Trwsio (plu â phig) ; ymbincio.
preface, *n.* Rhagymadrodd, rhagair.
prefect, *n.* Rhaglaw ; prif ddisgybl.
prefer, *v.* Bod yn well gan ; enwebu, penodi.
   I PREFER. Gwell gennyf.
preferential, *a.* Ffafriol.
preferment, *n.* Dyrchafiad.
prefix, *n.* I. Rhagddodiad.
   2. *v.* Rhagddodi.
pregnant, *a.* Beichiog.
prehistoric, *a.* Cynhanesyddol, cynhanesiol.
prejudice, *n.* I. Rhagfarn, niwed.
   2. *v.* Rhagfarnu, niweidio.
prejudiced, *a.* Rhagfarnllyd.
prejudicial, *a.* Niweidiol.
prelate, *n.* Esgob, prelad.
preliminary, *a.* Arweiniol, rhagarweiniol.
prelude, *n.* Rhagarweiniad, preliwd.
premarital, *a.* Cyn priodi.
premature, *a.* Cynamserol, anaeddfed.
prematureness, *n.* Cynamseroldeb.
premeditated, *a.* Rhagfwriadedig, rhagfwriadol.
premier, *n.* I. Prifweinidog.
   2. *a.* Prif, blaenaf, pennaf.
première, *n.* Perfformiad cyntaf.
premise, *n.* I. Rhagosodiad.
   2. *v.* Rhagosod.
premises, *np.* Adeiladau (ynghyd â'r tir, &c.).
premium, *n.* Gwobr ; tâl (yswiriant, &c.).
premonition, *n.* Rhagrybudd.
preordain, *v.* Rhagordeinio.
preparation, *n.* Paratoad, darpariaeth.
preparatory, *a.* Darparol, paratoawl, rhagbaratoawl.
prepare, *v.* Paratoi, darparu.
preparedness, *n.* Parodrwydd.

preponderance, *n.* Mwyafrif, y rhan fwyaf.
preponderant, *a.* Mwyaf, lluosocaf.
preposition, *n.* Arddodiad.
prepossess, *v.* Meddiannu, rhagfeddiannu.
prepossessing, *a.* Deniadol, dymunol.
preposterous, *a.* Afresymol, gwrthun.
prerogative, *n.* Braint, rhagorfraint.
presbytery, *n.* Henaduriaeth ; tŷ offeiriad.
prescribe, *v.* Pennu, penodi ; rhagnodi, argymell.
prescription, *n.* Gorchymyn, rhagnodyn,
    cyfarwyddyd, presgripsiwn.
presence, *n.* Gŵydd, presenoldeb.
    IN THE PRESENCE OF. Gerbron, yng ngŵydd.
present, *n. a.* Presennol.
    AT PRESENT. Yn awr, ar hyn o bryd.
present, *n.* I. Anrheg, rhodd.
    2. *v.* Anrhegu, cyflwyno.
presentation, *n.* Cyflwyniad, anrhegiad.
presently, *ad.* Yn y man, yn union.
preservation, *n.* Cadwraeth, cadwedigaeth.
preservative, *n.* Cadwolyn.
preserve, *n.* I. Cyffaith, heldir.
    2. *v.* Cadw, diogelu.
preside, *v.* Llywyddu.
president, *n.* Llywydd, arlywydd.
press, *n.* I. Gwasg argraffu ; gwasgfa.
    2. *v.* Gwasgu, pwyso.
pressure, *n.* Pwysau, gwasgedd, pwysedd.
    BLOOD PRESSURE. Pwysedd gwaed.
prestige, *n.* Bri, gair da.
presume, *v.* Tybio, rhagdybio, tebygu, cymryd.
presumption, *n.* Tybiaeth, rhagdybiaeth ; hyfdra.
presumptive, *a.* Tebygol.
presumptuous, *a.* Haerllug, rhyfygus, hy, eofn.
presuppose, *v.* Rhagdybio.
presupposition, *n.* Rhagdyb, rhagdybiaeth.
pretence, *n.* Rhith, ffug, esgus.
pretend, *v.* Cymryd ar, honni, proffesu.
pretension, *n.* Honiad.
pretext, *n.* Esgus.
prettiness, *n.* Tlysni, tlysineb.
pretty, *a.* I. Tlws, pert, del.
    2. *ad.* Cryn, go, gweddol, lled.
prevail, *v.* Trechu, gorchfygu ; darbwyllo ; bod,
    bodoli, ffynnu.
prevalent, *a.* Cyffredin.
prevent, *v.* Rhwystro, atal, lluddias.
prevention, *n.* Rhwystr, ataliad.
preview, *n.* Rhagolwg.
previous, *a.* Blaenorol, cynt.
previously, *ad.* O'r blaen.
prey, *n.* I. Ysglyfaeth.
    2. *v.* Ysglyfaethu.
    BIRDS OF PREY. Adar ysglyfaethus.
price, *n.* I. Pris.
    2. *v.* Prisio.
    AT A PRICE. Am bris.
    PRICE-CODE. Côd prisio.
    PROHIBITIVE PRICE. Crocbris.

priceless, *a.* Amhrisiadwy.
prick, *n.* I. Pigyn, swmbwl ; pigiad, brathiad.
    2. *v.* Pigo ; symbylu.
prickle, *n.* Draen, pigyn.
prickly, *a.* Pigog.
pride, *n.* Balchder.
priest, *n.* Offeiriad.
priesthood, *n.* Offeiriadaeth.
priestly, *a.* Offeiriadol.
prig, *n.* Sychfoesolyn, mursen.
priggish, *a.* Sychgyfiawn.
priggishness, *n.* Sychgyfiawnder, sychfoesoldeb,
    cysêt.
prim, *a.* Cymen, ffurfiol.
primarily, *ad.* Yn y lle cyntaf.
primary, *a.* Cyntaf, prif, elfennol, cynradd.
    PRIMARY SCHOOL. Ysgol gynradd.
primate, *n.* Archesgob.
prime, *n.* I. Anterth.
    2. *a.* Prif, pennaf, gorau.
    PRIME MINISTER. Prif Weinidog.
primer, *n.* Gwerslyfr cyntaf ; paratöwr.
primeval, *a.* Cyntefig, cynoesol, cynfydol.
    THE PRIMEVAL WORLD. Y cynfyd.
primitive, *a.* Cyntefig, cynnar ; amrwd.
primitiveness, *n.* Cyntefigrwydd.
primordial, *a.* Cyntefig.
primrose, *n.* Briallen.
prince, *n.* Tywysog.
princess, *n.* Tywysoges.
principal, *n.* I. Prifathro, pen, pennaeth.
    2. *a.* Prif, pennaf.
principality, *n.* Tywysogaeth.
principally, *ad.* Yn bennaf, gan mwyaf.
principle, *n.* Egwyddor.
print, *n.* I. Argraff, print, ôl.
    2. *v.* Argraffu, printio.
printer, *n.* Argraffydd ; peiriant argraffu.
prior, *n.* I. Prior, pennaeth priordy.
    2. *a.* Cyntaf, cynt, blaenorol.
priority, *n.* Blaenoriaeth.
priory, *n.* Priordy.
prism, *n.* Prism.
prismatic, *a.* Prismatig.
prison, *n.* Carchar.
prisoner, *n.* Carcharor.
privacy, *n.* Preifatrwydd, yn breifat.
private, *n.* I. Milwr cyffredin.
    2. *a.* Preifat, dirgel, cyfrinachol, cudd.
privilege, *n.* Braint, rhagorfraint.
privy, *a.* Cyfrin, dirgel.
    THE PRIVY COUNCIL. Y Cyfrin Gyngor.
prize, *n.* I. Gwobr.
    2. *v.* Prisio, gwerthfawrogi.
probability, *n.* Tebyg, tebygolrwydd.
    IN ALL PROBABILITY. Yn ôl pob tebyg.
probable, *a.* Tebygol, tebyg.
probate, *n.* Prawf ewyllys ; profiant, profeb.

probation, *n.* Profiannaeth, prawf.
PROBATION OFFICER. Swyddog
profiannaeth/prawf.
PROBATION SERVICE. Gwasanaeth
profiannaeth/prawf.
probationer, *n.* Un ar brawf.
probe, *n.* I. Chwiliedydd, profiedydd.
   2. *v.* Chwilio, profi.
problem, *n.* Problem, anhawster, trafferth.
problematic, *a.* Amheus, ansicr, dyrys.
procedure, *n.* Trefn, ffordd, dull o weithredu.
proceed, *v.* Mynd ymlaen.
proceedings, *np.* Gweithrediadau, trafodion.
proceeds, *np.* Elw, enillion, derbyniadau.
process, *n.* I. Ffordd, gweithrediad, proses.
   2. *v.* Trin, prosesu ; ymdeithio, gorymdeithio.
IN PROCESS OF TIME. Yn nhreigl amser.
procession, *n.* Gorymdaith.
proclaim, *v.* Cyhoeddi, datgan.
proclamation, *n.* Cyhoeddiad, datganiad,
proclamasiwn.
procurable, *a.* I'w gael.
procure, *v.* Cael, mynnu.
prod, *n.* I. Pwniad, prociad.
   2. *v.* Pwtio, procio, symbylu.
prodigal, *a.* Afradlon.
prodigality, *n.* Afradlonedd.
prodigious, *a.* Anferth, aruthrol ; rhyfeddol.
prodigy, *n.* Rhyfeddod, gwyrth.
produce, *v.* I. Cynhyrchu.
   2. *n.* Cynnyrch, ffrwyth.
producer, *n.* Cynhyrchydd.
product, *n.* Ffrwyth, cynnyrch.
production, *n.* Cynhyrchiad.
productive, *a.* Cynhyrchiol, ffrwythlon, toreithiog.
profane, *a.* I. Anghysegredig, halogedig, cableddus.
   2. *v.* Anghysegru, halogi.
profanity, *n.* Halogrwydd, cabledd.
profess, *v.* Proffesu.
professed, *a.* Proffesedig.
profession, *n.* Proffes ; galwedigaeth.
professional, *a.* Proffesiynol.
professor, *n.* Un yn proffesu, proffeswr ; athro coleg.
proficiency, *n.* Medrusrwydd, medr.
proficient, *a.* Medrus, hyddysg.
profile, *n.* Cernlun, amlinell, llun o'r ochr, proffil.
profit, *n.* I. Elw, budd, lles.
   2. *v.* Elwa.
profitable, *a.* Buddiol, llesol, proffidiol.
profligacy, *n.* Afradlonedd, oferedd.
profligate, *n.* I. Afradlon.
   2. *a.* Afradlon, ofer.
profound, *a.* Dwfn, dwys, llwyr.
profuse, *a.* Hael, helaeth.
profusion, *n.* Helaethrwydd, digonedd.
progeny, *n.* Hil, hiliogaeth, epil.
prognosis, *n.* Rhagolwg, argoel.
programme, *n.* I. Rhaglen.
   2. *v.* Rhaglennu.

progress, *n.* Cynnydd, gwelliant, datblygiad.
progress, *v.* Cynyddu, symud ymlaen.
progression, *n.* Symudiad, treigl ; dilyniant,
dilyniad.
progressive, *a.* Blaengar, cynyddol.
prohibit, *v.* Gwahardd.
prohibition, *n.* Gwaharddiad.
project, *n.* I. Cynllun, bwriad, cywaith, prosiect.
   2. *v.* Bwriadu ; taflu ; ymestyn ; cynllunio ;
taflunio.
projectile, *n.* Teflyn, taflegryn.
projection, *n.* Ymestyniad, tafliad, tafluniad.
proletariat, *n.* Proletariat, y werin, y gweithwyr.
prolific, *a.* Ffrwythlon, cynhyrchiol, toreithiog ;
epilgar.
prologue, *n.* Rhagymadrodd, prolog.
prolong, *v.* Estyn, hwyhau.
prolongation, *n.* Estyniad, hwyhad.
promenade, *n.* I. Rhodfa.
   2. *v.* Rhodianna, rhodio.
prominence, *n.* Amlygrwydd.
prominent, *a.* Amlwg ; blaenllaw.
promise, *n.* I. Addewid.
   2. *v.* Addo.
promising, *a.* Addawol.
promissory, *a.* Addewidiol.
promontory, *n.* Penrhyn, pentir.
promote, *n.* Hyrwyddo, dyrchafu.
promotion, *n.* Hyrwyddiad ; dyrchafiad.
prompt, *a.* I. Prydlon, di-oed.
   2. *v.* Awgrymu, symbylu, atgoffa, atgofio.
prompting, *n.* Anogaeth, cymhelliad.
promptitude, *n.* Parodrwydd, prydlondeb.
prone, *a.* Yn gorwedd â'r wyneb i lawr, yn
gorwedd ar ei fol ; tueddol, chwannog.
proneness, *n.* Tuedd, tueddiad.
prong, *n.* Pig, fforch, peth fforchog.
pronominal, *a.* Rhagenwol.
pronoun, *n.* Rhagenw.
pronounce, *v.* Cynanu, seinio ; datgan, cyhoeddi.
pronounced, *a.* Cryf, amlwg, pendant.
pronouncement, *n.* Datganiad, cyhoeddiad.
pronunciation, *n.* Cynaniad, ynganiad.
proof, *n.* Prawf ; proflen.
prop, *n.* I. Post, ateg, prop.
   2. *v.* Cynnal, dal i fyny, ategu.
propaganda, *n.* Propaganda.
propagate, *n.* Epilio, cenhedlu ; lluosogi, amlhau ;
lledaenu, taenu.
propel, *v.* Gyrru ymlaen, gwthio ymlaen.
propeller, *n.* Sgriw yrru, propelor.
proper, *a.* Priod, priodol, gweddus.
properly, *ad.* Yn iawn, yn gywir.
property, *n.* Eiddo, meddiant ; priodoledd,
cynneddf ; priodwedd (cemeg).
prophesy, *v.* Proffwydo.
prophet, *n.* Proffwyd.
prophetic, *a.* Proffwydol.
propitious, *a.* Ffafriol, teg.

proportion, *n.* Cyfartaledd, cyfrannedd, cyfran.
proportional, *a.* Cyfrannol.
    PROPORTIONAL REPRESENTATION.
    Cynrychiolaeth gyfrannol.
proportionate, *a.* Cymesur.
proposal, *n.* Cynnig, cynigiad.
propose, *v.* Cynnig ; bwriadu.
proposition, *n.* Gosodiad ; cynnig ; cynigiad.
proprietor, *n.* Perchen, perchennog.
propriety, *n.* Priodoldeb, gwedduster.
propulsion, *n.* Gyriad, gyriant.
propulsive, *a.* Gyriannol, gyriadol.
prosaic, *a.* Rhyddieithol, cyffredin.
prose, *n.* Rhyddiaith.
prosecute, *v.* Erlyn ; dilyn (ar), mynd ymlaen â.
prosecution, *n.* Erlyniad.
prosecutor, *n.* Erlynydd.
proselyte, *n.* Proselyt.
proselytize, *v.* Proselytio.
prosody, *n.* Mydryddiaeth.
prospect, *n.* Rhagolwg.
prospective, *a.* Darpar, arfaethedig, disgwyledig, sydd ar ddod.
prosper, *v.* Llwyddo, ffynnu.
prosperity, *n.* Llwyddiant, ffyniant.
prosperous, *a.* Llwyddiannus.
prosthetic, *a.* Prosthetig.
prostitute, *n.* 1. Putain
    2. *v.* Puteinio.
prostrate, *a.* 1. Ar ei hyd, ar lawr, ar ei wyneb ; ymledol.
    2. *v.* Bwrw i lawr, syrthio wyneb i waered, ymgrymu ; llethu.
prostration, *n.* Ymostyngiad ; llethdod.
protect, *v.* Amddiffyn, noddi, diogelu.
protection, *n.* Amddiffyniad, nawdd, nodded, diogelwch.
protective, *a.* Amddiffynnol.
protector, *n.* Amddiffynnydd.
protein, *n.* Protein.
protest, *n.* 1. Gwrthdystiad.
    2. *v.* Gwrthdystio.
Protestant, *n.* 1. Protestant.
    2. *a.* Protestannaidd.
protract, *v.* Estyn, hwyhau.
protracted, *a.* Hir, maith, estynedig.
protraction, *n.* Estyniad.
protrude, *v.* Ymwthio allan.
proud, *a.* Balch.
proudly, *ad.* Yn falch.
prove, *v.* Profi.
proverb, *n.* Dihareb.
proverbial, Diarhebol.
provide, *v.* Darpar, paratoi.
providence, *n.* Rhagluniaeth, darbodaeth.
provident, *a.* Darbodus.
providential, *a.* Rhagluniaethol.
provider, *n.* Darparwr.
province, *n.* Talaith ; maes.

provincial, *a.* Taleithiol.
provision, *n.* Darpariaeth.
provisional, *ad.* Dros dro.
provisions, *np.* Lluniaeth, bwydydd.
proviso, *n.* Cymal amodol, amod, eithriad.
provocation, *n.* Cyffroad, cythrudd, pryfociad.
provocative, *a.* Cythruddol, pryfoclyd.
provoke, *v.* Cyffroi, annog, cythruddo, pryfocio.
prowess, *n.* Dewrder ; medr.
prowl, *v.* Chwilio am ysglyfaeth, herwa.
proximity, *n.* Agosrwydd.
proxy, *n.* Dirprwy, un yn lle.
prude, *n.* Mursen, coegen.
prudence, *n.* Pwyll, callineb.
prudent, *a.* Pwyllog, call, doeth.
prune, *n.* 1. Eirinen sych.
    2. *v.* Tocio, brigdorri.
pry, *v.* Chwilmentan, busnesa.
psalm, *n.* Salm.
psalmist, *n.* Salmydd.
psalter, *n.* Llyfr salmau, sallwyr.
pseudonym, *n.* Ffugenw.
psychiatrist, *n.* Seiciatrydd.
psychiatry, *n.* Seiciatreg.
psychological, *a.* Seicolegol.
psychologist, *n.* Seicolegwr.
psychology, *n.* Seicoleg.
puberty, *n.* Oed aeddfedrwydd.
public, *n.* 1. Y cyhoedd, y bobl.
    2. *a.* Cyhoeddus.
    IN PUBLIC. Ar gyhoedd, ar goedd.
    PUBLIC OPINION. Barn y cyhoedd, Barn gyhoeddus, Barn y bobl.
publican, *n.* Publican, tafarnwr.
publication, *n.* Cyhoeddiad.
publicity, *n.* Cyhoeddusrwydd.
publish, *v.* Cyhoeddi.
publisher, *n.* Cyhoeddwr.
pucker, *v.* Crychu.
pudding, *n.* Pwdin.
puerile, *a.* Plentynnaidd.
puff, *n.* 1. Pwff, chwyth, chwa.
    2. *v.* Chwythu.
puffy, *a.* Chwyddog, chwythlyd.
pugilist, *n.* Ymladdwr, paffiwr.
pugnacious, *a.* Cwerylgar, ymladdgar.
pull, *n.* 1. Tyniad, tynfa.
    2. *v.* Tynnu.
pullet, *n.* Cywen, cywennen.
pulley, *n.* Pwli, troell.
pulp, *n.* 1. Bywyn, mwydion.
    2. *v.* Mathru, gwasgu.
pulpit, *n.* Pulpud.
pulpy, *a.* Mwydionnog.
pulse, *n.* Curiad y galon ; pys, ffa, &c.
pulverize, *v.* Malurio, chwilfriwio.
pummel, *v.* Curo, dyrnodio, bwrw.
pump, *n.* 1. Pwmp.
    2. *v.* Pwmpio.

pumpkin, *n.* Pwmpen.
pun, *n.* I. Gair mwys, mwysair.
    2. *v.* Mwyseirio, chwarae ar eiriau.
punctual, *a.* Prydlon.
punctuate, *v.* Atalnodi.
punctuation, *n.* Atalnodi.
puncture, *n.* I. Twll.
    2. *v.* Tyllu.
pungent, *a.* Siarp, llym.
punish, *v.* Cosbi, ceryddu.
punishment, *n.* Cosb, cosbedigaeth.
puny, *a.* Egwan, eiddil, bychan.
pup, *n.* Ci bach, cenau.
pupil, *n.* Disgybl ; cannwyll llygad.
puppet, *n.* Pyped ; gwas bach.
    PUPPET SHOW. Sioe bypedau.
    PUPPET THEATRE. Theatr bypedau.
purchase, *n.* I. Pryniad.
    2. *v.* Prynu.
purchaser, *n.* Prynwr.
pure, *a.* Pur, glân.
purgative, *n.* I. Carthlyn.
    2. *a.* Carthol.
purgatory, *n.* Purdan.
purge, *v.* Puro, carthu, glanhau.
purification, *n.* Puredigaeth.
purify, *v.* Puro, coethi.

Puritan, *n.* I. Piwritan.
    2. *a.* Piwritanaidd.
purity, *n.* Purdeb.
purple, *a.* Porffor.
purport, *n.* I. Ystyr, ergyd.
    2. *v.* Dynodi, arwyddo, proffesu.
purpose, *n.* I. Pwrpas, amcan, bwriad.
    2. *v.* Amcanu, bwriadu.
purposely, *ad.* O bwrpas, yn fwriadol.
purr, *v.* Grwnan, canu grwndi, canu crwth.
purse, *n.* I. Pwrs.
    2. *v.* Crychu.
pursue, *v.* Dilyn, erlid, ymlid.
pursuit, *n.* Ymlidiad, ymlid ; ymchwil, cais (am).
purvey, *v.* Darparu, arlwyo.
purveyance, *n.* Arlwyaeth, darpariaeth.
pus, *n.* Crawn, gôr.
push, *n.* I. Gwth, gwthiad, hergwd, hwb, sgwt.
    2. *v.* Gwthio, ymwthio, hwpo.
put, *v.* Gosod, dodi, rhoi.
putrefaction, *n.* Pydredd, madredd.
putrefy, *v.* Pydru, madru.
putrid, *a.* Pwdr, mall.
puzzle, *n.* I. Penbleth, dryswch, pos.
    2. *v.* Drysu, pyslo.
pyre, *n.* Coelcerth angladdol.

Quack, *n.* I. Cwac, crachfeddyg.
   2. *v.* Cwacian, gwneud sŵn fel hwyad.
quadrangle, *n.* Pedrongl.
quadrangular, *a.* Pedronglog.
quadrant, *n.* Cwadrant.
quadratic, *a.* Dwyradd, cwadratig.
   QUADRATIC EQUATION. Hafaliad dwyradd.
quadruped, *n.* Pedwarcarnol.
quadruple, *a.* Pedwarplyg, pedrwbl.
quadruplet, *n.* Pedrybled.
quaff, *v.* Yfed, drachtio.
quagmire, *n.* Siglen, cors, mignen.
quail, *n.* I. Sofliar.
   2. *v.* Llwfrhau, arswydo.
quaint, *a.* Od, henffasiwn.
quaintness, *n.* Hynodrwydd.
quake, *v.* Crynu.
Quaker, *n.* Crynwr.
qualification, *n.* Cymhwyster.
qualified, *a.* Cymwys.
qualify, *v.* Cymhwyso, cyfaddasu.
qualitative, *a.* Ansoddol.
quality, *n.* Ansawdd, rhinwedd.
qualm, *n.* Digalondid, petruster, amheuaeth.
quandary, *n.* Penbleth, cyfyng-gyngor.
quantity, *n.* Swm, maint, mesur.
quarantine, *n.* Cwarantin.
quarrel, *n.* I. Ymrafael, cweryl, ffrae.
   2. *v.* Ymrafael, cweryla, ffraeo.
quarry, *n.* Chwarel, cwar ; ysglyfaeth.
quarryman, *n.* Chwarelwr.
quart, *n.* Chwart, cwart.
quarter, *n.* I. Chwarter, cwarter ; cwr, rhan, ardal, cyfeiriad ; trugaredd.
   2. *v.* Chwarteru.
quarterly, *a.* Chwarterol.
quartet, *n.* Pedwarawd.
quarto, *n.* I. Llyfr pedwarplyg.
   2. *a.* Pedwarplyg.
quash, *v.* Diddymu, dirymu.
quaver, *n.* I. Cwafer.
   2. *v.* Cwafrio, crynu.
   SEMIQUAVER. Hanner-cwafer.
   DEMISEMIQUAVER. Lled-hanner-cwafer, chwarter-cwafer.
quavering, *n.* Cryndod.
quay, *n.* Cei.
queen, *n.* Brenhines.
queer, *a.* Od, hynod, rhyfedd, ysmala.
queerness, *n.* Odrwydd.

quell, *v.* Darostwng, llonyddu, gostegu.
quench, *v.* Diffodd.
   TO QUENCH THIRST. Torri syched.
querulous, *a.* Cwerylgar, cwynfanllyd.
query, *n.* I. Cwestiwn, gofyniad.
   2. *v.* Holi, amau.
quest, *n.* Ymchwil, chwiliad.
question, *n.* I. Gofyniad, cwestiwn.
   2. *v.* Holi, gofyn.
   QUESTION AND ANSWER. Holi ac ateb.
   TO POP THE QUESTION. Gofyn y cwestiwn.
   A BURNING QUESTION. Pwnc llosg.
   QUESTION MARK. Gofynnod.
questionable, *a.* Amheus.
questionnaire, *n.* Holiadur.
queue, *n.* I. Cwt, cynffon, ciw.
   2. *v.* Sefyll yn y gwt.
quibble, *n.* I. Croesddadl, hollti blew, geirddadl.
   2. *v.* Croesddadlau, hollti blew, geirddadlau.
quick, *n.* I. Byw.
   2. *a.* Bywiog, byw, cyflym, craff.
quicken, *v.* Cyflymu, bywhau, bywiocáu.
quicklime, *n.* Calch brwd, calch poeth.
quickly, *ad.* Yn gyflym, yn fuan.
quickness, *n.* Cyflymder, buander, craffter.
quicksilver, *n.* Arian byw, mercwri.
quiet, *a.* I. Tawel, llonydd, digyffro.
   2. *v.* Llonyddu, tawelu.
quietness, *n.* Llonyddwch, tawelwch.
quill, *n.* Pluen, plufyn, cwilsyn.
quilt, *n.* Cwrlid, cwilt.
quintet, *n.* Pumawd.
quip, *n.* Ffraethair, cellwair.
quit, *v.* Gadael, ymadael.
quite, *ad.* Cwbl, llwyr, hollol.
quiver, *n.* I. Cawell saethau.
   2. *v.* Crynu.
quiz, *n.* I. Pos, holiad.
   2. *v.* Holi.
quoit, *n.* Coeten.
quorum, *n.* Corwm, nifer gofynnol.
quota, *n.* Rhan, cyfran, dogn, cwota.
quotation, *n.* Dyfyniad.
   QUOTATION MARKS. Dyfynodau.
quote, *v.* Dyfynnu ; nodi (pris).
quoth, *v.* Meddai, ebe, eb.
quotient, *n.* Cyniferydd.
   INTELLIGENCE QUOTIENT (I.Q.). Cyniferydd deallusrwydd (C.D.).

Rabbi, *n.* Rabi.
rabbit, *n.* Cwningen.
rabble, *n.* Ciwed, torf afreolus.
rabid, *a.* Cynddeiriog.
race, *n.* I. Ras, gyrfa ; hil, tras, llinach.
   2. *v.* Rhedeg ras, rasio.
   THE HUMAN RACE. Yr hil ddynol, dynol ryw,
   dynoliaeth.
racial, *a.* Hiliol.
racially, *ad.* Yn hiliol.
racism, *n.* Hiliaeth.
rack, *n.* I. Rhastl, rhesel, clwyd ; arteithglwyd ;
   dinistr.
   2. *v.* Arteithio, poenydio.
racket, *n.* Twrw, stŵr ; raced (*dennis, &c.*).
racy, *a.* Blasus ; ffraeth.
radiance, *n.* Llewyrch, disgleirdeb.
radiant, *a.* Disglair, tanbaid, llachar, pelydrol.
radiate, *v.* I. Pelydru, tywynnu, llewyrchu.
   2. *a.* Pelydrog, rheiddiol.
radiation, *n.* Ymbelydredd.
radiator, *n.* Rheiddiadur.
radical, *n.* I. Radical ; gwreiddyn.
   2. *a.* Radical, radicalaidd ; sylfaenol ; cysefin.
radicalism, *n.* Radicaliaeth.
radicle, *n.* Cynwreiddyn.
radio, *n.* Radio.
   RADIO STATION. Gorsaf radio.
radioactive, *a.* Ymbelydrol.
radioactivity, *n.* Ymbelydredd.
radish, *n.* Rhuddygl, radis.
radium, *n.* Radiwm.
radius, *n.* Radiws.
raffle, *n.* Raffl.
rafter, *n.* Tulath, trawst, ceubren.
rag, *n.* I. Clwt, clwtyn, cerpyn, brat.
   2. *v.* Pryfocio, codi twrw.
   RAG BOOK. Llyfr clwt.
   RAG DOLL. Doli glwt.
rage, *n.* I. Llid, cynddaredd.
   2. *v.* Cynddeiriogi, terfysgu.
ragged, *a.* Carpiog, bratiog.
raging, *a.* Tymhestlog, cynddeiriog.
raid, *n.* I. Ymosodiad, rhuthr, cyrch.
   2. *v.* Ymosod, dwyn cyrch.
raider, *n.* Ymosodwr, ysbeiliwr.
rail, *n.* I. Canllaw, cledr, cledren, rheilen.
   2. *v.* Rheilio ; achwyn, cwyno.
railing, *n.* Rheiliau, ffens ; achwyn, cwyn.
railroad, *n.* Rheilffordd.
railway, *n.* Rheilffordd.
   RAILWAY STATION. Gorsaf reilffordd.
raiment, *n.* Dillad, gwisg.
rain, *n.* I. Glaw.
   2. *v.* Bwrw glaw, glawio.
   RAIN COAT. Cot law.
rainbow, *n.* Enfys, bwa'r Drindod, bwa'r arch.
rainfall, *n.* Glawiad.
rainy, *a.* Gwlyb, glawog, glawiog.

raise, *v.* Codi, cyfodi, dyrchafu.
rake, *n.* I. Rhaca, cribin ; oferwr.
   2. *v.* Rhacanu, cribinio, crafu.
rakish, *a.* Ofer, afradlon.
rally, *n.* I. Rali.
   2. *v.* Adfyddino, atgynnull, adgyfnerthu,
   bywiocáu.
ram, *n.* Maharen, hwrdd.
ramble, *n.* I. Gwib, tro, crwydr, crwydrad.
   2. *v.* Crwydro, mynd am dro.
rampant, *a.* Rhemp, rhonc ; gwyllt.
rampart, *n.* Gwrthglawdd, rhagfur.
rancid, *a.* Hen, drewllyd, sur.
rancour, *n.* Chwerwder, malais.
random, *n.* I. Antur, siawns, damwain.
   2. *a.* Damweiniol.
   AT RANDOM. Ar antur.
range, *n.* I. Rhestr, amrediad, ystod, lle tân â ffwrn.
   2. *v.* Rhestru ; ymestyn ; crwydro.
rank, *n.* I. Rhes, rheng, rhestr ; gradd.
   2. *a.* Drewllyd, rhonc.
   3. *v.* Rhestru.
rankle, *v.* Llidio, poeni, gwasgu, gori.
ransack, *v.* Chwilota, ysbeilio, turio.
ransom, *n.* I. Pridwerth.
   2. *v.* Prynu, gwaredu.
rap, *n.* I. Ergyd, cnoc.
   2. *v.* Curo, cnocio.
rapacious, *a.* Rheibus, ysglyfaethus.
rapacity, *n.* Rhaib, gwanc.
rape, *n.* I. Trais.
   2. *v.* Treisio, dwyn ymaith.
rapid, *a.* Cyflym, buan, chwyrn, gwyllt.
   RAPIDS. Dŵr gwyllt, rhaeadr, sgwd.
rapidity, *n.* Cyflymder, buander.
rapture, *n.* Afiaith, perlewyg, gorawen.
rapturous, *a.* Afieithus, gorawenus.
rare, *a.* Prin, anghyffredin, godidog.
rarefy, *v.* Teneuo.
rarity, *n.* Prinder, peth anghyffredin.
rascal, *n.* Dihiryn, adyn, gwalch.
rash, *a.* Byrbwyll, anystyriol.
rasher, *n.* Sleisen, tafell.
rashness, *n.* Byrbwylltra.
rasp, *n.* I. Rhathell, rhygnen, ffeil.
   2. *v.* Rhathellu, rhygnu, crafu.
raspberry, *n.* Afanen, mafonen.
rat, *n.* I. Llygoden fawr, llygoden Ffrengig.
   2. *v.* Llygota.
rate, *n.* I. Cyfradd, graddfa ; treth, toll ; cyflymder.
   2. *v.* Prisio, rhestru, trethu ; dwrdio, tafodi.
   RATE OF INTEREST. Cyfradd llog.
   BANK RATE. Cyfradd y Banciau.
   RATE OF EXCHANGE. Cyfradd gyfnewid.
rateable, *a.* Trethiannol.
rateable value, *n.* Gwerth trethiannol.
ratepayer, *n.* Trethdalwr.
rather, *ad.* Braidd, yn hytrach, go, lled, gwell.
ratification, *n.* Cadarnhad.

ratify, *v.* Cadarnhau.
ratio, *n.* Cyfartaledd ; cymhareb.
ration, *n.* I. Dogn.
　　2. *v.* Dogni.
rational, *a.* Rhesymol.
rationalism, *n.* Rhesymoliaeth.
rationalize, *v.* Rhesymoli.
rattle, *n.* I. Rhugl.
　　2. *v.* Rhuglo.
raucous, *a.* Cryg, aflafar.
ravage, *v.* Anrheithio, difrodi.
rave, *v.* Gwallgofi, cynddeiriogi, ynfydu.
ravel, *v.* Drysu ; datod, ymddatod.
raven, *n.* I. Cigfran.
　　2. *a.* Purddu, gloywddu.
ravenous, *a.* Rheibus, gwancus.
ravine, *n.* Hafn, ceunant.
raving, *a.* Gorffwyll, gwyllt, gwallgof.
raw, *a.* Amrwd ; crai ; cignoeth ; llym, garw ;
　　anfedrus, anaeddfed, dibrofiad.
ray, *n.* Pelydryn, pelydr ; cath fôr.
raze, *v.* Dileu, dinistrio.
razor, *n.* Ellyn, rasal, raser.
　　RAZOR BLADE. Llafn raser.
reach, *n.* I. Cyrraedd, cyrhaeddiad.
　　2. *v.* Estyn, cyrraedd.
react, *v.* Adweithio.
reaction, *n.* Adwaith.
reactionary, *n.* Adweithiwr.
reactive, *a.* Adweitheddol.
reactor, *n.* Adweithydd.
read, *v.* Darllen.
readable, *a.* Darllenadwy.
reader, *n.* Darllenydd, darllenwr ; darlithydd ;
　　llyfr darllen.
readiness, *n.* Parodrwydd.
reading, *n.* Darllen, darlleniad.
readjustment, *n.* Ailgywiriad, ailaddasiad.
ready, *a.* Parod.
reagent, *n.* Ymweithredydd.
real, *a.* Real, gwir, dilys, go-iawn.
realism, *n.* Realaeth, dirweddaeth.
reality, *n.* Gwirionedd, sylwedd, realedd,
　　dirwedd, realiti
realization, *n.* Sylweddoliad, cyflawniad.
realize, *v.* Sylweddoli, cyflawni.
realized, *a.* Wedi'i gyflawni, cyflawnedig.
really, *ad.* Yn wir, mewn gwirionedd.
realm, *n.* Teyrnas ; bro ; byd.
ream, *n.* Rîm, ugain cwîr.
reap, *v.* Medi.
reaper, *n.* Medelwr.
reappear, *v.* Ailymddangos.
rear, *n.* I. Cefn, pen ôl, ôl.
　　2. *v.* Codi, magu, codi ar ei draed ôl.
reason, *n.* I. Rheswm.
　　2. *v.* Rhesymu.
　　FOR THAT REASON. O achos hynny.
reasonable, *a.* Rhesymol.

reasoning, *n.* Rhesymiad, ymresymiad.
reassurance, *n.* Cadarnhad, sicrwydd, cysur.
rebate, *n.* Ad-daliad.
rebel, *n.* I. Gwrthryfelwr.
　　2. *v.* Gwrthryfela.
rebellion, *n.* Gwrthryfel.
rebellious, *a.* Gwrthryfelgar.
rebound, *n.* I. Adlam.
　　2. *v.* Adlamu, neidio'n ôl.
rebuff, *n.* I. Nacâd, gwrthodiad.
　　2. *v.* Nacáu, gwrthod.
rebuke, *n.* I. Cerydd.
　　2. *v.* Ceryddu.
recalcitrant, *a.* Gwrthnysig, cyndyn, ystyfnig.
recall, *v.* Galw'n ôl ; galw i gof, cofio.
recede, *v.* Cilio'n ôl, encilio.
receipt, *n.* Derbyniad ; derbynneb, taleb.
receive, *v.* Derbyn, croesawu.
receiver, *n.* Derbynnydd.
recent, *a.* Diweddar.
receptacle, *n.* Llestr, padell, derbynfa.
reception, *n.* Derbyniad, croeso.
receptionist, *n.* Croesawydd.
receptor, *n.* Derbynnydd.
recess, *n.* Cilfach, cil, encil ; ysbaid, egwyl.
recession, *n.* Enciliad ; dirwasgiad.
recessional, *a.* Ôl-ymdeithiol.
recipe, *n.* Cyfarwyddyd, rysáit.
recipient, *n.* Derbyniwr, derbynnydd.
reciprocal, *a.* Dwyochrog, o'r ddwy ochr,
　　cytbwys ; cilyddol.
reciprocity, *n.* Dwyochredd, cytbwysedd,
　　cydgyfnewidiaeth ; cilyddiaeth.
recital, *n.* Adroddiad ; datganiad.
recitation, *n.* Adroddiad.
recitative, *a.* Adroddgan.
recite, *v.* Adrodd, datgan.
reckless, *a.* Anystyriol, diofal, di-hid, dibris.
reckon, *v.* Rhifo, cyfrif ; barnu ; dibynnu ar.
reckoner, *n.* Cyfrifwr, cyfrifydd.
reckoning, *n.* Cyfrif, barn.
reclaim, *v.* Adennill, achub, adfer.
reclamation, *n.* Adenilliad.
recline, *v.* Lledorwedd, gorffwys, gorweddian.
recluse, *n.* Meudwy, ancr.
recognition, *n.* Adnabyddiaeth, cydnabyddiaeth.
recognize, *v.* Adnabod, cydnabod.
recollect, *v.* Cofio, atgofio.
recollection, *n.* Cof, atgof.
recombination, *n.* Ailgyfuniad.
recommend, *v.* Cymeradwyo.
recommendation, *n.* Cymeradwyaeth.
recompense, *n.* I. Tâl, iawndal.
　　2. *v.* Talu, ad-dalu, gwobrwyo.
reconcile, *v.* Cymodi ; cysoni.
reconciliation, *n.* Cymod.
record, *n.* I. Cofnod, trafodion ; record, y gorau ;
　　disg gramoffon.
　　2. *v.* Cofnodi, recordio.
　　ON RECORD. Ar glawr.

recorder, *n.* Cofiadur ; recorder (*chwythbren*) ; recordydd.
recording, *n.* Recordiad.
recount, *v.* Adrodd.
re-count, *v.* Ailgyfrif.
recover, *v.* Adennill, cael yn ôl ; gwella, adfer (iechyd).
recovery, *n.* Adenilliad, adfeddiant ; adferiad.
recreate, *v.* Difyrru, adlonni ; ail-greu.
recreation, *n.* Difyrrwch, adloniant.
recreational, *a.* Adloniadol.
recruit, *n.* I. Dechreuwr, ricriwt.
        2. *v.* Ennill aelodau newydd, listio.
rectangle, *n.* Hirsgwar, pedrongl.
rectification, *n.* Cywiriad.
rectify, *v.* Cywiro, unioni ; puro.
rectitude, *n.* Uniondeb, cywirdeb, gonestrwydd.
rector, *n.* Rheithor, periglor.
rectory, *n.* Rheithordy.
recumbent, *a.* Gorweddol, ar ei orwedd.
recuperate, *v.* Cryfhau, adfer, gwella.
recuperation, *n.* Adferiad, gwellhad.
recur, *v.* Mynd yn ôl, dychwelyd, ail-ddigwydd.
recurrence, *n.* Dychweliad, mynych ddychweliad.
recurrent, *a.* Yn digwydd eto.
red, *a.* Coch, rhudd.
redden, *v.* Cochi, gwrido.
reddish, *a.* Cochlyd.
redeem, *v.* Gwaredu, prynu'n ôl.
redeemer, *n.* Gwaredwr, prynwr.
redemption, *n.* Prynedigaeth.
redeploy, *v.* Adleoli.
redirect, *v.* Ailgyfeirio.
redness, *n.* Cochni.
redo, *v.* Ailwneud.
redress, *n.* Iawn (am gam).
        v. Unioni.
reduce, *v.* Lleihau, gostwng ; darostwng ; rhydwytho.
        REDUCING AGENT. Rhydwythydd.
reduction, *n.* Gostyngiad, lleihad ; rhydwythiad.
redundancy, *n.* Gormodedd.
redundant, *a.* Gormodol, diangen.
reed, *n.* Corsen, cawnen ; pibell.
reef, *n.* Craig (yn y môr) ; rhan o hwyl, rîff.
reek, *n.* I. Mwg, tawch, drewdod.
        2. *v.* Mygu, drewi.
reel, *n.* I. Ril (edau) ; dawns.
        2. *v.* Dirwyn ; chwyrlïo, chwyrn-droi, gwegian.
refectory, *n.* Ffreutur, ystafell fwyta.
refer, *v.* Cyfeirio (at), crybwyll (am).
referee, *n.* Canolwr, rheolwr.
reference, *n.* Cyfeiriad, geirda ; cyfeiriadur.
refine, *v.* Puro, coethi.
refined, *a.* Coeth ; diwylliedig.
refinement, *n.* Coethder.
refinery, *n.* Purfa.
reflect, *v.* Adlewyrchu, myfyrio.
reflection, *n.* Adlewyrchiad, myfyrdod.
reflective, *a.* Adlewyrchol, myfyriol.

reflex, *n.* Adlewyrchiad ; atgyrch.
reflexive, *a.* Atblygol.
reform, *n.* I. Diwygiad.
        2. *v.* Diwygio.
re-form, *v.* Ailffurfio.
reformation, *n.* Diwygiad.
reformatory, *n.* I. Ysgol ddiwygio, penydfa.
        2. *a.* Diwygiol.
reformed, *a.* Diwygiedig.
reformer, *n.* Diwygiwr.
refraction, *n.* Gwrthdoriad.
refractory, *a.* Anhydyn, cyndyn, gwrthnysig.
refrain, *n.* I. Byrdwn, cytgan.
        2. *v.* Ymatal, atal, peidio.
refresh, *v.* Adfywio, dadflino, adnewyddu.
        REFRESHER COURSE. Cwrs adolygu.
refreshing, *a.* Adfywiol, amheuthun.
refreshment, *n.* Ymborth, lluniaeth.
        REFRESHMENTS. Bwydydd, lluniaeth.
refrigerate, *v.* Rhewi, oeri, rheweiddio.
refrigeration, *n.* Rheweiddiad.
refrigerator, *n.* Rhewgell, oergell.
refuge, *n.* Noddfa, lloches.
refugee, *n.* Ffoadur.
refund, *n.* I. Ad-daliad.
        2. *v.* Talu'n ôl, ad-dalu.
refusal, *n.* Gwrthodiad, nacâd.
refuse, *n.* I. Ysbwriel, ysgarthion.
        2. *v.* Gwrthod, nacáu.
refute, *v.* Gwrthbrofi.
regain, *v.* Adennill, ailennill.
regal, *a.* Brenhinol, teyrnaidd.
regard, *n.* I. Ystyriaeth, sylw ; parch, hoffter.
        2. *v.* Edrych ar ; ystyried.
regarding, *prp.* Ynglŷn â, ynghylch.
regardless, *a.* Heb ofal, diofal.
regenerate, *v.* Aileni, adfywio.
regeneration, *n.* Adfywiad.
regent, *n.* Rhaglyw.
régime, *n.* Trefn, cyfundrefn.
regiment, *n.* Catrawd.
regimental, *a.* Catrodol.
region, *n.* Ardal, bro, cyffiniau.
register, *n.* I. Cofrestr.
        2. *v.* Cofrestru.
registrar, *n.* Cofrestrydd.
registration, *n.* Cofrestriad.
registry, *n.* Cofrestrfa, swyddfa gofrestru.
regret, *n.* I. Edifeirwch, gofid.
        2. *v.* Edifarhau.
        I REGRET. Blin gennyf.
regrettable, *a.* Anffodus, gofidus.
regrettably, *ad.* Ysywaeth, yn anffodus.
regular, *a.* Rheolaidd, cyson.
regularity, *n.* Rheoleidd-dra, cysondeb.
regulate, *v.* Rheoli.
regulation, *n.* Rheol, rheoliad.
rehabilitate, *v.* Adfer, ailgartrefu ; ailsefydlu.
rehabilitation, *n.* Adferiad.

rehearsal, *n.* Rihyrsal, practis, ymarferiad.
rehearse, *v.* Ymarfer, cael practis.
reign, *n.* I. Teyrnasiad.
　2. *v.* Teyrnasu.
reimburse, *v.* Ad-dalu.
rein, *n.* I. Ffrwyn, afwyn, awen.
　2. *v.* Ffrwyno.
reindeer, *n.* Carw.
reinforce, *v.* Atgyfnerthu.
reinforcement, *n.* Atgyfnerthiad.
reinstate, *v.* Adfer i'w swydd.
reinstatement, *n.* Adferiad.
reiterate, *v.* Ailadrodd.
reiteration, *n.* Ailadroddiad.
reject, *v.* Gwrthod.
rejection, *n.* Gwrthodiad.
rejoice, *v.* Llawenhau, gorfoleddu.
rejoicing, *n.* Llawenydd, gorfoledd.
rejoin, *v.* Ailuno, ailymuno, ailgysylltu.
rejoinder, *n.* Ateb ; gwrthateb.
relate, *v.* Adrodd, traethu ; cysylltu.
relating to, *prp.* Yn ymwneud â.
relation, *n.* Adroddiad ; perthynas, cysylltiad.
relationship, *n.* Perthynas.
relative, *n.* I. Perthynas, câr.
　2. *a.* Cymharol, perthynol, perthnasol, cyfatebol.
　RELATIVE PRONOUN. Rhagenw perthynol.
relativity, *n.* Perthynoledd.
relax, *v.* Llaesu, llacio.
relaxation, *n.* Llaciad, llaesiad ; ymlaciad.
release, *n.* I. Rhyddhad.
　2. *v.* Rhyddhau, gollwng.
relent, *v.* Tyneru, tirioni.
relentless, *a.* Didostur.
relevance, *n.* Perthnasedd.
relevant, *a.* Perthnasol.
reliable, *a.* Y gellir dibynnu arno, dibynadwy, diogel, sicr.
reliance, *n.* Hyder, ymddiried, dibyniaeth.
relic, *n.* Crair.
　RELICS. Gweddillion, creiriau.
relief, *n.* Cymorth ; gollyngdod ; ymwared ; tirwedd.
relieve, *v.* Cynorthwyo ; lliniaru, esmwytho ; rhyddhau.
religion, *n.* Crefydd.
religious, *a.* Crefyddol.
relinquish, *v.* Gadael, gollwng ; ildio.
relish, *n.* I. Blas ; mwyniant ; enllyn, saws.
　2. *v.* Blasu, mwynhau.
reluctance, *n.* Amharodrwydd, anfodlonrwydd.
reluctant, *a.* Amharod, anfodlon.
rely, *v.* Dibynnu.
remain, *v.* Aros, parhau.
remainder, *n.* Gweddill, rhelyw.
remains, *np.* Gweddillion, olion.
remark, *n.* I. Sylw.
　2. *v.* Sylwi.
remarkable, *a.* Hynod, nodedig, rhyfedd.

remedial, *a.* Meddyginiaethol, adferol.
　REMEDIAL CLASS. Dosbarth adfer.
remedy, *n.* I. Meddyginiaeth.
　2. *v.* Gwella.
remember, *v.* Cofio.
remembrance, *n.* Coffa, coffadwriaeth, cof, coffâd.
remind, *v.* Atgoffa, atgofio.
reminiscence, *n.* Atgof.
reminiscent, *a.* Atgoffaol.
remiss, *a.* Esgeulus, diofal.
remission, *n.* Maddeuant pechodau ; dilead, lleihad ; ysgafnhad.
remit, *v.* Anfon (arian, achos, &c.) ; maddau ; lleihau, gwanhau.
remittance, *n.* Taliad.
remnant, *n.* Gweddill.
remodel, *v.* Adlunio.
remonstrate, *v.* Gwrthdystio, protestio.
remorse, *n.* Atgno, edifeirwch.
remorseful, *a.* Edifeiriol, edifar.
remorseless, *a.* Didostur.
remote, *a.* Pell, anghysbell.
remotely, *ad.* O bell.
removable, *a.* Symudadwy.
removal, *n.* Symudiad ; diswyddiad.
remove, *n.* I. Gwyriad, cam, symudiad.
　2. *v.* Symud.
remunerate, *v.* Talu, gwobrwyo.
remuneration, *n.* Tâl.
remunerative, *a.* Yn talu'n dda, buddiol, yn dwyn elw.
renaissance, *n.* Dadeni.
rend, *v.* Rhwygo, dryllio, llarpio.
render, *v.* Talu, rhoi yn ei ôl ; dychwelyd ; adfer ; cyfleu ; cyfieithu, trosi ; toddi ; rendro.
rendering, *n.* Datganiad ; rhoddiad ; cyfieithiad ; rendrad.
rendezvous, *n.* Man cyfarfod, man cwrdd.
renegade, *n.* Gwrthgiliwr.
renew, *v.* Adnewyddu.
renewal, *n.* Adnewyddiad.
renounce, *v.* Ymwrthod â, gwadu, diarddel.
renovate, *v.* Adnewyddu, atgyweirio.
renovation, *n.* Adnewyddiad, atgyweiriad.
renown, *n.* Enwogrwydd, clod, bri.
renowned, *a.* Enwog, clodfawr.
rent, *n.* I. Rhent ; rhwyg.
　2. *v.* Gosod (ar rent) ; talu rhent am.
　HOUSE FOR RENT. Tŷ ar osod.
　TO LET A HOUSE. Gosod tŷ ar rent.
　RENT-FREE. Di-rent.
　RENT TRIBUNAL. Tribiwnlys rhenti.
renunciation, *n.* Ymwrthodiad, arddeliad.
repair, *n.* I. Cyweiriad, atgyweiriad, trwsiad.
　2. *v.* Atgyweirio, cyweirio, trwsio.
reparation, *n.* Iawn, iawndal.
repast, *n.* Pryd bwyd, ymborth.
repatriate, *v.* Danfon yn ôl i'w wlad, dychwelyd i'w wlad.

repay, *v.* Ad-dalu, gwobrwyo.
repayment, *n.* Ad-daliad.
repeal, *n.* I. Diddymiad.
    2. *v.* Diddymu.
repeat, *n.* I. Ailddarllediad ; aildelediad.
    2. *v.* Ailadrodd.
repeatedly, *ad.* Drosodd a throsodd.
repel, *v.* I. Bwrw'n ôl, gyrru'n ôl.
    2. Diflasu.
repent, *v.* Edifarhau.
    I REPENT. Mae'n edifar gennyf.
repentance, *n.* Edifeirwch.
repentant, *a.* Edifeiriol.
repetition, *n.* Ailadroddiad.
repetitive, *a.* Ailadroddus, ailadroddol.
replace, *v.* Ailosod ; cymryd lle (arall).
replacement, *n.* Un sy'n cymryd lle arall, ailosodiad.
replay, *n. & v.* Ailchwarae.
replenish, *v.* Cyflenwi, diwallu.
replenishment, *n.* Cyflenwad.
replica, *n.* Copi manwl.
replicate, *v.* Copïo, dyblygu.
reply, *n.* I. Ateb, atebiad.
    2. *v.* Ateb.
report, *n.* I. Adroddiad ; si, sôn ; ergyd, taniad.
    2. *v.* Adrodd, dweud.
reporter, *n.* Gohebydd.
repose, *n.* I. Gorffwys, cwsg.
    2. *v.* Gorffwys, gorffwyso, cysgu.
repository, *n.* Ystorfa, cadwrfa, cronfa, trysorfa.
reprehend, *v.* Ceryddu, beio.
reprehension, *n.* Cerydd.
represent, *v.* Cynrychioli ; portreadu.
representation, *n.* Cynrychioliad ; portread.
representative, *n.* I. Cynrychiolydd.
    2. *a.* Cynrychiolaidd, cynrychiadol.
repress, *v.* Atal, darostwng, llethu ; gormesu.
repression, *n.* Ataliad ; gormes.
reprimand, *n.* I. Cerydd.
    2. *v.* Ceryddu, dwrdio.
reprint, *n.* I. Ailargraffiad.
    2. *v.* Ailargraffu.
reprisal, *n.* Dial, talu'r pwyth.
reproach, *n.* I. Edliwiad ; cerydd ; gwaradwydd.
    2. *v.* Edliw, dannod ; ceryddu ; gwaradwyddo.
reproduce, *v.* Atgynhyrchu ; copïo ; epilio.
reproof, *n.* Cerydd.
reprove, *v.* Ceryddu, cymhennu, dwrdio.
reptile, *n.* I. Ymlusgiad.
    2. *a.* Ymlusgol.
republic, *n.* Gweriniaeth, gwerinlywodraeth.
republican, *n.* I. Gweriniaethwr.
    2. *a.* Gweriniaethol.
repudiate, *v.* Diarddel, gwadu.
repudiation, *n.* Diarddeliad, gwadiad.
repugnant, *a.* Atgas, gwrthun.
repulse, *v.* Gwthio'n ôl, bwrw'n ôl.
repulsive, *a.* Atgas, ffiaidd.
reputation, *n.* Enw da, cymeriad, bri.

repute, *n.* I. Bri, enw (da neu ddrwg).
    2. *v.* Cyfrif, ystyried.
reputed, *a.* Honedig, yn cael ei gyfrif.
request, *n.* I. Cais, deisyfiad, dymuniad.
    2. *v.* Gofyn, deisyfu, dymuno.
require, *v.* Gofyn, mynnu.
requirements, *np.* Gofynion.
requisite, *a.* Angenrheidiol, gofynnol.
requisites, *np.* Angenrheidiau, anhepgorion.
requisition, *n.* Archeb.
requite, *v.* Talu, gwobrwyo, talu'r pwyth.
rescind, *v.* Diddymu, dirymu.
rescue, *n.* I. Achubiaeth, gwarediad.
    2. *v.* Achub, gwaredu.
rescuer, *n.* Achubydd, achubwr, gwaredydd.
research, *n.* I. Ymchwil.
    2. *v.* Ymchwilio, gwneud ymchwil.
resemblance, *n.* Tebygrwydd.
resemble, *v.* Tebygu, bod yn debyg.
resent, *v.* Digio, bod yn ddig, dal dig.
resentful, *a.* Dig, dicllon, digofus.
resentment, *n.* Dig, dicter.
reserve, *n.* I. Cronfa, ystôr, adfyddin.
    2. *v.* Cadw'n ôl, cadw wrth gefn.
reserved, *a.* Tawedog, swil, ar gadw.
    RESERVED SEAT. Sedd gadw.
reservoir, *n.* Cronfa.
reside, *v.* Preswylio, byw, trigo.
residence, *n.* Preswylfa, cartref.
resident, *n.* I. Preswylydd.
    2. *a.* Preswyl, trigiannol.
residential, *a.* Preswyl, trigiannol.
residual, *a.* Gweddill.
residue, *n.* Gweddill, gwarged.
resign, *v.* Ymddiswyddo.
resignation, *n.* Ymddiswyddiad.
resist, *v.* Gwrthwynebu, gwrthsefyll.
resistance, *n.* Gwrthwynebiad, gwrthsafiad.
resolute, *a.* Penderfynol.
resolution, *n.* Penderfyniad.
resolve, *n.* I. Penderfyniad.
    2. *v.* Penderfynu.
resonance, *n.* Atsain.
resonant, *a.* Atseiniol.
resort, *n.* I. Cyrchfan, arhosfan.
    2. *v.* Troi, defnyddio ; ymgasglu, mynychu.
resound, *v.* Datseinio, diasbedain.
resource, *n.* Modd, medr, sgil, dyfais.
    RESOURCES. Adnoddau.
resourceful, *a.* Dyfeisgar, medrus.
respect, *n.* I. Parch, golwg.
    2. *v.* Parchu.
    RESPECTS. Cyfarchion.
    TO BE NO RESPECTER OF PERSONS. Bod yn ddi-dderbyn-wyneb.
respectability, *n.* Parchusrwydd.
respectable, *a.* Parchus.
respectful, *a.* Llawn parch, parchus (tuag at rywun).
respective, *a.* Priod, priodol.

respectively, *ad.* Y naill ar ôl y llall, yn ôl eu trefn, yn eu tro.
respiration, *n.* Anadliad.
respiratory, *a.* Anadlol.
respire, *v.* Anadlu.
respite, *n.* Seibiant, saib, egwyl, hoe.
resplendent, *a.* Disglair, ysblennydd.
respond, *v.* Ateb, ymateb, porthi (mewn gwasanaeth crefyddol).
respondent, *n.* Diffynnydd.
response, *n.* Ateb, atebiad, ymateb.
responsibility, *n.* Cyfrifoldeb.
responsible, *a.* Cyfrifol, atebol.
responsibly, *ad.* Yn gyfrifol, yn atebol.
rest, *n.* I. Gorffwys ; gweddill, rhelyw ; tawnod (cerddoriaeth).
    2. *v.* Gorffwys ; aros.
restaurant, *n.* Tŷ bwyta, bwyty.
restful, *a.* Tawel, llonydd, esmwyth.
restitution, *n.* Adferiad, iawn.
restive, *a.* Anhywaith, anhydyn, diamynedd.
restless, *a.* Aflonydd, anesmwyth, rhwyfus, diorffwys.
restlessness, *n.* Aflonyddwch, anesmwythder.
restoration, *n.* Adferiad, atgyweiriad.
restore, *v.* Adfer, atgyweirio.
restrain, *v.* Atal, rhwystro, ffrwyno.
restraint, *n.* Atalfa, cyfyngiad, rheolaeth, ymatal.
restrict, *v.* Cyfyngu, caethiwo.
restriction, *n.* Cyfyngiad, amod.
restrictive, *a.* Caeth, caethiwus.
result, *n.* I. Canlyniad, effaith.
    2. *v.* Canlyn, dilyn, deillio, tarddu, codi.
resultant, *a.* I. Canlyniadol, canlynol.
    2. *n.* Cydeffaith.
resume, *v.* Ailddechrau.
résumé, *n.* Crynodeb.
resumption, *n.* Ailddechreuad.
resurrect, *v.* Atgyfodi.
resurrection, *n.* Atgyfodiad.
resuscitate, *v.* Dadebru, adfywhau.
resuscitation, *n.* Adfywiad.
retail, *v.* Manwerthu, adwerthu.
retailer, *n.* Adwerthwr.
retain, *v.* Cadw, dal gafael.
retaliate, *v.* Dial, talu'r pwyth.
retaliation, *n.* Dial, ad-daledigaeth.
retard, *v.* Arafu.
retch, *v.* Gwag-gyfogi.
retention, *n.* Daliad ; ataliad ; cadwraeth.
retentive, *a.* Gafaelgar.
reticence, *n.* Tawedogrwydd, swildod.
reticent, *a.* Tawedog, swil.
retinue, *n.* Gosgordd, canlynwyr.
retire, *v.* Ymneilltuo, ymddeol.
retired, *a.* Wedi ymddeol.
retirement, *n.* Ymddeoliad, ymneilltuad.
    RETIREMENT PENSION. Pensiwn ymddeol.
retort, *n.* I. Ateb parod ; retórt (cemeg).
    2. *v.* Gwrthateb, ateb yn ôl.

retreat, *n.* I. Ffoi, encil, enciliad ; lloches.
    2. *v.* Encilio ; ymneilltuo.
retribution, *n.* Dial, tâl, barn.
retributive, *a.* Ad-daliadol, dialgar.
retrieve, *v.* Adfer, adennill.
retrogression, *n.* Dirywiad, gwaethygiad ; gwrthrediad.
retrogressive, *a.* Dirywiol, er gwaeth.
retrospect, *n.* Adolwg.
retrospective, *a.* Adolygol, edrych yn ôl.
return, *n.* I. Dychweliad ; elw, enillion.
    2. *v.* Dychwelyd.
    RETURN TICKET. Tocyn dychwelyd, tocyn dwyffordd.
reunion, *n.* Aduniad.
reveal, *v.* Datguddio, amlygu.
revel, *v.* Gwneud miri, cyfeddach, gloddesta, ymhyfrydu, gorfoleddu.
revelation, *n.* Datguddiad.
reveller, *n.* Gloddestwr.
revelry, *n.* Gloddest, miri.
revenge, *n.* I. Dial, dialedd.
    2. *v.* Dial.
revengeful, *a.* Dialgar.
revenue, *n.* Cyllid, incwm.
reverberate, *v.* Datseinio, atseinio.
revere, *v.* Parchu, anrhydeddu.
reverence, *n.* Parch, parchedigrwydd, parchedigaeth.
reverend, *a.* Parchedig.
reverie, *n.* Synfyfyrdod.
reversal, *n.* Gwrthdroad.
reverse, *n.* I. Gwrthwyneb ; tu ôl, tu chwith ; anffawd.
    2. *a.* Gwrthwyneb, o chwith.
    3. *v.* Gwrthdroi, troi i'r gwrthwyneb, troi o chwith.
reversible, *a.* Gwrthdroadwy ; naill ochr ; naill ben.
reversion, *n.* Dychweliad ; ôl-feddiant.
revert, *v.* Troi'n ôl, dychwelyd.
review, *n.* I. Adolygiad.
    2. *v.* Adolygu.
revile, *v.* Difenwi, difrïo.
revise, *v.* Diwygio, adolygu.
revised, *a.* Diwygiedig.
revision, *n.* Cywiriad, adolygiad.
revival, *n.* Adfywiad ; diwygiad.
revivalist, *n.* Diwygiwr.
revive, *v.* Adfywio, dadebru, adfer.
revocation, *n.* Diddymiad.
revoke, *v.* Diddymu, dirymu, galw'n ôl.
revolt, *n.* I. Gwrthryfel.
    2. *v.* Gwrthryfela.
revolting, *a.* Atgas, ffiaidd.
revolution, *n.* Chwyldro, cylchdro.
    THE INDUSTRIAL REVOLUTION. Y Chwyldro Diwydiannol.
    THE FRENCH REVOLUTION. Y Chwyldro Ffrengig.
revolutionary, *n.* I. Chwyldröwr.
    2. *a.* Chwyldroadol.

revolutionize, *v.* Chwyldroi.
revolve, *v.* Cylchdroi, troi.
revolver, *n.* Llawddryll.
reward, *n.* 1. Gwobr.
    2. *v.* Gwobrwyo.
rhapsody, *n.* Rhapsodi.
rhetoric, *n.* Rhethreg.
rhetorical, *a.* Rhethregol.
rheumatism, *n.* Gwynegon, cryd cymalau.
rhubarb, *n.* Rhiwbob.
rhyme, *n.* 1. Odl ; rhigwm.
    2. *v.* Odli ; rhigymu.
rhythm, *n.* Rhythm, rhediad.
rib, *n.* Asen.
ribald, *n.* 1. Masweddwr.
    2. *a.* Anweddus, masweddol.
ribaldry, *n.* Serthedd, maswedd.
ribbed, *a.* Rhesog, rib.
ribbon, *n.* Ruban, rhuban.
rice, *n.* Reis.
rich, *a.* Cyfoethog, ariannog ; ffrwythlon, bras.
riches, *np.* Cyfoeth, golud.
richness, *n.* Cyfoethogrwydd, braster
    ffrwythlonrwydd.
rick, *n.* Tas, bera, helm.
rickets, *n. & np.* Y llech, y llechau.
rickety, *a.* Simsan, bregus.
rid, *v.* Gwared.
riddance, *n.* Gwarediad, gwaredigaeth.
riddle, *n.* 1. Pos, dychymyg ; rhidyll.
    2. *v.* Rhidyllu, gogri, gogrynu, gogrwn.
ride, *n.* 1. Reid.
    2. *v.* Marchogaeth, mynd ar gefn ; teithio.
rider, *n.* Marchog ; joci ; beiciwr ; atodiad.
ridge, *n.* Trum, crib, cefn, grwn.
ridicule, *n.* 1. Gwawd, gwatwar.
    2. *v.* Gwawdio, gwatwar.
ridiculous, *a.* Chwerthinllyd, gwrthun.
rife, *a.* Cyffredin, aml, rhemp.
rifle, *n.* 1. Dryll, reiffl.
    2. *v.* Ysbeilio.
rift, *n.* 1. Agen, rhwyg, hollt.
    2. *v.* Rhwygo, hollti.
right, *n.* 1. Iawn, uniondeb ; hawl, braint.
    2. *a.* Iawn, cywir ; de, deau.
    3. *ad.* Yn iawn, yn gywir.
    4. *v.* Unioni, cywiro, cymhwyso, cyfiawnhau.
    RIGHT ANGLE. Ongl sgwâr.
    THE RIGHT HAND. Y llaw dde.
    HUMAN RIGHTS COMMISSION. Y Comisiwn
    Iawnderau Dynol.
righteous, *a.* Cyfiawn, uniawn.
righteousness, *n.* Cyfiawnder, uniondeb.
rightful, *a.* Cyfreithlon, cyfiawn, priodol.
rights, *np.* Iawnderau, hawliau.
rigid, *a.* Anhyblyg, anystwyth.
rigidity, *n.* Anhyblygedd, anystwythder.
rigmarole, *n.* Lol, rhibidirês, ffregod, rigmarôl.
rigorous, *a.* Gerwin, llym, caled, didostur.

rigour, *n.* Gerwindeb, llymder.
rile, *v.* Herian, pryfocio, ffyrnigo.
rill, *n.* Cornant, ffrwd.
rim, *n.* Ymyl, cylch, cant, cantel.
rime, *n.* Llwydrew, barrug.
rind, *n.* Croen, pil.
ring, *n.* 1. Modrwy ; cylch ; sŵn cloch.
    2. *v.* Canu cloch ; atseinio ; modrwyo.
ringleader, *n.* Arweinydd (mewn drwg), prif
    derfysgwr.
ringlet, *n.* Cudyn modrwyog ; cylchyn.
ringworm, *n.* Tarwden, gwreinyn.
rinse, *v.* Golchi (mewn dŵr glân).
riot, *n.* 1. Terfysg.
    2. *v.* Terfysgu.
riotous, *a.* Terfysglyd.
rip, *v.* 1. Rhwygo.
    2. *n.* Rhwyg.
    RIP OFF. Twyll.
ripe, *a.* Aeddfed.
ripen, *v.* Aeddfedu.
ripeness, *n.* Aeddfedrwydd.
ripple, *n.* 1. Crych, ton fechan, sŵn tonnau mân.
    2. *v.* Crychu, tonni.
rise, *n.* 1. Codiad ; cynnydd.
    2. *v.* Codi ; tarddu ; cynyddu.
risk, *n.* 1. Perygl, menter, enbydrwydd.
    2. *v.* Mentro, peryglu.
    TO TAKE RISKS. Ei mentro hi.
rite, *n.* Defod.
ritual, *a.* 1. Defodol, seremonïol.
    2. *n.* Defod.
ritualism, *n.* Defodaeth.
ritualistic, *a.* Defodol.
rival, *n.* 1. Cydymgeisydd, cystadleuydd.
    2. *v.* Cystadlu.
    3. *a.* Cystadleuol.
rivalry, *n.* Cydymgais, cystadleuaeth.
river, *n.* Afon.
rivet, *n.* 1. Rifet, rhybed.
    2. *v.* Rifetio, rhybedu.
rivulet, *n.* Nant, ffrwd, afonig, cornant.
road, *n.* Heol, ffordd.
    MAIN ROAD. Priffordd, ffordd fawr, heol fawr.
roam, *v.* Crwydro, gwibio, mynd am dro.
roar, *n.* 1. Rhu, rhuad.
    2. *v.* Rhuo.
roaring, *a.* Rhuog, rhuadwy.
roast, *v.* 1. Rhostio, digoni, pobi.
    2. *a.* Rhost, wedi rhostio.
    3. *n.* Cig rhost.
rob, *v.* Lladrata, ysbeilio.
robber, *n.* Lleidr, ysbeiliwr.
robbery, *n.* Lladrad.
robe, *n.* 1. Gwisg, gŵn.
    2. *v.* Gwisgo.
robin, *n.* Brongoch, robin goch.
robust, *a.* Cryf, grymus.
robustness, *n.* Cryfder, grymuster.

rock, *n.* I. Craig.
    2. *v.* Siglo.
rockery, *n.* Gardd gerrig.
rocket, *n.* Roced.
rocky, *a.* Creigiog.
rod, *n.* Gwialen, ffon.
    FISHING ROD. Gwialen bysgota, genwair.
rodent, *n.* I. Cnofil ; llygoden.
    2. *a.* Sy'n cnoi, cnofaol.
roe, *n.* Iyrches, ewig ; grawn pysgod, gronell.
roebuck, *n.* Iwrch, bwchadanas.
rogation, *n.* Litani'r saint, gweddïau a offrymir ar
    ddyddiau penodedig cyn Gŵyl y
    Dyrchafael, &c.
rogue, *n.* I. Gwalch, cnaf, dyhiryn.
    2. *v.* Twyllo.
roguery, *n.* Twyll, drygioni, dichell.
roguish, *a.* Cnafaidd, direidus.
role, *n.* Rhan, cymeriad, rôl.
roll, *n.* I. Rhòl, rholyn ; rhestr.
    2. *v.* Treiglo, troi, rholio ; dirwyn.
roller, *n.* Rholer.
Roman, *n.* I. Rhufeiniwr.
    2. *a.* Rhufeinig, Rhufeinaidd.
    ROMAN EMPIRE. Ymerodraeth Rufain, yr
    Ymerodraeth Rufeinig.
    ROMAN LAW. Cyfraith Rufain, y Gyfraith
    Rufeinig.
    A ROMAN CATHOLIC. Pabydd.
romance, *n.* I. Rhamant.
    2. *v.* Rhamantu.
romantic, *a.* Rhamantus, rhamantaidd.
romanticism, *n.* Rhamantiaeth.
Rome, *n.* Rhufain.
romp, *n.* I. Rhamp, chwarae (garw).
    2. *v.* Rhampio, rhamp[i]an, chwarae'n arw.
rondo, *n.* Rondo.
rood, *n.* Croes, crog.
roof, *n.* I. To, nen, cronglwyd.
    2. *v.* Toi.
    FLAT ROOF. To gwastad.
    GABLE ROOF. To trumiog.
    HIP-ENDED ROOF. To talcen slip.
    SLATE ROOF. To llechi.
    THATCH ROOF. To cawn, to gwellt.
rook, *n.* Ydfran, brân.
room, *n.* Lle ; ystafell.
roominess, *n.* Helaethrwydd, ehangder.
roomy, *a.* Eang, helaeth.
roost, *n.* I. Clwyd, esgynbren, sgimbren.
    2. *v.* Clwydo.
rooster, *n.* Ceiliog.
root, *n.* I. Gwreiddyn, gwraidd ; isradd.
    2. *v.* Gwreiddio.
    SQUARE ROOT. Ail isradd, gwreiddyn sgwâr.
rope, *n.* I. Rhaff.
    2. *v.* Rhaffu, rhwymo.
rose, *n.* Rhosyn.
rostrum, *n.* Llwyfan.

rosy, *a.* Rhosynnaidd, gwridog ; disglair, gobeithiol.
rot, *n.* I. Pydredd, malltod ; lol.
    2. *v.* Pydru, mallu, braenu.
rota, *n.* Cylchres, rota.
rotary, *a.* Amdro, sy'n troi.
rotate, *v.* Troi, cylchdroi.
rotation, *n.* Cylchdro.
    CENTRE OF ROTATION. Canol cylchdro.
rotten, *a.* Pwdr, mall, diwerth.
rottenness, *n.* Pydredd, malltod.
rotund, *a.* Crwn, tew.
rotundity, *n.* Crynder, tewdra.
rough, *a.* Garw ; cas, creulon ; sarrug, anfoesgar ;
    gwyntog, ystormus.
roughen, *v.* Garwhau, gerwino.
roughness, *n.* Garwedd, gerwinder.
round, *n.* I. Crwn, cylch ; tro ; rownd ; rhan-gân,
    cylchgân.
    2. *a.* Crwn ; cyfan, cyflawn.
    3. *ad.* O amgylch, oddi amgylch.
    4. *prp.* O amgylch, o gwmpas.
    5. *v.* Crynnu, rowndio ; casglu, crynhoi.
roundabout, *n.* I. Cylchdro, cylchfan ; ceffylau bach.
    2. *a.* Cwmpasog, anuniongyrchol.
roundness, *n.* Crynder.
rouse, *v.* Deffro, dihuno.
rout, *n.* I. Fföedigaeth, curfa.
    2. *v.* Gyrru ar ffo.
route, *n.* Ffordd, llwybr, hynt.
routine, *n.* Defod, arfer.
rove, *v.* Crwydro.
rover, *n.* Crwydryn ; môr-leidr.
row, *n.* I. Rhes, rhestr.
    2. *v.* Rhwyfo.
row, *n.* I. Ffrae, terfysg, ffrwgwd.
    2. *v.* Ffraeo, dwrdio.
rowan, *n.* Cerdinen, criafolen.
rowdy, *a.* Stwrllyd.
rower, *n.* Rhwyfwr.
rowing-boat, *n.* Cwch rhwyfo.
royal, *a.* Brenhinol.
royalty, *n.* Brenhiniaeth, brenhindod ; toll, tâl ;
    breindal.
rub, *n.* I. Rhwbiad ; anhawster.
    2. *v.* Rhwbio, rhuglo, crafu.
rubbish, *n.* Ysbwriel, sothach ; lol.
    RUBBISH BIN. Bin ysbwriel.
    RUBBISH DUMP. Tomen ysbwriel.
rubble, *n.* Rwbel, rhwbel.
ruby, *n.* I. Rhuddem.
    2. *a.* Rhuddgoch.
ruck, *n.* Pentwr, torf ; ysgarmes.
rucksack, *n.* Sach deithio, gwarfag.
rudder, *n.* Llyw.
ruddy, *a.* Gwritgoch, gwridog.
rude, *a.* Anfoesgar, digywilydd ; diaddurn,
    anghelfydd.
rudeness, *n.* Anfoesgarwch ; anghwrteisi.
rudimentary, *a.* Elfennol.

rue, *v.* Edifarhau, gofidio.
rueful, *a.* Trist, galarus, gofidus.
ruffian, *n.* Adyn, dihiryn.
ruffle, *v.* Crychu, aflonyddu, cythruddo.
rug, *n.* Hugan, cwrlid, carthen.
rugby, *n.* Rygbi.
rugged, *a.* Garw, gerwin.
ruggedness, *n.* Garwedd.
ruin, *n.* I. Distryw ; adfail, murddun.
    2. *v.* Distrywio, andwyo, dinistrio, difetha.
ruinous, *a.* Adfeiliedig, dinistriol.
rule, *n.* I. Rheol ; rheolaeth, llywodraeth ; riwl.
    2. *v.* Rheoli, llywodraethu, dyfarnu ; llinellu.
ruler, *n.* Rheolwr, llywodraethwr ; riwler, riwl.
ruling, *n.* I. Dyfarniad.
    2. *a.* Llywodraethol.
rumble, *n.* I. Trwst, twrf, twrw.
    2. *v.* Trystio, cadw sŵn.
ruminant, *n.* Cilfilyn, cilgnöwr.
ruminate, *v.* Cnoi cil ; myfyrio.
rummage, *v.* Chwilota, chwilmentan.
rumour, *n.* Chwedl, sôn.
rumple, *v.* Crychu.
rumpus, *n.* Helynt, terfysg.
run, *n.* I. Rhediad.
    2. *v.* Rhedeg ; llifo.
    IN THE LONG RUN. Yn y pen draw.

runaway, *n.* I. Ffoadur.
    2. *a.* Ar ffo, fföedig.
runner, *n.* Rhedwr.
running, *n.* I. Rhediad, llifeiriant.
    2. *a.* Rhedegog.
rupture, *n.* I. Rhwyg, toriad ; torllengig.
    2. *v.* Rhwygo, torri.
rural, *a.* Gwledig, cefn gwlad.
ruse, *n.* Ystryw, dichell, cast.
rush, *n.* I. Rhuthr, rhuthrad ; brwynen, hesgen.
    2. *v.* Rhuthro.
rushlight, *n.* Cannwyll frwyn.
rushy, *a.* Brwynog.
Russia, *n.* Rwsia.
Russian, *n.* I. Rwsiad ; Rwseg (iaith).
    2. *a.* Rwsaidd.
rust, *n.* I. Rhwd.
    2. *v.* Rhydu.
rustic, *n.* I. Gwladwr.
    2. *a.* Gwladaidd, gwledig.
rustle, *n. &.* I. Siffrwd.
rusty, *a.* Rhydlyd.
rut, *n.* Rhigol, rhych.
ruthless, *a.* Didostur, creulon.
ruthlessness, *n.* Creulondeb, annhosturi.
rye, *n.* Rhyg.
    RYE BREAD. Bara rhyg.

Sabbath, *n.* Sabath, Saboth ; Sul.
sabotage, *n.* I. Difrod bwriadol.
   2. *v.* Difrodi.
sabre, *n.* Sabr, cleddyf.
sacerdotal, *a.* Offeiriadol.
sack, *n.* I. Sach, ffetan ; diswyddiad.
   2. *v.* Diswyddo.
sackcloth, *n.* Sachlen, sachliain.
sacking, *n.* Diswyddiad ; sachlen.
sacrament, *n.* Sacrament, ordinhad.
sacred, *a.* Cysegredig, glân, sanctaidd.
sacredness, *n.* Cysegredigrwydd.
sacrifice, *n.* I. Offrwm, aberth.
   2. *v.* Offrymu, aberthu.
sacrificial, *a.* Aberthol.
sacrilege, *n.* Halogiad.
sad, *a.* Trist, digalon, blin.
sadden, *v.* Tristáu, pruddhau, digalonni.
saddle, *n.* I. Cyfrwy.
   2. *v.* Cyfrwyo, beichio.
saddler, *n.* Cyfrwywr.
sadly, *ad.* Yn drist, yn brudd.
sadness, *n.* Tristwch, prudd-der, digalondid.
safe, *a.* I. Diogel, saff.
   2. *n.* Cist, cloer, coffor.
safeguard, *n.* I. Diogelwch, amddiffyniad,
   amddiffynfa.
   2. *v.* Diogelu, amddiffyn.
safety, *n.* Diogelwch.
   FOR SAFETY'S SAKE. Er mwyn diogelwch.
   SAFETY-BELT. Gwregys diogelwch.
   SAFETY-PIN. Pin cau.
sage, *n.* I. Gŵr doeth ; saets.
   2. *a.* Doeth, call.
sail, *n.* I. Hwyl ; hwyliad.
   2. *v.* Hwylio, morio, mordwyo.
sailing, *n.* Hwyliad.
   SAILING SHIP. Llong hwylio.
sailor, *n.* Morwr, llongwr.
saint, *n.* Sant.
saintliness, *n.* Santeiddrwydd, sancteiddrwydd.
saintly, *a.* Santaidd, sanctaidd.
sake, *n.* Mwyn.
   FOR THE SAKE OF. Er mwyn.
salary, *n.* Cyflog, tâl.
sale, *n.* Gwerthiant, arwerthiant.
   FOR SALE. Ar werth.
saleable, *a.* Gwerthadwy.
salesman, *n.* Gwerthwr.
salient, *a.* Amlwg.
saline, *a.* I. Hallt, halenog.
   2. *n.* Heli.
salinity, *n.* Halltedd, helïedd.
saliva, *n.* Poer.
sallow, *a.* Melyn afiach, llwyd, llwydfelyn.
sally, *n.* I. Cyrch, rhuthr ; ffraetheb.
   2. *v.* Cyrchu, rhuthro.
salmon, *n.* Eog, samwn.
salt, *n.* I. Halen, halwyn (cemeg).
   2. *a.* Hallt.
   3. *v.* Halltu.

saltpetre, *n.* Solpitar.
salty, *a.* Hallt.
salubrious, *a.* Iach, iachusol.
salutary, *a.* Llesol.
salutation, *n.* Cyfarchiad.
salute, *v.* Cyfarch ; saliwtio.
salvation, *n.* Achubiaeth, iachawdwriaeth.
salve, *n.* I. Eli, ennaint.
   2. *v.* Elïo, eneinio.
same, *a.* Yr un fath, yr un.
   ALL THE SAME. Er hynny.
sample, *n.* I. Enghraifft, sampl.
   2. *v.* Samplu, samplo, profi.
sanatorium, *n.* Iechydfa, sanatoriwm.
sanctify, *n.* Sancteiddio, cysegru.
sanction, *n.* Caniatâd ; cosb, sancsiwn.
sanctity, *n.* Sancteiddrwydd, cysegredigrwydd.
sanctuary, *n.* Cysegr ; noddfa, seintwar.
sand, *n.* Tywod.
   SANDS. Traeth, tywod.
sandhill, *n.* Tywyn, tywodfryn, twyn tywod.
sandpaper, *n.* Papur tywod, papur llyfnu.
sandwich, *n.* I. Brechdan.
   2. *v.* Gwthio rhwng.
sandy, *a.* Tywodlyd, tywodliw.
sane, *a.* Yn ei iawn bwyll, call, synhwyrol.
sanguinary, *a.* Gwaedlyd.
sanguine, *a.* Hyderus, gobeithiol ; gwridog.
sanitary, *a.* Iechydol.
   SANITARY TOWEL. Tywel misglwyf.
sanitation, *a.* Carthffosiaeth.
sanity, *n.* Pwyll, rheswm, callineb.
Santa Claus, *n.* Siôn Corn.
sap, *n.* Nodd, sug, sudd.
sapling, *n.* Pren ifanc, glasbren.
sapphire, *n.* Saffir.
sarcasm, *n.* Gwatwareg, coegni.
sarcastic, *a.* Gwawdiol, coeglyd.
sardine, *n.* Sardin.
sash, *n.* Gwregys ; ffrâm ffenestr.
Satan, *n.* Satan.
satellite, *n.* Lleuad ; lloeren ; gwlad ddibynnol.
   SATELLITE TELEVISION. Teledu lloeren.
satiate, *v.* Diwallu, digoni, syrffedu.
satin, *n.* Satin, pali.
satire, *n.* Dychan, gogan, gwatwareg.
satirical, *a.* Dychanol, gwatwarus.
satirist, *n.* Dychanwr, goganwr.
satirize, *v.* Dychanu, goganu, gwawdio.
satisfaction, *n.* Bodlonrwydd, boddhad, bodlondeb.
satisfactory, *a.* Boddhaol.
satisfy, *v.* Bodloni, boddio ; digoni, diwallu ;
   argyhoeddi.
satisfying, *a.* Digonol.
saturate, *v.* Mwydo, trwytho ; gorlenwi, gorlwytho.
saturated, *a.* Trwythedig ; gorlawn, gorlwythog.
Saturday, *n.* Sadwrn, dydd Sadwrn.
sauce, *n.* Saws ; haerllugrwydd.
saucepan, *n.* Sosban.

saucer, *n.* Soser.
saucerful, *n.* Soseraid.
saunter, *v.* Rhodianna.
sausage, *n.* Sosej, selsigen.
savage, *n.* Anwariad, dyn gwyllt.
    a. Gwyllt, ffyrnig, anwar.
savageness : savagery, *n.* Ffyrnigrwydd,
    gwylltineb, barbareiddiwch, creulondeb.
save, *v.* I. Achub, arbed, gwaredu ; cynilo.
    2. *prp.* Oddi eithr, ond.
saving, *a.* Achubol, gwaredol, arbedol ; cynnil,
    darbodus.
savings, *np.* Cynilion.
    SAVINGS-BANK. Banc cynilo, banc cynilion.
saviour, *n.* Achubwr, gwaredwr, iachawdwr.
savory, *n.* Safri.
savour, *n.* I. Sawr, blas, awgrym.
    2. *v.* Sawru, blasu.
savoury, *n.* I. Blasusfwyd.
    2. *a.* Sawrus, blasus.
saw, *n.* I. Llif ; hen ddywediad.
    2. *v.* Llifio.
sawdust, *n.* Blawd llif.
sawmill, *n.* Melin lifio.
sawyer, *n.* Llifiwr.
say, *v.* Dywedyd, dweud.
saying, *n.* Dywediad, ymadrodd.
scab, *n.* Crachen, cramen ; clafr.
scabies, *n.* Y crafu.
scabbard, *n.* Gwain.
scabby, *a.* Crachlyd, clafrllyd.
scaffolding, *n.* Sgaffaldau.
scald, *v.* Sgaldan, sgaldanu.
scalding, *a.* Berw, chwilboeth.
scale, *n.* I. Clorian, mantol, tafol ; graddfa ; cen.
    2. *v.* Mantoli, pwyso ; graddoli ; mesur ;
    dringo ; cennu, pilio.
scallop, *n.* I. Gylfgragen ; sgolop.
    2. *v.* Minfylchu ; sgolopio.
scalp, *n.* I. Croen a gwallt y pen, copa.
    2. *v.* Penflingo.
scaly, *a.* Cennog.
scamp, *n.* Cnaf, dihiryn, gwalch.
scamper, *v.* Prancio, carlamu, brasgamu, gwibio o
    gwmpas.
scandal, *n.* Cywilydd, gwarth, enllib, stori ddifrïol.
scandalous, *a.* Gwarthus, cywilyddus.
scant, *a.* Prin.
scantiness, *n.* Prinder.
scanty, *a.* Prin, annigonol.
scapegoat, *n.* Bwch dihangol.
scar, *n.* I. Craith.
    2. *v.* Creithio.
scarce, *a. & ad.* Prin, anaml, anfynych.
scarcely, *ad.* Braidd, prin, odid, nemor, bron.
scarcity, *n.* Prinder.
scare, *n.* I. Dychryn, braw.
    2. *v.* Brawychu, dychrynu, tarfu.
scared, *a.* Ofnus, dychrynedig, wedi brawychu.

scarf, *n.* Sgarff, crafat.
scarlatina, *n.* Y dwymyn goch.
scarlet, *n. & a.* Ysgarlad, coch, fflamgoch.
scarp, *n.* Llethr.
scathing, *a.* Deifiol, llym, miniog.
scatter, *v.* Gwasgaru, taenu.
scattered, *a.* Gwasgaredig, ar wasgar.
scavenger, *n.* Carthwr.
scene, *n.* Golygfa ; lle, lleoliad, man.
scenery, *n.* Golygfeydd, golygfa.
scent, *n.* I. Arogl, aroglau ; persawr ; sawr ; trywydd.
    2. *v.* Arogleuo, (arogli), ffroeni.
sceptic, *n.* Amheuwr, sgeptig.
sceptical, *a.* Amheugar.
scepticism, *n.* Amheuaeth, sgeptigaeth.
sceptre, *n.* Teyrnwialen.
schedule, *n.* I. Atodiad, atodlen, amserlen, rhestr,
    rhaglen.
    2. *v.* Atodi, rhestru.
scheduled, *a.* Rhestredig.
    SCHEDULED BUILDING. Adeilad rhestredig.
    SCHEDULED SERVICES. Gwasanaethau rhestredig.
scheme, *n.* I. Cynllun, trefn.
    2. *v.* Cynllunio.
schism, *n.* Rhwyg, ymraniad.
scholar, *n.* Ysgolhaig, ysgolor.
scholarly, *a.* Ysgolheigaidd.
scholarship, *n.* Ysgolheictod ; ysgoloriaeth.
school, *n.* I. Ysgol ; haig (o bysgod).
    2. *v.* Dysgu, addysgu, disgyblu.
schoolhouse, *n.* Ysgoldy.
schoolmaster, *n.* Ysgolfeistr, athro ysgol.
schoolmistress, *n.* Ysgolfeistres, athrawes.
schooner, *n.* Sgwner.
science, *n.* Gwyddoniaeth, gwyddor.
scientific, *a.* Gwyddonol.
scientist, *n.* Gwyddonydd.
scintillate, *v.* Serennu, pefrio.
scion, *n.* Impyn, blaguryn ; etifedd.
scissors, *np.* Siswrn.
scoff, *n.* I. Gwawd, gwatwar.
    2. *v.* Gwawdio, gwatwar.
scold, *v.* Tafodi, dwrdio, cymhennu, dweud y drefn.
scope, *n.* Cwmpas ; cyfle, lle.
scorch, *v.* Rhuddo, llosgi, deifio.
scorching, *a.* Deifiol.
score, *n.* I. Rhic, hic ; dyled, cyfrif ; sgôr ; ugain.
    2. *v.* Crafu, rhychu, creithio, rhicio, sgorio,
    cadw sgôr.
scorn, *n.* I. Dirmyg.
    2. *v.* Dirmygu, gwawdio.
scornful, *a.* Dirmygus, gwawdlyd.
Scot, *n.* Albanwr, Albanes.
Scotch, *a.* I. Albanaidd.
    2. *np.* Albanwyr.
scot-free, *a.* Dianaf, di-gosb.
Scots, *a.* I. Albanaidd.
    2. *np.* Albanwyr.
Scottish, *a.* Albanaidd.

scoundrel, *n.* Dihiryn, adyn, cnaf.
scour, *v.* Glanhau, carthu, sgwrio ; chwilio.
scourge, *n.* I. Fflangell ; cosb ; pla.
   2. *v.* Fflangellu.
scout, *n.* I. Sgowt, ysbïwr.
   2. *v.* Ysbïo, chwilota.
scowl, *n.* I. Cuwch, gwg, cilwg.
   2. *v.* Cuchio, gwgu, cilwgu.
scowling, *a.* Cuchiog, gwgus.
scraggy, *a.* Esgyrnog, main, tenau, sgraglyd.
scramble, *n.* I. Ymgiprys, sgrialfa.
   2. *v.* Ymgiprys, dringo, sgrialu.
scrap, *n.* Tamaid, dernyn, pwt.
scrapbook, *n.* Llyfr lloffion.
scrape, *n.* I. Helbul ; crafiad.
   2. *v.* Crafu, rhygnu.
scraper, *n.* Crafwr, ysgrafell.
scrapings, *np.* Creifion, crafion.
scratch, *n.* I. Crafiad, cripiad.
   2. *v.* Crafu, cripio.
scrawl, *v.* Sgriblan, sgriblo.
scream, *n.* I. Ysgrech.
   2. *v.* Ysgrechian.
screech, *n.* Ysgrech.
screen, *n.* I. Sgrin ; gogr ; cysgod ; llen.
   2. *v.* Cysgodi ; dangos (ffilm, &c.).
screw, *n.* I. Sgriw, hoelen dro.
   2. *v.* Sgriwio.
scribble, *n.* I. Sgribl, sgriblad.
   2. *v.* Sgriblan, sgriblo.
scribe, *n.* Ysgrifennydd.
script, *n.* Ysgrif, llawysgrif, sgript.
scriptural, *a.* Ysgrythurol.
scripture, *n.* Ysgrythur.
scroll, *n.* Rhòl.
scrub, *n.* I. Prysgwydd ; sgwriad.
   2. *v.* Sgrwbio, sgwrio.
scruff, *n.* Gwegil, gwar.
scrum : scrummage, *n.* I. Sgrym, ysgarmes.
   2. *v.* Sgrymio.
   LOOSE SCRUM. Sgrym rydd.
   SET SCRUM. Sgrym osod.
scruple, *n.* I. Petruster (moesol).
   2. *v.* Petruso.
scrupulous, *a.* Gofalus, cydwybodol, manwl gywir.
scrutinize, *v.* Chwilio, archwilio.
scrutiny, *n.* Archwiliad.
scuffle, *n.* I. Ymgiprys, ysgarmes.
   2. *v.* Ymgiprys, ymdaro.
scull, *n.* I. Rhodl.
   2. *v.* Rhodli.
scullery, *n.* Cegin fach, cegin gefn.
sculptor, *n.* Cerflunydd.
sculptural, *a.* Cerfluniol.
sculpture, *n.* I. Cerflun, cerfluniaeth.
   2. *v.* Cerflunio, cerfio.
scum, *n.* Ewyn, ysgùm, sgùm ; sorod, gwehilion.
scurf, *n.* Cen, marwdon, mardoni.
scurrilous, *a.* Tafotrwg, difrïol, niweidiol, enllibus.

scythe, *n.* I. Pladur.
   2. *v.* Pladuro.
sea, *n.* Môr, cefnfor.
   THE BALTIC SEA. Môr Llychlyn.
   THE BLACK SEA. Y Môr Du.
   THE CELTIC SEA. Y Môr Celtaidd.
   THE DEAD SEA. Y Môr Marw.
   THE IRISH SEA. Môr Iwerddon.
   THE MEDITERRANEAN SEA. Y Môr Canoldir.
   THE NORTH SEA. Y Môr Tawch, Môr y Gogledd.
seacoast, *n.* Arfordir, glan y môr, morlan.
seafarer, *n.* Morwr, mordwywr.
seafaring, *a.* Mordwyol.
seagull, *n.* Gwylan.
seal, *n.* I. Morlo ; sêl, insel.
   2. *v.* Selio, cadarnhau.
seam, *n.* Gwnïad, sêm ; gwythïen, haenen.
seaman, *n.* Morwr, llongwr.
seamanship, *n.* Morwriaeth.
seamless, *a.* Diwnïad.
seamstress, *n.* Gwniyddes, gwniadyddes.
sear, *v.* Serio, deifio.
searcher, *n.* Chwiliwr.
searching, *a.* Treiddiol, craff.
seashore, *n.* Glan y môr, traeth.
seasickness, *n.* Clefyd y môr, salwch môr.
seaside, *n.* Glan y môr, glan môr.
season, *n.* Tymor, amser.
seasonable, *a.* Tymhoraidd, tymhorol ; amserol.
seasonal, *a.* Tymhorol.
seat, *n.* I. Sedd, cadair, eisteddle.
   2. *v.* Eistedd ; seddu.
sea-wall, *n.* Morglawdd.
seaweed, *n.* Gwymon.
secede, *v.* Ymneilltuo, encilio ; ymwahanu.
secession, *n.* Ymneilltuad ; gwrthgiliad, ymwahaniad.
seclude, *v.* Neilltuo, cau allan ; gwahanu.
secluded, *a.* O'r neilltu, neilltuedig ; diarffordd.
seclusion, *n.* Neilltuaeth, preifatrwydd.
second, *n.* I. Eiliad ; ail ; cynorthwywr, cefnogwr.
   2. *a.* Ail, arall.
   3. *v.* Eilio, cefnogi.
secondary, *a.* Uwchradd, eilradd.
   SECONDARY EDUCATION. Addysg uwchradd.
   SECONDARY SCHOOL. Ysgol uwchradd.
seconder, *n.* Eiliwr, cefnogwr.
second-hand, *a.* Ail-law.
secret, *n.* I. Cyfrinach.
   2. *a.* Dirgel, cyfrinachol.
secretary, *n.* Ysgrifennydd.
   SECRETARY OF STATE. Ysgrifennydd Gwladol.
secretaryship, *n.* Ysgrifenyddiaeth.
secrete, *v.* Cuddio, celu ; cynhyrchu, secretu (o chwarren).
secretion, *n.* Chwarenlif.
sect, *n.* Enwad, sect.
sectarian, *a.* Enwadol ; cul.
section, *n.* Adran, rhan ; toriad.

sectional, *a.* Adrannol.
secular, *a.* Bydol, tymhorol, anghrefyddol, seciwlar.
secure, *a.* I. Diogel, sicr.
    2. *v.* Diogelu, sicrhau.
security, *n.* Diogelwch ; sicrwydd ; gwystl.
sedate, *a.* Tawel, digyffro.
sedateness, *n.* Tawelwch, llonyddwch.
sedative, *a.* I. Llonyddol, tawelyddol.
    2. *n.* Llonyddwr, tawelydd, tawelyn.
sedentary, *a.* Eisteddol, ar ei eistedd.
sedge, *n.* Hesgen
sediment, *n.* Gwaelodion, gwaddod.
sedimentary, *a.* Gwaddodol.
sedition, *n.* Terfysg, brad, gwrthryfel.
seditious, *a.* Gwrthryfelgar, bradwrus.
seduce, *v.* Hudo, camarwain, arwain ar gyfeiliorn ; llithio, hudo, denu.
seducer, *n.* Hudwr, llithiwr.
seduction, *n.* Llithiad ; camarweiniad.
seductive, *a.* Llithiol, hudolus, deniadol.
see, *n.* I. Esgobaeth.
    2. *v.* Gweled, canfod, deall.
seed, *n.* I. Had, hedyn ; hil, epil.
    2. *v.* Hadu, hedeg, mynd i had.
    SEED-BED. Pâm hadau, gwely hadau.
    SEED-POTATOES. Tato had, tatws hadyd.
    SEED-TIME. Amser hau, tymor hau.
seed-corn, *n.* Hadyd, had ŷd.
seedling, *n.* Eginblanhigyn.
seedsman, *n.* Gwerthwr hadau.
seedy, *a.* Yn llawn o hadau ; anniben ; sâl.
seek, *v.* Chwilio, ymofyn, ceisio.
seeker, *n.* Ymofynnydd, chwiliwr.
seem, *v.* Ymddangos.
seeming, *a.* Ymddangosiadol.
seemliness, *n.* Gwedduster.
seemly, *a.* Gweddaidd, gweddus.
seer, *n.* Gweledydd, proffwyd.
seethe, *v.* Berwi, byrlymu, cyffroi.
seething, *n.* I. Berw, bwrlwm.
    2. *a.* Berwedig, cyffrous.
segregate, *v.* Gwahanu, neilltuo, didoli.
segregation, *n.* Didoliad, gwahaniad, neilltuad.
seize, *v.* Atafaelu, cipio, meddiannu.
seizure, *n.* Atafaeliad, cipiad ; trawiad, strôc.
seldom, *ad.* Anfynych, anaml.
select, *a.* I. Dewis, detholedig.
    2. *v.* Dewis, dethol.
selection, *n.* Dewisiad, detholiad.
self, *pn.* &. *n.* Hun ; hunan.
    3. *px.* Hunan-, ym-.
self-confidence, *n.* Hunanhyder.
self-determination, *n.* Hunanbenderfyniad, hunanddewis.
selfgovernment, *n.* Ymreolaeth, hunanlywodraeth.
selfish, *a.* Hunanol.
selfishness, *n.* Hunanoldeb.
selfsame, *a.* Yr un, yr unrhyw, yr union.
self-service, *n.* Hunanwasanaeth.

selfsufficient, *a.* Hunanddigonol, hunangynhaliol.
self-will, *n.* Penderfynoldeb.
self-willed, *a.* Penderfynol.
sell, *v.* Gwerthu ; twyllo.
    SELL-BY-DATE. Dyddiad olaf gwerthu.
seller, *n.* Gwerthwr.
selvage : selvedge, *n.* Selfais, ymylwe.
semblance, *n.* Tebygrwydd, rhith.
semi-, *px.* Hanner, lled-.
semi, *n.* Tŷ pâr, tŷ dan yr unto.
semibreve, *n.* Hanner-brif.
semicircle, *n.* Hanner-cylch.
semicolon, *n.* Gwahannod.
seminary, *n.* Athrofa, coleg.
semiquaver, *n.* Hanner-cwafer.
    SEMIDEMISEMIQUAVER. Hanner-lled-hanner-cwafer.
semitone, *n.* Hanner-tôn.
senate, *n.* Senedd.
senator, *n.* Seneddwr.
senatorial, *a.* Seneddol.
send, *v.* Anfon, gyrru, hela, hala.
sender, *n.* Anfonwr.
senile, *a.* Hen a dryslyd, henwan, oedrannus, methedig.
senior, *n.* & *a.* Hynaf, hŷn.
sensation, *n.* Teimlad, ymdeimlad ; ias, syfrdandod.
sensational, *a.* Cyffrous, syfrdanol.
sense, *n.* I. Synnwyr, ystyr, pwyll.
    2. *v.* Synhwyro.
senseless, *a.* Disynnwyr, hurt, dibwrpas ; anymwybodol.
sensibility, *n.* Teimladrwydd.
sensible, *a.* Synhwyrol, teimladwy, call.
sensitive, *a.* Teimladwy, sensitif, croendenau.
sensual, *a.* Cnawdol, nwydus, trythyll.
sensuality, *n.* Cnawdolrwydd, trythyllwch.
sensuous, *a.* Synhwyrus, teimladol.
sensuousness, *n.* Synwyrusrwydd.
sentence, *n.* I. Brawddeg ; dedfryd, barn.
    2. *v.* Dedfrydu.
sentiment, *n.* Syniad, teimlad.
sentimental, *a.* Teimladwy.
sentimentality, *n.* Teimladrwydd.
sentinel : sentry, *n.* Gwyliwr, gwyliedydd.
separate, *a.* I. Ar wahân.
    2. *v.* Gwahanu, didoli.
separately, *ad.* Ar wahân.
separation, *n.* Gwahaniad, ymwahaniad.
September, *n.* Medi.
septic, *a.* Septig.
    SEPTIC TANK. Tanc carthion.
sepulchre, *n.* Bedd, beddrod.
sequel, *n.* Canlyniad, parhad.
sequence, *n.* Trefn, dilyniad, dilyniant.
sequester, *v.* Neilltuo.
sequestered, *a.* Neilltuedig.
seraph, *n.* Seraff.
serenade, *n.* I. Nosgan, hwyrgan.
    2. *v.* Hwyrganu.

serene, *a.* Tawel, tangnefeddus, araul.
serf, *n.* Taeog, caeth.
sergeant, *n.* Rhingyll, sarsiant.
serial, *a.* I. Cyfresol, mewn cyfres.
    2. *n.* Cyfres, stori gyfres.
series, *n.* Cyfres, dilyniant.
serious, *a.* Difrifol, difrif.
seriousness, *n.* Difrifwch, difrifoldeb.
sermon, *n.* Pregeth.
serpent, *n.* Sarff, neidr.
serrated, *a.* Danheddog.
serum, *n.* Serwm.
servant, *n.* Gwas, morwyn.
serve, *v.* Gwasanaethu, gweini, cynorthwyo.
service, *n.* Gwasanaeth, oedfa ; llestri.
serviceable, *a.* Gwasanaethgar, defnyddiol.
serviette, *n.* Napcyn.
servile, *a.* Gwasaidd.
servility, *n.* Gwaseidd-dra.
servitude, *n.* Caethiwed.
session, *n.* Eisteddiad, sesiwn.
sestet, *n.* Chwechawd (*cerdd*).
set, *n.* I. Set, rhediad.
    2. *v.* Gosod, dodi, rhoi ; trefnu ; sefydlu ;
    machlud.
settee, *n.* Gorweddfainc, esmwythfainc, setî.
setting, *n.* Gosodiad ; lleoliad ; trefniant ;
    machludiad.
settle, *n.* Sgiw.
settle, *v.* Sefydlu ; penderfynu ; trefnu ; talu ; cytuno.
    TO SETTLE A DISPUTE. Torri dadl.
settlement, *n.* Cytundeb ; tâl ; gwladfa.
settler, *n.* Gwladychwr, ymsefydlwr.
seven, *a.* Saith.
sevenfold, *ad.* Seithwaith, ar ei seithfed.
seventeen, *a.* Dau/dwy ar bymtheg, un deg saith.
seventh, *a.* Seithfed.
seventieth, *a.* Degfed a thrigain.
seventy, *a.* Deg a thrigain, saith deg.
sever, *v.* Torri, gwahanu.
several, *a.* Amryw, gwahanol.
severally, *ad.* Ar wahân, bob yr un.
severance, *n.* Gwahaniad, toriad.
severe, *a.* Gerwin, caled, llym, tost.
severity, *n.* Llymder, gerwinder.
sew, *v.* Gwnïo, pwytho.
sewage, *n.* Carthion.
sewer, *n.* Carthffos.
sewerage, *n.* Carthffosiaeth.
sex, *n.* Rhyw.
    THE FAIR SEX. Y rhyw deg.
    SEX EDUCATION. Addysg ryw.
sextet, *n.* Chwechawd.
sexton, *n.* Clochydd, torrwr beddau.
sexual, *a.* Rhywiol.
shabby, *a.* Aflêr, carpiog, gwael, di-raen.
shackle, *n.* I. Hual, llyffethair, gefyn.
    2. *v.* Hualu, llyffetheirio, gefynnu.
shade, *n.* I. Cysgod ; cysgodfa ; rhitho.
    2. *v.* Cysgodi ; tywyllu.

shadow, *n.* I. Cysgod ; rhith.
    2. *v.* Cysgodi ; dilyn.
shadowy, *a.* Cysgodol ; rhithiol.
shady, *a.* Cysgodol ; amheus.
shaft, *n.* Paladr, saeth ; pwll ; siafft, pelydr.
shaggy, *a.* Blewog, cedennog.
shake, *n.* I. Siglad, ysgydwad.
    2. *v.* Siglo, ysgwyd, crynu.
shaking, *n.* Ysgydwad, siglad.
shaky, *a.* Crynedig, simsan, ansad.
shallow, *n.* I. Basle, beisle, basddwr.
    2. *a.* Bas, arwynebol.
shallowness, *n.* Baster.
sham, *n.* I. Ffug.
    2. *a.* Ffug, ffugiol.
    3. *v.* Ffugio.
shambles, *np.* Llanast, traed moch.
shame, *n.* I. Cywilydd, gwarth.
    2. *v.* Cywilyddio.
shameful, *a.* Cywilyddus, gwarthus.
shameless, *a.* Digywilydd.
shank, *n.* Coes, gar, esgair.
shape, *n.* I. Ffurf, llun, siâp.
    2. *v.* Ffurfio, llunio.
shapeless, *a.* Afluniaidd, di-lun.
shapeliness, *n.* Gosgeiddrwydd, llunieidd-dra.
shapely, *a.* Lluniaidd, gosgeiddig, siapus.
share, *n.* I. Rhan, cyfran ; cyfranddaliad ; swch
    (aradr).
    2. *v.* Rhannu.
shareholder, *n.* Cyfranddaliwr.
sharer, *n.* Rhannwr, cyfrannwr, cyfranogwr.
sharp, *n.* I. Llonnod (cerdd).
    2. *a.* Llym, miniog, siarp, craff.
sharpen, *v.* Hogi, minio.
sharpener, *n.* Hogwr, naddwr.
sharpness, *n.* Llymder, awch, min.
shatter, *v.* Chwilfriwio, dryllio.
shave, *n.* I. Eilliad, siafiad.
    2. *v.* Eillio, siafo.
shaver, *n.* Eilliwr.
    ELECTRIC SHAVER. Rasel drydan.
shavings, *np.* Naddion.
shawl, *n.* Siôl.
she, *pn.* Hi, hyhi, hithau.
sheaf, *n.* Ysgub.
shear, *v.* Cneifio.
shearer, *n.* Cneifiwr.
shearing, *n.* Cneifiad.
shears, *n.* Gwellau.
    np. Gwelleifiau.
sheath, *n.* Gwain.
    CONTRACEPTIVE SHEATH. Gwain atal cenhedlu.
sheathe, *v.* Gweinio.
sheathing, *n.* Gweiniad.
shed, *n.* I. Sied, penty.
    2. *v.* Tywallt ; colli.
sheep, *n.* Dafad.
    np. Defaid.

sheepfold, *n.* Corlan.
sheepish, *a.* Swil, gwylaidd, lletchwith.
sheepishness, *n.* Swildod, gwyleidd-dra, lletchwithdod.
sheepwalk, *n.* Rhosfa, ffridd.
sheer, *a.* I. Pur, noeth, llwyr, hollol ; serth, syth.
　　2. *v.* Gwyro, troi oddi ar y llwybr.
sheet, *n.* Llen, cynfas ; shiten, cynfasen (ar wely).
shelf, *n.* Astell, silff.
shell, *n.* I. Cragen ; plisgyn, masgl ; pelen dân, ffrwydryn.
　　2. *v.* Masglu, masglo.
shell-fish, *np.* Pysgod cregyn.
shelter, *n.* I. Cysgod, lloches.
　　2. *v.* Cysgodi, llochesu, ymochel.
shelve, *v.* Gosod estyll/silffoedd ; gosod ar astell/silff ; rhoi o'r neilltu.
shepherd, *n.* I. Bugail.
　　2. *v.* Bugeilio.
shepherdess, *n.* Bugeiles.
sheriff, *n.* Sirydd, siryf.
shield, *n.* I. Tarian.
　　2. *v.* Cysgodi, amddiffyn.
　　GUM SHIELD. Gorchudd dannedd.
　　SUN SHIELD. Cysgodlen.
shift, *n.* I. Newid, tro, tyrn, stem, sifft.
　　2. *v.* Symud ; ymdaro, ymdopi.
shifty, *a.* Anwadal, di-ddal, cyfrwys.
shilling, *n.* Swllt.
shin, *n.* Crimog, crimp.
shine, *n.* I. Disgleirdeb, gloywder, sglein, llewyrch.
　　2. *v.* Disgleirio, llewyrchu, sgleinio.
shingle, *n.* Graean bras, gro ; teilsen bren (at doi), peithynen.
shingles, *np.* Yr eryr, yr eryrod.
shining, *a.* Clear, disglair.
shiny, *a.* Gloyw.
ship, *n.* I. Llong.
　　2. *v.* Dodi mewn llong, cludo.
shipbuilder, *n.* Saer llongau, adeiladydd llongau.
shipment, *n.* Llwyth, cargo.
shipshape, *a.* Trefnus, taclus.
shipwreck, *n.* Llongddrylliad.
shire, *n.* Sir ; swydd (*as prefix to English, Irish & Scottish counties only*).
shirk, *v.* Gochel, esgeuluso, osgoi.
shirker, *n.* Segurwr, diogyn.
shirt, *n.* Crys.
shiver, *n.* I. Cryndod, cryd.
　　2. *v.* Crynu, rhynnu ; chwilfriwio.
shivery, *a.* Rhynllyd, crynedig.
shoal, *n.* I. Haig, haid ; basle.
　　2. *v.* Heigio.
shock, *n.* I. Ysgydwad, ysgytiad ; sioc ; cnwd (o wallt).
　　2. *v.* Ysgytio, synnu.
shocking, *a.* Arswydus, cywilyddus, ysgytiol, gwarthus.

shoe, *n.* I. Esgid fach ; pedol.
　　2. *v.* Gwisgo esgidiau am ; pedoli.
shoehorn, *n.* Siasbi, siesbin.
shoelace, *n.* Carrai/lasen esgid.
shoemaker, *n.* Crydd.
shoemaking, *n.* Cryddiaeth.
shoe-polish, *n.* Cwyr esgidiau.
shoot, *n.* I. Blaguryn, impyn, egin.
　　2. *v.* Blaguro, egino, impio ; saethu.
shooter, *n.* Saethwr ; gwn, dryll.
shop, *n.* I. Siop.
　　2. *v.* Siopa.
shopkeeper, *n.* Siopwr.
shopper, *n.* Prynwr.
shore, *n.* Glan y môr, traeth.
short, *a.* Byr, cwta, prin.
shortage, *n.* Prinder, diffyg.
shortcoming, *n.* Diffyg, bai.
short cut, *n.* Llwybr tarw, llwybr llygad.
shorten, *v.* Byrhau, cwtogi, talfyrru.
shorthand, *n.* Llaw-fer.
shortlived, *a.* Byrhoedlog.
shortly, *ad.* Ar fyr, yn union.
shortness, *n.* Byrder, byrdra.
shorts, *np.* Trowsus bach/byr, siorts.
　　SHORT DRINK. Un fach, diod fach, siort.
short-sighted, *a.* Byr ei olwg, annoeth, cibddall.
shot, *n.* Ergyd ; cynnig ; saethwr.
shoulder, *n.* I. Ysgwydd, palfais.
　　2. *v.* Ysgwyddo, codi neu ddwyn (baich ar ysgwydd).
shoulder-blade, *n.* Palfais, asgwrn yr ysgwydd, padell yr ysgwydd.
shout, *n.* I. Bloedd, gwaedd, llef.
　　2. *v.* Bloeddio, gweiddi.
shove, *n.* I. Gwth, hergwd, hwb, hwp.
　　2. *v.* Gwthio, hwpo.
shovel, *n.* I. Rhaw.
　　2. *v.* Rhofio.
show, *n.* I. Arddangosfa, siew, sioe.
　　2. *v.* Dangos, arddangos.
shower, *n.* Cawad, cawod.
showery, *a.* Cawodlyd, cawodog.
showy, *a.* Coegwych, rhwysgfawr.
shred, *n.* I. Cerpyn, rhecsyn, llarp.
　　2. *v.* Rhwygo, torri'n fân.
　　IN SHREDS. Yn llarpiau.
shrew, *n.* Cecren ; llygoden goch, llŷg.
shrewd, *a.* Craff, ffel, hirben.
shrewdness, *n.* Craffter.
shrewish, *a.* Cecrus, croes, cegog.
shriek, *n.* I. Ysgrech.
　　2. *v.* Ysgrechian.
shrill, *a.* Main, llym, gwichlyd.
shrine, *n.* Ysgrîn ; creirfa ; cysegr.
shrink, *v.* Crebachu, tynnu ato ; cilio, lleihau.
shrivel, *v.* Crychu, crebachu.
shroud, *n.* I. Amdo, amwisg.
　　2. *v.* Amwisgo, amdói ; cuddio.

Shrove Tuesday, *n.* Dydd Mawrth Ynyd.
shrub, *n.* Llwyn, prysgwydden.
shrubbery, *n.* Llwyni, prysglwyn.
shudder, *n.* I. Crynfa, echryd, arswyd.
   2. *v.* Crynu, arswydo.
shuffle, *v.* Siffrwd ; llusgo traed ; cymysgu cardiau ; gwamalu.
shun, *v.* Osgoi, cadw draw.
shut, *v.* I. Cau.
   2. *a.* Cau, caeëdig.
shutter, *n.* Caead, clawr.
shuttle, *n.* Gwennol gwehydd.
   SPACE SHUTTLE. Gwennol ofod.
shy, *a.* I. Swil, gwylaidd.
   2. *v.* Rhuso, cilio ; taflu.
shyness, *n.* Swildod.
sibling, *n.* Brawd neu chwaer.
sick, *np.* I. Cleifion.
   2. *a.* Claf, gwael, sâl ; yn cyfogi, yn chwydu, wedi alaru, wedi diflasu.
sicken, *v.* Clafychu, diflasu.
sickening, *a.* Diflas, atgas, cyfoglyd.
sickle, *n.* Cryman.
sickness, *n.* Afiechyd ; cyfog.
side, *n.* I. Ochr, ymyl, tu, glan ; plaid.
   2. *c.* Ochri, pleidio.
sideboard, *n.* Seld, dreser.
sidekick, *n.* Partner.
sidelines, *np.* Eilbethau ; llinellau ochr.
   ON THE SIDELINES. Ar y cyrion.
side-saddle, *n.* Cyfrwy untu.
sidestep, *v.* Camu o'r neilltu, cilgamu.
sidetrack, *v.* Troi o'r neilltu.
sideways, *ad.* I'r ochr, yn wysg ei ochr.
siege, *n.* Gwarchae.
sieve, *n.* Gogr, gwagr, rhidyll, sife.
sieve : sift, *v.* Nithio, gogrwn, gogrynu, rhidyllu, sifeio, hidlo.
sigh, *n.* I. Ochenaid.
   2. *v.* Ochneidio.
sight, *n.* I. Golwg, trem ; golygfa.
   2. *v.* Gweld, canfod.
sightly, *a.* Golygus, gweddus.
sign, *n.* I. Arwydd, amnaid.
   2. *v.* Llofnodi, arwyddo, torri enw.
signal, *n.* I. Arwydd.
   2. *v.* Rhoi arwydd, amneidio.
signature, *n.* Llofnod, llofnodiad.
significance, *n.* Arwyddocâd.
significant, *a.* Arwyddocaol.
signify, *v.* Arwyddocáu, arwyddo.
signpost, *n.* Mynegbost, arwyddbost.
silage, *n.* Silwair.
silence, *n.* I. Distawrwydd, gosteg.
   2. *v.* Rhoi taw ar, distewi.
silent, *a.* Distaw, mud, tawedog, tawel.
silhouette, *n.* Amlinell, silwét.
silk, *n.* Sidan.
silky, *a.* Sidanaidd.

sill, *n.* Sil.
silliness, *n.* Ffolineb, gwiriondeb.
silly, *a.* Ffôl, gwirion, penwan, dwl.
silt, *n.* I. Gwaelodion (afon), llaid.
   2. *v.* Tagu, llanw â llaid.
silver, *n.* I. Arian.
   2. *a.* Arian, ariannaidd.
   3. *v.* Ariannu.
silversmith, *n.* Gof arian.
silvery, *a.* Ariannaidd, arianlliw.
similar, *a.* Tebyg, cyffelyb.
similarity, *n.* Tebygrwydd, cyffelybiaeth.
simile, *n.* Cymhariaeth, cyffelybiaeth.
simmer, *v.* Lledferwi, berwi'n araf.
simple, *a.* Syml, gwirion, diniwed.
simpleton, *n.* Gwirionyn, twpsyn.
simplicity, *n.* Symlrwydd, diniweidrwydd.
simplification, *n.* Symleiddiad.
simplify, *v.* Symleiddio.
simply, *ad.* Yn syml, yn hollol.
simulate, *v.* Ffugio, dynwared.
simultaneous, *a.* Cyfamserol, cydamserol.
   SIMULTANEOUS EQUATION. Hafaliad cydamserol.
sin, *n.* I. Pechod.
   2. *v.* Pechu.
since, *c.* I. Gan, am, oherwydd.
   2. *prp.* Er, er pan, ers.
   3. *ad.* Wedi hynny.
sincere, *a.* Didwyll, diffuant.
sincerity, *n.* Didwylledd, diffuantrwydd.
sinew, *n.* Gewyn, giewyn.
sinewy, *a.* Gewynnog, cryf.
sinful, *a.* Pechadurus.
sinfulness, *n.* Pechod, pechadurusrwydd.
sing, *v.* Canu.
singe, *v.* Deifio, rhuddo.
singer, *n.* Canwr, cantores, cantor.
single, *a.* I. Sengl ; un, unig, unigol ; di-briod.
   2. *v.* Dewis, dethol ; neilltuo.
   SINGLE BED. Gwely sengl.
   SINGLE CREAM. Hufen tenau/sengl.
   SINGLE PARENT FAMILY. Teulu un rhiant.
   SINGLE ROOM. Ystafell sengl.
singly, *ad.* Yn unigol, ar wahân.
singular, *a.* Unigol ; rhyfedd ; hynod.
singularity, *n.* Hynodrwydd.
sinister, *a.* Ysgeler, drwg ; bygythiol ; chwith, chwithig.
sink, *n.* I. Sinc, ceubwll, cafn.
   2. *v.* Suddo.
sinner, *n.* Pechadur.
sinuous, *a.* Troellog, dolennog.
sip, *n.* I. Llymaid.
   2. *v.* Llymeitian, sipian.
sipper, *n.* Llymeitiwr.
sir, *n.* Syr.
sire, *n.* Tad.
siren, *n.* Seiren.
sirloin, *n.* Llwyn eidion.

sister, *n.* Chwaer.
sister-in-law, *n.* Chwaer-yng-nghyfraith.
sit, *v.* Eistedd.
site, *n.* Safle, lle, man.
sitter, *n.* Eisteddwr.
sitting, *n.* I. Eisteddiad.
    2. *a.* Yn eistedd.
situation, *n.* Safle, lle, sefyllfa.
six, *a.* Chwech, chwe.
sixpence, *n.* Chwecheiniog.
sixteen, *a.* Un ar bymtheg, un deg chwech.
sixteenth, *a.* Unfed ar bymtheg.
sixth, *a.* Chweched.
sixtieth, *a.* Trigeinfed, chwe degfed.
sixty, *a.* Trigain, chwe deg.
sizeable, *a.* Sylweddol, o gryn faint.
size, *n.* Maint, maintioli ; glud, seis.
sizzle, *v.* Ffrio, sïo.
skate, *n.* I. Esgid slefrio, sgêt ; cath fôr.
    2. *v.* Sglefrio.
skateboard, *n.* Bwrdd sgrialu, bwrdd sglefrio.
skein, *n.* Cengl.
skeleton, *n.* Ysgerbwd ; amlinelliad.
sketch, *n.* I. Braslun, amlinelliad ; sgets.
    2. *v.* Braslunio.
sketchy, *a.* Bras, arwynebol.
skewer, *n.* Gwaell.
ski, *n.* I. Sgi.
    2. *v.* Sgïo.
skid, *v.* Llithro.
skier, *n.* Sgïwr.
skilful, *a.* Medrus, celfydd, cywrain.
skilfulness, *n.* Medrusrwydd.
skill, *n.* Medr, medrusrwydd.
skilled, *a.* Medrus, crefftus.
skim, *v.* Tynnu, codi (hufen, &c.) ; llithro dros.
skimmed milk, *n.* Llaeth glas, llaeth sgim.
skimpy, *a.* Annigonol, prin, diffygiol.
skin, *n.* I. Croen.
    2. *v.* Blingo.
skinflint, *n.* Cybydd.
skinny, *a.* Tenau, main.
skipper, *n.* Capten (llong, &c.).
skirmish, *n.* I. Ysgarmes.
    2. *v.* Ysgarmesu.
skirt, *n.* I. Godre ; sgyrt, sgert.
    2. *v.* Mynd wrth ymyl rhywbeth, ymylu.
skulk, *v.* Llechu, llercian.
skulker, *n.* Llechgi, llerciwr.
skull, *n.* Penglog.
skunk, *n.* Drewgi.
sky, *n.* Wybren, awyr.
skylark, *n.* Ehedydd, uchedydd.
skyscraper, *n.* Nendwr.
slab, *n.* Llech, darn trwchus.
slack, *n.* I. Darn rhydd ; glo mân.
    2. *a.* Llac, diofal, esgeulus.
    3. *v.* Llacio.
    SLACKS. Trowsus llaes.

slacken, *v.* Llacio, llaesu, rhyddhau.
slackness, *n.* Llacrwydd, esgeulustod.
slag, *n.* Sorod, slag.
slake, *v.* Torri syched.
slam, *v.* Clepian, gwthio'n arw, cau'n drwsgl.
slander, *n.* I. Enllib, athrod.
    2. *v.* Enllibio, athrodi.
slanderous, *a.* Enllibus, athrodus.
slang, *n.* Iaith sathredig, geirfa ansafonol, tafodiaith wael.
slant, *n.* I. Gogwydd ; agwedd, safbwynt.
    2. *v.* Gogwyddo.
slanting, *a.* Ar oleddf, ar ogwydd.
slap, *n.* I. Clewten, palfod, slap.
    2. *v.* Clewtian, slapio.
slapdash, *a.* Ffwrdd â hi, unrhyw sut, rywsut-rywsut.
slash, *v.* Torri (â chyllell, &c.), archolli ; chwipio, fflangellu.
slate, *n.* Llechen, llechfaen.
slattern, *n.* Slwt.
slaughter, *n.* I. Cyflafan, lladdfa, lladdedigaeth.
    2. *v.* Lladd.
slaughterhouse, *n.* Lladd-dy.
slave, *n.* I. Caethwas, caethferch.
    2. *v.* Llafurio.
slavery, *n.* Caethiwed, caethwasiaeth, caethwasanaeth.
slavish, *a.* Gwasaidd.
slavishness, *n.* Gwaseidd-dra.
slay, *v.* Lladd, llofruddio.
slayer, *n.* Lladdwr.
sledge : sleigh, *n.* Sled, car llusg.
sledge-hammer, *n.* Gordd.
sleek, *n.* Llyfndew, graenus, llyfn.
sleep, *n.* I. Cwsg, hun.
    2. *v.* Cysgu, huno.
sleeper, *n.* Cysgwr ; sliper (rheilffordd).
sleepiness, *n.* Cysgadrwydd, syrthni.
sleeping, *a.* Yn cysgu, ynghwsg.
    SLEEPING ACCOMMODATION. Llety a gwely.
    SLEEPING BAG. Sach gysgu.
    SLEEPING PILL. Pilsen gysgu.
sleepless, *a.* Di-gwsg, ar ddi-hun.
sleeplessness, *n.* Diffyg cwsg, anhunedd.
sleepy, *a.* Cysglyd, swrth.
sleet, *n.* Eirlaw.
sleeve, *n.* Llawes.
slender, *a.* Main ; prin.
    SLENDER MEANS. Adnoddau prin.
slenderness, *n.* Meinder ; prinder.
slice, *n.* I. Tafell, golwythen, sleisen.
    2. *v.* Tafellu, sleisio.
slide, *n.* I. Sleid, llithrfa ; llithrad.
    2. *v.* Sglefrio, llithro.
slight, *n.* I. Dirmyg, sarhad.
    2. *a.* Ysgafn, tenau, main.
    3. *v.* Dirmygu, sarhau, bychanu.
slim, *a.* Main.
slime, *n.* Llysnafedd, llys ; llaid, llaca.

slimy, *a.* Llysnafeddog, diafael.
sling, *n.* I. Ffon-dafl.
    2. *v.* Taflu, lluchio.
slip, *n.* I. Llithrad ; camgymeriad ; darn o bapur, slip.
    2. *v.* Llithro, camgymryd ; dianc, gollwng.
slip-knot, *n.* Cwlwm rhedeg.
slipper, *n.* Llopan, sliper.
slippery, *a.* Llithrig, diafael, di-ddal.
slit, *n.* I. Hollt, agen, hac.
    2. *v.* Hollti, agennu, hacio.
sloes, *np.* Eirin duon bach.
slope, *n.* I. Llechwedd, llethr, goleddf.
    2. *v.* Gwyro, gogwyddo.
sloping, *a.* Ar osgo, ar oleddf, ar ogwydd.
slot, *n.* I. Agen, twll, rhychu.
    2. *v.* Agennu.
sloth, *n.* Diogi, syrthni.
slothful, *a.* Diog, dioglyd, swrth.
slouch, *v.* Symud yn llibin, gwargrymu.
slouching, *a.* Llibin, afrosgo, lliprynnaidd.
slovenliness, *n.* Annibendod, aflerwch.
slovenly, *a.* Anniben, aflêr.
slow, *a.* I. Araf, hwyrfrydig, ar ôl.
    2. *v.* Arafu.
slowly, *ad.* Yn araf, yn araf deg, gan bwyll.
slowness, *n.* Arafwch.
slug, *n.* Gwlithen, malwoden ddu.
sluggish, *a.* Diog, swrth, araf.
sluggishness, *n.* Diogi, syrthni.
sluice, *n.* Llifddor.
slum, *n.* Slym.
slumber, *n.* I. Hun, cwsg.
    2. *v.* Huno, cysgu.
slur, *n.* I. Anfri, gwaradwydd ; llithrad, cyflusg (cerddoriaeth).
    2. *v.* Difrïo ; llithro dros.
slush, *n.* Llaid, mwd, llaca, eira gwlyb.
slut, *n.* Slwt.
sly, *a.* Dichellgar, ffals, cyfrwys.
slyness, *n.* Dichell, ffalster.
smack, *n.* I. Blas ; clec, trawiad ; llong hwylio ag un mast, smac.
    2. *v.* Sawru, blasu ; clecian, taro.
small, *a.* Bach, bychan, mân.
small change, *n.* Newid mân, arian mân.
small-coal, *n.* Glo mân.
smallholder, *n.* Tyddynnwr.
small-pox, *n.* Y frech wen.
smart, *n.* I. Gwŷn, dolur, brath.
    2. *a.* Twt, taclus ; cyflym ; craff.
    3. *v.* Gwynio, dolurio, llosgi.
smarten, *v.* Tacluso, trwsio.
smash, *n.* I. Gwrthdrawiad, chwalfa.
    2. *v.* Torri'n yfflon, malu.
smattering, *n.* Crap, ychydig wybodaeth.
smear, *v.* Iro, rhwbio â saim, &c. ; difwyno, difenwi.
smell, *n.* I. Aroglau, gwynt, arogliad.
    2. *v.* Arogleuo, arogli, gwynto, sawru, clywed oglau.

smelt, *v.* Toddi (metel).
smile, *n.* I. Gwên.
    2. *v.* Gwenu.
smiling, *a.* Siriol, ar (ei) wên.
smirch, *v.* Llychwino.
smirk, *n.* I. Cilwen.
    2. *v.* Cilwenu.
smite, *v.* Taro, bwrw.
smith, *n.* Gof.
smithereens, *np.* Yfflon, darnau mân.
smithy, *n.* Gefail gof.
smog, *n.* Mwrllwch.
smoke, *n.* I. Mwg ; mygyn, mwgyn.
    2. *v.* Mygu ; ysmygu, smocio, smoco.
smoker, *n.* Ysmygwr, smociwr, smocwr.
smoky, *a.* Myglyd, llawn mwg.
smooth, *a.* Llyfn, esmwyth.
smoothe, *v.* Llyfnhau, llyfnu.
smoothly, *ad.* Yn esmwyth, yn rhwydd.
smoothness, *n.* Llyfnder.
smother, *v.* Mygu, mogi, llethu.
smoulder, *v.* Mudlosgi, llosgi heb fflam.
smudge, *n.* I. Baw, staen, smotyn, ôl rhwbio.
    2. *v.* Difwyno, trochi.
smug, *a.* Hunanol, hunanfoddhaol.
smuggle, *v.* Smyglo.
smuggler, *n.* Smyglwr.
smugness, *n.* Hunanoldeb, cysêt.
smut, *n.* I. Parddu, huddygl, penddu ; siarad aflan.
    2. *v.* Pardduo, difwyno, duo.
smutty, *a.* Pardduog ; aflan, anweddus.
snack, *n.* Byrbryd, tamaid.
snag, Rhwystr, trafferth.
snail, *n.* Malwoden, malwen.
snake, *n.* Neidr.
snap, *n.* I. Clec, clecian ; llun.
    2. *v.* Clecian ; torri'n glec ; tynnu llun.
snare, *n.* I. Magl, rhwyd, croglath.
    2. *v.* Maglu, rhwydo.
snarl, *n.* I. Chwyrnad, chwyrniad.
    2. *v.* Chwyrnu, ysgyrnygu.
snatch, *n.* I. Cipiad ; ysbaid ; pwt, tamaid.
    2. *v.* Cipio, crafangu.
sneak, *n.* I. Llechgi.
    2. *v.* Llechian, cuddio'n llechwraidd.
sneaking, *a.* Llechwraidd, dan din.
sneer, *n.* I. Glaswen.
    2. *v.* Glaswenu, gwawdio.
sneering, *a.* Gwawdlyd.
sneeze, *v.* Tisian.
sniff, *v.* Ffroeni, gwynto.
snip, *n.* Toriad, dernyn.
    v. Torri (megis â siswrn).
snipe, *n.* Gïach.
snob, *n.* Snob, snobyn, crachfonheddwr.
snobbish, *a.* Snoblyd, trwyn-uchel, crachfonheddig.
snobbishness, *n.* Snobyddiaeth.
snooker, *n.* Snwcer.
snooze, *n.* I. Cyntun.
    2. *v.* Hepian, slwmbran.

snore, *n*. I. Chwyrnad.
    2. *v*. Chwyrnu.
snorer, *n*. Chwyrnwr.
snout, *n*. Trwyn, duryn.
snow, *n*. I. Eira, ôd.
    2. *v*. Bwrw eira, odi, pluo eira.
snowball, *n*. Pelen eira, caseg eira.
Snowdon, *n*. Yr Wyddfa.
Snowdonia, *n*. Eryri.
snowdrift, *n*. Llwch, llwchfeydd.
snowdrop, *n*. Eirlys, tlws yr eira, lili wen fach.
snowfall, *n*. Cwymp eira.
snowflake, *n*. Pluen eira.
snowman, *n*. Dyn eira.
snowy, *a*. Eiraog, eirïaidd.
snub, *n*. I. Sen.
    2. *a*. Pwt, smwt.
    3. *v*. Sennu.
snuff, *n*. I. Trwynlwch, snisin.
    2. *v*. Snwffian.
snug, *a*. Clyd, diddos, cynnes.
so, *ad*. & *c*. Mor, cyn, fel hynny, felly.
    SO AND SO. Hwn a hwn, hon a hon, y peth a'r peth.
soak, *v*. Mwydo, rhoi yng ngwlych.
soap, *n*. Sebon.
soapy, *a*. Sebonllyd.
soar, *v*. Esgyn, ehedeg (yn uchel).
sob, *v*. Igian, beichio wylo.
sober, *a*. Sobr, difrifol.
sobriety, *n*. Sobrwydd.
sociable, *a*. Cymdeithasgar, cymdeithasol.
social, *a*. Cymdeithasol.
    SOCIAL SCIENCE. Gwyddor cymdeithas.
    SOCIAL SECURITY. Nawdd cymdeithasol.
    SOCIAL WORKER. Gweithiwr cymdeithasol.
socialism, *n*. Sosialaeth.
socialist, *n*. Sosialydd.
society, *n*. Cymdeithas.
sociology, *n*. Cymdeithaseg.
sock, *n*. Socen, socsen, hosan fach.
sod, *n*. Tywarchen.
sodden, *a*. Soeglyd, gwlyb trwyddo.
sodium, *n*. Sodiwm.
sofa, *n*. Soffa.
soft, *a*. Meddal, esmwyth ; gwirion ; distaw, tyner.
soften, *v*. Meddalu, esmwytho, lleddfu.
softness, *n*. Meddalwch, tynerwch.
software, *n*. Meddalwedd.
soggy, *a*. Soeglyd, gwlyb.
soil, *n*. I. Pridd, daear, gweryd ; baw.
    2. *v*. Difwyno, baeddu, trochi.
    SOIL PIPE. Pibell garthion.
sojourn, *n*. Arhosiad (am ysbaid).
solace, *n*. I. Cysur, diddanwch.
    2. *v*. Cysuro, diddanu.
solar, *a*. Heulol, yr haul.
    SOLAR HEATING. Gwresogi heulol.
    SOLAR POWER. Ynni yr haul.
    SOLAR SYSTEM. Cyfundrefn heulol.

soldier, *n*. I. Milwr.
    2. *v*. Milwrio.
    FOOT SOLDIERS. Gwŷr traed, troedfilwyr.
soldierly, *a*. Milwraidd.
sole, *n*. I. Gwadn ; lleden chwithig.
    2. *a*. Unig, un.
solemn, *a*. Difrifol, dwys.
solemnity, *n*. Difrifwch.
solemnize, *v*. Gweinyddu, difrifoli.
sol-fa, *n*. I. Sol-ffa.
    2. *v*. Solffeuo.
solicit, *v*. Erfyn, deisyf, crefu.
solicitor, *n*. Cyfreithiwr.
solicitous, *a*. Gofalus, pryderus.
solicitude, *n*. Gofal, pryder.
solid, *n*. I. Solid.
    2. *a*. Sylweddol, caled, solet, soled.
solidarity, *n*. Undod, undeb, cydymddibyniad.
solidify, *v*. Caledu.
solidity, *n*. Cadernid, soledrwydd, soletrwydd.
soliloquy, *n*. Ymson.
solitary, *a*. Unig.
solitude, *n*. Unigedd, unigrwydd.
solo, *n*. Unawd.
soloist, *n*. Unawdydd.
solubility, *n*. Hydoddedd.
soluble, *a*. Hydawdd, toddadwy ; datrysadwy, esboniadwy.
solution, *n*. Datrysiad, esboniad ; toddiant.
solve, *v*. Datrys, esbonio.
solvent, *n*. I. Toddfa
    2. *a*. Di-ddyled, ag arian.
sombre, *a*. Tywyll, prudd.
some, *a*. I. Rhai, rhyw, peth, ychydig, rhywfaint, cryn, eithaf.
    2. *pn*. Rhai, rhywrai, rhywfaint, cryn eithaf.
    3. *ad*. Rhyw, tua, o gwmpas, oddeutu.
somebody, *pn*. & *n*. Rhywun.
somehow, *ad*. Rhywfodd, rhywsut.
someone, *pn*. Rhywun.
somersault, *n*. I. Trosben.
    2. *v*. Trosbennu.
Somerset, *n*. Gwlad yr Haf.
something, *n*. Rhywbeth.
sometime, *ad*. Rhywbryd, gynt.
sometimes, *ad*. Weithiau, ambell waith, ar brydiau.
somewhat, *ad*. Go, lled, gweddol, braidd.
somewhere, *ad*. Yn rhywle, rhywle.
son, *n*. Mab.
sonata, *n*. Sonata.
song, *n*. Cân, caniad, cerdd.
sonic, *a*. Sonig.
    SONIC BOOM. Taran sonig.
son-in-law, *n*. Mab yng nghyfraith.
sonnet, *n*. Soned.
soon, *ad*. Yn fuan, yn y man.
sooner, *ad*. Yn gynt, ynghynt ; yn hytrach na.
soot, *n*. Parddu, huddygl.
soothe, *v*. Esmwytho, lliniaru, lleddfu.

sophisticated, *a.* Soffistigedig.
sorcerer, *n.* Dewin, swynwr.
sorceress, *n.* Dewines, hudoles.
sorcery, *n.* Dewiniaeth.
sordid, *a.* Brwnt, gwael.
sore, *n.* I. Dolur, man poenus.
    2. *a.* Dolurus, blin, poenus.
sorrow, *n.* I. Gofid, tristwch, galar.
    2. *v.* Gofidio, tristáu.
sorrowful, *a.* Gofidus, trist.
sorry, *a.* Edifar, drwg gan.
    I AM SORRY. Drwg (blin) gennyf.
sort, *n.* I. Math, bath, dull.
    2. *v.* Trefnu, dosbarthu.
so-so, *a.* Canolig, gweddol, go lew.
soul, *n.* Enaid person.
soulless, *a.* Dienaid, heb enaid.
sound, *n.* I. Sain, sŵn ; culfor.
    2. *a.* Iach, holliach, cyfan, cywir, diogel,
        dwfn, cadarn, sownd.
    3. *v.* Swnio, seinio ; plymio.
soundness, *n.* Iachusrwydd, dilysrwydd,
    cyfanrwydd.
soundproof, *a.* Seinglos, gwrthsain.
soup, *n.* Cawl potes.
sour, *a.* I. Sur.
    2. *v.* Suro.
source, *n.* Ffynhonnell, tarddiad, blaen (afon).
sourness, *n.* Surni.
south, *n.* Deau, de.
    SOUTH WALES. De Cymru.
southerly, *a.* Deheuol.
southward, *ad.* Tua'r deau.
souvenir, *n.* Cofrodd.
sovereign, *n.* I. Brenin ; sofren.
    2. *a.* Goruchaf, brenhinol, sofran.
sovereignty, *n.* Penarglwyddiaeth, sofraniaeth.
sow, *n.* Hwch.
sow, *v.* Hau.
sower, *n.* Heuwr.
spa, *n.* Ffynnon ddurol ; lle a ffynhonnau durol
    ynddo, sba.
space, *n.* I. Ysbaid ; gwagle, lle, gofod.
    2. *v.* Gwahanu, gwasgaru.
spaceman, *n.* Gofodwr.
spaceship, *n.* Llong ofod.
spacious, *a.* Eang, helaeth.
spaciousness, *n.* Ehangder.
spade, *n.* Pâl.
Spain, *n.* Sbaen.
span, *n.* I. Rhychwant.
    2. *v.* Rhychwantu.
Spaniard, *n.* Sbaenwr, Sbaenes.
spaniel, *n.* Sbaengi.
Spanish, *n.* I. Sbaeneg (iaith) ; Sbaenwyr (pobl).
    2. *a.* Sbaenaidd.
spar, *n.* I. Polyn.
    2. *v.* Cwffio, paffio.
spare, *a.* I. Cynnil, prin ; dros ben, sbâr.
    2. *v.* Arbed ; hepgor, gwneud heb.

sparing, *a.* Prin, cynnil.
spark, *n.* Gwreichionen, gwreichionyn.
sparkle, *n.* I. Disgleirdeb.
    2. *v.* Serennu, pefrio, gwreichioni.
sparkling, *a.* Gloyw.
sparrow, *n.* Aderyn y to.
sparse, *a.* Gwasgarog, tenau, prin.
spasm, *n.* Pwl, gwayw.
spate, *n.* Llifeiriant (sydyn).
spawn, *n.* I. Sil, grawn pysgod, gronell.
    2. *v.* Bwrw grawn.
speak, *v.* Siarad, llefaru.
speaker, *n.* Siaradwr, llefarydd.
    SPEAKER OF THE HOUSE OF COMMONS.
    Llefarydd Tŷ'r Cyffredin.
spear, *n.* I. Gwayw, picell.
    2. *v.* Trywanu.
special, *a.* Arbennig, neilltuol.
specialist, *n.* Arbenigwr.
speciality, *n.* Arbenigedd.
specialize, *v.* Arbenigo.
specially, *ad.* Yn arbennig, yn neilltuol.
species, *n.* Rhywogaeth.
specific, *a.* Penodol, rhywogaethol, priodol,
    neilltuol, sbesiffig.
specify, *v.* Enwi, penodi, rhoi manylion.
specimen, *n.* Enghraifft, esiampl.
speck, *n.* Brycheuyn, smotyn.
speckle, *v.* Britho, brychu.
speckled, *a.* Brith, brych.
spectacle, *n.* Golygfa.
spectacles, *np.* Sbectol, gwydrau.
spectator, *n.* Gwyliwr.
spectre, *n.* Drychiolaeth.
speculate, *v.* Dyfalu ; mentro (arian).
speculation, *n.* Dyfaliad ; mentr.
speculator, *n.* Dyfalwr, hapfuddsoddwr, mentrwr,
    sbeciannwr.
speech, *n.* Lleferydd, ymadrodd ; iaith ; araith.
speechless, *a.* Mud.
speed, *n.* I. Cyflymder, cyflymdra.
    2. *v.* Cyflymu.
    AT FULL SPEED. Ar frys, nerth ei draed.
speedy, *a.* Cyflym, buan.
spell, *n.* I. Sbel, ysbaid ; swyn.
    2. *v.* Sillafu.
spelling, *n.* Sillafiad.
spend, *v.* Treulio, bwrw, hala, gwario.
spendthrift, *n.* Afradwr, oferwr, gwastraffwr.
sperm, *n.* Had.
sphere, *n.* Pelen, cronnell, sffêr ; cylch, maes.
spherical, *a.* Sfferaidd, cronellog.
spice, *n.* Perlysieuyn, sbeis.
    SPICES. Perlysiau.
spicy, *a.* Sbeislyd ; blasus, ffraeth.
spider, *n.* Corryn, pryf copyn.
spike, *n.* Hoel, hoelen, cethren.
spill, *n.* I. Cwymp, codwm.
    2. *v.* Colli, tywallt.

spin, v. Nyddu, troi, troelli.
spindle, n. Echel, gwerthyd.
spine, n. Draen, pigyn ; asgwrn cefn.
spinner, n. Nyddwr ; troellwr sychu.
spinning-wheel, n. Troell.
spinster, n. Merch ddibriod, hen ferch.
spiral, n. I. Troell, troellen.
  2. v. Troelli, ymdroelli.
spirant, a. Llaes.
  SPIRANT MUTATION. Treiglad llaes.
spirants, np. Llaesion.
spire, n. Meindwr, pigwrn, pigdwr.
spirit, n. I. Ysbryd ; enaid.
  2. Gwirod.
  (TO BE) IN HIGH SPIRITS. Bod mewn hwyliau
  da.
spirited, a. Calonnog, ysbrydol.
spiritless, a. Digalon, difywyd.
spiritual, a. Ysbrydol.
spiritualism, n. Ysbrydegaeth.
spiritualist, n. Ysbrydegydd.
spit, n. I. Poer, poeri ; bêr.
  2. v. Poeri.
spite, n. I. Malais, sbeit.
  2. v. Dwyn malais, sbeitio.
  IN SPITE OF HIM. Er ei waethaf.
spiteful, a. Maleisus, sbeitlyd.
splash, n. I. Sblash.
  2. v. Tasgu, sblasio.
splendid, a. Ysblennydd, gogoneddus, ardderchog.
splendour, n. Ysblander, gogoniant.
splice, v. Plethu.
  TO SPLICE A ROPE. Plethu rhaff.
splint, n. Sblint.
splinter, n. I. Ysgyren, fflewyn, fflaw.
  2. v. Ysgyrioni, torri'n ddarnau.
split, n. I. Ymraniad, hollt.
  2. v. Hollti, torri.
spoil, n. I. Ysbail, anrhaith.
  2. v. Ysbeilio, difetha, andwyo.
spoiler, n. Difrodwr.
spoke, n. Adain olwyn.
spoken, a. Llafar, llafaredig.
spokesman, n. Llefarydd.
sponge, n. I. Sbwng, sbwnj.
  2. v. Sychu â sbwng, sbwnjo.
spontaneity, n. Digymhellrwydd.
spontaneous, a. Gwirfoddol, digymell.
spoon, n. Llwy.
sporadic, a. Ysbeidiol, hwnt ac yma, achlysurol.
sport, n. Chwarae, difyrrwch, hwyl.
sportive, a. Chwareus, nwyfus.
sports, np. Mabolgampau, chwaraeon.
sportsman, n. Mabolgampwr, heliwr, pysgotwr.
spot, n. I. Man, lle ; brycheuyn, smotyn, sbotyn.
  2. v. Smotio ; sylwi, adnabod.
spotless, a. Difrycheulyd, glân.
spotted, a. Brith, brych.
spouse, n. Priod, gŵr priod, gwraig briod.

spout, n. I. Pistyll ; pig, sbowt.
  2. v. Pistyllu, ffrydio.
sprain, v. Troi, tynnu, ysigo.
sprawl, v. Ymdaenu (ar lawr), gorweddian.
spray, n. I. Sbrigyn ; chwistrelliad ; chwistrellydd.
  2. v. Chwistrellu.
spread, n. I. Taeniad.
  2. v. Taenu, lledaenu, lledu, ymledu.
sprig, n. Sbrigyn, impyn.
sprightliness, n. Asbri, nwyf.
sprightly, a. Hoenus, bywiog.
spring, n. I. Ffynnon, ffynhonnell ; llam, naid,
  sbring ; gwanwyn.
  2. v. Llamu, neidio ; tarddu.
sprinkle, v. Taenellu.
sprinkling, n. Taenelliad.
sprinter, n. Rhedwr, sbrintiwr.
sprite, n. Ellyll, bwgan, ysbryd.
sprout, n. I. Eginyn, blaguryn.
  2. v. Egino, blaguro.
  BRUSSELS SPROUTS. Ysgewyll (Brwsel).
spume, n. I. Ewyn.
  2. v. Ewynnu.
spur, n. I. Ysbardun, symbyliad ; esgair.
  2. v. Ysbarduno, symbylu.
spurious, a. Ffug, gau.
spurn, v. Dirmygu.
spy, n. I. Ysbïwr.
  2. v. Ysbïo.
squabble, n. I. Ffrae, ffrwgwd.
  2. v. Ffraeo, cweryla.
squad, n. Mintai (o filwyr, &c.).
squalid, a. Brwnt, budr.
squally, a. Gwyntog, stormus.
squalor, n. Bryntni, aflendid.
squander, v. Gwastraffu, afradu, bradu.
square, n. I. Sgwâr.
  2. a. Sgwâr, petryal.
  3. v. Sgwario, sgwaru ; cymhwyso.
  MAGIC SQUARE. Sgwâr swyn.
  SET SQUARE. Sgwaryn.
  SILK SQUARE. Sgarff sidan.
  SQUARE DEAL. Bargen deg.
  SQUARE MEAL. Pryd sylweddol.
  T SQUARE. Sgwâr T.
squash, v. I. Gwasgu, llethu.
  2. n. Sboncen.
  ORANGE SQUASH. Sudd oren.
squat, n. I. Cwrcwd.
  2. v. Swatio, cyrcydu.
squeak, n. I. Gwich.
  2. v. Gwichian.
squeaky, a. Gwichlyd.
squeal, n. I. Gwich.
  2. v. Gwichian.
squeeze, n. I. Gwasg, gwasgiad.
  2. v. Gwasgu.
squint, n. I. Llygad croes.
  2. a. Llygatgroes.
  3. v. Ciledrych.

squire, *n.* Yswain, ysgweier.
squirrel, *n.* Gwiwer.
squirt, *n.* I. Chwistrell, chwistrelliad.
  2. *v.* Chwistrellu.
stab, *n.* I. Trywaniad, gwân.
  2. *v.* Trywanu, gwanu.
stability, *n.* Sefydlogrwydd.
stable, *n.* I. Ystabl.
  2. *a.* Sefydlog, diysgog.
stack, *n.* I. Tas, bera ; stac, simnai.
  2. *v.* Tasu, pentyrru.
staff, *n.* I. Ffon, pastwn ; staff, gweithwyr ; erwydd.
  2. *v.* Staffio.
stag, *n.* Carw, hydd.
stage, *n.* I. Llwyfan, pwynt, gradd.
  2. *v.* Llwyfannu.
stagecoach, *n.* Coets fawr.
stagger, *v.* Cerdded yn sigledig, honcian, gwegian ; syfrdanu.
stagnant, *a.* Llonydd, digyffro, marw.
  STAGNANT WATER. Merddwr, marddwr.
stagnation, *n.* Marweidd-dra.
staid, *a.* Sobr, sad, difrifol.
stain, *n.* I. Staen, mefl.
  2. *v.* Staenio, gwaradwyddo.
stair, *n.* Gris, staer.
staircase, *n.* Grisiau, staer.
stake, *n.* I. Polyn, pawl, postyn, stanc ; cyngwystl, gwystl.
  2. *v.* Nodi â pholion ; cyngwystlo.
stalactite, *n.* Stalactid, pibonwy calch.
stalagmite, *n.* Stalagmid, calch bost.
stale, *a.* Hen, mws, diflas.
staleness, *n.* Blas hen.
stalk, *n.* I. Coes, coesgyn, gwelltyn.
  2. *v.* Mynd ar drywydd, llech-hela.
stall, *n.* Stondin, bwth ; rhan o ystabl, côr, stâl ; sedd (eglwys neu theatr).
stallion, *n.* March, stalwyn.
stamen, *n.* Brigeryn.
stammer, *n.* I. Atal dweud.
  2. *v.* Siarad ag atal, hecian, cecian.
stamp, *n.* I. Stamp, delw, argraff.
  2. *v.* Curo traed ; stampio.
stand, *n.* I. Safiad ; stand, stondin.
  2. *v.* Sefyll, aros, bod, parhau ; dioddef.
standard, *n.* I. Baner, lluman, fflag ; safon ; coeden dal, coeden hirgyff.
  2. *a.* Safonol, cyffredin, arferol.
  STANDARD DEVIATION. Gwyriad safonol.
  STANDARD FORM. Ffurf safonol.
  STANDARD OF LIVING. Safon byw.
  THE GOLD STANDARD. Y safon aur.
standing, *n.* I. Safle ; parhad.
  2. *a.* Yn sefyll, parhaol, safadwy.
standpoint, *n.* Safbwynt.
stanza, *n.* Pennill.
staple, *n.* I. Prif nwydd, prif gynnyrch ; stapal.
  2. *a.* Prif.

star, *n.* I. Seren.
  2. *v.* Serennu.
starch, *n.* I. Starts.
  2. *v.* Startsio.
stare, *n.* I. Llygadrythiad.
  2. *v.* Llygadrythu.
stark, *a.* I. Pur, llwyr, noeth, llwm.
  2. *ad.* Hollol.
starlight, *n.* Golau'r sêr.
starling, *n.* Drudwen, drudwy, aderyn yr eira.
starry, *a.* Serennog, serog, serlog.
start, *n.* I. Llam, naid ; cychwyn, cychwyniad.
  2. *v.* Neidio ; cychwyn.
startle, *v.* Dychrynu, brawychu.
startling, *a.* Brawychus, syn.
starve, *n.* Newynu, llwgu, bod â gwylder.
state, *n.* I. Sefyllfa, stad, cyflwr ; gwladwriaeth, talaith.
  2. *v.* Dweud, mynegi, datgan.
stateliness, *n.* Urddas, urddasoldeb.
stately, *a.* Urddasol, mawreddog.
statement, *n.* Mynegiad, gosodiad, datganiad.
statesman, *n.* Gwladweinydd.
static, *a.* Statig.
station, *n.* I. Gorsaf, safle, stesion.
  2. *v.* Gorsafu, lleoli, gosod.
stationary, *a.* Sefydlog.
stationery, *n.* Papur ysgrifennu, &c.
statistical, *a.* Ystadegol.
statistician, *n.* Ystadegydd.
statistics, *np.* Ystadegau.
statue, *n.* Delw, cerfddelw, cerflun.
stature, *n.* Taldra, corffolaeth.
status, *n.* Safle, sefyllfa, braint, statws.
statute, *n.* Deddf, ystatud.
staunch, *a.* Pybyr, cywir.
stave, *n.* Erwydd (cerddoriaeth) ; estyllen, astell ; pastwn.
stay, *n.* I. Arhosiad ; ateg ; cynhaliaeth.
  2. *v.* Aros ; atal ; oedi ; cynnal.
  TO STAY AT HOME. Aros gartref.
  TO STAY IN BED. Aros yn gwely.
stead, *n.* Lle.
  INSTEAD OF. Yn lle.
steadfast, *a.* Sicr, diysgog, cadarn.
steadiness, *n.* Cadernid, sadrwydd.
steady, *a.* I. Cadarn, diysgog, cyson.
  2. *v.* Pwyllo, tawelu, sadio.
steak, *n.* Golwyth.
steal, *v.* Lladrata, dwyn.
stealth, *n.* Lladrad, modd lladradaidd, cyfrwystra.
stealthy, *a.* Lladradaidd, dirgel.
steam, *n.* I. Ager, stêm.
  2. *v.* Stemio, stemian.
steam-engine, *n.* Ager-beiriant, injin stêm, injan stêm.
steamer, *n.* Agerlong, stemar ; sosban stemio.
steed, *n.* Ceffyl, march.
steel, *n.* I. Dur.
  2. *v.* Ymgaledu.

steep, *n.* I. Dibyn, clogwyn.
   2. *a.* Serth.
   3. *v.* Mwydo, trwytho, gwlychu.
steeple, *n.* Tŵr pigfain eglwys ; (clochdy).
steer, *n.* I. Bustach, eidion.
   2. *v.* Llywio.
stem, *n.* I. Coes, bôn.
   2. *v.* Atal, rhwystro.
stench, *n.* Drewdod.
step, *n.* I. Cam, gris.
   2. *v.* Camu, cerdded.
   DOOR STEP. Carreg y drws, rhiniog, trothwy.
stepbrother, *n.* Llysfrawd.
stepdaughter, *n.* Llysferch.
stepfather, *n.* Llystad.
stepmother, *n.* Llysfam.
stepsister, *n.* Llyschwaer.
stepson, *n.* Llysfab.
stereotyped, *a.* Ystrydebol.
sterile, *a.* Diffrwyth, aseptig, di-haint.
sterility, *n.* Diffrwythedd, diffrwythder,
   anffrwythlonedd.
sterilize, *v.* Diheintio, diffrwythloni.
sterling, *a.* Dilys, pur, coeth.
stern, *a.* I. Llym.
   2. *n.* Starn, pen ôl llong.
sternness, *n.* Llymder.
stethoscope, *n.* Corn meddyg, stethosgop.
stew, *n.* I. Stiw, cawl, lobsgows.
   2. *v.* Stiwio, berwi'n araf.
steward, *n.* Stiward.
stewardship, *n.* Stiwardiaeth.
stick, *n.* I. Ffon, gwialen.
   2. *v.* Glynu ; dioddef ; coedio ; gwanu.
sticky, *a.* Gludiog.
stiff, *a.* Syth, anystwyth, ystyfnig, anodd.
stiffen, *v.* Sythu ; ystyfnigo.
stiffnecked, *a.* Gwargaled, ystyfnig, cyndyn.
stiffness, *n.* Sythder, anystwythder.
stifle, *v.* Mygu, tagu, diffodd.
stigma, *n.* Gwarthnod, stigma.
stile, *n.* Camfa, sticil, sticill.
still, *a.* I. Llonydd, tawel, distaw.
   2. *v.* Llonyddu, tewi.
   3. *ad.* Eto, er hyn, byth, o hyd.
stillness, *n.* Llonyddwch, tawelwch.
stimulate, *v.* Symbylu, cyffroi.
stimulating, *a.* Symbylol, cyffrous ; bywiocaol,
   bywhaol.
stimulation, *n.* Symbyliad.
stimulus, *n.* Symbyliad, ysgogiad.
sting, *n.* I. Colyn, llosg (danadl, &c.).
   2. *v.* Pigo, brathu, llosgi.
stinginess, *n.* Crintachrwydd.
stinging, *a.* Brathog, llym.
stingy, *a.* Crintach, cybyddlyd ; mên, prin.
stink, *n.* I. Drewdod.
   2. *v.* Drewi.
stinking, *a.* Drewllyd.

stipend, *n.* Cyflog.
stipulate, *v.* Amodi, gorchymyn.
stipulation, *n.* Amod.
stir, *n.* I. Cynnwrf, cyffro.
   2. *v.* Cynhyrfu, cyffroi.
stirring, *a.* Cyffrous, cynhyrfus.
stirrup, *n.* Gwarthol, gwarthafl.
stitch, *n.* I. Pwyth ; gwayw, poen (yn yr ystlys).
   2. *v.* Pwytho, gwnïo.
stoat, *n.* Carlwm.
stock, *n.* I. Bôn, cyff ; carn ; ach, tylwyth ; stoc,
   nwyddau.
   2. *v.* Cyflenwi, cadw, crynhoi.
   STOCK EXCHANGE. Cyfnewidfa stoc.
   STOCKS AND SHARES. Stociau a
   chyfranddaliadau.
stocking, *n.* Hosan.
stocks, *np.* Cyffion ; cyfranddaliadau.
stoke, *v.* Tanio, gofalu am dân, rhoi tanwydd ar dân.
stoker, *n.* Taniwr.
stomach, *n.* Ystumog, cylla ; awydd.
stone, *n.* I. Carreg, maen ; stôn, pedwar pwys ar
   ddeg.
   2. *a.* Maen, carreg, cerrig.
   3. *v.* Llabyddio ; digaregu.
stone-dead, *a.* Marw gelain.
stonemason, *n.* Saer maen.
stony, *a.* Caregog.
stool, *n.* Stôl.
stoop, *v.* Plygu, gwargrymu, ymostwng.
stop, *n.* I. Stop, arhosiad, atalfa ; atalnod.
   2. *v.* Atal, rhwystro, aros, sefyll.
stoppage, *n.* Ataliad.
store, *n.* I. Stôr ; cronfa.
   2. *v.* Storio.
storehouse, *n.* Stordy.
storey, *n.* Llawr.
   TWO STOREY. Deulawr.
storm, *n.* Storm, tymestl.
stormy, *a.* Stormus, tymhestlog.
story, *n* Stori, chwedl, hanes.
story-teller, *n.* Chwedleuwr, storïwr.
stout, *a.* Tew, corfforol, gwrol, glew.
stove, *n.* Stof.
straggle, *v.* Crwydro, ymlusgo, mynd yn wasgarog.
straggler, *n.* Crwydryn, ymlusgwr, un araf.
straight, *a.* Union, syth.
straighten, *v.* Unioni.
straightforwad, *a.* Didwyll, onest, agored, di-lol.
straightway, *ad.* Yn y fan, yn ddiymdroi, yn syth,
   ar unwaith.
strain, *n.* I. Straen, tyndra ; rhywogaeth, tras,
   natur ; persain.
   2. *v.* Tynhau, straenio, hidlo.
strainer, *n.* Hidl.
strait, *n.* I. Culfor ; cyfyngder.
   2. *a.* Cyfyng, cul, caeth.
   MENAI STRAITS. Afon Menai, Y Fenai.
   DOVER STRAITS. Culfor Dofr.

straits, *n.* Cyfyngder.
strand, *n.* Glan, traeth, traethell, morlan.
strange, *a.* Dieithr, rhyfedd, hynod, od, estronol.
strangely, *ad.* Yn rhyfedd.
strangeness, *n.* Dieithrwch.
stranger, *n.* Dieithryn, estron.
strangle, *v.* Tagu, llindagu.
strangulation, *n.* Tagiad, tagfa.
strap, *n.* I. Strap, strapen, cengl.
　　2. *v.* Strapio.
Strata Florida, *n.* Ystrad Fflur.
stratagem, *n.* Ystryw, dichell, cast.
strategic, *a.* Strategol.
strategy, *n.* Strategaeth.
stratum, *n.* Haen.
straw, *n.* Gwellt.
strawberry, *n.* Syfïen, mefusen.
stray, *n.* I. Anifail crwydr.
　　2. *v.* Crwydro, cyfeiliorni.
　　3. *a.* Crwydr, crwydredig.
streak, *n.* Llinell, rhes.
streaky, *a.* Brith, rhesog.
stream, *n.* I. Ffrwd, nant.
　　2. *v.* Ffrydio, llifo.
street, *n.* Heol, stryd.
streetwise, *a.* Strydgall, strydgyfarwydd.
strength, *n.* Nerth, cryfder, grym.
strengthen, *v.* Nerthu, cryfhau.
strenuous, *a.* Egnïol.
stress, *n.* I. Pwysau, pwys, caledi, straen.
　　2. *v.* Acennu, pwysleisio, pwyso ar.
stretch, *n.* I. Estyniad, ymdrech.
　　2. *v.* Estyn, ymestyn, tynnu, tynhau.
stretcher, *n.* Elorwely, cludwely, stretsier.
strew, *v.* Gwasgaru, taenu.
strict, *a.* Cyfyng, caeth, llym.
strictness, *n.* Caethder, llymder.
stricture, *n.* Cyfyngiad ; beirniadaeth lem, collfarn.
stride, *n.* I. Brasgam, cam bras.
　　2. *v.* Brasgamu.
strife, *n.* Cynnen, ymryson, ymrafael.
strike, *n.* I. Streic ; trawiad ; cyrch.
　　2. *v.* Streicio, mynd ar streic ; taro, bwrw.
striker, *n.* Streiciwr ; träwr, ergydiwr ; saethwr.
striking, *a.* Trawiadol, hynod.
string, *n.* I. Llinyn ; cyfres, rhes ; tant.
　　2. *v.* Llinynnu, clymu â llinyn ; tantïo.
stringent, *a.* Caeth, llym, tyn.
strip, *n.* I. Llain, stribyn.
　　2. *v.* Diosg, tynnu oddi am, ymddihatru, ymddiosg.
stripe, *n.* Rhes ; ffonnod.
striped, *a.* Rhesog.
stripling, *n.* Glaslanc, llanc, llencyn.
strive, *v.* Ymdrechu, ymegnïo.
stroke, *n.* I. Ergyd, trawiad ; strôc ; llinell.
　　2. *v.* Tolach, anwesu, mwytho.
stroll, *n.* I. Tro.
　　2. *v.* Rhodio, mynd am dro.

strong, *a.* Cryf, grymus.
stronghold, *n.* Amddiffynfa.
structure, *n.* Adeilad, saernïaeth, fframwaith.
struggle, *n.* I. Ymdrech, brwydr.
　　2. *v.* Ymdrechu, brwydro, ymladd.
strut, *v.* Torsythu.
stubble, *n.* Sofl.
stubborn, *a.* Cyndyn, ystyfnig.
stubbornness, *n.* Cyndynrwydd, ystyfnigrwydd.
stud, *n.* Hoelen glopa ; styden ; stablau, gre.
student, *n.* Myfyriwr, efrydydd.
studio, *n.* Stiwdio.
studious, *a.* Myfyrgar.
study, *n.* I. Myfyrdod, astudiaeth, efrydiaeth (*ll.* efrydiau) ; myfyrgell, stydi.
　　2. *v.* Astudio.
stuff, *n.* I. Defnydd, deunydd.
　　2. *v.* Gwthio (i mewn), stwffio.
stuffing, *n.* Stwffin.
stuffy, *a.* Myglyd, trymllyd, clôs.
stumble, *v.* Baglu, tramgwyddo.
stumbling-block, *n.* Maen tramgwydd.
stump, *n.* Bonyn, boncyff.
stumpy, *a.* Byrdew.
stun, *v.* Syfrdanu, hurtio.
stunt, *n.* I. Sbloet.
　　2. *v.* Crabio, rhwystro twf.
stunted, *a.* Crablyd.
stupefaction, *n.* Syfrdandod.
stupefy, *v.* Syfrdanu, synnu, hurtio.
stupendous, *a.* Aruthrol, anferth.
stupid, *a.* Hurt, dwl, twp.
stupidity, *n.* Dylni, hurtrwydd, twpdra.
sturdy, *a.* Cadarn, cryf.
stutter, *n.* I. Atal dweud.
　　2. *v.* Siarad ag atal.
sty, *n.* Twlc, cwt, cut.
sty : stye, *n.* Llefelyn, llefrithen.
style, *n.* I. Dull, modd ; arddull ; cyfenw.
　　2. *v.* Cyfenwi.
stylish, *a.* Trwsiadus, ffasiynol, lluniaidd, coeth, celfydd.
suave, *a.* Mwyn, tirion, hynaws.
sub-committe, *n.* Is-bwyllgor.
subconscious, *a.* Isymwybodol.
subconsciousness, *n.* Isymwybyddiaeth.
subcontract, *n.* I. Isgontract, isgytundeb.
　　2. *v.* Isgontractio, isgytundebu.
subdue, *v.* Darostwng ; lleddfu, tyneru.
subject, *n.* I. Deiliad ; testun ; goddrych.
　　2. *a.* Darostyngedig ; tueddol ; caeth.
　　3. *v.* Darostwng.
subjection, *n.* Darostyngiad.
subjective, *a.* Goddrychol.
subjugate, *v.* Darostwng.
subjunctive, *a.* Dibynnol.
sublime, *a.* Arddunol, aruchel.
sublimity, *n.* Arddunedd, arucheledd.
submarine, *n.* I. Llong danfor.
　　2. *a.* Tanforol.

submerge, *v.* Soddi, suddo.
submission, *n.* Ymostyngiad, ufudddod.
submissive, *a.* Gostyngedig, ymostyngol, ufudd.
submit, *v.* Ymostwng, plygu ; cyflwyno.
subnormal, *a.* Isnormal.
subordinate, *a.* I. Israddol.
    2. *v.* Darostwng.
subordination, *n.* Darostyngiad, ildiad ; israddoliad.
subpoena, *n.* I. Gwŷs.
    2. *v.* Gwysio.
subscribe, *v.* Tanysgrifio, cyfrannu, cydsynio.
subscription, *n.* Tanysgrifiad, cyfraniad.
subsequent, *a.* Dilynol, yn dilyn.
subsequently, *ad.* Wedyn, ar ôl hynny, yn hwyrach.
subservient, *a.* Iswasanaethgar ; gwasaidd.
subside, *v.* Gostegu, mynd i lawr, cwympo, suddo, ymollwng.
subsidence, *n.* Cwymp, gostyngiad, ymsuddiad.
subsidy, *n.* Cymhorthdal.
subsist, *v.* Bodoli, byw ; gofodoli.
subsistence, *n.* Bywoliaeth, cynhaliaeth ; gofodolaeth.
subsoil, *n.* Isbridd.
substance, *n.* Sylwedd ; hanfod ; cyfoeth.
substantial, *a.* Sylweddol.
substantiate, *v.* Profi, gwireddu, cyfiawnhau.
substitute, *n.* I. Un yn lle arall, dirprwy.
    2. *v.* Rhoi yn lle, dirprwyo (dros).
subterfuge, *n.* Ystryw, dichell, cast.
subterranean, *a.* Tanddaearol.
subtle, *a.* Cyfrwys, cynnil ; ysgafn.
subtlety, *n.* Cyfrwystra, cynildeb, craffter ; ysgafnder.
subtract, *v.* Tynnu oddi wrth.
subtraction, *n.* Tyniad.
suburb, *n.* Maestref.
suburban, *a.* Maestrefol.
subvert, *v.* Dymchwelyd, gwyrdroi.
subway, *n.* Isffordd.
succeed, *v.* Dilyn, llwyddo, ffynnu.
success, *n.* Llwyddiant, ffyniant.
successful, *a.* Llwyddiannus.
succession, *n.* Olyniaeth, dilyniant.
successive, *a.* Olynol, yn dilyn ei gilydd.
successor, *n.* Olynydd.
succour, *n.* I. Cymorth, swcwr.
    2. *v.* Cynorthwyo, swcro, cynnal breichiau.
succumb, *v.* Ymollwng, ildio, marw.
such, *a.* Cyfryw, cyffelyb, y fath.
suck, *n.* I. Sugn, sugnad.
    2. *v.* Sugno, swcian.
suckle, *v.* Rhoi sugn, rhoi'r fron ; maethu, magu ; sugno'r fron ; sugno wrth y deth.
suckling, *n.* Plentyn neu anifail sugno.
suction, *n.* Sugnad, sugnedd.
sudden, *a.* Sydyn, disymwth, disyfyd, annisgwyl.
suddenly, *ad.* Yn sydyn, yn ddisymwth, yn ddisyfyd.
suddenness, *n.* Sydynrwydd.

suds, *np.* Trochion sebon, golchion sebon.
sue, *v.* Erlyn ; deisyfu, erfyn, gofyn.
suffer, *n.* Dioddef, goddef ; caniatáu.
sufferance, *n.* Goddefiad ; caniatâd.
sufferer, *n.* Dioddefydd.
suffering, *n.* I. Dioddefaint, dioddef.
    2. *a.* Dioddefus, dioddefgar.
suffice, *v.* Digoni, gwneud y tro.
sufficiency, *n.* Digonedd, digon.
sufficient, *n.* I. Digon.
    2. *a.* Digonol, digon.
suffix, *n.* Olddodiad.
suffocate, *v.* Mygu, mogi, tagu.
suffocation, *n.* Mygfa, tagiad.
suffrage, *n.* Pleidlais, yr hawl i bleidleisio.
suffuse, *v.* Ymdaenu, ymledu.
sugar, *n.* I. Siwgr.
    2. *v.* Siwgro, melysu.
suggest, *v.* Awgrymu, cynnig.
suggestion, *n.* Awgrym, awgrymiad.
suggestive, *a.* Awgrymog, awgrymiadol, yn llawn o syniadau.
suicide, *n.* Hunanladdiad.
suit, *n.* I. Cwyn, achos cyfreithiol ; deisyfiad ; siwt, pâr (o ddillad).
    2. *v.* Gweddu, taro.
suitability, *n.* Addasrwydd, cymhwyster.
suitable, *a.* Addas, cymwys, cyfaddas.
suite, *n.* Cyfres, nifer (o ystafelloedd, &c.) ; canlynwyr.
suitor, *n.* Achwynwr (mewn llys) ; cariadfab.
sulk, *v.* Sorri, pwdu.
sulks, *np.* Pwd, soriant.
sulky, *a.* Diserch, sorllyd, blwng.
sullen, *a.* Diserch, sarrug, swrth.
sullenness, *n.* Syrthni, sarugrwydd.
sulphate, *n.* Sylffad.
    COPPER SULPHATE. Sylffad copor.
    IRON SULPHATE. Sylffad haearn.
sulphur, *n.* Sylffwr.
sulphuric, *a.* Sylffyrig.
    SULPHURIC ACID. Asid sylffyrig.
sulphurous, *a.* Sylffyraidd.
sultriness, *n.* Myllni.
sultry, *a.* Mwll, mwrn, mwygl, clòs.
sum, *n.* I. Swm, cyfanswm.
    2. *v.* Symio, crynhoi.
summarize, *v.* Crynhoi.
summary, *n.* I. Crynodeb, crynhoad.
    2. *a.* Cryno, byr.
summer, *n.* Haf.
summer-house, *n.* Hafod, tŷ haf.
summery, *a.* Hafaidd.
summit, *n.* Pen, copa ; brig, pinacl.
summon, *v.* Gwysio, galw.
summons, *n.* Gwŷs.
sumptuous, *a.* Moethus, helaethwych.
sumptuousness, *n.* Moethusrwydd.
sun, *n.* I. Haul, huan.
    2. *v.* Heulo.

sunbeam, *n.* Pelydryn haul.
sunburn, *n.* I. Llosg haul.
    2. *v.* Llosgi yn yr haul.
Sunday, *n.* Dydd Sul.
sundial, *n.* Deial haul.
sundown, *n.* Machlud haul.
sundry, *a.* Amryw, amrywiol.
sunflower, *n.* Blodyn haul, blodyn yr haul.
sun-glasses, n. Spectol haul.
sunny, *a.* Heulog.
sunrise, *n.* Codiad haul.
sunset, *n.* Machlud haul.
sunshine, *n.* Heulwen.
sunstroke, *n.* Trawiad haul.
suntan, *n.* Lliw haul.
sup, *n.* I. Llymaid, diferyn.
    2. *v.* Llymeitian ; swperu, swpera.
superabundance, *n.* Toreth, gormodedd.
superabundant, *a.* Toreithiog, gormodol.
superannuation, *n.* Ymddeoliad ; pensiwn,
    blwydd-dâl ymddeol.
superb, *a.* Ardderchog, godidog.
superficial, *a.* Ar yr wyneb, arwynebol.
superficiality, *n.* Arwynebolrwydd.
superfluous, *a.* Diangen.
superintend, *v.* Arolygu, trefnu.
superintendent, *n.* Arolygydd.
superior, *a.* I. Gwell, uwch.
    2. *n.* Pennaeth, uwch swyddog ; uchafiad.
    HIS SUPERIORS. Ei well.
    MOTHER SUPERIOR. Uchel Fam.
superiority, *n.* Rhagoriaeth.
superlative, *a.* Uchaf, eithaf.
supermarket, *n.* Archfarchnad.
supernatural, *a.* Goruwchnaturiol.
supersede, *v.* Disodli.
superstition, *n.* Ofergoel.
superstitious, *a.* Ofergoelus.
supervise, *v.* Arolygu, goruchwylio.
supervision, *n.* Arolygiaeth.
supine, *a.* Gorweddol, ar ei gefn.
supper, *n.* Swper.
supplant, *v.* Disodli.
supplanter, *n.* Disodlwr.
supple, *a.* Ystwyth, hyblyg.
supplement, *n.* I. Atodiad.
    2. *v.* Ychwanegu, cynyddu.
suppleness, *n.* Ystwythder.
supplicate, *v.* Erfyn, ymbil, deisyf.
supplication, *n.* Erfyniad, ymbil, deisyfiad.
supplier, *n.* Cyflenwr.
supply, *n.* I. Cyflenwad.
    2. *v.* Cyflenwi.
support, *n.* I. Cynhaliaeth, cefnogaeth.
    2. *v.* Cynnal, cefnogi.
supporter, *n.* Pleidiwr, cefnogwr.
suppose, *v.* Tybied, tybio.
supposition, *n.* Tybiaeth, tyb, damcaniaeth.
suppress, *v.* Atal, llethu, mygu ; celu.

suppression, *n.* Ataliad, llethiad.
supremacy, *n.* Goruchafiaeth.
supreme, *a.* Uchaf, goruchaf, prif.
surcharge, *n.* I. Gordal, gordoll.
    2. *v.* Codi tâl ychwanegol.
sure, *a.* Sicr, siwr, siŵr, diau.
surely, *ad.* Yn sicr, yn ddiau.
surety, *n.* Sicrwydd ; mach, meichiau.
surf, *n.* I. Ewyn y don, beiston.
    2. *v.* Brigo tonnau, brigdonni.
surface, *n.* Wyneb, arwynebedd.
surfeit, *n.* I. Syrffed, gormodedd.
    2. *v.* Syrffedu, alaru.
surge, *n.* I. Ymchwydd (tonnau, cerrynt, &c.).
    2. *v.* Ymchwyddo, dygyfor.
surgeon, *n.* Llawfeddyg.
surgery, *n.* Llawfeddygaeth ; meddygfa.
surgical, *a.* Llawfeddygol.
surliness, *n.* Sarugrwydd, afrywiogrwydd.
surly, *a.* Sarrug, afrywiog.
surmise, *n.* I. Tyb, dyfaliad.
    2. *v.* Tybio, tybied, dyfalu.
surmount, *v.* Trechu, gorchfygu, bod neu godi
    uchlaw.
surname, *n.* I. Cyfenw.
    2. *v.* Cyfenwi.
surpass, *v.* Rhagori ar.
surplice, *n.* Gwenwisg.
surplus, *n.* Gwarged, gweddill, rhelyw.
surprise, *n.* I. Syndod.
    2. *v.* Synnu, peri syndod.
surprising, *a.* Syn, rhyfedd.
surrender, *n.* I. Ildiad, ymostyngiad.
    2. *v.* Ildio, rhoi'r gorau, ymostwng.
surreptitious, *a.* Lladradaidd, llechwraidd.
surround, *v.* Amgylchu, amgylchynu, cwmpasu.
surroundings, *np.* Amgylchoedd, cwmpasoedd.
survey, *n.* I. Arolwg, archwiliad, arolygiad.
    2. *v.* Arolygu, edrych, mesur, mapio.
surveyor, *n.* Tirfesurydd, arolygwr (tir, adeiladau,
    &c.)
survival, *n.* Goroesiad.
    SURVIVAL OF THE FITTEST. Goroesiad y
    cymhwysaf.
survive, *v.* Byw, goroesi, dal yn fyw.
survivor, *n.* Goroeswr.
susceptible, *a.* Agored i, tueddol i.
suspect, *n.* I. Un a ddrwgdybir.
    2. *v.* Drwgdybio, amau.
suspend, *v.* Crogi, hongian ; gohirio, oedi.
suspense, *n.* Pryder, ansicrwydd.
suspension, *n.* Hongiad ; ataliad, gohiriad ;
    daliant ; gohiriant (cerddoriaeth).
    SUSPENSION BRIDGE. Pont grog.
suspicion, *n.* Drwgdybiaeth, amheuaeth.
suspicious, *a.* Drwgdybus, amheus.
sustain, *v.* Cynnal ; dioddef.
sustained, *a.* Parhaus, parhaol.
sustenance, *n.* Cynhaliaeth ; bwyd.

swaddling-clothes, *np.* Cadachau.
swagger, *v.* Torsythu, swagro.
swallow, *n.* I. Gwennol ; llwnc ; llynciad.
    2. *v.* Llyncu.
swamp, *n.* I. Cors, siglen, mignen.
    2. *v.* Gorlifo ; llethu.
swampy, *a.* Corslyd.
swan, *n.* Alarch.
swank, *n.* Bocsach, rhodres ; rhodreswr.
sward, *n.* Tywarchen, tir glas.
swarm, *n.* I. Haid.
    2. *v.* Heidio.
swarthy, *a.* Croenddu, tywyll.
swathe, *v.* Rhwymo.
sway, *n.* I. Siglad ; dylanwad.
    2. *v.* Siglo, gwegian ; dylanwadu.
swear, *v.* Tyngu, rhegi.
sweat, *n.* I. Chwys.
    2. *v.* Chwysu.
Swede, *n.* Swediad.
swede, *n.* Rwden, erfinen.
Sweden, *n.* Sweden.
Swedish, *n.* I. Swedeg (iaith).
    2. *a.* Swedaidd.
sweep, *n.* I. Ysgubiad ; ysgubwr.
    2. *v.* Ysgubo, dysgub.
sweeping, *a.* Ysgubol.
sweet, *a.* I. Melys, pêr.
    2. *n.* Pwdin.
sweeten, *v.* Melysu, pereiddio.
sweetheart, *n.* Cariad.
sweetness, *n.* Melyster, melystra.
sweets, *np.* Melysion, taffys, cyflaith.
swell, *n.* I. Ymchwydd.
    2. *v.* Chwyddo.
swelled, *a.* Chwyddedig.
swelling, *n.* I. Chwydd, chwyddi.
    2. *a.* Ymchwyddol.
swelter, *v.* Chwysu, pobi, rhostio.
sweltering, *a.* Tesog, llethol, crasboeth.
swerve, *v.* Osgoi, gwyro, troi.
swift, *n.* I. Gwennol ddu.
    2. *a.* Buan, cyflym, clau.
swiftness, *n.* Buander, cyflymder.
swig, *n.* I. Dracht.
    2. *v.* Drachtio, traflyncu.
swill, *n.* I. Golchion.
    2. *v.* Golchi, slotian, yfed yn awchus.
swim, *n.* I. Nofiad.
    2. *v.* Nofio.
swimmer, *n.* Nofiwr.
swimming pool, *n.* Pwll nofio.
swindle, *n.* I. Twyll, hoced.
    2. *v.* Twyllo, hocedu.
swindler, *n.* Twyllwr, hocedwr.
swine, *n.* Mochyn.
swing, *n.* I. Siglen ; siglad.
    2. *v.* Siglo.

swirl, *v.* Troi, chwyldroi.
Swiss, *n.* I. Swisiad, Swistirwr.
    2. *a.* Swisaidd, Swistriol.
switch, *n.* Gwialen ; curo â gwialen ; troi swits ;
    tanio.
    SWITCHBOARD. Switsfwrdd.
swivel, *n.* Bwylltid, swifl.
Switzerland, *n.* Y Swistir.
swoon, *n.* I. Llewyg, llesmair.
    2. *v.* Llewygu, llesmeirio.
swoop, *n.* I. Disgyniad (ar).
    2. *v.* Disgyn ar, dyfod ar warthaf.
swop : swap, *n.* I. Cyfnewid.
    2. *v.* Newid, cyfnewid.
sword, *n.* Cleddyf, cleddau, cledd.
sycamore, *n.* Sycamorwydden, masarnen.
sycophancy, *n.* Gweniaith, truth.
sycophant, *n.* Gwenieithiwr, truthiwr, cynffonnwr.
syllable, *n.* Sillaf, sill.
syllabus, *n.* Rhaglen, maes llafur.
symbol, *n.* Symbol, arwyddlun.
symbolic, *a.* Symbolaidd.
symbolism, *n.* Symboliaeth.
symbolize, *v.* Symboleiddio.
symmetrical, *a.* Cymesur, cydffurf.
symmetry, *n.* Cymesuredd, cydffurfedd.
sympathetic, *a.* Cyd-oddefol, cydymdeimladol, â
    chydymdeimlad.
sympathize, *v.* Cydymdeimlo.
sympathy, *n.* Cydymdeimlad.
symphonic, *a.* Symffonig.
    SYMPHONIC POEM. Cathl symffonig.
symphony, *n.* Symffoni.
symposium, *n.* Trafodaeth, cylch trafod,
    symposiwm.
symptom, *n.* Arwydd clefyd, symptom.
symptomatic, *a.* Nodweddiadol ; symptomaidd.
synagogue, *n.* Synagog.
synchronize, *v.* Cydamser, cyfamseru.
syncopate, *v.* Byrhau gair (yn ei ganol),
    trawsacennu (cerddoriaeth).
syncopation, *n.* Trawsacen.
syndicate, *n.* Cwmni (o gyfalafwyr).
synod, *n.* Cymanfa eglwysig, synod, senedd.
synonym, *n.* (Gair) cyfystyr.
synonymous, *a.* Cyfystyr.
synopsis, *n.* Crynodeb.
synoptic, *a.* Synoptig, o'r un safbwynt.
syntactical, *a.* Cystrawennol.
syntax, *n.* Cystrawen.
synthesis, *n.* Cyfosodiad, synthesis.
synthesize, *v.* Cyfosod, syntheseiddio (cemeg).
synthetic, *a.* Cyfosodol, synthetig.
syringe, *n.* I. Chwistrell.
    2. *v.* Chwistrellu.
syrup, *n.* Sudd, triagl melyn.
system, *n.* Cyfundrefn, trefn, system.
systematic, *a.* Cyfundrefnol, trefnus.

tab 352 **tautology**

Tab, *n.* Tafod, llabed, label.
tabernacle, *n.* Tabernacl.
table, *n.* I. Bord, bwrdd ; tabl, taflen.
  2. *v.* Rhestru, tablu.
tableau, *n.* Golygfa (ddramatig), tablo.
tablecloth, *n.* Lliain bord, lliain bwrdd.
table d'hôte, *n.* Pryd gosod.
tableful, *n.* Bordaid, byrddaid.
tableland, *n.* Byrdd-dir.
tablespoon, *n.* Llwy fwrdd, llwy ford, llwy fawr.
tablet, *n.* Llechen ; tabled.
taboo, *n.* Peth gwaharddedig, tabŵ.
tabular, *a.* Tablaidd.
tabulate, *v.* Tablu.
tabulation, *n.* Tabliad.
tacit, *a.* Dealledig, distaw.
  TACIT PREMISE. Rhagosodiad dealledig.
taciturn, *a.* Tawedog, distaw.
tack, *n.* I. Tac ; pwyth.
  2. *v.* Tacio ; pwytho.
tackle, *n.* I. Taclau, offer, celfi ; tacl, taclad (rygbi).
  2. *v.* Taclo, mynd ynghyd â.
tact, *n.* Tact, doethineb.
tactful, *a.* Doeth, pwyllog.
tactics, *np.* Tacteg.
tactless, *a.* Di-dact, annoeth.
tactlessness, *n.* Diffyg tact, annoethineb.
tadpole, *n.* Penbwl, penbwla.
tag, *n.* Llabed, label ; clust, dolen ; pwyntil.
tail, *n.* Cynffon, cwt, llosgwrn.
tailback, *n.* Ciw, tagfa.
tailor, *n.* I. Teiliwr.
  2. *v.* Teilwra.
tailoress, *n.* Teilwres.
tailoring, *n.* Teilwriaeth.
taint, *n.* I. Staen, difwyniad.
  2. *v.* Staenio, difwyno, llygru.
tainted, *a.* Halogedig, llygredig, drwg.
take, *v.* Cymryd ; dal ; mynd â ; gafael, cydio.
  TO TAKE NOTICE. Dal sylw.
  TO TAKE PLACE. Digwydd.
taking, *a.* Atyniadol, deniadol.
takings, *np.* Derbyniadau.
talcum, *n.* Talcwm.
  TALCUM POWDER. Powdwr talc.
tale, *n.* Chwedl, stori, hanes, clec, clep.
talebearer, *n.* Clepgi, clecyn, cleci.
talent, *n.* Talent, gallu arbennig.
talented, *a.* Talentog, dawnus.
talisman, *n.* Swynbeth, swyn, cyfaredd.
talk, *n.* I. Siarad, ymddiddan, sôn, ymgom, sgwrs.
  2. *v.* Siarad, ymddiddan, chwedleua.
talkative, *a.* Siaradus, parablus.
talker, *n.* Siaradwr, ymgomiwr.
tall, *n.* Tal, uchel.
tallness, *n.* Taldra.
tallow, *n.* Gwêr.
tally, *n.* I. Cyfrif, pren cyfrif.
  2. *v.* Cyfateb.

talon, *n.* Crafanc, ewin (aderyn).
tambourin, *n.* Tambwrîn.
tame, *a.* I. Dof, gwâr, difywyd, difynd.
  2. *v.* Dofi.
tamer, *n.* Dofwr.
tamper, *v.* Ymhel (â), ymyrryd (â).
tan, *n.* I. Lliw haul.
  2. *v.* Rhoi lliw haul, melynu ; barcio.
tang, *n.* Sawr, blas cryf, blas annymunol.
tangible, *a.* Go iawn, sylweddol, gwirioneddol.
tangle, *n.* I. Dryswch.
  2. *v.* Drysu.
tank, *n.* Tanc.
tankard, *n.* Diodlestr.
tanker, *n.* Llong olew, tancer.
tanner, *n.* Barcwr, barcer, crwynwr.
tannery, *n.* Crwynfa, barcerdy, tanerdy.
tantalize, *v.* Blino, poeni.
tantamount, *a.* Cyfwerth, cyfystyr.
tap, *n.* I. Trawiad, cyffyrddiad ysgafn ; tap.
  2. *v.* Taro, cyffwrdd yn ysgafn ; tapio, gollwng.
tape, *n.* Incil, tâp, llinyn.
  MEASURING TAPE. Llinyn mesur.
taper, *n.* I. Cannwyll gŵyr, tapr.
  2. *v.* Meinhau.
tape recorder, *n.* Recordydd tâp.
tapering, *a.* Blaenfain.
tapestry, *n.* Tapestri.
tapeworm, *n.* Llyngyren.
tap-root, *n.* Prif wreiddyn, tapwreiddyn.
tar, *n.* Tar ; morwr, llongwr.
tardiness, *n.* Hwyrfrydigrwydd, arafwch.
tardy, *a.* Hwyrfrydig, araf.
target, *n.* Nod, targed.
tariff, *n.* Toll ; prisiau, rhestr brisiau.
tarnish, *v.* Pylu, llychwino, difwyno.
tarry, *v.* Aros, oedi, trigo, preswylio.
tart, *n.* I. Tarten, pastai, teisen blât.
  2. *a.* Sur, egr, llym.
tartan, *n.* Brithwe, plod.
task, *n.* I. Gorchwyl, tasg.
  2. *v.* Rhoi tasg, trethu, llethu.
taste, *n.* I. Chwaeth, blas.
  2. *v.* Chwaethu, blasu, profi.
tasteful, *a.* Chwaethus, blasus.
tasteless, *a.* Diflas, di-flas, di-chwaeth.
tastelessness, *n.* Diflasrwydd, diffyg chwaeth.
tasty, *a.* Blasus.
tatter, *n.* Cerpyn, rhecsyn.
tattered, *a.* Carpiog, rhacsog.
tattler, *n.* Clebryn.
tattoo, *n.* Tatŵ, croenlun.
taunt, *n.* I. Dannod, gwawd, sen.
  2. *v.* Edliw, dannod, gwawdio.
taut, *a.* Tyn, tynn.
tautologous, *a.* Tawtolegol, ailadroddol, cyfystyrol.
tautology, *n.* Tawtoleg, ailadrodd, cyfystyredd, tawtologaeth.

tavern, *n.* Tafarn, tŷ tafarn, tafarndy.
tawdry, *a.* Coegwych.
tawny, *a.* Melynddu, melyn.
tax, *n.* I. Treth.
    2. *v.* Trethu.
    COUNCIL TAX. Treth gyngor.
    INCOME TAX. Treth incwm.
    TAX FREE. Di-dreth, yn ddi-dreth.
    VALUE ADDED TAX. Treth ar werth.
taxable, *a.* Trethadwy.
taxation, *n.* Trethiad.
tax-gatherer, *n.* Casglwr trethi.
taxi, *n.* Tacsi.
taxidermist, *n.* Stwffiwr anifeiliaid.
tea, *n.* Te.
    TEA-BAG. Cwdyn te.
    TEA-BISCUITS. Bisgedi te.
    TEACUP. Cwpan te.
    TEA-PARTY. Te-parti.
    TEA-TOWEL. Lliain sychu llestri.
teach, *v.* Dysgu, addysgu.
teacher, *n.* Athro.
teaching, *n.* Dysgeidiaeth, athrawiaeth.
team, *n.* Gwedd, pâr, tîm.
teamster, *n.* Gyrrwr gwedd, gyrrwr lorri.
teapot, *n.* Tebot.
tear, *n.* Deigryn.
tear, *n.* I. Rhwyg.
    2. *v.* Rhwygo, llarpio.
tearful, *a.* Dagreuol.
tease, *v.* Poeni, blino, pryfocio.
teaser, *n.* Poenwr, pryfociwr ; pos.
teaspoon, *n.* Llwy de.
teaspoonful, *n.* Llond llwy de.
teat, *n.* Teth, diden.
technical, *a.* Technegol.
technician, *n.* Technegydd.
technique, *n.* Techneg.
technological, *a.* Technolegol.
technology, *n.* Technoleg.
tedious, *a.* Blin, poenus, hir.
tediousness, *n.* Blinder.
tedium, *n.* Diflastod.
teem, *v.* Heigio, bod yn llawn.
teeming, *a.* Llawn, heigiog.
teenager, *n.* Glaslanc, glaslances, un yn ei arddegau.
teens, *n.* Arddegau, glasoed.
teethe, *v.* Torri dannedd.
telecommunication, *n.* Telathrebu.
teetotaller, *n.* Llwyrymwrthodwr.
telegram, *n.* Telegram.
telegraph, *n.* I. Telegraff.
    2. *v.* Telegraffio.
telegraphist, *n.* Telegraffydd.
telegraphy, *n.* Telegraffiaeth.
teleological, *a.* Dibenyddol.
teleology, *n.* Dibenyddiaeth.
telephone, *n.* Teleffon, ffôn (*gw.* **phone**).
telephonist, *n.* Teleffonydd.

telescope, *n.* Telesgob, telesgop, ysbienddrych.
televise, *v.* Teledu.
television, *n.* Teledu.
    TELEVISION BROADCAST. Telediad.
tell, *v.* Dweud, traethu, adrodd, cyfrif, rhifo.
teller, *n.* Adroddwr ; rhifwr, cyfrifwr.
telling, *a.* Effeithiol, cyrhaeddgar, trawiadol.
telltale, *n.* Clepgi, clepiwr, clecyn.
temerity, *n.* Rhyfyg, byrbwylltra, hyfdra.
temper, *n.* I. Tymer, natur, naws, tymer ddrwg.
    2. *v.* Tymheru, tempro.
temperament, *n.* Anian, natur.
temperamental, *a.* Gwamal, oriog, di-ddal.
temperance, *n.* Cymedroldeb ; dirwest.
temperate, *a.* Cymedrol, sobr, tymherus, tymheraidd.
temperature, *n.* Tymheredd.
tempest, *n.* Tymestl.
tempestuous, *a.* Tymhestlog.
temple, *n.* Teml ; arlais.
tempo, *n.* Tempo, amseriad.
temporal, *a.* Tymhorol, amserol.
temporary, *a.* Dros amser, dros dro, tymhorol.
temporize, *v.* Oedi, anwadalu.
tempt, *v.* Temtio, denu, llithio ; profi.
temptation, *n.* Temtiad, temtasiwn, profedigaeth.
tempter, *n.* Temtiwr.
ten, *a.* Deg.
tenable, *a.* Daliadwy ; credadwy.
tenacious, *a.* Gafaelgar, glynol, cyndyn, gwydn.
tenacity, *n.* Cyndynrwydd, gwydnwch.
tenancy, *n.* Deiliadaeth.
tenant, *n.* Deiliad, tenant.
tend, *v.* Tueddu ; gweini, tendio.
tendency, *n.* Tuedd, gogwydd.
tendentious, *a.* Tueddiadol, gogwyddog.
tender, *n.* I. Cynnig.
    2. *a.* Tyner, mwyn, tirion.
    3. *v.* Cynnig, cyflwyno.
tender-hearted, *a.* Tyner-galon.
tenderness, *n.* Tynerwch.
tendon, *n.* Gewyn.
tendril, *n.* Tendril.
tenement, *n.* Annedd, rhandy.
tenet, *n.* Barn, tyb, cred.
tenfold, *a.* Dengwaith.
tennis, *n.* Tennis.
tenor, *n.* Cwrs, cyfeiriad ; ystyr ; tenor.
    TENOR CLEF. Cleff tenor.
tense, *n.* I. Amser (*gram.*).
    2. *a.* Tynn ; angerddol, dwys.
tension, *n.* Tyndra, pwysedd, tensiwn, tyniant.
tent, *n.* Pabell.
tentative, *a.* Arbrofiadol.
tenth, *a.* Degfed, degwm.
tenuous, *a.* Tenau, main, prin.
tenure, *n.* Deiliadaeth.
    FREEHOLD TENURE. Deiliadaeth rydd.
    LEASEHOLD TENURE. Deiliadaeth brydles.

tepid, *a.* Claear.
tercentenary, *n.* Trichanmlwyddiant.
term, *n.* I. Terfyn ; cyfnod, tymor ; amod ;
ymadrodd, term.
2. *v.* Galw, enwi.
TERMS. Telerau, amodau.
terminal, *a.* Terfynol, tymhorol.
terminate, *v.* Terfynu.
termination, *n.* Terfyniad.
terminological, *a.* Termegol.
terminology, *n.* Terminoleg.
terminus, *n.* Terfyn.
termites, *np.* Morgrug gwynion.
terrace, *n.* Teras, rhes dai.
terrestrial, *a.* Daearol.
terrible, *a.* Dychrynllyd, ofnadwy, arswydus.
terrier, *n.* Daeargi.
terrific, *a.* Dychrynllyd, erchyll ; gwych,
ardderchog, campus.
terrify, *v.* Dychrynu, brawychu.
terrifying, *a.* Arswydus, brawychus, dychrynllyd.
territorial, *a.* Tiriogaethol.
territory, *n.* Tir, tiriogaeth.
terror, *n.* Dychryn, ofn, braw.
terrorist, *n.* Brawychwr, dychrynwr.
terrorize, *v.* Brawychu, dychrynu.
terse, *a.* Cryno, byr, cynhwysfawr.
terseness, *n.* Crynoder, byrdra.
tertiary, *a.* Trydyddol.
test, *n.* I. Prawf.
2. *v.* Profi.
BLOOD TEST. Prawf gwaed.
DRIVING TEST. Prawf gyrru.
PRELIMINARY TEST. Rhagbrawf.
TEST MATCH. Gêm brawf.
testament, *n.* Cyfamod, testament ; ewyllys.
NEW TESTAMENT. Testament Newydd.
testamentary, *a.* Cymynnol, ewyllysiol.
testator, n. Cymynnwr.
testatrix, *n.* Cymynwraig.
tester, *n.* Profwr.
testify, *v.* Tystiolaeth, tystio.
testimonial, *n.* Tysteb, tystlythyr.
testimony, *n.* Tystiolaeth.
tether, *n.* I. Tennyn, rhaff.
2. *v.* Clymu, rhwymo.
text, *n.* Testun.
text-book, *n.* Gwerslyfr.
textile, *n.* I. Brethyn, defnydd gweol.
2. *a.* Gweol, wedi ei wau.
TEXTILE INDUSTRY. Diwydiant gwehyddu.
textual, *a.* Testunol.
texture, *n.* Gwe, gwead ; cymhlethiad.
than, *c.* Na, nag.
thank, *v.* Diolch, talu diolch.
THANK YOU. Diolch (i chi).
thankful, *a.* Diolchgar.
thankfulness, *n.* Diolchgarwch.
thankless, *a.* Di-ddiolch, anniolchgar.

thanklessness, *n.* Anniolchgarwch.
thanks, *np.* Diolch, diolchiadau.
thanksgiving, *n.* Diolchgarwch.
that, *pn.* (*dem.*). I. Hwn yna, hon yna, hwnnw,
honno, honna, hynny, hwn acw, hon acw.
2. *pn.* (*rel.*). A, y, yr.
3. *a.* Hwnnw, honno, hynny, yna, acw.
4. *c.* Mai, taw ; fel y, fel yr.
thatch, *n.* I. To, to gwellt.
2. *v.* Toi.
thatcher, *n.* Töwr.
thaw, *n.* I. Dadlaith, dadmer.
2. *v.* Dadlaith, toddi, dadmer, meirioli.
the, *def. art.* Y, yr, 'r.
theatre, *n.* Theatr, chwaraedy.
theatrical, *a.* Theatraidd.
thee, *pn.* Ti, tydi, tithau.
theft, *n.* Lladrad.
their, *pn.* Eu, 'u, 'w, nhw, hwy.
theirs, *pn.* Eiddynt, yr eiddynt hwy.
theism, *n.* Theistiaeth, duwiaeth.
theist, *n.* Un sy'n credu yn Nuw, theistiad.
theistical, *a.* Duwiaethol, theistig.
them, *pn.* Hwy, hwynt, hwythau, nhw.
theme, *n.* Thema, testun, pwnc.
themselves, *pn.* Eu hunain.
then, *ad.* I. Y pryd hwnnw ; yna, wedyn, wedi
hynny.
2. *c.* Yna, am hynny ; ynteu.
thence, *ad.* Oddi yno.
thenceforth, *ad.* O'r amser hwnnw.
theologian, *n.* Diwinydd.
theological, *a.* Diwinyddol.
theology, *n.* Diwinyddiaeth.
theorem, *n.* Theorem.
theoretical, *a.* Damcaniaethol.
theory, *n.* Damcaniaeth.
therapeutic, *a.* Iachusol, therapiwtig.
therapy, *n.* Therapi.
there, *ad.* Yna, yno, acw ; dyna, dacw.
thereabout[s], *ad.* Tua hynny, o boptu i hynny.
thereafter, *ad.* Wedyn.
thereat, *ad.* Ar hynny, yna.
thereby, *ad.* Trwy hynny.
therefore, *c.* Gan hynny, am hynny, felly.
therefrom, *ad.* Oddi yno.
thereof, *ad.* O hynny, am hynny.
thereupon, *ad.* Ar hynny.
thereto, *ad.* At hynny.
therewith, *ad.* Gyda hynny.
thermal, *a.* Twym, poeth, gwresol, thermol.
THERMAL UNDERWEAR. Dillad isaf thermol.
thermometer, *n.* Thermomedr.
these, *a.* (*dem.*) *p. & pn.* Y rhai hyn, y rhain.
thesis, *n.* Gosodiad ; traethawd ymchwil.
they, *pn.* Hwy, hwynt, hwythau, hwynt-hwy, nhw.
thick, *n.* I. Canol, trwch.
2. *a.* Tew, trwchus, praff.
3. *ad.* Yn dew, yn aml, yn fynych.

thicken, *v.* Tewhau, tewychu.
thicket, *n.* Llwyn, prysglwyn.
thick-headed, *a.* Pendew, hurt, twp.
thickness, *n.* Trwch, praffter, tewder.
thickset, *a.* Cydnerth, byrdew (am berson) ; tew, aml, trwchus (am goed, &c.).
thief, *n.* Lleidr, lladrones.
thieve, *v.* Lladrata, dwyn.
thievish, *a.* Lladronllyd.
thigh, *n.* Clun, morddwyd.
thimble, *n.* Gwniadur.
thin, *a.* I. Tenau, main, cul ; anaml, prin.
    2. *v.* Teneuo.
thine, *pn.* Eiddot, yr eiddot ti, dy.
thing, *n.* Peth, dim.
think, *v.* Meddwl, synied, tybied, tybio, credu, ystyried.
thinkable, *a.* Meddyladwy, dirnadwy, y gellir ei synied, hygoel.
thinker, *n.* Meddyliwr.
thinking, *n.* I. Meddwl, barn, tyb.
    2. *a.* Meddylgar.
thinness, *n.* Teneuwch, teneuder.
third, *a.* Trydydd, trydedd.
thirdly, *ad.* Yn drydydd.
thirst, *n.* I. Syched.
    2. *v.* Sychedu.
thirsty, *a.* Sychedig.
thirteen, *a.* Tri ar ddeg, tair ar ddeg, un deg tri.
thirteenth, *a.* Trydydd ar ddeg.
thirtieth, *a.* Degfed ar hugain, tri degfed.
thirty, *a.* Deg ar hugain, tri deg.
this, *pn.* (*dem.*). I. Hwn, hon, hyn, y rhai hyn, y rhain.
    2. *a.* (*dem.*). Hwn, hon, hyn, yma.
    THIS AND THAT. Hyn a'r llall.
    THIS DAY. Heddiw, y dydd hwn.
    THIS NIGHT. Heno, y nos hon.
    THIS YEAR. Eleni.
thistle, *n.* Ysgallen, ysgellyn.
thistly, *a.* Ysgallog.
thither, *ad.* Yno, tuag yno.
    HITHER AND THITHER. Yma ac acw, yn ôl ac ymlaen.
thong, *n.* Carrai.
thorn, *n.* Draen, draenen.
thorny, *a.* Dreiniog, pigog.
thorough, *a.* Trwyadl, trylwyr.
thoroughfare, *n.* Tramwyfa.
thoroughness, *n.* Trylwyredd.
those, *pn.* (*dem.*). *pl.* I. Y rhai hynny, y rhai yna, y rheiny, y rheini.
    2. *a.* (*dem.*). *pl.* Hynny, yna.
thou, *pn.* Ti, tydi, tithau.
though, *c.* I. Er, serch, pe, cyd.
    2. *ad.* Er hynny, serch hynny.
thought, *n.* Meddwl.
thoughtful, *a.* Meddylgar, ystyriol.
thoughtfulness, *n.* Meddylgarwch.

thoughtless, *a.* Difeddwl.
thousand, *a.* Mil.
thousandth, *a.* Milfed.
thrash, *v.* Dyrnu, ffusto, curo.
thrashing, *n.* Curfa, coten, cweir.
thread, *n.* I. Edau, edefyn.
    2. *v.* Dodi edau mewn nodwydd, dodi ar edau.
threadbare, *a.* Llwm, treuliedig, wedi treulio.
threat, *n.* Bygythiad.
threaten, *v.* Bygwth.
threatening, *a.* Bygythiol.
three, *a.* Tri, tair.
    THREE DAYS. Tri diwrnod, tridiau.
threefold, *a.* Triphlyg.
three-legged, *a.* Teircoes, trithroed teirtroed.
threepence, *n.* Tair ceiniog.
threescore, *a.* Trigain.
thresh, *v.* Dyrnu, ffusto.
thresher, *n.* Dyrnwr, ffustwr ; peiriant dyrnu.
threshold, *n.* Trothwy, hiniog, rhiniog.
thrice, *ad.* Teirgwaith.
thrift, *n.* Darbodaeth, cynildeb.
thriftless, *a.* Gwastraffus.
thrifty, *a.* Darbodus, cynnil.
thrill, *n.* I. Ias, gwefr.
    2. *v.* Cynhyrfu, gwefreiddio, cyffroi.
thrilling, *a.* Cyffrous, gwefreiddiol.
thrive, *v.* Dyfod ymlaen, llwyddo, ffynnu.
throat, *n.* Gwddf, gwddwg.
throb, *v.* Dychlamu, curo.
throne, *n.* Gorsedd, gorseddfainc.
throng, *n.* I. Torf, tyrfa, llu.
    2. *v.* Tyrru, heidio.
throttle, *n.* I. Corn gwynt, corn gwddf, breuant ; falf nwy, throtl, sbardun.
    2. *v.* Llindagu, tagu.
through, *prp.* I. Trwy, drwy.
    2. *ad.* Drwodd.
throughout, *prp.* I. Trwy.
    2. *ad.* O ben bwy gilydd, drwodd.
throw, *n.* I. Tafliad.
    2. *v.* Taflu, lluchio, bwrw.
thrower, *n.* Taflwr.
thrush, *n.* Bronfraith, tresglen.
thrust, *n.* I. Gwth, hwrdd, hergwd hwb, hwp.
    2. *v.* Gwthio, hwpo, hwpio, gwanu.
thud, *n.* Twrf, sŵn trwm.
thumb, *n.* I. Bawd.
    2. *v.* Bodio.
thump, *n.* I. Pwniad, dyrnod.
    2. *v.* Pwnio, dyrnu, curo.
thumping, *a.* Aruthrol, anferth.
thunder, *n.* I. Taranau, tyrfau, trystau.
    2. *v.* Taranu, tyrfo.
    THUNDER AND LIGHTNING. Tyrfau a lluched, mellt a tharanau.
thunderbolt, *n.* Llucheden, mellten, taranfollt, bollt.
thundering, *a.* Taranllyd, aruthr.
Thursday, *n.* Dydd Iau.

thus, *ad.* Fel hyn, felly.
thwart, *v.* Croesi, gwrthwynebu, rhwystro.
thy, *pn.* Dy, 'th.
thyme, *n.* Teim.
thyself, *pn.* Dy hun, dy hunan.
tick, *n.* I. Trogen ; tipian, tic ; lliain gwely plu neu fatras ; nod, marc.
    2. *v.* Tipian, ticio ; marcio, ticio.
ticket, *n.* Ticed, tocyn.
tickle, *n.* I. Goglais.
    2. *v.* Goglais, gogleisio.
ticklish, *a.* I. Gogleisiol.
    2. Anodd, dyrys.
tidal, *a.* Perthynol i'r llanw.
tide, *n.* Llanw ; amser, pryd.
tidiness, *n.* Taclusrwydd, cymhendod.
tidings, *np.* Newyddion.
tidy, *a.* I. Cryno, taclus, twt, trefnus, destlus, cymen.
    2. *v.* Tacluso, cymhennu.
tie, *n.* I. Cwlwm, cadach, tei.
    2. *v.* Clymu, rhwymo, bod yn gyfartal.
tied, *a.* Rhwym, caeth.
    TIED NOTES. Nodau clwm.
tier, *n.* Rhes, rheng.
tiff, *n.* Ffrae.
tiger, *n.* Teigr.
tigerish, *a.* Teigraidd.
tight, *a.* Tyn, diddos, cyfyng.
tighten, *v.* Tynhau.
tightness, *n.* Tyndra.
tights, *np.* Teits.
tigress, *n.* Teigres.
tile, *n.* I. Teilsen.
    2. *v.* Toi (â theils) ; teilsio (wal).
tiler, *n.* Towr, töwr.
till, *prp.* I. Hyd, hyd at, tan.
    2. *c.* Hyd oni, nes.
till, *v.* Trin tir, amaethu.
tillage, *n.* Amaethu, trin tir, tir âr.
tiller, *n.* Llafurwr, ffermwr, triniwr ; braich llyw.
tilt, *n.* I. Gogwydd, goleddf.
    2. *v.* Gogwyddo.
tilth, *n.* Tir âr ; tir ffaeth ; trwch, tymer, breuder.
timber, *n.* Coed, pren.
timbrel, *n.* Tympan, tabwrdd.
time, *n.* I. Amser, pryd, adeg, tymor ; tro, gwaith.
    2. *v.* Amseru.
    TIME SIGNATURE. Arwydd amser (cerddoriaeth).
    FROM TIME TO TIME. O bryd i'w gilydd.
timekeeper, *n.* Amserydd ; cloc, wats.
timeliness, *n.* Amseroldeb.
timeless, *a.* Diamser, tragwyddol.
timely, *a.* Amserol, prydlon.
timepiece, *n.* Cloc, wats.
timetable, *n.* Amserlen.
timid, *a.* Ofnus, swil.
timidity, *n.* Ofnusrwydd.
timing, *n.* Amseriad.

timorous, *a.* Ofnus, ofnog.
timpani, *n.* Tympan.
tin, *n.* Alcam, tun.
tin foil, *n.* Tunffoil, papur arian.
tinge, *n.* I. Lliw, arlliw, gwawr.
    2. *v.* Lliwio, arlliwio.
tingle, *v.* Gwefreiddio, goglais, gwrido, merwino.
tinker, *n.* Tincer.
tinkle, *v.* Tincial, tincian.
tinkling, *n.* Tincian.
tinned, *a.* Mewn tun, tun.
tint, *n.* I. Lliw, arlliw, gwawr.
    2. *v.* Lliwio, arlliwio.
tiny, *a.* Bychan, bach, pitw.
tip, *n.* I. Blaen, brig, pen, top ; awgrym, cyngor ; cil-dwrn, gwobr ; tip, tomen.
    2. *v.* Troi, dymchwelyd ; gwobrwyo, rhoi cil-dwrn.
tipple, *v.* Llymeitian, diota.
tippler, *n.* Diotwr, meddwyn.
tipsy, *a.* Meddw, brwysg.
tiptoe, *n.* Blaen troed.
    ON TIPTOE. Ar flaenau'r traed.
tip-top, *a.* Campus.
tire, *v.* Blino, diffygio.
tire : tyre, *n.* Cylch, cant, teiar.
tired, *a.* Blinedig, lluddedig.
tiredness, *n.* Blinder, lludded.
tiresome, *a.* Blinderus, blin, plagus.
tissue, *n.* Meinwe, manwe.
tissue-paper, *n.* Papur sidan.
titanic, *a.* Cawraidd, anferth.
titbit, *n.* Amheuthun.
tithe, *n.* I. Degwm.
    2. *v.* Degymu.
titivate, *v.* Pincio, tacluso, ymbincio, ymdacluso.
title, *n.* Teitl, enw, hawl.
title-deed, *n.* Dogfen hawlfraint neu hawl, gweithred eiddo.
title-page, *n.* Wynebddalen.
titter, *n. v.* Lledchwerthin, cilchwerthin.
tittle, *n.* Gronyn, mymryn.
tittle-tattle, *n.* Cleber, clecs.
titular, *a.* Mewn enw.
to, *prp.* I, tua, at, hyd at, yn.
toad, *n.* Llyffant, llyffant du.
toadstool, *n.* Caws llyffant, bwyd y boda, bwyd y barcud, madalch, madarch.
toady, *n.* I. Cynffonnwr.
    2. *v.* Cynffonna.
toast, *n.* I. Tost, bara crasu ; llwncdestun, yfed iechyd da.
    2. *v.* Tostio, crasu ; yfed iechyd, cynnig llwnc-destun.
tobacco, *n.* Tybaco, baco.
tobacconist, *n.* Gwerthwr tybaco/baco.
today, *ad.* Heddiw.
toddler, *n.* Plentyn bach.
toe, *n.* Bys troed.

toffee, *n.* Taffi, toffi, cyflaith, melysion.
together, *ad.* Ynghyd, gyda'i gilydd, ar y cyd.
toil, *n.* I. Llafur.
    2. *v.* Llafurio, ymboeni.
toilet, *n.* Trwsiad, gwisgiad ; ystafell wisgo ac ymolchi ; ymolchi ; tŷ bach, toiled, lle chwech.
    TOILET PAPER. Papur toiled.
toilsome, *a.* Llafurus, trafferthus.
token, *n.* Arwydd ; tocyn.
tolerable, *a.* Goddefol, gweddol, cymedrol.
tolerance, *n.* Goddefgarwch.
tolerant, *a.* Goddefgar.
toll, *n.* I. Toll, treth ; canu cloch, cnul.
    2. *v.* Tolli ; cnulio, canu cnul.
tollbooth, *n.* Tollfa.
toll-gate, *n.* Tollborth.
tomato, *n.* Tomato.
tomb, *n.* Bedd, beddrod.
tomboy, *n.* Hoeden, rhampen.
tombstone, *n.* Carreg fedd, beddfaen.
tom-cat, *n.* Cwrcyn, gwrcath.
tome, *n.* Cyfrol fawr.
tomfoolery, *n.* Ynfydrwydd, ffwlbri, lol.
tomorrow, *ad.* Yfory.
    THE DAY AFTER TOMORROW. Trennydd.
tomtit, *n.* Gwas y dryw.
ton, *n.* Tunnell.
tone, *n.* Tôn, goslef ; lliw, gwawr.
tongs, *np.* Gefel.
tongue, *n.* Tafod ; iaith.
    MOTHER TONGUE. Mamiaith.
    TONGUE-TWISTER. Cwlwm tafod.
tonic, *n.* Tonic, meddyginiaeth gryfhaol.
tonight, *ad.* Heno.
tonsil, *n.* Tonsil.
tonsillitis, *n.* Llyd y tonsiliau, tonsilitis.
too, *ad.* Hefyd, yn ogystal, ar ben hynny.
    TOO MUCH. Gormod.
tool, *n.* Offeryn, arf, erfyn.
    EDGED TOOLS. Arfau miniog.
tooth, *n.* Dant. *pl.* Dannedd ; cocos (olwyn).
    FORE TEETH. Dannedd blaen.
toothache, *n.* Dannoedd.
toothbrush, *n.* Brws dannedd.
toothed, *a.* Danheddog.
toothless, *a.* Diddannedd, mantach.
toothpaste, *n.* Past dannedd, sebon dannedd.
tooth-powder, *n.* Powdwr dannedd.
toothsome, *a.* Danteithiol, blasus.
top, *n.* I. Pen, brig, blaen, copa, top.
    2. *v.* Tocio, torri brig ; rhagori (ar).
top-heavy, *a.* Pendrwm.
topic, *n.* Pwnc, testun.
topical, *a.* Amserol, lleol.
topmost, *a.* Uchaf.
topographical, *a.* Daearyddol.
topography, *n.* Daearyddiaeth leol.
topple, *v.* Cwympo, syrthio, dymchwelyd, ymhoelyd.

topsy-turvy, *ad.* Wyneb i waered, ben-dramwnwgl, blith-draphlith.
torch, *n.* Ffagl ; fflach, torts.
    TORCH-LIGHT. Golau torts.
torment, *n.* I. Poenedigaeth, artaith.
    2. *v.* Poenydio, arteithio.
tormentor, *n.* Poenydiwr, poenwr.
tornado, *n.* Corwynt, hyrddwynt.
torpedo, *n.* Torpido.
torpid, *a.* Marwaidd, cysglyd, swrth.
torrent, *n.* Cenllif, ffrydlif, llifeiriant.
torrential, *a.* Llifeiriol.
torrid, *a.* Poeth, crasboeth.
    TORRID ZONE. Cylchfa grasboeth.
tortoise, *n.* Crwban.
tortuous, *a.* Troellog, trofaus.
torture, *n.* I. Artaith, dirboen.
    2. *v.* Arteithio, dirboeni, dirdynnu, poenydio.
torturer, *n.* Arteithiwr, poenydiwr.
Tory, *n.* I. Ceidwadwr, Tori.
    2. *a.* Ceidwadol, Torïaidd.
toss, *n.* I. Tafliad.
    2. *v.* Taflu, lluchio.
total, *n.* I. Cyfanrif, cyfanswm, y cyfan.
    2. *a.* Cwbl, cyfan, hollol.
totter, *v.* Siglo, gwegian.
tottering, *a.* Sigledig, ar gwympo.
touch, *n.* I. Cyffyrddiad, teimlad.
    2. *v.* Cyffwrdd, teimlo.
touching, *a.* Teimladwy.
touchy, *a.* Croendenau.
tough, *a.* Gwydn, cyndyn, caled.
toughness, *n.* Gwydnwch.
tour, *n.* Taith.
tourism, *n.* Twristiaeth.
tourist, *n.* Teithiwr, ymwelydd.
tournament, *n.* Twrnamaint.
tousled, *a.* Anhrefnus, anniben.
tow, *n.* I. Carth ; haliad, llusg.
    2. *v.* Halio, llusgo, tynnu.
towards, *prp.* Tua, tuag at, at.
towel, *n.* Lliain sychu, tywel.
tower, *n.* I. Tŵr.
    2. *v.* Sefyll yn uchel.
towering, *a.* Uchel iawn.
town, *n.* Tref, tre.
townsman, *n.* Trefwr.
tow-rope, *n.* Llysgraff, rhaff dynnu.
toxic, *a.* Gwenwynig.
toxicity, *n.* Gwenwyndra.
toy, *n.* Tegan.
trace, *n.* I. Ôl, trywydd ; tres.
    2. *v.* Olrhain, dilyn ; amlinellu
    TRACE ELEMENTS. Elfennau prin.
traceable, *a.* Olrheiniadwy.
tracery, *n.* Rhwyllwaith.
trachea, *n.* Corn gwynt, breuant.
tracing, *n.* Olrhead, dargopi.
track, *n.* I. Trywydd, ôl, ôl troed.
    2. *v.* Dilyn, llwybro, olrhain.

tracksuit, *n.* Tracwisg.
tract, *n.* Ardal, parth, rhandir, rhanbarth, llain ; traethodyn, llyfryn.
tractable, *a.* Hydrin, hywedd, hawdd ei drin.
traction, *n.* Tyniad, tyniant.
tractor, *n.* Tractor.
trade, *n.* 1. Busnes, masnach ; galwedigaeth, crefft.
　　2. *v.* Masnachu, prynu a gwerthu.
trade-mark, *n.* Nod masnach.
trader, *n.* Masnachwr.
tradesman, *n.* Masnachwr, siopwr.
trade union : trades union, *n.* Undeb llafur.
tradition, *n.* Traddodiad.
traditional, *a.* Traddodiadol.
traduce, *v.* Cablu, enllibio.
traffic, *n.* 1. Trafnidiaeth, masnach, tramwy, traffig.
　　2. *v.* Trafnidio, masnachu, tramwy.
　　TRAFFIC-LIGHTS. Goleuadau traffig.
tragedy, *n.* Trasiedi, trychineb, galanas.
tragic, *a.* Trychinebus, alaethus.
trail, *n.* 1. Ôl, trywydd, llwybr.
　　2. *y.* Llusgo ; dilyn trywydd.
trailer, Ôl-gart, ôl-gerbyd ; dilynwr ; planhigyn ymlysgol.
train, *n.* 1. Gosgordd ; godre ; trên ; rhes, cyfres.
　　2. *v.* Hyfforddi, meithrin ; ymarfer.
trainer, *n.* Hyfforddwr.
trainers, *np.* Esgidiau ymarfer ; hyfforddwyr.
training, *n.* Hyfforddiant.
　　TRAINING COLLEGE. Coleg hyfforddi.
　　TRAINING GROUND. Maes ymarfer.
trait, *n.* Nodwedd.
traitor, *n.* Bradwr, bradychwr.
traitorous, *a.* Bradwrus.
trajectory, *n.* Taflwybr.
tram, *n.* Tram, dram.
tramp, *n.* 1. Crwydryn, tramp.
　　2. *v.* Crwydro, cerdded.
trample, *v.* Sathru, damsang, damsiel, mathru.
trance, *n.* Llewyg, llesmair.
tranquil, *a.* Tawel, llonydd.
tranquillity, *n.* Tawelwch, llonyddwch.
tranquillizer, *n.* Tawelyn, tawelydd.
transact, *v.* Trin, trafod.
transaction, *n.* Trafodaeth, rheolaeth.
transactions, *np.* Trafodion.
transcend, *v.* Rhagori (ar).
transcendent, *a.* Tra-rhagorol, goruchaf.
transcendental, *a.* Trosgynnol.
transcribe, *v.* Copïo.
transcription, *n.* Copi.
transfer, *n.* 1. Trosglwyddiad.
　　2. *v.* Trosglwyddo.
transferable, *a.* Trosglwyddadwy.
transference, *n.* Trosglwyddiad.
transfiguration, *n.* Gweddnewidiad.
transfigure, *v.* Gweddnewid.
transfix, *v.* Trywanu, gwanu.
transform, *v.* Trawsffurfio.

transformation, *n.* Trawsffurfiad.
transformer, *n.* Newidydd.
transfusion, *n.* Arllwysiad, tywalltiad ; trallwysiad.
　　BLOOD TRANSFUSION. Trallwysiad gwaed.
transgress, *v.* Troseddu.
transgressor, *n.* Troseddwr ; pechadur.
transgression, *n.* Trosedd, camwedd.
transient, *a.* Diflanedig, darfodedig.
transit, *n.* Mynediad, trosglwyddiad.
transition, *n.* Newidiad, trawsnewidiad ; trosiad ; trawsgyweiriad.
transitive, *a.* Anghyflawn (*gram.*).
transitory, *a.* Diflannol, diflanedig, dros dro, byrhoedlog.
translate, *v.* Cyfieithu, trosi.
translation, *n.* Cyfieithiad, trosiad.
translator, *n.* Cyfieithydd.
translucent, *a.* Lled dryloyw, tryleu.
transmigrate, *v.* Trawsfudo.
transmigration, *n.* Trawsfudiad.
transmission, *n.* Trosglwyddiad, anfoniad.
transmit, *v.* Trosglwyddo, anfon ; darlledu, teledu.
transmitter, *n.* Trosglwyddydd.
transmitting-station, *n.* Gorsaf drosglwyddo.
transmutation, *n.* Trawsnewidiad.
transmute, *v.* Trawsnewid.
transparency, *n.* Tryloywder.
transparent, *a.* Tryloyw.
transpire, *v.* Dod yn hysbys, digwydd.
transplant, *v.* Trawsblannu.
transport, *v.* 1. Cludo, symud, trosglwyddo ; alltudio.
　　2. *n.* Trosglwyddiad, cludiad ; gorawen.
　　TRANSPORTED SOIL. Cludbridd.
transportation, *n.* Cludiad ; alltudiaeth.
transpose, *v.* Trawsddodi, trosi, newid (lle neu drefn).
transposition, *n.* Trosiad, trawsosodiad.
transubstantiation, *n.* Traws-sylweddiad.
transverse, *a.* Croes, traws.
trap, *n.* 1. Trap, magl.
　　2. *v.* Maglu, dal.
trap-door, *n.* Ceuddrws.
trapeze, *n.* Trapîs.
trapper, *n.* Trapwr, maglwr.
trappings, *np.* Harnais, gêr.
trash, *n.* Sothach, sorod.
travail, *n.* Llafur, caledi, gwewyr (esgor).
travel, *n.* 1. Taith, teithio.
　　2. *v.* Teithio, trafaelu.
　　TRAVEL AGENT. Asiant teithio.
traveller, *n.* Teithiwr.
travellers' cheques, *np.* Sieciau teithio.
travelling, *a.* Teithiol.
traverse, *n.* 1. Croeslath ; croesfan ; oriel groes ; gwely, grwn.
　　2. *a.* Croes, traws.
　　3. *v.* Mynd ar draws, croesi.
trawl, *n.* Llusgrwyd, rhwyd lusg.
trawler, *n.* Llong bysgota.

tray, *n.* Hambwrdd.
treacherous, *a.* Bradwrus.
treachery, *n.* Brad, bradwriaeth.
treacle, *n.* Triagl.
tread, *n.* I. Cam, troediad, sang.
   2. *v.* Camu, troedio, sangu.
treason, *n.* Teyrnfradwriaeth.
treasure, *n.* I. Trysor.
   2. *v.* Trysori.
treasure-house, *n.* Trysordy.
treasurer, *n.* Trysorydd.
treasury, *n.* Trysordy, trysorfa.
   THE TREASURY. Y Trysorlys.
treat, *n.* I. Amheuthun, gwledd, pleser.
   2. *v.* Traethu (ar) ; ymdrin ; rhoi.
treatise, *n.* Traethawd.
treatment, *n.* Triniaeth.
treaty, *n.* Cytunteb, cyfamod.
treble, *n.* I. Trebl.
   2. *a.* Triphlyg.
   3. *v.* Treblu.
   TREBLE STAVE. Erwydd y trebl.
tree, *n.* Pren, coeden.
trek, *v.* I. Teithio, hirdeithio.
   2. *n.* Hirdaith, ymdaith.
trellis, *n.* Delltwaith.
tremble, *v.* Crynu.
trembling, *a.* Crynedig.
tremendous, *a.* Anferth, dychrynllyd.
tremor, *n.* Cryndod, crynfa.
tremulous, *a.* Crynedig.
trench, *n.* I. Ffos, cwter, rhych.
   2. *v.* Cloddio, rhychu.
trenchant, *a.* Llym, miniog.
trencher, *n.* Treinsiwr, plât pren.
trend, *n.* I. Tuedd, gogwydd.
   2. *v.* Tueddu, gogwyddo.
trepidation, *n.* Cryndod, dychryn, ofn.
trespass, *n.* I. Trosedd, camwedd, tresmas.
   2. *v.* Troseddu, tresmasu.
trespasser, *n.* Tresmaswr.
tress, *n.* Cudyn, tres.
trestle, *n.* Trestl.
triad, *n.* Tri, triawd.
   TRIADS. Trioedd.
trial, *n.* Prawf, treial ; profedigaeth, trallod.
triangle, *n.* Triongl.
triangular, *a.* Trionglog.
tribal, *a.* Llwythol.
tribe, *n.* Llwyth, tylwyth.
tribulation, *n.* Trallod, caledi, gorthrymder.
tribunal, *n.* Tribiwnlys, brawdle.
tributary, *n.* Isafon, rhagnant ; cyfroddwr dan dreth.
tribute, *n.* Teyrnged, treth.
trice, *n. Only in the phrase* IN A TRICE. Mewn eiliad, mewn munud.
trick, *n.* I. Ystryw, cast, tric, pranc.
   2. *v.* Twyllo.
   SHABBY TRICK. Tro gwael.

trickery, *n.* Dichell, twyll, ystryw.
trickle, *v.* Diferu, llifo'n araf.
trickster, *n.* Twyllwr, castiwr.
tricky, *a.* Ystrywgar, castiog ; anodd, cymhleth.
trident, *n.* Tryfer.
triennial, *a.* Bob tair blynedd.
trifle, *n.* I. Peth dibwys, peth diwerth ; mymryn, gronyn.
   2. *v.* Cellwair, chwarae â.
trifling, *a.* Dibwys, diwerth.
trigger, *n.* Cliced.
trigonometry, *n.* Trigonometreg.
trill, *n.* I. Tril, crychlais.
   2. *v.* Trilio, crychleisio, cwafrio.
trilogy, *n.* Cyfres o dair (drama, nofel, &c.).
trim, *n.* I. Cyflwr, trefn ; toriad, tociad, trim ; addurn.
   2. *a.* Trwsiadus, taclus, destlus, twt.
   3. *v.* Trwsio, taclu, trimio, tocio.
trimmer, *n.* Trwsiwr, trimiwr, tociwr.
trimmings, *np.* Addurniadau.
trimness, *n.* Taclusrwydd, destlusrwydd.
trinity, *n.* Trindod.
   THE TRINITY. Y Drindod.
trinket, *n.* Tegan, tlws.
trio, *n.* Triawd, trio.
trip, *n.* I. Llithrad ; pleserdaith.
   2. *v.* Llithro, tripio.
tripartite, *a.* Teiran.
triple, *a.* Triphlyg.
   TRIPLE CONCERTO. Concerto triphlyg.
triplet, *n.* Tripled, triban.
triplicate, *a.* Triphlyg.
tripod, *n.* Trybedd.
trisect, *v.* Traeanu, rhannu'n dri/dair.
trite, *a.* Cyffredin, sathredig.
triteness, *n.* Cyffredinedd.
triumph, *n.* I. Buddugoliaeth, goruchafiaeth.
   2. *v.* Gorchfygu, ennill.
triumphal, *a.* Buddugol.
triumphant, *a.* Buddugoliaethus, gorfoleddus.
trivet, *n.* Trybedd, trybed.
trivial, *a.* Distadl, dibwys.
trombone, *n.* Trombôn.
troop, *n.* I. Tyrfa, torf, mintai, catrawd.
   2. *v.* Ymgynnull, tyrru.
   TROOPS. Milwyr.
trophy, *n.* Gwobr, tlws.
tropic, *n.* Trofan.
tropical, *a.* Trofannol.
trot, *n.* I. Tuth, trot.
   2. *v.* Tuthio, trotian.
troubadour, *n.* Trwbadŵr.
trouble, *n.* I. Gofid, trallod, helbul, trafferth.
   2. *v.* Blino, poeni, trafferthu, trwblu.
troubles, *np.* Trafferthion, helbulon, ofnau, pryderon.
troublesome, *a.* Blinderus, trafferthus.
troublous, *a.* Helbulus, cythryblus.
trough, *n.* Cafn.
trounce, *v.* Baeddu, curo, cystwyo.

trouncing, *n.* Curfa, cystwyad.
trousers, *n.* Trowsus, llodrau, trwser.
trousseau, *n.* Dillad priodasferch, trwso.
trout, *n.* Brithyll.
trowel, *n.* Trywel.
truant, *n.* Mitsiwr, triwant.
  TO PLAY TRUANT. Mitsio, chwarae triwant.
truce, *n.* Cadoediad.
truck, *n.* I. Gwagen, tryc ; cyfnewidiad, talu â nwyddau.
  2. *v.* Cyfnewid, ffeirio ; trwco.
truculence, *n.* Ffyrnigrwydd, sarugrwydd.
truculent, *a.* Ymladdgar, cwerylgar, egr, ffyrnig, sarrug.
trudge, *v.* Ymlwybran, cerdded yn llafurus.
true, *a.* Gwir, cywir, ffyddlon, onest.
truism, *n.* Gwireb, gwiredd.
truly, *ad.* Yn wir, yn gywir.
trump, *n.* Trwmp.
trumpet, *n.* Utgorn, corn, trwmped, trymped.
truncation, *n.* Cwtogiad, trychiad.
trunk, *n.* Boncyff, bôn ; cist, cyff ; corff ; duryn, trwnc (eliffant).
trust, *n.* I. Hyder, ymddiriedaeth, ffydd, ymddiried ; ymddiriedolaeth.
  2. *v.* Ymddiried, hyderu.
trustee, *n.* Ymddiriedolwr.
trusteeship, *n.* Ymddiriedolaeth.
trustful, *a.* Ymddiriedus, hyderus.
trustiness, *n.* Ffyddlondeb, teyrngarwch.
trusty, *a.* Ffyddlon, cywir.
truth, *n.* Gwir, gwirionedd.
truthful, *a.* Geirwir, cywir.
truthfulness, *n.* Geirwiredd.
try, *n.* I. Cynnig, ymgais ; cais (rygbi).
  2. *v.* Ceisio, cynnig, treio ; profi.
trying, *a.* Poenus, anodd, blin, caled.
tryst, *n.* Oed, man cyfarfod.
T-shirt, *n.* Crys-T.
tub, *n.* Twba, twb.
tuba, *n.* Tiwba.
tube, *n.* Pib, pibell, tiwb, corn.
tuber, *n.* Cloronen.
tuberculosis, *n.* Darfodedigaeth, dicáu, dicléin.
tubular, *a.* Ar ffurf pibell, pibellaidd.
tuck, *n.* I. Plyg, twc, plygiad.
  2. *v.* Plygu, twcio.
Tuesday, *n.* Dydd Mawrth.
tuft, *n.* Cudyn, cobyn, tusw, twffyn.
tug, *n.* I. Tyniad, plwc ; tyg, tynfad.
  2. *v.* Tynnu, llusgo.
tuition, *n.* Hyfforddiant, addysg.
tulip, *n.* Tiwlip.
tumble, *n.* I. Codwm, cwymp.
  2. *v.* Cwympo, syrthio, llithro.
tumbler, *n.* Gwydr, gwydryn.
tumour, *n.* Tyfiant, tiwmor, chwydd.
  BENIGN TUMOUR. Tyfiant diniwed.
  MALIGNANT TUMOR. Tyfiant niweidiol.

tump, *n.* Twyn, crug, twmpath, twmpyn.
tumult, *n.* Terfysg, cynnwrf.
tumultuous, *a.* Terfysglyd, cynhyrfus.
tumulus, *n.* Carnedd, carn, cladd.
tune, *n.* I. Tôn, tiwn, alaw ; cywair.
  2. *v.* Tiwnio, cyweirio, tonyddu.
tuner, *n.* Cyweiriwr, tiwniwr.
tunic, *n.* Siaced, crysbais.
tunnel, *n.* I. Ceuffordd, twnnel.
  2. *v.* Twnelu.
turban, *n.* Twrban.
turbid, *a.* Lleidiog, mwdlyd, cymysglyd.
turbine, *n.* Twrbin.
turbulence, *n.* Terfysg, cynnwrf.
turbulent, *a.* Terfysglyd.
turf, *n.* I. Tywarchen.
  2. *v.* Tywarchu.
turgid, *a.* Chwyddedig.
Turk, *n.* Twrc.
Turkey, *n.* Twrci (y wlad).
turkey, *n.* Twrci.
Turkish, *n.* I. Tyrceg, iaith Twrci.
  2. *a.* Twrcaidd, Tyrcaidd.
turmoil, *n.* Cythrwfl, cyffro, berw, helbul.
turn, *n.* I. Tro, troad, trofa ; twrn, tyrn.
  2. *v.* Troi ; turnio.
turncoat, *n.* Gwrthgiliwr.
turner, *n.* Turniwr.
turning, *n.* Tro, trofa ; tröedigaeth.
turning-point, *n.* Trobwynt.
turnip, *n.* Erfinen, meipen.
turnpike, *n.* Tollborth, tyrpeg.
  TURNPIKE ROAD. Ffordd fawr, ffordd dyrpeg, lôn bost.
turnstile, *n.* Camfa dro.
turntable, *n.* Trofwrdd.
turpentine, *n.* Tyrpant, twrpant, twrbant.
turret, *n.* Tŵr bach, twred, tyryn, tyred.
turtle, *n.* Crwban y môr.
turtle-dove, *n.* Turtur.
tusk, *n.* Ysgithr.
tusked, *a.* Ysgithrog.
tussle, *n.* I. Ymladdfa, ysgarmes, ymgiprys.
  2. *v.* Ymgiprys, ymladd, ysgarmesu.
tutor, *n.* I. Athro, hyfforddwr.
  2. *v.* Dysgu, hyfforddi.
tutorial, *a.* Addysgol, hyfforddiadol, tiwtorial.
tweed, *n.* Brethyn cartref.
twelfth, *a.* Deuddegfed.
twelve, *a.* Deuddeg, un deg dau.
twentieth, *a.* Ugeinfed.
twenty, *a.* Ugain.
twice, *ad.* Dwywaith.
twiddle, *v.* Chwarae, byseddu, bodio, ffidlan, troi'n ddiamcan.
twig, *n.* Brigyn, ysbrigyn, cangen.
twilight, *n.* Cyfnos, cyfddydd.
twin, *n.* Gefell.
twine, *n.* I. Llinyn cryf.
  2. *v.* Cyfrodeddu, cordeddu.

twinge, *n.* Gwayw, brath, cnoad.
twinkle, *n.* I. Amrantiad, wincad, chwinciad.
    2. *v.* Pefrio, serennu.
twist, *n.* I. Tro ; edau gyfrodedd.
    2. *v.* Nyddu, cyfrodeddu ; troi.
twitch, *n.* I. Gwayw, gloes, brath, plwc.
    2. *v.* Brathu, tynnu'n sydyn, plycio.
twitter, *n. v.* Trydar.
two, *a.* Dau, dwy.
two-edged, *a.* Daufiniog.
two-faced, *a.* Dauwynebog, rhagrithiol.
tympan, *n.* Tabwrdd, tympan.
type, *n.* I. Math, dosbarth, teip.
    2. *v.* Teipio.

typescript, *n.* Teipysgrif.
typewriter, *n.* Teipiadur.
typhoon, *n.* Corwynt, gyrwynt.
typical, *a.* Nodweddiadol.
typify, *v.* Nodweddu, bod yn enghraifft.
typist, *n.* Teipydd.
typographer, *n.* Argraffydd.
typography, *n.* Argraffyddiaeth.
tyrannical, *a.* Gormesol.
tyranny, *n.* Gormes, trais.
tyrant, *n.* Gormeswr, treisiwr.
tyre, *n.* Teiar.

Ubiquitous, *a.* Hollbresennol, ym mhobman.
udder, *n.* Pwrs, cadair, piw.
ugh, *int.* Ach !
ugliness, *n.* Hagrwch, hylltra.
ugly, *a.* Hagr, hyll, gwrthun.
ulcer, *n.* Clwyf crawnllyd.
ulcerate, *v.* Crawni.
ulterior, *a.* Pellach, tu draw i ; cudd, cuddiedig.
ultimate, *a.* Diwethaf, olaf, eithaf.
ultimately, *ad.* O'r diwedd.
ultimatum, *n.* Cynnig olaf, rhybudd olaf.
ultra, *a.* Eithafol, tu hwnt.
    ULTRAVIOLET. Uwchfioled.
ultramodern, *a.* Tra chyfoes, tra modern.
ultra-total, *a.* Gorgyfan.
umbrage, *n.* Tramgwydd ; pwd.
umbrella, *n.* Ymbarél, ambarél, ymbrelo.
umpire, *n.* Canolwr, dyfarnwr.
unable, *a.* Analluog.
unabridged, *a.* Cyflawn, llawn.
unaccented, *a.* Diacen.
unacceptable, *a.* Annerbyniol, anghymeradwy.
unaccompanied, *a.* Digwmni, heb gwmni ; digyfeiliant.
unaccountable, *a.* Anesboniadwy.
unaccustomed, *a.* Anghyfarwydd, anghynefin.
unacquainted, *a.* Anghyfarwydd, anghydnabyddus.
unadulterated, *a.* Pur, digymysg.
unaffected, *a.* Dirodres, didwyll, di-lol, naturiol.
unalterable, *a.* Digyfnewid.
unambiguous, *a.* Diamwys, digamsyniol.
unanimity, *n.* Unfrydedd.
unanimous, *a.* Unfryd, unfrydol.
unapprehensive, *a.* Dibryder, di-ofn.
unashamed, *a.* Digywilydd.
unaspiring, *a.* Diuchelgais, gwylaidd.
unassailable, *a.* Diysgog, cadarn.
unassisted, *a.* Digymorth, heb gymorth.
unassuming, *a.* Diymhongar.
unassured, *a.* Ansicr ; diyswiriant, heb yswiriant.
unattached, *a.* Annibynnol, digyswllt ; rhydd ; sengl, dibriod.
unattainable, *a.* Anghyraeddadwy.
unavailing, *a.* Ofer, anfuddiol.
unavoidable, *a.* Anorfod, anocheladwy, na ellir ei osgoi.
unaware, *a.* Heb wybod, anymwybodol.
unawares, *ad.* Yn ddiarwybod.
unbalanced, *a.* Anghytbwys ; dryslyd.
unbearable, *a.* Annioddefol.
unbecoming, *a.* Anweddus, anweddaidd.
unbelief, *n.* Anghrediniaeth.
unbeliever, *n.* Anghredadun, anghrediniwr, anffyddiwr.
unbelieving, *a.* Anghrediniol.
unbending, *a.* Anhyblyg, anystwyth, gwargaled, ystyfnig.
unbiassed, *a.* Amhleidiol, diduedd, teg.

unbleached, *a.* Crai, heb ei wynnu.
unblemished, *a.* Dilychwin, dinam.
unborn, *a.* Heb ei eni.
unbounded, *a.* Diderfyn.
unbreakable, *a.* Annhoradwy.
unbroken, *a.* Cyfan, annhoredig, didoriad, di-dor.
uncalled, *a.* Heb ei alw.
    UNCALLED FOR. Di-alw-amdano.
uncanny, *a.* Rhyfedd, dieithr, annaearol.
unceasing, *a.* Dibaid.
uncertain, *a.* Ansicr.
uncertainty, *n.* Ansicrwydd.
unchangeable, *a.* Digyfnewid, sefydlog.
unchanging, *a.* Digyfnewid, sefydlog.
unchaste, *a.* Anniwair, anllad.
unchastity, *n.* Anniweirdeb.
unchristian, *a.* Anghristionogol.
uncivil, *a.* Anfoesgar.
uncivilised, *a.* Anwar, anwaraidd.
uncle, *n.* Ewythr.
unclean, *a.* Brwnt, budr, aflan.
uncleanness, *n.* Aflendid, bryntni.
unclothe, *v.* Dadwisgo, diosg, dihatru, tynnu (oddi am).
uncomfortable, *a.* Anghysurus, anghyfforddus.
uncommon, *a.* Anghyffredin.
uncomplaining, *a.* Diachwyn, dirwgnach, di-gŵyn.
uncompromising, *a.* Digyfaddawd, di-ildio.
unconcern, *n.* Difaterwch, difrawder, dihidrwydd.
unconcerned, *a.* Difater, didaro, dihidio.
unconditional, *a.* Diamodol, diamod.
unconfirmed, *a.* Heb ei gadarnhau.
unconquerable, *a.* Anorchfygol.
unconscious, *a.* Anymwybodol, diarwybod.
unconsciousness, *n.* Anymwybod.
unconstitutional, *a.* Anghyfansoddiadol.
uncontaminated, *a.* Dilwgr, dilychwin, pur.
uncontrollable, *a.* Afreolus, aflywodraethus.
unconvinced, *a.* Heb ei argyhoeddi, anargyhoeddedig.
uncouple, *v.* Dadfachu, rhyddhau.
uncourteous, *a.* Anfoesgar, anghwrtais.
uncouth, *a.* Trwsgl, garw, difoes.
uncover, *v.* Dadorchuddio, dinoethi, diosg.
uncovered, *a.* Noeth, heb orchudd.
unction, *n.* Eneiniad ; eli, ennaint ; hwyl, arddeliad.
unctuous, *a.* Seimlyd ; eneiniedig.
uncultivated, *a.* Heb ei drin, heb ei feithrin.
undaunted, *a.* Eofn, hy, gwrol, dewr.
undecided, *a.* Petrus, ansicr ; heb ei benderfynu ; rhwng dau feddwl.
undefended, *a.* Diamddiffyn.
undefiled, *a.* Dihalog, glân, pur.
undeniable, *a.* Anwadadwy, diymwad.
under, *prp.* 1. Tan, dan, o dan, oddi tan, is, islaw.
    2. *ad.* Tanodd, oddi tanodd, isod.
undercurrent, *n.* Islif ; peth cudd, peth heb fod ar yr wyneb.
undergo, *v.* Dioddef, mynd dan.

undergraduate, *n.* Myfyriwr di-radd, israddedig.
underground, *a.* Tanddaearol.
    ad. Dan y ddaear.
underhand, *a.* Llechwraidd, twyllodrus.
underline, *v.* Tanlinellu ; pwysleisio.
undermine, *v.* Tanseilio.
undermost, *a.* Isaf.
underneath, *prp.* I. Tan, dan, oddi tan.
    2. *ad.* Oddi tanodd.
underpass, *n.* Tanffordd.
underrate, *v.* Tanbrisio, dibrisio.
undersized, *a.* Rhy fychan, llai na'r arferol.
understand, *v.* Deall, amgyffred.
understanding, *n.* I. Amgyffred, deall, dealltwriaeth.
    2. *a.* Deallus, deallgar.
undertake, *v.* Ymgymryd (â).
undertaker, *n.* Trefnydd angladd, ymgymerwr.
undertaking, *a.* Ymrwymiad ; busnes, menter.
undervalue, *v.* Tanbrisio, dibrisio.
undeserved, *a.* Heb ei haeddu, anhaeddiannol.
undesirable, *a.* Annymunol.
undeveloped, *a.* Heb ei ddatblygu.
undeviating, *a.* Diwyro.
undexterous, *a.* Anghelfydd, lletchwith.
undignified, *a.* Anurddasol, diurddas.
undisciplined, *a.* Heb ei ddisgyblu, diddisgyblaeth.
undismayed, *a.* Calonnog, eofn.
undisputed, *a.* Di-ddadl, diamheuol.
undisturbed, *a.* Tawel, digyffro.
undivided, *a.* Diwahân, cyfan, barn unfrydol.
undo, *v.* Datod, dadwneud, mysgu, agor ; difetha.
undoing, *n.* Dinistr, distryw.
undoubted, *a.* Diamheuol.
undress, *v.* Dadwisgo, tynnu (oddi am), diosg,
    ymddihatru.
undue, *a.* Gormodol ; amhriodol.
undulate, *v.* Tonni.
undying, *a.* Bythol, oesol, anfarwol, di-dranc.
unearned, *a.* Heb ei ennill.
unearth, *v.* Dwyn i'r amlwg, datgladdu.
unearthly, *a.* Annaearol.
uneasiness, *n.* Anesmwythder, pryder.
uneasy, *a.* Anesmwyth, aflonydd, pryderus.
uneducated, *a.* Annysgedig, di-ddysg.
unemotional, *a.* Dideimlad, digyffro.
unemployed, *a.* Segur, di waith.
unemployment, *n.* Diweithdra, diffyg gwaith.
unending, *a.* Diddiwedd, diderfyn, dibaid.
unendurable, *a.* Annioddefol.
unequal, *a.* Anghyfartal.
unequalled, *a.* Digymar, dihafal, di-ail.
unequivocal, *a.* Diamwys.
unerring, *a.* Sicr, di-feth, di-ffael.
unessential, *a.* Afraid, heb eisiau.
uneven, *a.* Anwastad.
unevenness, *n.* Anwastadrwydd.
uneventful, *a.* Digynnwrf, digyffro.
unexpected, *a.* Annisgwyliadwy.
unextinguishable, *a.* Anniffoddadwy.

unfailing, *a.* Di-ball, di-feth, cyson.
unfair, *a.* Annheg.
unfairness, *n.* Annhegwch.
unfaithful, *a.* Anffyddlon.
unfaithfulness, *n.* Anffyddlondeb.
unfamiliar, *a.* Anghyfarwydd, anghynefin,
    anadnabyddus, dieithr.
unfasten, *v.* Datod, rhyddhau.
unfavourable, *a.* Anffafriol.
unfeeling, *a.* Dideimlad.
unfeigned, *a.* Diffuant, didwyll, pur.
unfermented, *a.* Heb weithio, heb eplesu.
unfertile, *a.* Anffrwythlon, diffrwyth.
unfettered, *a.* Dilyffethair.
unfinished, *a.* Anorffenedig, diorffen, heb ei
    ddibennu.
unfirm, *a.* Sigledig, simsan, ansad.
unfit, *a.* Anghymwys, anaddas ; anabl, afiach.
unfitness, *n.* Anghymhwyster, anaddasrwydd.
unfitting, *a.* Amhriodol.
unfix, *v.* Datod, tynnu'n rhydd.
unflagging, *a.* Diflino, diflin, dyfal.
unflinching, *a.* Diysgog, pybyr, dewr.
unfold, *v.* Agor, ymagor, datblygu.
unforgiving, *a.* Anfaddeugar.
unforgotten, *a.* Diangof.
unformed, *a.* Afluniaidd, di-ffurf, anffurfiedig.
unfortunate, *a.* Anffortunus, anffodus.
unfortunately, *ad.* Yn anffodus, gwaetha'r modd,
    ysywaeth.
unfounded, *a.* Di-sail.
unfrequented, *a.* Anhygyrch, ansathredig, heb ei
    fynychu.
unfriendly, *a.* Anghyfeillgar.
unfruitful, *a.* Diffrwyth, anffrwythlon.
unfurl, *v.* Lledu, agor.
unfurnished, *a.* Heb ddodrefn, diddodrefn.
ungainly, *a.* Afrosgo, trwsgl.
ungenerous, *a.* Crintach, cybyddlyd.
ungentlemanly, *a.* Anfoneddigaidd.
ungodliness, *n.* Annuwioldeb.
ungodly, *a.* Annuwiol.
ungraceful, *a.* Anosgeiddig, anurddasol.
ungrammatical, *a.* Anramadegol.
ungrateful, *a.* Anniolchgar, di-ddiolch.
ungratefulness, *n.* Anniolchgarwch.
ungrudging, *a.* Dirwgnach, diwarafun.
unguarded, *a.* Diamddiffyn, diwarchod.
unhallowed, *a.* Halogedig, anghysegredig.
unhappiness, *n.* Anhapusrwydd.
unhappy, *a.* Anhapus, annedwydd.
unharmed, *a.* Dianaf.
unhealthiness, *n.* Afiachusrwydd.
unhealthy, *a.* Afiach.
unheeding, *a.* Diofal.
unhesitating, *a.* Dibetrus.
unhook, *v.* Dadfachu.
unhospitable, *a.* Anlletygar, digroeso,
    anghroesawus.

unhurt, *a.* Dianaf.
unicorn, *n.* Uncorn.
unification, *n.* Unoliad, uniad.
uniform, *n.* I. Gwisg unffurf, gwisg swyddogol.
   2. *a.* Unffurf, cyson.
uniformity, *n.* Unffurfiaeth, unffurfedd, cysondeb.
unify, *v.* Uno, unoli.
unilateral, *a.* Unochrog, untu.
unimpaired, *a.* Dianaf, cyfan.
unimpeded, *a.* Dirwystr.
unimportance, *n.* Amhwysigrwydd.
unimportant, *a.* Dibwys.
unimposing, *a.* Anhrawiadol, cyffredin, diolwg.
uninhabited, *a.* Anghyfannedd.
uninjured, *a.* Dianaf.
uninspired, *a.* Diawen.
unintelligent, *a.* Anneallus.
unintelligible, *a.* Annealladwy.
unintentional, *a.* Anfwriadol.
uninteresting, *a.* Anniddorol.
union, *n.* Undeb, uniad.
unionist, *n.* Undebwr ; unoliaethwr (Iwerddon).
unique, *a.* Unigryw.
unison, *n.* Unsain.
unit, *n.* Uned, undod, un.
Unitarian, *n.* I. Undodwr, Undodiad.
   2. *a.* Undodaidd.
Unitarianism, *n.* Undodiaeth.
unite, *v.* Uno, cyfuno, cysylltu, ieuo.
united, *a.* Unedig, unol, cyfun, cyfunol.
   THE UNITED KINGDOM. Y Deyrnas Unedig/Gyfunol.
   THE UNITED NATIONS. Y Cenhedloedd Unedig.
   THE UNITED REFORMED CHURCH. Yr Eglwys Unedig Ddiwygiedig.
   THE UNITED STATES OF AMERICA. Unol Daleithiau America.
unity, *n.* Undod, unoliaeth.
universal, *n. a.* Cyffredinol, byd-eang.
universality, *n.* Cyffredinolrwydd.
universe, *n.* Cyfanfyd, bydysawd.
university, *n.* Prifysgol.
unjust, *a.* Anghyfiawn.
unkempt, *a.* Anniben, aflèr.
unkind, *a.* Angharedig, cas.
unknowing, *a.* Diarwybod, anwybodus.
unknown, *a.* Anadnabyddus, anhysbys.
unlawful, *a.* Anghyfreithlon.
unlearned, *a.* Annysgedig, di-ddysg.
unleavened, *a.* Croyw, crai, dilefain.
unless, *c.* Oni, onid, oddieithr.
unlicensed, *a.* Didrwydded.
unlike, *a.* Annhebyg.
unlikely, *a.* Annhebygol.
unlimited, *a.* Diderfyn.
unload, *v.* Dadlwytho.
unlock, *v.* Datgloi.
unloose, *v.* Datod, rhyddhau.
unlucky, *a.* Anffodus, anlwcus.

unmanageable, *a.* Afreolus, anystywallt.
unmanly, *a.* Anwrol, llwfr.
unmannerly, *a.* Anfoesgar.
unmarried, *a.* Dibriod.
unmemorable, *a.* Anghofiadwy.
unmerciful, *a.* Didrugaredd, anhrugarog.
unmerited, *a.* Anhaeddiannol.
unmistakeable, *a.* Digamsyniol.
unmitigated, *a.* Diarbed, dileihad, heb ei liniaru.
unmixed, *a.* Digymysg, pur.
unmoved, *a.* Digyffro, didaro, diysgog.
unnatural, *a.* Annaturiol.
unnecessary, *a.* Afraid, heb eisiau, dianghenraid, diangen.
unobtainable, *a.* Nas ceir.
unoccupied, *a.* Di-waith, segur ; gwag, diddeiliad.
unoffending, *a.* Diniwed, didramgwydd.
unopened, *a.* Heb ei agor, nas agorwyd.
unopposed, *a.* Heb neb yn ei erbyn, yn ddiwrthwynebiad.
unorganized, *a.* Di-drefn, anhrefnus.
unorthodox, *a.* Anuniongred.
unostentatious, *a.* Diymhongar, dirodres.
unpack, *v.* Dadbacio.
unpaid, *a.* Di-dâl, digyflog.
unpalatable, *a.* Annymunol, anflasus, diflas.
unparalleled, *a.* Digymar, digyffelyb.
unpardonable, *a.* Anfaddeuol.
unpleasant, *a.* Anhyfryd, annymunol.
unpleasantness, *n.* Anghydfod.
unpleasing, *a.* Annymunol, anfoddhaus, anfoddhaol.
unpolished, *a.* Anghaboledig, di-raen.
unpolite, *a.* Anfoesgar.
unpolluted, *a.* Dihalog, anllygredig.
unpopular, *a.* Amhoblogaidd.
unpopularity, *n.* Amhoblogrwydd.
unpractical, *a.* Anymarferol.
unprejudiced, *a.* Diragfarn.
unprepared, *a.* Amharod ; byrfyfyr, difyfyr.
unpretentious, *a.* Diymhongar, gwylaidd, iselfrydig, di-lol.
unprincipled, *a.* Diegwyddor.
unproductive, *a.* Digynnyrch.
unprofitable, *a.* Amhroffidiol, anfuddiol, di-fudd.
unpromising, *a.* Anaddawol.
unpronounceable, *a.* Anghynanadwy.
unprosperous, *a.* Anffyniannus.
unprotected, *a.* Diamddiffyn.
unpublished, *a.* Heb ei gyhoeddi, anghyhoeddedig.
unqualified, *a.* Heb gymhwyster, di-gymhwyster, anghymwys, anaddas ; digymysg, diamod, diamodol.
unquestionable, *a.* Diamheuol, dilys.
unravel, *v.* Datod, datrys.
unready, *a.* Amharod.
unreal, *a.* Ansylweddol, afreal.
unreasonable, *a.* Afresymol.
unreasonableness, *n.* Afresymoldeb.

unrelated, *a.* Digysylltiad, digyswllt, diberthynas.
unrelenting, *a.* Didostur, di-ildio.
unremitting, *a.* Dyfal, di-baid.
unrepenting, *a.* Diedifar.
unrequited, *a.* Digydnabyddiaeth, heb ei dalu'n ôl.
unrespected, *a.* Di-barch.
unrest, *n.* Anesmwythder, aflonyddwch.
unresting, *a.* Diorffwys.
unrestrained, *a.* Aflywodraethus, dilywodraeth, penrhydd.
unrighteous, *a.* Anghyfiawn, annuwiol.
unrighteousness, *n.* Anghyfiawnder.
unripe, *a.* Anaeddfed.
unripeness, *n.* Anaeddfedrwydd.
unrivalled, *a.* Digymar, dihafal.
unroll, *v.* Dadrolio.
unroof, *v.* Di-doi.
unruffled, *a.* Tawel, digyffro.
unruly, *a.* Afreolus, annosbarthus.
unsafe, *a.* Peryglus, anniogel.
unsaleable, *a.* Anwerthadwy, na ellir ei werthu.
unsatisfactory, *a.* Anfoddhaol.
unsatisfied, *a.* Anfodlon, anfoddhaus.
unsatisfying, *a.* Annigonol.
unsavoury, *a.* Diflas, ansawrus, anhyfryd.
unscathed, *a.* Dianaf, croeniach.
unscrupulous, *a.* Diegwyddor.
unscrupulousness, *n.* Diffyg egwyddor.
unsearchable, *a.* Anchwiliadwy.
unseasonable, *a.* Annhymorol, anamserol.
unsectarian, *a.* Anenwadol.
unseemly, *a.* Anweddaidd.
unseen, *a.* Anweledig.
unserviceable, *a.* Annefnyddiol.
unsettle, *v.* Ansefydlogi.
unsettled, *a.* Anwadal, ansefydlog, cyfatal ; heb ei dalu.
unshackle, *v.* Rhyddhau, dilyffetheirio.
unshaken, *a.* Disigl, diysgog, cadarn.
unsheathe, *v.* Dadweinio.
unsightly, *a.* Diolwg, hyll, salw.
unskilful, *a.* Anfedrus, anghelfydd.
unsociable, *a.* Anghymdeithasol, anghymdeithasgar.
unsound, *a.* Gwan, afiach ; bregus, ansicr, anniogel ; diffygiol, cyfeiliornus.
unsparing, *a.* Diarbed, dibrin, hael.
unspeakable, *a.* Anhraethol.
unspent, *a.* Anhreuliedig, heb ei dreulio.
unspotted, *a.* Difrycheulyd, pur.
unstable, *a.* Ansafadwy, ansefydlog, gwamal.
unstained, *a.* Dilychwin, glân.
unsteadiness, *n.* Ansefydlogrwydd, ansadrwydd.
unsteady, *a.* Ansefydlog, simsan, ansad, gwamal.
unstinted, *a.* Dibrin, hael.
unsubstantial, *a.* Ansylweddol, disylwedd.
unsuccessful, *a.* Aflwyddiannus.
unsuitable, *a.* Anaddas, anghymwys.
unsullied, *a.* Dilychwin, difrycheulyd.
unsurmountable, *a.* Anorchfygol.

unsurpassed, *a.* Diguro, digymar, dihafal.
unsuspecting, *a.* Di-feddwl-ddrwg, di-dyb, heb amau dim.
untainted, *a.* Dilwgr, pur, dilychwin.
untarnished, *a.* Dilychwin, gloyw.
untempered, *a.* Heb ei dymheru.
untenanted, *a.* Diddeiliad, heb ddeiliad, anghyfannedd.
unthankful, *a.* Anniolchgar, di-ddiolch.
unthinking, *a.* Difeddwl.
untidy, *a.* Anniben, anhrefnus, aflêr.
untie, *v.* Datod, gollwng yn rhydd.
until, *prp. &. c.* Hyd, nes, hyd nes, hyd oni, tan, oni.
untimely, *a.* Anamserol.
untiring, *a.* Diflin, diflino.
unto, *prp.* I, at, hyd at, wrth.
untold, *a.* Di-ben-draw.
untoward, *a.* Anhywaith, cyndyn ; anffodus, blin.
untractable, *a.* Ystyfnig, anhydrin, anhydyn.
untrodden, *a.* Disathr, ansathredig.
untrue, *a.* Celwyddog, anwireddus, anghywir, anwir.
untruth, *n.* Anwiredd, celwydd.
untruthful, *a.* Celwyddog, anwireddus.
unusual, *a.* Anarferol, anghyffredin.
unvarying, *a.* Digyfnewid.
unveil, *v.* Dadorchuddio.
unwary, *a.* Diofal, anwyliadwrus.
unwavering, *a.* Diwyro, diysgog, dianwadal.
unwearied, *a.* Diflino, diflin.
unwell, *a.* Claf, afiach, anhwylus.
unwholesome, *a.* Afiach, afiachus.
unwieldy, a. Afrosgo, trwsgl, beichus.
unwilling, *a.* Anfodlon, anewyllysgar.
unwise, *a.* Annoeth, ffôl.
unworthiness, *n.* Annheilyngdod.
unworthy, *a.* Annheilwng.
unwounded, *a.* Dianaf, diarcholl, holliach.
unwrap, *v.* Datod, mysgu, agor, tynnu (oddi am).
unyielding, *a.* Di-ildio, heb roi'r gorau i.
up, *ad. &. prp.* I fyny, i'r lan.
upbraid, *v.* Ceryddu, dannod, edliw.
upheaval, *n.* Dygyfor, chwalfa, cyffro, terfysg.
upheave, *v.* Ymgodi, cyffroi.
uphill, *ad.* I fyny, i'r lan, ar i fyny.
uphold, *v.* Cynnal, ategu
upkeep, *n.* Cynhaliaeth.
upland, *n.* Ucheldir, blaenau.
uplift, *n.* 1. Codiad, dyrchafiad.
  2. *v.* Codi i fyny, dyrchafu.
upon, *prp.* Ar, ar uchaf, ar warthaf.
upper, *a.* Uchaf.
uppermost, *a. & ad.* Uchaf.
upright, *a.* Union, syth, unionsyth ; onest.
uprightness, *n.* Uniondeb ; onestrwydd.
uprising, *n.* Cyfodiad, terfysg, gwrthgodiad, gwrthryfel.
uproar, *n.* Terfysg, cynnwrf, cythrwfl.
uproot, *v.* Diwreiddio, codi.

upset, *v.* Dymchwelyd, troi, bwrw i lawr ; cyffroi, gofidio.
upshot, *n.* Canlyniad, diwedd.
upside-down, *a.* &. *ad.* Â'i wyneb i waered.
upstairs, *ad.* Ar y llofft.
upward, *a.* I. Esgynnol, dringol.
 2. *ad.* I fyny, i'r lan.
upwards, *ad.* I fyny, ar i fyny, tuag i fyny, lan, fry.
 UPWARDS OF. Mwy na.
uranium, *n.* Wraniwm.
urban, *a.* Trefol, dinesig.
urbane, *a.* Boneddigaidd, hynaws, moesgar, cwrtais.
urge, *v.* Cymell, annog.
urgency, *n.* Anghenraid, brys.
urgent, *a.* Pwysig, yn galw am sylw buan.
urn, *n.* Wrn.
us, *pn.* Ni, nyni, 'n, ninnau.
usage, *n.* Arfer, defod, triniaeth.
use, *n.* I. Arfer, arferiad, gwasanaeth, defnydd, diben.
 2. *v.* Defnyddio, arfer.
useful, *a.* Defnyddiol.

usefulness, *n.* Defnyddioldeb.
useless, *a.* Diwerth, diddefnydd, annefnyddiol.
Usk, River, *n.* Afon Wysg.
usual, *a.* Arferol.
usurer, *n.* Usuriwr, benthyciwr.
usurp, *v.* Trawsfeddiannu.
usury, *n.* Usuriaeth.
utensil, *n.* Llestr, teclyn, offeryn.
utilitarianism, *n.* Llesyddiaeth.
utility, *n.* Defnyddioldeb, lles, budd.
utilization, *n.* Defnyddiad, defnydd.
utilize, *v.* Defnyddio.
utmost, *a.* Eithaf, pellaf.
utopia, *n.* Wtopia, Iwtopia ; gwlad ddelfrydol.
utopian, *a.* Delfrydol.
u-turn, *n.* Tro pedol.
utter, *a.* I. Eithaf, pellaf ; hollol, llwyr.
 2. *v.* Traethu, yngan, llefaru.
 TO UTTER WORDS. Torri geiriau.
utterance, *n.* Parabl, lleferydd, ymadrodd.
uttermost, *a.* Eithaf, pellaf.

Vacancy, *n.* Lle gwag ; gwacter.
vacant, *a.* Gwag ; hurt, synfyfyriol.
vacate, *v.* Ymadael â, gadael yn wag.
vacation, *n.* Gwyliau, seibiant.
vaccinate, *v.* Brechu, rhoi'r frech.
vaccine, *n.* Brech, brechlyn.
vacillate, *v.* Petruso, anwadalu, gwamalu.
vacillation, *n.* Petruster, anwadalwch.
vacuum, *n.* Gwactod.
    VACUUM CLEANER. Sugnwr llwch.
vagabond, *n.* 1. Crwydryn ; dihiryn.
    2. *a.* Crwydrol, crwydr.
vagary, *n.* Mympwy, chwiw.
vagina, *n.* Gwain.
vagrant, *n.* 1. Crwydryn.
    2. *a.* Crwydrol.
vague, *a.* Amwys, amhendant.
vagueness, *n.* Amwysedd, amhendantrwydd, aneglurder.
vain, *a.* Balch ; ofer, gwag.
    IN VAIN. Yn ofer.
vainness, *n.* Balchder, gwagedd, oferedd.
vale, *n.* Dyffryn, cwm, bro, glyn, ystrad.
valediction, *n.* Ffarwél, ffárwel, ffarweliad.
valedictory, *a.* Ymadawol.
valentine, *n.* Cariad ; folant, ffolant.
valet, *n.* Gwas.
valiant, *n.* Dewr, gwrol, glew.
valid, *a.* Dilys, iawn.
validate, *v.* Cadarnhau, dilysu.
validity, *n.* Dilysrwydd.
valley, *n.* Dyffryn, glyn, cwm, ystrad.
valour, *n.* Dewrder, glewder, gwroldeb.
valuable, *a.* Gwerthfawr.
valuation, *n.* Prisiad.
value, *n.* 1. Gwerth.
    2. *v.* Gwerthfawrogi, prisio.
valueless, *a.* Diwerth.
valuer, *n.* Prisiwr.
valve, *n.* Falf.
van, *n.* Blaen byddin, blaengad ; fan, men.
vandal, *n.* Fandal.
vandalism, *n.* Fandaliaeth.
vanguard, *n.* Blaengad, blaen byddin.
vanish, *v.* Diflannu.
vanilla, *n.* Fanila.
    VANILLA ESSENCE. Rhin fanila.
    VANILLA ICE-CREAM. Hufen iâ fanila.
vanity, *n.* Balchder, gwagedd, oferedd.
vanquish, *v.* Gorchfygu, trechu.
vantage, *n.* Mantais.
vaporization, *n.* Anweddiad.
vaporize, *v.* Anweddu, tarthu.
vapour, *n.* Anwedd, tarth, tawch, ager.
variable, *a.* 1. Cyfnewidiol, oriog, anwadal.
    2. *n.* Newidyn.
variableness, *n.* Amrywioldeb.
variance, *n.* Anghytundeb, anghydfod, gwahaniaeth.
variant, *n.* Amrywiad.

variation, *n.* Amrywiad ; gwyriad.
varied, *a.* Amrywiol, gwahanol.
variegated, *a.* Brith, brithliw, amryliw.
variety, *n.* Amrywiaeth ; math, amrywiad.
various, *a.* Gwahanol, amrywiol.
varnish, *n.* 1. Farnais, farnis.
    2. *v.* Farneisio, farnisio.
vary, *v.* Amrywio, gwahaniaethu, newid.
vase, *n.* Cawg, llestr, ffiol.
vassal, *n.* Taeog, gwas, deiliad.
vast, *a.* Anferth, dirfawr, eang.
vastness, *n.* Mawredd, ehangder.
vat, *n.* Cerwyn, cafn, twba.
vault, *n.* 1. Claddgell, daeargell, cromgell ; cromen, cryndo, bwa ; seler.
    2. *v.* Neidio, llamu.
vaulted, *a.* Bwaog.
vaulter, *n.* Neidiwr.
vaunt, *n.* 1. Ymffrost.
    2. *v.* Ymffrostio, bostio, brolio.
vaunter, *n.* Ymffrostiwr, broliwr.
veal, *n.* Cig llo.
veer, *v.* Gwyro, troi, newid cyfeiriad.
vegan, *n.* 1. Fegan, llysfwytäwr caeth.
    2. *a.* Feganaidd.
vegetable, *n.* 1. Llysieuyn, bwydlysieuyn.
    2. *a.* Llysieuol.
vegetarian, *n.* 1. Llysfwytäwr, llysfwytäwraig.
    2. *a.* Llysfwytäol.
vegetarianism, *n.* Bwydlysyddiaeth.
vegetation, *n.* Llystyfiant, tyfiant, planhigion.
vehemence, *n.* Angerdd, tanbeidrwydd.
vehement, *a.* Angerddol, tanbaid.
vehicle, *n.* Cerbyd ; cyfrwng.
veil, *n.* 1. Llen, gorchudd.
    2. *v.* Gorchuddio.
vein, *n.* Gwythïen.
velocity, *n.* Cyflymder, cyflymdra, buander.
velvet, *n.* Melfed.
velvety, *a.* Melfedaidd.
vendor, *n.* Gwerthwr.
veneer, *n.* Argaen, caenen, caen, haenen.
venerable, *a.* Hybarch.
venerate, *v.* Parchu, mawrygu.
veneration, *n.* Parch.
vengeance, *n.* Dial, dialedd.
venial, *a.* Maddeuadwy, esgusodol.
venison, *n.* Cig carw.
venom, *n.* Gwenwyn.
venomous, *a.* Gwenwynig, gwenwynol, sbeitlyd.
vent, *n.* 1. Agorfa, awyrdwll.
    2. *v.* Arllwys, gollwng.
ventilate, *v.* Awyru, gwyntyllu.
ventilation, *n.* Awyriad, gwyntylliad.
ventriloquist, *n.* Tafleisydd.
venture, *n.* 1. Antur, mentr.
    2. *v.* Anturio, mentro.
venturous, *a.* Anturus, mentrus.
venue, *n.* Man cyfarfod.

veracious, *a.* Geirwir.
verb, *n.* Berf.
verbal, *a.* Berfol ; geiriol.
verbally, *ad.* Mewn geiriau ; air am air.
verbatim, *ad.* Air am air.
verbiage, *n.* Geiriogrwydd, amleiriaeth.
verb-noun, *n.* Berfenw.
verbose, *a.* Amleiriog.
verdant, *a.* Gwyrdd, gwyrddlas.
verdict, *n.* Dedfryd, dyfarniad.
verdure, *n.* Gwyrddlesni, glesni.
verge, *n.* I. Brysgyll, swyddwialen ; min, ymyl, glan, cwr, ochr.
2. *v.* Ymylu, tueddu.
verification, *n.* Gwireddiad.
verify, *v.* Gwireddu, gwirio.
verily, *ad.* Yn wir.
verisimilitude, *n.* Tebygolrwydd.
veritable, *a.* Gwirioneddol.
vermin, *n.* Pryfed, pryfetach, llau, pryf.
verminous, *a.* Pryfedog.
vernacular, *a.* Cynhenid, brodorol.
vernal, *a.* Gwanwynol, yn ymwneud â'r gwanwyn.
versatile, *a.* Amryddawn, amlochrog.
verse, *n.* Adnod ; pennill ; barddoniaeth.
FREE VERSE. Canu rhydd.
versed, *a.* Hyddysg.
versification, *n.* Mydryddiaeth.
versify, *v.* Prydyddu, mydryddu.
version, *n.* Cyfieithiad, trosiad, fersiwn, ffurf.
versus, *prp.* Yn erbyn.
vertebra, *n.* Un o gymalau'r asgwrn cefn.
vertebrae, *np.* Yr asgwrn cefn.
vertebrate, *a.* Ag asgwrn cefn.
vertical, *a.* Unionsyth, plwm.
vertigo, *n.* Pendro, y bendro.
very, *a.* I. Gwir, go iawn, union.
2. *ad.* Iawn, dros ben, tra.
VERY WELL. O'r gorau ; yn dda iawn.
VERY KIND. Tra charedig, caredig iawn.
THE VERY THING. Y peth i'r dim, yr union beth.
vespers, *np.* Gosber, gwasanaeth hwyrol.
vessel, *n.* Llestr ; llong.
vest, *n.* I. Dilledyn, gwasgod, crys isaf.
2. *v.* Arwisgo, urddo.
vestibule, *n.* Porth, cyntedd.
vestige, *n.* Ôl, gweddill.
vestment, *n.* Urddwisg.
veteran, *n.* I. Un profiadol, hen law ; cyn-filwr.
2. *a.* Hen, profiadol.
veterinary, *a.* Milfeddygol.
VETERINARY SURGEON. Milfeddyg, ffarier.
veto, *n.* I. Gwaharddiad.
2. *v.* Gwahardd.
vex, *v.* Blino, poeni, gofidio, trallodi.
vexation, *n.* Blinder, gofid, trallod.
vexatious, *a.* Blin, gofidus, trallodus.
vexing, *a.* Blin, plagus.
via, *prp.* Trwy, ar hyd.

viability, *n.* Ymarferoldeb.
viable, *a.* Posibl, ymarferol.
viaduct, *n.* Pontffordd, traphont.
viands, *np.* Bwyd, ymborth.
vibrant, *a.* Dirgrynol.
vibrate, *v.* Dirgrynu, ysgwyd.
vibration, *n.* Dirgryniad.
VIBRATION-WAVES. Dirgryndonnau.
vicar, *n.* Ficer.
vicarage, *n.* Ficeriaeth ; ficerdy, persondy.
vicarious, *a.* Dirprwyol, yn lle.
vice, *n.* Gwŷd, drygioni ; gwasg, feis.
vice, *px.* Is-, rhag-.
vice-chairman, *n.* Is-gadeirydd.
vice-chancellor, *n.* Is-ganghellor.
vice-president, *n.* Is-lywydd.
vice-versa, *ad.* I'r gwrthwyneb.
vicinity, *n.* Cymdogaeth.
vicious, *a.* Gwydlon, drygionus, mileinig.
viciousness, *n.* Drygioni, mileindra.
vicissitude, *n.* Cyfnewidiad, tro, helynt.
THE VICISSITUDES OF LIFE. Troeon yr yrfa.
victim, *n.* Aberth, ysglyfaeth, dioddefwr.
victimization, *n.* Annhegwch, erledigaeth, dial annheg.
victimize, *v.* Erlid, ymlid, gormesu.
victor, *n.* Buddugwr, gorchfygwr.
victorious, *a.* Buddugol, buddugoliaethus.
victory, *n.* Buddugoliaeth.
victual, *v.* Porthi, bwydo.
victualler, *n.* Gwerthwr bwyd.
LICENSED VICTUALLER. Tafarnwr.
victuals, *np.* Bwyd, lluniaeth.
vie, *v.* Cystadlu.
view, *n.* I. Golygfa, golwg ; barn, tyb, syniad, bwriad.
2. *v.* Edrych, gweld.
vigil, *n.* Gwylnos, gwyliadwriaeth, noswyl.
vigilance, *n.* Gwyliadwriaeth.
vigilant, *a.* Gwyliadwrus, effro.
vigorous, *a.* Grymus, egnïol.
vigour, *n.* Grym, nerth, egni, ynni.
vile, *a.* Gwael, bawaidd, aflan, brwnt.
vileness, *n.* Bryntni, ffieiddra.
vilify, *v.* Difrïo, difenwi, pardduo, enllibio.
village, *n.* Pentref.
villager, *n.* Pentrefwr.
villain, *n.* Dihiryn, adyn, cnaf.
villainous, *a.* Anfad, ysgeler.
villainy, *n.* Anfadwaith, ysgelerder.
vindicate, *v.* Cyfiawnhau, amddiffyn.
vindication, *n.* Cyfiawnhad, amddiffyniad.
vindictive, *a.* Dialgar.
vine, *n.* Gwinwydden.
vinegar, *n.* Finegr.
vineyard, *n.* Gwinllan.
vintage, *n.* Cynhaeaf gwin, gwin.
viola, *n.* Fiola.
violate, *v.* Treisio, halogi.

violation, *n.* Treisiad, halogiad, trosedd.
violence, *n.* Ffyrnigrwydd, trais.
violent, *a.* Ffyrnig, gwyllt, angerddol.
violet, *n.* I. Fioled, crinllys.
   2. *a.* Piws, dulas.
violin, *n.* Ffidil.
violinist, *n.* Feiolinydd.
violoncello, *n.* Soddgrwth.
viper, *n.* Gwiber.
virgin, *n.* I. Gwyryf, morwyn.
   2. *a.* Gwyryfol, morwynol, pur.
virginal, *a.* Gwyryfol, morwynol.
virginity, *n.* Gwyryfdod, morwyndod.
virile, *a.* Gwrol, egnïol.
virility, *n.* Gwrolaeth, gwroldeb.
virtual, *a.* Ymarferol, i bob pwrpas, gwir, mewn gwirionedd.
virtue, *n.* Rhinwedd, nerth, diweirdeb.
virtuous, *a.* Rhinweddol.
virulent, *a.* Gwenwynig ; ffyrnig.
virus, *n.* Feirws.
visa, *n.* Teitheb, fisa.
visage, *n.* Wyneb, wynepryd.
viscosity, *n.* Gludedd.
viscount, *n.* Is-iarll.
viscous, *a.* Gludiog.
visible, *a.* Gweladwy, gweledig.
vision, *n.* Gweledigaeth ; golwg, gweledigaeth.
visionary, *n.* I. Breuddwydiwr.
   2. *a.* Breuddwydiol.
visit, *n.* I. Ymweliad.
   2. *v.* Ymweld â.
visitor, *n.* Ymwelwr, ymwelydd.
visual, *a.* Golygol, gweledol.
   VISUAL AIDS. Cymhorthion gweledol.
vital, *a.* Hanfodol ; bywiol, bywydol.
vitality, *n.* Bywyd, bywiogrwydd.
vitalize, *v.* Bywiogi, bywiocáu.
vitamin, *n.* Fitamin.
vitiate, *v.* Llygru, difetha.
vitreous, *a.* Gwydrog.
   VITREOUS ENAMEL. Enamel gwydrog.
vituperate, *v.* Difenwi, difrïo, dilorni.
vituperation, *n.* Difenwad, difrïaeth.
vivacious, *a.* Bywiog, heini, nwyfus.
vivacity, *n.* Bywiogrwydd, asbri, nwyf.
vivid, *a.* Byw, clir, llachar.
vividness, *n.* Eglurder.
vivify, *v.* Bywhau, bywiocáu.
vixen, *n.* Llwynoges, cadnöes, cadnawes.
vocabulary, *n.* Geirfa.
vocal, *a.* Lleisiol, llafar.
   VOCAL CHORDS. Tannau'r llais.
vocalist, *n.* Canwr, cantor, cantores.

vocation, *n.* Galwedigaeth.
vocative, *a.* Cyfarchol.
vociferate, *v.* Gweiddi, bloeddio.
vogue, *n.* Arfer, ffasiwn.
voice, *n.* I. Llais, lleferydd ; stâd (*gram.*).
   2. *v.* Lleisio, mynegi.
voiced, *a.* Lleisiol, llafarog.
voiceless, *a.* Mud.
void, *n.* I. Gwagle.
   2. *a.* Gwag ; dirym, ofer.
   3. *v.* Gwacáu ; dirymu.
volatile, *a.* Hedegog, cyfnewidiol, anwadal, anweddol.
volcano, *n.* Llosgfynydd.
volition, *n.* Ewyllysiad.
volitional, *a.* Ewyllysiol.
volley, *n.* Cawad o ergydion.
voluble, *a.* Siaradus, huawdl, parablus.
volume, *n.* Cyfrol ; crynswth, swm ; folum, cyfaint.
voluminous, *a.* Mewn sawl cyfrol ; mawr, helaeth, sylweddol
voluntariness, *n.* Gwirfoddolrwydd, gwirfoddoldeb.
voluntary, *a.* Gwirfoddol, o wirfodd.
volunteer, *n.* I. Gwirfoddolwr.
   2. *v.* Gwirfoddoli.
voluptuary, *n.* Trythyllwr, ymbleserwr.
voluptuous, *a.* Synhwyrus, nwydus, cnawdol.
vomit, *n.* I. Cyfog, chwydiad.
   2. *v.* Cyfogi, chwydu.
voracious, *a.* Gwancus, rheibus, barus.
voraciousness, *n.* Gwanc, rhaib.
votary, *a.* Addunedwr, diofrydwr, un ymroddedig ; pleidiwr ; dilynwr, addolwr.
vote, *n.* I. Pleidlais.
   2. *v.* Pleidleisio.
voter, *n.* Pleidleisiwr.
vouch, *v.* Gwirio, gwarantu.
voucher, *n.* Gwarantwr ; taleb.
   NURSERY VOUCHERS. Talebau meithrin.
vow, *n.* I. Adduned, diofryd.
   2. *v.* Addunedu, addo.
vowel, *n.* Llafariad.
   VOWEL MUTATION. Gwyriad.
   VOWEL AFFECTION. Affeithiad.
voyage, *n.* I. Mordaith, taith, siwrnai.
   2. *v.* Morio, mordwyo, mordeithio.
voyager, *n.* Mordwywr, mordeithiwr, teithiwr, siwrneiwr.
vulgar, *a.* Cyffredin ; di-chwaeth, cwrs, di-foes, aflednais.
vulgarity, *n.* Diffyg moes, afledneisrwydd.
vulnerable, *a.* Bregus, archolladwy, hawdd ei niweidio.
vulture, *n.* Fwltur.

Wad, *n.* Sypyn, wad.
wadding, *n.* Gwlân cotwm, wadin.
waddle, *v.* Siglo-cerdded, honcian, cerdded fel hwyad, mynd o glun i glun.
wade, *v.* Rhydio, cerdded drwy ddŵr.
wafer, *n.* Afrlladen, bisgïen frau.
waft, *v.* Cludo, dygludo.
wag, *n.* I. Cellweiriwr, wag.
　　2. *v.* Ysgwyd, siglo.
wage, *n.* Cyflog, hur.
　　TO WAGE WAR. Rhyfela.
wager, *n.* I. Cyngwystl, bet.
　　2. *v.* Cyngwystlo, betio, dal.
waggish, *a.* Cellweirus, digrif.
waggle, *v.* Siglo, gwegian, honcian.
wagon, *n.* Gwagen, wagen.
wagoner, *n.* Gwagennwr, wagennwr.
wail, *n.* I. Cwynfan, oergri, nâd.
　　2. *v.* Llefain, nadu, cwynfan, udo.
wainscot, *n.* Palis.
waist, *n.* Gwasg, canol.
waistcoat, *n.* Gwasgod.
wait, *n.* I. Arhosiad.
　　2. *v.* Aros, disgwyl ; gweini.
waiter, *n.* Gweinydd.
waiting, *n.* Aros, disgwyl.
　　WAITING FOR THE BUS. Disgwyl y bws.
waitress, *n.* Gweinyddes.
wake, *n.* I. Gwylnos, gwylmabsant ; ôl llong neu gwch.
　　2. *v.* Deffro, dihuno.
wakeful, *a.* Effro, ar ddi-hun.
wakefulness, *n.* Anhunedd.
waken, *v.* Deffro, dihuno.
Wales, *n.* Cymru.
walk, *n.* I. Cerddediad ; tro ; rhodfa.
　　2. *v.* Cerdded, mynd am dro, rhodio.
　　SPONSORED WALK. Taith gerdded noddedig.
　　TO WALK HOME. Cerdded adref.
walker, *n.* Cerddwr, rhodiwr.
walkie-talkie, *n.* Set radio symud a siarad.
walking-stick, *n.* Ffon.
wall, *n.* I. Mur, gwal, magwyr, pared.
　　2. *v.* Gwalio, codi gwal, murio.
wallet, *n.* Gwaled, ysgrepan.
wallop, *v.* Curo, pwnio, wado.
walnut, *n.* Cneuen ffrengig.
wan, *a.* Gwelw, llwyd.
wand, *n.* Gwialen, hudlath.
wander, *v.* Crwydro, mynd ar grwydr.
wanderer, *n.* Crwydryn.
wane, *n.* I. Lleihad, trai, cil, gwendid.
　　2. *v.* Lleihau treio, cilio, mynd ar drai.
wanness, *n.* Gwelwedd.
want, *n.* I. Eisiau, angen.
　　2. *v.* Bod mewn angen.
wanting, *a.* Yn eisiau, diffygiol, yn fyr.
wanton, *n.* I. Masweddwr.
　　2. *a.* Anllad, trythyll, masweddol, anystyriol, rhyfygus.

wantonness, *n.* Anlladrwydd, maswedd, rhyfyg.
war, *n.* I. Rhyfel.
　　2. *v.* Rhyfela.
warble, *v.* Telori, pyncio.
warbler, *n.* Telor, telorydd.
war-cry, *n.* Rhyfelgri.
ward, *n.* I. Gward, un dan ofal ; ward.
　　2. *v.* Gwarchod, amddiffyn.
　　EMERGENCY WARD. Ward achosion brys.
　　WARD OF COURT. Gward llys.
　　WARD MAID. Merch lanhau.
warden, *n.* Warden.
wardenship, *n.* Wardeiniaeth.
warder, *n.* Gwyliwr, gwarcheidwad.
wardrobe, *n.* Cwpwrdd dillad, gwardrob.
ware, *n.* Nwydd, wâr.
　　WARES. Nwyddau.
warehouse, *n.* Ystordy, ystorfa, warws.
warfare, *n.* Rhyfel.
wariness, *n.* Pwyll, gwyliadwriaeth.
warlike, *a.* Rhyfelgar.
warm, *a.* I. Twym, cynnes, gwresog.
　　2. *v.* Twymo, cynhesu, gwresogi.
warmth, *n.* Cynhesrwydd.
warn, *v.* Rhybuddio.
warning, *n.* Rhybudd.
warp, *n.* I. Ystof, dylif.
　　2. *v.* Ystofi, dylifo ; gwyro, sychgamu.
warrant, *n.* I. Gwarant, awdurdod.
　　2. *v.* Gwarantu, cyfiawnhau.
warrantable, *a.* Gwarantadwy, y gellir ei warantu, cyfiawnadwy.
warren, *n.* Cwningar.
warrior, *n.* Rhyfelwr.
wart, *n.* Dafaden.
warty, *a.* Dafadennog.
wary, *a.* Gwyliadwrus, gochelgar, pwyllog.
was, *v.* Bûm, bu, roeddwn, oedd . . .
wash, *n.* I. Golch, golchiad, golchfa.
　　2. *v.* Golchi, ymolchi.
washer, *n.* Golchwr, wasier.
washerwoman, *n.* Golchwraig.
wash-house, *n.* Tŷ golchi.
washing, *n.* Golch, golchiad.
washing-machine, *n.* Peiriant golchi.
washing powder, *n.* Powdr golchi.
washing-up liquid, *n.* Sebon golchi llestri.
washy, *a.* Dyfrllyd, gwan.
wasp, *n.* Cacynen, gwenynen feirch, picwnen.
waste, *n.* I. Gwastraff ; diffeithwch.
　　2. *a.* Anial, diffaith.
　　3. *v.* Gwastraffu, difrodi, anrheithio ; treulio, nychu.
wastebin, *n.* Bin ysbwriel.
wasteful, *a.* Gwastraffus, afradus, afradlon.
wastefulness, *n.* Afradlonedd, gwastraff.
waster, *n.* Oferwr, afradwr.
watch, *n.* I. Gwyliadwriaeth ; oriawr, wats ; gwyliwr ; gwarchodlu.
　　2. *v.* Gwylio, gwylied, gwarchod.

watcher, *n.* Gwyliwr.
watchful, *a.* Gwyliadwrus.
watchmaker, *n.* Oriadurwr, gwneuthurwr watsis.
watchman, *n.* Gwyliwr, gwyliedydd.
watch-night, *n.* Gwylnos.
watchword, *n.* Arwyddair.
water, *n.* I. Dwfr, dŵr.
    2. *v.* Dyfrhau, rhoi dŵr i.
watercourse, *n.* Sianel.
watercress, *n.* Berw'r dŵr.
watered, *a.* Dyfriedig, dyfrllyd.
waterfall, *n.* Rhaeadr, sgwd, cwymp dŵr.
water-hen, *n.* Iâr ddŵr.
waterless, *a.* Di-ddŵr.
waterlogged, *a.* Dan ddŵr, llawn dŵr.
watermark, *n.* Dyfrnod.
waterproof, *a.* I. Diddos ; gwrth-ddŵr.
    2. *v.* Diddosi.
watershed, *n.* Cefn deuddwr, gwahaniad dyfroedd.
waterworks, *np.* Gwaith dŵr, cronfa ddwfr.
watery, *a.* Dyfrllyd, dyfriog.
watt, *n.* Wat.
wattle, *n.* I. Plethwaith, bangorwaith ; clwyd,
    pleiden ; tagell.
    2. *v.* Plethu, bangori.
wave, *n.* I. Ton ; chwifiad llaw.
    2. *v.* Tonni ; chwifio.
wavelength, *n.* Tonfedd.
waver, *v.* Anwadalu, petruso.
waverer, *n.* Anwadalwr.
wavering, *a.* Anwadal, gwamal.
wavy, *a.* Tonnog.
wax, *n.* I. Cwyr.
    2. *v.* Cwyro ; cynyddu, tyfu.
way, *n.* Ffordd, llwybr, heol, cyfeiriad, modd ; arfer.
wayfarer, *n.* Teithiwr, fforddolyn.
waylay, *v.* Cynllwyn, rhagod.
wayside, *n.* Ymyl y ffordd.
wayward, *a.* Cyndyn, ystyfnig.
waywardness, *n.* Cyndynrwydd.
we, *pn.* Ni, nyni, ninnau.
weak, *a.* Gwan, egwan.
weaken, *v.* Gwanhau, gwanychu.
weak-hearted, *a.* Gwangalon.
weakling, *n.* Edlych, un gwan.
weakly, *a.* I. Gwanllyd.
    2. *ad.* Yn wan.
weak-minded, *a.* Penwan, gwirion, hurt.
weakness, *n.* Gwendid.
weal, *n.* Gwrym, ôl ffonnod ; lles, budd.
wealth, *n.* Cyfoeth, golud, da.
wealthy, *a.* Cyfoethog, goludog, cefnog.
wean, *v.* Diddyfnu.
weapon, *n.* Arf, erfyn.
wear, *n.* I. Gwisg ; traul.
    2. *v.* Gwisgo ; treulio.
wearer, *n.* Gwisgwr.
weariness, *n.* Blinder, lludded.
wearisome, *a.* Blinderus, blin, diflas.

weary, I. *a.* Blin, blinedig, lluddedig.
    2. *v.* Blino, lluddedu, diflasu.
weasel, *n.* Gwenci, bronwen.
weather, *n.* Tywydd, hin.
    WEATHER-BEATEN. Ag ôl tywydd.
    WEATHERING. Hindreulio, hindreuliad.
weather-vane, *n.* Ceiliog gwynt.
weave, *v.* Gwau, gweu.
weaver, *n.* Gwehydd, gwëydd, gwŷdd.
web, *n.* Gwe.
    WEB SITE. Gwefan.
wed, *v.* Priodi.
wedding, *n.* Priodas.
wedge, *n.* Gaing, lletem.
wedlock, *n.* Priodas, ystad briodasol.
Wednesday, *n.* Dydd Mercher.
wee, *a.* Bach, pitw.
weed, *n.* I. Chwynnyn.
    2. *v.* Chwynnu.
week, *n.* Wythnos.
weekday, *n.* Diwrnod gwaith.
weekends, *n.* I. Dros y Sul, penwythnos.
    2. *v.* Bwrw'r Sul, treulio'r penwythnos.
weekly, *n.* I. Wythnosolyn.
    2. *a.* Wythnosol.
    3. *ad.* Yn wythnosol, bob wythnos.
week-night, *n.* Noson waith, noswaith waith.
weep, *v.* Wylo, llefain, wylofain.
weft, *n.* Anwe, edau groes.
weigh, *v.* Pwyso, ystyried ; codi angor.
weigher, *n.* Pwyswr.
weight, *n.* Pwys, pwysau.
weighty, *a.* Pwysig, trwm.
weir, *n.* Cored.
weird, *a.* Iasol, annaearol.
welcome, *n.* I. Croeso.
    2. *a.* Derbyniol.
    3. *v.* Croesawu.
weld, *v.* Asio.
welfare, *n.* Lles, budd, llesiant.
    WELFARE STATE. Gwladwriaeth les.
well, *n.* I. Ffynnon.
    2. *a.* Iach, iawn, da.
    3. *int.* Wel !
    4. *ad.* Yn dda.
    WELL DONE. Da iawn !
well-off, *a.* Cefnog, da eich byd.
Welsh (language), *n.* Cymraeg.
Welsh, *a.* Cymraeg (o ran iaith) ; Cymreig (o ran
    teithi).
Welshman, *n.* Cymro.
    npl. Cymry.
Welshwoman, *n.* Cymraes.
    npl. Cymraesau.
welt, *n.* Gwaldas, gwald.
wench, *n.* Geneth, llances, merch.
wend, *v.* Mynd, ymlwybro.
were, *v.* Buest, buom, buont, roeddet, roeddem,
    roeddent . . .

Wesleyan, *n.* I. Weslead.
    2. *a.* Wesleaidd.
west, *n.* I. Gorllewin.
    2. *a.* Gorllewinol.
westerly, *a.* Gorllewinol, o'r gorllewin.
western, *a.* Gorllewinol.
westwards, *ad.* Tua'r gorllewin.
wet, *n.* I. Gwlybaniaeth.
    2. *a.* Gwlyb, llaith.
    3. *v.* Gwlychu.
wether, *n.* Gwedder, mollt, llwdn dafad.
wetness, *n.* Gwlybaniaeth, lleithder.
whacking, *n.* Curfa, cosfa, cweir.
whale, *n.* Morfil.
wharf, *n.* Cei, glanfa.
what, *pn.* & *a.* Yr hyn, pa beth, pa faint.
whatever, *pn.* Beth bynnag.
whatsoever, *pn.* Pa beth bynnag.
wheat, *n.* Gwenith.
    WHEAT BREAD. Bara gwenith, bara can.
    WHEAT FLOUR. Blawd gwenith, can.
    WHEAT GERM. Bywyn gwenith.
wheedle, *v.* Denu, hudo.
wheel, *n.* I. Olwyn, rhod, troell.
    2. *v.* Troi, troelli, treiglo.
wheelbarrow, *n.* Berfa, whilber.
wheelwright, *n.* Saer olwynion.
wheeze, *n.* I. Gwich.
    2. *v.* Gwichian.
wheezy, *a.* Gwichlyd.
whelp, *n.* Cenau, anifail ifanc.
when, *ad.* Pa bryd ? pan.
whence, *ad.* O ba le, o ble ?
whenever, *ad.* Pa bryd bynnag.
where, *ad.* Ym mha le, pa le, lle, ble ?
whereas, *c.* Gan, yn gymaint â.
whereby, *ad.* Sut, ym mha fodd ?; trwy'r hyn.
wherefore, *ad.* Paham, am ba reswm?
wherein, *ad.* Ym mha beth ? yn yr hyn.
whereof, *ad.* O ba beth, o ba un ?
whereon, *ad.* Ar ba beth ? ar yr hwn.
wherever, *ad.* Pa le bynnag, ble bynnag.
whereto, *ad.* I ba le, i ba beth ?
whereupon : whereon, *ad.* Ac ar hyn, ar hynny.
wherewith, *ad.* Â pha beth, sut ; â'r hwn, â pha un ?
whet, *n.* I. Hogiad.
    2. *v.* Hogi, minio, dodi awch ar.
whether, *c.* Ai, pa un ai.
whetstone, *n.* Carreg hogi, hogfaen, agalen.
whey, *n.* Maidd.
which, *rel. pn.* I. A, y, yr.
    2. *int. pn.* Pa un, p'run, r'un, pa rai ?
    3. *a.* Pa ?
whichever, *pn.* & *a.* Pa un bynnag.
whiff, *n.* I. Pwff, chwiff.
    2. *v.* Pwffio, chwiffio.
while, *n.* I. Ennyd, talm, encyd, amser.
    2. *v.* Treulio, bwrw amser.
    3. *ad.* Tra, pan.
    A LITTLE WHILE. Ennyd.
    A GOOD WHILE SINCE. Ers talm.

whim, *n.* Mympwy.
whimsical, *a.* Mympwyol.
whine, *v.* Cwynfan, nadu, swnian.
whinny, *n.* I. Gweryriad.
    2. *v.* Gweryru.
whip, *n.* I. Chwip, fflangell, ffrewyll.
    2. *v.* Chwipio, fflangellu, ffrewyllu.
whip hand, *n.* Llaw uchaf.
whippet, *n.* Milgi bach, corfilgi.
whipping, *n.* Chwipiad, fflangelliad.
whir, *n.* I. Chwyrndro.
    2. *v.* Chwyrn droi, chwyrnellu.
whirl, *n.* I. Chwyrlïad.
    2. *v.* Chwyrlïo, chwyrnellu.
whirligig, *n.* Chwyrligwgan.
whirlpool, *n.* Pwll tro, trobwll.
whirlwind, *n.* Trowynt, corwynt.
whiskers, *np.* Barf, blew.
whisper, *n.* I. Sibrydiad, sibrwd, sisial.
    2. *v.* Sibrwd, sisial.
whist, *n.* Chwist.
whistle, *n.* I. Chwibanogl, chwiban, chwît.
    2. *v.* Chwibanu.
whit, *n.* Mymryn, gronyn.
white, *a.* Gwyn, can.
whiten, *v.* Gwynnu, cannu.
whiteness, *n.* Gwynder, gwyndra.
whitewash, *n.* I. Gwyngalch.
    2. *v.* Gwyngalchu.
whither, *ad.* I ba le ?
whitlow, *n.* Ewinor, ffelwm, bystwn.
Whitmonday, *n.* Llungwyn.
Whitsunday, *n.* Sulgwyn.
whittle, *v.* Naddu, lleihau.
whizz, *v.* Sïo, chwyrnellu.
who, *pn.* Pwy ? Pwy a . . ? Pwy sydd . . ?
whoever, *pn.* Pwy bynnag.
whole, *n.* I. Cwbl, cyfan.
    2. *a.* Cyfan, holl ; iach, holliach.
wholefood, *n.* Bwyd cyflawn.
wholegrain, *n.* Grawn cyflawn.
wholemeal, *n.* Gwenith cyflawn.
wholeness, *n.* Cyfanrwydd.
wholesome, *a.* Iach, iachus, iachusol.
wholesomeness, *n.* Iachusrwydd.
wholly, *ad.* Yn hollol, yn gyfan gwbl.
whom, *pn.* A, (y, yr).
whose, *pn.* Pwy, pwy biau ? . . . y . . . ei . . .
whosoever, *pn.* Pwy bynnag.
why, *ad.* Paham, pam, am ba reswm ?
wick, *n.* Pabwyr, pabwyryn, wic.
wicked, *a.* Drwg, drygionus.
wickedness, *n.* Drygioni.
wicket, *n.* Clwyd fach, llidiart, wiced.
wide, *a.* Llydan, eang, rhwth.
wide-awake, *a.* Effro, ar ddi-hun.
widen, *v.* Lledu, llydanu.
widow, *n.* Gweddw, gwraig weddw, gwidw.
widowed, *a.* Gweddw.

widower, *n.* Gŵr gweddw, gwidman, gwidwer.
widowhood, *n.* Gweddwdod.
width, *n.* Lled, ehangder.
wife, *n.* Gwraig, gwraig briod, priod.
wig, *n.* Gwallt gosod, perwig, wig.
wild, *n.* I. Diffeithwch.
    2. *a.* Gwyllt.
wilderness, *n.* Anialwch, anial, diffeithwch.
wildness, *n.* Gwylltineb.
wile, *n.* Dichell, ystryw, cast.
wilful, *a.* Bwriadol, pwrpasol, ystyfnig, croes.
wilfully, *ad.* O fwriad, o bwrpas.
will, *n.* I. Ewyllys.
    2. *v.* Ewyllysio, mynnu.
    COME WHAT WILL. Doed a ddelo.
willing, *a.* Bodlon, parod, ewyllysgar.
willingly, *ad.* O wirfodd.
willingness, *n.* Parodrwydd, gwirfoddolrwydd.
willow, *n.* Helygen, coeden helyg.
wilt, *v.* Edwino, gwywo.
win, *v.* Ennill.
wince, *v.* Gwingo.
wind, *n.* Gwynt, awel, anadl.
    WIND FLOWER. Anemoni, blodyn y gwynt.
    WIND INSTRUMENT. Offeryn chwyth.
wind, *v.* Dirwyn, troi, troelli.
windmill, *n.* Melin wynt.
window, *n.* Ffenestr.
windpipe, *n.* Breuant, y bibell wynt.
windward, *a. & ad.* Tua'r gwynt, at y gwynt.
    WINDWARD ISLANDS. Ynysoedd y Gwynt.
windy, *a.* Gwyntog.
wine, *n.* Gwin.
wineglass, *n.* Gwydr gwin.
winepress, *n.* Gwinwryf, gwinwasg.
wing, *n.* Adain, aden, asgell.
winged, *a.* Adeiniog, asgellog.
wing-forward, *n.* Blaenasgellwr.
wink, *n.* I. Winc, amrantiad, chwinciad.
    2. *v.* Wincio, chwincian.
winning, *a.* Enillgar, deniadol.
winnings, *np.* Enillion.
winnow, *v.* Nithio, gwyntyllio.
winnower, *n.* Nithiwr.
winnowing, *n.* Nithiad.
winsome, *a.* Serchus, deniadol.
winter, *n.* I. Gaeaf.
    2. *v.* Gaeafu.
    WINTERGREEN. Gwyrdd y gaeaf.
wintry, *a.* Gaeafol, gaeafaidd.
wipe, *v.* Sychu.
wiper, *n.* Sychwr.
wire, *n.* Gwifren, weiren.
wireless, *n.* Radio, (diwifr).
wireworm, *n.* Hoelen ddaear.
wisdom, *n.* Doethineb.
wise, *a.* I. Doeth, call.
    2. *n.* Dull, modd.
wish, *n.* I. Dymuniad, awydd.
    2. *v.* Dymuno.

wishful, *a.* Awyddus.
wisp, *n.* Tusw, twffyn, sypyn.
wistful, *a.* Hiraethus, llawn dyhead.
wit, *n.* Synnwyr, deall ; ffraethineb ; un ffraeth, un doniol.
witch, *n.* Dewines, gwiddon.
witchcraft, *n.* Dewiniaeth.
with, *prp.* Â, ag, gyda, gydag, efo.
withdraw, *v.* Encilio, tynnu yn ôl ; codi arian.
withdrawal, *n.* Ciliad, enciliad ; codiad arian.
withe, *n.* Gwden, gwialen helyg.
wither, *v.* Gwywo, crino.
withering, *a.* Gwywol ; deifiol.
withold, *v.* Atal, dal yn ôl.
within, *prp.* I. I mewn, yn, o fewn.
    2. *ad.* Tu mewn, oddi mewn.
without, *prp.* I. Heb.
    2. *ad.* Tu allan, tu faes, oddi allan.
withstand, *v.* Gwrthsefyll.
witness, *n.* I. Tyst ; tystiolaeth.
    2. *v.* Tystio, tystiolaethu.
    EYEWITNESS. Llygad-dyst.
wits, *np.* Synhwyrau, pwyll.
witticism, *n.* Ffraetheb.
wittiness, *n.* Ffraethineb, doniolwch.
wittingly, *ad.* Yn fwriadol, yn bwrpasol.
witty, *a.* Ffraeth, arab, doniol.
wizard, *n.* Dewin, swynwr.
wizened, *a.* Gwyw, crin, crebachlyd.
wobble, *v.* Siglo, honcian.
woe, *n.* Gwae.
woeful, *a.* Athrist, gofidus.
wolf, *n.* Blaidd.
woman, *n.* Gwraig, benyw, merch.
womanhood, *n.* Gwreictod.
womanly, *a.* Gwreigaidd, benywaidd.
womb, *n.* Croth, bru.
wonder, *n.* I. Rhyfeddod, syndod.
    2. *v.* Rhyfeddu, synnu.
wonderful, *a.* Rhyfeddol, i synnu ato, i'w ryfeddu.
wondrous, *a.* Rhyfeddol, aruthr.
wont, *n.* I. Arfer, arferiad.
    2. *v.* Arfer.
woo, *v.* Caru, canlyn, dilyn.
wood, *n.* Coed, gwŷdd ; pren.
woodcock, *n.* Cyffylog.
wooded, *a.* Coediog.
wooden, *a.* Pren, o bren, prennaidd.
woodland, *n.* Coetir.
woodlark, *n.* Ehedydd y coed.
woodman, *n.* Coediwr.
woodpecker, *n.* Cnocell y coed.
woodpigeon, *n.* Ysguthan.
woodsage, *n.* Chwerwlys yr eithin, saets gwyllt.
woodwind, *np.* Chwythbrennau.
woody, *a.* Coediog, prennaidd.
wooer, *n.* Carwr.
woof, *n.* Anwe.
wool, *n.* Gwlân.

woollen, *a.* Gwlanog, gwlân, gwlanen.
woolly, *a.* Gwlanog.
word, *n.* Gair.
wordiness, *n.* Geiriogrwydd.
wording, *n.* Geiriad.
wordy, *a.* Geiriog, amleiriog.
work, *n.* I. Gwaith, swydd, gorchwyl, gweithred.
    2. *v.* Gweithio.
worker, *n.* Gweithiwr.
workhouse, *n.* Tloty, wyrcws.
workless, *a.* Di-waith.
workman, *n.* Gweithiwr.
workmanship, *n.* Saernïaeth, crefft.
workshop, *n.* Gweithdy.
world, *n.* Byd.
worldliness, *n.* Bydolrwydd.
worldly, *a.* Bydol.
world-wide, *a.* Byd-eang.
worm, *n.* Pryf, abwydyn, llyngyren.
wormwood, *n.* Wermod, wermwd.
worry, *n.* I. Pryder, gofid.
    2. *v.* Pryderu, gofidio ; poeni, peri pryder.
worse, *a.* Gwaeth.
    WORSE LUCK. Gwaetha'r modd.
worsen, *v.* Gwaethygu.
worship, *n.* I. Addoliad.
    2. *v.* Addoli.
    HIS WORSHIP THE MAYOR. Ei Deilyngdod y Maer.
worshipper, *n.* Addolwr.
worst, *a.* I. Gwaethaf.
    2. *v.* Gorchfygu, trechu.
worth, *n.* Gwerth, pwysigrwydd, haeddiant, teilyngdod.
worthless, *a.* Diwerth.
worthy, *n.* I. Gŵr clodfawr.
    2. *a.* Teilwng, gwiw.
wound, *a.* I. Clwyf, briw, archoll.
    2. *v.* Clwyfo, archolli.
wrangle, *n.* I. Ymryson, ffrae, cweryl.
    2. *v.* Cecru, ffraeo, cweryla.

wrangler, *n.* Cecryn, cwerylwr.
wrap, *v.* Plygu, rhwymo.
    WRAPPING PAPER. Papur lapio.
wrath, *n.* Digofaint, llid, dicter, soriant.
wrathful, *a.* Digofus, llidiog, dig, dicllon.
wreath, *n.* Torch.
wreck, *n.* I. Drylliad, llongddrylliad.
    2. *v.* Dryllio ; difetha.
wrecked, *a.* Drylliedig ; adfeiliedig.
wren, *n.* Dryw.
wrestle, *v.* Ymgodymu, ymaflyd codwm, taflu codwm.
wrestler, *n.* Ymgodymwr, ymaflwr codwm.
wretch, *n.* Adyn, truan, gwalch.
wretched, *a.* Truenus, gresynus.
    WRETCHED MAN. Truan o ddyn.
wretchedness, *n.* Anhapusrwydd, digalondid.
wriggle, *v.* Ymnyddu, gwingo, troi a throsi.
wring, *v.* Troi, gwasgu.
wrinkle, *n.* I. Crych, rhych, crychni ; awgrym.
    2. *v.* Crychu, rhychu.
wrinkled, *a.* Crychiog, crych, crychlyd.
wrist, *n.* Arddwrn.
    WRIST-WATCH. Wats arddwrn.
writ, *n.* Gwŷs, dogfen gyfreithiol, arch llys.
    HOLY WRIT. Yr Ysgrythur Lân.
write, *v.* Ysgrifennu.
    TO WRITE ONE'S NAME. Torri enw.
writer, *n.* Ysgrifennwr.
writhe, *v.* Gwingo.
writing, *n.* Ysgrifen ; ysgrifennu.
    WRITING PAPER. Papur ysgrifennu.
    IN WRITING. Ar bapur, yn ysgrifenedig.
wrong, *n.* I. Cam, camwedd, camwri.
    2. *a.* Anghywir, cam, cyfeiliornus.
    3. *v.* Gwneud cam â.
wrongdoer, *n.* Troseddwr, drwgweithredwr.
wrongdoing, *n.* Camwedd, trosedd.
wroth, *a.* Dig, llidiog, digofus, dicllon.
wry, *a.* Cam, gwyrgam.
wry-mouthed, *a.* Mingam.

X, *n.f.* Ecs *pl.* ecsys.
   X CERTIFICATE. Tystysgrif X/ecs.
   X-RAY(S). Pelydr(au) X/ecs.
   X-RAY TREATMENT. Triniaeth pelydr X/ecs.
   XXX ; TREBLE X. Tair ecs.
   X MARKS THE SPOT. Mae croes yn dynodi'r
     man.
xenophile, *n.* Estrongarwr.
xenophobe, *n.* Estrongasäwr.

xenophobia, *n.* Estrongasedd, estrongasineb.
xenophobic, *a.* Estrongasaol, senoffobig.
xerox, *n.* I. Serocs.
   XEROX COPY. Copi serocs.
   2. *v.* Gwneud copi serocs, serocsio.
Xmas, *n.* See **Christmas**.
X-ray(s), *n.* Pelydr(au) x/ecs.
xylophone, *n.* Seiloffon.
xylophonist, *n.* Seiloffonydd.

Yacht, *n.* Llong bleser ; iot, cwch hwyliau, bad hwyliau, cwch hwylio, bad hwylio.

yachtsman, *n.* Hwyliwr, iotiwr.

yap, *n.* Cyfarthiad.

yard, *n.* Llath, llathen, llathaid ; buarth, clos ; iard, lle chware.

yarn, *n.* Edau, edefyn ; stori, chwedl.

yawn, *v.* Dylyfu gên, agor y genau.

yea, *ad.* Ie, yn wir.
　LET YOUR YEA BE YEA. Bydded eich ie chi yn ie.

year, *n.* Blwyddyn, blwydd.
　A YEAR OLD. Blwydd oed.
　A HAPPY NEW YEAR. Blwyddyn newydd dda.
　CALENDAR YEAR. Blwyddyn galendr.
　FIVE YEARS OLD. Pum mlwydd oed.
　LAST YEAR. Y llynedd.
　THIS YEAR. Eleni.
　NEW YEAR'S DAY. Dydd Calan.
　NEW YEAR'S EVE. Nos Galan.
　YEARS AGO. Flynyddoedd yn ôl.
　18 YEARS OLD. Deunaw mlwydd oed.
　60 YEARS OLD. Trigain mlwydd oed.

yearling, *n.* Anifail blwydd oed.

yearly, *a.* 1. Blynyddol, bob blwyddyn.
　2. *ad.* Yn flynyddol, bob blwyddyn.

yearn, *v.* Hiraethu, dyheu.

yearning, *n.* 1. Dyhead, hiraeth.
　2. *a.* Hiraethus, llawn dyhead.

yeast, *n.* Berem, burum, berman.

yell, *n.* 1. Sgrech.
　2. Sgrechian.

yellow, *a.* Melyn.
　YELLOW BUNTING. Melyn yr eithin.

yes, *ad.* Ie, do, oes, byddaf, byddant, oedd, oeddwn, ydwyf, ydy, ydynt . . .

yesterday, *n. & ad.* Doe, ddoe.

yew, *n.* Ywen.

yield, *n.* 1. Cynnyrch, ffrwyth, cynhaeaf ; elw.
　2. *v.* Rhoi, cynhyrchu, cnydio, dwyn ; ildio.

yoke, *n.* 1. Iau.
　2. *v.* Ieuo.

yolk, *n.* Melyn wy, melynwy.

yonder, *ad.* Draw, acw.

you, *pn.* Ti, chi, chwi, 'ch, chwychwi, chwithau.
　YOU ALSO. Tithau, chwithau.
　YOU YOURSELF. Tydi.

young, *a.* Ieuanc, ifanc.
　YOUNGER. Iau.
　YOUNGEST. Ifancaf.

your, *pn.* Dy, 'th ; eich, 'ch.

yours, Eiddoch, yr eiddoch.
　YOURS FAITHFULLY. Yr eiddoch yn ffyddlon.
　YOURS TRULY. Yr eiddoch yn gywir.
　YOURS SINCERELY. Yr eiddoch yn bur.
　YOURS IN ALL SINCERITY. Yr eiddoch yn ddiffuant, yr eiddoch yn ddidwyll.

yourself, *pn.* Eich hun, eich hunan.

yourselves, *pn.* Eich hunain.

youth, *n.* Bachgen, gŵr ifanc, llanc ; ieuenctid, bachgendod.

youthful, *a.* Ieuanc, ifanc.

yule-tide, *n.* Gŵyl y Nadolig.

Zeal, *n.* Sêl, eiddgarwch, brwdfrydedd.
zealot, *n.* Selogyn, penboethyn, eithafwr ; selot.
zealous, *a.* Selog, eiddgar, brwdfrydig, taer, penboeth, tanbaid.
zebra, *n.* Sebra.
zenith, *n.* Anterth, uchafbwynt, entrych.
zephyr, *n.* Awel ; gorllewinwynt.
zero, *n.* Sero, dim, gwagnod.
ABSOLUTE ZERO. Sero eithaf.
BELOW ZERO. Islaw sero, o dan sero.
ZERO GROWTH. Dim twf.
ZERO HOUR. Amser cychwyn, yr awr ddewisiedig.
zest, *n.* Eiddgarwch, awch, blas, afiaith.
zestful, *a.* Awchus, eiddgar, egnïol, brwd, brwdfrydig.
zigzag, *a.* I. Igam-ogam.
2. *v.* Igam-ogamu.
zinc, *a.* Sinc.

Zion, *n.* Seion.
zip, *n.* Sip.
TO DO UP A ZIP. Cau sip.
zither, *n.* Sither.
zodiac, *n.* Sidydd.
THE SIGNS OF THE ZODIAC. Y sygnau, arwyddion y sidydd.
zone, *n.* Cylch, parth, rhanbarth.
DANGER ZONE. Cylch peryglus.
PARKING ZONE. Ardal barcio.
NO PARKING ZONE. Ardal gwahardd parcio.
zoo, *n.* Sŵ.
zoological, *a.* Söolegol.
zoologist, *n.* Söolegwr, söolegydd.
zoology, *n.* Söoleg.
zoom, *n.* I. Gwib, rhuthr ; closiad.
2. *v.* Saethu ; closio, nesáu.
ZOOM LENS. Lens glosio.

SUPPLEMENT – ATODIAD

A SHORT INTRODUCTION
TO WELSH PRONUNCIATION

Welsh is the envy of many languages, in as much as it has a standardized pronunciation. Each letter in the alphabet, with the exception of y, has but one sound value. Thus Welsh texts may be read phonetically from the very start, once the learner has mastered the essentials. With the availability of suitable broadcasts on radio: Radio Cymru (VHF 92-95; 96.8), Radio Wales (882 KHz MW), local stations such as Sain Abertawe (1170 MW), Radio Ceredigion (VHF 96.9, 103.3), Radio Maldwyn (397m 756 KHz); Television Channel S4C; cassettes, records and CDs, the learner has an unprecedented opportunity of listening daily to the language 'in action' to confirm pronunciation, idiom and usage. Ideally, the learner should practise, where possible, regular conversation with a Welsh speaker.

In the table below, consonants, vowels and diphthongs are considered and matched with approximate sound values. There remains however one sound value for which no English equivalent exists, namely **ll**, as in **Llanelli**. This is best attempted as **hl!!!**

Welsh Consonants	*Approximate equivalent sound*
b	as in **b**ad, **b**ed, **b**it, **b**ook, a**b**ide
c	as in **c**at, **C**live, **c**ount.
ch	as in German: A**ch**tung! J. S. Ba**ch**.
d	as in **d**ig, **d**inner, pro**d**.
dd	as in **th**em, **th**en, **th**e dog, **th**ose.
f	as in o**f**, e**v**e, **V**olga.
ff	as in o**ff**, **ph**ysics, **f**ly.
g	as in **g**et, **g**ive, **g**rey.
ng	as in ba**ng**, so**ng**, wi**ng**er, bi**ng**o.
h	as in **h**air, **h**ot, **h**itch.
j	as in **j**am, **j**ar, **j**unk.
l	as in **l**ip, **l**ever, **l**ot, **l**agoon.
ll	best attempted as **hl!**
m	as in **m**u**m**ble.
n	as in **n**o, **n**ever, **n**ine.
p	as **p**o**p**.
ph	as in **f**ill, **Ph**ilip.
r	as in Scots pronunciation of **r**ash, **r**ed.
rh	even stronger than **r**, as **hr!**
s	as in mi**ss**, ki**ss**, hi**ss**.
t	as in **t**in, **t**op, **t**itle.
th	as in **th**ick, **th**eatre, **th**atch.

Welsh Vowels	*Approximate equivalent sound*
a	as in **a**pple, m**a**n, **A**berdeen.
â	'**a**' sound value held slightly longer.
e	as in b**e**t, g**e**t, m**e**t.
ê	as the '**a**' sound in m**a**ne, w**a**ne.
i	as in gr**i**n, sk**i**n, w**i**n.
î	as the '**ee**' sound in sh**ee**n, w**ee**p.
o	as in p**o**t, r**o**t, t**o**t.
u	as in **y**ear, **y**east, **y**esterday.
û	'**u**' sound held slightly longer.
w	as in **w**ent, **w**ood, **W**illiam.
ŵ	'**w**' sound held slightly longer.
y	(i) as the '**i**' sound in d**i**n, k**i**n, sp**i**n.
	(ii) as the '**u**' sound in r**u**t, sh**u**t, spl**u**tter.
ŷ	as for **y** (i) but held slightly longer.

Diphthongs are combinations of two vowels pronounced together under one stress.

Welsh diphthongs:

ai **ae** **au**	The sound value resembles the '**ai**' in **Tai**wan, **Shanghai**. Welsh words: M**ai**, m**ae**, c**ae**, c**au**, h**au**l, p**ai**d, Sb**ae**n, mam**au**.
âi **âu**	With **âi** and **âu** the sound value is similar to **ai** above, with the **â** sound slightly longer. Welsh words: c**âi**, gwn**âi**, dram**âu**, gwel**âu**, them**âu**.
aw	Combine '**a**' as in **a**t with '**w**' as in **w**in. The sound resembles the '**au**' sound in **Mau-mau**, Welsh words: **aw**n, d**aw**, br**aw**, c**aw**s, gl**aw**.
ei **eu** **ey**	The sound value as in w**ei**gh. Welsh words: **ei**, **eu**, c**ei**, cr**eu**, dw**eu**d, ll**ey**g, t**ey**rnas.
ew	Combine '**e**' as in **e**nd with '**w**' as in **w**ind. Welsh words: bl**ew**, d**ew**r, gl**ew**, rh**ew**.
oe **oi** **ou** **ôi**	As the '**oi**' sound in c**oi**l, Hann**oi**, and as the '**oy**' sound in b**oy**, t**oy**. Welsh words: c**oe**d, bl**oe**dd, rh**oi**, d**ou**, d**ôi**.

382

öy }	As in **oi** above, except with the stress on the **ö**.
	Welsh words: bröydd, glöyn.

ow }	As in b**ow**l, gr**ow**n, m**ow**n.
	Welsh words: g**ow**n, rh**ow**n.

iw	As '**u**' in t**u**ne, em**u**.
yw (i) }	Welsh words: br**iw**, m**iw**, s**iw**, **yw**, c**yw**, b**yw**, D**uw**.
uw.	

yw (ii) }	The sound value of '**y**' is like that of '**e**' when '**the**' precedes a consonant: **the** man, and followed by the '**w**' sound in **w**in.
	Welsh words: cl**yw**ed, b**yw**yd, H**yw**el, t**yw**el.

wy }	(i) As in **we**.
	Welsh words: g**wy**n, g**wy**nt, g**wy**rdd.
	(ii) As in **wee**.
	Welsh words: ch**wy**s, g**wŷ**r, g**wy**s.
	(iii) As in (i) above, except that the '**w**' sound is more emphasised.
	Welsh words: m**wy**n, c**wy**n, h**wy**, ll**wy**, tr**wy**n, **wy**.

Accent falls on the penultimate syllable in polysyllables, for instance:

cárreg	cerddórfa
cósbi	gwrándo
lléstri	Pontargóthi
máneg	pentrèfi
mẁnci	llygóden
páder	poplýsen

Exceptions to this rule usually carry accents:

iacháu, caniatáu, coffáu, nacáu, ar wahân . . .

INTRODUCTION TO WELSH GRAMMAR
NOUNS – ENWAU

Nouns in Welsh, apart from a few exceptions, are either masculine or feminine in gender.

The plural can be formed from the singular in seven ways:

1. by adding a plural ending –

-au:	**afal** (*apple*), *pl.* afalau. **tegan** (*toy*), *pl.* teganau. **llwy** (*spoon*), *pl.* llwyau.
-i:	**ffenestr** (*window*), *pl.* ffenestri. **perth** (*hedge*), *pl.* perthi. **llwyn** (*bush*), *pl.* llwyni.
-od:	**cath** (*cat*), *pl.* cathod. **baban** (*baby*), *pl.* babanod. **llwynog** (*fox*), *pl.* llwynogod.
-ion:	**ysgol** (*school*), *pl.* ysgolion. **atgof** (*memory*), *pl.* atgofion. **esgob** (*bishop*), *pl.* esgobion.
-ydd:	**bro** (*vale, region*), *pl.* broydd. **fferm** (*farm*), *pl.* ffermydd. **afon** (*river*), *pl.* afonydd.
-iau:	**het** (*hat*), *pl.* hetiau. **esgid** (*boot, shoe*), *pl.* esgidiau. **gofid** (*worry, sorrow*), *pl.* gofidiau.
-iaid:	**creadur** (*creature*), *pl.* creaduriaid. **gwennol** (*swallow*), *pl.* gwenoliaid. **pechadur** (*sinner*), *pl.* pechaduriaid.
-oedd:	**môr** (*sea*), *pl.* moroedd. **dinas** (*city*), *pl.* dinasoedd. **gwisg** (*dress*), *pl.* gwisgoedd.
-ed:	**merch** (*girl*), *pl.* merched. **pryf** (*insect*), *pl.* pryfed.

2. by adding an ending and a vowel change –

a > e
gardd (*garden*) *pl.* gerddi.
gwlad (*country*), *pl.* gwledydd.

a > ei
mab (*son*), *pl.* meibion.
gwas (*servant*), *pl.* gweision.

e > ei
capten (*captain*), *pl.* capteiniaid.

ae > ei
saer (*carpenter*), *pl.* seiri.

ae > ey
maes (*field*), *pl.* meysydd.

aw > ew
cawr (*giant*), *pl.* cewri.

ai > ei
ffair (*fair*), *pl.* ffeiriau.

au > eu
haul (*sun*), *pl.* heuliau.

Further examples to the above may be obtained to illustrate other vowel changes, such as:

aw > o; w > y; uw > u; ai > a; ei > a; ai > ae . . .

3. by a vowel change –

a > ai: **llygad** (*eye*), *pl.* llygaid. **brân** (*crow*), *pl.* brain.

a > ei: **bardd** (*poet, bard*), *pl.* beirdd. **iâr** (*hen*), *pl.* ieir.

ae > ai: **draen** (*thorn*), *pl.* drain.

oe > wy: **croen** (*skin*), *pl.* crwyn.

Further examples may be obtained to illustrate other vowel changes, such as:

a > y; e > y; o > y; w > y.

4. by dropping a singular ending –

gwelltyn (*straw*), *pl.* gwellt.

pysgodyn (*fish*), *pl.* pysgod.

mochyn (*pig*), *pl.* moch.

5. by dropping a singular ending and implementing a vowel change –

a > ai: **hwyaden** (*duck*), *pl.* hwyaid.

ei > ai: **deilen** (*leaf*), *pl.* dail.

e > a: **plentyn** (*child*), *pl.* plant.

eu > au: **blodeuyn** (*flower*), *pl.* blodau.

Further examples may be obtained to illustrate other vowel changes, such as:

o > y; o > aw; ew > au; y > w . . .

6. by changing a singular ending for a plural ending –

cwningen (*rabbit*), *pl.* cwningod.

diferyn (*drop*), *pl.* diferion.

7. by changing a singular ending for a plural ending and implementing a vowel change –

cerdyn (*card*), *pl.* cardiau.

teclyn (*tool*), *pl.* taclau.

For a further discussion of *all* the ways of forming the plural of nouns the reader should refer to specific books on Welsh grammar.

VERBS – BERFAU

The irregular verb **bod** – *to be* is conjugated below in the Present Tense.

Present Tense   **bod** – *to be*
Singular		*Plural*	
1. **(Ry)dw i**	*I am*	1. **(Ry)dyn ni**	*We are*
2. **Rwyt ti**	*You are*	2. **(Ry)dych chi**	*You are*
3. **Mae e/hi**	*He/She/It is*	3. **Maen nhw**	*They are*

3rd Person *Singular* : **mae, oes, sy, yw, ydy, Oes ?**
3rd Person *Plural* : **mae, oes, sy, ydyn, Oes ?**

The above spoken Welsh forms are derived from the Literary form : **Yr ydwyf i; Yr wyt ti; Y mae ef/hi; Yr ydym ni; Yr ydych chwi; Y maent hwy.**

Interrogative Form
Singular		*Plural*	
1. **Ydw i ?**	*Am I ?*	1. **(Y)dyn ni ?**	*Are we ?*
2. **Wyt ti?**	*Are you ?*	2. **(Y)dych chi ?**	*Are you ?*
3. **Ydy e/hi ?**	*Is he/she/it ?*	3. **(Y)dyn nhw ?**	*Are they ?*

Negative Form
Singular		*Plural*	
1. **(Dy)dw i ddim**	*I am not*	1. **(Dy)dyn ni ddim**	*We are not*
2. **Dwyt ti ddim**	*You are not*	2. **(Dy)dych chi ddim**	*You are not*
3. **(Dy)dyw e/hi ddim**	*He/She/It is not*	3. **(Dy)dyn nhw ddim**	*They are not*

Regular Verbs
Welsh verbs have inflected tenses, that is, the tenses have their own endings. These endings are added to the stem of the verb. Most verbs follow a regular pattern, but some irregular verbs exist. A typical regular verb in its compact form is illustrated:

Present Tense
Canu – *to sing, to play a piano/harp . . .*
Singular
1. **Canaf (i)**	*I sing, I play a piano/harp . . .*
2. **Ceni (di)**	*You sing, You play . . .*
3. **Cân (ef/hi)**	*He/She/It sings . . .*

Plural
1. **Canwn (ni)**   *We sing, We play . . .*
2. **Cenwch (chi)**   *You sing, You play . . .*
3. **Canant (hwy)**   *They sing, They play . . .*

The verb **bod** – *to be* is used as an auxiliary in forming tenses of regular verbs such as canu – *to sing, to play . . .*, **prynu** – *to buy*, **cysgu** – *to sleep . . .* The Present tense of **canu** is easily formed by using the Present tense of bod, that is **(Ry)dw i, Rwy ti, Mae e/hi . . .** followed by **yn + canu**.

Note:

(Ry)dw i yn canu	becomes	**(Ry)dw i'n canu**
Rwyt ti yn canu	becomes	**Rwyt ti'n canu**
Mae e yn canu	becomes	**Mae e'n canu . . .**

Present Tense
Canu – *to sing, to play . . .*
Singular

1. **(Ry)dw i'n canu**   *I sing, I play a piano/harp . . .*
2. **Rwyt ti'n canu**   *You sing, You play . . .*
3. **Mae e'n/hi'n canu**   *He/She/It sings, etc.*

Plural

1. **(Ry)dyn ni'n canu**   *We sing, we play . . .*
2. **(Ry)dych chi'n canu**   *You sing, You play . . .*
3. **Maen nhw'n canu**   *They sing, They play . . .*

ADJECTIVES – ANSODDEIRIAU

In Welsh the adjective usually follows the noun:

tŷ **gwyn**	–	*a white house*
llwybr **hir**	–	*a long path*
bachgen **cryf**	–	*a strong boy*
car **newydd**	–	*a new car*
diwrnod **gwlyb**	–	*a wet day*
gardd **hyfryd**	–	*a beautiful garden*
bwyd **blasus**	–	*tasty food*

When the adjective follows a singular masculine noun no mutation occurs. When the adjective follows a singular feminine noun it takes soft mutation.

drws pren	–	*a wooden door*
merch **dd**a	–	*a good girl*
brawd mawr	–	*a big brother*
chwaer **f**ach	–	*a little sister*
tad dewr	–	*a brave father*
mam **d**yner	–	*a tender mother*
ewythr doeth	–	*a wise uncle*
modryb **g**aredig	–	*a kind aunt*

Adjectives do **not** mutate when they follow **plural** nouns. When an adjective precedes a noun the noun is mutated whether it be masculine of feminine.

hen **f**wthyn	–	*an old cottage*
hen **ŵ**r	–	*an old man*
hen **w**raig	–	*an old woman*
annwyl **f**am	–	*a dear mother*
annwyl **d**ad	–	*a dear father*
unig **f**erch	–	*an only daughter*
unig **f**ab	–	*an only son*

The feminine form of a few adjectives is still used in everyday speech. Examples follow :

Masculine	*Feminine*	
tlws	tlos	*pretty*
gwyn	gwen	*white*
bychan	bechan	*little*
melyn	melen	*yellow*

The Comparison of Adjectives
Cymharu Ansoddeiriau

There are four degrees of comparison in Welsh, namely: positive, equative, comparative and superlative. Adjectives are compared by two methods:

(i) using **mor** . . . **mwy** . . . **mwyaf** in front of the adjective

Positive	Equative	Comparative	Superlative
cyflym	**mor gyflym** *	**mwy cyflym**	**mwyaf cyflym**
quick	*as quick*	*quicker*	*quickest*
hapus	**mor hapus**	**mwy hapus**	**mwyaf hapus**
happy	*as happy*	*happier*	*happiest*
tawel	**mor dawel** *	**mwy tawel**	**mwyaf tawel**
quiet	*as quiet*	*quieter*	*quietest*
cryf	**mor gryf***	**mwy cryf**	**mwyaf cryf**
strong	*as strong*	*stronger*	*strongest*
glân	**mor lân** *	**mwy glân**	**mwyaf glân**
clean/fair	*as clean/fair*	*cleaner/fairer*	*cleanest/fairest*
pell	**mor bell** *	**mwy pell**	**mwyaf pell**
far	*as far*	*further*	*furthest*

* **mor** is followed by Soft Mutation, except when the adjective begins with **ll** or **rh**.

(ii) with regular adjectives the endings **-ed, -ach, -af** are added respectively to the adjective in its Positive form in order to form the other degrees.

Positive	Equative	Comparative	Superlative
cyflym	**cyflymed**	**cyflymach**	**cyflymaf**
hapus	**hapused**	**hapusach**	**hapusaf**
tawel	**taweled**	**tawelach**	**tawelaf**
cryf	**cryfed**	**cryfach**	**cryfaf**

Examples using the two methods of the comparison of adjectives:

Dyma'r lle mwyaf tawel.
Here is the quietest place.
Dyma'r lle tawelaf.

Mae Siôn mor gryf â llew.
Siôn is as strong as a lion.
Mae Siôn cyn gryfed† â llew.

Mae'r car yn fwy cyflym na'r trên.
The car is quicker than the train.
Mae'r car yn gyflymach na'r trên.

†**cyn** is followed by Soft Mutation, except when the adjective begins with **ll** or **rh**.

PERSONAL PRONOUNS – RHAGENWAU PERSONOL

There are two classes of personal pronouns in Welsh: independent and dependent.

Independent personal pronouns
This group of pronouns is not dependent on any other word in a sentence and may stand entirely alone. The commonest group:

Singular			*Plural*		
1. **fi, mi**	*I, me*		1. **ni**	*we, us*	
2. **ti, di**	*you*		2. **chi**	*you*	
3. **fe/e, fo/o,**	*he, him, it*		3. **nhw**	*they, them*	
hi	*she, her*				

Dependent personal pronouns
These pronouns are dependent on either a noun, another pronoun or personal ending of a verb, preposition or verb-noun. An example of this group:

Singular			*Plural*		
1. **fy, f'**	*my*		1. **ei**n	*our*	
2. **dy, d'**	*your*		2. **eich**	*your*	
3. **ei**	*his/her/its*		3. **eu**	*their*	

These prefixed forms, which are always in the genitive (possessive) case, are used before nouns and verb-nouns.

'Dw i'n clywed eu sŵn.
I hear their noise.
Rwyt ti'n gweld ein gwlad.
You see our country.
Maen nhw'n gwrando ar dy ganu.
They are listening to your singing.

For a fuller discussion of Personal Pronouns the reader should refer to specific books on Welsh Grammar.

PREPOSITIONS – ARDDODIAID

Prepositions are followed by nouns or pronouns:

gyda – *with*	**gyda ni**, *with us*;	**gyda Mam**, *with Mother*
i fyny – *up*	**i fyny'r bryn**, up the hill;	**i fyny'r ysgol**, *up the ladder*
i lawr – *down*	**i lawr yr heol**, *down the road*;	**i lawr y mynydd**,
		down the mountain
mewn – *in*	**mewn twll**, *in a hole*;	**mewn eiliad**, *in a second*

Some prepositions are conjugated and have personal forms:

i – *to, for*

Singular		*Plural*	
1. **i fi/mi**	*to me, for me*	1. **i ni**	*to us, for us*
2. **i ti**	*to you . . .*	2. **i chi**	*to you . . .*
3. **iddo fe**	*to him/it . . .*	3. **iddyn nhw**	*to them . . .*
iddi hi	*to her . . .*		

yn – *in*

Singular		*Plural*	
1. **yno i**	*in me*	1. **ynon ni**	*in us*
2. **ynot ti**	*in you*	2. **ynoch chi**	*in you*
2. **ynddo fe**	*in him/it*	2. **ynddyn nhw**	*in them*
ynddi hi	*in her*		

at – *to, towards*

Singular		*Plural*	
1. **ata i**	*to me, towards me*	1. **aton ni**	*to us, towards us*
2. **atat ti**	*to you . . .*	2. **atoch chi**	*to you . . .*
3. **ato ef**	*to him/it . . .*	3. **atyn nhw**	*to them . . .*
ati hi	*to her . . .*		

Personal endings **-a; -at; -o, -i; -on; -och; -yn** are added to the stem of the preposition **at** (stem **at-**). Similarly with the prepositions **dan** – *under* (stem **dan-**), **am** – *around* (stem **amdan-**), and **ar** – *on* (stem **arn-**):

ar – *on*

Singular		*Plural*	
1. **arna i**	*on me*	1. **arnon ni**	*on us*
2. **arnat ti**	*on you*	2. **arnoch chi**	*on you*
3. **arno ef**	*on him/it*	3. **arnyn nhw**	*on them*
arni hi	*on her*		

The conjugated prepositions **i, at, ar, dan, am, dros, drwy/trwy, gan, heb, o, wrth** are used in their simple form when the object governed by the preposition is a noun or verb-noun. Soft mutation follows these prepositions:
am gysgu; ar bapur; i dre; at ddrws; dan glawr; dros glawdd; drwy dân; gan feddwl; heb gymorth; o Gonwy; wrth ddweud.
The conjugated preposition **yn** in its simple form is followed by Nasal mutation. It becomes **yng** before **c** and **g**, and **ym** before **p** and **b** :

yng nghornel yr ardd	*in the corner of the garden*
yng ngardd yr ysgol	*in the school's garden*
yng nglaw'r gaeaf	*in the winter's rain*
ym mwyd y gwesty	*in the hotel's food*
ym Mangor	*in Bangor*
ym Mhorth-cawl	*in Porth-cawl*

A SHORT INTRODUCTION TO THE
MAIN RULES OF MUTATION
RHEOLAU TREIGLO

Nine initial consonants mutate: **c, p, t, g, b, d, ll, m, rh**. The manner in which they mutate is shown below:

Initial consonant	Soft	Nasal	Spirant
cot	dy **g**ot di	fy **ngh**ot i	ei **ch**ot hi
coat	*your coat*	*my coat*	*her coat*
pen	dy **b**en di	fy **mh**en i	ei **ph**en hi
head	*your head*	*my head*	*her head*
tad	dy **d**ad di	fy **nh**ad i	ei **th**ad hi
father	*your father*	*my father*	*her father*
gardd	dy ardd di	fy **ng**ardd i	
garden	*your garden*	*my garden*	
bys	dy **f**ys di	fy **m**ys i	
finger	*your finger*	*my finger*	
drws	dy **dd**rws di	fy **n**rws i	
door	*your door*	*my door*	
llyfr	dy **l**yfr di		
book	*your book*		
mam	dy **f**am di		
mother	*your mother*		
rhaff	dy **r**aff di		
rope	*your rope*		

Soft Mutation – Treiglad Meddal
Nine consonants are affected by Soft Mutation:
c > g; p > b; t > d; g> (disappears); **b > f; d > dd; ll > l; m > f; rh > r.**

Nouns
1. Feminine singular nouns undergo Soft Mutation after the definite article: y, yr, 'r.
    y **g**ath, y **b**êl, y **d**aith, yr ardd, y **f**raich, i'r **dd**afad, o'r **f**am.
    ll and **rh** do not mutate after **y, yr, 'r**.
2. Nouns when preceded by adjectives:
    hen **d**ŷ (*an old house*); annwyl **d**eulu (*a dear family*); unig **l**e (*a lonely place*).
3. Nouns and verb-nouns after the prepositions **ar, am, at, dan, dros, drwy, gan heb, hyd, i, o, wrth**.
    ar **d**ân, am **dd**iwrnod, at **dd**rws, dan **w**ely, dros **f**ynydd, drwy **dd**ŵr, heb **g**ysgod, hyd **dd**iwedd, i **g**anu, o **g**ofio, wrth **g**erdded.
    The verb-nouns **canu, cofio, cerdded** mutate as nouns in this context.

4. Nouns after **dyma, dyna, wele, dacw** :
   Dyma d**ŷ** cynnes. (*Here's a warm house.*) Dyna **dd**yn da. (*There's a good man.*)
   Wele **o**lau coch! (*Behold a red light!*) Dacw **g**i defaid. (*There's a sheepdog yonder.*)
5. Nouns and verb nouns after the conjunction. **neu** – *or* :
   gwynt neu **l**aw (*wind or rain*); mab neu **f**erch (*a son or daughter*); ennill neu **g**olli (*win or lose*).
6. Nouns after the personal pronouns **dy** and **ei** (*masculine*) together with **'i** (*masculine*) and **'w** (*masculine*):
   dy **d**ad (*your father*); dy **f**am (*your mother*); dy **l**yfr (*your book*); ei **g**artref (*his home*); Rhys a'i **f**rawd (*Rhys and his brother*); Aeth Twm yn ôl i'w **w**lad. (*Twm returned to his country.*)
7. Nouns in the vocative case:
   Dad annwyl! (*Dear Father!*) **L**owyr, dewch! (*Miners come!*) **W**eithwyr y byd, unwch! (*Workers of the world, unite!*)
8. Nouns used as adjectives after feminine singular nouns:
   gwisg **b**riodas (*wedding dress*); llwy **d**e (*teaspoon*); cadair **f**reichiau (*armchair*).

Adjectives

1. Adjectives after feminine singular nouns:
   stori **f**er (*short story*); gwraig **dd**a (*good wife*); merch **d**enau (*thin girl*);
   ffordd **d**ywyll (*dark way*).
2. Adjectives in comparison after **mor** and **cyn**:
   mor **d**rwm â (*as heavy as*); mor **g**och â (*as red as*); cyn **w**ynned â (*as white as*);
   cyn **g**yflymed â (*as fast as*).
3. Adjectives after the predicate **yn**:
   Mae Non yn **g**aredig. *Non is kind.*
   Roedd y tarw yn **d**rwm. *The bull was heavy.*
   Mae'r bwyd yn **d**wym. *The food is hot.*
   ll and **rh** do *not* mutate after **yn**.
4. Adjectives after the conjunction **neu** – *or*: cyfoethog neu **dl**awd (*rich or poor*);
   da neu **dd**rwg (*good or bad*); gwyn neu **dd**u (*white or black*).

Verbs

1. After the conjunction **pan**:
   Pan **dd**aeth Ifan adre . . . *When Ifan came home* . . .
   Pan **f**ydd arian gen i . . . *When I shall have money* . . .

Nasal Mutation – Treiglad Trwynol

Six consonants are affected by Nasal Mutation:
c > ngh; p > mh; t > nh; g > ng; b > m; d > n.

1. After the personal pronoun **fy**:
   fy **ngh**ap (*my cap*); fy **mh**en (*my head*); fy **nh**rwyn (*my nose*); fy **ng**ardd (*my garden*); fy **m**wyd (*my food*); fy **n**rws (my door).
2. After the preposition **yn**:
   yn + c > yng ngh-
   Yng **Ngh**aerdydd, yng **Ngh**aerfyrddin.
   yn + g > yng ng-
   Yng **Ng**orseinon, yng **Ng**arnswllt.
   yn + p > ym mh-
   Ym **Mh**enclawdd, Ym **Mh**orthaethwy.
   yn + b > ym m-
   Ym **M**iwmares, ym **m**reuddwyd y brenin.
3. **Blwydd** (*a year old*), **blynedd** (*a year*), and **diwrnod** (*a day*) all mutate after the cardinal numbers **pum, saith, wyth, naw, deng, deuddeng, ugain** (and numbers incorporating **ugain**, such as **trigain**), and **can**.
   pum **m**lwydd oed (*five years old*);
   saith **m**lynedd (*seven years*);
   wyth **n**iwrnod (*eight days*);
   deng **m**lwydd oed (*ten years old*);
   ugain **n**iwrnod (*twenty days*);
   can **m**lynedd (*a hundred years, a century*).

Spirant Mutation – Treiglad Llaes

Three consonants are affected by Spirant Mutation:
   c > ch; p > ph; t > th.
1. After the personal pronouns **ei** (*feminine*), **'i** (*feminine*) and **'w** (*feminine*);
   ei **ch**of (*her memory*); ei **ph**en (*her head*); ei **th**ad (*her father*); o'i **ch**ap (*from her cap*); i'w **th**ŷ (*to her house*).
2. After the cardinal numbers **tri, chwe**:
   tri **ch**wpan (*three cups*); tri **ph**ysgodyn (*three fishes*); chwe **ph**ictiwr (*three pictures*); chwe **th**estun (*six subjects*).
3. After the prepositions **â, gyda, tua**:
   torri cig â **ch**yllell. *Cutting meat with a knife.*
   gweithio gyda **th**ad Emyr. *Working with Emyr's father.*
   cerdded gyda **ch**yfaill. *Walking with a friend.*
   mynd tua **Ph**orth-cawl. *Going towards Porth-cawl.*
   aros tua **th**ri mis. *Waiting about three months.*
4. After the conjunctions **a** (*and*), **na** (*nor, than*), **oni** (*until, unless*);
   bara a **ch**aws (*bread and cheese*); ci a **ch**ath (*a dog and a cat*); na **ph**en na **ch**wt (*nor head nor tail*); yn fwy na **ph**um punt (*more than five pounds*); yn galetach na **ch**arreg (*harder than a stone*); Oni **ch**lywaf (*unless I shall hear*).
5. After the adverbs **â** (*as*), **tra** (*very, exceedingly*):
   cyn wynned â **ch**alch. (*as white as lime*);
   tra **th**ywyll. (*exceedingly dark*).

WORD-SEARCH IN THE WELSH-ENGLISH SECTION OF THE DICTIONARY

The reader will have already observed, having read the introduction to the Rules of Mutation, that Welsh nouns, adjectives, verbs, and prepositions beginning with **c,p,t,g,b,d,ll,m,rh** may change their initial letters, for example: **c**ôr (*choir*) may appear in a Welsh text as **g**ôr, **ngh**ôr or **ch**ôr. Similarly **p**ont (*bridge*) may appear as **b**ont, **mh**ont or **ph**ont. Again **t**ân (*fire*) may appear as **d**ân, **nh**ân or **th**ân. With nouns, adjectives, verbs &c. beginning with **g**, such as **g**adael (*to leave*); **g**ardd (*garden*); **g**law (*rain*); **g**rym (*force*) . . . the initial **g** disappears completely so that **g**adael > adael; **g**ardd > ardd; **g**law > law; **g**rym > rym . . .

Listing every possible mutation would add considerably to the size of the dictionary and ultimately be counter productive (see the Welsh Section under **W**).

When **dd**ant (*tooth*); **dd**igon (*enough*); **dd**illad (*clothes*) . . . appear in a text, the reader, unable to trace the words under **D**, should allow for the possibility of mutation and then search anew for **d**ant, **d**igon, **d**illad . . .

With words such as wawr, wely, well . . . the reader would do well to remember that a soft mutation has occurred and that the words were originally **g**wawr, **g**wely, **g**well . . .

The table below will assist the reader to acquire a familiarity with the standard form of mutated words:

Mutated forms	*Standard form*
afael, ngafael	**g**afael (*to grasp; hold*)
air, ngair	**g**air (*word*)
bost, mhost, phost	**p**ost (*post, mail*)
brynu, phrynu, mhrynu	**p**rynu (*to buy*)
chaws, gaws, nghaws	**c**aws (*cheese*)
delyn, thelyn, nhelyn	**t**elyn (*harp*)
drwyn, thrwyn, nhrwyn	**t**rwyn (*nose*)
fam	**m**am (*mother*)
faneg	**m**aneg (*glove*)
fôr	**m**ôr (*sea*)
frawd, mrawd	**b**rawd (*brother*)
fro	**b**ro (*region, vale*)
fuwch, muwch	**b**uwch (*cow*)
fynydd	**m**ynydd (*mountain*)
glwyd, nghlwyd, chlwyd	**c**lwyd (*gate*)
nghadair, gadair, chadair	**c**adair (*chair*)
nghusan, gusan, chusan	**c**usan (*kiss*)
lawes	**ll**awes (*sleeve*)
lithro	**ll**ithro (*to slip*)
lwyr	**ll**wyr (*complete*)
narn, ddarn	**d**arn (*piece, part*)
nolen, ddolen	**d**olen (*handle, link*)

nrws, ddrws	**dr**ws (*door*)
nydd, ddydd	**d**ydd (*day*)
ofid, ngofid	**g**ofid (*worry, sorrow*)
ofyn	**g**ofyn (*to ask*)
olchi, ngolchi	**g**olchi (*to wash; washing*)
pherson, berson, mherson	**p**erson (*person; parson*)
phlu, blu, mhlu	**p**lu (*feathers*)
raff	**rh**aff (*rope*)
ran	**rh**an (*part, share*)
rif	**rh**if (*number*)
ryddid	**rh**yddid (*freedom, liberty*)
thaith, daith, nhaith	**t**aith (*journey*)
tharo, daro, nharo	**t**aro (*to strike*)
weld, ngweld	**g**weld (*to see*)
wneud, ngwneud	**g**wneud (*to do, to make*)

The reader may come across such words as: **h**adnabod, **h**amynedd, **h**annwyl, **h**arfer, **h**ochor, **h**ysgol . . . Words beginning with a vowel are aspirated and acquire an initial **h** when preceded by the following pronouns:

ei, 'i, 'w *her* (feminine singular)
eu, 'u, 'w *their*
ein, 'n *our*

Her will	becomes	**Ei hewyllys**
Our school	becomes	**Ein hysgol**
Their spirit	becomes	**Eu hysbryd**

The reader being aware of the grammatical construction should ignore the initial **h** and seek the word under the second letter.

ugain is aspirated when preceded by **ar** in compound numbers:

un ar **h**ugain	*twenty one*
dau ar **h**ugain	*twenty two*
tri ar **h**ugain	*twenty three*
pedwar ar **h**ugain	*twenty four*
" " "	" "
" " "	" "
deg ar **h**ugain	*thirty*
unfed ar **h**ugain	*twenty first*
ail ar **h**ugain	*twenty second*
pumed ar **h**ugain	*twenty fifth*
degfed ar **h**ugain	*thirtieth*

Arfer yw mam pob meistrolaeth!
(*Literally*: Practice is the mother of all mastery.)
that is: Practice makes perfect.